5.005
SUEÑOS INTERPRETADOS

5.005 SUEÑOS INTERPRETADOS

Lucrecia Pérsico

LIBSA

San Rafael, 4
28108 Alcobendas. Madrid
Tel. (34) 91 657 25 80
Fax (34) 91 657 25 83
e mail: libsa@libsa.es

ISBN-13: 978-84-662-1270-0

Colaboración en textos: Lucrecia Pérsico
Edición: equipo editorial LIBSA
Diseño de cubierta: equipo de diseño LIBSA
Maquetación: Lucrecia Pérsico y equipo
de maquetación LIBSA

CONTENIDO

INTRODUCCIÓN

Pasamos la tercera parte de nuestra vida durmiendo. En este estado bajo el cual el cuerpo disminuye el ritmo de sus funciones vitales y en el que la mente escapa casi completamente a nuestro control, tenemos acceso a un mundo oscuro y extraño que no conoce las leyes que rigen la lógica ni las ciencias. Cuando dormimos, nuestro sistema nervioso genera un universo donde lo imposible se hace real, donde podemos experimentar la más intensa sensación de paz o de alegría, pero también la más absoluta desesperación o terror.

Las imágenes que recordamos al despertar pueden ser de tal riqueza creativa que nos cuesta creer que hayan sido generadas por nuestra propia mente. En nuestros sueños, aparece lo que ningún esfuerzo consciente podría llevarnos a imaginar: historias que nos asombran e, incluso, la solución a un problema que infructuosamente hemos intentado encontrar en período de vigilia. Al respecto, cabe decir que algunos de los más importantes descubrimientos científicos se han producido, precisamente, mientras el investigador estaba durmiendo y soñando.

Muchos de los fragmentos que quedan en la memoria después de abrir los ojos son comprensibles y ejemplifican de manera clara las preocupaciones, angustias o temores que nos acechan día a día; eso no quita para que la mayoría de las veces se mezclen con elementos visuales o auditivos que parecen no tener orden ni concierto y que son, precisamente, los que dificultan su comprensión o significado.

Hablar del mundo de los sueños es hablar de símbolos, del inconsciente colectivo, de arquetipos, de elementos que habitan el subconsciente y que, manejados por éste, representan la percepción que tenemos de nosotros mismos y del mundo que nos rodea. Simbolizan y describen nuestro lado más oscuro, los deseos escondidos que, a causa de la censura impuesta por la educación y ejercida por la parte consciente de nuestra mente, no pueden llegar al foco de la conciencia.

Este diccionario contiene 5.005 elementos que designan objetos o acciones. Están acompañados de su correspondiente significado simbólico, de la explicación que el hombre, a través de la historia, ha querido significar con su presencia. En algunos de ellos se dan varias acepciones; ello se debe a que las diferentes civilizaciones han significado cosas distintas para un mismo elemento. Para Occidente, por ejemplo, el color que representa el luto es el negro en tanto que en China o en la India, se le representa con el blanco. De la misma manera, para un pueblo que viva en el hemisferio norte, el sur puede aludir a los climas más templados y el norte, a los fríos; pero para un habitante del hemisferio sur, la simbología es la opuesta.

LA INTERPRETACIÓN DE LOS SUEÑOS

Algunos investigadores estiman que el hombre primitivo, al igual que los niños muy pequeños, no hacía distinción alguna entre la realidad y los sueños; para él ambos mundos formaban parte de un todo, de una unidad. Lo curioso, en todo caso, es que actualmente no tengamos ningún problema en reconocer si una imagen o historia es un mero producto de nuestra mente o un elemento externo que tiene existencia real, siendo algunos sueños tan vívidos.

Según consta en tablillas de arcilla encontradas en Asia Menor, la preocupación por comprender lo que soñaba ya inquietaba al hombre hace tres o cuatro mil años, pero la explicación que ha dado cada cultura a la naturaleza de los sueños ha sido muy variada. Para algunos, por ejemplo, las imágenes oníricas mostraban el lugar al cual iba el espíritu mientras el cuerpo dormía. Partiendo de esta concepción, en Transilvania vigilaban a los niños para que al descansar no mantuvieran la boca abierta, ya que por ella podía salir el alma y no regresar. Otras tribus, en cambio, procuraban tiznar la cara de sus enemigos mientras éstos dormían a fin de que, cuando el espíritu regresara a su morada, no pudiera reconocerla.

Los chinos creían que si el durmiente era despertado súbitamente, el alma no tendría el tiempo suficiente para incorporarse al cuerpo y quedaría vagando eternamente.

En ciertas tribus de América, estaba arraigada la creencia de que los sueños constituían el universo donde vivían sus antepasados, de modo que la actividad onírica era entendida como visitas que hacían a sus familiares fallecidos a fin de recabar su consejo o de ofrecerles sus respetos.

En Egipto, en cambio, los sueños eran tratados como materia religiosa y eran los sacerdotes quienes habitualmente se encargaban de interpretarlos, de analizar el mensaje que, suponían, les era enviado por los dioses. Quienes tenían sueños vívidos, obtenían el respeto de la población, ya que eran vistos como personas a las que los dioses habían elegido como emisarios.

En la antigua Grecia y en Roma, el análisis estaba orientado a encontrar en las imágenes advertencias o reprobaciones formuladas por las diferentes deidades. Por lo general, los jefes militares llevaban en sus ejércitos adivinos capaces de profetizar la victoria o la derrota utilizando los sueños como material a interpretar; al punto de que muchas de las acciones emprendidas por estos jefes o por los líderes políticos estuvieron basadas en estos análisis. Los sueños también se emplearon como diagnóstico médico para conocer las dolencias del durmiente.

En el antiguo testamento las interpretaciones oníricas ocupan un lugar muy importante. Ejemplo de ello es el sueño atribuido a José, el hebreo que había caído prisionero en manos de los egipcios y que es una historia muy famosa con respecto al mundo onírico.
Según se relata en el Génesis, estando el faraón descansando, se vio a sí mismo sentado a orillas del Nilo cuando salieron del río siete vacas hermosas y bien alimentadas. Tras éstas, salieron otras siete vacas flacas, desnutridas, que se comieron a las anteriores. El monarca despertó sobresaltado y, cuando volvió a quedarse dormido, vio siete espigas doradas, saludables y a continuación otras siete débiles y enfermas.
Estas imágenes suscitaron en él una fuerte preocupación, de modo que llamó a sabios y sacerdotes para que le dijeran cuál era el significado de estos sueños que tanto le inquietaban. Ninguno de ellos supo darle respuesta, pero el copero mayor que estaba presente hizo saber al faraón que en los calabozos había un hebreo llamado José que, según se decía, era un experto intérprete de sueños y que ya había ayudado a otros en ese menester, por lo que podría dar una explicación al faraón.
Sin perder tiempo, mandaron llamar a José y éste dijo que no se trataba de dos sueños, sino de uno solo y que su significado auguraba siete años de bonanza para el reino y otros siete de calamidades y pobreza. La profecía se cumplió al pie de la letra.

El mundo de los sueños dejó, paulatinamente, de preocupar seriamente a la élite intelectual o religiosa de las diferentes culturas, de manera que, hacia finales del siglo XVIII el tema, como elemento cultural, había sido, prácticamente, dejado de lado. Volvió a resurgir y con una fuerza inusitada a comienzos del siglo XX, con las teorías formuladas por un médico vienés llamado Sigmund Freud. Para él, los sueños expresaban deseos reprimidos, sepultados en el inconsciente, que afloraban a la mente previamente deformados por la censura consciente. Aseguró que, analizando las imágenes y secuencias aparecidas en el sueño, era posible comprender las frustraciones, inquietudes y problemas de una persona. También que, en las neurosis, su comprensión podría llevar al paciente a resolver en gran medida sus trastornos. No todos los psicólogos y psiquiatras están hoy totalmente de acuerdo con las teorías de Freud, pero lo cierto es que este investigador ha sentado las bases para la comprensión de muchos fenómenos que ocupan nuestra mente. De hecho, es cierto que en sueños podemos dar rienda suelta a nuestros instintos más primitivos; en ellos, podemos hacer caer por un barranco a la persona que nos causa problemas y aplacar, en cierta medida, la ira que nos genera su conducta. De la misma manera, en sueños eróticos es posible cumplir las fantasías que no nos atrevemos a llevar a la realidad o expresar sentimientos que, por diversas razones, no podemos transmitir en la vida real. Digamos que soñar es nuestra vía de escape a todo lo que nos obsesiona o nos preocupa.

CURIOSIDADES ACERCA DE LOS SUEÑOS

Hay personas que aseguran soñar mucho en tanto que otras afirman no hacerlo nunca, pero lo cierto es que todos soñamos aunque haya quienes no puedan recordarlo.
En los laboratorios del sueño se ha mantenido a durmientes bajo control y se ha llegado a determinar que los períodos en los que se generan las imágenes oníricas son breves y ocurren entre tres y seis veces por noche. Cuando sobrevienen, el fenómeno es acompañado por un movimiento ocular característico y por la emisión de ondas cerebrales específicas.
Los científicos han demostrado que, si se despierta al durmiente cada vez que empieza a soñar durante un período de diez días, a lo largo de la prueba éste va perdiendo progresivamente sus facultades mentales hasta llegar a un estado que podría definirse como de locura. De ello se desprende que la actividad onírica es esencial para el buen funcionamiento de nuestra psiquis. Algunos investigadores opinan que, durante el sueño, el cerebro descarta las conexiones inútiles que ha efectuado durante la vigilia y refuerza aquellas que estima necesarias.

Para los videntes, los sueños casi siempre son, esencialmente, visuales. Para los ciegos, en cambio, no es así. Si lo son de nacimiento, sus sueños están compuestos sólo por sensaciones táctiles, gustativas, olfativas y visuales que tienen la misma riqueza e impacto que para los videntes las visuales y si han quedado ciegos en épocas posteriores, al principio pueden ver en sueños pero, paulatinamente, este sentido es reemplazado por los otros de la misma manera que ocurre en su vida real. En el relato de los sueños experimentados por ciegos llama la atención que si van caminando por una calle lo hagan sin bastón aunque suelan utilizarlo para sus desplazamientos habituales, lo que viene a incidir en la idea de que el sueño es una idealización de la realidad donde todo es posible, tanto para mejorarla como para convertirla en una pesadilla.

Otro fenómeno que llama la atención es que, a los cinco minutos de despertar, la mitad del contenido onírico no se puede recuperar de la memoria y que pasados los diez, el noventa por ciento se ha perdido.

Las tareas que se realizan en la vida cotidiana, como las actividades propias de una profesión, a menudo inciden sobre la forma de soñar o sobre los sueños en sí. Así, un director de cine, cuando tenía un sueño desagradable, «cortaba» el sueño (sin despertar) y volvía a «rodar la escena» de un modo más satisfactorio. De la misma manera, los soldados que vuelven de la guerra tras haber tenido que luchar duramente para conservar la vida, pueden constituir una amenaza para quien duerma a su lado, ya que tienen pesadillas tan vívidas que les llevan a golpear o agredir a su acompañante. En cualquier caso, el factor social o laboral del soñador debe tenerse en cuenta antes de interpretar la imagen onírica, ya que podría condicionarla por completo.

CÓMO ANALIZAR LOS PROPIOS SUEÑOS

A la hora de interpretar un sueño es necesario tener en cuenta el entorno en el cual nos movemos, en el cual vivimos. Para un matarife, soñar que mata una vaca no significa lo mismo que para un abogado que jamás ha hecho algo semejante, de la misma manera que no se puede dar idéntica interpretación al sonido de una explosión en el sueño de una persona que vive en medio de una guerra que en el de otra cuya vida transcurre en un lugar de paz y tranquilidad.

Es el sentido común el que debe presidir toda interpretación y el elemento más importante a considerar, a la hora de analizar lo que se ha soñado, es el momento por el que se está pasando: los temores, las preocupaciones, los problemas o las situaciones extraordinarias que se estén viviendo para adecuar a ellos el significado simbólico de las imágenes o los sonidos. Algunos sueños son sumamente perturbadores, sobre todo si se les supone un carácter premonitorio (una muerte, un accidente, etc.). Al respecto cabe decir que aquello que se vive en ellos rara vez se cumple. Además, son muy escasas las personas que tienen sueños premonitorios; por lo general se trata de individuos capaces de tener presentimientos muy certeros y que, a lo largo de su vida, sueñan muchas veces con cosas que, finalmente, se cumplen. El hecho de vivir en sueños un hecho, por vívido que el sueño sea, no quiere decir que lo ocurrido vaya a cumplirse en la realidad, de manera que no debemos hacer interpretaciones catastróficas que sólo podrían generarnos ansiedad.

La máxima utilidad de la interpretación onírica es el conocimiento que de ella tenemos sobre nosotros mismos; de ahí que deba hacerse desde la más absoluta sinceridad, porque de nada nos serviría engañarnos a nosotros mismos. Con un espíritu abierto y valiente podremos obtener, de los sueños, un material inapreciable para conocernos interiormente, hacer frente a nuestros temores y tener una vida psíquica saludable.

REGLAS PARA RECORDAR LOS SUEÑOS

Cada noche accedemos al mundo de los sueños pero, al despertar, lo que hemos vivido en ellos desaparece de nuestra conciencia. Hay, sin embargo, algunas reglas que, poniéndolas en práctica, nos ayudarán a recordar lo que hemos soñado y además nos darán una mayor calidad de sueño y, por lo tanto, de descanso.

- Cuanto más clara esté la mente a la hora de irse a la cama, más probabilidades habrá de que los sueños puedan ser recordados. La razón es bastante obvia: si tenemos la cabeza ocupada con un sinfín de problemas, seguramente serán éstos los que se instalen en nuestra conciencia al despertar. Por lo tanto, aparquemos los problemas de cada día y vayamos a dormir relajados.

• Hacerse el propósito de recordar el sueño y decirse a uno mismo «Cuando despierte, recordaré todo lo que he soñado» puede favorecer que efectivamente eso ocurra, ya que antes de dormir nuestra mente está predispuesta a la docilidad.

• Acostarse y levantarse regularmente a la misma hora ayudará a crear un hábito de sueño y de despertar favorable.

• Evitar las comidas copiosas durante la noche o tomarlas unas cuantas horas antes de irse a dormir evitará muchas pesadillas y sueños inquietantes motivados por el ardor y la pesadez de estómago y no por nuestro propio subconsciente. Si el aparato digestivo necesita una gran cantidad de recursos, son menos los disponibles para el sistema nervioso.

• Tener junto a la cama lápiz y papel, o bien una grabadora. Al despertar, anotaremos inmediatamente el sueño antes de que éste se diluya. Una vez hecho esto se podrá comprobar que, en ocasiones, los sueños se presentan en secuencias, como si fueran capítulos de una misma serie.

Con estos consejos, tratemos de recordar nuestros sueños y después pasemos a analizarlos con la ayuda de este diccionario. Seguramente descubriremos muchas cualidades ocultas de nuestra personalidad o de quienes nos rodean y seamos capaces de enfrentarnos a nuestros problemas de un modo más sereno.

Ábaco

El empleo de este instrumento puede indicar que nos encontramos particularmente incómodos con las nuevas tecnologías, así como que sentimos un especial afecto hacia lo que nos pertenece, que desemboca en una actitud de fidelidad.
Si el ábaco es utilizado en un ambiente de trabajo, ello indica que necesitamos hacer grandes esfuerzos para obtener muy pobres resultados.

Abad

Como cabeza principal de una comunidad religiosa simboliza la autoridad y, al mismo tiempo, el consejo y la protección. Soñar con un abad señala que necesitamos el apoyo de personas mayores o el permiso de éstas para realizar ciertos proyectos que no tenemos del todo claros.

Abadía

Las abadías son edificios dedicados al culto en los cuales también viven religiosos de diversas órdenes. Dan lugar, pues, a la mística y, al mismo tiempo, a la convivencia. Soñar que estamos en una abadía significa que entramos en un período de interiorización y reconciliación; de perdón de las ofensas y de buenos propósitos. Ver una abadía desde fuera indica, por otra parte, que sentimos la llamada del mundo espiritual, pero que aún no podemos prestarle atención porque nos están distrayendo las múltiples preocupaciones del mundo material.

Abalorio

Los abalorios sirven para adornar, para embellecer a una persona o a un objeto. Si soñamos que los llevamos puestos, eso significa que no encontramos dentro de nosotros mismos motivos suficientes para ser admirados o apreciados por los demás. Aun cuando nos sintamos buenas personas, tal vez, según nuestro parecer, no tengamos una personalidad interesante y atractiva y eso nos lleva a tener ciertas dificultades a la hora de entablar relaciones.
Si en el sueño los abalorios los llevan los demás, quiere decir que descubrimos muchas falsedades en nuestro entorno o puede adevertirnos de que un conocido se hace pasar por alguien muy importante, pero no lo es.

Abanderado

En la vida real, sólo se les concede el honor de llevar la bandera a las personas que hayan demostrado excelentes cualidades. Si en el sueño somos los portadores de la insignia, eso simboliza que en la vida real nunca pasamos desapercibidos; que nuestra personalidad resulta atractiva y que sabemos establecer relaciones personales con suma facilidad. Soñar que una persona conocida es abanderada quiere decir que tiene rasgos que consideramos muy valiosos y que, en cierta forma, nos gustaría imitar.

Abandonar

La acción de abandonar, por lo general surge de la necesidad de desprenderse de un objeto o de poner fin a un proceso (por ejemplo, los estudios); entraña, en cierta forma, una pérdida.
Si en el sueño se abandonan pertenencias y eso conlleva una emoción negativa, cabe interpretar que se estará a punto de ingresar en una nueva etapa, mucho mejor que la anterior, que exige ciertos sacrificios.
El abandono de los estudios, en cambio, significa que no confiamos en nuestras propias fuerzas y que la tarea que nos habíamos propuesto no está dándonos la satisfacción que habíamos esperado.
Si se observa que otro abandona objetos en un camino, eso indica que se intuye que próximamente habrá una buena oportunidad.

Abanico

En muchas culturas es, al igual que el paipay, símbolo de estatus social y tiene aparejado un complejo sistema de significados según la forma en que se agite.

La principal finalidad del abanico es mover el aire, de ahí que su interpretación no sólo esté relacionada con el estatus sino que represente, también, el poder sobre los elementos.

En épocas remotas ha sido empleado en rituales de magia que tenían como fin ahuyentar los malos espíritus; de ahí que si soñamos que utilizamos un abanico debe entenderse que tenemos un buen control sobre los elementos negativos del entorno. Si en el sueño cerramos el abanico, eso indica que ponemos punto final a un asunto enojoso. Jugar con él delante de otra persona indica que por algún motivo nos sentimos atraídos por ella, que buscamos seducirla.

Abatimiento

Los sueños en los que nos mostramos abatidos señalan que en la vida real estamos muy contentos por algo que nos ha tocado en suerte pero que, en nuestro interior, consideramos que no lo merecemos.

Abdicar

Vernos a nosotros mismos como reyes o reinas implica tener un concepto demasiado elevado de nuestra importancia; sin embargo, si en el sueño abdicamos en favor de otra persona es señal de que, aunque los demás nos consideren muy inteligentes, buenos o agraciados, no es así como nos vemos.

Abdomen

En los órganos alojados en el abdomen se producen tres funciones básicas: el proceso de asimilación de los alimentos, la separación de los elementos nutritivos de las sustancias de desecho y la concepción y desarrollo de un nuevo ser. Si soñamos con esta zona del cuerpo y tenemos, además, una sensación placentera, quiere decir que sacaremos buen provecho del trabajo y que se darán las condiciones para realizar proyectos creativos. Si, por el contrario, el sueño es perturbador, deberá entenderse que hay planes que amenazan con deteriorarse produciendo la correspondiente frustración.

Abducción

Soñar que somos abducidos por extraterrestres significa que no tenemos el suficiente control sobre los pensamientos y los actos; que a menudo cometemos acciones que no podemos explicar satisfactoriamente.

Si en el sueño hay escenas en las que se observan objetos maravillosos que indiquen un gran adelanto, eso será un buen presagio, ya que indica que la mente se está preparando para saber y comprender cosas nuevas e interesantes.

Abecedario

En un sueño, el abecedario simboliza los diferentes recursos que tenemos para afrontar las situaciones difíciles que se presenten.

Partiendo siempre de la idea de que podremos resolverlas, el grado de placidez o de inquietud que experimentemos será lo que dará cuenta de la dimensión del problema.

Abedul

La madera de este árbol es singularmente flexible y hermética; de ahí que se utilice para la fabricación de canoas en las zonas donde los abedules abundan. Los druidas celtas lo consideraban un camino para alcanzar la sabiduría. Ésta era obtenida por el método de escalar su tronco en un momento especial del año, acompañándose de cánticos y ritmos específicos. Con su savia, también fabricaban el vino y la cerveza que utilizaban en sus celebraciones; por eso la presencia de este árbol en un sueño habla de iniciación, de apertura hacia cosas nuevas e indican un momento de la vida en el cual es posible adquirir conocimientos de índole espiritual o bien ampliar cierta información que pueda resultar útil.

Véase ÁRBOL.

ABEJA

Es el insecto que mejor simboliza la comunidad trabajadora, el hombre en su organización social. Los antiguos egipcios creían que nacían de las lágrimas del dios Ra y los griegos, que eran las almas que descendían a la tierra preparándose para su vuelta pero, según Platón, sólo los hombres sobrios podían reencarnarse en este animal. Su imagen era utilizada en la liturgia y en los ritos iniciáticos. También era uno de los atributos de la diosa Artemisa, de ahí que sus sacerdotisas fueran denominadas melisai, abeja.
En las tradiciones de Siberia y Asia Central, así como entre algunos grupos indígenas de América del Sur, es concebida como el alma que sale del cuerpo y se eleva.
Entre los celtas y según las tradiciones galesas, en cambio, simboliza la elocuencia y la inteligencia.
Los cristianos vieron en ella a Jesucristo: la dulzura y capacidad de nutrir al hombre pero, al mismo tiempo, la infinita justicia simbolizada en el aguijón para impartir el castigo.
Soñar con que una abeja está revoloteando sobre nuestra cabeza simboliza el afecto que tenemos a una persona con la que hemos perdido el contacto.
La picadura del insecto representa el castigo que merecemos por haber cometido una mala acción. Si, en cambio, el aguijón es clavado a otra persona, es señal de que conviene poner límites más firmes a nuestros compañeros de trabajo a fin de alcanzar las metas que se han proyectado. El panal, por su parte, simboliza el lugar de trabajo independientemente de cuál sea el que se desempeñe; el comportamiento de las abejas en su interior, dará cuenta del ambiente que en él se respira.

ABERTURA

Los sueños que contienen espacios u objetos que se abren, tienen múltiples significados. Por una parte, el hecho de meter la mano en una abertura está relacionado con la búsqueda a ciegas, con el espíritu aventurero. Si en él atravesamos una abertura, significa que comenzaremos una nueva vida; que daremos un paso importante hacia nuestra felicidad.

ABETO

Este árbol que permanece siempre verde ha sido tomado como símbolo de que la vida nunca muere. Para los cristianos, representa a Cristo, de ahí que se utilice en Navidad. Los sueños con abetos aluden a la continuidad. Si se teme que algo llegue a su final, la presencia de este árbol denota que no hay motivo para preocuparse, que la situación continuará.

Véase ÁRBOL.

ABISMO

Soñar con abismos es algo frecuente y, según su contexto y la ansiedad o placer que suscite puede tener diversas interpretaciones. Estar frente a un abismo significa encontrarse frente a un problema que no se comprende cabalmente, que resulta imposible analizar y profundizar; y eso provoca angustia.
Perder el pie y caer por él quiere decir que estamos ante una situación personal difícil en la cual será necesario que sacrifiquemos nuestra posición y comodidades a fin de enfrentarla satisfactoriamente y salir airosos. Si en medio de la caída tenemos una agradable

sensación de vuelo, podremos estar seguros de que el problema podrá ser controlado y de que saldremos de él fortalecidos.
A menudo los sueños con abismos son recurrentes, lo cual advierte que es necesario profundizar en uno mismo y encontrar la raíz de diversos conflictos que están deteriorando nuestra calidad de vida.
Si el abismo estuviera debajo del agua, o la sensación fuera de angustia, el sueño estará relacionado con traumas vividos en la infancia.

Ablandamiento

Los objetos habitualmente rígidos que en el sueño se ablandan (por ejemplo los fabricados con madera, metal o vidrio) indican que una situación preocupante que creíamos controlada se nos está yendo de las manos.

Ablución

Las abluciones tienen un claro simbolismo de purificación. Hablan de la necesidad de eliminar las conductas erróneas, pero no por métodos drásticos, sino a través de la comprensión y del ejercicio de una sana disciplina.
Como las abluciones se realizan, frecuentemente, antes de entrar en contacto con los elementos de la liturgia, aunque aludan a formas de actuar equivocadas también muestran la capacidad y preparación para conectar con las fuerzas superiores y con la divinidad.
Soñar que hacemos abluciones significa que estamos dispuestos a iniciar un camino espiritual, que buscamos mejorar y que, sin duda, lo conseguiremos.

Abogado

En líneas generales, puede decirse que estar en presencia de un abogado augura conflictos y querellas y que, si en el sueño nos vemos como letrados, defendiendo a un acusado, habrá una persona cercana que necesite nuestra defensa o apoyo.
Los abogados son los encargados de manejar las leyes, de manera que también podrían señalar una necesidad de cambiar ciertas normas de conducta que, sin ser equivocadas, requieren una gran autoexigencia.

Abominable Hombre de las Nieves

Este personaje, cuya existencia ha despertado una gran polémica, se relaciona con la parte más primitiva de nuestro ser. Si en el sueño se muestra tranquilo, eso indica que los instintos están sosegados y satisfechos. Si en cambio muestra una actitud agresiva, beligerante, puede interpretarse que las necesidades básicas no están cubiertas y que estamos pasando por una época de necesidades (hambre, sed, satisfacción del deseo sexual, etc.)

Abono

El estiércol siempre ha sido símbolo de la abundancia y de la suerte y por eso, soñar que se abona un campo o un tiesto augura el florecimiento de la economía familiar.
La palabra abono tiene también otro significado: el de un documento que permite la utilización de ciertos servicios a las personas que hayan pagado previamente por ellos. Si la imagen que aparece en el sueño está relacionada con la pérdida o caducidad de un abono (por ejemplo el de transporte o el de un club), eso representa que tenemos cierta inseguridad con respecto a nuestra propia identidad o que no confiamos en nuestras virtudes y habilidades.

Abordaje

Los abordajes que presenciamos o vivimos en alta mar en los cuales de un barco pasamos a otro, indican que nos sentimos atraídos por la pareja de una persona amiga y tenemos miedo de no poder vencer esa tentación.

Aborigen

Por su contacto directo con la naturaleza y su alejamiento de los preceptos marcados por la civilización, los aborígenes simbolizan el mundo de los instintos. En este plano tienen cabida la supervivencia, la reproducción, la agresión, la huida, el temor a los elementos naturales, etc.
Las diferentes actitudes de los personajes del sueño señalarán diversos aspectos del instinto: si se muestran belicosos y agresivos, tendrán que ver con nuestra ira; si tienen una actitud amable y hospitalaria, mostrarán la empatía y habilidades sociales que nos serán útiles para manejarnos satisfactoriamente con el entorno.

Abortar

El significado de esta palabra, como ocurre con casi todas las que describen acciones, depende del contexto general del sueño, de la persona que lleva a cabo la tarea y del objeto que recibe la acción.
Si soñamos que abortamos un proyecto, y sobre todo si las imágenes producen alivio, eso indica que algunos errores que hemos cometido últimamente se van a rectificar.
Si el sueño, por el contrario, provoca angustia, habría que hablar de falta de fuerzas, de recursos o de confianza en uno mismo para terminar algo importante que se ha emprendido; es decir, se relaciona con la frustración o la impotencia.
Enterarse en el sueño del aborto de una gestante debe entenderse como que, a causa de una situación inesperada, se producirá una alteración en los planes de trabajo.

Abotonar

Si en sueños nos abotonamos una prenda quiere decir que no nos sentimos conformes con la zona del cuerpo que ésta cubre. Por ejemplo, puede indicar complejos de índole sexual si se trata de los botones del pantalón.

Véase ABROCHAR, BOTONES.

Abraxas

Entre los gnósticos, esta palabra simbolizaba el curso del sol, los 365 días del año. Se la representaba como un dios o demonio, con cabeza de rey o de ave y patas de serpiente.
Según Basílides de Alejandría, Abraxas es un dios difícil de conocer, al que adjudica un poder supremo. En sus VII Sermones ad Mortuos, dice: «Abraxas genera la verdad y la falsedad, el bien y el mal, la luz y la sombra con la misma palabra y la misma acción. Por lo tanto, Abraxas es verdaderamente el terrible. Es la plenitud, que se une a la vacuidad».
La presencia de Abraxas en un sueño simboliza la actitud de distanciamiento que deberemos tomar ante un problema ajeno. Sin embargo, puede entenderse también como un elemento de protección ante los conflictos, ya que se han encontrado numerosas piedras talladas con la imagen de esta deidad, utilizadas antiguamente como amuleto.

Abrazadera

Estos dispositivos sirven para mantener unidos diversos elementos, como por ejemplo, la manguera al grifo, tubos, cables, etc.
El hecho de utilizar una abrazadera significa que estamos preocupados por la unidad familiar, posiblemente amenazada por conflictos y discusiones entre algunos de sus miembros. Esta interpretación cobrará fuerza si los elementos que se mantienen unidos son de la misma naturaleza, como por ejemplo un manojo de cables.

Abrazar

El abrazo es la forma de contacto físico y emocional más estrecha entre dos personas. Por razones no sólo culturales sino también instintivas, mantenemos una clara distancia entre nuestro cuerpo y el ajeno, preservando así el espacio que consideramos necesario para la intimidad.

Prueba de ello es que aun en los medios de transporte en los que no cabe un alfiler, no admitimos que un desconocido ponga su mano desnuda (por ejemplo en el pasamanos) de forma que toque la nuestra; si eso sucede la retiraremos enseguida, de forma absolutamente instintiva y, si el contacto ha sido incidental, lo más probable es que nos pidan disculpas. Por el contrario, si se llevan guantes puestos, no habrá reacción por nuestra parte ni por la del sujeto que nos toque.
El máximo acercamiento físico que se permite entre dos personas que no tienen confianza entre sí es el darse la mano o, en el caso de las mujeres, un beso en cada mejilla. Son salutaciones rituales que invitan al acercamiento o que subrayan una despedida. Los abrazos están destinados a quienes sentimos afectivamente cerca; con ellos podemos dar la bienvenida, la enhorabuena, decir adiós o, simplemente, mostrar nuestro afecto o apoyo.
A la hora de analizar el sueño es importante distinguir qué es lo que se quiere decir con el abrazo. En líneas generales, se entiende como un símbolo de acercamiento, aun cuando el abrazo tenga como fin el decir adiós a alguien a quien no veremos en mucho tiempo. También deberá tenerse en cuenta la emoción que nos produzca y lo más importante: significa que nos sentimos muy cerca de la persona con la que nos abrazamos y ese vínculo va a permanecer. Si el sueño produce paz, indica que no debemos preocuparnos por el futuro de quien da el abrazo; que aun cuando pueda haber un distanciamiento temporal, el vínculo es sólido y no se romperá.

ABRECARTAS

Aunque éste es un elemento que, en la literatura policial se ha empleado numerosas veces como arma del crimen, en los sueños rara vez se relaciona con la violencia, sino que está vinculado a los recursos interiores que nos permiten conocer íntimamente a los demás, bucear en su interior y percibir sus estados de ánimo.
Si en las imágenes tenemos este instrumento en las manos, eso indica que gozamos de una gran empatía, que nos preocupa la gente y que somos capaces de mostrarnos generosos y solidarios.

Véase ABRIR.

ABRELATAS

Su empleo más habitual consiste en abrir recipientes que contienen comida; por eso, en los sueños, este utensilio representa el trabajo y los recursos que nos permiten cubrir nuestras necesidades básicas.
Si al emplearlo encontramos que la lata contiene elementos valiosos, quiere decir que recibiremos ofertas interesantes e inesperadas. Si el contenido del recipiente es desagradable, es recomendable que tengamos los ojos bien abiertos porque van a surgir problemas en el trabajo.

Véase ABRIR, LATA.

ABREVADERO

Está directamente vinculado a la sed y al agua, por lo tanto se relaciona con el mundo de las emociones.
Soñar que estamos próximos a un abrevadero puede indicar que, mientras soñamos, tenemos sed; pero también puede simbolizar la sed afectiva, la necesidad de trabar un contacto más estrecho con alguien.
En caso de que el abrevadero estuviera seco, indicaría que hemos sufrido un gran desengaño amoroso.

Véase AGUA.

ABREVIATURA

Su significado dependerá, en gran medida, de las palabras que hayan sido abreviadas;

pero en líneas generales se puede interpretar como el afán que tenemos de ganar tiempo.
Si el sueño es particularmente angustioso, indica que debemos acabar un trabajo, pero que encontramos muchos tropiezos que generarán demoras.

Abrigo

Es una prenda que nos protege del frío, por lo tanto simboliza el caparazón emocional que nos protege de la falta de cariño, de la frialdad afectiva que muestra alguien de nuestro entorno.
Si en el sueño quien lleva puesto el abrigo es otra persona, eso indica que desconfiamos de ella, que debemos hacer frente a la posibilidad de que pudiera esconder algo amenazador o peligroso.
El llevar un abrigo puesto también está relacionado con la necesidad de tapar nuestras imperfecciones para dar la mejor imagen de nosotros mismos.

Abril

En el hemisferio norte en este mes comienza la primavera y en el hemisferio sur, el otoño, de modo que el análisis del sueño cambia, según nos encontremos en uno o en otro.
Si estamos en el norte, el sueño representará la fertilidad, el florecimiento. Podría anunciar un embarazo o un proyecto nuevo.
En el caso de que estuviéramos en el hemisferio sur, el inconsciente nos recordará, mediante el sueño, que debemos ahorrar de cara al futuro, ya que el otoño es el preludio del invierno.

Abrir

El hecho de abrir un recipiente está relacionado con todo lo que nos puede deparar el futuro. Según el sueño sea agradable o desagradable se podrán sacar diferentes conclusiones.
En ocasiones, en los sueños se abren puertas o cajas de las cuales salen monstruos u objetos amenazantes. Éstos representan zonas oscuras de nuestra mente, sentimientos negativos contra los que nos resulta muy difícil luchar.
Sin embargo, el hecho de darles libertad en el sueño indica que pronto nos veremos libres de ellos.

Abrochar

Las acciones que implican cerrar algo simbolizan la intención de replegarnos sobre nosotros mismos.
Abrochar el cierre de una maleta simboliza que no permitimos que nadie intervenga en nuestros asuntos. Muestra una necesidad imperiosa de privacidad.
Soñar con que nos abrochamos una prenda indica que no nos sentimos satisfechos con la zona del cuerpo que ésta cubre. En cambio, si la lleva puesta otra persona, indica que la queremos proteger de los conflictos que pudiera tener con su entorno.

Véase CORCHETE.

Abrojo

Estas plantas, cuyos frutos están provistos de fuertes púas con las cuales se enganchan al pelo del ganado, simbolizan las dificultades que encontraremos en el camino y, también, los falsos amigos, las personas que se acercan por interés.

Abrótano

Desde la antigüedad, la infusión de esta planta se ha utilizado para favorecer el crecimiento del cabello, de ahí que su presencia en un sueño simbolice nuestro afán por mostrar el mejor aspecto posible. Incluso podría expresar la preocupación ante una incipiente calvicie.
El abrótano también se ha utilizado para hacer filtros amorosos: se quemaban sus hojas con incienso y las cenizas eran depositadas en la casa de quien se quería conquistar. Por ello, si en el sueño quemamos hojas de abrótano, la

interpretación será que buscamos la manera de atraer a quien amamos.

ABSOLVER

Su significado depende de quién sea la persona que recibe la absolución. Si somos absueltos indica que, aunque hayamos cometido errores, nos podemos perdonar a nosotros mismos al tiempo que intentamos subsanarlos.
Cuando la absolución la recibe otra persona, con ello representamos que, aun cuando nos haya ofendido, no le guardamos rencor sino, más bien, tenemos hacia ella una gran confianza.

ABSTEMIO

Una negativa muy clara a beber alcohol simboliza que es preferible enfrentar los problemas con la mayor claridad y lucidez posibles. El sueño en sí es un buen augurio, ya que en él, a través de este símbolo, se hace referencia a nuestra fuerza interior.

ABSTENCIÓN

Si está relacionada con una votación y es mayoritaria, o si somos nosotros quienes nos abstenemos, implica desesperanza, falta de oportunidades.
Si quien se abstiene es otro personaje del sueño, hay que interpretar que no podemos contar con su apoyo e, incluso, que llegado el momento podrá constituir un obstáculo que entorpecerá nuestro camino.

ABSTINENCIA

La práctica de la abstinencia, independientemente del tipo que ésta sea, simboliza la necesidad de purificación y la toma de contacto con uno mismo.

Véase CUARESMA.

ABSURDO

La mayoría de las veces, las situaciones que se viven en los sueños podrían ser calificadas de absurdas; sin embargo, esta palabra está relacionada con aquellos hechos que, durante el transcurso del sueño, son calificadas de tal forma, aun cuando en la realidad pudieran resultar normales. Es decir, cuando resultan absurdos dentro del sueño.
En general denotan ilusiones, anhelos que parecen imposibles de alcanzar. Por esta razón habrá que estudiar detenidamente el sueño para poder esclarecer ante cuáles situaciones de la vida real aparece la impotencia y la frustración.

ABUBILLA

Antiguamente se creía que esta ave hacía sus nidos invisibles por esta razón: los mercaderes solían llevar en sus bolsillos la cabeza disecada de este pájaro para evitar que les engañaran en los tratos.
En sueños, la abubilla asegura la buena marcha de los negocios o indica que es el momento de emprender una inversión arriesgada.

ABUELOS

Son figuras importantísimas en el marco familiar; encarnan el respeto, la sabiduría y los valores tradicionales. Su muerte suele ser uno de las primeras situaciones traumáticas que se viven en la niñez.
En los sueños simbolizan la protección que obtenemos a través de las personas de más edad y también el avance espiritual; sobre todo si el sueño es placentero.
Si el sueño es agitado o angustioso, indica que, aun cuando quisiéramos pedir consejo para un tema que nos preocupa, no podemos hacerlo por un exceso de amor propio y soberbia.

ABUNDANCIA

Los sueños en los cuales se vive la abundancia indican que se avecina una época de dificultades económicas y que es mejor estar prevenido ante ellas.

Véase CUERNO.

Aburrimiento

Las situaciones que, en sueños, nos producen aburrimiento indican que en la vida real tenemos un trabajo rutinario, que no nos motiva.

Señalan, además, que en nuestro interior poseemos cualidades que podrían permitirnos realizar otras tareas, mejor remuneradas y más creativas.

Abusar

El abuso implica una posición de superioridad hacia otra persona o bien una falta de escrúpulos por parte de quien lo comete y, en ocasiones, de consentimiento por parte de la víctima.

El abusar de otros en un sueño puede ser una señal de venganza onírica frente a injusticias que se viven en la realidad. Estos actos también demuestran una necesidad de dominar a otros, de ejercer poder.

El abuso sexual puede aparecer, sobre todo, en sueños femeninos. Sugieren que la mujer, aun cuando sienta deseos, no puede hacerse cargo de ellos y aceptar las relaciones sexuales con total plenitud.

Acabar

Si en sueños nos vemos dando los últimos toques a un objeto que hemos construido, quiere decir que queremos terminar una relación de amistad, pero nos interesa hacerlo limpiamente.

Acacia

Según la mitología egipcia, Isis encontró una frondosa acacia sobre la tumba de su esposo Osiris; por ello este árbol simboliza la inmortalidad.

Según algunos autores, este concepto fue posteriormente recogido por los judíos a través de Moisés y José, dándole un significado concreto de muerte y resurrección.

Su aparición en un sueño representa la conclusión de un determinado período, o bien el reencuentro con una persona amada.

Academia

Véase ESCUELA.

Acampar

El retorno a la naturaleza, en general, simboliza la conexión con uno mismo y si en el sueño estamos acampando en un lugar al aire libre, debe interpretarse como un giro hacia la introspección interior. Sin embargo es necesario prestar atención a otros elementos que aparezcan en el mismo, ya que si éste produce angustia o ansiedad, es posible que se estén descubriendo defectos desagradables, zonas oscuras de la psiquis con las que es necesario reconciliarse.

Acantilado

Los acantilados son zonas escarpadas donde la montaña linda con el mar; de modo que en estos sueños aparecen dos elementos importantes: la roca, es decir el mineral, y el agua. Es importante, por ello, conocer su simbolismo a fin de hacer un análisis completo.

En líneas generales, lo esencial de un acantilado es que ofrece una mínima superficie de apoyo. Si nos vemos situados sobre él quiere decir que estamos viviendo una experiencia material difícil y que hay fuertes tentaciones que inducen a abandonar los principios más arraigados.

Si las imágenes están acompañadas de una sensación de agobio, el enfrentamiento con los problemas es ineludible.

Ver a otras personas caer por un acantilado a menudo indica la victoria sobre competidores laborales.

Acanto

En la antigüedad, las hojas de acanto simbolizaban la hidalguía y la austeridad. En un sueño indican que será necesario restringir los gastos, que se avecina una época en la que pueden sucederse las dificultades económicas.

Si las hojas de acanto tienen relación con otra persona, deberá entenderse que, al menos en el fondo, tenemos hacia ella una profunda admiración.

Acceso

Cuando se trata de pruebas de acceso (a una universidad, a un empleo, etc.), éstas deben ser interpretadas como obstáculos o como confrontaciones con ciertos aspectos de la realidad. El salir airoso de ellas augura próximos éxitos, ya que hablan de la fuerza interior. El fracaso, por el contrario, anuncia que ciertos proyectos se verán truncados.

Accesorio

Los accesorios son elementos que, aunque no resulten imprescindibles, sirven para mejorar el aspecto personal o de algún objeto. Soñar con ellos significa que en las principales áreas de la vida tenemos las cosas bien encaminadas y que seguramente se obtendrán muchos más beneficios de los esperados.

Accidente

Las veces que el accidente sufrido o visualizado en un sueño toma cuerpo en la vida real son muy pocas. Por ello, aun cuando un sueño de esta naturaleza resulte angustioso, no debe causar una excesiva preocupación. Los accidentes son, por definición, dificultades que aparecen de forma imprevista estropeando el buen curso de un proceso. Por ello simbolizan aquellos inconvenientes que son conocidos en el subconsciente, pero aún no han aflorado al nivel de conciencia. Si en sueños tenemos un accidente, conviene que tomemos una actitud reflexiva y previsora, ya que hay algo en nuestro interior que percibe los problemas que, en un futuro próximo, se pueden presentar. Los demás elementos del sueño a menudo ayudan a esclarecer la naturaleza de estos inconvenientes o la faceta de la vida en la cual hayan de producirse.

Acebo

Este árbol es uno de los vegetales adoptados por la iglesia católica como símbolo de la Navidad, con el objeto de reemplazar al muérdago empleado por los druidas en las celebraciones del solsticio de invierno.
Sus bayas rojas, que aparecen tras el otoño, son tóxicas para el hombre; aun así, simbolizan el nacimiento.
Su presencia en un sueño, sobre todo si somos nosotros quienes recogemos esta planta, revela la intención de hacer algo en secreto; de realizar alguna obra, pero sin contar con la ayuda de nadie.
Si lo observamos colgado tras la puerta de casa, se puede considerar un augurio de buena suerte.

Acechar

La acción de acechar se relaciona con la espera de oportunidades, con la búsqueda del mejor momento para realizar una actividad que permita conseguir lo que se desea.
Si los acechados somos nosotros, debemos entender que en el fondo sentimos un profundo temor ante una situación que no conseguimos controlar.

Acedera

Los sueños en los que aparece esta planta fresca, auguran un éxito social inmediato. Si, por el contrario, está seca, quiere decir que se ha dejado pasar una oportunidad importante.

Aceite

Desde la más remota antigüedad, el aceite ha sido empleado por el hombre para diversos menesteres, tal y como consta en papiros egipcios, en la Biblia o en el Corán. Algunos, obtenidos de diversas semillas, se utilizaban como cosméticos o como ungüentos curativos.
En la Edad Media, las catedrales y los monasterios se iluminaban por la noche con lucernas o antorchas empapadas en

aceite de oliva, de manera que este elemento también está relacionado con la luz, con la apertura y la evolución espiritual.
Los sueños en los que aparece el aceite indican que el durmiente tiene un buen estado de salud interior, que sus pensamientos son lúcidos y bien encaminados.
El aceite derramado sobre la cabeza simboliza un éxito rotundo.
Si aparece turbio o sucio señala que los demás no saben reconocer los propios esfuerzos y virtudes.

ACEITUNA

La evolución del hombre ha sido paralela a la del cultivo del olivo. Los frutos de este árbol, asociado con la inmortalidad, son símbolo de regeneración, de resurgimiento tras un período de estancamiento.
Si las aceitunas están en el árbol, señalan que aún no ha llegado el momento de actuar; si se encuentran en un frasco o sobre un plato, indican que estamos siendo demasiado estrictos con nosotros mismos. Si se hallan desparramadas al pie del olivo, muestran que aún es tiempo de aprovechar la oportunidad que se nos ha presentado.

Véase OLIVO.

ACELERADOR

Se vincula al mundo emocional.
Si en el sueño el vehículo en el cual viajamos tiene el acelerador trabado y gana velocidad, ello indica que hay un escaso control de las emociones; que es necesario aprender a canalizar la ira o el miedo.
Si pisamos el acelerador y mientras lo hacemos nos sentimos seguros, es índice de que no hay problemas en el terreno laboral; que hemos llegado a conseguir una gran pericia y que es el momento adecuado para plantearnos nuevos desafíos.
Si el acelerador del vehículo en el que viajamos no funciona y, por más que lo pisemos, no conseguimos arrancar o ganar velocidad, estamos ante una excesiva represión de nuestras emociones. Lo más conveniente en este caso será reflexionar sobre este tema y trabajar sobre nosotros mismos para perder el miedo a conmover y conmovernos.

ACELGA

Aunque no hay referencias a la simbología de esta planta en la antigüedad, la mayoría de los autores la relacionan con problemas económicos.

ACENTO

Los sueños en los que hablamos u oímos hablar a otras personas con un acento extraño, indican que, en breve, recibiremos noticias de una persona querida que está lejos.

ACEQUIA

Los canales de riego simbolizan los contactos que tenemos en el mundo laboral; las relaciones que nos permiten crecer dentro de una empresa o en el medio en el cual nos movemos habitualmente.
Si el agua que se ve en las acequias es clara y limpia, la relación con los compañeros de trabajo, con superiores e inferiores, es excelente y dará sus frutos.
Si, por el contrario, es turbia o está estancada, es conveniente mejorar el trato, adquirir habilidades sociales, ya que, sin éstas, será difícil que logremos avanzar.

ACERA

En principio, hay que tomar la acera como símbolo de límite, de ahí que pasear por ella simbolice el acatamiento de las leyes y las normas.
El hecho de subir por una acera empinada indica que en la vida real estamos realizando un gran esfuerzo y que éste merece la pena.

Llegar al final de una cuesta indica que tenemos capacidad para lograr el triunfo.
Caminar por una acera en bajada puede indicar la pérdida de nuestra posición social, el deterioro de nuestra propia imagen.

Véase CALLE.

ACERICO

Los acericos son almohadillas que se emplean para clavar en ellas alfileres y agujas de modo que no se pierdan.
En un sueño representan algo que es importante recordar, aunque también pueden denotar que recientemente hemos recibido ofensas o agravios.

ACERO

El uso que originariamente se dio a esta aleación de hierro y carbono fue bélico. Con él se fabricaron espadas, armaduras, cuchillos y dagas mucho antes de que fuera empleado en artículos de cocina, piezas de vehículos o elementos de quirófano como se hace actualmente.
Soñar con acero indica una predisposición a hacerse valer, a reclamar lo que consideramos propio.
También, al igual que el hierro, es símbolo de dureza por lo que puede asimismo mostrar la necesidad de plantear los desacuerdos con una mayor afabilidad, de recordarnos que la rigidez no conduce a buen puerto.

Véase HIERRO.

ACERTIJO

Las palabras cruzadas, los criptogramas y los acertijos en general representan desafíos intelectuales.
Resolver alguno de estos juegos en sueños significa encontrar la solución de un problema que nos tiene preocupados o bien la aceptación de un desafío laboral.

Véase ADIVINANZA.

ACETILENO

Véase SOLDADOR.

ACETONA

Esta sustancia es muy volátil y tiene un olor característico, más bien dulzón. En algunas enfermedades como la diabetes, o bien cuando se pierde mucho peso, es producida en el organismo al punto de poder detectarse en el aliento su presencia.
Un sueño en el cual este elemento estuviera presente, sobre todo si se huele, probablemente indique un pequeño trastorno de salud porque a menudo, en las representaciones oníricas, las sensaciones que se perciben en la realidad se confunden con las imágenes propias del sueño.

ACHICORIA

Esta planta de sabor amargo, que suele utilizarse como sucedáneo del café, simboliza la hipocresía. Nos invita a movernos con cautela porque nos pueden traicionar.
El hecho de comerlas significa que somos excesivamente ingenuos.

ACICALAR

Si nos vemos acicalados en exceso, eso significa que queremos dar una imagen de nosotros mismos falsa, mejorada, con el fin de obtener ciertas ventajas.
Habrá que cuidarse de quienes en sueños aparezcan muy acicalados cuando en la vida real no prestan tanto cuidado a su apariencia; eso generalmente indica que, inconscientemente, hemos percibido en ellos gestos que denotan falsedad o tendencia a aprovecharse de los demás.

ÁCIDO

Soñar con sustancias cáusticas o corrosivas indica que percibimos una traición en nuestro entorno; que en un futuro próximo alguien intentará jugarnos una mala pasada. En caso de ser nosotros quienes utilizáramos el ácido, debemos entender que ansiamos hablar claro con una persona amiga diciéndole qué es lo que nos ha molestado.

ACLAMAR

La aclamación es un signo de aprobación de los demás, una muestra de que nuestra actuación o desempeño ha gustado. Sin embargo, este gesto de aceptación no siempre es sincero, de ahí que si en el sueño somos aclamados, eso debe entenderse como una señal de advertencia que invite a tomar cuidado con los aduladores.

ACLARAR

Cualquier elemento que en el sueño cambie de color pasando de una tonalidad oscura a otra más clara, o bien que adquiera una mayor nitidez, simboliza aquellos aspectos de la vida que, en un futuro próximo, serán comprendidos cabalmente.
También pueden entenderse del mismo modo las aclaraciones verbales, siempre y cuando sean comprendidas por el interlocutor.

ACNÉ

Los sueños en los que aparecen alteraciones en la piel están relacionados con los sentimientos que se quieren ocultar.
Si somos nosotros quienes padecemos ese trastorno, significa que estamos intentando disimular o tapar algunos defectos en lugar de corregirlos.
Si es otra persona quien lo sufre, se entiende que será mejor prestar atención a sus palabras y actos porque éstos pueden encubrir malas intenciones.

ACOGER

Brindar protección es una tarea tan gratificante como conseguirla para uno mismo.
Si en el sueño acogemos a otra persona, eso debe interpretarse como una prueba de nuestra generosidad; habla de nuestra solidaridad y altruismo. Por el contrario, si somos nosotros los acogidos, se considerará muestra de debilidad interior, de su desvalorización e incapacidad para gestionar nuestros propios recursos.

ACOLCHAR

Las prendas acolchadas sirven para proteger del frío, de manera que si en un sueño aparecen elementos acolchados, indicarán que necesitamos escondernos como medio de defensa.

Véase ABRIGO.

ACOMODADOR

La función del acomodador es sentar a cada persona donde le corresponde. Puede moverse fácilmente en la oscuridad del cine o del teatro porque lleva una linterna que le permite ver el camino.
Si en el sueño trabajamos como acomodadores de un cine o teatro, de ello se deduce que tenemos la habilidad de ayudar a otros a resolver sus problemas, a encontrar su lugar en la vida. Si en cambio es otra persona la que realiza esa tarea a fin de acomodarnos, significa que contamos con un amigo que nos puede marcar ciertas pautas que nos ayudarán a solventar los conflictos.

ACOMPAÑAR

Los sueños en los que acompañamos a otra persona a la hora de hacer cualquier trámite o tarea, indican que sabemos trabajar en equipo, que no somos competitivos y que buscamos más el bienestar del grupo al cual pertenecemos que el propio.

ACOPLAR

El hecho de acoplar dos piezas de un mismo mecanismo o dos elementos complementarios (por ejemplo, el remolque a un camión), augura un nuevo nacimiento en la familia.

Acorde

Los acordes son grupos de dos o más notas que se ejecutan a la vez, resultando agradables al oído.
Este símbolo alude al trabajo en equipo, a la ventaja de contar con otras personas a la hora de desarrollar una tarea.
Si en el sueño oímos un acorde disonante, es decir, desagradable, esto señala nuestra participación en un equipo de trabajo en el cual las personas tienen conflictos que entorpecen la tarea.

Acordeón

Este instrumento de viento, al igual que la gaita, el bandoneón y todos los que se sirven de un fuelle, simboliza el sistema respiratorio o, más concretamente, la oxigenación del cuerpo.
Si tocamos el acordeón y de él sale una música agradable, es señal de que nuestro organismo recibe el aporte de oxígeno que necesita. Si, por el contrario, la música es disonante o estridente, quiere decir que debemos prestar más atención a nuestro cuerpo, que es conveniente salir al campo y respirar aire puro o, si fumáramos, que dejemos el tabaco cuanto antes.

Véase INSTRUMENTOS MUSICALES.

Acorralar

Los sueños en los cuales uno se siente acorralado suelen ser muy angustiosos, ya que en ellos se busca infructuosamente la salida. No es de extrañar que, a menudo, provoquen el despertar.
Cuando en el sueño nos sentimos acorralados significa que en la vida real nos hemos puesto límites demasiado estrechos; que tenemos hacia nosotros mismos una exigencia desmedida y un afán de perfeccionismo que nos impiden disfrutar con el trabajo o con cualquier tarea que llevemos a cabo.
Si en el sueño somos nosotros quienes acorralamos a otro ser, sea persona o animal, significa que sentimos una gran desconfianza hacia las personas del entorno.

Acosar

Esta desagradable situación se caracteriza por la insistencia del acosador en molestar, de la forma que sea, a la víctima.
Si somos víctimas de acoso, debemos entender que sentimos que hay personas emocionalmente dependientes de nosotros, que no nos dejan tiempo para pensar y planificar nuestra propia vida. Si, por el contrario, somos quienes acosamos, la interpretación que cabe es que los dependientes somos nosotros o bien que sentimos una imperiosa necesidad de venganza hacia la persona a la que acosamos.

Acostarse

Aunque no son las únicas, hay dos razones básicas por las cuales uno se acuesta: porque quiere dormir o porque se siente enfermo.
Si la imagen del sueño se corresponde con la primera de ellas, el hecho de tenderse en el suelo o en una cama se relaciona con la necesidad de huir de los problemas, de cerrar los ojos y no hacer frente a la realidad.
La segunda opción deberá interpretarse como un exceso de precauciones frente a la enfermedad, como una tendencia a la hipocondria.
En ocasiones podemos soñar que nos acostamos cuando se produce alguna molestia física sin que ésta sea lo suficientemente intensa como para hacernos despertar.

Acre

Los olores o gustos acres simbolizan las situaciones en las que debemos hacer uso de nuestra capacidad de agresión a fin de rectificar injusticias.

ACREDITAR

Las acreditaciones son procedimientos destinados a confirmar que una persona es quien dice ser, por un lado, y que, por otro, pertenece a una agrupación o entidad.
En sueños simbolizan una situación de aislamiento emocional y muestran la necesidad de integrarse a un organismo mayor, de formar parte de un grupo, sociedad o club .
Si somos nosotros quienes acreditamos a otros, significa que tenemos un espíritu elitista, que escogemos con el máximo cuidado las personas con quienes establecemos una relación de amistad.

ACREEDOR

Para quienes tienen en alta estima la justicia y la equidad, las deudas son una carga que sobrellevan hasta que consiguen saldarlas.
Si soñamos que alguien está en deuda con nosotros, significa que nos sentimos insatisfechos con la respuesta de la los amigos a los favores que les hemos hecho.

ACRÍLICO

Véase PLÁSTICO.

ACROBACIA

En esta actividad son imprescindibles dos cualidades: la fuerza y la destreza. Sólo quien tiene un conocimiento profundo del propio cuerpo, de las posibilidades de fuerza, flexión y extensión, son capaces de conservar el correcto equilibrio, de vencer la gravedad. Pero la acrobacia no sólo exige una buena preparación física sino, también, una profunda calma mental que permita la concentración.
Si en el sueño realizamos acrobacias, significa que estamos listos para desplegar nuestras capacidades más dormidas, que tenemos, además, un buen punto de apoyo mental que augura el éxito.
Es posible que en el sueño hagamos acrobacias, no por propia voluntad, sino por la necesidad de eludir un peligro. En estos casos, el sentimiento que acompaña las imágenes oníricas es de ansiedad o angustia y la interpretación que cabe es que nos resulta sumamente difícil hacer frente a las dificultades del presente pero que, al mismo tiempo, confiamos en que saldremos airosos de las pruebas.

ACRÓPOLIS

Recibían este nombre los lugares más altos y fortificados de las ciudades griegas. Desde ese refugio podía verse fácilmente la llegada de los enemigos y organizar adecuadamente la defensa.
Si en el sueño nos encontramos en uno de estos emplazamientos significa que, a pesar de estar en medio de un conflicto que acarrea pérdidas económicas o de prestigio, nos sentimos protegidos y a salvo.
Si en el sueño vemos la acrópolis desde fuera, indica que estamos preocupados por nuestra seguridad física o psicológica, que estamos en un período en el que nos sentimos vulnerables.

ACRÓSTICO

Esta composición poética en la que la primera letra de sus versos forma una frase o palabra, simboliza la capacidad de síntesis, así como la necesidad de poner un orden extremo en la propia vida.
Para interpretar el sueño, obviamente, habrá que tener en cuenta la frase que formen sus versos y los diferentes símbolos que contengan.

ACTOR/ACTRIZ

Si en un sueño interpretamos un papel encima de un escenario quiere decir que no estamos conformes con nuestra forma de ser, con los defectos y virtudes que tenemos, así como tampoco con la situación que estamos viviendo.
En caso de que el papel que desempeñemos sea el de protagonista,

habrá que entender que buscamos afanosamente el reconocimiento de los demás.
Si el sueño es angustioso, significa que hay un fuerte deseo de cambiar ciertos aspectos de nuestra personalidad, pero que, por elementos que no se pueden controlar o por lo constreñido del entorno, eso nos resulta imposible.
Si, por el contrario, es placentero, querrá decir que hemos puesto en marcha un importante y positivo cambio interior.

Véase ESPECTÁCULO, TEATRO.

Acuarela

Véase PINTURA.

Acuario

El agua simboliza básicamente el mundo de las emociones y, en ocasiones, todo aquello que se relacione con el momento del nacimiento.
Contemplar plácidamente un acuario disfrutando de su calma y su armonía significa que estamos conformes con nuestro mundo interior; que sentimos que las relaciones personales están bien encaminadas y que las emociones están en calma.
Si el agua del acuario es turbia o si en él hay peces muertos o agresivos, deberá entenderse que percibimos el mundo interior como algo oscuro y peligroso, que sentimos un miedo profundo a enfrentarnos a las emociones y por ello, en lugar de hacerlo, adoptamos una actitud distante y, en apariencia, indiferente hacia los demás.

Véase ZODÍACO.

Acueducto

Tratándose de una obra arquitectónica destinada a canalizar el agua, es necesario relacionarla con el mundo emocional y afectivo. En este sentido, simboliza el desarrollo de una relación que presenta dificultades, que exige mucho esfuerzo y sacrificios, pero que puede consolidarse firmemente y dar, a la larga, enormes satisfacciones.
Si el sueño muestra la destrucción de un acueducto deberá interpretarse como que la relación tiende a disolverse pero que, aun así, dejará una importante huella y una valiosa experiencia.
Las ruinas de un acueducto simbolizan los desengaños amorosos, el anhelo de reconciliación.

Acuerdo

Los acuerdos que realizamos en sueños, aun cuando no tengan que ver con nuestra vida laboral, auguran un éxito en los negocios.
Si se realizan con personas desconocidas es señal de que nos van a proponer una sociedad que puede tener un crecimiento rápido y un tiempo de vida corto.

Acumular

Por una parte, el acumular es símbolo de previsión y de cautela; es una forma de prepararse para tiempos más difíciles. Por otra, cuando lo que acumulamos no son artículos de primera necesidad, sino elementos de poca importancia, debemos pensar que a veces mostramos una conducta un tanto obsesiva.

Acunar

Véase CUNA.

Acuñar

Con este término se entiende la tarea de hacer monedas.
En sueños, el hecho de acuñar simboliza dar valor a ciertos aspectos de nuestra vida, aun a pesar de que las personas cercanas los rechacen incluso de forma ostensible.
Será importante, en este caso, observar el dibujo que se imprima en las monedas

para completar el análisis con los correspondientes símbolos.

Véase DINERO.

ACUPUNTURA

En general, los tratamientos médicos que tenemos en los sueños indican nuestro temor morboso a las enfermedades.
En caso de que tengamos una dolencia en la vida real, los sueños en los que estamos en una consulta de acupuntura pueden indicar que hay remedios naturales que pueden ayudar a controlarla.

ACURRUCARSE

El acto de acurrucarse, de envolverse en sí mismo, indica la necesidad de autoprotegernos, sobre todo en el plano afectivo.
Si en el sueño nos vemos en esta posición o sentimos el impulso de replegarnos sobre nosotros mismos, ello constituye una señal de que se avecinan tormentas emocionales; de que las relaciones personales están creando algunos problemas que aún no han aflorado al nivel de conciencia y que nuestro subconsciente nos prepara para afrontarlas.
Dejar que alguien se acurruque a nuestro lado significa que nuestras emociones están en calma y que, por ello, podemos mostrarnos afectivamente generosos y brindar cuidados y afecto a los demás.

ACUSAR

La acusación puede presentarse en dos marcos muy claros: el jurídico y el cotidiano. Si en el sueño nos vemos como un fiscal que hace una acusación ante un juez, ello significa que tenemos una tendencia excesiva a la crítica. Ésta, probablemente nazca de la necesidad inconsciente de tapar los propios defectos comentando los ajenos.
Si la acusación la hacemos fuera del contexto legal, en cambio, indicará que necesitamos ganar posiciones en el terreno laboral y que podemos estar echando mano de recursos que nos crean cargos de conciencia.

ADÁN

Según la Biblia, fue el primer hombre que Dios creó y que, por probar la fruta del árbol del bien y del mal contraviniendo la orden divina, fue expulsado del Paraíso y, con él, todos sus descendientes.
Este personaje representa, en gran medida, el desafío a las leyes y la satisfacción de la necesidad de saber.
Si nos vemos en el papel de Adán, quiere decir que estamos dispuestos a tener una actitud crítica hacia la tradición, hacia las normas que nos han inculcado en la niñez y que somos capaces de adaptarnos a los nuevos tiempos.
Si en el sueño tenemos una actitud amable y amistosa hacia Adán, habrá que interpretarlo como que sabemos comprender las motivaciones ajenas.
Por el contrario, si mostramos hacia Adán una actitud agresiva o desagradable, eso simbolizará nuestro conservadurismo, el rechazo hacia todo lo nuevo por temor a que las cosas empeoren.

ADELANTAMIENTO

Los adelantamientos que se producen en calles y carreteras simbolizan la competitividad.
Si es otro coche el que adelanta al vehículo en el que viajamos, quiere decir que nos gusta hacer bien nuestro trabajo sin compararnos con los demás.
En caso de ser nosotros quienes hacemos el adelantamiento, debemos interpretar que somos muy competitivos; que consideramos que lo importante no es hacer las cosas bien, sino mostrarnos superiores a los demás.

ADELFA

Esta flor no es símbolo de buen augurio. Tradicionalmente se cree que su presencia atrae la mala suerte. Cuando la vemos en sueños indica que, por la forma en que estamos actuando en el presente, tendremos problemas en un futuro próximo.

ADELGAZAR

Para todos es importante tener una buena imagen física y, para la salud, es importantísimo no tener sobrepeso.
Soñar con adelgazar se interpreta como una eliminación de lo superfluo, como una señal de proceso de purificación, siempre y cuando el sueño sea tranquilo y no provoque sensaciones desagradables.
Si las imágenes son angustiosas (por ejemplo si se pierde peso aceleradamente, de modo que ello pueda atentar contra la vida) habrá que interpretarlo como una advertencia de que en el organismo tal vez haya algún sistema que no funcione adecuadamente.
Si en el sueño hay más de una persona que pierde peso, entonces deberá entenderse que se augura una época de crisis económica.

ADEPTO

Se entiende como adepto a toda persona que pertenece a una secta. Este tipo de organizaciones se caracterizan por la despersonalización que sufren quienes pertenecen a ella.
Si soñamos que somos parte de una secta, quiere decir que no nos sentimos seguros de nosotros mismos; que, a nuestro parecer, somos demasiado fáciles de convencer porque confiamos más en el criterio ajeno que en el propio.
Si en el sueño una secta nos persigue es posible que tengamos algún amigo o familiar excesivamente absorbente y dominante con el cual necesitemos poner límites o tomar distancia.

ADEREZAR

Véase ALIÑAR.

ADHESIVOS

Las etiquetas adhesivas simbolizan las ideas. Si soñamos que las pegamos en diferentes lugares, ello indica que estamos dispuestos a hacer valer nuestros puntos de vista, que nos sentimos seguros con respecto a las teorías y planes que elaboramos.
Cuando quienes pegan los adhesivos son otras personas, eso muestra que tendemos a confiar excesivamente en el juicio de los demás.
Cerrar un paquete o caja con cinta adhesiva simboliza el poner punto final a un asunto enojoso.
Colocar adhesivos para sujetar una venda o apósito, sobre todo si estamos curando una herida ajena, representa la necesidad de reparar una acción injusta que hemos cometido.

Véase ESPARADRAPO.

ADICCIÓN

Las adicciones son excesos en los cuales el elemento al que somos adictos nos resulta imprescindible, al punto que nuestra mente se siente incapaz de controlar su utilización.
Representan la falta de estabilidad emocional, la dependencia que podemos tener hacia una persona en particular y el miedo al abandono que eso nos produce.
Si el adicto es otra persona, ello indica nuestra obsesión por su bienestar o por saldar una vieja cuenta con ella.

ADIESTRAR

Gracias al adiestramiento, un animal puede hacer, dentro de ciertos límites, lo que le hayamos enseñado,
Cuando soñamos que estamos adiestrando un ave o un mamífero, éste simboliza nuestras pasiones y el sueño debe interpretarse como un intento de control sobre nuestras zonas más oscuras.
Lo apacible o angustioso que sea el proceso mediante el cual el animal onírico

aprende, demostrará lo fácil o difícil que nos resulte nuestro propio aprendizaje.

ADIÓS

En los sueños, las despedidas simbolizan crecimiento y superación. Se dejan atrás cosas viejas, actitudes que no son correctas o con las cuales no nos sentimos cómodos, para dejar lugar a cosas nuevas y más elevadas.
Si el sueño es perturbador puede interpretarse como un gran temor de ser abandonado.

ADIVINANZA

Soñar que tenemos que resolver una adivinanza significa que estamos dispuestos a aceptar un desafío, probablemente laboral.
Si somos nosotros quienes las planteamos, ello dará cuenta del dominio que tenemos sobre nuestro entorno y del respeto que nos profesan quienes están a nuestro alrededor.

ADIVINO

Los adivinos son personas a las cuales se adjudica el poder de ver el futuro. Si aparecen en sueños, lo importante es recordar sus palabras ya que constituirán mensajes que nos pueden ayudar en la vida real.
También es posible que el adivino simbolice a una persona de la cual podremos aprender muchas cosas u obtener buenos consejos.
Si el adivino es un cartomante, quiere decir que tendemos a desconfiar de las recomendaciones que nos hagan a menos que nos den pruebas muy fehacientes de que tienen buenas razones para emitir esos juicios u opiniones.
En caso de encontrarnos frente a un clarividente, debemos intentar recordar el sentimiento que acompaña las imágenes; si estamos tranquilos, significa que no tenemos nada que reprocharnos en cuanto a nuestras actitudes del pasado. Si nos sentimos agobiados, indica que tenemos cargos de conciencia, que no nos hemos perdonado los errores cometidos.

ADMINISTRACIÓN

Los sueños en los cuales interviene la administración pública a través de los organismos que la componen, indican que hay un trámite pendiente que nos conviene hacer cuanto antes.
Si el sueño es agradable, quiere decir que gracias a esa gestión ganaremos algún dinero. Si es un sueño en el que experimentamos ansiedad o angustia, indica que deberemos realizar un pago que nos resultará muy molesto.

ADMIRADOR

Cuando soñamos que alguien nos admira es porque, en nuestro interior, nos sentimos plenamente satisfechos de nuestros actos.
Si en el sueño admiramos a otra persona, significa que, aunque nos parezca imposible, estamos muy cerca de tener sus cualidades.

ADOBAR

Véase ALIÑO.

ADOBE

Soñar que hacemos una mezcla de barro y paja para construir una vivienda significa que tenemos una gran necesidad de independencia.
Si los ladrillos de adobe se encuentran ya hechos, representarán la buena fortuna, un golpe de suerte o un dinero inesperado.

ADOLESCENTE

La adolescencia es una etapa de la vida caracterizada por el idealismo y la rebeldía. Soñar con adolescentes o ser uno mismo en el sueño, equivale a rescatar, dentro de nosotros mismos, las ilusiones y los deseos de transformar lo que nos rodea.

Adonis

Soñar con este personaje de la mitología griega, conocido por su gran hermosura y disputado como amante por varias diosas, indica que tendremos muchas satisfacciones en el terreno amoroso, aun cuando podamos estar pasando por un momento difícil.

Adopción

Los sueños en los que somos hijos adoptivos representan las diferencias de opiniones que tenemos con nuestra familia, y en especial con nuestros padres. Si el sueño es agradable y tranquilo, éstas no son importantes y, con el tiempo, se podrán limar. Si, por el contrario, es inquietante, indica que deberemos tenerles paciencia e intentar ayudarles a comprender nuevos puntos de vista.

Adorar

Si en el sueño adoramos a dioses distintos a los de la religión que habitualmente practicamos, eso significa que nos sentimos víctimas de alguna injusticia, probablemente cometida por un superior. Si contemplamos que son otros los que están en actitud de adoración, muestra la necesidad de avanzar en el terreno espiritual.

Adormidera

Véase AMAPOLA.

Adornar

Siempre que en sueños se colocan adornos, sea en el ambiente o en uno mismo, es necesario pensar en una tendencia a embellecer la realidad, a buscar siempre el lado más positivo de cada situación y, en general, muestra una actitud optimista por nuestra parte.

Aduana

La aduana es un punto fronterizo en el cual se vigila todo lo que entra y sale de un país. En los sueños representan los límites que ponemos a las personas del entorno.
Si el sueño es angustioso, eso significa que somos incapaces de negar nada a los demás, que sentimos que abusan de nuestra generosidad. Si es agradable, muestra que sabemos poner las reglas claras y que estamos conformes con nuestras relaciones personales.

Adular

La adulación es un halago que se hace con el fin de obtener algo de otra persona y en el sueño simboliza la falta de posibilidades de conseguir lo que queremos por nuestros propios medios.
Si somos adulados, deberá entenderse que hay personas que nos admiran y que ven en nuestro interior muchas cosas positivas pero que, no obstante, no debemos fiarnos de ellas.

Adulterar

La adulteración es una forma de fraude, de engaño; por lo tanto, soñar con que se adultera alguna sustancia, significa que queremos ocultar algo, que pretendemos engañar a otros.
Un sueño en el que consumimos una sustancia adulterada que nos pone enfermos simboliza la mentira, fraude o traición por parte de un amigo.

Adulterio

El hecho de tener un sueño erótico con otra persona que no es la propia pareja, no indica adulterio. Para que sea considerado así, debe estar implicada la persona con la que mantenemos una relación de pareja.
Esta situación indica que la relación amorosa pasa por una crisis; que hay puntos sobre los cuales es difícil establecer acuerdos o que no se tiene la libertad suficiente como para desarrollar una vida independiente al lado de la persona que se ha elegido.

Muchas personas entienden que el estar en pareja debe anular por completo la vida personal; sin embargo, si se sigue esta pauta, lo único que se conseguirá es llegar a la saturación.

Adulto

Si soñamos que tenemos más edad que en la realidad, eso significa que tenemos una visión sumamente optimista del futuro; que tenemos una gran confianza en nosotros mismos y que estamos dispuestos a disfrutar plenamente de la vida.

Adversario

En los sueños, los adversarios simbolizan los enemigos de la vida real. Éstos no sólo son personas sino, en ocasiones, situaciones difíciles que no podemos controlar.

Adversidad

Por lo general, los sueños en los que vivimos grandes adversidades constituyen un buen augurio. Indican que nuestra mente está en proceso de limpieza, de eliminación de cosas superfluas que en realidad no necesitamos para ser felices, y que está disponiéndose a entrar en una nueva etapa mucho más madura y productiva.

Advertencia

Muchas veces, en sueños aparecen advertencias explícitas: por ejemplo cuidado con el precipicio, animal peligroso, etc. A través de ellas nuestro inconsciente nos pone en estado de alerta con respecto a ciertos aspectos de nuestra vida.
Lo importante, siempre, será analizar qué significa la advertencia en sí. Por lo tanto deberán buscarse en el diccionario las palabras que contenga la advertencia.

Aeróbic

Véase GIMNASIA.

Aerodinámico

La forma aerodinámica de un objeto sirve para que pueda adquirir una mayor velocidad. Se utiliza, sobre todo, en los vehículos.
Soñar con un elemento al cual, en el sueño, se le reconozca forma aerodinámica significa que estamos ansiosos por quemar etapas, por alcanzar una edad mayor que la que tenemos.

Aeródromo

Los aeródromos son lugares en los cuales se hacen competiciones de velocidad. En un sueño simbolizan los rápidos cambios que se sucederán en el interior de una familia o en el hogar.
Si las imágenes oníricas nos provocan placer o tranquilidad, las transformaciones serán positivas y alegres; si, por el contrario, durante el sueño experimentamos angustia, es probable que se produzcan desperfectos en la vivienda que obliguen a realizar gastos inesperados, del estilo de una inundación con goteras o una reforma importante.

Aeronáutica

Si en sueños nos vemos estudiando ingeniería aeronáutica, quiere decir que tenemos una gran ambición, así como que nos interesa adquirir la mayor popularidad posible.

Aeropuerto

Los aeropuertos son puntos de llegada y partida y en los sueños simbolizan los comienzos y los finales.
Si soñamos que estamos en un aeropuerto, todo lo que transcurra en él deberá ser interpretado con sus correspondientes símbolos a fin de averiguar a qué comienzo o final aluden.
Ver un aeropuerto desde el aire significa tener claros los objetivos y la forma en que se han de conseguir.

Véase AVIÓN.

Aerosol

Esta mezcla de líquido con gas se relaciona con los elementos agua y aire; es decir, con la sensibilidad y la razón.
Si utilizamos un aerosol o un vaporizador, quiere decir que sabemos analizar los problemas, tanto desde una perspectiva emocional, como desde un ángulo puramente intelectual.
Deberá tenerse en cuenta cuál es el líquido que se esparce.

Aerostático

Véase GLOBO.

Afasia

Este trastorno neurológico se manifiesta en la pérdida del habla y en sueños representa un secreto que nos cuesta mantener guardado.
La ronquera o afonía, aunque no determina una ausencia total de voz, sí la limita y por lo tanto también se relaciona con todo aquello que nos conviene mantener oculto.

Afear

Estropear nuestra propia imagen o la estética de un objeto deliberadamente denota la necesidad de que se nos reconozca por nuestros valores internos y no por nuestros logros materiales.
Si en el sueño se experimenta angustia, es posible que esté relacionado también con un sentimiento de inseguridad frente a personas más capaces de hacer valer sus ideas.

Afecto

Las demostraciones de afecto que hacemos o recibimos en sueños son, la mayoría de las veces, compensatorias. Indican que, en la vida real, somos bastante reacios a dar muestras de ternura o de cariño por temor a acostumbrarnos a ellas y perderlas en un futuro.

Afeitado

La barba y el bigote son atributos propios de un hombre adulto. El hecho de afeitarse en sueños se vincula a una toma de contacto con la infancia, con una etapa caracterizada por la pureza y la ingenuidad.
El afeitarse la cabeza simboliza un acercamiento al mundo espiritual, ya que es una costumbre propia de los sacerdotes de diversas religiones.

Véase DEPILACIÓN.

Afiche

Véase CARTEL.

Afilar

Sacar filo a un arma o a un objeto punzante o cortante se relaciona con la preparación previa a la toma de una decisión importante.
En ocasiones, sobre todo si se está viviendo una situación de conflicto con una persona del entorno, puede simbolizar la determinación de zanjar definitivamente el asunto, aunque ello cueste perder su amistad.
Si lo que se afila es la mina de un lápiz, es probable que los límites se los impongamos a través de una carta.
Si es otra la persona que en el sueño está afilando un objeto, lo recomendable es que se tenga hacia ella una actitud de cautela porque puede jugarnos una mala pasada.

Afinar

Con la afinación de un instrumento se consigue que todos sus elementos adquieran una tonalidad adecuada, que las notas armonicen entre sí y con las de los demás elementos de la orquesta. Por ello, esta imagen en sueños simboliza los esfuerzos que hacemos para que dos personas que están enemistadas logren llegar a establecer una buena relación.

Afonía

Véase AFASIA.

Afrenta

Las afrentas que sufrimos indican que alguien de nuestro entorno nos tiene una profunda envidia. A menudo, también, señalan que vamos camino a un éxito sonado.
Cuando somos nosotros quienes hacemos una afrenta a otro personaje, debemos interpretar que nos sentimos molestos por una injusticia cometida en nuestro entorno.

Afrodisíaco

Aunque las sustancias afrodisíacas se utilizan para aumentar el deseo sexual, su empleo en los sueños representa, por el contrario, un deseo que aún no ha sido satisfecho; ya sea que las tomemos nosotros mismos o que se las demos a otra persona.
Si nos fuerzan a consumirla, en cambio, quiere decir que nos sentimos agobiados por alguien que nos requiere como amantes pero que no nos despierta ningún interés.

Afrodita

Es la diosa griega del amor, identificada con la deidad romana Venus.

Véase VENUS.

Afta

Las pequeñas llagas que aparecen en la mucosa bucal simbolizan situaciones o personas que nos resultan absolutamente intolerables.

Agallas

Las agallas son las branquias que tienen los peces a los lados de la cabeza y que les sirven para respirar.
En un sueño simbolizan nuestra habilidad para desenvolvernos en un entorno nuevo, en un ambiente que no es el que habitualmente frecuentamos.

Agasajar

Los agasajos son muestras de afecto y atención. Si en el sueño somos nosotros quienes los recibimos, significa que sabemos hacer reconocer nuestras virtudes y nuestro trabajo. Si los hacemos, indica que, afortunadamente, estamos rodeados de personas que nos inspiran respeto y cariño.

Ágata

Este hermoso mineral, que al corte forma anillos concéntricos que asemejan al tronco de un árbol, es uno de los primeros materiales que ha conocido el hombre. Antiguamente se creía que tenía propiedades mágicas. Se decía que quien portara una de estas piedras se transformaba en una persona amable y con una gran capacidad de persuasión. También que curaba el insomnio.
Algunos pueblos la emplearon para hacer sortijas en las cuales grababan alguna fórmula mágica de protección.
Soñar con ágatas significa que lograremos convencer a una persona que se niega a aceptar nuestros puntos de vista.
Si al trozo de mineral se le ha dado forma de algún objeto, es importante también ver el significado de éste para completar el análisis.

Agenda

En sueños, simboliza los acontecimientos importantes que esperamos en un futuro próximo.
Si apuntamos algo en ella, quiere decir que tenemos la intención de poner en marcha diferentes planes y que éstos tendrán excelentes resultados. Si la perdemos, significa que no estamos muy conformes con el estilo de vida que llevamos.

Véase LISTÍN.

Agilidad

Tener una agilidad extraordinaria significa que tenemos la tendencia a ocuparnos de asuntos que no nos conciernen; que no confiamos en los demás a la hora de trabajar y que nos cuesta mucho aceptar que cada cual hace las tareas según su modo.

Agitar

Agitar un líquido o cualquier otro elemento indica que nos sentimos frustrados porque quienes nos rodean no son conscientes de los problemas que se avecinan. Lo que pretendemos es introducir una perturbación a fin de que tomen conciencia y se preparen para futuros acontecimientos.

Agonía

No es extraño que, en sueños, se experimente el momento próximo a la muerte. Contrariamente a lo que cabría esperar, lejos de ser sueños angustiosos, producen una inmensa paz, una sensación de plenitud y felicidad que pocas veces se experimenta en la vida real. Lo más común es que, después de haber tenido esa sensación, despertemos.

La agonía simboliza el punto de partida en el cual se abandona una forma de vivir equivocada y el inicio de un nuevo camino, mejor que el anterior.

Si quien agoniza es otra persona, significa que deseamos tomar una mayor distancia con ella.

Agorafobia

Sentir angustia o imposibilidad de permanecer en un espacio abierto, si no hay ninguna otra amenaza, simboliza el miedo a hacer uso de la propia libertad. Posiblemente nos veamos tentados a llevar a cabo acciones que creemos poco éticas.

Agosto

Si nos encontramos en el hemisferio norte, soñar con este mes significa que estamos conformes con la marcha de nuestros asuntos y dispuestos a disfrutar plenamente de la vida.

Si estamos en el hemisferio sur, por el contrario, indica que estamos pasando una mala época y que ésta requiere grandes sacrificios.

Véase MES.

Agotamiento

En sueños, esta sensación se refiere al agotamiento emocional. Si soñamos con que nos encontramos agotados, sin fuerzas, es porque hemos estado luchando a brazo partido para solucionar un problema afectivo sin haber obtenido los resultados esperados. Tal vez sea conveniente tomar distancia del problema y dejar de poner todas las energías en solucionarlo.

Agradecer

Los sueños en los que aparecen diversas formas de agradecimiento simbolizan la conformidad que sentimos hacia todo lo que la vida nos da.

Si recibimos el agradecimiento de otros, significa que tenemos miedo al futuro y, por ello, tendemos a hacer favores a los demás con el objeto de mantener una relación de deuda para cobrarla en algún momento en que podamos necesitar ayuda.

Agredir

Las agresiones, en sueños, simbolizan la ira contenida que, en la vida real, no somos capaces de manifestar.

Si agredimos a una persona conocida, debemos entender que, de alguna manera, nos sentimos ofendidos por ella.

En caso de que la agresión la dirijamos hacia un desconocido, lo más probable es que la persona a la cual queremos atacar pertenezca a nuestro círculo más íntimo o a alguien por quien se supone que deberíamos sentir amor y respeto.

Si es a nosotros a quienes nos agreden, indicará que nos sentimos en deuda con el agresor o, en caso de ser un desconocido, con alguien que no nos cae bien.

Agricultor

Gracias al trabajo del agricultor, se renueva todos los años el milagro de la vida. Él es quien planta la semilla, quien cuida que a los cultivos no les falte agua ni elementos nutritivos y quien debe estar atento al ritmo del sol y de las estaciones para efectuar las labores del campo.
En sueños, simboliza el poder de regeneración; la capacidad de erguirse y seguir caminando tras haber sufrido un grave problema.

Agridulce

Esta combinación de sabores simboliza aquellos aspectos de nuestra vida en los que el placer y el dolor se alternan constantemente. A menudo se refieren a una relación íntima en la cual cada momento de felicidad se paga con grandes períodos de insatisfacción, miedo al abandono y desesperación.

Agrio

Los alimentos agrios simbolizan los sucesos que, causándonos dolor, nos provocan también ira.
Comer alimentos agrios en un sueño indica que estamos viviendo una situación injusta que nos causa tristeza pero que, también, nos llena de indignación.

Agrupar

Cualquier actividad que se realice en sueños y consista en reunir cosas afines, está relacionada con el afán de arreglar las reyertas familiares.

Agua

El agua es uno de los símbolos más importantes creados por el hombre. Como es un elemento que ha estado presente en toda las culturas, desde el momento en que las ciudades se erigían próximas a los ríos, ha recibido múltiples significados.
Por un lado, teniendo en cuenta su estado líquido gracias al cual adquiere la forma del recipiente que la contiene, así como su limpieza, transparencia y profundidad en los lagos, se relaciona con el principio femenino. Soñar que se emerge del agua simboliza el nacimiento, la salida del vientre de la madre. Atravesar un lago a nado, en cambio puede entenderse como símbolo de comprensión de los problemas de la mujer.
Su poder de disolución alude a su capacidad de eliminar las impurezas; por ello soñar que estamos sucios y nos lavamos es símbolo de avance espiritual.
El agua también es espejo, de modo que si soñamos que nos reflejamos en ella debemos leer los atributos de ese símbolo.
Pero el agua no siempre tiene connotaciones positivas: también posee un carácter destructor, insondable o terrible.
Si nos precipitamos en un abismo debajo del agua eso quiere decir que buceamos en nuestro inconsciente a fin de comprender el porqué de nuestras acciones o sentimientos. Un mar embravecido simboliza la confusión afectiva que podemos estar viviendo.
Como uno de los cuatro elementos (tierra, agua, fuego y aire) representa el mundo emocional de manera que las aguas limpias y transparentes hablarán de las emociones positivas y las que estén estancadas, sucias o malolientes, de las negativas.
Si alguien derrama agua sobre nuestra cabeza, simbolizará la entrada en una comunidad, una suerte de bautismo aunque, en el sueño, éste sea un hecho incidental y no un rito ejecutado por un sacerdote.
Mojarse o lavarse las manos indica que queremos librarnos de una culpa que no nos pertenece, tal y como hizo Pilatos.
En líneas generales, si el sueño en el cual el agua es un elemento principal nos

provoca angustia, será necesario revisar nuestras emociones porque, seguramente, en ellas hay algún problema sin resolver.
Por el contrario si es un sueño plácido, aunque estemos viviendo una época difícil, podemos estar seguros de que vamos camino de la superación y que, en un breve tiempo, las dificultades habrán terminado.
El agua oxigenada simboliza la necesidad de liberar nuestra mente, de sentirnos libres y con tiempo para poder prestar atención a nuestro desarrollo espiritual, lo que normalmente descuidamos para dedicarnos al trabajo o el dinero.

Véase BAÑARSE, MAR, PISCINA, RÍO.

AGUACATE

En la ciudad de Bogotá, los enamorados no llevan flores a su amada; lo que se estila es llevarles aguacates, por ello esta deliciosa fruta es símbolo del amor.
Soñar con aguacates puede ser presagio de una declaración romántica.

AGUACERO

Véase CHAPARRÓN.

AGUADOR

Quien reparte agua en un sueño a fin de que los demás sacien su sed simboliza a las personas que nos brindan su afecto y su apoyo en la vida real.

AGUAFUERTE

Si vemos un aguafuerte en sueños, será necesario buscar el simbolismo de todos los demás elementos que aparecen en la misma.

Véase PINTURA.

AGUAMANIL

Simboliza el deseo de parecer inocentes ante los demás en un momento en el que sentimos algunos cargos de conciencia.

AGUAMARINA

Este mineral, de la familia de los berilos, fue considerado durante mucho tiempo como piedra de la felicidad y de la eterna juventud.
Antiguamente se creía que, puesta en la boca, permitía invocar al demonio con el fin de que éste contestara las preguntas que se le hicieran.
En los sueños simboliza los secretos de la persona amada. Si se tiene en la mano o en un dedo en forma de anillo, indica que se recibirán confidencias.

AGUANTAR

Los sueños en los que debemos aguantar situaciones difíciles hablan de nuestra capacidad de resistencia; de la entereza que mostramos ante los problemas.
Si logramos sostenernos firmes en la situación, es señal de que tenemos una fortaleza interior que nos permitirá solventar todo tipo de problemas.

AGUARDIENTE

En el aguardiente, así como en las bebidas alcohólicas de alta graduación, se unen dos principios: el agua y el fuego.
Beberlo o prepararlo en sueños indica que nuestra voluntad domina y dirige las pasiones.

Véase BEBER.

AGUARRÁS

Este aceite volátil se emplea, básicamente, en esmaltes y pinturas. Simboliza la parquedad.
Si lo empleamos en sueños quiere decir que somos personas de pocas palabras; que damos más importancia a los hechos que a las buenas intenciones.

AGUIJÓN

El aguijón es un arma de defensa que tienen ciertos insectos. En el caso de las abejas, por ejemplo, poco después de clavarlo mueren, pues con él dejan parte de su sistema digestivo. Soñar con aguijones quiere decir que utilizamos medios demasiado drásticos para hacer valer nuestros derechos; que somos demasiado irascibles y que, en ocasiones, agredimos antes de pensar en lo que estamos diciendo, debiendo pagar por ello las consecuencias.

Águila

El águila es símbolo de la altura, del espíritu que se eleva.
En Oriente y en Europa ha sido asociada a los dioses del poder y de la guerra. De hecho, en las monedas romanas es impresa como símbolo del poder del imperio.
Para los cristianos, es el emblema de la oración que sube al cielo.
Si en sueños vemos el vuelo de un águila, significa que nuestros deseos más importantes se van a cumplir.
Si el águila lucha con una serpiente (imagen que ha sido muy utilizada), representa la tarea que lleva nuestro ser superior para controlar los instintos.
Si el águila porta en sus garras una víctima, es señal de que habremos logrado dominar los más importantes defectos.

Aguinaldo

La aparición del aguinaldo como elemento de un sueño, indica que necesitamos una pequeña ayuda económica que nos llegará por parte de un miembro de nuestra familia.

Aguja

La aguja de coser, se clava, tira del hilo y une dos trozos de tela. Su imagen en sueños simboliza la búsqueda de ayuda y apoyos para resolver la enemistad entre dos personas queridas.
Las agujas de tejer, en cambio, aluden a la actividad mental, a las vueltas que damos a nuestros pensamientos.
Si nos pinchamos con una aguja habrá que interpretarlo como falta de concentración que puede tener, en un futuro, sus consecuencias.

Véase COSTURERO.

Agujerear

La acción de agujerear cualquier superficie simboliza el análisis racional que hacemos de los problemas que nos aquejan.
Si hacemos una gran cantidad de agujeros, quiere decir que tendemos a obsesionarnos fácilmente; que no sabemos tomar distancia con los conflictos, sino que, por el contrario, les damos excesivas vueltas en la cabeza.

Agujero

Para hacer un buen análisis es preciso distinguir la superficie sobre la que está hecho el agujero. Si es en la tierra, indica fertilidad y podría anunciar un próximo nacimiento o el comienzo de un nuevo proyecto.
Si el agujero está en una pared o en una caja, en cambio, representa una oportunidad para adquirir nuevos conocimientos.
Si llevamos prendas agujereadas, quiere decir que damos más importancia al mundo emocional y espiritual que al material.

Agujetas

Estos dolores musculares pueden presentarse en sueños toda vez que, en la realidad, hemos hecho algún tipo de ejercicio que los provoque.
Si no es así, las agujetas simbolizan la pereza e indican que no ponemos el suficiente entusiasmo a la hora de realizar nuestras tareas, sean físicas o intelectuales.

Ahijado

Los ahijados simbolizan nuestro niño interior, que debe ser guiado, amado y comprendido. Por ello, soñar con un ahijado significa que algunos aspectos de nuestra personalidad han quedado

bloqueados en la infancia en forma de mandatos negativos, de ideas equivocadas sobre nosotros mismos, creándonos dificultades en el presente.
Si el sueño es placentero y si en él la relación con el ahijado es buena, quiere decir que sabemos cuidarnos y atender nuestras necesidades emocionales, muchas veces olvidadas. Si la relación es mala, es posible que nos mostremos afectivamente distantes para evitar sufrimientos, quedándonos, de esta manera, siempre faltos de afecto.

Ahogarse

El agua es el elemento que representa la vida emocional y psíquica. El hecho de ahogarse está relacionado con la disolución del yo, con la pérdida de la individualidad.
Estos sueños pueden ser placenteros, pero también angustiosos. En caso de que así sea, habría que hablar del temor a la pérdida de uno mismo, al miedo a verse dominado por personalidades más fuertes que la propia.

Ahorcamiento

Para ahorcar a una persona es necesario poner una soga alrededor del cuello o, visto simbólicamente, separar la cabeza del resto del cuerpo.
Los sueños en los que somos ahorcados representan una tendencia a hacer excesivo uso de la mente desoyendo por completo las voces de nuestro mundo emocional e instintivo. Este control, aunque aparentemente puede facilitar nuestra vida cotidiana, a la larga cobra su precio.
Si en el sueño experimentamos angustia, con ello queremos mostrar la necesidad de expresar nuestros afectos y la represión que ejercemos en nosotros mismos.
Es posible que las imágenes oníricas nos muestren el ahorcamiento de otra persona pero, en este caso, la interpretación será la misma.

Ahorro

Si el ahorro está dentro de unos límites normales, denota un espíritu previsor. Si es exagerado, si en el sueño se convierte en una obsesión, da cuenta del miedo a la muerte.

Ahuecar

La acción de hacer un hueco en cualquier material simboliza el razonamiento centrado en una misma idea; la reflexión profunda sobre algo que nos preocupa y la necesidad de conocer todos los aspectos de un problema.
Para hacer una interpretación correcta del sueño es necesario leer la definición del objeto que se ahueca.

Ahumar

Antiguamente se sometía a ciertos alimentos como el pescado y las carnes a la acción del humo a fin de curarlos y mantenerlos comestibles por más tiempo. Por ello la acción de ahumar significa, en sueños, conservar, mantener un statu quo. Ello, por lo general, atenta contra la evolución de los acontecimientos ya que los cambios, no sólo son imposibles de evitar eternamente sino, además, necesarios para progresar.

Aire

Es uno de los cuatro elementos y representa el mundo mental.
No es frecuente que, en sueños, se tome conciencia del aire a menos que éste tenga características especiales, por ejemplo que sea de algún color, olor o textura.
Percibir sobre la piel el roce de una suave brisa, indica que nuestros pensamientos se desarrollan en calma y ordenadamente.
Los vientos fríos hablan de un exceso de racionalidad y los cálidos, de extremada pasión en las ideas.
Sentir que nos falta el aire es índice de que, ante un problema o conflicto, nos hallamos sin respuesta.

Airear

Abrir las ventanas de una casa para airearla (o poner un objeto a la intemperie con tal fin) es como abrir las puertas de la mente a otras ideas.
Esta acción debe interpretarse como una búsqueda de la verdad, como una necesidad de intercambiar opiniones, propia de un espíritu abierto y curioso.

Aislante

El uso de diferentes tipos de aislantes está relacionado con un intento de preservar la individualidad; de encontrar los propios valores y virtudes, diferenciándolos de aquellos que han sido inculcados en la infancia.

Ajedrez

Las piezas de este juego son un claro ejemplo de la organización social y, en sueños, representa las diferentes facetas que componen nuestra personalidad.
El tablero simboliza el campo de batalla entre los pares de opuestos: bien y mal, femenino y masculino, yin y yang.
Para hacer un análisis completo del sueño conviene leer el simbolismo de cada una de las figuras que intervienen.

Ajenjo

A esta planta, venenosa, se le han adjudicado poderes mágicos. Sin embargo, también simboliza la protección en los viajes.
Cuando la vemos en sueños, indica que, a pesar de las prevenciones que tengamos con respecto a un desplazamiento, éste podrá ser efectuado sin problemas.

Ajo

Diferentes pueblos de Europa han conferido a esta planta, sobre todo a su bulbo, propiedades mágicas. En algunos países, sobre todo centroeuropeos, aún se puede ver hoy que, tras la puerta, se cuelgan ristras de ajo a fin de proteger el entorno de los malos espíritus. En los del Mediterráneo, en cambio, se utilizó como amuleto protector contra el mal de ojo.
Soñar con dientes o cabezas de ajo significa que debemos mantenernos cautelosos con respecto a una persona del entorno. Si el sueño es placentero, quiere decir que por mucho que intente hacernos daño o crearnos problemas, no lo conseguirá. Si es agitado, en cambio, es necesario extremar la prudencia en el trato con ella.
Si en el sueño comemos ajos es posible que, a través de esa imagen onírica, el cuerpo nos esté pidiendo el alimento que necesita. En este caso, el ajo tiene innumerables propiedades curativas y es excelente para ayudar en la cura de procesos infecciosos.

Ajuar

Soñar con la preparación de un ajuar es índice de que necesitamos sentirnos independientes de la tutela paterna; que estamos en un proceso de revisión de las pautas que nos transmitieron en la niñez.
En ocasiones, si en el sueño se habla también de boda, indica que ansiamos formar una familia propia o que, en caso de tenerla, nos sentimos defraudados y preferimos retomar el momento en que eso aún no se había producido.
Si el ajuar se deteriora o se rompe, indica que estamos buscando un cambio de vida pero que no sabemos aún cómo plantearlo.

Alabanza

El canto de alabanzas a Dios, a la Virgen o a los santos indica que estamos en un período muy favorable, con grandes posibilidades de cambiar sustancialmente nuestro modo de vida.

Véase ELOGIOS.

Alacena

Aunque en las alacenas pueden guardarse diversos objetos, por lo general están

destinadas a los alimentos. Si se sueña que se abre una alacena y ésta no está vacía, eso indica que en un futuro próximo habrá un golpe de suerte.
Si la alacena no contiene alimentos y eso produce preocupación o angustia, debe interpretarse como que se avecinan tiempos difíciles y es menester estar preparado para hacerles frente.

ALACRÁN

Véase ESCORPIÓN.

ALAMBIQUE

El alambique es un aparato que sirve para destilar, para separar unas sustancias de otras.
Mediante el proceso de destilación se pueden obtener sustancias puras, por ello esta herramienta se relaciona con los procedimientos que empleamos para conocernos íntimamente, para comprender de qué manera pensamos y sentimos.
Si en el sueño se usa un alambique para destilar, ello indica que hay facetas de nuestra personalidad que queremos comprender mejor y cambiar de forma positiva.
Si es otra la persona la que lo emplea, y la sensación que nos produce es de angustia, quiere decir que nos sentimos observados y juzgados por alguien a quien respetamos.

ALAMBRE

Su empleo, sobre todo cuando se utiliza para alambrar una superficie de terreno, simboliza los límites que imponemos a los demás y a nosotros mismos.

ÁLAMO

El simbolismo de este árbol se toma por la cualidad de sus hojas, que tienen una doble tonalidad, clara y oscura.
Simboliza lo positivo y lo negativo de nuestra personalidad y su aparición en sueños está relacionada con los exámenes de conciencia.

ALARDE

Esta palabra tiene dos acepciones muy claras. Por una parte, se denomina así a una formación militar en la cual se reseñaban los hombres y las armas que portaban.
Si en el sueño presenciamos o participamos de un evento así significa que estamos dispuestos a defender una parcela de nuestro terreno recurriendo a un enfrentamiento abierto en caso de que ello fuera necesario.

ALARDEAR

Véase OSTENTAR.

ALARIDO

Los alaridos constituyen la expresión espontánea de una emoción intensa. Si bien pueden darse por alegría, lo más común es que se emitan ante situaciones de dolor o de miedo.
Oír alaridos en sueños quiere decir que una persona de nuestro entorno requiere nuestra ayuda, pero que no se atreve a pedirla abiertamente.
Si somos nosotros quienes gritamos, significa que somos muy introvertidos, que tendemos a guardarnos los problemas y a no hablar de ellos hasta haberlos resuelto.

ALARMA

El sonido de una alarma no es, como a primera vista pudiera pensarse, un mal augurio. Sí indica un cambio de situación para el cual debemos estar preparados.
El análisis simbólico del elemento que provoque la alarma en el sueño debe servir para comprender qué nuevo rumbo tomarán los acontecimientos.

ALAS

Los seres humanos que se representan con alas son los ángeles.

Soñar que se tienen alas simboliza nuestra búsqueda espiritual, la necesidad de elevarnos y perfeccionarnos diariamente.
En algunos sueños, las alas representan la capacidad de comunicarse, de moverse en el aire, que es el elemento mental por excelencia.
Si tenemos alas que en el sueño no podemos utilizar es síntoma de una imperiosa necesidad de independencia.

Véase VOLAR.

ALABARDA

Véase ARMAS.

ALAZÁN

Véase CABALLO.

ALBA

Recibe este nombre la túnica blanca que Herodes puso a Cristo; por ello simboliza la pureza.
Cuando se refiere al momento en que se inicia el día, se relaciona con el renacimiento, con el resurgir de nuevas fuerzas, con la actitud optimista ante la vida. Es un signo de buen augurio que anuncia cambios muy provechosos en un futuro próximo.

ALBACEA

El albacea es la persona encargada de administrar los bienes o las últimas voluntades de una persona que ha muerto.
Si en sueños nos vemos en este papel, significa que gozamos de la confianza de las personas mayores; que nos ven responsables y dignos de crédito.
Si presenciamos la lectura de un testamento y el albacea es otra persona, ésta representará un aspecto de la personalidad de quien, en sueños, haya muerto, lo que no quiere decir que vaya a morir en la realidad.

ALBAHACA

A través de la historia esta planta ha tenido diversos simbolismos: por un lado, antiguamente era considerada venenosa y en Europa se tenía por planta demoníaca, pero en la India era muy reverenciada.
En la antigua Grecia representaba el odio, la pobreza y la desgracia, pero actualmente en Italia se la considera planta del amor.
Si el sueño en el que aparece esta planta es agradable, significa que tendremos un importante acercamiento afectivo. Si es perturbador, puede indicar que tendremos disputas y peleas con una persona de nuestra confianza.

ALBAÑIL

La presencia de un albañil en los sueños indica que es necesario hacer cambios materiales en nuestra vida (una mudanza, la búsqueda de otro empleo, etc.)
Si nos vemos a nosotros mismos desempeñando ese oficio, será señal de que estamos en camino de construir un futuro prometedor.

ALBARÁN

Si en el sueño recibimos una mercancía y tenemos que firmar un albarán por ello, significa que alguien nos ha hecho un favor y, de muy malas formas, exige que se lo retribuyamos.

ALBARICOQUE

En algunos pueblos de América latina se considera el fruto de este árbol como símbolo de fecundidad.
Si en el sueño aparece un albaricoquero en flor, será señal de que nuestros asuntos financieros marcharán a la perfección; si tiene frutos, indica que se abrirán nuevas oportunidades y si está seco, que debemos estar alerta porque podemos ser víctimas de un timo.
Soñar con el fruto anuncia que concretaremos un sueño acariciado durante un largo tiempo.

ALBATROS

Para las cofradías marinas de todo el mundo, cuyo símbolo es el albatros, el ave representa el espíritu de camaradería, respeto y solidaridad, basado en la empatía.
Soñar con estas aves es signo de que ampliaremos el círculo de amistades.

Véase AVES.

ALBERCA

Véase ACEQUIA.

ALBERGUE

Los albergues, sobre todo si son de montaña, simbolizan la capacidad de disimulo, la habilidad para pasar desapercibido cuando se produce una situación caótica o conflictiva en el entorno.
Soñar con una de estas edificaciones presagia que presenciaremos enfrentamientos desagradables en el trabajo, pero que no nos veremos involucrados en ellos.

ALBINO

En algunas culturas, como en la de los dogon africanos, las personas que tienen esta condición son tratadas con un especial respeto y temor.
Ver un albino en sueños puede indicar la presencia de alguien que resulta muy atractivo pero, al mismo tiempo, extraño o incomprensible.

ALBÓNDIGAS

En general, soñar con comida es signo de prosperidad. Sin embargo, las albóndigas indican una situación económica precaria. Si las estamos preparando quiere decir que, si bien pasamos por una etapa de declive económico, estamos en vías de subsanarla. Si las comemos, quiere decir que aún falta tiempo para que podamos reponernos.

ALBORNOZ

Esta prenda se utiliza, por lo general, al salir del baño. Se relaciona por tanto con los momentos que siguen a una purificación.
En sueños, vestir un albornoz alude al hecho de haber combatido victoriosamente las emociones negativas. Significa que, interiormente, estamos en paz con nosotros mismos.

ALBOROTO

Cualquier alboroto que se produzca en sueños da cuenta de un estado mental o emocional en el que reina la confusión.
Si el sueño provoca inquietud, será mejor tomarlo en cuenta y subsanar los acontecimientos que estén produciendo esa situación.

ÁLBUM

Como estos libros en blanco, generalmente apaisados, se suelen utilizar para guardar elementos de tipo emocional (fotos, poemas, pequeños escritos, etc.), simbolizan los elementos del presente que más valoramos, aquello que no quisiéramos perder.
Si el sueño es angustioso, podría entenderse que manifiesta el temor a la soledad, a sentirnos abandonados. Si, por el contrario, es agradable, anticipa una apertura emocional, el encuentro de personas muy positivas con las cuales se llegará a establecer una relación agradable y cordial.
El álbum también puede contener piezas musicales (discos). Si fuera este el caso, indicaría que estamos satisfechos con nosotros mismos.

ALCACHOFA

Al igual que la cebolla, esta verdura está formada por capas de hojas modificadas en torno a una parte carnosa llamada corazón.
En un sueño, las alcachofas representan nuestro mundo emocional y, sobre todo,

las actitudes con las que nos defendemos a fin de no sufrir decepciones. Cuando lo que se ve es el corazón de la alcachofa, puede decirse que uno está dispuesto a enamorarse nuevamente, que mantiene un espíritu abierto y cercano con los demás.

ALCALDE

La figura principal de un ayuntamiento, como con otras personalidades que ostentan poder, representa, por una parte, aquellos preceptos que nos fueron inculcados en la niñez y la relación con la autoridad; de modo que habrá que analizar los sentimientos que el alcalde o alcaldesa nos despierten durante el sueño para profundizar en la forma en que establecemos los vínculos con la ley, en especial en lo que se refiere a las amistades que podamos elegir.

Si incluyen desasosiego, pesar o rabia, indican que tenemos un espíritu rebelde que nos incita a buscar amigos extraños, pertenecientes a diferentes esferas sociales.

Los sueños pacíficos y agradables aluden a una capacidad de llevarse bien con todo el mundo siendo, al mismo tiempo, muy estrictos a la hora de intimar.

Por último, si experimentamos temor, quiere decir que no tenemos la suficiente confianza en nosotros mismos; que tendemos a aceptar antes las ideas ajenas que las propias y que si la autoridad nos presiona preferimos dejar a un amigo de lado antes que enfrentarnos con ella (por ejemplo, en el caso de que los adultos de la familia no vean con buenos ojos a la pareja que se ha escogido).

Véase AYUNTAMIENTO.

ALCANFOR

Es, junto con la mirra, el áloe y el incienso uno de los aromas más utilizados en rituales de magia. También ha sido empleado en medicina para prevenir enfermedades, sobre todo en épocas de epidemias y antes de la invención de las primeras vacunas, así como para fortalecer el corazón.

Era muy común poner entre la ropa bolitas de alcanfor, en parte como antiséptico, pero también para conservarlas en buen estado.

Simboliza el cuidado del propio cuerpo, el buen estado de salud y la tendencia a envejecer muy lentamente.

Oler en sueños su característico aroma es un buen augurio.

ALCANTARILLA

El sistema de alcantarillado es un excelente símbolo del inconsciente; de las cicatrices que quedaron en el alma tras haber vivido momentos muy difíciles.

Si el sueño es agradable, indica que tenemos acceso a estas heridas y que, por ello, podemos curarlas. Si tiene tintes siniestros o sombríos, indica que no podemos enfrentarnos a ciertos episodios del pasado y que, por ello, hemos preferido olvidarlos. Sin embargo, es importante darse cuenta de que están ahí, así como de que, en gran medida, determinan ciertos rasgos de conducta que pueden crearnos problemas.

ALCANZAR

Los objetos que, por su distancia o altura, nos cuesta trabajo alcanzar simbolizan las metas inmediatas que nos hemos propuesto.

Si en el transcurso del sueño logramos apoderarnos de lo que queremos alcanzar, es señal de que los objetivos serán cumplidos.

Si, tras haberlos alcanzado, se rompen o deterioran, quiere decir que tras conseguir la meta veremos que ésta no valía la pena.

ALCAPARRA

Los pequeños botones de esta planta o bien su fruto, el alcaparrón, representan aquellos proyectos que exigen un gran

esfuerzo y, durante su ejecución, muchos sinsabores; las empresas difíciles de llevar a cabo pero que, tras muchas penurias, aportan una gran felicidad.
Si el sueño es angustioso indica que las fuerzas están al límite, pero que es recomendable aguantar un poco más. Si es placentero, significa que en muy poco tiempo empezaremos a gozar de los sacrificios que hemos realizado.

ALCATRAZ

Véase CÁRCEL.

ALCÁZAR

Estos grandes edificios se utilizaban como fortificaciones, por ello simbolizan el temor por todo lo desconocido. Si nos encontramos en su interior quiere decir que todo cambio nos resulta muy difícil; que tenemos un espíritu conservador.

ALCE

Véase CIERVO.

ALCOHOL

En esta sustancia se combinan dos elementos cuya simbología es particularmente rica: el agua y el fuego; por ello es recomendable leer las atribuciones de éstos a la hora de analizar el sueño.
El agua es un elemento yin, femenino, y el fuego yang, masculino; por lo tanto su síntesis alude a la integración de estos dos principios.
Soñar con alcohol puede significar, en un hombre, el reconocimiento y aceptación de ciertos rasgos femeninos, como la sensibilidad o la ternura, que podrían ponerse de manifiesto, por ejemplo, ante el nacimiento de un hijo. En una mujer, en cambio, aludiría a la manifestación de rasgos tradicionalmente masculinos (racionalidad, competitividad, acción, etc.) que podrían ser disparados, por ejemplo, por una nueva situación laboral que exigiera dotes de mando.

ALCOHOLISMO

Si en el sueño aparecen personajes que se hallan en estado de ebriedad quiere decir que estamos viviendo una situación de confusión en la que personas allegadas se esmeran en entorpecernos la solución de nuestros problemas.

ALCORNOQUE

Este árbol, y sobre todo su corteza, es decir el corcho, simboliza la alegría de vivir, el optimismo; por lo tanto su presencia en un sueño es un excelente augurio de futuro.

ALDABA

Si golpean la puerta de nuestra casa onírica con la aldaba, significa que se está gestando un acontecimiento que aún no ha aparecido en la esfera consciente y que, cuando lo haga, nos alarmará.
Si somos nosotros quienes golpeamos con la aldaba otra puerta, significa que tenemos la intención de exigir algo a su morador y que estamos dispuestos a hacer valer nuestros derechos.

ALDEA

Si en el sueño nos encontramos en medio de una aldea, significa que estamos en un período en el cual preferimos rodearnos de poca gente, conocida y especialmente escogida, que hacer una vida social activa.
Si encontramos una aldea al final de un sendero, ésta simboliza que estamos a punto de concluir un proyecto, con muy buenos resultados.

ALDEBARÁN

El nombre de esta estrella gigante roja, 125 veces más luminosa que el sol, proviene del árabe (AdDabaran, «el seguidor»). Recibe este nombre por su posición con respecto a un cúmulo estelar, las Pléyades.

ALEF

La primera letra de los alfabetos árabe y hebreo tiene un profundo significado místico. Es el comienzo, el origen.
Verla en sueños es un excelente augurio, ya que indica que interiormente estamos preparados para el inicio de una nueva vida, mucho más rica y plena.

ALEGATO

Los alegatos son defensas legales en las cuales se impugnan las razones del contrario. Si leemos, escribimos o decimos un alegato en sueños, ello explica que sufrimos cierto arrepentimiento o vergüenza por no haber dado la cara por alguien, cuando se lo merecía. Nuestra conciencia nos estaría reprochando este acto cobarde.

ALEGRÍA

La alegría que experimentamos en sueños refleja una actitud de reposo interior, de esperanza y confianza en nuestras posibilidades.
Las situaciones alegres y distendidas que aparecen en los sueños, auguran una época de felicidad y paz interior.

ALEJARSE

Hay sueños en los que manifiestamente nos alejamos de un objeto, lugar o situación. Esta toma de distancia simboliza el alejamiento interno de personas que nos han decepcionado. Sin embargo, será muy importante estudiar la simbología de aquello de lo que nos alejamos.

ALELUYA

Es, indudablemente, un canto de alegría. También se llama de este modo una de las partes de la misa.
Oírlo en sueños indica que sentimos una gran paz interior, que hemos iniciado el camino espiritual y estamos satisfechos con ello.

Véase ALEGRÍA.

ALENTAR

El hecho de alentar a un deportista o a otra persona que esté realizando una tarea indica que tenemos una gran facilidad para automotivarnos.

ALERCE

El alerce es la única conífera que pierde sus hojas en invierno. Soñar con este árbol puede indicar el temor a una pérdida económica.

ALERGIA

Las alergias son una respuesta del sistema inmunitario ante determinadas sustancias que considera nocivas. Por diversas y complejas razones, califica de peligrosas sustancias que no lo son, como el polen, el látex, etc. Y cuando esto ocurre, el organismo se pone en estado de alarma y desencadena procesos defensivos que son los que constituyen los síntomas.
Teniendo esto en cuenta, las alergias en los sueños pueden ser interpretadas como un exceso de susceptibilidad, como una tendencia a exagerar las amenazas que surgen del exterior y con el desarrollo de una conducta agresiva que nos lleva a atacar a quienes nos rodean con el fin de neutralizar su supuesta peligrosidad.

ALERO

El alero de la casa representa los rasgos que más resaltan en nuestra personalidad; sobre todo las capacidades intelectuales.

ALERÓN

Esta aleta, móvil, responsable de que los aviones cambien su rumbo ascendente o descendente, simboliza aquellas cosas insignificantes que nos irritan, que nos hacen mudar rápidamente el estado de ánimo.

ALERTA

Las señales que en los sueños muestran estados de alerta representan situaciones conflictivas en la vida real. Tienen por objeto ponernos sobre aviso, decirnos que hay algo en el entorno que no marcha bien y que debiéramos prestarle la debida atención para evitar problemas mayores en un futuro.

ALETA

Si en el sueño tenemos aletas propias de peces o las que se utilizan para nadar quiere decir que necesitamos aclarar un conflicto interno, pero que no sabemos cómo definirlo ni cuál es su origen.
Lo mejor, en estos casos, es apuntar las primeras sensaciones que nos deje el sueño y, a continuación, tratar de analizar qué es lo que nos sucede.

ALETEAR

Si vemos un pájaro aletear sin conseguir despegar el vuelo, quiere decir que aún no estamos preparados para hacer un avance importante en el trabajo.

Véase VOLAR.

ALFABETO

En sueños, los alfabetos representan las pautas que deben seguirse para emprender una acción o proyecto determinado. Según el uso que hagamos de éste podremos saber si estamos suficientemente preparados para realizar la tarea o si es conveniente que estudiemos mejor el proyecto antes de ponernos manos a la obra.

ALFAJOR

Como dulce típicamente navideño simboliza momentos felices de la infancia; situaciones en las cuales hemos aprendido a perder el miedo.

ALFIL

En el ajedrez, con esta figura se representa al obispo. En sueños, simboliza la tradición, las costumbres propias de cada familia. Será importante observar qué papel cumple en nuestro sueño a fin de saber si aceptamos o queremos modificar los preceptos que nos han inculcado desde pequeños.

ALFILER

Es símbolo de provisionalidad. Cuando algo no está bien asentado, se dice que está «cogido con alfileres».
Si soñamos con ellos quiere decir que nos conviene apuntalar lo que hemos avanzado en el trabajo; que debemos cerrar los asuntos pendientes para emprender otros nuevos.
Si nos pinchamos con un alfiler significa que se nos va a desmoronar algo que creíamos seguro, pero que no estaba lo suficientemente sujeto o asentado.

ALFOMBRA

Para Oriente, las alfombras tienen un gran significado simbólico. Se las encuentra en todo tipo de cuentas y leyendas.
Simbolizan el buen gusto, pero, al ser un elemento que pone distancia entre nuestros pies y la tierra, también representan la habilidad para no caer en actitudes dramáticas; los recursos psicológicos para hacer más soportable la realidad.
Si nos encontramos sobre una alfombra quiere decir que estamos intentando sobreponernos a una situación difícil y que llevamos el camino preciso para conseguirlo.
Volar en una alfombra simboliza hacer un gran avance espiritual.

ALFOMBRILLA

Como sirve para mejorar el deslizamiento y por tanto el movimiento del ratón, simboliza el mejor aprovechamiento de los propios recursos.
Si en sueños utilizamos la alfombrilla de un ratón, quiere decir que estamos a punto de conseguir un trabajo para el cual nos sentimos especialmente preparados.
Limpiarla significa recordar viejos conocimientos.

ALFORJA

Estas dos bolsas unidas tienen como objeto el poder repartir el peso que debe transportarse; por ello representan la habilidad para priorizar las necesidades.
Si ponemos objetos dentro de una alforja quiere decir que estamos haciendo algo equivocadamente; que estamos dándole la máxima importancia a un asunto que no la tiene.

ALFORZA

Este tipo de adorno, que no necesita de elementos externos sino que se construye con el propio tejido de la prenda, simboliza la manera en que conjugamos nuestras capacidades para adquirir habilidades nuevas.
Si llevamos una prenda en la cual hay alforzas, ello indica que nos ofrecerán un trabajo para el cual tendremos que hacer un corto aprendizaje.

ALGA

El elemento agua está relacionado con las emociones; por eso, estos vegetales que prosperan en ella representan la capacidad de conmoverse y conmover, la relación fluida con nuestros sentimientos.
En el sueño podemos encontrarnos en el mar, rodeados por algas. Eso significa que las emociones nos desbordan, que somos excesivamente sensibles.
Si comemos las algas quiere decir que tenemos la capacidad de transmitir lo que sentimos; que sabemos dar y recibir afecto.

ALGARABÍA

Simboliza la falta de entendimiento entre varias personas.
Si en sueños nos encontramos en medio de una gran algarabía, quiere decir que en nuestra familia hay fuertes discusiones en las que es muy difícil llegar a un acuerdo entre todos. Lo mejor que podemos hacer, ante ellas, es no participar y hablar con cada uno de los miembros por separado, exponiendo nuestros puntos de vista y tratando de resultar conciliadores.

ALGARROBO

Cuenta una leyenda inca que, cuando la tierra se convirtió en un vergel, los hombres dejaron de cultivarla confiando en que los alimentos que tenían almacenados eran inagotables. Molesto por esta actitud, el dios Inti decidió castigarlos enviando una terrible sequía. Cuando los alimentos se agotaron, decidieron volver a plantar maíz, pero la tierra era ya estéril. Cierto día, un indio hambriento y agotado se sentó a descansar al pie de un algarrobo y allí se quedó dormido. En sueños, Inti se le apareció y le dijo que estaba satisfecho porque el hombre había aprendido la lección. Como acto de recompensa y compasión, le dijo que recogiera las vainas que crecían en el algarrobo, que ellas servirían de alimento y para saciar la sed.
El algarrobo representa, pues, situaciones de extrema necesidad, pero en las que se pueden encontrar salidas.
Si se sueña con este árbol no hay nada que temer. Es posible que se pase por una época de necesidad, sin embargo el sueño augura que se podrá salir entero de ella.

ÁLGEBRA

Los sueños en los que se ven o realizan operaciones algebraicas pueden indicar la ansiedad ante algún tipo de examen, no necesariamente de matemática, que debamos realizar en un lugar de aprendizaje o en el trabajo.
También pueden indicar un misterio que nos hemos empeñado en resolver.

Véase ECUACIÓN.

ALGODÓN

Por su suavidad, se relaciona con el calor del nido, con los primeros cuidados recibidos de la madre. Los copos o trozos de algodón que aparecen en algunos sueños representan la vulnerabilidad que sentimos ante el mundo exterior. Debemos afrontar estos miedos ya que, a la larga, pueden resultar paralizantes.

Alhelí

Tradicionalmente, este símbolo representa la fidelidad en la pareja.
Regalar un ramo de alhelíes significa estar dispuesto a ser absolutamente fiel. Si los encontramos, indica que nos gustaría creer que nuestra pareja no nos engaña.

Alianza

Aunque los anillos de este tipo han tenido a lo largo de la historia muchos significados, hoy son símbolo de la unión matrimonial.
Si nos regalan una alianza quiere decir que hay una persona que se siente enamorada de nosotros y que es probable que nos proponga establecer una relación.
La pérdida de la alianza simboliza la falta de confianza en la pareja, el fin del amor.

Alicates

Véase HERRAMIENTA.

Alicia

El personaje de Alicia, magistralmente creado por Lewis Carroll en sus libros (Alicia en el país de las maravillas y Alicia a través del espejo), representa el espíritu aventurero.
Soñar con ella significa que nos van a proponer un viaje interesante, no exento de peligros.

Alienación

Si en sueños nos sentimos alienados, quiere decir que tenemos una contradicción entre el deber y el deseo, así como que necesitamos un descanso.

Alienígena

Aunque con esta palabra se designa a los nativos de otros planetas, en sueños éstos simbolizan las personas a las que, por raza o credo, consideramos diferentes.
La actitud que mantengamos ante el alienígena del sueño, así como los sentimientos que éste nos inspire, darán cuenta de lo que sentimos ante personas de otra raza o cultura.
Si la actitud del alienígena es hostil, quiere decir que tenemos un exagerado miedo a todo lo diferente. Este temor debe ser combatido, ya que nos puede hacer caer en la xenofobia.

Aliento

Una de las pruebas más comunes que se efectúan para saber si una persona sigue con vida consiste en poner delante de su boca un espejo, a fin de observar si el aliento lo empaña. Por ello el aliento se considera símbolo de vitalidad.
Si en el sueño nos falta el aliento quiere decir que estamos faltos de motivación, que no encontramos sentido a nuestra vida. Ante ello, debemos pensar que estamos pasando una mala época y que ya vendrán tiempos mejores.

Véase ACETONA.

Alimentos

Gracias a ellos, satisfacemos el principal instinto que es el de supervivencia y, en los sueños, representan, por un lado, la prosperidad y por otro, la nutrición espiritual o intelectual.
Las carnes indican una buena posición social, así como el gusto por los temas económicos. Las verduras son símbolo de frugalidad y denotan una atracción por el misticismo. Las legumbres hablan de una posición económica modesta, pero muy bien administrada. Los tubérculos señalan que tendemos a ser excesivamente obsesivos con respecto a los estudios. Las frutas denotan sentido del humor y capacidad para tomar los acontecimientos de forma positiva. El pescado, por sus especiales características a la hora de

comerse, tiene una significación global especial, lo mismo que el marisco.
En general, los alimentos amargos indican que tendemos a ver el lado negativo de cualquier situación, en tanto que los dulces hablan de nuestro optimismo.
Los de sabor agrio señalan una aceptación de nuestro destino y los salados, la tendencia a no involucrarnos emocionalmente.

Véase ALCACHOFA, CARNE, CEBOLLA, EMBUTIDOS, LEGUMBRE, LENTEJA, MARISCO, ZANAHORIA.

Aliño

Sirven para realzar los sabores de diferentes comidas. Simbolizan las cosas que nos da nuestra persona amada sin que creamos merecerlas.
Aliñar una ensalada o cualquier otro plato significa dar mucho más de lo que recibimos. Es posible que este sueño indique que estamos manteniendo una relación de pareja con una persona abusiva.

Alioli

En esta mezcla se combinan dos elementos de naturaleza diferente: el ajo, fuerte y en ocasiones picante, que tiene relación con la agudeza mental; y el aceite, lubricante por excelencia. Ambos conforman esta salsa untuosa que simboliza la percepción aguda de los defectos ajenos y, al mismo tiempo, la diplomacia necesaria para lograr que se corrijan.

Alisio

Véase VIENTO.

Aliso

Este árbol ha sido uno de los más valorados por los celtas. Para ellos, era considerado un símbolo de firmeza y valor.
De su corteza extraían un tinte llamado rojo aldina que, al parecer, entre otras cosas era usado por los guerreros para teñirse la cara.
De sus hojas se obtenía un tinte verde y de sus flores, uno marrón.
Soñar con alisos denota que se posee el valor necesario para tener un enfrentamiento difícil, pero necesario.
Habrá que zanjar una cuestión familiar en la que será necesario demostrar firmeza y coraje.

Alistamiento

Los sueños en los cuales nos alistamos en el ejército o donde aparecen escenas en las que otros se alistan, presagian luchas en el entorno familiar o laboral.
Será necesario defender nuestra posición, ya que hay personas que desean usurpar nuestro puesto.

Alma

La presencia de un alma en pena indica que nos aguardan inquietudes y cambios difíciles. Si el alma sube al cielo, quiere decir que recibiremos una buena noticia.

Almacén

Si soñamos con un depósito de mercancías, lo importante será recordar qué tipo de artículos se encuentran en él para buscar los símbolos adecuados.
En líneas generales, estos sueños pueden entenderse como augurios de abundancia y de prosperidad.

Almanaque

Véase CALENDARIO.

Almeja

Véase MARISCO.

Almena

Soñar con almenas presagia una evolución laboral que será reñida. Si soñamos que nos encontramos dentro de un castillo o fortificación, detrás de las almenas, significa que tendremos que luchar para conservar el puesto. Si nos encontramos en el exterior, en cambio, quiere decir que intentamos alcanzar una posición superior. El resultado de este intento es incierto.

Almendro

A este árbol se le han adjudicado, desde la antigüedad, propiedades mágicas con respecto a la prosperidad económica.
Si en el sueño trepamos a un almendro quiere decir que tendremos éxito en las operaciones comerciales.
Sus semillas, las almendras, al igual que sus hojas o sus ramas, auguran un inmediato éxito laboral.

Almiar

Los almiares, así como los graneros, parvas de heno y todo aquello que implique el almacenamiento de granos, augura un excelente crecimiento económico.

Almíbar

Esta mezcla de azúcar y agua simboliza la hipocresía.
Si alguien nos da almíbar en el sueño, es mejor que no nos fiemos de él; seguramente se ha acercado a nosotros por interés y es muy probable que nos juegue una mala pasada.
Preparar almíbar significa estar dispuestos a fingir una cordialidad que no sentimos.

Almidón

Si vestimos prendas almidonadas significa que queremos ocultar nuestros sentimientos, sobre todo ante una persona por la que nos sentimos atraídos.
Si es otra persona quien usa esas ropas, quiere decir que alguien de nuestro entorno aparenta lo que no es.

Almizcle

Este producto de origen animal tiene un olor característico. Suele utilizarse en perfumería y en la preparación de inciensos, de ahí que en sueños sólo puede ser percibido a través del olfato. Simboliza la intensidad y la vehemencia, e indica que estamos dándole demasiada importancia a un asunto que en realidad no la tiene y que deberíamos olvidarnos de ello.

Almohada

Cuando se tiene un problema, se aconseja consultarlo con la almohada, de ahí que su presencia en sueños simbolice a una persona de nuestra entera confianza cuyos consejos, habitualmente, nos han dado resultado.
Es posible que estemos pasando por una etapa complicada y que nos vendría mal acudir a ella para que nos diera su punto de vista.

Almohadón

Los almohadones, en sueños, simbolizan las personas que nos amparan en los momentos críticos, que nos ayudan a soportar mejor los golpes del destino.
Cuantos más aparezcan en las imágenes oníricas, mejores conexiones tendremos, sea en la familia o en el entorno, de las que podremos obtener auxilio cuando lo necesitemos.

Almoneda

En las almonedas se pueden encontrar los objetos más diversos.
Si en sueños nos encontramos en el interior de una de estas tiendas, será necesario que recordemos
qué cosas hemos visto ahí que nos han llamado la atención para buscar su significado simbólico.
En general, puede decirse que estos sueños reflejan cierto caos interno; la ausencia de objetivos precisos y la tremenda confusión a la hora de decidir qué camino tomar.
Las emociones que se experimenten darán cuenta del momento que estamos viviendo en el presente.

Almuerzo

El hecho de almorzar en sueños indica insatisfacción. Analizando simbólicamente los demás elementos que aparezcan en las escenas, podremos tener una idea de qué es lo que la produce.

Áloe

Esta planta ha sido considerada como portadora de buena suerte.
En sueños, augura una época de felicidad y paz interior.

Alojarse

Si nos alojamos en una casa conocida, es señal de que recibiremos huéspedes en la nuestra. Si es un lugar extraño, indica que tendremos problemas con los vecinos.

Alondra

Esta ave es símbolo de la vida en libertad; por eso si la vemos volar en sueños nos indica que nos sentimos constreñidos, que hay una situación o una persona que nos produce agobio.
Si la alondra está herida significa que no tenemos ninguna fe en que nos sentiremos libres en un futuro.

Alpargata

Este tipo de calzado es propio de las personas de condición humilde, que deben trabajar duramente para ganarse el sustento.
Simboliza los primeros pasos hacia una libertad económica, hacia la constitución de un negocio o empresa propios.

Véase CALZADO.

Alpinismo

Las acciones que tienen como fin ascender simbolizan la superación en la escena social.
En las imágenes relacionadas con el alpinismo, los clavos, las cuerdas, el piolet y todos los elementos propios de este deporte, señalan los recursos con los que contamos para obtener puestos de mayor responsabilidad y mejor remunerados.
El estar encordado con otros compañeros en la ascensión, significa que debemos contar con la ayuda de otras personas del entorno laboral. Si ascendemos en solitario, en cambio, indica que lo mejor es no hablar de nuestras aspiraciones, al menos por el momento.

Véase CUMBRE, MONTAÑA.

Alpiste

El alpiste simboliza la tendencia a hablar mal de los demás.
Si lo vemos en una jaula, quiere decir que una persona de nuestra familia está contando ciertas intimidades que nos pertenecen, a nuestras espaldas.
Si está en algún otro sitio, indica que somos nosotros quienes tenemos la costumbre de inmiscuirnos en los asuntos ajenos, sobre todo para dar opiniones desfavorables.

Alquiler

Soñar con el alquiler de nuestra casa, sobre todo si no es propia, puede indicar que tenemos importantes preocupaciones económicas.
Si la casa en que vivimos es de nuestra propiedad, el alquiler simboliza la necesidad de un cambio de domicilio o de reformas en el hogar.
En caso de que en sueños percibamos una renta, será señal de que heredaremos una pequeña cantidad de dinero de un pariente lejano.

Alquimia

La alquimia es un proceso mediante el cual se logra la evolución interior.
Si soñamos que estamos realizando una operación alquímica quiere decir que nos preocupa nuestro crecimiento espiritual; que tenemos la necesidad de comprender nuestro papel en el mundo, que nos interesa la filosofía.

Metafóricamente se ha simbolizado el proceso alquímico como la transmutación del plomo en oro. Si en el sueño se toma esta metáfora, deberemos interpretar que estamos a punto de entrar en una fase de gran equilibrio interior en la cual gozaremos de una sensación de paz y armonía que hasta ahora desconocíamos.

ALQUITRÁN

Su presencia en sueños no es un buen augurio. Por lo general indica que seremos injustamente censurados por los compañeros de trabajo, posiblemente a causa de los rumores que origine una persona que nos tiene mucha envidia.

ALTAÍR

Este nombre de origen árabe que significa «el águila voladora», señala la estrella más importante de la constelación Áquila.
Para los griegos, la constelación simboliza a Zeus, convertido en águila, arrastrando al hermoso joven Ganímedes para que ocupe su puesto como copero de los dioses.
Los sueños en los que aparece la estrella o la constelación, más conocida en el hemisferio sur, se relacionan con altas oportunidades laborales que vienen de la mano de personas poderosas.
Si la vemos, significa que recibiremos pronto el apoyo de una persona muy influyente.

ALTAR

Tradicionalmente el altar es el lugar de los sacrificios y, en la tradición cristiana, representa la presencia de Dios.
Si en el sueño estamos ante un altar, de frente, quiere decir que nuestros ruegos serán escuchados; que veremos cumplidos nuestro sueño.
Si estamos de espaldas a él, en cambio, es señal de que deberemos renunciar a algo importante.

Véase IGLESIA, MISA.

ALTAVOZ

Los altavoces, sobre todo lo que se oye en sueños a través de ellos, simbolizan todo lo que no nos atrevemos a decir; aquellas cosas que nos molestan de nuestra familia, de las personas que nos rodean, de aquellas con las que convivimos.
Es necesario tener en cuenta que estos mensajes del subconsciente son metafóricos; por lo tanto deberemos buscar los significados de los elementos que aparezcan en ellos a fin de hacer un análisis más profundo del sueño.

ALTERCADO

Los altercados con personas desconocidas anuncian problemas imprevistos. Si los tenemos con una persona amiga quiere decir que próximamente nos decepcionará.

ALTÍMETRO

El dispositivo que, en los aviones, marca la altitud a la cual se encuentra el aparato, refleja la imagen que tenemos de nosotros mismos, comparada con la que tenemos de la mayoría de las personas que nos rodean.
Cuanta mayor altura marque el altímetro, mejor será el concepto que tengamos de nosotros mismos.

ALTIPLANICIE

Si en sueños nos encontramos en una altiplanicie quiere decir que hemos llegado a un punto de nuestra vida desde el cual comprendemos mucho mejor nuestra posición en la sociedad y las formas que debemos emplear para prosperar dentro de ella.
Indica que hemos entrado en un nuevo nivel que exigirá sacrificios al principio, cambios en la vida cotidiana pero que, a la larga, resultará sumamente beneficioso.

ALTIVEZ

Si en sueños tenemos una actitud anormalmente activa es señal de que nos sentimos inseguros, que nos vemos acosados por celos infundados.

ALTRAMUZ

Simbolizan las rencillas amorosas, las discusiones que, aun cuando no sean graves ni deterioren seriamente la relación, poco a poco la van minando.
Soñar con ellos indica que tenemos una relación de pareja en la cual hay una fuerte competitividad.

ALTURA

En los sueños, a veces nos vemos más altos o más bajos de lo que somos en la realidad.
Esta percepción de nuestra altura se relaciona con el concepto que tenemos de nosotros mismos. Si nos vemos más altos, quiere decir que estamos conformes con el desempeño de nuestros últimos meses. Si nos vemos más bajos, en cambio, significa que no nos sentimos muy orgullosos de lo que hemos realizado.
La altura con relación al suelo, en cambio, tiene que ver con las ambiciones.

Véase ALTÍMETRO, CUMBRE, MONTAÑA.

ALUBIA

Véase ALIMENTOS, LEGUMBRE.

ALUCINACIÓN

Los sueños son, en sí mismos, muy similares a las alucinaciones en cuanto a las imágenes imposibles (con respecto a la vida real, claro) que ambos suelen presentar.
Soñar que tenemos una alucinación es índice de que tenemos un conflicto profundamente enterrado en el inconsciente y que éste determina en gran medida nuestra forma de comportarnos en todo momento.
Otros elementos del sueño o el mismo material de la alucinación podría dar pistas que permitan discernir el tipo de conflicto.

ALUD

Los aludes representan los trabajos que hayamos hecho mal o pronto y que amenazan con romperse o caerse.
También las situaciones precarias, que corren el riesgo de desembocar en importantes problemas.
Cuando soñamos con ellos, es recomendable hacer un repaso a todos nuestros asuntos a fin de reforzar los que parezcan más inestables.

ALUMNO

Soñar con alumnos puede indicar la preocupación por los propios hijos o por los niños de la familia.
Si estamos dando clases y los alumnos permanecen en silencio y en orden, quiere decir que los pequeños se encuentran bien, aunque la familia esté pasando por un momento delicado.
En caso de que la clase esté alborotada, es señal de que habrá que prestar más atención a los niños, hablar con ellos y orientarlos.

ALUNIZAR

Si en sueños nos encontramos en la Luna o nos dirigimos a ella quiere decir que tendemos a evadirnos de la realidad por el camino de la fantasía y de las ensoñaciones.
Un viaje o estancia en el satélite indica una actitud optimista ante la vida; por el contrario, si en el sueño vivimos contratiempos, debemos entender que nos gusta dramatizar y sentirnos protagonistas de nuestras falsas tragedias.

ALUVIÓN

Los sedimentos arrastrados por las lluvias o las corrientes de agua simbolizan el estado de angustia o desesperación que sigue a una ruptura amorosa.
Si soñamos con un aluvión, debemos pensar que, si bien sentimos dolor por una separación, debemos pensar que lo que hemos vivido con esa persona ha dejado

en nosotros muchas cosas que, indudablemente, nos servirá en un futuro.

Alzacuello

Esta prenda que visten los sacerdotes tiene un sentido espiritual. Si la vemos en otra persona, nos recuerda que debemos prestar más atención a nuestro mundo interior; que estamos demasiado pendientes del mundo material y que, de seguir así, nos sentiremos vacíos.
Si nos ponemos un alzacuello quiere decir que tenemos una elevada opinión de nosotros mismos que posiblemente raye en la soberbia.

Amaestrar

Los animales que pretendemos amaestrar en sueños simbolizan las personas a las que queremos dominar en la realidad.
Cuando es uno solo el animal al cual se adiestra, indica que necesitamos imponer nuestra voluntad en la relación de pareja ya que, de no hacerlo, nos sentimos demasiado inseguros.

Amamantar

En un sueño femenino, el hecho de amamantar indica el deseo de ser madre.
En ocasiones puede anunciar un próximo nacimiento.

Amanecer

Los amaneceres marcan el comienzo del día y si los vemos en sueños, indican el inicio de una nueva etapa.
Si es un amanecer agradable, el período que nos toque vivir próximamente será excelente. Si, en cambio, el amanecer es lluvioso, con nubarrones o tormenta, señala que aún tenemos cosas pendientes y que conviene que no nos lancemos a nuevas tareas hasta no haberlas terminado.
Si la sensación es de paz interior, quiere decir que últimamente hemos puesto en orden nuestro interior y que nos espera una época de gran felicidad.

Amante

Exceptuando los sueños eróticos que responden a una excitación sexual del momento, la presencia de un amante indica un próximo romance.

Amapola

Esta planta, dedicada a Venus, se ha empleado en rituales mágicos para propiciar el amor.
Su aparición en sueños indica la buena marcha de la relación de pareja o el nacimiento de un nuevo romance.
La variedad conocida con el nombre de adormidera, augura que los romances serán muy lentos en sus comienzos.

Amaranto

Esta planta, sobre todo cuando está florecida, indica que tendremos disgustos en nuestra relación de pareja a causa de la intromisión de otra persona.

Amargor

Los alimentos amargos simbolizan los desengaños amorosos.
Si soñamos que comemos uno de estos, quiere decir que no nos sentimos satisfechos con nuestra pareja, pero que preferimos no ser conscientes de ello ya que no sabemos cómo plantear una ruptura o un cambio en el vínculo.

Amarillo

Este color tiene múltiples significados en las diversas culturas. Por una parte simboliza el Sol, la luz y la inteligencia por su relación con el Sol. También de realeza, fuerza, sabiduría y poder.
Los tonos amarillos que vemos en los sueños, si tienen un papel protagónico indican una gran evolución interior.
Señalan cualidades de liderazgo y auguran éxito y fortuna.

Amarradero

Los amarraderos de los barcos simbolizan la necesidad de romper la soledad, de

encontrar una persona con la cual formalizar una relación de pareja.
En caso de que el durmiente tuviera una relación amorosa oficial, los amarraderos indican que ésta no le satisface y que, en su interior, ansía encontrar alguien con quien identificarse.

Amasar

La acción de preparar o estirar una masa simboliza las estrategias que planeamos a la hora de enfrentarnos con otra persona.
Si amasamos en sueños, quiere decir que tenemos un enfrentamiento personal que nos provoca ideas obsesivas. Necesitamos derrotar a quien nos está haciendo la vida imposible, pero nos sentimos limitados a la hora de utilizar ciertas armas porque, en el fondo, no queremos sentirnos culpables del daño que le podamos ocasionar.

Amatista

La amatista es un símbolo de realeza, del poder conseguido tras una larga y ardua disciplina interior.
Si en el sueño utilizamos alguna joya que tenga una amatista quiere decir que estamos preparados para ocupar un puesto de gran responsabilidad y que, en breve, posiblemente se produzca la oportunidad de ascender a él.
Si es otra persona quien lleve una joya de este tipo, debemos entender que nos inspira un gran respeto, pero que la relación que establezcamos con ella será excelente.

Amazona

La figura de estas guerreras representa la agresión femenina.
Soñar con ellas indican que tenemos una fuerte controversia con una mujer y que ella está dispuesta a utilizar cualquier tipo de arma contra nosotros.

Ámbar

Esta resina fósil, de gran valor en joyería, simboliza la capacidad de recordar sólo lo bueno; de engañarnos mediante la memoria.
Si soñamos con ella quiere decir que hemos idealizado a una persona, posiblemente una pareja, a la que no vemos desde hace tiempo.

Ambición

La presencia de personas que se muestran exageradamente ambiciosas, sirven para prevenirnos contra las malas jugadas que nos hará un compañero de trabajo.

Ambidiestro

La capacidad de utilizar hábilmente tanto la mano izquierda como la derecha indica que sabemos dar a cada persona lo que espera de nosotros.
Si en sueños se nos revela esta posibilidad, quiere decir que nos enfrentamos a una situación que requiere mucho tacto, pero se puede resolver con nuestra intuición.

Ambientador

El uso de aromas e inciensos en los sueños señala la necesidad de purificación del ambiente doméstico.
Debido a conflictos entre las personas que viven en nuestra casa o a los problemas personales de alguna de ellas, el ambiente que se respira es tenso y perturbador.
Somos nosotros quienes tenemos en nuestras manos las posiblidades de distenderlo, de intentar evitar las discusiones o de aliviar el estrés de la persona que tenga más problemas.

Ambigüedad

Si a las preguntas que hacemos en un sueño nos responden con ambigüedades, debemos tener mucha cautela en el terreno amoroso. Si tenemos que declarar nuestro amor, mejor dejar pasar antes un poco de tiempo.

Ambulancia

Las ambulancias, sobre todo si viajamos en ellas, no anuncian problemas físicos, sino

que simbolizan una situación anímica que necesita ser reparada.
Es posible que estemos viviendo un momento de intensa desesperación, con preocupaciones que nos desbordan. Lo más probable es que los problemas no sean tan graves como los imaginamos, sino que sea nuestro estado de ansiedad el que nos hace percibirlos como excesivamente dramáticos.

Ameba

Una de las características de estos animales unicelulares es el constante cambio de su forma. Simbolizan la capacidad de adaptación a la vez que la habilidad para convencer a los demás.
Si las amebas que vemos en sueños son animales peligrosos, capaces de crear infecciones u otros males, quiere decir que una persona de nuestro entorno está intentando crear ideas perniciosas en la mente de los demás.
La observación de amebas mediante un microscopio indica que desconfiamos de una persona en particular; que en la vida real vigilamos atentamente sus actitudes porque esperamos que, en cualquier momento, nos juegue una mala pasada.

Amén

Cuando esta palabra se oye o se pronuncia en sueños, es necesario recordar con la mayor claridad posible los detalles del mismo, ya que serán éstos los que indiquen un acontecimiento futuro que, con seguridad, se producirá.
En ocasiones, puede indicar que hemos puesto punto final a una relación, sea amorosa, de trabajo o familiar.

Amenaza

Las amenazas que recibimos en los sueños indican las preocupaciones que tenemos en la vida real.
Como éstas no aparecen claras, sino en forma de metáforas, será necesario analizar el contenido de las mismas según lo que simbolicen. Es importante tener en cuenta que las amenazas que vivimos en sueños no auguran un nuevo problema; más bien se refieren a situaciones de la vida real contra las cuales, en el presente, estamos luchando a fin de vencerlas.

Amerizaje

Los aterrizajes sobre el mar simbolizan conflictos con personas menos capaces que nosotros. Esta incapacidad puede basarse en su nivel cultural inferior, en su edad o en cualquier otra cosa.
Estos sueños quieren decir que tenemos un conflicto que no podremos resolver hasta no ponernos en lugar de la otra persona (podría ser un choque con un hijo adolescente, por ejemplo).
Un amerizaje realizado con éxito augura el fin del problema.

Ametralladora

Simboliza el gasto inútil de fuerzas a la hora de conseguir lo que deseamos.
Si soñamos con que tenemos esta arma en las manos, será mejor que planifiquemos y organicemos nuestras energías, ya que las estamos derrochando y de esta forma nunca conseguiremos alcanzar nuestros deseos.

Amianto

Este material ignífugo simboliza la seguridad interior que se impone a la voluntad de los superiores.
Si en el sueño vestimos alguna prenda de amianto quiere decir que no estamos dispuestos a obedecer las órdenes irracionales de un jefe; que haremos lo imposible por imponer nuestra voluntad, en la seguridad de que nuestra forma de ver las cosas es la correcta, mientras que la suya es errónea.
Si a pesar de utilizar prendas de amianto nos quemamos, deberá tomarse como una advertencia: aún no tenemos la suficiente fuerza como para enfrentarnos abiertamente a nuestro jefe.

Amígdala

Si en sueños sentimos molestias en la garganta es posible que se trate de un dolor real, de un principio de gripe o de anginas.
Pero las amígdalas son, metafóricamente hablando, el portal de comunicación con nuestro interior. Cualquier dolor que en ellas se produzca, así como las infecciones que aparezcan en los sueños, señalan que nos negamos a aceptar que tengamos problemas cuando, en realidad, habría bastantes cosas por solucionar. Por lo tanto, demuestran una actitud negadora por nuestra parte.

Amigo

Los amigos simbolizan conductas y formas de ser que no alcanzamos a ver en nosotros mismos. Por lo tanto, las actitudes que pueda tomar un amigo en sueños, sean buenas o malas, son aquellas que solemos tener nosotros en la realidad.

Amnesia

Simboliza la necesidad o urgencia por cambiar de estilo de vida.
Seguramente hay elementos que nos resultan agobiantes (la casa, las personas con las que vivimos, la pareja, etc.) y ansiamos tener una mayor libertad, más tiempo libre para dedicarnos a nosotros mismos.
También es importante tener en cuenta cuáles son los elementos que se han olvidado en el sueño.

Amnistía

Si recibimos una amnistía en sueños es señal de que, al fin, hemos podido perdonarnos errores del pasado y que estamos en paz con nosotros mismos.

Amoniaco

Si soñamos con esta sustancia quiere decir que no nos sentimos conformes con nuestra imagen; posiblemente a causa del sobrepeso.

Amor

El amor puede estar presente en los sueños bajo diferentes formas: escenas de afecto o pasión, cartas, declaraciones, etc.
La mayoría indican que nos sentimos muy atraídos por otra persona (que, generalmente, es la que aparece en el sueño).
Si las imágenes nos producen angustia, evidencian temor a sentirnos rechazados por ella.

Amordazar

La mordaza impide hablar; por lo tanto, cuando este elemento aparece en sueños, simboliza los tabúes que nos impiden decir la verdad, tal y como la vemos.
Lo más probable es que seamos testigos de una situación que resulte dolorosa para otra persona y no sepamos si lo mejor es hacérsela conocer o mantenerla en la ignorancia.
Si somos nosotros quienes amordazamos a otra persona quiere decir que tenemos la sospecha de algo que no nos gusta, pero no queremos confirmarla.

Amortajar

Aunque los sueños en los cuales se amortaja a otra persona suelen ser muy perturbadores, no entrañan ningún mal augurio.
Por lo general, representan nuestra dificultad para aceptar el paso del tiempo, el hecho de perder la juventud, de dejar la adolescencia para entrar en una etapa en la que se nos exigen más responsabilidades, etc.
En ocasiones, aparece como resultado de nuestra negativa a aceptar que los adolescentes ya no son niños.

Ampliadora

Esta máquina utilizada en fotografía representa, en general, la agudeza para detectar los estados de ánimo de los demás. Si la utilizamos en sueños, es de gran utilidad recordar la imagen que estamos ampliando para buscar su simbolismo en el libro. En este caso se trata de cosas que exageramos, a las que damos una importancia que, en realidad, no tienen.

Ampolla

Las ampollas que salen en la piel simbolizan los roces y malentendidos que tenemos con los demás.

Si nos vemos ampollas en manos o pies, quiere decir que tenemos una relación tensa con una persona de nuestro entorno. Si la ampolla se rompe, es señal de que nos preparamos para tener una amarga discusión con ella; que procuramos mantener las ofensas en la mente a fin de no perdonar ni abandonar el conflicto.

Esta situación es peligrosa; es mejor que tratemos de calmarnos y de restar importancia a la situación.

Amputar

Los sueños en los que se sufren amputaciones o la amenaza de ellas, son muy angustiosos. Sin embargo no representan un mal augurio, sino que señalan que es necesario que tomemos distancia con una persona, ya que su actitud es absolutamente interesada.

Amurallar

La construcción de una muralla alrededor de nuestra casa es señal de falta de confianza en nosotros mismos.

Posiblemente se apoye en el miedo a que otra persona seduzca a nuestra pareja.

Analfabeto

El analfabetismo, cuando es propio, significa que estamos pasando por un período de incertidumbres. Que tenemos la clara sospecha de un hecho que no nos atrevemos a constatar.

Si vemos una persona analfabeta, en cambio, quiere decir que imponemos nuestro criterio con mucha facilidad.

Análisis

Si en sueños tenemos que hacernos un análisis médico, eso indica que nuestro cuerpo nos está advirtiendo de que algo no funciona como debiera.

Seguramente se trata de la falta de vitaminas o sales minerales, por lo que deberemos llevar cuidado con nuestra alimentación.

Anaqueles

Cuando en el sueño aparecen muebles con muchos anaqueles quiere decir que necesitamos poner orden en nuestra vida.

Anaranjado

Este color participa de las características del rojo y del amarillo. Simboliza el orgullo y la ambición.

Las personas que, en el sueño, vistan ropas de este color son, pues, orgullosas y tienen un gran concepto de sí mismas. Aspiran a ocupar puestos altos en la escala social.

Anarquía

Este estado de desorden simboliza la falta de paz interior. Indica que estamos viviendo una época en la que no sabemos qué rumbo tomar y en la que nos cuesta mucho discernir qué es lo verdaderamente importante.

De estos periodos de crisis se sale siempre muy fortalecido.

Anatomía

El estudio de esta materia señala la necesidad de conocernos mejor a nosotros mismos y la búsqueda de personas afines. Indica que estamos en una época de apertura social, buscando nuevas amistades e intentando entrar en otros círculos.

Ancestro

Soñar con antepasados que van más allá de nuestros bisabuelos señala una falta de identidad, la necesidad de definir más claramente quiénes somos. Tal vez porque, debido a un sentimiento de inferioridad, no encontremos en nuestro interior cualidades valiosas que nos hagan ser especiales por nosotros mismos.

ANCHOA

Simboliza la previsión y el ahorro.
En sueños, debe interpretarse como una advertencia: es posible que se avecinen épocas económicamente difíciles.

ANCIANO

Véase VEJEZ.

ANCLA

Si estamos en una embarcación y echamos el ancha, es señal de que debemos interrogarnos acerca del rumbo que está tomando nuestra vida, de que hagamos un profundo examen de conciencia.
Si, por el contrario, la levamos, quiere decir que es el momento adecuado para poner en acción los nuevos proyectos.

ANDAMIO

Señalan el estado de nuestro trabajo y las posibilidades de éxito o fracaso.
Cuanto más elevado esté, mayores serán las perspectivas de triunfo.
Si el andamio cae, es señal de fracaso inminente.
El hecho de que otra persona nos conduzca hasta el andamio indica que el éxito o fracaso de nuestras empresas no depende de nosotros, sino de un socio.

ANDARIEGO

Los andariegos que vemos en los sueños nos indican la manera en la que debemos comportarnos cuando estemos en un ambiente nuevo.
Por lo general, esta figura aparece toda vez que cambiamos de trabajo o de círculo social. Si observamos sus actitudes y la reacción que éstas provocan en los demás personajes del sueño, tendremos pautas claras acerca de las formas y actitudes que debemos adoptar en los nuevos círculos.

ANDÉN

Si estamos en el andén de una estación esperando un metro o un tren, quiere decir que estamos a las puertas de ver concretarse una importante oportunidad laboral.
Si el tren aparece, este hecho se producirá de inmediato.

ANDRAJOS

Los andrajos anuncian intrigas y disputas.
Si somos nosotros quienes los vestimos, señalan que nos hemos apartado de nuestros propios valores. De persistir en esta actitud, deberemos pagar las consecuencias.

ANDRÓMEDA

La leyenda cuenta que Andrómeda era la hija de un rey etíope. Cierto día, su madre se jactó de ser más hermosa que las nereidas que servían al dios Poseidón y éste, ofendido, inundó el reino y mandó un monstruo.
Ante el desastre, consultaron el oráculo que aconsejó entregar a Andrómeda al monstruo. La muchacha fue atada a una roca en la playa, pero el héroe Perseo la salvó y se ofreció matar al monstruo a cambio de la mano de la muchacha. A su muerte, Andrómeda subió al cielo convertida en constelación.
Si vemos en sueños ésta o bien la figura de Andrómeda debemos pensar que las circunstancias exigen un sacrificio por nuestra parte. Debemos renunciar a algo en bien de nuestra familia.
Sin embargo, eso no debe causar preocupación, ya que luego seremos recompensados con creces.

ANÉCDOTA

Si en sueños relatamos una anécdota que nos ha ocurrido en el pasado, quiere decir que sentimos nostalgia por esa época; que consideramos que ha sido mucho mejor que el presente.

Anémona

Esta flor es símbolo de la transitoriedad, de la espera y de la enfermedad. Es la flor de Adonis ya que, cuando Afrodita lo encontró muerto, convirtió su cuerpo en una hermosa anémona roja.
Si vemos esta flor en sueños, debemos pensar que una persona de nuestro entorno está enferma, que tiene algún desorden interno que aún no ha producido síntomas visibles.
Lo mejor es estar atentos y acudir al médico si se observa alguna molestia.

Anestesia

Aunque la anestesia actúe sobre el cuerpo, el hecho de que nos la apliquen en sueños indica que queremos tomar distancia con nuestros sentimientos, con nuestras emociones. Quizá estemos pasando por un doloroso período de desamor.
En caso de aplicarla nosotros sobre otra persona, indica que percibimos la atracción que ejercemos sobre una persona que no nos gusta y que no sabemos cómo manejar la situación.

Anfiteatro

El anfiteatro más conocido es el coliseo romano. Sabemos que en él no sólo se hacían luchas entre esclavos gladiadores sino que, además, se presentaba el espeluznante espectáculo de arrojar cristianos a las fieras.
Estos edificios simbolizan el soborno.
Si vemos uno en sueños o nos encontramos en su interior quiere decir que una persona de nuestro entorno está intentando hacernos chantaje moral.

Véase GLADIADOR.

Ánfora

Estas vasijas se utilizaban antiguamente para guardar alimentos. Si la que vemos en el sueño está llena, indica felicidad familiar. Si está vacía o rota, nos advierte de un próximo peligro.

Ángel

Los sueños en los cuales aparecen ángeles, arcángeles, serafines o querubines son excelentes augurios. Anuncian el fin de las preocupaciones o la aparición de una persona que nos ayudará a resolver los problemas más urgentes.
En caso de que se trate de un ángel vengador, debemos entender que por fin se hará justicia y nos reconocerán nuestros méritos.

Ángelus

Si en sueños oímos o rezamos el ángelus quiere decir que pronto encontraremos alivio a nuestros problemas.
Si el sentimiento que experimentamos es de alegría, en cambio, debemos interpretar que pronto habrá un nacimiento en la familia.

Anginas

Los sueños en los cuales nos vemos afectados por esta dolencia pueden tener dos significados: el primero es que estemos incubando algún trastorno en la garganta; el segundo, que no podemos asimilar («tragar») un acontecimiento reciente que nos resulta doloroso o insultante.

Anguila

Simboliza la habilidad para hacer recaer en otro las propias responsabilidades.
En caso de verla en un sueño, debemos estar atentos, sobre todo en el entorno laboral, ya que es posible que nos culpen de errores que no hemos cometido.

Angulas

El comer angulas en un sueño es un excelente augurio: indica que, en poco tiempo, podremos cerrar la venta de un bien inmueble.

Anhídrido carbónico

Este gas pesado, conocido también como dióxido de carbono, se produce por la fermentación de ciertos productos, por la combustión de motores como el de los automóviles y es lo que expulsamos de los pulmones al espirar. Es invisible e inodoro y sumamente tóxico, de ahí que cuando aparece en nuestros sueños indique que vivimos una situación sofocante y psíquicamente peligrosa de la cual no somos conscientes.

Anilina

La utilización de anilinas indica que tenemos en nuestras manos todos los elementos para cambiar una situación desafortunada en algo positivo.
Es importante buscar, también, el significado del color de la anilina.

Véase TINTA.

Anillo

Al ser una figura cerrada, es símbolo de continuidad y totalidad.
Si se trata de una alianza, representa el matrimonio, sea de hecho o de derecho.
Los anillos que tienen piedras preciosas simbolizan la estabilización de una situación (puede ser de trabajo, familiar, de salud, etc.)
Si regalamos un anillo quiere decir que buscamos la cercanía de la persona a la que hacemos el obsequio.

Animal

La riqueza simbólica que nos ofrece el reino animal es enorme. En cada uno de ellos, es necesario estudiar su forma, color, costumbres y todas sus características para hallar el símbolo adecuado.
La interpretación de los animales que más habitualmente se encuentran en los sueños están consignadas en este diccionario.
En líneas generales, las aves se relacionan con el mundo de las ideas y los peces con el de los sentimientos. Los reptiles se vinculan habitualmente a los instintos y los mamíferos a la voluntad.

Anís

Esta planta se ha empleado como incienso por sus cualidades purificadoras.
Si aparece en sueños, ya sea viva o en forma de bebida elaborada con sus granos, anuncia el restablecimiento de una persona enferma y augura vitalidad y fortaleza.

Aniversario

Los festejos relacionados con el cumplimiento de un aniversario simbolizan la aceptación del paso del tiempo.
Indican también la aceptación de la muerte y la confianza en las propias fuerzas.
A veces auguran la repetición de los acontecimientos que se celebran.

Véase EFEMÉRIDE.

Anochecer

La puesta del Sol augura la distancia obligada que tomaremos con una persona muy querida.
Puede tratarse de la independencia o boda de un hijo, el traslado de un amigo a otra ciudad o, si el sueño es angustioso, la ruptura de una relación de pareja.

Anónimo

Las cartas que no tienen firma, llamadas comúnmente anónimos, representan las cosas que quisiéramos decir a los demás pero que, por timidez o temor a las represalias, callamos.
Aun cuando en el sueño recibamos un anónimo, debemos darle esta interpretación.

Anorexia

En los sueños, la anorexia simboliza el rechazo de la realidad; la negativa a ver las cosas tal y como son y la tendencia a verlas como se quiere que sean, por lo tanto deberíamos autocriticarnos más.

Ansiedad

Los sueños que nos provocan ansiedad reflejan un estado interior alterado, no tanto por los problemas que tenemos, sino por la exageración que hacemos de ellos.

Ante

Véase CIERVO.

Antebrazo

Es una de las partes del cuerpo con la que nos cubrimos otras, más vulnerables, en caso de sufrir una agresión. También sobre él se lleva el escudo. Si en el sueño tenemos algún tipo de dolor o herida en el antebrazo quiere decir que no sabemos poner los límites a los demás; que tendemos a permitir que nos falten el respeto o que se aprovechen de nuestro rechazo a cualquier tipo de violencia.

Antena

Son elementos que permiten captar señales; por lo tanto simbolizan la percepción.
Si vemos antenas en los sueños (más aún si nos observamos a nosotros mismos con ellas) quiere decir que nos negamos a creer algo que, por otra parte, nos parece evidente.
Lo más posible es que se trate de la valoración negativa que hacemos intuitivamente de otra persona.

Antepasados

Cuando en sueños aparecen nuestros ancestros, debemos prestar atención a sus palabras, ya que éstas nos advierten de una situación peligrosa que se producirá en el seno de la familia.

Antibiótico

La toma de medicamentos de este tipo en sueños puede indicar que tenemos una pequeña infección que aún no se ha manifestado.
Si los vemos pero no los ingerimos quiere decir que tenemos un extremo cuidado a la hora de escuchar las ideas de los demás; que no las adoptamos fácilmente, sino que procuramos buscarles los puntos débiles contrastándolas con nuestra propia experiencia.

Anticonceptivo

La ingesta de anticonceptivos simboliza la necesidad de tomarse un respiro en las actividades o de terminar las tareas que se tienen pendientes antes de iniciar nuevos proyectos.

Anticongelante

Si ponemos anticongelante en un coche quiere decir que nos preparamos para un momento difícil; que debemos afrontar una situación sabiendo que nos puede producir un fuerte choque emocional (por ejemplo, el encuentro con una persona a la que no vemos hace mucho tiempo).

Anticristo

El anticristo en sueños puede tener dos interpretaciones: por un lado, indicar que estamos siendo víctimas de engaño, sobre todo en el terreno espiritual. En este sentido, es probable que alguien intente conseguir que entremos en una secta.
Por otro, señala las tentaciones del presente que nos resultan difíciles de vencer.

Anticuario

Tradicionalmente se dice que soñar con anticuarios presagia que recibiremos un regalo inesperado.

Antifaz

El antifaz sirve para ocultar la identidad; por eso el hecho de que otra persona lo lleve quiere decir que se nos presenta bajo una imagen falsa. En caso de ser nosotros quienes tenemos puesto el antifaz, debemos interpretar que preferimos ocultar nuestros sentimientos a fin de no sentirnos vulnerables frente a los demás.

ANTIGÜEDAD

El hecho de recibir en sueños una antigüedad indica que llegará a nuestras manos un legado que otros intentarán quitarnos.
También indica que damos mucho valor al pasado y a los recuerdos.

ANTÍLOPE

Véase CIERVO.

ANTISÉPTICO

Su presencia en sueños señala la necesidad de purificación, de hacernos perdonar errores cometidos por cuya causa una persona querida ha sufrido.

ANTOLOGÍA

Si se sueña con una antología, deberá tenerse en cuenta el tema que trata (si es de poesía o de algún otro género literario). Habitualmente las antologías indican que estamos en un período en el cual intentamos hacer un examen de nuestra vida, sobre todo de las últimas etapas, con el objeto de dirigir nuestras fuerzas hacia nuevos objetivos.

ANTORCHA

Como elementos que producen fuego, las antorchas simbolizan la claridad mental, la agudeza que permite detectar cualquier tipo de maquinaciones.
Si portamos una antorcha en el sueño quiere decir que estamos a punto de descubrir al autor de unos hechos desagradables en el entorno o de enterarnos de la falsedad de un supuesto amigo.
El verlas en una pared indica que, aun en los momentos más confusos, sabemos conservar la calma y encontrar la forma de poner orden en nuestra vida.

ANTRO

Los locales de mal aspecto o reputación simbolizan las zonas oscuras de nuestra personalidad.
Si entramos en él, quiere decir que estamos en un proceso de conocimiento interior que nos llevará a eliminar muchos defectos.
Si, además, el lugar está lleno de malechores, significa que a partir de vencer estos malos hábitos nos veremos rodeados de personas de gran valía.

ANTROPÓFAGO

Cuando en el sueño nos vemos convertidos en antropófagos quiere decir que, en la vida real, nuestra dieta no es todo lo buena que pudiera esperarse. Posiblemente hagamos una ingesta exagerada de hidratos de carbono y grasas y pobre en proteínas. Conviene, pues, revisar nuestros hábitos alimenticios.
En caso de que los antropófagos sean otros, debemos entender que estamos rodeados de personas que sienten una profunda envidia por nuestros éxitos o por nuestra forma de ser.

ANTROPOIDE

Cuando en sueños aparecen estos mamíferos que se asemejan a los hombres, debemos observar sus actitudes porque serán las que simbolicen nuestra forma de actuar cuando estamos en medio de otras personas.

Véase MONO.

ANULAR

Si en sueños tenemos algún problema en el dedo anular eso indica que estamos viviendo una crisis en la pareja o en el matrimonio.

ANUNCIO

Los anuncios simbolizan todo aquello que nos conviene hacer, pero a lo que nos negamos. Será necesario, pues, recordar los elementos que aparecen en el anuncio del sueño para buscar sus correspondientes significados simbólicos a fin de hacer un análisis profundo.

Anverso

Si echamos una moneda al aire en sueños y sale cruz, debe interpretarse como símbolo yin, femenino, receptivo.
Puede indicar que, para hacer frente a los actuales problemas, debemos hacer gala de aquellas cualidades que, tradicionalmente, se han atribuido a las mujeres: intuición, sensibilidad, generosidad, etc.

Anzuelo

Simboliza las trampas con las que pretendemos descubrir la impostura ajena.
Si preparamos un anzuelo quiere decir que desconfiamos de la lealtad de una persona y que le estamos dando todas las facilidades para que dé un paso en falso que permita descubrirlo.

Añil

Este color simboliza la espiritualidad profunda, la conciencia de una realidad que trasciende lo material.
Verlo en sueños indica una alta evolución interior.

Año

Si durante el sueño nos encontramos en un año que ya ha pasado, es señal de que entonces se han producido conflictos internos que aún no hemos solucionado.

Aojar

Cuando en sueños nos echan mal de ojo o lo vemos hacer, significa que, inconscientemente, percibimos la envidia que nos tiene otra persona.

Apadrinar

El hecho de apadrinar a un niño, ya sea a uno concocido o bien a otro a través de alguna institución benéfica, indica que tenemos una gran confianza en el futuro y que estamos trabajando con el fin de que éste sea lo más brillante posible.

Apagar

La participación en la extinción de un incendio simboliza el empeño en darnos más libertades, en ser menos rígidos.
Si lo que apagamos es la luz quiere decir que necesitamos un período de reflexión.

Apagón

El sentido que más utilizamos a la hora de orientarnos o de hacer cualquier actividad es la vista; por ello la ausencia de luz, los apagones, simbolizan la imposibilidad de efectuar las tareas que quisiéramos hacer.
Cuando se produce un apagón en un sueño es necesario tener en cuenta qué estábamos haciendo antes de que se cortara la luz, así como la forma en que nos tomamos esta emergencia. De ella deduciremos la forma en que reaccionamos ante las frustraciones.

Apantallar

Si apantallamos a otra persona quiere decir que estamos bajo su tutela o que ejerce una fuerte presión sobre nosotros.
El apantallarnos a nosotros mismos, en cambio, significa adquirir nuevos conocimientos.

Aparcamiento

Utilizar un aparcamiento es símbolo de transición entre dos períodos de nuestra vida. Indica un cambio positivo.
Si nos extraviamos en él, quiere decir que no nos conviene actuar precipitadamente; que debemos meditar concienzudamente nuestros pasos. Salir de un aparcamiento es un excelente augurio que anticipa una nueva y positiva forma de vida.

Aparejo

Los aparejos de pesca simbolizan las habilidades que nos sirven para ganar dinero. Si se encuentran en buen estado, quiere decir que nos hemos puesto al día en nuestra profesión; que no nos conformamos con el puesto que tenemos sino que aspiramos a otro mejor.

Aparición

Las apariciones que vivimos en sueños, sobre todo cuando hablan, expresan mensajes de nuestro inconsciente.
Si el ente que se nos presenta es amable y nos transmite paz, quiere decir que no tenemos prácticamente traumas de la infancia; que gozamos de un excelente equilibrio psíquico.
Si quien se nos aparece resulta amenazante, peligroso, maligno, es señal de que tenemos muchos conflictos antiguos sin resolver.

Apartamento

Véase CASA.

Apearse

La acción de descender de un vehículo simboliza el abandono de un proyecto o relación en el cual se ha estado durante mucho tiempo. Indica un cambio positivo de rumbo en la vida.

Apellido

Cuando en sueños tenemos un apellido distinto al real, es señal de que no nos sentimos conformes con la familia que nos ha tocado en suerte.
Lo más probable es que tengamos una relación muy difícil con nuestro padre; que nos sintamos incomprendidos por él o que sea una persona que predica una cosa pero no es capaz de cumplir con lo que exige a los demás.

Aperitivo

Los aperitivos indican que estamos viviendo el comienzo de un nuevo períodoen nuestra existencia. Si en la vida real nos sentimos satisfechos, conformes con nosotros mismos y en paz con el mundo, debemos interpretar que podremos disfrutar de una larga temporada de felicidad.
Si, por el contrario, tenemos problemas difíciles de resolver, quiere decir que tendremos que armarnos de paciencia; que éstos son parte de un largo proceso del cual finalmente saldremos más fortalecidos.

Apetito

En ocasiones, el sentir hambre en sueños indica que en la vida real nuestro organismo está reclamando alimentos.
Si nos vemos ante una mesa con comida pero nos negamos a tomarla, es señal de que tenemos recelos con respecto a una propuesta que parece ser sincera y positiva.

Apicultor

La cría de abejas, si somos nosotros quienes la ejercemos, simboliza el negocio propio.
Si las abejas no nos pican quiere decir que tendremos la oportunidad de emprender un proyecto en el cual seremos los dueños y directores; también que éste tendrá un gran éxito.
Si los insectos se muestran agresivos significa que tendremos muchos problemas con los empleados.

Véase ABEJA.

Apio

Tradicionalmente esta planta se ha relacionado con el deseo sexual.
Cuando aparece en sueños indica que la persona por la cual nos sentimos atraídos intentará mantener una relación íntima.

Aplanar

Si en sueños nos vemos aplanando una superficie eso indica que nuestra relación de pareja se ha vuelto monótona y rutinaria. Que debemos hacer un esfuerzo por salir del estado de apatía si no queremos que, finalmente, se rompa. También deberá tenerse en cuenta el material que se está aplanando.

Aplastar

El hecho de aplastar objetos indica que a la hora de hablar damos demasiados detalles de lo que contamos, que tenemos que aprender a manejar nuestro pensamiento de modo que podamos hacer buenas síntesis.

Aplausos

Si en un sueño recibimos aplausos es señal de que, próximamente, van a reconocer la excelente labor que hemos hecho en nuestro puesto de trabajo o en los estudios.
Si somos nosotros quienes aplaudimos a otra persona, significa que en ella vemos rasgos que también tenemos en nuestro interior. De manera que nos conviene observar su comportamiento en el sueño para poder reconocer esas cualidades en nosotros mismos.

Apnea

Durante el sueño, muchas personas ven interrumpida su respiración por un breve espacio de tiempo. En esos casos son comunes los sueños en los cuales, por la razón que sea, se deja de respirar.
Si tenemos repetidamente sueños en los que aparece la apnea como cosa importante, tal vez sea recomendable consultarlo con un médico.

Apocalipsis

Los sueños en los que las imágenes muestran el fin del mundo son relativamente comunes. Simbolizan la terminación de un trabajo o el final de una relación; es decir, proponen un cambio de vida.
Los sentimientos que despierten en nosotros las imágenes darán cuenta de la forma y el espíritu con el que nos acercamos a esos cambios inminentes.

Apodo

Si en sueños tenemos un apodo que no se corresponde con la forma en que nos llaman en la vida real, quiere decir que no estamos conformes con la imagen que nuestra propia familia tiene de nosotros. Consideramos que no estamos siendo, en este sentido, tratados con justicia.

Apoplejía

Este tipo de dolencias limita la capacidad mental y motriz. Simboliza la imposibilidad de luchar contra lo que nos amenaza moral y económicamente.
Si la padecemos en sueños, debemos ser muy cautos con los pasos que demos en todo lo que se refiere a gastos e inversiones.

Apósito

Los sueños en los que nos vemos a nosotros mismos o a otra persona con un apósito son importantes cuando hay un enfermo en la familia, ya que auguran su próxima recuperación.

Apostar

Los juegos de azar muestran que tenemos una tendencia a la improvisación, que no confiamos en el uso de la razón para planificar los pasos que debemos dar a fin de colmar nuestros deseos.
Si hacemos una apuesta en sueños, quiere decir que estamos pendientes de una decisión que debe tomar otra persona y que de ésta depende, en gran medida, nuestro futuro profesional.
Si en el sueño ganamos la apuesta, es señal de que esta decisión resultará favorable.

Apóstol

Los apóstoles son los doce discípulos a los que Jesús envió a predicar el evangelio y a los que la iglesia considera sabios en materia de fe.
Si los vemos en sueños quiere decir que debemos acudir a una persona cualificada

para que nos aconseje acerca del camino que debemos tomar para desarrollarnos espiritualmente.
En caso de saber de cuál de los doce apóstoles se trata, es importante recordar sus cualidades y hechos, ya que son rasgos que tenemos nosotros mismos (de ahí la identificación y aparición en el sueño) y éste constituye el material básico para nuestra evolución.

Apoyo

El apoyo que brindemos en sueños a otras personas a la hora de realizar cualquier tarea indica que contamos con el auxilio de nuestra familia en los momentos difíciles.

Apremio

La llegada de un documento judicial en el que se nos obliga a pagar una deuda simboliza las culpas que sentimos por no haber ayudado a un amigo o familiar cuando lo ha necesitado.

Aprendiz

El trato que en un sueño tengamos con aprendices señala que, en la vida real, preferimos hablar y solucionar los problemas con los subalternos en lugar de hacerlo con las jerarquías más altas.

Aprendizaje

Los sueños en los que nos vemos llevando a cabo un aprendizaje indican los aspectos en los cuales debemos evolucionar.
Para analizarlos en profundidad podemos buscar el significado del oficio o profesión que estamos aprendiendo.

Aprensión

Las aprensiones que vivimos en sueños simbolizan los riesgos que corremos en la vida real.
Es muy importante analizar el objeto que nos provoca la aprensión para dilucidad cuáles son, en la realidad, nuestros puntos más vulnerables.

Apresar

La acción de apresar un animal señala que estamos intentando contener un deseo instintivo, una pasión, que amenaza con desbordarse.

Aprieto

El hecho de vernos en un aprieto indica que, a pesar de saber que estamos haciendo las cosas mal, persistimos en ello porque pensamos que, a la larga, se solucionarán los problemas.
Si son otras las personas que están en aprietos quiere decir que hemos desconcertado a nuestros competidores.

Apuntar

Las anotaciones o apuntes que tomamos durante el sueño indican los propósitos que fácilmente se nos olvidan.

Aquelarre

Siguiendo la descripción que los procesos inquisitoriales han hecho de los aquelarres (cuya veracidad está hoy en entredicho), estas juntas de brujas tenían como fin la adoración del demonio.
La participación en un aquelarre señala que buscamos la forma de perjudicar a otra persona; que nos sentimos ofendidos por ella y hemos decidido utilizar cualquier medio con tal de vengarnos.

Aquiles

Este héroe mitológico griego no sólo es legendario por sus hazañas sino, también, por su curiosa muerte. Todo su cuerpo era invulnerable excepto el talón y ahí recibió la flecha mortal.
Los sueños en los cuales aparece nos recomiendan no confiar excesivamente en nuestra impunidad; tenemos puntos débiles de los cuales pueden aprovecharse nuestros competidores o enemigos.

Arado

La tradición asegura que soñar con un arado o verse a uno mismo roturar la tierra, augura una vejez plena, activa y lúcida.

Araña

Las arañas son un símbolo importantísimo en muchas culturas. Por un lado, representan la capacidad creadora; por otro, la agresividad.
Para los hindúes es la tejedora del velo de las ilusiones, de ahí que si vemos una araña en su tela o tejiendo, debamos entender que nos estamos engañando en la apreciación que hacemos de una persona o situación importante.
Si la araña nos pica quiere decir que hemos traspasado ese velo ilusorio que nos difumina la realidad y hemos percibido que nos hemos estado engañando; de ahí el dolor de la picadura.

Arañar

Si arañamos algún objeto, quiere decir que queremos dejar claro que es nuestro.
Estos sueños pueden tenerse cuando hay elementos en disputa.

Árbitro

Si en sueños nos vemos como árbitros de un encuentro deportivo quiere decir que deberemos intervenir en la disputa que sostienen dos amigos o familiares.
Si es otra la persona que ejerce este oficio, es señal de que nos veremos involucrados en una situación enojosa en la que nos harán pasar por mentirosos.

Árbol

Una gran cantidad de culturas ha adoptado el árbol como elemento sagrado. Por lo general, cada una ha escogido a una especie en particular: para los celtas, era la encina; entre los escandinavos el fresno; para los germanos, el tilo y en la India, la higuera.
Todos ellos representan la inmortalidad; por ello, soñar con un árbol augura larga vida. Estos sueños son importantes cuando uno mismo u otra persona del entorno está enferma, ya que anuncian su curación.
En caso de reconocer el árbol que aparezca en las imágenes oníricas, será importante buscar su significado simbólico ya que, cada uno de ellos, tiene cualidades específicas que nos ayudarían a comprender el mensaje de nuestro inconsciente.

Arbusto

Los arbustos gozan de cualidades similares a las del árbol en cuanto a generadores de vida. Sin embargo, en este caso apuntan a señalar la fertilidad.
Su aparición en un sueño podría anunciar el nacimiento de un niño en la familia o bien de un proyecto conjunto de gran importancia.

Arca

Simboliza el renacimiento, tanto en el plano material como en el emocional y espiritual.
Si abrimos el arca quiere decir que recuperaremos algo muy querido. Puede ser una relación, un objeto o representar la reconciliación con la religión que nos han inculcado nuestros padres.
El color del arca y los objetos que contengan ayudarán a comprender cuál de estos significados debemos tomar.

Arcabuz

Si nos vemos en sueños con esta antigua arma en las manos quiere decir que tendemos a mostrarnos rencorosos y a gastar nuestras energías en inútiles venganzas.

Arcángel

Véase ÁNGEL.

Arce

La madera de este árbol, sagrado para los druidas, era muy valorada porque con ella se construían las varitas mágicas.
Simboliza la capacidad de transformar una

situación desfavorable en un acontecimiento positivo.
Si lo vemos en sueños debemos tomarlo como signo de buen augurio, de que la situación dolorosa que estamos viviendo, tendrá un cambio radical.

Archivador

Por su función, simbolizan la memoria.
Si están abiertos quiere decir que tenemos un excelente acceso a los recuerdos. Si están cerrados, indican que hay en nuestro pasado hechos dolorosos que no hemos podido digerir y que, por ello, están profundamente enterrados en nuestra psiquis.

Véase FICHERO.

Arcilla

La arcilla, el barro, tiene un importante significado bíblico. Es el material que utilizó Dios, según el Antiguo Testamento, para hacer el primer hombre. De ahí que este material esté íntimamente ligado al proceso creativo.
Soñar con él da muestras de una gran creatividad, sobre todo en el plano artístico. El desarrollarla, aun cuando no sea más que como afición, nos permitirá estár más en contacto con nosotros mismos, equilibrar nuestra vida psíquica y sentir una grata sensación de paz.

Arco

Se relaciona con la fuerza vital, con la tensión interior que nos empuja al movimiento, a la actividad.
Cuando aparece en sueños indica que tenemos una excelente vitalidad.
Si utilizándolo damos muerte a un animal o a una persona, quiere decir que derrochamos nuestra fuerza vital en peleas y discusiones que no nos aportan nada. En este caso, sería recomendable buscar una actividad que nos resulte interesante aunque no sea específicamente productiva.
Pasar por debajo de un arco indica el avance hacia un puesto de trabajo mejor remunerado o bien el reconocimiento por la labor que hemos realizado.

Arco iris

Este fenómeno atmosférico ha estado presente en numerosos cuentos infantiles y leyendas. Tradicionalmente se dice que en el lugar donde comienza y en el que termina se encuentra un cofre lleno de oro.
Verlo en sueños augura ganancias materiales. Si se observa justo encima de la cabeza, quiere decir que hemos alcanzado un notable grado de paz interior.

Arcón

Generalmente se utilizaban para guardar ropa blanca, de una temporada para otra. Por esto simbolizan la intimidad y el pudor.
Si el arcón está abierto quiere decir que alguien está dispuesto a contar secretos de nuestra vida privada.

Ardilla

Es símbolo de superfialidad.
Ver una ardilla significa adquirir una actitud más frívola y mundana.

Arena

La arena puede tener significados positivos o negativos.
Si nos encontramos en una playa con arena fina, significa que somos sensuales, que nos gusta disfrutar de los placeres que nos dan los sentidos.
Caminar por un terreno arenoso y pesado, en cambio, anuncia dificultades en nuestra relación de pareja.
Encontrar arena en la comida, en los zapatos o en la ropa, augura problemas económicos.

Arenque

La tradición nos enseña que si soñamos con arenques quiere decir que tenemos una deuda pendiente y que pronto nos la van a reclamar.

Argolla

Las argollas simbolizan el aparato reproductor femenino.
Si el que sueña con ellas es un varón, indica que desea sexualmente a una mujer a la que no conoce personalmente.
Si la que sueña es una mujer, podría indicar que tiene alguna pequeña molestia ginecológica o que debería hacerse el chequeo ginecológico rutinario.

Argumento

El acto de leer o hacer el argumento de una obra simboliza la preparación de una mentira. Indica que no sabemos cómo hacer frente a una responsabilidad y que hemos optado por engañar a la autoridad que nos la exija.

Aries

Véase ZODÍACO.

Aristócrata

Como las personas de la aristocracia habitualmente tienen acceso a contactos importantes, soñar con ellas indica que alguien, muy poderoso, estará dispuesto a ayudarnos en un proyecto que tenemos entre manos.

Aritmética

Cuando en sueños hacemos cálculos aritméticos quiere decir que estamos juntando fuerzas y planificando una importante medida que afectará al resto de la familia.

Véase ÁLGEBRA.

Arlequín

Este personaje simboliza la hipocresía, de modo que si nosotros u otra persona viste ropas de arlequín, quiere decir que está planeando una traición.

Armadura

Las armaduras simbolizan la capacidad de defendernos de los ataques a traición.
Si vestimos una en sueños quiere decir que hemos detectado que una persona de nuestra confianza ha cometido una grave deslealtad contra nosotros.

Armario

Los sueños en los cuales aparecen armarios pueden tener diversos significados según sea el lugar donde se encuentre el mueble y los objetos que contenga.
Los armarios de cocina, sobre todo si están vacíos, indican que nos vemos en un aprieto por no haber sabido prever los acontecimientos.
Los que están destinados a guardar ropa dan cuenta de nuestras habilidades sociales. Si están desordenados, quiere decir que nos cuesta mucho trabajo tener relaciones amables con las personas que acabamos de conocer; que tardamos demasiado tiempo en entrar en confianza.
Si el armario está vacío indica que nos sentimos solos, sin amigos, y que no sabemos cómo encontrar gente que nos resulte afín.

Armas

Todas ellas simbolizan nuestra capacidad de agresión. Según de qué tipo sean, representarán las diferentes maneras en las que podemos ejercerla.
Las armas de fuego indican que somos capaces de llegar a la agresión física. No señalan que seamos violentos sino que, si nos vemos atacados, podemos reaccionar con una violencia que no se espera de nosotros. De esta forma deberemos analizar los revólveres, pistolas, carabinas, rifles y escopetas.
Las armas de fuego antiguas, por lo general, indican que somos capaces de guardar rencor y que no vamos a perder la oportunidad de agredir a la persona que nos haya ofendido cuantas veces podamos

hacerlo. Entran en esta categoría los mosquetones, trabucos, alabardas, lanzas, mazas, etc.
Lo artillería pesada como son los cañones,lanzamisiles y obuses indican que respondemos con una violencia exagerada a las ofensas recibidas.
Las armas blancas simbolizan la capacidad de agresión verbal. Se encuentran en este grupo las espadas, floretes, sables, mandobles, estoques, catanas, dagas, puñales, navajas, etc.

Armazón

Estas estructuras sirven para sostener obras que, sin ellas, no se podrían mantener en pie.
Si la que aparece en nuestros sueños es sólida, es señal de que sabemos poner sólidos cimientos al comienzo de cualquier tarea.
Si la vemos inestable o deteriorada, debemos tomarlo como una advertencia: a menos que tengamos un cambio importante en nuestras relaciones de pareja, el vínculo terminará por romperse.

Armiño

La piel de este animal se ha utilizado en las capas reales, de ahí que simbolice honores.
Si vestimos prendas que contengan piel de armiño quiere decir que nos serán reconocidos nuestros méritos pero que, a la vez, el hecho generará grandes envidias entre nuestros compañeros.

Armisticio

Soñar con un armisticio o con la celebración de su aniversario indica que entramos en un período de placentera paz hogareña.

Armónica

Este instrumento, que casi siempre se toca haciendo sonar distintos acordes, simboliza el buen entendimiento de una persona con su familia política, es decir, con los padres y hermanos de su mujer o su marido.

Véase INSTRUMENTOS MUSICALES.

Arnés

Los arneses pueden ser utilizados en diversos oficios; sin embargo, los más comunes son los que se emplean para portar armas.
Si vestimos una de estas estructuras quiere decir que somos demasiado quisquillosos, que nos sentimos ofendidos con mucha facilidad y que, habitualmente, tomamos las palabras ajenas de la peor manera posible.

Aro

Los objetos con forma de circunferencias perfectas representan los cambios de fortuna; sobre todo si ruedan o están en movimiento.
Los juegos que en sueños hacemos con un aro indican que somos flexibles y nos adaptamos perfectamente a los cambios.

Aroma

No es habitual que en los sueños el olfato tenga un papel protagonista, pero en ocasiones se detectan diferentes olores.
Para analizar el significado de estos sueños, lo mejor es buscar el significado del objeto que despide ese olor.
En términos generales, los aromas agradables indican paz interior en tanto que los desagradables denotan conflictos, sobre todo afectivos.

Arpa

La presencia de un arpa en sueños indica que obtendremos el apoyo de un hombre para conseguir mejorar nuestra situación laboral.

Arpía

Este animal mitológico, con cuerpo de ave de rapiña y rostro de mujer, simboliza las personas que intentan sacar ventajas de nuestro trabajo. Verlas en sueños indica que una mujer de nuestro entorno está aprovechándose de nosotros.

Arpillera

Esta tela basta que habitualmente se utiliza para hacer sacos, simboliza la falta de cuidado en nuestra propia imagen.

Arpón

Los sueños en los cuales se dispara un arpón deben ser analizados cuidadosamente.
Si el disparo se hace para matar a un animal no agresivo, como las ballenas y los delfines, indican que tenemos una dificultad a la hora de aceptar un fracaso y que no soportamos perder.
Si se emplea para matar a un tiburón o a cualquier animal peligroso, señala que mantenemos una vigilancia obsesiva sobre las personas que queremos porque, en el fondo, tememos que se aparten de nosotros o sufran contratiempos.

Arqueología

En los yacimientos arqueológicos se encuentran objetos o ciudades pertenecientes a antiguas culturas.
Si nos encontramos en uno de estos lugares quiere decir que tenemos una formación sólida aunque, tal vez, un poco chapada a la antigua.

Arquero

Los arqueros simbolizan la intuición. Si vemos uno en sueños quiere decir que en las próximas semanas debemos hacer caso de nuestras corazonadas, ya que gracias a ellas podremos hacer un intersante negocio.

Arquitecto

La presencia de un arquitecto en sueños indica que, en un tiempo relativamente breve, compraremos una vivienda.

Véase FACULTAD.

Arrancar

Si arrancamos o vemos arrancar malas hierbas es señal de que tendremos un golpe de suerte en muy poco tiempo.

Arras

Estas trece monedas simbolizan la formalización del matrimonio, por lo que, soñar con ellas puede ser considerado como anuncio de boda.

Arrastrar

El vernos arrastrados en un sueño, independientemente de la forma en que esto se produzca, augura un peligro inminente que se puede eludir suavizando el carácter, mostrando menos agresividad.

Arrayán

Los griegos habían consagrado este árbol a Afrodita, diosa del amor, por lo que su presencia en sueños indica un encuentro romántico inesperado.

Arrear

La acción de arrear animales simboliza el control que ejercemos sobre nuestra vida instintiva.
Si el sueño es angustioso quiere decir que debemos vencer grandes tentaciones.

Arrecife

Los arrecifes simbolizan objetos o situaciones agradables que descubriremos por casualidad, mientras llevamos a cabo un trabajo obligado.

Arrepentimiento

Cuando soñamos que nos arrepentimos de un hecho que hemos cometido, significa que, en la vida real, nos sentimos tentados de realizar esa mala acción.

Arresto

Si en sueños nos arrestan es señal de que nos sentimos incomprendidos por nuestra pareja, que nos agobia con sus ataques de celos.

Si es otra la persona arrestada, es señal de que tenemos sentimientos de culpabilidad.

Arriate

Si parte del sueño transcurre cerca de un arriate, debemos estar preparados para recibir muy pronto una confidencia amorosa.

Arritmia

Si en sueños sentimos que nuestro corazón no late regularmente, es posible que tengamos un pequeño trastorno. Por precaución, si se repite, lo mejor es consultar con un médico.
La arritmia, por otra parte, simboliza las dudas que tenemos respecto a dos personas por las que nos sentimos atraídos.

Arroba

El símbolo de la arroba que se utiliza para designar las direcciones de correo electrónico está, naturalmente, vinculado a la comunicación.
Si lo vemos en sueños quiere decir que nos gustaría hablar con una persona pero no nos atrevemos a hacerlo.

Arrodillarse

Es símbolo de humildad, de reconocimiento de la autoridad moral.
Si nos arrodillamos ante una persona quiere decir que la consideramos superior a nosotros.

Véase ORAR.

Arroyo

Por tratarse de un accidente geográfico que lleva agua, se relaciona con el mundo de las emociones y los sentimientos.
Si el arroyo está seco, indica soledad afectiva. Si el agua es turbia, señala que tenemos una relación que no está bien vista por la sociedad. Si, por el contrario, su agua es limpia, quiere decir que nos sentimos afectivamente satisfechos.

Arroz

Este alimento es símbolo de fertilidad, de ahí que se arrojen puñados de arroz a los recién casados.
En sueños, por lo general augura el nacimiento de un niño en la familia.

Arrugar

Cuando en sueños arrugamos papeles o cualquier tipo de elementos, quiere decir que tenemos interiormente una profunda sensación de fracaso.
En caso de que echemos al cubo de la basura aquello que hayamos arrugado, será señal de que estamos en vías de superarlo, de recuperar nuestro habitual optimismo.

Arrugas

Si en sueños nos vemos a nosotros mismos o a otra persona con arrugas que en la vida real no existen, eso significa que nos enfrentamos al envejecimiento sin temores; que pensamos que el paso del tiempo, así como nos quita juventud nos da, también, sabiduría.

Arsenal

Los arsenales, en sueños, simbolizan conflictos.
Si nos encontramos en uno de ellos quiere decir que habrá un conflicto familiar que nos tendrá preocupados.
Si estamos solos en él, es señal de que tendemos a exagerar los problemas; que nos alteramos demasiado cuando algún miembro de nuestra familia se enemista temporalmente con otro.

Arsénico

Este poderoso veneno simboliza la venganza.
Si en los sueños alguien lo utiliza debemos estar alerta porque en algún momento hemos ofendido a una persona de nuestro entorno y ahora está dispuesta a vengarse.
En caso de ser nosotros quienes lo usemos, será conveniente que

reflexionemos, que comprendamos que la venganza no nos tranquilizará, En estos casos, lo mejor es hablar claramente con quien nos ha agraviado.

ARTE

Las obras de arte que aparecen en los sueños deben ser interpretadas según lo que representan. Por lo tanto, se debe buscar el simbolismo de los elementos que aparezcan en las pinturas y esculturas a fin de hacer un análisis profundo del mismo.

ARTEFACTO

Cada aparato tiene un símbolo específico, por ello, para conocer el significado simbólico de un artefacto, hay que saber primero para qué se emplea.
Si su utilidad es desconocida quiere decir que en nuestra vida real estamos avanzando a tientas; que pasamos por una época de confusión y desesperanza.

ARTEMISA

Esta planta estaba dedicada a la diosa griega del mismo nombre que era la protectora de la virginidad.
Si una mujer sueña con la diosa o con la planta quiere decir que tiene algunos desarreglos ginecológicos y que sería conveniente que visitara cuanto antes al médico.
En caso de que sea un hombre quien sueñe con ellas, significa que no debe precipitarse para tener relaciones sexuales con la mujer que desea; que es preferible cortejarla durante un tiempo para crear con ello una relación más sólida y duradera.

ARTERIA

Son las que transportan la sangre oxigenada a todas las células del organismo.
Soñar con ellas, sobre todo si se encuentran en buen estado, significa que tenemos una gran vitalidad.
En caso de que estemos enfermos, augura una recuperación inmediata.

ARTESA

Debido a que se utiliza generalmente para amasar pan, simboliza la nutrición afectiva de la familia.
Si está vacía significa que pertenecemos a un grupo familiar que se caracteriza por esconder los sentimientos.
Cuando contiene masa o harina, quiere decir que tenemos una familia expansiva y cariñosa.

ARTESANO

Según la tradición popular, soñar con un artesano es presagio de buena salud. No obstante, para hacer un análisis más profundo del sueño, es conveniente averiguar el significado simbólico de su oficio.

ARTICULACIÓN

Si en sueños tenemos molestias en alguna articulación posiblemente se deba a una mala postura. Si no es así, estas molestias simbolizan retrasos en la entrega de un trabajo.

ARTIFICIAL

Los objetos creados para imitar lo que hay en la naturaleza (por ejemplo las plantas artificiales), indican la tendencia a fingir para caer bien a los demás.

ARTILLERÍA

Véase ARMAS.

ARTISTA

Las personas dedicadas al arte, en los sueños, simbolizan la traición dentro de la relación de pareja.
Si hablamos o vemos a un artista quiere decir que nuestra pareja coquetea con otras personas y está dispuesta a sernos infiel.

ARTRITIS

Esta dolencia es generalmente incapacitante; por lo tanto, padecerla en sueños es símbolo de que no podemos realizar nuestros proyectos.

Arturo

El mítico rey Arturo simboliza la lucha por la recuperación de lo que nos pertenece. Si aparece en nuestros sueños quiere decir que tendremos una lucha con los parientes a causa de una herencia.

As

En muchos juegos de naipes, el as es la carta que tiene mayor puntuación, de ahí que soñar con ella, independientemente de su palo, augure buena suerte.
Para completar el significado debe tenerse en cuenta, también, el palo al que pertenezca.

Véase PALO.

Asa

Si vemos en el sueño tazas o jarras con el asa rota quiere decir que finalmente no contaremos con un apoyo que nos habían prometido.

Asador

Como casi todo lo que se relaciona con los alimentos, los asadores dan cuenta de nuestros asuntos económicos.
Si están vacíos, indican que pasaremos por una época de estrecheces. Si en ellos se está cocinando carne, señalan que no debemos albergar temores con respecto a nuestro futuro económico.
Si damos vueltas a la carne para que se cocine de forma pareja, indica que para mantener el nivel económico actual deberemos hacer mayores esfuerzos que en años anteriores.

Asalto

Si en sueños sufrimos un asalto quiere decir que nuestras pertenencias no corren riesgo; que es realmente muy difícil que alguien intente robarnos. En el caso de que esos asaltantes resultemos ser nosotros, ello dará cuenta de la envidia que sentimos por los bienes acumulados por un amigo o por un hermano.

Asamblea

El hecho de participar, en sueños, en medio de una asamblea augura problemas con los vecinos.
Si somos meros observadores quiere decir que recibiremos excelentes consejos que nos servirán para prosperar en el trabajo.

Ascensor

Simboliza las subidas y bajadas en la escala social o laboral.
Si vemos un ascensor vacío y no entramos en él quiere decir que hemos dejado pasar una brillante oportunidad.
Si estamos en su interior y éste sube, es señal de que nos espera una promoción o un aumento de sueldo. En cambio si desciende significa que nos costará mucho esfuerzo mantener la posición a la que hemos logrado llegar.
Si el ascensor se cae es señal de que, si no cambiamos nuestra manera de comportarnos en el trabajo, corremos el riesgo de ser despedidos.
Si el ascensor está lleno de gente quiere decir que aspiramos a obtener una plaza muy disputada (por ejemplo, mediante unas oposiciones).

Asco

Los objetos que en sueños nos dan asco simbolizan las personas o situaciones que no nos atrevemos a rechazar en la vida real.
Es necesario estudiar la naturaleza del objeto y buscar su simbología para poder definir qué es lo que representan en el sueño.

Asearse

El acto de asearnos en un sueño indica que sentimos la necesidad de purificarnos interiormente. Lo más probable es que ésta surja de una mala conciencia, de saber que hemos obrado mal y necesitemos reparar los errores cometidos.

Asedio

La interpretación de este concepto varía según el asedio sea individual, ejercido por una sola persona, o colectivo (por ejemplo, por un ejército).
En el primer caso da cuenta de nuestra actitud timorata y represiva con relación al sexo. En el segundo, muestra que nuestra situación laboral nos resulta insostenible a causa de las desmedidas exigencias de nuestros superiores.

Asegurarse

La contratación de un seguro (de hogar, de vida, de coche) señala que en la vida real no somos lo suficientemente previsores.

Asepsia

La preocupación por la purificación de nuestro entorno físico indica una tendencia a la obsesión y una incapacidad para comprometernos con aquello que pensamos o hacemos.
Si en el sueño nos preocupamos por eliminar todo tipo de gérmenes utilizando productos como el alcohol o la lejía, si el temor al contagio está presente, significa que la proximidad afectiva de otras personas nos causa un intenso temor; que preferimos pasar desapercibidos y que no somos consecuentes con nuestros supuestos ideales.

Asesinar

El hecho de cometer un asesinato en sueños indica que tenemos problemas con nuestra agresividad; que tendemos a reprimirla excesivamente y que, por ello, tememos el momento en que ésta pueda descontrolarse.
Si el sueño se repite o es muy angustioso, sería conveniente que consultáramos con un psicólogo. Si somos nosotros las víctimas de un asesinato, indica que tendemos a volcar los impulsos agresivos sobre nosotros mismos por temor a causar un excesivo daño a los demás.

Asfalto

Soñar con asfalto simboliza la falta de libertad.
Los sueños en los que este elemento aparece como protagonista son propios de las épocas en las que nos vemos agobiados por la presencia de una autoridad despótica o de una persona manipuladora que nos induce sentimientos de culpa que nos vemos compelidos a subsanar.

Asfixia

En ocasiones, los sueños en los cuales nos sentimos asfixiados responden a una situación real, por ejemplo al hecho de que, dormidos, nos hayamos tapado la boca o la nariz con las mantas y nos sea imposible respirar aire puro. La mayoría de las veces, cuando esto sucede, nuestro cuerpo reacciona haciéndonos despertar, no sin antes de que se produzca un corto sueño metaforizando la situación.
Si no es este el caso, la asfixia simboliza el agobio producido por la falta de dinero.
Si nos encontramos con una persona asfixiada quiere decir que deberemos auxiliar económicamente a un amigo que nos pedirá ayuda.

Véase APNEA.

Asiento

Los asientos reflejan nuestra situación actual, sobre todo en lo que respecta al hogar. Si son sólidos, quiere decir que respiramos un clima de armonía y buen entendimiento; si son débiles, tienen rajaduras o están en mal estado, significa que la convivencia es difícil, que tenemos constantes altercados y que próximamente es probable que alguien se vaya de nuestra casa. Los bancos indican que tenemos un hogar modesto pero agradable y las sillas, que recibimos el apoyo de la gente con la que convivimos.

Asilo

Estas instituciones por lo general albergan a personas que no tienen familia. Soñar con ellos simboliza una relación pobre con padres y hermanos.

Asistenta

El hecho de tener, en sueños, una asistenta indica que nos sentimos satisfechos por el nivel económico que hemos logrado.
En caso de que las imágenes oníricas muestren que la despedimos, debemos interpretar que necesitamos un período de aislamiento para planificar qué es lo que deseamos hacer con nuestra vida.

Asistir

La asistencia a diferentes eventos debe interpretarse según la naturaleza de los mismos. Si se trata de una boda, es señal de que mejorarán las relaciones con la pareja. Si es una recepción, indica visitas inesperadas. Si asistimos a una inauguración, debemos entender que tendremos un cambio de vida favorable.

Asma

Los sueños en los cuales se sufren trastornos respiratorios pueden deberse a una sensación de ahogo real, a veces producida por el hecho de habernos tapado la cabeza con las mantas o por algo similar.
En cuanto al simbolismo del asma indica que nos sentimos agobiados por unos padres que nos sobreprotegen y no permiten que nos equivoquemos y aprendamos de nuestra propia experiencia.

Véase APNEA, ASFIXIA.

Asno

El asno es un animal que habitualmente se ha relacionado con la falta de cultura; por ello, si lo vemos en sueños, significa que tenemos que luchar contra la ignorancia de un compañero de trabajo, de un vecino o de un familiar que no quiere entender razones, que se muestra necio y terco.

Asociación

El hecho de darnos de alta en alguna asociación indica que ampliaremos nuestros contactos y tendremos una vida social más activa.
El significado simbólico del cometido de la asociación dará más elementos para interpretar el sueño.

Aspa

Las aspas se mueven con el viento y, a su vez, agitan el medio gaseoso en el que se mueven. Por ello se relacionan con el elemento aire que, a su vez, está vinculado al mundo intelectual.
Si las aspas que vemos en sueños están en movimiento quiere decir que nos preocupamos adecuadamente por nuestro desarrollo intelectual. Si están quietas, por el contrario, es señal de que mantenemos una actitud de pereza y desinterés que, al final, nos limitará el acceso a mejores puestos de trabajo.

Asperezas

En la piel, el roce puede producir zonas ásperas; sobre todo en rodillas, talones y codos. Estas durezas simbolizan los pequeños inconvenientes que tenemos que solventar a fin de poder avanzar profesionalmente.
Si en el sueño las tratamos con crema o con cualquier otro medio, quiere decir que damos demasiada importancia a los pequeños trastornos y que eso nos hace perder mucho tiempo.

Aspersor

Los aspersores de riego simbolizan la simpatía.
Si en el sueño vemos uno que funciona en nuestro propio jardín, quiere decir que la

gente se siente cómoda en nuestra presencia; que fácilmente entramos en confianza.
Si nos salpica, es señal de que hay una persona que se ha enamorado de nosotros pero que intenta disimularlo por temor al rechazo.
Si el aspersor lo vemos en un parque público o en una casa que no es la propia, indica que sentimos envidia por el éxito social de un amigo.

Áspid

Véase SERPIENTE.

Aspirador

Simboliza la presencia de una persona excesivamente absorbente .
Si somos nosotro quienes lo utilizamos quiere decir que tendemos a acaparar por completo la atención de nuestra pareja; que solemos mostrar celos patológicos y que siempre nos gusta ser protagonistas de todas las historias.
En caso de que fuera otra la persona que la empleara significa que nos sentimos agobiados por las demandas de una madre posesiva o de una pareja excesivamente absorbente.

Astilla

Si en sueños nos clavamos una astilla quiere decir que nos estamos arriesgando demasiado con el coqueteo que hemos establecido con alguien. Aunque hayamos decidido que esa es una relación intrascendente, corremos el riesgo de enamorarnos profundamente de la persona equivocada.

Astracán

Los abrigos de astracán simbolizan las herencias, los legados.
Si vestimos una de estas prendas quiere decir que recibiremos una suma de dinero como herencia o legado de un familiar lejano.

Astro

El hombre siempre ha buscado su destino en los astros, de ahí que éstos, cuando aparecen en sueños, auguren las diferentes situaciones que nos tocará vivir en un futuro inmediato.
Cuanto más brillo tengan, mejor será el destino que nos espera. Y si vemos sólo una estrella en el firmamento, el éxito será inmediato.
Los ástros débiles o parpadeantes anuncian dificultades y las estrellas fugaces y cometas, sorpresas que nos alegrarán la vida.

Astrología

Los sueños que incluyen la consulta con un astrólogo indican que debemos tomar una decisión vital.
Es importante tener en cuenta lo que nos predice este profesional, ya que ahí estarán las claves que nos permitirán decidir adecuadamente.

Véase ADIVINO.

Astronauta

Por su distanciamiento con la tierra, simbolizan la evasión de los problemas.
Si viajamos en un vehículo espacial debemos entender que tenemos un problema afectivo pero que no nos atrevemos a dar la cara, a ponerlo en claro.
El hecho de ver a otra persona con el traje de astronauta indica que hemos idealizado demasiado a la persona que queremos encontrar como pareja.

Asustar

Si somos nosotros quienes asustamos a una persona significa que somos responsables de un hecho por el cual saldrá damnificado un compañero.
Si nos asustan a nosotros, quiere decir que otras personas intentan decidir sobre asuntos que sólo nos conciernen a nosotros.

Atacar

Los ataques por parte de desconocidos que podemos sufrir en sueños, simbolizan pequeños trastornos físicos que conviene que sean consultados con el médico.
Si somos nosotros quienes atacamos a otra persona, es señal de que estamos dispuestos a declarar nuestro amor a la persona amada.

Atajo

Los atajos simbolizan los buenos contactos que permiten avanzar rápidamente en el trabajo o en el medio social.
Si en el sueño tomamos un atajo, quiere decir que por medio de una persona influyente lograremos mejorar nuestra posición.

Atalaya

La presencia de una atalaya en sueños indica que estamos demasiado obsesionados con el daño que puedan hacernos los demás. Esa es una conducta que nos impide tener relaciones sanas y fluidas.

Atar

Si nos encontramos atados en un sueño o si atamos a otra persona quiere decir que somos excesivamente dependientes de nuestra pareja.

Atardecer

Los atardecreres anuncian distancias afectivas, alejamiento de personas queridas.
Si en el sueño se experimenta angustia, indica crisis de pareja y temor a la ruptura.

Atasco

Si se trata de una tubería, quiere decir que hay un hecho que aún no hemos podido asimilar y que deberíamos ponerle solución.
Si es un atasco del tráfico, indica que nos vemos bloqueados por nuestros propios errores.

Ataúd

En los ataúdes se guarda el cuerpo físico, desprovisto ya de toda conexión con el mundo emocional y mental; por ello su presencia en sueños indica que anteponemos los intereses materiales a los sentimientos.

Atentado

Los sueños con grandes catástrofes, a menudo son proféticos. Si no es éste el caso, el atentado debemos considerarlo como símbolo de un cambio súbito en nuestra vida.

Aterrizaje

El hecho de tomar tierra simboliza la toma de conciencia con un problema y la decisión de resolverlo de la manera más práctica posible.
Si el aterrizaje es bueno y sin inconvenientes, quiere decir que el problema más acuciante que tengamos en este momento será solucionado de manera satisfactoria. Si hubiera una emergencia, será señal de que nos resultará difícil superar la situación pero que, al final, lo conseguiremos.

Atizar

El hecho de atizar el fuego simboliza los esfuerzos que hacemos por despertar la voluntad de una persona que convive con nosotros.

Atlántida

Esta isla legendaria, de la cual se dice que se hundió en el océano, simboliza la ambición intelectual. Indica que damos una gran importancia al conocimiento pero, más que nada, como herramienta para deslumbrar a los demás.

Atlas

Los atlas son una representación de los diferentes territorios del planeta.
Simbolizan los viajes. Por lo tanto, si en el sueño consultamos un atlas, quiere decir

que tendremos la oportunidad de trasladarnos a otra ciudad, sea por placer o por trabajo.
El clima general del sueño dará cuenta de lo placentero o complicado que pueda ser ese desplazamiento.

Véase MAPA.

ATLETISMO

Las diferentes pruebas que se incluyen dentro del atletismo simbolizan la forma en que competimos en el trabajo.
Las carreras hablan del manejo que hacemos de nuestra energía.
El salto indica las metas que nos proponemos: los saltos de altura señalan que aspiramos a conseguir puestos altos y que, para ello, no escatimamos esfuerzos. Los saltos de longitud, en cambio, muestran que planificamos cuidadosamente nuestros objetivos y que nos tomamos el tiempo necesario para llegar a ellos. En este sentido, preferimos un avance más lento pero más seguro.
Los lanzamientos (jabalina, disco, martillo) muestran que nos valemos de otras personas para avanzar, normalmente de personas influyentes que puedan recomendarnos. Por su parte, el salto con pértiga muestra que basamos nuestra posibilidad de avance en el aprendizaje y que hacemos constantemente cursos de reciclaje o de adquisición de nuevas habilidades.

Véase CARRERA.

ATMÓSFERA

La capa gaseosa que envuelve nuestro planeta se presenta bajo múltiples aspectos y cada uno de ellos tiene su significado específico.
Si en el sueño la vemos como si estuviéramos en el espacio exterior, quiere decir que tenemos importantes aspiraciones espirituales, que tenemos conciencia de las corrientes que se mueven en nuestro interior y poseemos la clara decisión de ser cada día mejores.

Véase RAYO, RELÁMPAGO, TRUENO.

ATOLÓN

Estas bellas islas anulares que tienen lagunas interiores, por su forma circular, simbolizan la delicadeza de los sentimientos.
Soñar con ellas es índice de que una persona por la que nos sentimos atraídos alberga hacia nosotros las mejores intenciones.

ATORNILLAR

La acción de ajustar un tornillo simboliza la exigencia de cuentas a una persona que nos ha estado engañando.
Si nos vemos realizando esta acción, quiere decir que tendremos una dura charla con un amigo que nos ha mentido.
En caso de ser otra la persona que está colocando el tornillo, debemos interpretar que hemos cometido una falta y seremos recriminados por ello.

ATRACAR

Los sueños que desarrollan atracos en los que se utilizan armas tienen connotaciones sexuales. Indican que sentimos deseos que no nos atrevemos a enfrentar claramente.

ATRASO

El paso del tiempo, en los sueños, es absolutamente relativo, ya que las fases en las que soñamos, aun cuando en ellas se desarrollen largos episodios, son increíblemente breves.
Cualquier atraso que experimentemos en el sueño debemos interpretarlo como la demora de una recompensa en la vida real.

ATRIL

Los atriles simbolizan las bases culturales que nos permiten adquirir más

conocimientos. Cuando están en buen estado, quiere decir que poseemos una cultura sólida que nos permite avanzar intelectualmente.
Si están rotos o deslucidos, indican que si bien hemos aprendido muchas cosas, tenemos importantes lagunas en nuestros conocimientos.
Los atriles antiguos y muy adornados hablan de una gran erudición.
Si el atril que vemos en el sueño es el propio de los músicos, significa que tendemos a adquirir más conocimientos mediante el trato con personas cultas, que leyendo o estudiando.

ATROFIA

Si en el sueño tenemos algún miembro o parte del cuerpo atrofiado quiere decir que hay talentos que aún no hemos desarrollado.
En este caso, será importante analizar el símbolo del órgano que padece la atrofia.

ATROPELLO

Los atropellos producidos por accidente de circulación simbolizan los abusos cometidos por parte de un superior.
Presenciar uno de ellos indica que en nuestro trabajo hay un jefe que se muestra despótico con sus empleados.
En caso de que seamos la víctima del atropello debemos interpretar que es nuestro superior quien abusa de nosotros.

ATÚN

Este pez simboliza la soledad, el gusto por la reflexión y el rechazo a las diversiones mundanas.
Cuando se sueña con atunes es muy importante tener en cuenta el estado de ánimo que acompaña a las imágenes. Si es sereno y agradable quiere decir que hemos escogido una forma de vida aislada pero muy variada en cuanto a intereses y aficiones. Si el sentimiento es de tristeza o angustia, es señal de que estamos pasando por un período de encierro motivado por las circunstancias y no por nuestra elección.

ATURDIMIENTO

Cuando en sueños nos sentmos aturdidos o mareados quiere decir que en la vida real los acontecimientos importantes se suceden con mucha rapidez. Tal vez sea necesario tomarnos un respiro para reacomodar todo el material que de ellos se desprende.

AUDACIA

El arrojo que mostramos en sueños actúa la mayoría de las veces en forma de compensación de la cobardía que mostramos en la realidad.

AUDITORIO

Los auditorios simbolizan la atención que, según sentimos, brindan los demás a nuestras palabras.
Si ocupamos el papel del orador, es señal de que deseamos compartir y transmitir nuestras creencias. Si somos oyentes que asistimos al discurso de otra persona, quiere decir que buscamos verdades en las creencias de los demás.

Véase CONFERENCIA.

AUGURIO

Los augurios que se escuchan en los sueños no debemos tomarlos al pie de la letra. De la misma forma que las imágenes y secuencias muestran una realidad distorsionada, también es metafórico el mensaje de futuro que obtenemos de ellos.
Es necesario ver el simbolismo de los elementos que componen el augurio para identificar cuál es el mensaje que entraña el sueño.

AULA

Las aulas son lugares de enseñanza y aprendizaje que tienen un significado específico si nos encontramos en ellas

desempeñando el papel de profesor o el del alumno.
En el primer caso, señalan que tendemos a rodearnos de gente intelectualmente inferior porque no estamos seguros de nuestros conocimientos.
Si somos alumnos, en cambio, indica que tenemos un espíritu curioso, que nos gusta preguntarlo todo, que sabemos rectificar nuestros errores y que basamos nuestra seguridad personal, nuestro sentido de valía, en los conocimientos.

Véase ESCUELA.

AULLIDO

Los aullidos, en los sueños, son advertencias acerca de nuestra salud. Lo más probable es que tengamos una leve indisposición o que algún órgano no funcione con la eficiencia debida.
Lo más adecuado es que nos hagamos realizar un chequeo médico a menos que lo hubiéramos efectuado recientemente.

AUMENTO

El hecho de que en sueños se nos conceda un aumento de sueldo augura que cambiarán favorablemente nuestras condiciones de trabajo.

AURA

La visión del aura en sueños indica la forma en que vemos a esa persona; nuestra opinión acerca de su forma de actuar o de su personalidad.
Para analizar este tipo de sueños debemos recurrir al simbolismo del color.

AURIGA

Esta figura simboliza la razón que debe dominar el mundo físico.
Si el carro en el que va de pie tiene caballos blancos, significa que mediante la razón encauzamos nuestro espíritu en busca de la paz interior.
Si los caballos son negros, el auriga simboliza nuestro raciocinio capaz de dominar las bajas pasiones, de manera que éstas no nos sobrepasan.

AUTOBÚS

Simboliza un cambio en nuestra vida que involucrará también a nuestra familia.
Si subimos a un autobús lleno de gente quiere decir que necesitamos ampliar nuestro símbolo de amistades.
Si está vacío, en cambio, indica que somos tímidos e introvertidos.
Si queremos apearnos pero el conductor no detiene el vehículo, significa que aunque deseemos realizar un cambio en nuestra vida, aún no ha llegado el momento.

Véase APEARSE.

AUTOCLAVE

Este aparato tiene como fin destruir los gérmenes y se emplea, por lo general, para esterilizar el material quirúrgico u odontológico. Por lo tanto, su aparición en sueños indica que en nuestra memoria hay hechos traumáticos que contaminan nuestra vida diaria.

Véase ESTERILIZAR.

AUTÓGRAFO

Los sueños en los cuales firmamos autógrafos dan cuenta de nuestra necesidad de estima y reconocimiento.
Si es otra persona quien los firma, en cambio, quiere decir que nos sentimos seguros de nosotros mismos y que buscamos la forma de ser cada día mejores.

Véase FAMA.

AUTÓMATA

En caso de que el autómata que vemos en sueños sea un ser humano que se mueve rígidamente y siguiendo un patrón, significa que no somos capaces de obrar según nuestros deseos, que tenemos un exagerado sentido del deber que nos impide cualquier tipo de diversión.

Véase ROBOT.

AUTOPSIA

Realizar o presenciar en sueños una autopsia revela que tenemos una extraordinaria capacidad de análisis.

AUTOR

Ser en sueños autores de una obra literaria o artística simboliza el comienzo de una etapa de creatividad. Tenemos un talento que pugna por salir a la luz y no debemos aprovechar el momento.

AUTORIDAD

La autoridad representa el conjunto de normas morales que constituyen nuestra escala de valores.

Si nos enfrentamos con una persona que ostente autoridad, como un policía o un político, por ejemplo, quiere decir que estamos en conflicto con esas normas, que estamos haciendo una revisión de las mismas a fin de descartar las que ya consideremos obsoletas.

Si el trato con la autoridad es amable, debemos interpretar que nos sentimos respaldados por todo lo que nos han enseñado nuestros padres; que esas leyes nos sirven de guía y que nos funcionan en la vida.

AUTORRETRATO

La representación pictórica que hagamos de nuestro rostro durante un sueño ofrece intersantes puntos de análisis, ya que indica la forma en que nos gustaría vernos a nosotros mismos, la imagen que queremos dar a los demás.

En estos sueños es importante recordar lo mejor posible el rostro que hemos visto y estudiar sus facciones. El gesto de los ojos y la boca, en este sentido, puede ser muy elocuente; a menudo indican lo que ocurre en nuestro interior.

AUTO-STOP

El hecho de hacer auto-stop en una carretera quiere decir que para avanzar laboralmente o para obtener el puesto al que aspiramos, necesitamos la ayuda de una persona jerárquicamente superior.

AVALANCHA

Cuando las avalanchas son de personas, como las que se producen lamentablemente en los estadios de fútbol, indican que tememos represalias por un error que hemos cometido.

Véase ALUD.

AVARICIA

Los sueños en los cuales aparece un personaje avaro o bien somos nosotros quienes tenemos ese defecto, simbolizan el malestar ante los éxitos de un pariente.

AVELLANO

Este árbol, de cuyas ramas se hacen las varas que emplean los zahoríes para encontrar agua, era sagrado para los druidas. Simboliza, por un lado, la fertilidad y por otro, la sabiduría.

Cuando aparece en sueños da cuenta de la rectitud de nuestro carácter, del profundo conocimiento que tenemos de nosotros mismos y del entorno.

AVEMARÍA

Los rezos, cuando el sueño es placentero, simbolizan el crecimiento espiritual.

Si el sueño es agobiante, produce angustia o se convierte en pesadilla, son una petición de auxilio para enfrentarnos con un presente difícil.

El hecho de invocar a la Virgen indica que nos sentimos pequeños y vulnerables.

Véase ORAR.

AVENA

Según la tradición popular, la avena tiene relación con la prosperidad económica.

Si la vemos en grano o en el campo, es índice de que nuestros negocios marcharán bien.
Si está verde y vemos las espigas cortadas, es señal de que deberemos limitar nuestros gastos.

Avenida

El viajar en un vehículo por una avenida significa que en un futuro próximo se concretarán muchos proyectos e ideas en los que estamos trabajando desde hace tiempo.
Si la atravesamos, indica que daremos un nuevo rumbo a nuestra vida, sobre todo en el terreno sentimental.

Aventura

Las aventuras son hechos que, por lo general, se convierten en tales cuando se cuentan, ya que, mientras se viven, el sentimiento que las acompaña suele ser de peligro y desesperación.
En caso de que el sueño nos muestre embarcados en una aventura, si vamos superando los obstáculos que en ella se nos presentan, quiere decir que tendremos ocasión de correr un riesgo grande y que saldremos beneficiados del mismo.

Avería

Si en el sueño hay aparatos o electrodomésticos averiados quiere decir que nuestra relación de pareja está cayendo en la rutina, en el aburrimiento.

Aves

Las aves contienen una gran cantidad de especies que son completamente diferentes entre sí. Si se sueña con ellas, es recomendable buscar su nombre en el diccionario para ver su significado preciso; sin embargo es posible establecer algunas pautas generales acerca de lo que significan.
Las aves de rapiña indican la posibilidad de aprovechar los méritos ajenos, de tomarlos como propios. En este grupo se pueden incluir las águilas, mochuelos, halcones, milanos, azores y gavilanes.
Las que se alimentan de carroña, como los buitres, indican que necesitamos que otra persona nos abra camino, que somos incapaces de dar la cara y plantear los problemas pero que, cuando otro lo hace, aprovechamos la situación para sacar ventaja.
Las palmípedas o aves acuáticas, entre las que se encuentran los pelícanos, cormoranes, albatros, gaviotas y flamencos, entre otros, señalan que utilizamos nuestra empatía para conseguir el avance laboral; que tenemos mucho tacto a la hora de exigir lo que nos corresponde y que sabemos obtener la confianza de superiores e iguales.
Las aves que tienen capacidad de imitar la voz humana, como los loros, papagayos y guacamayos simbolizan la tendencia a hablar de más, la indiscreción.
Las tropicales indican nuestra tendencia a vestirnos y actuar de forma llamativa para ganar protagonismo.
Los pájaros cantores, como los canarios, calandrias, zorzales y alondras, simbolizan la paciencia y el optimismo que nos permite hacer frente a la adversidad.
Las aves urbanas, como gorriones, tórtolas o mirlos, señalan nuestra gran capacidad para establecer contactos interesantes en tanto que las de campo o domésticas, nuestra vocación de ser útiles a los demás.
Las que son presa de los cazadores, como las perdices o codornices, suelen ser de mal agüero.

Véase ÁGUILA, ALBATROS, ALONDRA, BUITRE, CANARIO, CODORNIZ, CORMORÁN, HALCÓN, PAVO REAL, PINGÜINO.

Avestruz

La presencia de esta ave corredora en un sueño indica que estamos eludiendo un problema. Si no lo enfrentamos valientemente, en un futuro tendremos nuevos inconvenientes.

Aviador

Los aviadores simbolizan a las personas que conocen nuestros secretos y que, por haber tenido con ellas un malentendido, tememos que los vayan divulgando entre los demás.

Avidez

Si en sueños comemos o bebemos con verdadera avidez quiere decir que interiormente nos sentimos faltos de cariño, solos, y que no sabemos cómo cambiar esa situación.

Avión

Los aviones tienen diferentes simbolismos, según el contexto en el que aparezcan. Por un lado, sobre todo en los sueños masculinos, pueden simbolizar la excitación sexual, el deseo, sobre todo cuando en ellos aparecen otras imágenes eróticas.
Los despegues auguran la buena marcha de una relación afectiva que hemos comenzado hace poco tiempo. Los aterrizajes, el fin de un período de zozobra e incertidumbre.

Véase AEROPUERTO.

Avispa

La aparición de uno de estos insectos en el sueño, sobre todo si nos persigue, simboliza a una persona que se empeña en tener relaciones íntimas con nosotros, aunque no queramos.

Avispero

Simbolizan situaciones de confusión y conflicto en las que hay muchos intereses diferentes (por ejemplo, como los que viven muchas familias a la hora de repartir una herencia).

Ayuno

Si practicamos el ayuno en sueños quiere decir que debemos pasar por una temporada de privación afectiva para poder conseguir algo que ansiamos con todas nuestras fuerzas.

Ayuntamiento

Si en el sueño nos encontramos dentro del ayuntamiento es señal de que en breve tendremos que poner orden en la familia.

Azabache

Soñar con objetos realizados con este mineral no es un buen augurio. Por lo general, anuncian que tendremos una fuerte discusión con una persona amiga y que, a raíz de ésta, la relación se romperá.

Azada

Esta herramienta de labranza simboliza la perseverancia.
Si la utilizamos en sueños quiere decir que no debemos abandonar ahora el trabajo o proyecto al que nos estamos dedicando. Si bien no dará frutos inmediatos, con el tiempo obtendremos de él importantes beneficios.

Azafrán

Los sueños en los que aparece este condimento deben ser considerados como una advertencia: anuncian que estamos descuidando los detalles en un asunto muy importante y que, a causa de esta falta de atención, podremos tener que hacer frente a problemas muy enojosos.

Azahar

Tradicionalmente, el azahar se ha considerado un símbolo nupcial; de modo que si soñamos con estas flores o con su aroma será señal de que pronto deberemos asistir a una boda.

Azalea

Véase FLORES.

Azar

Los juegos de azar simbolizan la tendencia a buscar el camino fácil y a rechazar los esfuerzos. Si obtenemos ganancias por medio del azar quiere decir que estamos depositando nuestra confianza en la casualidad y, por ello, podemos llegar a tener importantes problemas económicos.

Azor

Véase AVES.

Azotea

Las azoteas simbolizan los ideales.
Si en el sueño estamos en una azotea quiere decir que ha llegado el momento de poner en juego nuestras ideas y pensamientos, que vamos a tener que dar testimonio de nuestras creencias.

Azúcar

El azúcar simboliza los momentos felices que se viven en familia.
Ver un azucarero en la mesa quiere decir que nos reuniremos con padres y hermanos para celebrar un acontecimiento importante.
Comer azúcar significa estar falto de afecto aunque, posiblemente, esta carencia se racionalice y no se sienta como algo trágico o penoso.

Azucena

Esta flor es el símbolo universal de la pureza. A menudo ha sido relacionada con la virginidad.
Su presencia augura una relación platónica, muy intensa.

Azufre

El azufre es, además de un elemento químico, un símbolo alquímico que representa la energía activa.
Si lo vemos en sueños quiere decir que disponemos de las energías suficientes como para lanzarnos a cualquier objetivo.
Si el azufre estuviera derramado en el suelo, significa que tenemos muchas energías negativas y envidias a nuestro alrededor.

Azul

Este color es símbolo del intelecto, de la sabiduría y de la paz interior.
La interpretación de un sueño en el cual el color azul es predominante, requiere el uso de nuestra intuición, ya que también hay que estudiar el simbolismo de los objetos que están presentes en las imágenes.

Azulejo

Los azulejos simbolizan la necesidad de aislamiento, de libertad personal, de tiempo para dedicarlo a uno mismo.

B

Babear

Si babeamos en sueños es señal de que experimentamos orgullo por alguien a quien sentimos muy próximo. Puede ser una persona de la familia, nuestra pareja o algún amigo.
Si es otra persona la que babea quiere decir que hay alguien que nos considera muy especiales, que gusta de nuestra forma de actuar y pensar.

Babel

La torre de Babel simboliza dos conceptos muy importantes: por un lado, la arrogancia, la soberbia, ya que sus constructores habían decidido hacer una torre que llegara al cielo. Por otro, la confusión y la incomunicación, ya que el castigo que recibieron por su soberbia fue la mezcla de las lenguas.
Si estamos frente a la torre de Babel quiere decir que, en nuestro entorno, se ha producido una situación en la cual dos o más personas no llegan a un acuerdo, no se entienden. Cada una de ellas defiende su propio orgullo y eso está ocasionando problemas a todos.
En caso de estar dentro de la torre, lo que debe entenderse es que pasamos por un momento de gran confusión.

Babero

Simboliza la infancia y las necesidades que ésta trae aparejada.
Si en el sueño tenemos un babero puesto quiere decir que reconocemos en nosotros mismos ciertas actitudes que son infantiles y que, muy probablemente, sean las que nos llevan a tener problemas con los demás.
Si es otra persona quien lo lleva, es señal de que le vemos poco madura, egoísta y caprichosa.

Babor

Se define de esta manera al costado izquierdo de un buque; por lo tanto, cuando aparece en los sueños, nos habla de la zona derecha del cuerpo que está controlada por el hemisferio cerebral izquierdo.
A esta mitad del cerebro se le atribuyen, fundamentalmente, las funciones lógicas y las abstracciones, por lo tanto, si nos encontramos en esa zona del barco quiere decir que tendemos a ser más racionales que sensitivos.
Si ese costado de la embarcación tuviera una avería, es posible que en nuestro organismo tengamos algún problema en el lado derecho (tal vez molestias en el brazo o en la pierna, o bien en la zona hepática).

Babuchas

Véase CALZADO.

Baca

Es el lugar donde se lleva la carga que ocupa un gran volumen, por ello simboliza la actitud que tenemos ante los hechos, buenos y malos, más sobresalientes de nuestro pasado.
Es necesario observar cuidadosamente el contenido de la baca, así como el significado de los objetos que haya en ella, para comprender qué hechos nos han marcado, positiva y negativamente.
Si la baca estuviera vacía, habrá que interpretar que preferimos vivir el presente sin volver la vista atrás en ningún momento. Esto es un error ya que de la experiencia se aprende y, gracias a ello, se pueden evitar muchos errores.

Bacalao

Es un pescado que, en el mundo cristiano, se come típicamente durante la cuaresma, cuando la iglesia prescribe abstinencia de carne.
Por ello, cuando aparece en sueños, indica un período de recogimiento interior, de reflexión y de evolución espiritual.

Bacanal

Las bacanales eran fiestas que se celebraban en honor del dios Baco. Fueron famosas por las orgías que en ellas se hacían. Soñar que se participa en una bacanal indica deseo sexual; sobre todo, interés en poner en juego las fantasías.

Bacará

Véase AZAR, CASINO.

Bache

Los hoyos que encontramos en el pavimento simbolizan momentos en los cuales se dispara una alerta interior.
Si en el sueño nos desplazamos en un vehículo y sufrimos una sacudida a causa de un bache, debemos tomar esta secuencia como una advertencia de nuestro inconsciente. A nuestro alrededor está ocurriendo algo de lo que aún no nos hemos percatado y que requiere una rápida intervención.
Una carretera llena de baches puede simbolizar un futuro inmediato lleno de sorpresas.

Bachillerato

Si un estudiante o alguien que no ha terminado el ciclo medio de enseñanza sueña que tiene el título de bachiller, es evidente que el sueño representa el deseo de finalizar sus estudios. En cambio, si lo sueña alguien que ha cursado estudios superiores, indica el deseo de una vuelta a la adolescencia, así como los buenos recuerdos de esa etapa.

Bacilo

Al igual que las bacterias, produce estragos en el organismo causando infecciones que pueden, en ocasiones, acarrear la muerte.
Los sueños en los que nos vemos infectados por estos gérmenes indican que nos sentimos llenos de ideas malsanas, que no podemos luchar eficazmente contra los pensamientos negativos y que, a menudo, nos vemos presos de deseos de venganza.

Véase CONTAGIO, EPIDEMIA.

Bacteria

Véase BACILO, CONTAGIO.

Báculo

Puede tener dos significados: si se trata de un cayado del tipo que usan los pastores o un bastón como el que emplean los ancianos para ayudarse al caminar, simboliza a una persona que nos brinda su apoyo. Si se trata del báculo de un obispo, en cambio, el sueño tiene connotaciones espirituales. Simboliza la guía que puede prestarnos un sacerdote, maestro o gurú.

Badajo

Simboliza la tendencia a buscar el protagonismo a través del uso de la palabra.
A la hora de analizar el sueño, deberá tenerse en cuenta en manos de cuál de los personajes está el badajo (o quién toca la campana). Esa persona, sin duda, será muy conversadora y querrá tener siempre la voz cantante. Si la campana tiene un sonido lúgubre significa que a dicha persona le encanta dar malas noticias; que se regodea con la desgracia.

Badana

Recibe este nombre la tira de cuero que se cose a la copa del sombrero por su parte interna para evitar que se manche con el sudor.
Sin embargo, en castellano esta palabra tiene dos acepciones: ser un badanas significa ser perezoso y dar la badana quiere decir maltratar a alguien física o verbalmente.
De modo que si en sueños se le da esta tira a otra persona, quiere decir que estamos ofendidos con ella, que quisiéramos mostrarnos agresivos.
Según sean las imágenes oníricas se deberá tomar en consideración una u otra acepción.

Badén

Los badenes son depresiones en la carretera producidas natural o artificialmente para dar paso a las aguas.
En un sueño simbolizan los períodos en los cuales bajamos las defensas y nos damos a conocer a los demás, permitiendo que éstos nos conmuevan o emocionen.
Si la sensación general del sueño es desagradable y en él se siente ansiedad o angustia, quiere decir que somos muy vulnerables psicológicamente, que nos conmovemos con mucha facilidad y que nos cuesta alejar los pensamientos negativos de nuestra cabeza. Otro tanto se puede decir si, yendo en coche por la carretera, éste da una fuerte sacudida a causa de un badén.

Bailar

El baile representa la energía creativa en acción y bailar en sueños, o contemplar a quien lo haga, es un excelente presagio.
Es posible que si bailamos en sueños lo hagamos con el fin de liberar tensiones; sobre todo si la danza la ejecutamos solos y no en conjunto.

En caso de que el baile incluya una parte de zapateado, deberá entenderse que estamos cargados de ira y necesitamos descargar esa energía negativa.
Las danzas románticas, ejecutadas en pareja, pueden augurar una nueva relación.

Bajamar

El elemento agua está ligado al mundo de la sensibilidad; por ello, la bajamar simboliza una retirada de las emociones.
Es probable que si soñamos con que la marea está bajando eso quiera decir que estamos ante un problema de tipo afectivo y que, por fin, hemos decidido dejar el corazón de lado para resolverlo fríamente utilizando la razón.
La sensación de peligro que la bajamar pueda inspirarnos en el sueño indicará el miedo que tenemos de equivocarnos en esta decisión.

Bajar

El hecho de bajar, independientemente del método que utilicemos o del lugar desde el cual lo hagamos, implica un retroceso; señala que hemos perdido prestigio o que nuestra imagen se ha deteriorado.

Bajorrelieve

Los bajorrelieves son creaciones artísticas pero hechas en piedra: un material frío, duro e inerte. Simbolizan la capacidad creativa que se ve juzgada constantemente por una autoexigencia desmedida.
Si se quiere hacer un análisis más preciso será necesario buscar el símbolo de cada figura representada en el bajorrelieve.

Bala

Véase ARMAS.

Balada

Las baladas suelen ser canciones que describen diversos aspectos de la vida cotidiana. Si las oímos en sueños, los símbolos correspondientes a las palabras que contengan pueden señalar facetas de nuestro presente, sobre todo si son difíciles de sobrellevar.

Balalaica

Este instrumento de cuerdas, popular en Rusia, es similar a una guitarra pero su caja tiene una curiosa forma triangular.
El dulce sonido de este instrumento o su visión, en sueños, indica que podemos estar a punto de cometer una infidelidad o una indiscreción.

Véase INSTRUMENTOS MUSICALES.

Balanceo

Cualquier movimiento de balanceo simboliza la indecisión, ya sea como rasgo de carácter o como comportamiento puntual con respecto a una situación determinada.
Si en el sueño nos balanceamos por nuestra propia iniciativa, quiere decir que la necesidad de elegir entre dos posibilidades surge desde el interior, ya sea a partir de una reflexión, de un nuevo deseo o de la pérdida de interés por una actividad, una cosa o una persona.
Si el balanceo se produce por una fuerza externa, significa que nos vemos compelidos a realizar la elección por presiones que nos vienen desde fuera y que quizá no deberíamos dejarnos llevar por ellas ciegamente, sino tomar una decisión por nosotros mismos.

Balancín

Hay muchos juguetes que tienen como principio el balancín, es decir con un punto de reposo muy frágil, razón por la cual se balancean en cuanto se les aplica la menor presión.
Los sueños que contienen estos elementos nos conectan con la infancia como época a la cual nos gustaría regresar; sobre todo, se relacionan con los primeros vínculos (madre, padre, hermanos).

Bálano

Véase SEXO.

Balanza

Las balanzas de dos platillos simbolizan la justicia.
Si aparece en nuestros sueños, es muy probable que debamos acudir a un abogado, aunque también puede indicar que nos veremos como jueces de una disputa entre dos personas de nuestra familia.

Véase BÁSCULA.

Balbucear

El balbuceo, a menos que provenga de un niño muy pequeño, se produce normalmente cuando una gran emoción impide que formemos correctamente las ideas o palabras.
Un balbuceo en sueños denota gran tensión interna; describe un momento en el que no podemos expresar con claridad qué ocurre en nuestro interior.

Balcón

Los balcones son un punto de comunicación entre el interior de la casa con el mundo. Cuando se está en un balcón, además, se tiene una posición espacial superior a la de las personas que van por la calle, de modo que se puede distinguir con más claridad el panorama que ofrece la calle.
Los sueños en los cuales la escena transcurre en un balcón indican que, en el presente, tenemos una posición de privilegio que nos permitirá hacer un gran avance.
Mirar un balcón desde abajo significa que nos hemos fijado metas altas pero que, sin duda, las conseguiremos.

Baldaquín

Los palios de seda, tan utilizados en la Edad Media para proteger a las personalidades, sobre todo eclesiásticas, simbolizan la autoridad moral.
Si paseamos bajo un baldaquín quiere decir que somos reconocidos por una manera peculiar de actuar que refleja una gran coherencia interior, una escala de valores firme y mucho coraje a la hora de hacerla prevalecer sobre nuestros caprichos.

Baldosa

Este elemento, que sirve para reforzar y adornar los lugares por donde caminamos, representa la firmeza de nuestras convicciones.
Si las baldosas están enteras y encajadas debidamente en el suelo, quiere decir que tenemos una gran seguridad a la hora de tomar decisiones.
Si las baldosas estuvieran rotas o sueltas, por el contrario, será una señal de que cambiamos constantemente nuestra forma de ver las cosas.
Una sola baldosa suelta indica fanatismo, la tendencia a ver las cosas siempre desde un único y mismo ángulo.

Ballena

Representa el poder contenido, sin ostentación.
Si vemos una ballena en el mar, viva, quiere decir que tenemos una presencia que se hace notar, que allí donde vamos no pasamos desapercibidos.
Son relativamente comunes los sueños en los cuales somos engullidos por una ballena; en este caso, será muy importante tener en cuenta nuestra actitud dentro del vientre del animal, ya que indicará la manera en que nos comportamos ante los acontecimientos imprevistos.

Véase CETÁCEO.

Ballesta

La ballesta es una evolución del arco y la flecha. Más pequeña, más robusta, más resistente, fue utilizada ampliamente en la

Edad Media. Manejar una ballesta en sueños indica que tenemos un objetivo laboral claro y que estamos dispuestos a alcanzarlo.
Si somos amenazados por una persona que porte una de estas armas, quiere decir que hay alguien que, a pesar de tener una situación ventajosa sobre nosotros, nos considera un peligroso competidor y hará todo lo posible por ponernos obstáculos en el camino.

Ballet

Detrás de los gráciles y etéreos movimientos de los bailarines, hay muchas horas de dura disciplina. Cada salto, cada vuelo, se ejecuta gracias a unos músculos increíblemente trabajados; por ello el ballet simboliza la fuerza interior, la voluntad y la disciplina.
La asistencia a la representación de una obra de ballet muestra que admiramos las cualidades de los bailarines, precisamente porque sentimos que carecemos de ellas. Tal vez nos convenga adoptar una actitud más sacrificada, más voluntariosa, a fin de poder sacar a la luz lo mejor de nosotros mismos. El tiempo se ocupará de darnos la recompensa.
Participar en un ballet, por el contrario, significa que sabemos luchar por lo que queremos sin desmayo, que no nos dejamos engañar por la tentación de gratificaciones inmediatas sino que preferimos ir, paso a paso, cubriendo el camino sin dejar cabos sueltos.

Balneario

Con las múltiples posibilidades de curas naturales, los balnearios son lugares de purificación del cuerpo. Pero como el hombre es una unidad indisoluble de cuerpo, mente y espíritu, la presencia de este lugar en la escena onírica también alude a la purificación mental y espiritual.
Si el sueño es agradable y tranquilo, quiere decir que estamos en constante renovación, que sabemos desechar aquellas cosas que nos resultan nocivas.
En caso de que las escenas sean tensas, angustiosas o nos provoquen ansiedad, querrá decir que sentimos mucho miedo a la hora de hacer cambios en nuestra vida, aun cuando éstos nos parezcan teóricamente positivos.

Balón

La esfera es un cuerpo geométrico peculiar al que se le ha atribuido el máximo de perfección en cuanto a forma.
Soñar que jugamos con un balón indica que necesitamos ganar libertad, despegar, tomar distancia de nuestros maestros y mentores para resolver los problemas por nosotros mismos.

Balsa

Esta embarcación rudimentaria se asocia, a menudo, con los naufragios.
Si atravesamos el mar o un río subidos en una balsa significa que no somos propensos a fantasear; que los conflictos no nos hacen perder la cabeza y que siempre tenemos los pies firmes sobre la tierra.
Ver una balsa desde la orilla significa que tenemos un optimismo exagerado, que a menudo nos vemos enredados en problemas porque no tomamos las suficientes precauciones antes de actuar.

Bálsamo

La función principal que cumplen los bálsamos es la de aliviar los dolores, aunque algunos también sirvan para curar la raíz del problema.
Si en el sueño utilizamos el bálsamo en nuestro cuerpo, eso indica que hemos sufrido una gran decepción y aún no hemos podido recuperar nuestras fuerzas.
Si lo utilizamos para curar a otra persona, eso indica que tenemos una gran empatía que, unida a nuestra facilidad de palabra, nos permite dar consuelo a quienes pasan por experiencias difíciles, cosa que deberíamos aprovechar.

Bambalinas

Desde lejos, cuando se las ve en el escenario bajo la emoción de la obra, las bambalinas nos adentran en diferentes ambientes: casas, paisajes, recintos, calles; sin embargo, de cerca, son sólo cuadros destinados a crear la atmósfera precisa para excitar la imaginación del espectador.
Hay una expresión, moverse entre bambalinas, que se usa para designar la labor sutil que ejerce una persona sobre otra o sobre una situación. No es la cabeza visible pero, sin embargo, es quien controla todo, al igual que el director de teatro.
Por ello, si estamos entre bambalinas en el sueño, significa que tenemos una gran habilidad para influir sobre los demás, para dictar las normas que deba seguir el grupo en el que estemos sin ostentar, en ningún momento, el principio de autoridad.

Bambú

En Oriente, esta planta está relacionada con la longevidad.
Los sueños en los cuales aparece se vuelven más significativos si hay una persona enferma en la familia, ya que augura su próximo restablecimiento.

Bancarrota

Todo sueño en el cual nos encontremos en bancarrota es una advertencia que nos previene de desastres económicos. Ante ella, lo mejor es limitar lo más posible los gastos y evitar la acumulación de deudas.

Banco

Las entidades bancarias simbolizan, en sueños, el estado de nuestra economía y para hacer un análisis completo, será importante tener en cuenta qué papel juega el banco en nuestro sueño.
En caso de que entremos en él para cobrar un cheque, de recibir un dinero que por derecho nos corresponde, quiere decir que tenemos una actitud normal hacia el dinero; nos damos gustos pero siempre con moderación.
Si nuestra intención es solicitar un crédito, quiere decir que nos gusta vivir por encima de nuestras posibilidades.
Trabajar en la entidad debe entenderse como que tenemos a nuestro cargo la gestión económica de otra persona; posiblemente alguien mayor de nuestra familia o bien alguien con quien mantenemos una relación profesional.

Véase ASIENTO.

Banda

Las bandas de música simbolizan la alegría popular. Verlas en sueños indica que nos gusta participar en las actividades del vecindario y disfrutar de las fiestas.

Bandada

Las aves son animales del elemento aire, por lo tanto, ver una bandada de pájaros en el cielo quiere decir que pasamos por un período de gran inspiración; que las ideas nos fluyen con facilidad y que tenemos posibilidades de concretar las más interesantes.
Cuando se sueña con bandadas debe aprovecharse el momento para realizar aquellas cosas que, en principio, no tienen un beneficio económico inmediato, pero que son necesarias para ir haciéndonos un lugar en el mercado; sobre todo si se trata de obras que exigen aptitud artística.

Bandeja

Simboliza lo que estamos dispuestos a ofrecer a la persona que amamos.
Si somos los portadores de la bandeja, cuanto más exquisitos sean los alimentos que estén sobre ella, más dispuestos estaremos a hacer todo lo posible porque la persona que está a nuestro lado sea feliz.
Si la bandeja está vacía significa que se nos ha acabado el amor, que la pareja pasa por un mal momento y que

tendremos que hacer un gran esfuerzo para lograr que todo vuelva a su cauce.
Dejar caer una bandeja al suelo o permitir que se derramen los vasos o botellas que haya sobre ella significa abandonar un proyecto que, en el pasado, nos interesó enormemente.

BANDERA

Con su presencia, y agitada por el elemento aire, ratifica la presencia en el lugar del país u organismo al que pertenezca.
Simboliza el peso de la propia personalidad y denota que el soñador se deja llevar suavemente por las corrientes del entorno pero que, en su centro, se mantiene firme y consecuente. Para lograrlo se necesita tener una gran capacidad de adaptación y una buena dosis de humildad.

BANDERILLAS

Simbolizan la envidia, las acciones que se cometen con el fin de deslucir la imagen de alguien a quien consideramos superior.
Si vemos clavar las banderillas a otra persona quiere decir que nos movemos en un entorno laboral muy competitivo.
En caso de ser nosotros quienes las clavamos, deberíamos tomar conciencia de que, si sentimos envidia por otra persona, es porque en el fondo la admiramos y que la mejor forma de alejar este sentimiento tan ingrato es acercarnos a ella y pedirle que nos ayude a mejorar en aquellos aspectos que domine.

BANDEROLA

Estas aberturas, colocadas en lo alto de las puertas y ventanas, no están hechas para mirar a través de ellas, sino para permitir el paso del aire viciado hacia el exterior a fin de renovar el oxígeno de la estancia.
Simbolizan las nuevas corrientes de pensamiento que aportan ideas novedosas ya sea en cuestión de moda, de costumbres, de reglas morales, etc.
Si nos asomamos a través de una banderola o si la abrimos para dejar libre el paso de aire quiere decir que aceptamos las cosas nuevas con absoluta naturalidad, que nos gustan los cambios y que hacemos lo posible para que sean positivos. Por el contrario, si cerramos una banderola quiere decir que somos demasiado conservadores, que nos oponemos a todo lo nuevo y que tememos profundamente cualquier cambio, por insignificante que sea. Ello, claro está, nos impide evolucionar.

BANDO

Véase EDICTO.

BANDURRIA

Véase INSTRUMENTOS MUSICALES.

BANJO

Véase INSTRUMENTOS MUSICALES.

BANQUETE

La comida, en general, no sólo representa el alimento físico sino también el mental, emocional y espiritual. Los elementos del sueño en su conjunto y el clima que se viva en éste explicarán a cuál de estos aspectos se refieren las imágenes.
En el caso de los banquetes, puede ser una pista muy importante el tema que se hable en la mesa; gracias a éste podríamos saber si la comida allí presente es para nuestro cuerpo, para nuestra mente o para nuestro espíritu.
Otro aspecto que podría observarse es el tipo de personas que participan en el mismo: si están bien vestidas y tienen una actitud divertida, sana y agradable quiere decir que nos rodeamos de amigos positivos de los cuales aprendemos muchas cosas.
En caso de ser personas mayores, lo que recibimos de nuestras amistades son

consejos muy valiosos y sabios. Si la mesa estuviera vacía o el banquete hubiera finalizado querrá decir que hemos dejado pasar una brillante oportunidad.

Banquillo

Si en el sueño nos vemos sentados en el banquillo de los acusados, eso significa que tenemos cargo de conciencia por haber sido injustos a la hora de hablar de otra persona. Indica que estamos arrepentidos y queremos reparar el daño que hemos podido causar.
En caso de ser otra la persona que ocupe ese lugar, quiere decir que tendemos a no reconocer nuestros errores, sino a echar la culpa de nuestros problemas a cualquier otra persona.

Bañador

Como se utiliza para introducirse en el agua y este elemento está asociado a la vida emocional, si en sueños vestimos un bañador quiere decir que estamos dispuestos a renovar nuestra fe; que pasamos por una etapa mística en la que buscamos el acercamiento a Dios.

Bañarse

Tomamos un baño para quitar de nuestro cuerpo las impurezas, por ello el baño y la higiene en general simbolizan la purificación.
Pero el agua también está relacionada con las emociones y los sentimientos, de modo que darse una ducha, bañarse en un lago o en el mar o sumergirse en la bañera también dan la idea de entregarse a los dictados del corazón.
Una ducha rápida podría ser sinónimo de relaciones superficiales, que no impliquen compromisos.
El baño en el mar, en una superficie grande de agua, indica que nuestros sentimientos son puros y sosegados.
Si nos sumergimos en un río turbulento o cuando nos vemos arrastrados por la corriente quiere decir que hemos perdido el control y nos dejamos arrastrar por las pasiones. Bañarse con otra persona significa que queremos tener una relación más estrecha o armónica con ella.

Baño

Es el lugar más íntimo de la casa. En él realizamos las funciones de eliminación de los desechos del cuerpo y también las de higiene y embellecimiento.
En los sueños, el estar en el baño simboliza la preparación para una nueva etapa. Puede ser un nuevo trabajo, una relación que ha comenzado hace poco tiempo, una boda o cualquier otro cambio significativo.
También sirve para anunciarnos que en todo cambio hay pérdidas, que para avanzar es necesario desprenderse de las cosas inútiles, de lo que ya no nos sirve.

Baobab

Estos árboles están considerados sagrados, por eso cuando aparecen en los sueños tienen un significado místico.
Encontrarnos al pie de un baobab significa que sentimos la protección de una persona que ya no está en este mundo. Puede ser alguien a quien hayamos querido mucho en vida o bien a una entidad sobrenatural como la Virgen, Dios, Jesús o un ángel.
Independientemente de la realidad de su existencia, lo importante es lo que esta sensación nos transmite; gracias a ella sentimos una mayor confianza ante todo lo que hacemos y ante nuestro propio destino.

Baqueta

Los tambores han sido usados en muchas culturas para establecer comunicación entre grupos distantes. También en las celebraciones religiosas o festivas.
Las baquetas son las que golpean el parche a fin de hacerlo sonar, por ello simbolizan los castigos que, de pequeños o de adultos, hemos recibido para

enderezar nuestra conducta. Si durante el sueño las baquetas están en nuestras manos, quiere decir que no debemos demorar el momento de reprender duramente a una persona que está llevando un mal comportamiento. El dejarle pasar sus impertinencias no le ayudará a mejorar ni conseguirá que cambie por sí misma.

BAR

Como lugar de encuentro social, el bar representa el círculo más amplio de personas con las que tratamos; es decir, conocidos, vecinos, compañeros de trabajo y, en general, personas con las que mantenemos una relación cordial y amistosa pero no estrecha.
Las características del lugar darán cuenta de cómo son, globalmente, estas personas y, sobre todo, de su nivel social y económico.
Si mientras estamos en el bar se produjera una pelea eso será síntoma de que nos cuesta mucho mantener relaciones ocasionales y meramente sociales, que tenemos muy pocos amigos pero muy bien escogidos y que, fuera de ellos, no nos interesa mantener relación prácticamente con nadie.
En caso de encontrarnos en una cafetería, en un lugar elegante destinado más a servir infusiones y tentempiés que bebidas alcohólicas, es señal de que preferimos las tertulias a otras diversiones más frívolas.

Véase CAMARERO.

BARAJAR

El barajar o mezclar unos naipes simboliza la confusión mental que surge de tanto dar vueltas en la cabeza a un mismo problema. Estos sueños pueden aparecer en un momento en que nos sintamos poderosamente atraídos por dos personas a un tiempo, o que nos angustie y desconcierte la actitud que alguien pueda desplegar ante nosotros.

BARANDILLA

Acompaña la figura de la escalera y sirve como protección o apoyo a quienes suben o bajan por ella.
En sueños simboliza un amigo leal, que lleva años a nuestro lado, independientemente de los ascensos o descensos que hayamos podido tener en los diferentes aspectos de nuestra vida.

BARATIJA

Son objetos de poco valor que, en ocasiones, se pretende hacer pasar por buenos.
Si en el sueño alguien nos regala baratijas es mejor no fiarse de esa persona, ya que quiere conseguir ventajas valiéndose de engaños.
Utilizar baratijas para adornarse es símbolo de que intentamos ganar protagonismo, sin importarnos el medio que para ello utilicemos.

BARATILLO

Los baratillos simbolizan todo aquello que no necesitamos pero que nos negamos a tirar. Soñar con ellos debe servirnos para pensar que tal acumulación nos impide avanzar.

BARBA

Es, al igual que el bigote, un atributo de virilidad. Por lo tanto, si un hombre se sueña con una barba poblada, bien recortada y elegante, quiere decir que se siente muy varonil y sexualmente atractivo.
En caso de que una mujer se viera en sueños con barba, indica que tiene un carácter fuerte, que es competitiva y que le desagrada mucho que cualquiera perciba que, en el fondo, es tan humana y tan débil como las demás personas.

BARBACOA

Los alimentos que se cocinan en una barbacoa son, fundamentalmente, carnes que tienen un alto valor proteico.
Si vemos una barbacoa en sueños es muy

probable que nuestro organismo nos esté advirtiendo de que estamos comiendo demasiados hidratos de carbono y grasas y que debiéramos ingerir más proteínas.

Bárbaro

En sueños, a menudo nos vemos sumergidos en períodos históricos anteriores. Nuestro subconsciente puede servirse de la imagen de un griego, romano, bárbaro o de cualquier otra cosa para transmitirnos su mensaje.
Si en el sueño aparecen personajes a los que pudiéramos calificar de bárbaros, o se temiera y quedara explicitada su posible aparición, quiere decir que estamos cansados de habernos comportado con excesiva educación frente a alguien que nos ha dado a cambio incontables muestras de grosería.

Barbilla

La barbilla, que forma parte de la mandíbula inferior, es la pieza más móvil del rostro. Participa en el habla y en la masticación, pero siempre trabajando en unión con la mandíbula superior.
Los sueños en los cuales interviene esta zona del cuerpo aluden al trabajo en equipo.
Si tenemos algún tipo de herida en la barbilla eso indicará que preferimos hacer las cosas solos y por nuestra cuenta; que tendemos a mostrarnos autosuficientes y que soportamos muy mal que otro nos dirija.

Barbitúrico

Al igual que las drogas, estas sustancias que provocan el sueño simbolizan la búsqueda de evasiones, la incapacidad para enfrentar los problemas.

Barco

Los navíos son vehículos que nos transportan sobre el agua y como este elemento se relaciona con el mundo emocional, toda vez que soñamos con barcos estamos refiriéndonos a nuestras penas y alegrías, a nuestros afectos y a nuestra sensibilidad.
Las características del barco serán lo que simbolice las herramientas psicológicas que tenemos para manejar la sensibilidad, para mantenerla dentro de unos límites adecuados sin que nos empuje a cometer actos irreflexivos o nos paralice.
Si el barco es elegante, placentero, quiere decir que sabemos percibir los buenos momentos que nos brinda la vida. Las relaciones las establecemos en planos de igualdad sabiendo que en la amistad se da y se recibe sin medidas.
Cuando el barco de nuestros sueños es lóbrego, oscuro o se balancea peligrosamente sobre el agua, ello indica que tan pronto abrimos nuestro corazón y nos mostramos afables y comunicativos como de repente lo cerramos y tomamos distancia con el mundo. Esta forma inestable de manejar las emociones está basada en el miedo a sufrir desengaños.
El casco del barco simboliza el inconsciente, las pasiones que se agitan en nuestro interior.

Bardo

Véase TROVADOR.

Bargueño

Estos muebles, cuyo origen está en la ciudad toledana de Bargas, tienen como peculiaridad una gran cantidad de pequeños cajones que sirven para guardar diferentes objetos.
Los bargueños simbolizan los hechos de nuestra vida que nunca hemos contado a nadie. Algunos, son placenteros en tanto que otros nos han provocado dolor.
Si el bargueño que aparece en el sueño está limpio, sano y tiene un valor estético quiere decir que preferimos saborear en soledad los éxitos que hemos cosechado.
En caso de que el mueble estuviera desvencijado, atacado por la carcoma,

tuviera telarañas o no fuera bonito ni elegante querrá decir que no somos capaces de buscar consuelo ni opiniones ajenas cuando nos suceden cosas desagradables por miedo a deslucir nuestra imagen.

Barítono

El registro de barítono se encuentra entre el del tenor y el del bajo, en hombres; por lo tanto, es la voz media.

Oír el canto de un barítono en sueños señala que, si bien no tenemos un gran don de palabra, a la hora de hablar en público sabemos captar su atención porque somos claros y escuetos.

Barniz

Los barnices tienen como función proteger el material sobre el que se apliquen y, a la vez, dar brillo.

Si barnizamos algo en sueños, es señal de que a la hora de trabar relación con una persona tenemos muy en cuenta lo que ese vínculo nos va a favorecer socialmente. Es decir, que nos dejamos encandilar fácilmente por la gente que tiene cierta fama en el círculo en el cual nos movemos.

Barómetro

Así como el barómetro, en la realidad, mide la presión atmosférica, su presencia en los sueños mide el estado de intensidad de nuestras emociones. Si la columna de mercurio marca una presión baja, significa que en nuestro interior estamos tranquilos, en paz. Si marca una cifra alta, hay que entender que nos sentimos presos de violentas pasiones, difíciles de dominar.

Barón

Véase NOBLEZA.

Barra

Las barras tienen forma fálica y, por eso, representan el órgano sexual masculino. Tener una barra en las manos puede ser señal de deseo sexual.

Las que se utilizan para hacer gimnasia, en cambio, aluden al dominio del propio cuerpo.

Barraca

Por sus características, las barracas son construcciones que no están hechas para perdurar, de ahí que simbolicen lugares en los que hemos de vivir provisionalmente.

Si en el sueño nos encontramos en el interior de una barraca, significa que en un futuro cambiaremos de casa, pero que esa no será la definitiva. Si la barraca está destinada a guardar elementos de labranza o cualquier otro tipo de herramientas y no es particularmente confortable, quiere decir que tras la mudanza no echaremos de menos el lugar en el que vivimos actualmente.

Barranco

Aunque los barrancos son peligrosos, cuando aparecen en sueños no tienen por qué representar la advertencia de un peligro.

Si estamos en la zona más elevada del barranco quiere decir que en el trabajo hemos conseguido una posición ventajosa pero, al mismo tiempo, inestable, de manera que sería conveniente que buscáramos la manera de afianzarla definitivamente.

En caso de estar en la zona más baja, indicaría que hemos perdido una posición de privilegio. Si hemos llegado a ese lugar tras una caída y no tenemos lesiones importantes, querrá decir que en poco tiempo volveremos al estado inicial.

Barreno

Esta herramienta, cuyo fin es hacer agujeros y que es muy empleada en minería, simboliza la agudeza mental que permite sacar a la luz todo tipo de maquinaciones. Si la utilizamos en el sueño quiere decir que pondremos al descubierto las intenciones mezquinas de una persona que tiene tratos con nuestra familia.

Barreño

Estas vasijas solían emplearse para lavar la loza o la ropa. Sin embargo, a diferencia de las pilas, en ellas no era posible tener agua constantemente corriendo a fin de que se llevara los desperdicios.
Si utilizamos un barreño para lavar algo quiere decir que estamos poniéndole parches a una situación en lugar de solucionarla de raíz.

Barrer

Las actividades destinadas a la limpieza, ya sea la higiene corporal o la de un recinto, son símbolos de purificación.
El hecho de barrer en sueños implica que deseamos guardar definitivamente algunos recuerdos de los cuales, hasta el momento, no podíamos apartarnos o que hemos asimilado una situación desagradable, como una ruptura, la pérdida de un trabajo o una enfermedad y que ya es hora de que dejemos de centrar nuestro pensamiento en ello.
Cuanto mayor sea la extensión que barramos más grande debe haber sido el dolor que el suceso nos produjo.

Barrica

Véase TONEL.

Barricada

Esta construcción defensiva simboliza la manera en que nos preparamos para una dura competencia en el terreno sentimental.
Si durante el sueño estamos construyendo una barricada quiere decir que intuimos que alguien está intentando conquistar a la persona que amamos y que, de alguna manera, ponemos todos los medios para que eso no ocurra, para conservarla a nuestro lado.

Barril

Véase TONEL.

Barrio

El barrio es la zona donde está nuestra casa, nuestro refugio.
Si en el sueño nos encontramos en un barrio en el que hemos vivido anteriormente, quiere decir que, aun cuando allí no fuéramos felices, añoramos ciertos aspectos de aquella época.

Barritar

El sonido que producen los elefantes al barritar muchas veces sirve de advertencia a la manada para que pongan a buen recaudo a las crías porque hay depredadores cerca. Otras veces, constituye un reclamo sexual.
Si oímos elefantes en nuestro sueño quiere decir que una persona débil que hay en nuestro entorno está en una situación desventajosa, que probablemente alguien esté tratando de engañarla.

Barro

Los sueños en los que aparece el lodo pueden tener diversas interpretaciones.
Si se trata de un barro limpio, arcilloso y plástico significa que estamos haciendo una transformación positiva en nuestro interior.
En caso de que el barro fuera sucio y dejara manchas, será señal de que en estos momentos no nos sentimos a gusto con los resultados de nuestro trabajo, que no ponemos el suficiente empeño o que no conseguimos hacerlo a la altura de nuestra capacidad, cosa que deberíamos solucionar.
En los balnearios, se suelen hacer curas con barros medicinales. Si nuestro cuerpo está impregnado de un barro de este tipo significa que tenemos una gran necesidad de estar en contacto con la naturaleza.

Véase FANGO.

Barroco

Esta época, en cuanto a la arquitectura y el arte, se caracteriza por el exceso de detalles.
Estar en una estancia barroca indica que estamos haciendo esfuerzos por conseguir disimular un problema, por tratar de que la gente enfoque su atención en otro lado.

Barrotes

Es el símbolo más claro de la falta de libertad, del encierro, pero no significa necesariamente cárcel.
Si aparecen barrotes en el sueño quiere decir que nos sentimos agobiados por un problema de trabajo, por una relación que no queremos continuar, por un lugar donde no nos gusta vivir o por cualquier otro tipo de problema.
Ver a una persona encerrada tras los barrotes alude a un familiar a quien vemos en una relación difícil, con una persona muy manipuladora.

Barullo

Véase CAOS.

Basalto

El basalto es una roca volcánica, muy dura y, por lo general, negra.
Los objetos construidos con este material simbolizan la firmeza de carácter, pero orientada en sentido negativo.
Quien en sueños tenga en sus manos uno de ellos, es una persona fría, implacable y, sobre todo, muy rencorosa, capaz de las más refinadas venganzas. Por lo tanto, deberemos tener mucho cuidado y evitar ofenderla.

Báscula

Las básculas sirven para determinar el peso de los objetos que se ponen sobre ellas; por eso, si las utilizamos en un sueño para saber nuestro propio peso, quiere decir que estamos muy preocupados por la imagen que damos al exterior, por la valoración que los demás hacen de nuestros actos. Emplearla para pesar objetos indica una actitud interesada con respecto a nuestros amigos: los apreciamos en función de lo útiles que puedan resultarnos.

Basílica

Véase IGLESIA.

Basilisco

A este animal mitológico se le atribuía el poder de matar con la mirada.
En sueños simboliza a las personas quisquillosas que saben contener su ira y que, arrastradas por su orgullo, son capaces de elaborar las más refinadas venganzas.
Si nos mira un basilisco quiere decir que muy cerca de nosotros hay alguien que presenta estas características y que, por muy amables que seamos con esa persona, puede sentirse ofendida por cualquier nimiedad.

Bastardo

Los sueños en los cuales nos enteramos de que nosotros o alguna otra persona es un hijo bastardo señalan que la relación con nuestro padre es muy conflictiva, que por nada del mundo queremos parecernos a él en el futuro.

Bastilla

Véase CÁRCEL.

Bastón

Este símbolo tiene diversos significados, según sea el uso que se le da durante el sueño.
Si lo utilizamos como arma, indica que habrá separaciones y rupturas ocasionadas por nuestro constante malhumor, por nuestra falta de delicadeza.
En caso de utilizarlo para apoyarnos al andar, simboliza a los amigos leales, a las

personas a las que les confiamos nuestros problemas. Si el bastón estuviera roto quiere decir que acabamos de sufrir una decepción importante.

Bastoncillo

El empleo más habitual que se da a los bastoncillos es la higiene de los oídos.
Si soñamos que estamos realizando esta tarea quiere decir que después de ignorar durante mucho tiempo a una persona, por fin hemos decidido que nuestra conducta no es justa y estamos dispuestos a prestarle atención.
Si es otra persona quien se está limpiando los oídos significa que sentimos un gran cariño por ella.

Bastos

En el tarot, baraja de la cual deriva también la española, los bastos se relacionan con el elemento aire, es decir con el mundo mental, con la lógica y el intelecto.
Soñar con cartas de este palo en épocas de examen constituye un augurio excelente porque indican que tenemos energías suficientes como para que nuestra mente asimile rápidamente los conceptos y tengamos la suficiente agilidad mental y facilidad de palabra que nos permitan contestar correctamente las preguntas.

Basura

Este símbolo puede dar lugar a dos interpretaciones diferentes porque, si bien la basura está constituida por desperdicios, también en ella puede haber elementos valiosos que hayan caído en el cubo por descuido.
Si nos vemos rodeados de elementos de desecho y el sueño es, no obstante, tranquilo o agradable, quiere decir que siempre procuramos ver lo mejor que cada persona pueda dar de sí.
En caso de que el sueño sea perturbador o provoque ansiedad, será señal de que rehuimos estar con personas que pasan por un momento difícil, que no nos asusta enfrentarnos a la enfermedad o a la desgracia ajena.
Encontrar un objeto valioso en medio de la basura es un excelente augurio; indica que tenemos una faceta sumamente interesante que aún no hemos descubierto. Lo más probable es que se trate de algún talento oculto.

Bata

Es símbolo del trabajo mal remunerado.
Vestir una bata en sueños indica que no nos pagan lo suficiente y que tampoco hay posibilidades de aumento de sueldo.

Batalla

Ver desarrollarse una batalla o participar en ella es índice de que en nuestra relación de pareja estamos viviendo un período de crisis.
Si el enemigo huye es señal de que terminará pronto y sin grandes consecuencias.

Batata

Véase VERDURAS.

Batería

Este instrumento de percusión es el que marca el ritmo en la orquesta o grupo musical.
Si tocamos la batería en sueños quiere decir que somos nosotros quienes organizamos la casa y asignamos las tareas que debe hacer cada uno.

Batir

El agitar o mezclar diferentes ingredientes simboliza la curiosidad malsana, el deseo de saber cosas de la vida ajena a fin de tener tema de conversación con otras personas, de lo que vulgarmente se llama cotillear. El que otra persona esté batiendo una masa indica que estamos siendo observados y que, muy probablemente, en un corto tiempo saldrán a relucir algunos de nuestros secretos.

Batirse

Véase DUELO.

Batuta

Es el elemento que usa el director de orquesta para llevar el ritmo y decir a cada instrumento cómo tiene que tocar. En realidad, la batuta es una extensión del brazo que permite que los movimientos y señales del director se vean a distancia. Si tenemos una batuta en las manos significa que estamos siendo observados como modelo o que tenemos la autoridad.

Baúl

A diferencia de las maletas, que suelen tener la misma finalidad que los baúles, éstos tienen siempre un aire misterioso porque en ellos se acostumbra a almacenar lo que no es de uso cotidiano. El contenido del baúl será imprescindible a la hora de analizar el sueño, representará las cosas que queremos mantener ocultas a nuestra familia.
Si el baúl está cerrado y no conocemos su contenido, quiere decir que intuimos secretos familiares, hechos traumáticos que no hemos vivido pero que han marcado a padres, hermanos o abuelos.

Bautismo

Este sacramento tiene por objeto lavar el pecado original. Es un ritual por medio del cual se admite al bautizado en el cuerpo de la Iglesia. La asistencia a un bautizo es un acto religioso a la vez que social y simboliza la unión con personas que profesan la misma fe, así como el fortalecimiento de la misma. Este sueño puede aparecer como una ayuda cuando tenemos que hacer frente a la adversidad; nos recuerda que no estamos solos, que formamos parte de un grupo que comparte las mismas creencias.

Bayas

Los frutos del bosque simbolizan los pequeños descubrimientos que hacemos con respecto al carácter de nuestra pareja. A veces resultan dulces y sabrosos; otras, amargos y desagradables.

Bayeta

Como elemento destinado a la limpieza, se relaciona con la purificación.
Si en el sueño pasamos la bayeta por nuestra casa, quiere decir que debemos evitar la entrada en ella de ciertas personas envidiosas que crean mal ambiente, que perjudican la armonía que pretendemos establecer.
Si vemos a otra persona utilizarla en un edificio público, en otro lugar que no sea el nuestro, quiere decir que sabemos evitar los encuentros con personas que nos perjudiquen; que sólo escogemos a quienes nos puedan enseñar o, al menos, hacer un intercambio afectivo sano.

Bayoneta

Ver una bayoneta en sueños augura querellas. En cambio, utilizarla significa que obtendremos ventajas sobre nuestros competidores.

Bazar

Los sueños que transcurren en bazares suelen presentar un gran número de objetos diferentes, casi todos apropiados para realizar las tareas propias del hogar. Encontrarnos dentro de una de estas tiendas explica que nos no nos sentimos conformes con el estado de la casa; que queremos llevar a cabo una serie de mejoras y transformaciones pero que, por el momento, no podemos hacer frente al gasto que eso supone.
Si el sueño nos resulta agradable quiere decir que en poco tiempo podremos hacer cambios en la decoración o que destinaremos un dinero a realizar las reparaciones que den un aspecto más agradable a nuestro hábitat.

Beatitud

El estado de beatitud se produce cuando se logra una intensa comunicación con Dios. Percibir ese estado en sueños constituye una llamada espiritual; es una muestra de la felicidad que podemos alcanzar si dedicamos parte de nuestro tiempo a elevar nuestra alma.

Soñar con la beatificación de una persona conocida indica nuestra admiración hacia sus buenos sentimientos.

Bebé

Los niños pequeños, en sueños, pueden simbolizar personas reales como hijos, sobrinos, etc. Sin embargo, lo más habitual es que representen los proyectos que tenemos entre manos.

Si el bebé llora, es señal de que estamos intentando realizar un trabajo o un negocio pero que no le prestamos la debida atención. El negocio es bueno en sí pero requiere un seguimiento más estrecho.

En caso de que el bebé ría, esté feliz, quiere decir que estamos llevando a cabo una idea acariciada durante largo tiempo y que nos resulta agradable y fácil trabajar en ella. No tiene, necesariamente, que ser un asunto de trabajo; podría ser, por ejemplo, una boda, una pareja, una nueva casa, etc.

Bebedizo

Véase FILTRO.

Beber

El agua es, después del oxígeno, el alimento más importante para el organismo. Podemos quedarnos varios días sin tomar alimento sólido, pero la falta de agua causa estragos en los órganos y determina la muerte en un tiempo mucho más corto. Por ello, el hecho de beber indica todo aquello que nos resulta vital y que nos damos a nosotros mismos. No siempre se trata de cosas materiales: hay elementos, como el respeto de los demás, por ejemplo, que debemos conseguir porque es fundamental para la salud mental.

A la hora de analizar el sueño, es importante saber qué es lo que bebemos. Si es agua, podemos entender que somos capaces de recibir afecto y ser felices con ello, que no estamos constantemente pensando que se quieren aprovechar de nosotros sino que tomamos las demostraciones de cariño como algo natural, que nos merecemos.

En contraposición, beber veneno indica una tendencia a meterse en problemas, a no saber cuidarse.

También es importante el recipiente que se usa para beber, por ello se recomienda leer también el símbolo que le corresponda.

Beca

Son un premio al esfuerzo a la vez que una apuesta por parte de quien la otorga. Las becas que se conceden en sueños señalan una gran capacidad de esfuerzo en los estudios y auguran éxito en la profesión que se escoja.

En caso de que en el sueño se solicite una beca y ésta sea denegada, querrá decir que sólo hacemos esfuerzos a medias, que nos dejamos tentar por actividades más placenteras en lugar de dedicar más horas a los estudios.

Becada

Tradicionalmente se dice que soñar con esta ave indica que las personas que nos rodean no son tan ingenuas como parecen.

Becerro

Véase VACA.

Bedel

Es la persona que, en los centros de enseñanza, se ocupa del orden fuera de

las aulas. Si en sueños aparece este personaje quiere decir que estamos confusos, que nuestras ideas no son claras y que echamos de menos a una persona que, en el pasado, nos ayudó mucho a clarificar nuestras ideas.
Si la actitud del bedel fuera hostil será señal de que nos cuesta mucho aceptar consejos o recomendaciones.

Beduino

El encontrar un beduino en sueños o el vestir como ellos indica que nos espera un período de soledad. Sin embargo, éste no será angustioso sino muy productivo.

Begonia

Tradicionalmente se la ha considerado símbolo de la cordialidad.
Si en el sueño aparecen tiestos con begonias, quiere decir que tenemos una facilidad innata para tratar a la gente, que desde el primer contacto inspiramos confianza.
En caso de que estuviéramos podando begonias la interpretación pertinente será que estamos pasando por un momento de irritación, que ser amables y cordiales con los demás nos representa un esfuerzo que no estamos dispuestos a realizar.

Beige

Es el color de la tierra seca, que no sirve para el cultivo o que necesita mucho trabajo del hombre para dar sus frutos.
Si en sueños aparece una persona vestida con este color quiere decir que tiene un espíritu mezquino, egoísta y rígido.
Si es el color de un objeto, también habrá que tener en cuenta su simbolismo para analizar el sueño en profundidad.

Belcebú

En el Nuevo Testamento se designa con este nombre al príncipe de los demonios; por lo tanto, representa la maldad unida a la cobardía. Cuando aparece este personaje en un sueño quiere decir que una persona de nuestro entorno intenta perjudicarnos, pero en lugar de hacerlo por sí misma, se vale de otras más débiles para que hagan el trabajo sucio.

Véase DEMONIO.

Belén

En él se representa el nacimiento de Jesucristo y los acontecimientos que le sucedieron (adoración de los pastores, llegada de los Reyes de Oriente, etc.)
El sueño alude al período navideño, ya que es entonces cuando se arman los belenes en las casas y se hacen celebraciones familiares.
Según sea el sentimiento que nos provoquen las imágenes, pueden indicar momentos felices, en unión de la familia o, por el contrario, situaciones de conflicto, rencillas entre hermanos, etc.

Beleño

Esta planta originaria de Europa, conocida también con el nombre de «hierba loca», es sumamente venenosa y, según se cree, formaba parte del ungüento que utilizaban las brujas. De hecho, el beleño produce en quien lo ingiere o lo toca una sensación de vuelo.
Son muchos los tratados de magia y esoterismo antiguos que la mencionan: Homero describió ciertas bebidas mágicas en las cuales, al parecer, el beleño era el principal componente. También se utilizaba para mitigar los dolores de los torturados y condenados a muerte.
Como es una planta de fácil difusión, que se suele encontrar al borde de los caminos, no es difícil que aparezca en sueños. Si en las imágenes oníricas alguien la huele o la toca se encuentra en una situación desesperada, buscando salidas a un problema que no puede resolver.

Bella durmiente

Este personaje de cuento tan conocido por todos simboliza la inocencia, la ingenuidad. Si la vemos en sueños, indica que somos confiados, que no acostumbramos a prejuzgar a los demás y que partimos de la idea de que la gente es buena y solidaria. Pero también simboliza una advertencia: aunque no esperemos que nos hagan daño, debemos mantener una actitud cautelosa y cortar el mal de raíz en cuanto aparezcan sus señales.

BELLOTA

Para muchos animales, las bellotas constituyen un alimento muy nutritivo, por eso algunas especies las acumulan, como otros frutos secos, a fin de tener comida en el invierno.
Simbolizan la previsión, la capacidad de adelantarse a los acontecimientos para solucionar cualquier problema antes de que sea grave.
Si las vemos en sueños son una señal de que estamos dejando nuestros asuntos en manos de otros y que, a la larga, eso nos ocasionará pérdidas.

BENDICIÓN

Aunque es un símbolo claramente religioso, como en el acto de bendecir se requiere la protección sobrenatural, para la persona que la recibe tiene un significado material.
Si somos bendecidos en sueños, eso indica que contamos con el favor de personas influyentes.
En caso de ser nosotros quienes damos la bendición a otra persona, quiere decir que nos preocupa su bienestar, que haremos todo lo posible por facilitarle todo lo que pueda necesitar.

BENEFICENCIA

La participación en un acto cuya recaudación esté destinada a alguna obra de beneficencia indica que tenemos conversaciones con un familiar, acerca de otro que nos preocupa.
En caso de que durante el sueño nos sintamos tensos o angustiados, querrá decir que la situación sobre la que conversamos es grave y que no podemos, de momento, hacer nada por remediarla.
Si hacemos por nuestra propia cuenta un acto de beneficencia (dar una limosna, dejar ropa en una iglesia, etc.) eso será señal de que vamos a recibir una importante suma de dinero.

BENGALA

Se utilizan tanto en los festejos como en ocasiones de peligro o ante la necesidad de marcar un lugar que sea visible desde una cierta distancia.
Si las vemos en sueños y la sensación que experimentamos es placentera, es señal de que próximamente recibiremos una excelente noticia, probablemente una promoción en el trabajo, y que eso dará pie a que la celebremos con una fiesta, a la que hacen mención esas brillantes bengalas.
En caso de que haya elementos perturbadores o que las imágenes oníricas nos generen ansiedad o angustia, indica que debemos pedir ayuda para resolver el problema que más nos preocupa en ese momento.

Véase FUEGO.

BENJUÍ

Véase INCIENSO.

BERBERECHOS

Véase MARISCO.

BERENJENA

La aparición de este fruto en sueños no es de buen augurio. Por lo general anuncia pérdidas económicas o de prestigio, sobre todo cuando en la imagen está entera.
Si comemos un plato preparado con ella, es señal de que habrá problemas de dinero, pero que rápidamente recuperaremos nuestra economía.

Bergamota

Esta deliciosa fruta, por su exquisito aroma, es sumamente utilizada en perfumería.
Comerla en sueños indica que pasamos por un momento de gran atractivo sexual, propicio para conquistar a la persona que amemos.
Si en las imágenes es otra persona quien la come, es señal de que no se atreve a declararnos su amor.

Berilo

Cuando este mineral se presenta transparente y es tallado, se obtienen las esmeraldas.
Soñar con él indica que tenemos esperanzas, optimismo y fuerza ante la adversidad.

Véase ESMERALDA.

Berlina

Véase CARRUAJE.

Berrear

Los berridos, en los niños, son muestra de rabia y frustración.
Si se oyen berridos en un sueño, o se ve a un niño llorando de este modo, querrá decir que somos nosotros quienes nos sentimos furiosos y frustrados, que las cosas no están saliendo tal y como habíamos previsto.

Berros

Esta planta ya era considerada afrodisíaca por los romanos. Simboliza los encuentros íntimos.
Si están frescos, indican relaciones placenteras; si tienen mal aspecto, indican que las represiones producen bloqueos que llevan a la frustración.

Besamanos

Este ritual de salutación a los monarcas y personas encumbradas de un reino simboliza la proximidad con los mismos, el acceso a círculos aristocráticos. De modo que si participamos en esta ceremonia será señal de que en un futuro estableceremos relaciones con la nobleza o con los dirigentes de un país.

Beso

Esta muestra de cariño tiene diferentes interpretaciones, según el lugar en el que se dé el beso.
Si es en la frente, significa que la persona que lo da se siente superior a quien lo recibe, en tanto que si es en los pies o en las manos, se interpreta como símbolo de humildad, de que se reconoce superior a quien lo recibe.
Los besos en la boca simbolizan el deseo sexual.
Cuando en las imágenes oníricas aparecen escenas en las cuales dos personajes se besan, quiere decir que entre ambos queda claro cuál de ellos se siente superior y cuál inferior.

Bestia

El psicólogo Karl Jung dijo que todos llevábamos una bestia en nuestro interior. Es una faceta absolutamente instintiva, capaz de cualquier cosa con tal de sobrevivir o de salvar a los hijos.
Si soñamos con bestias, estamos aludiendo a esta parte instintiva de nuestra naturaleza, posiblemente porque las situaciones que estemos viviendo nos la despierten. Tal vez debamos hacer uso de la agresión (no física) para aplicar castigos, o bien prepararnos para una lucha.
Si la bestia nos ataca en sueños quiere decir que no tenemos un buen control sobre los instintos.

Betún

El betún es un material que todo lo ennegrece, pero también que da lustre y brillo al cuero.
Los sueños en los que se usa el betún para limpiar zapatos, botas o cualquier otro objeto indican que ha llegado una época

de trabajo muy duro, pero que dará interesantes beneficios.
Si se experimentara ansiedad o angustia, es posible que en el transcurso del mismo aparezcan personas con intención de sabotearlo.

Biberón

Simboliza una etapa de nuestra vida en la que hemos sido felices y en la que no teníamos responsabilidades.
No necesariamente se refiere a la infancia sino a cualquier período en el cual se hubieran dado estas condiciones.
Si en el sueño bebemos del biberón quiere decir que obtendremos en poco tiempo la ayuda de personas importantes.
Si damos el biberón a un bebé, éste nos simbolizará a nosotros en un presente y el alimento que tomemos serán los cuidados que nos demos en todos los sentidos, el respeto que sepamos exigir de los demás, los placeres a los que nos permitamos acceder, etc.

Biblia

La Biblia es, para los creyentes, la palabra de Dios, por eso, cuando aparece en sueños, tiene, al igual que el Catecismo, el significado de una llamada espiritual, sobre todo cuando en las imágenes aparecen estos libros sin referirse a ningún pasaje o recomendación particular.
En caso de que se leyera algún pasaje o se hablara de él, habrá que analizar los elementos simbólicos que en él aparezcan para comprender su significado en profundidad.

Biblioteca

Aunque a veces se va a la biblioteca en busca de esparcimiento, de diversión, la mayoría de las veces se acude a ella cuando se quiere estudiar algún tema específico. Por esta razón, cuando aparece en los sueños, quiere decir que necesitamos respuestas a preguntas que nos venimos haciendo desde hace tiempo.
Si la biblioteca la vemos desde fuera, eso significa que los interrogantes que se nos plantean son acerca del mundo, del funcionamiento de la vida social o laboral.
En caso de que nos encontremos dentro del edificio, querrá decir que intuimos secretos en la familia que nadie nos ha revelado o bien que hay situaciones que están establecidas cuyo origen o finalidad no están claros.

Bicarbonato

Si soñamos con esta sustancia quiere decir que estamos viviendo una situación laboral estresante por culpa de un superior.
El hecho de tomar bicarbonato en sueños indica que una persona manipuladora nos obliga, con sutilezas, a ponernos constantemente a la defensiva.

Bicéfalo

Los animales bicéfalos simbolizan la integración entre nuestras dos partes: la masculina, activa, positiva y la femenina, pasiva, negativa.
Si soñamos con ellos quiere decir que no tenemos temor alguno a manifestar cualquiera de estas dos partes. Si el que sueña es un hombre, podrá demostrar sensibilidad, ternura, adaptarse a las decisiones de otro, etc. Si la durmiente es una mujer, podrá hacer gala de fuerza, valor, espíritu emprendedor y tomará la iniciativa en diversos terrenos cada vez que eso le convenga.

Bíceps

Estos músculos son los que permiten a los brazos soportar grandes pesos, de ahí que se relacionen con la fuerza.
Si en el sueño los hemos desarrollado notoriamente, quiere decir que estamos no sólo en buen estado físico sino que, también, tenemos un excelente estado de ánimo.
Si sufrimos algún daño en ellos, significa que estamos demasiado cansados y que nos vendrían muy bien unas vacaciones.

Bicicleta

En este vehículo, las piernas son las que hacen girar las ruedas, las que llevan todo el esfuerzo.
Si no acostumbramos a utilizarla en la vida diaria, el sueño alude a un momento de la infancia. Si en él la sensación es angustiosa, es probable que el paso del tiempo, el hecho de acercarnos poco a poco a la vejez nos provoque miedo.

Véase VELÓDROMO.

Bidé

Este sanitario se utiliza para lavar las partes íntimas, sobre todo las femeninas.
El hecho de usarlo en sueños puede significar que con respecto al sexo tenemos ideas que han surgido de una temprana represión. Aunque tengamos relaciones, en el fondo lo vemos como algo sucio, prohibido y malo.

Bidón

Este tipo de recipientes se utiliza para guardar cantidades más o menos grandes de líquidos y a menudo tienen un uso industrial.
Por un lado, comparte las características de las botellas, por lo que habrá que leer este símbolo; por otra, para hacer un análisis completo es necesario buscar el símbolo que más se acerque al líquido que contiene.

Véase BOTELLA.

Bienes

La adquisición de bienes, sobre todo si son inmuebles, indica alegría y felicidad.
Si nos los queman o roban quiere decir que tendremos problemas financieros.

Bies

Las telas se fabrican con un conjunto de hilos verticales, la urdimbre, en la que se entrecruzan otros que van en sentido horizontal, la trama.
El bies de una tela es la diagonal del tejido y cuando se corta de este modo, adquiere una peculiar elasticidad.
Si soñamos con telas o ropas cortadas al bies quiere decir que sabemos amoldarnos a cualquier situación, que nuestra simpatía y capacidad de adaptación nos ha abierto muchas puertas en el pasado y lo seguirá haciendo en el futuro.

Bífida

Esta lengua es propia de algunos reptiles y familiarmente el término se usa para designar a las personas que utilizan el sarcasmo, la ironía o la maledicencia.
Si en las imágenes del sueño aparecemos con la lengua bífida es señal de que estamos a punto de cometer una indiscreción, de contar un secreto o de hablar mal de otra persona.
Si es otro quien la tiene, es señal de que tememos sus críticas, sumamente ácidas y mordaces.
En caso de que muchas personas (o todas las que intervienen en el sueño) tuvieran la lengua de esta guisa, quiere decir que estaremos en una reunión donde el principal tema de conversación sea criticar a los ausentes.

Bifurcación

En los sueños, la bifurcación de un camino o la señal que lo anticipe simbolizan elecciones difíciles, momentos en los cuales tenemos que decidir entre dos opciones, sabiendo que, al hacerlo, sacrificaremos algo que nos puede interesar a favor de lo que creemos que es mejor.
En las elecciones siempre hay pérdida, aunque si se realizan con inteligencia, se pueden lograr a la larga grandes beneficios.

Bigamia

Estos sueños aluden al deseo sexual pero el hecho de vernos bígamos en un sueño no debe ser motivo de preocupación ni

debe dar pie a la sospecha de que ya no nos sentimos a gusto con nuestra pareja.
Si en el sueño, en cambio, descubrimos que es nuestra pareja quien ha cometido bigamia, es muy posible que nos esté siendo infiel y que inconscientemente hayamos percibido los signos externos y sutiles que den lugar a la sospecha.

Bigote

Es una característica de virilidad, por lo tanto se asocia a los hombres y el significado del sueño variará según el durmiente sea varón o mujer.
Si en el sueño el bigote lo lleva una mujer quiere decir que ésta presenta rasgos atribuidos tradicionalmente al hombre: fuerza, decisión, rudeza, etc.
Si es un hombre quien tiene bigotes y el que sueña, indica cierta inseguridad con respecto a su virilidad; tal vez porque se trate de una persona extremadamente sensible o delicada.

Bilingüismo

Los sueños en los cuales hablamos u oímos dos idiomas diferentes anuncian que tendremos interesantes encuentros.

Bilis

Cuando se hicieron las primeras clasificaciones de los diferentes temperamentos, se tomó, como punto de partida, los humores que más prevalecían en el cuerpo. Éstos se asociaron a distintos planetas (que representaban a su vez otras tantas deidades) y también a los órganos que los producían. Se creía que una abundancia de bilis, asociada a Saturno, producía un carácter huraño, frío, racional y taciturno.
Los sueños en los que la bilis está presente, a menudo hablan de un carácter que tiende mucho a la rigidez y al pesimismo.
Es posible que, en el momento de soñar con esta sustancia estemos pasando por un momento especialmente penoso, eso dependerá de la sensación general del sueño. Lo importante es que si tenemos contacto con la bilis es señal de que debemos tratar de ser más optimistas y tomar conciencia de que siempre vemos el lado más negativo de las cosas para empezar a verlas de otra manera.

Billar

Este juego consiste en hacer chocar determinadas bolas entre sí y una de las jugadas más lucidas del mismo es lo que se llama carambola. Consiste en golpear la bola, pero no dirigiendo la propia contra ésta, sino por efecto de rebotes contra los límites de la mesa o contra otras bolas.
Si soñamos con que jugamos al billar significa que para conseguir algo no vamos directamente hacia ello sino que, disimulando, vamos hacia otro objetivo aparente desde el cual podremos obtenerlo. Para ello, lo que se necesita es astucia.

Véase CARAMBOLA.

Billete

Cuando se sueña con billetes es importante recordar el sentimiento que se ha experimentado, ya que el análisis de este símbolo puede tener varias explicaciones.
Si el estado de ánimo que tenemos en las imágenes es sosegado o feliz, los billetes auguran estabilidad o crecimiento económico.
En el caso de que experimentemos ansiedad o angustia, querrá decir que pasamos por un momento de estrechez y que conviene limitar los gastos al mínimo.
Perder un billete significa no darle importancia al dinero, valorar más otros aspectos menos materiales. También indica que nunca nos va a faltar para lo esencial.
Si encontramos un billete en la calle, la imagen deberá interpretarse como que siempre sabremos mirar hacia el lugar que pueda reportarnos beneficios.

Billetera

Además de simbolizar quiénes somos y qué poseemos representa el apego que tenemos al dinero.
Si está llena de billetes quiere decir que damos una gran importancia a los bienes materiales; si tiene poco o está vacía, indica que damos un valor mayor a lo espiritual.

Véase CARTERA.

Bingo

Los juegos de azar y por dinero, en general, representan una tendencia a confiar demasiado en la buena suerte sin hacer los esfuerzos lógicos por conseguir lo que se desea.
En el bingo se puede observar, ganar y perder. Si tenemos en el sueño la primera de las actitudes mencionadas, eso indica que preferimos valernos de nosotros mismos sin confiar en ayudas externas o en recetas milagrosas.
Si perdemos, es señal de que nuestra parte sensible tiene un mayor peso que la parte racional y eso nos impide evaluar las circunstancias fríamente para poder actuar luego en consecuencia.
En caso de ganar, el sueño nos estará anunciando que tenemos posibilidades de obtener un buen dinero, pero que aún no somos conscientes de la oportunidad que se nos ha presentado.

Binoculares

Estos objetos tienen un complejo juego de lentes gracias a los cuales pueden aumentar la imagen de los objetos lejanos a fin de que se los pueda percibir nítidamente.
Si en el sueño utilizamos estos aparatos para mirar de lejos es señal de que hay algo que nos están ocultando y que debiéramos saber.
Si los llevamos colgados del cuello como parte de la vestimenta o del equipaje, deberemos interpretar que nos interesa más vivir el presente que estar anclados en el pasado o mirar hacia el futuro.

Biografía

Los sueños en los cuales aparece la propia biografía, indudablemente constituyen una mirada general sobre la propia vida.
Es necesario tener muy en cuenta la sensación que nos invada en el sueño ya que será la que señalará cómo nos sentimos con respecto a todo lo que hemos hecho en el pasado.
En caso de que tuviéramos el encargo de escribir una biografía, aunque fuera ajena, el sueño será una llamada de atención para que hagamos un análisis de nuestros errores y actitudes negativas a fin de evitarlos.
Leer la biografía de otra persona significa buscar pautas para hacer las cosas cada día mejor.

Biología

Si ésta no fuera nuestra profesión y nos vemos ejerciéndola en el sueño quiere decir que buscamos comprender mejor nuestra parte instintiva, nuestras pasiones. Posiblemente a raíz de una relación amorosa que no esté funcionando todo lo bien que quisiéramos.

Biombo

Al igual que las mamparas, se utilizan para separar ambientes, para crear intimidad o para tapar ciertas cosas a los ojos de los curiosos.
Estar detrás de un biombo o una mampara significa mostrarse sólo a medias, aparentar ser muy abierto cuando, en realidad, se es sumamente introvertido y vergonzoso.
Si el objeto que aparece en el sueño está cerrado quiere decir que hemos decidido entregar nuestro corazón a la persona que amamos, que queremos unirnos a ella sin reservas o que deseamos darnos a conocer, salir del anonimato, aunque no siempre nos atrevemos a dar el paso.

Biquini

Lucir un biquini es señal de que estamos conformes con nuestra apariencia externa. Si, además, estamos a orillas del mar o en una piscina, puede significar que estamos necesitando urgentemente un descanso.

Birrete

Forma parte del atuendo de algunos ejércitos, de modo que se asocia con el ataque y la defensa, sea física o psicológica.

Estar tocado con un birrete equivale a tener uniforme militar y, con ello, estar dispuesto a ir a la guerra. Es muy probable que en el entorno surjan rencillas y problemas con otras personas y esta prenda indica que estamos dispuestos a defender nuestra posición.

Si es otra la persona como que lleva el birrete deberá interpretarse que no sabemos defendernos de los atropellos, que nuestra tendencia natural es la conciliación y que solemos vernos avasallados por personas de más jerarquía.

Bisabuelo

Véase ABUELOS.

Bisagra

Esta pieza conecta dos superficies de modo que una pivote sobre la otra. Es, en cierta manera, un puente entre ambas.

Si en el sueño aparece una bisagra, ésta simbolizará una persona que logrará que nos reconciliemos con alguien con quien estamos distanciados desde hace mucho tiempo.

Bisel

El bisel es una forma de corte oblicuo de diferentes superficies que se suele utilizar en el vidrio o en la madera.

Los objetos biselados tienen un acabado más elegante, ya que el corte en ángulo sirve, a la vez, de marco. Los sueños en los que el bisel de un objeto se hace notorio o tiene cierto protagonismo indican que en la relación con los demás pretendemos dar la impresión de que somos abiertos y generosos cuando, en realidad, estamos constantemente midiendo y juzgando las actitudes ajenas.

Bisexual

Cuando durante el sueño se produce alguna excitación sexual, es habitual ver imágenes que, en la vida real, podrían escandalizarnos. Lo que ocurre es que la censura se relaja y eso permite que afloren las fantasías más ocultas, los deseos más profundos en forma de imágenes más o menos distorsionadas.

Soñar con que somos bisexuales o que estamos con gente de este tipo no significa, necesariamente, que deseemos tener relaciones desacostumbradas sino, sencillamente, que tenemos la libido momentáneamente alta.

Bisiesto

Con el objeto de equiparar el calendario al paso del Sol, un año de cada cuatro tiene un día más: es 24 horas más largo.

Los años bisiestos, en sueños, se relacionan con el sentido del tiempo y con la paciencia. Indican que deseamos que se suceda cuanto antes un acontecimiento y que la espera nos produce desasosiego.

El hecho que estamos esperando puede ser detectado mediante el análisis de los demás elementos que aparezcan en el sueño.

Bisnieto

Véase FAMILIA.

Bisonte

Representa la fuerza contenida que espera el momento adecuado para hacerse efectiva.

Si soñamos con estos animales quiere decir que nos conviene, por el momento, mantener una resistencia pasiva y no empeñarnos en solucionar los problemas con medidas drásticas.

Bisoñé

Véase PELUCA.

Bisturí

Véase INSTRUMENTAL MÉDICO.

Bisutería

La bisutería es un conjunto de objetos de adorno fabricados con materiales no preciosos. Eso no les resta necesariamente belleza; a menudo pueden aparentar haber sido fabricados con oro, plata o piedras de gran valor.
La bisutería en sueños señala un gran sentido de la economía.
En caso de que se luzcan muchos objetos de bisutería (anillos, collares, pulseras, etc.) de modo que el resultado sea recargado, querrá decir que se quiere aparentar.

Bit

Es una unidad de medida de información. Un bit puede almacenar dos respuestas posibles: positiva y negativa; sí o no. Se utiliza en ordenadores, entre otras cosas para designar su capacidad de memoria.
En sueños, los bits representan la capacidad de acceder a los recuerdos, así como el peso que tengan éstos sobre nuestra vida. Cuanto mayor sea su cantidad, más nos veremos determinados en nuestras acciones por sucesos que han tenido lugar en nuestra infancia o adolescencia.

Bitácora

El cuaderno de bitácora es un libro que se lleva en los barcos, que sirve para apuntar el rumbo, la velocidad, las maniobras y otros accidentes de la navegación.
Tiene el significado de un diario personal, ya que en este caso la navegación simbolizaría nuestro paso por la vida.
Si en el sueño perdemos un cuaderno de bitácora y éste pertenece a otra persona, quiere decir que hay pasajes de su vida que nos gustaría conocer (por ejemplo, si ese cuaderno fuera de uno de nuestros abuelos, significaría que deseamos obtener datos relacionados con su infancia, juventud, etc.) Si el cuaderno es propio, deberemos preguntarnos si no hemos alterado algunos pasajes de nuestra vida para que nos resulten menos desagradables. A veces, a fuerza de mentir a los demás uno termina por creerse las propias mentiras.

Bizcocho

Entre sus principales ingredientes se encuentran el azúcar y la harina; es decir, glucosa e hidratos de carbono. Por esta razón, pueden dar una gran cantidad de energía que, si no se gasta en muy poco tiempo, se almacena en el cuerpo en forma de grasas.
Si comemos un bizcocho en sueños es señal de que estamos retrasando el momento de ponernos en acción; queremos llevar los planes a una perfección exagerada que nos puede hacer perder el sentido de la oportunidad.
Ofrecer bizcocho a otra persona quiere decir que si bien ésta nos cae bien, preferimos tener un trato distante con ella, evitar que se cree una gran confianza.

Biznieto

Véase FAMILIA.

Bizquera

En esta afección, cada uno de los ojos se dirige a un objeto diferente.
Si padecemos de estrabismo en sueños, quiere decir que tenemos que realizar una difícil elección, que debemos optar entre dos caminos sin que ninguno de ellos nos parezca mejor que el otro. Si quien padece la bizquera es otra persona, indica que debemos ayudarle a elegir.

Blanco

Este color es el que contiene todos. Representa la pureza, la luz, la perfección. En la India, este color se identifica con «la tierra de los vivientes» o paraíso. Curiosamente, este color no es asimilado a la plata sino, por la pureza que simboliza, al oro.
Los objetos blancos que aparecen en sueños, simbolizan aquellas cosas que nos resultan difíciles de alcanzar, que apenas nos atrevemos a desear.
Las personas que en los sueños van vestidas con ropas de este color, nos inspiran respeto, nos atraen y nos sirven de modelo. Pero, al igual que los objetos, las vemos inalcanzables.

Blando

El hecho de que un objeto normalmente blando presente esta condición en un sueño, no es algo que deba ser interpretado, ya que es natural. Sin embargo, si un elemento habitualmente duro aparece en las imágenes oníricas cediendo fácilmente al tacto, sí será necesario tomar la blandura como símbolo.
La pérdida de consistencia de cualquier objeto indica que estamos perdiendo rigidez en cuanto a ideas y conceptos, que hemos aprendido a ser más abiertos, menos intransigentes y más empáticos.
La angustia o ansiedad que puede acompañar a este tipo de sueños surge del miedo que esta pérdida de rigidez pueda tener aparejada; habitualmente, la intransigencia es una manera equivocada de defender la psiquis y el cambio, sobre todo en sus comienzos, que puede originar un sentimiento de vulnerabilidad.

Blasfemar

Aunque se puede blasfemar contra otra persona, lo común es hacerlo contra Dios, la Virgen o los santos.
El hacerlo en sueños indica que no sabemos aceptar los propios errores, que acostumbramos a echar a los demás la culpa de nuestras desgracias.
Si, en cambio, somos nosotros quienes soportamos las blasfemias, eso quiere decir que la persona que nos las dirige nos tiene una gran envidia.

Bloc

Como se utiliza para apuntar detalles, ideas o trabajos previos que esbozan lo que luego va a ser una tarea final, simboliza las relaciones amorosas que finalizan en poco tiempo.
Si el bloc contiene muchas anotaciones quiere decir que antes de encontrar la persona con la que deseemos compartir nuestra vida viviremos unos cuantos romances.
Si el bloc estuviera en blanco, eso significará que somos muy selectivos a la hora de enredarnos en relaciones íntimas, que sólo establecemos relaciones de pareja cuando nos sentimos lo suficientemente seguros de nuestros sentimientos.

Bloqueo

Cuando en un sueño algo nos impide seguir con la trayectoria que llevamos (una barrera, un obstáculo en la carretera, una señalización, etc.) quiere decir que en nuestra relación de pareja hemos llegado a un punto en el que resulta muy difícil avanzar. Posiblemente se trate de conflictos que no han sido hablados, de rencores que deterioran la comunicación.

Blusa

Véase CAMISA.

Boa

Las boas son ofidios de gran tamaño que no tienen veneno. Su método para matar a sus víctimas consiste en enroscarse alrededor de su cuerpo haciendo a continuación una gran presión.
En sueños, estos animales representan la capacidad de obtener lo que se quiere de

los demás utilizando medios ilícitos.
Si una boa nos persigue, es muy probable que alguien nos amenace con contar alguno de nuestros secretos a menos que respondamos a sus exigencias.
Si en el sueño alimentamos a una boa, eso significa que no siempre empleamos medios éticos para conseguir nuestros fines.

Bobina

Las bobinas de hilo simbolizan la cantidad de dinero que poseemos. Si enrollamos el hilo quiere decir que nos aguardan gastos y si lo enrollamos, que podremos ahorrar de cara a un futuro.
Las bobinas de alambre representan las posiciones económicas muy ventajosas, que sólo se presentan muy pocas veces en la vida.

Boca

La boca simboliza elementos diferentes según la cultura que lo tome. Por un lado, para los egipcios representa el verbo creador pero en la Biblia muchas veces este símbolo aparece relacionado con el fuego. De hecho, ciertos animales mitológicos despiden fuego por la boca. De ello se desprende que se puede interpretar de dos formas muy distintas: la creación y la destrucción.
Por esta razón, es muy importante tener en cuenta el sentimiento general que se experimenta durante el sueño. Si es de tranquilidad, de paz o de alegría, la boca deberá tomarse como símbolo de creación; si es de angustia o de ansiedad, puede indicar destrucción. En este sentido, la destrucción debe entenderse como finalización de algo, como pérdida y no necesariamente como catástrofe.

Bocadillo

Esta comida rápida, poco elaborada, puede servir de advertencia para que nos alimentemos mejor en la vida real.
También indica una forma equivocada de actuar, la tendencia a cubrir a la ligera necesidades importantes de nuestro organismo.
Si preparamos un bocadillo para otra persona debemos interpretar que ésta no nos importa tanto como quisiéramos dar a entender.

Bocanada

Cuando en sueños aspiramos una bocanada de aire, por lo general se debe a que nuestro organismo necesita, en ese momento, más oxígeno. A menudo ocurre en pesadillas desagradables, en las cuales nos ahogamos.

Boceto

Véase BOSQUEJO.

Bocio

Esta afección se produce por la falta de yodo en el organismo. Generalmente afecta a las personas que viven en un entorno cuyas aguas carecen de la suficiente cantidad de este elemento.
Como el agua se relaciona con el mundo emocional, el bocio simbolizaría el agua que no nutre, los sentimientos negativos que alteran el equilibrio psíquico.

Boda

Esta ceremonia simboliza la unión de dos opuestos fundamentales: las energías masculinas y las femeninas.
Soñar con nuestra propia boda indica su integración interior.
Como el matrimonio es una institución de mucho peso social, hay personas que viven obsesionadas con el momento de casarse, de ahí que no es de extrañar que este deseo aparezca en las imágenes oníricas, sobre todo cuando está próxima la fecha de su enlace matrimonial.

Bodega

El alcohol participa de la simbología de dos elementos: el agua y el fuego; los

sentimientos y la voluntad, las emociones y la capacidad creativa. Por ello simboliza el autocontrol y el almacenamiento de la fuerza, la capacidad de ahorrar energías a fin de desplegarlas en el momento más necesario.
Si nos encontramos en el interior de una bodega quiere decir que planeamos la forma y el momento de realizar una acción decisiva para nuestro futuro.

BODEGÓN

Son representaciones pictóricas en las cuales se muestran alimentos u objetos inanimados.
Si pintamos o compramos un bodegón quiere decir que nos gusta hacer ostentación de lo que hemos conseguido.
Cuando vemos un cuadro de este tipo pero no somos sus poseedores, ello indica que nuestra percepción nos juega una mala pasada haciéndonos ver que los demás tienen más suerte que nosotros.

BOFETADA

Las agresiones físicas, en general, dan cuenta de la ira que almacenamos o de la excesiva represión o negación de nuestras emociones negativas.
Si en sueños damos una bofetada a otra persona con el fin de corregirla, eso indica que tendemos a ser demasiado rígidos y exigentes con las personas que están a nuestro cargo (hijos, empleados, etc.). Si el bofetón surge en un altercado y lo damos porque no podemos controlar la ira, eso indica que, en la vida real, no nos atrevemos a exigir nuestros derechos.
Recibir un bofetón simboliza sentirse en deuda con la persona que nos lo da.

BOHEMIO

Se califica con esta palabra a las personas que, voluntariamente, se apartan de las convenciones sociales. Esta forma de vida a menudo la desarrollan los literatos, pintores y artistas. Si nos vemos en un entorno bohemio eso indica que tenemos escondido un gran potencial creativo pero que, en lugar de ponerlo en práctica trabajando duramente, nos contentamos con que los demás acepten que lo poseemos.

BOICOT

Cuando en sueños alguien nos deteriora las relaciones sociales a fin de conseguir lo que exige de nosotros, quiere decir que en la vida real estamos siendo víctimas de la maledicencia, que en el entorno laboral se nos teme porque tenemos la suficiente capacidad para ascender rápidamente.
En caso de ser nosotros quienes hacemos boicot a otra persona o entidad, eso señala que no confiamos en nuestro talento y por ello recurrimos a prácticas poco éticas.

BOINA

Véase SOMBRERO.

BOLA

Véase ESFERA.

BOLERA

El objetivo del juego de bolos es derribarlos con una bola. Simboliza, por lo tanto, una competición en la que participan varias personas.
Si derribamos todos los bolos quiere decir que saldremos victoriosos del encuentro.
En caso de que asistamos al juego como espectadores, deberá interpretarse de modo que rehuimos las confrontaciones porque nos sienta muy mal perder.

BOLERO

La música melódica apunta directamente a la emoción. Sus composiciones hablan de amores contrariados, de esperanzas frustradas, de desengaños.
Si oímos en sueños un bolero, es muy probable que no nos sintamos satisfechos de nuestra relación de pareja, que ésta no

nos haga sentir afectivamente seguros o que temamos una inminente ruptura.

Boletín

Los boletines son publicaciones destinadas a tratar asuntos específicos (científicos, literarios, legales, etc.) y son confeccionados por alguna institución o periódico en el que se publican datos oficiales.
Si en el sueño tenemos un boletín en las manos, quiere decir que tenemos aptitudes de liderazgo, que somos respetuosos con las normas y leyes y que tratamos de hacer que éstas se cumplan a nuestro alrededor.
El hecho de redactar un boletín puede indicar que tendremos la tarea de convencer a ciertas personas del entorno familiar en una cuestión que involucra a otros miembros.

Bolígrafo

Este instrumento de uso cotidiano simboliza la capacidad de comunicación, siempre y cuando en el sueño se utilice para escribir.
En caso de usarlo para firmar, quiere decir que no tememos enfrentarnos a las consecuencias de nuestros actos, que decimos lo que pensamos y que en ocasiones nuestra sinceridad puede ser interpretada como agresión.

Bolillo

Estos palitos torneados se utilizan para hacer encajes y pasamanería. Simbolizan la capacidad de combinar diferentes ideas a fin de hacer planes muy elaborados.
Cuanto más delicado sea el encaje que aparezca en el sueño, más finamente sabremos elaborar la estrategia conveniente en cada momento.
Si junto al bolillo aparece una gran cantidad de puntillas, pasamanería o encajes es posible que ello indique que tenemos tendencia a manipular a los demás.

Bollo

Los bollos, como alimentos de alto valor calórico, simbolizan las actitudes que empleamos a fin de compensar la falta de afecto o las decepciones amorosas.
Si en el sueño aparecen en gran cantidad, quiere decir que nos cuesta mucho sentirnos amados, que la valoración que hacemos de nosotros mismos es tan pobre que no sabemos apreciar las cualidades positivas que los demás ven en nosotros.
La entrega de un bollo a otra persona significa que alguien de nuestro entorno pasará por un fracaso sentimental y acudirá a nosotros en busca de consuelo.

Bolsillo

En los bolsillos se llevan aquellos objetos pequeños que necesitamos durante el día: llaves, dinero, pañuelos, etc. Por esta razón, simbolizan las necesidades que tenemos cubiertas.
Buscar algo en un bolsillo y no encontrarlo indica que no somos lo suficientemente previsores en nuestra vida cotidiana, que dejamos las cosas para el último momento y que confiamos demasiado en que los demás siempre acudirán en nuestra ayuda.
Si metemos la mano en un bolsillo y en éste hay muchas cosas, eso indica que tenemos miedo al futuro, que siempre esperamos lo peor.

Bolso

El bolso representa la intimidad, ciertos aspectos de nuestra vida que preferimos mantener, de momento, en secreto.
Un bolso grande simboliza una tendencia a la introversión en tanto que uno pequeño indica que solemos contar a los amigos todo lo que nos ocurre, que nos gusta compartir nuestras experiencias o recibir consuelo cuando nos sentimos abatidos.
Si en el sueño perdiéramos o nos fuera robado un bolso, eso significa que sentimos que alguien está entrometiéndose en nuestra vida.

Bomba

Las máquinas que se emplean para elevar el agua o cualquier otro líquido representan la búsqueda de emociones fuertes.

Hay personas que necesitan vivir intensamente, que prefieren mantener relaciones tortuosas o difíciles porque eso les provoca emociones intensas y sólo así se sienten vivas. Los vínculos armoniosos, tranquilos, les dejan indiferentes y su vida transcurre entre la suprema alegría y el más profundo abatimiento.

Si empleamos en sueños una bomba quiere decir que, en el presente, somos presa del aburrimiento, que necesitamos vivir alguna pasión o que estamos pasando por un período de depresión.

Bombardeo

Aun cuando los bombardeos se efectúen sobre ciudades enemigas, no dejan de ser un acto sumamente autodestructivo, ya que siega muchas vidas inocentes.

En sueños, simbolizan la tendencia a sabotearnos, a no exigir el lugar de respeto que merecemos, ya sea por no saber ponerle los límites a los demás o por participar en situaciones que ponen en peligro nuestra integridad física o psíquica.

Si nos encontramos con una bomba que no ha estallado quiere decir que estamos constantemente bordeando el peligro. Éste no tiene por qué ser material, a menudo se establecen relaciones en las cuales nuestra mente y nuestras emociones pueden verse seriamente afectadas.

Bombero

Aunque en la vida real los bomberos cumplen una labor encomiable jugándose la vida al apagar los incendios, en sueños no son personajes tan amistosos.

El fuego simboliza la voluntad, la capacidad creativa; por ello, la persona que lo apague simbolizará a aquellos que intentan mermar la confianza que tenemos en nosotros mismos, los que nos paralizan con sus desvalorizaciones.

Si el bombero tiene una actitud beligerante quiere decir que hay alguien que, haciendo uso de su poder, nos anula.

En caso de que el personaje del sueño se mostrara amable, bondadoso o seductor, eso indica que una persona que finge querernos, ser nuestra amiga, sutilmente destila en nosotros un sentimiento negativo, autodestructivo. Posiblemente lo haga a través de críticas que pretenden ser «por nuestro bien» pero, en realidad, son producto de la envidia que nos tiene.

Bombilla

Las bombillas simbolizan las grandes ideas que nos pueden cambiar la vida.

Si están encendidas, quiere decir que encontraremos la solución a un problema y que este hallazgo nos dará beneficios inesperados.

Bombín

Véase SOMBRERO.

Bombo

El instrumento de percusión, debido al ritmo acompasado y grave que suele llevar, simboliza el corazón. Si se oye su sonido en sueños es probable que padezcamos algún trastorno leve en el sistema circulatorio.

También recibe este nombre el tambor que contiene números para efectuar un sorteo. En caso de soñar con éste, debemos estar atentos porque por azar tendremos una oportunidad excepcional para realizar una compra importante y no es conveniente que la desaprovechemos.

Bombón

Este alimento energético no es de consumo ordinario. Por lo general se utiliza en celebraciones o se obtiene como regalo o, en la infancia, como premio a la labor bien hecha. Recibir o comer bombones en sueños indica que

necesitamos ser el centro de atención, que por mucho que nos esforcemos sentimos que los demás no valoran nuestro trabajo.
En caso de ser nosotros quienes obsequiamos con bombones a otra persona, eso señala que nos sentimos agradecidos hacia ella, que queremos recompensarla por algún favor que nos ha hecho o por un consejo que nos ha dado.

BOMBONA

Las bombonas contienen gas, relacionado con el elemento aire y, por ello, con el mundo mental.
Si la bombona que aparece en los sueños está vacía, ello indica que necesitamos resolver un problema de forma creativa, pero no podemos encontrar la manera, la fórmula que nos permita resolverlo.
Transportar una bombona significa tener muchos planes interesantes pero con pocos recursos para llevarlos a cabo. En este caso conviene aparcar los menos importantes y dedicarse sólo a uno de ellos cada vez.

BONETE

Este tipo de sombrero es habitualmente utilizado por eclesiásticos, de modo que si en sueños vemos a una persona que lo lleva quiere decir que reconocemos en ella grandes cualidades morales, que nos sirve de ejemplo y que puede darnos excelentes consejos.
En caso de que seamos nosotros quienes lo tengamos puesto, eso indica que nos sentimos demasiado perfectos con relación a los demás, que no nos vendría mal cultivar un poco de humildad.

BONOBÚS

Simboliza la capacidad de movimiento, la libertad para realizar cuanto nos apetezca sin sentir por ello remordimientos o cargos de conciencia.
Si en el sueño perdemos el bonobús quiere decir que estamos en una relación afectiva que nos constriñe, posiblemente a causa de los celos de nuestra pareja.
Soñar que el bonobús se ha utilizado por completo indica que hemos gozado de una amplia libertad, pero que ha llegado el momento de adquirir ciertas responsabilidades que traerán implícitas unas cuantas renuncias.

BONSÁI

El arte del bonsái consiste en crear situaciones límite que imitan a las naturales a fin de que un árbol se adapte a ellas y se desarrolle conforme a las mismas. Podría entenderse como un ejercicio de domesticación y por este motivo estos arbolitos simbolizan los traumas que hemos vivido, las situaciones que nos han dejado huella y que, en gran medida, han ido conformando nuestra personalidad.
Si en el sueño regamos un bonsái quiere decir que hemos sabido aprovechar las experiencias, que no nos sentimos resentidos por las cosas desagradables que nos haya tocado vivir sino que las aceptamos como parte de un aprendizaje.
El orgullo que podamos mostrar por el bonsái simboliza el que sentimos por nosotros mismos.

BONZO

Como sacerdotes del culto budista, los bonzos simbolizan la elevación espiritual.
Sin embargo, debe tenerse en cuenta que en Occidente se hicieron conocidos por su costumbre de sacrificarse, prendiéndose fuego, para protestar por diversas injusticias, especialmente por las guerras.
Si el bonzo con el cual soñamos se inmola, quiere decir que repararemos la injusticia que se está cometiendo con un compañero de trabajo o con un familiar.

BOÑIGA

El excremento vacuno es un abono excelente para las plantas; por ello, cuando aparece en sueños constituye un excelente augurio. Por lo general anuncia promociones en el trabajo.

Boquete

A la hora de analizar un sueño en el que haya un boquete en una pared, lo importante, en primer lugar, será observar qué dos espacios quedan comunicados a través del agujero.

El boquete simboliza la comunicación, pero teniendo en cuenta que es producto del deterioro, es necesario entender ésta como malsana o inconveniente.

Pasar el cuerpo por un boquete para salir de un lugar o entrar en otro tiene un sentido de huida, de alejamiento de las responsabilidades.

Generar un boquete en una pared simboliza el intento de forzar la comunicación con otras personas de forma poco conveniente (por ejemplo, inspirando lástima, dándose importancia, haciendo falsas promesas, etc.)

Si vemos salir del boquete de una pared algo desagradable o temible quiere decir que hemos descubierto, a través de confidencias, que una persona no es tan buena como creíamos.

Boquilla

Es un elemento que retiene algunas de las sustancias nocivas del tabaco, que actúa como filtro.

Si en el sueño estamos utilizando una boquilla para fumar, quiere decir que tenemos un buen criterio para seleccionar la información que nos llega desde el exterior, que tenemos un buen grado de escepticismo.

En caso de ver a otra persona utilizar una boquilla querrá decir que de todo lo que le digamos, nos creerá sólo una parte, que es desconfiada y que no nos da el crédito que pretendemos.

Borbotón

Cuando un líquido sale a presión o hierve, borbotea. En este caso, entra en un estado en el que sus moléculas se mueven a gran velocidad hasta adquirir el estado gaseoso.

El líquido que sale a borbotones o que hierve simboliza las emociones agitadas y confusas, las pasiones que no podemos dominar. Si los borbotones fueran de sangre, indicaría pérdida de energía.

Véase HEMORRAGIA.

Borceguí

Véase BOTA.

Bordado

En muchas leyendas el hilo ha simbolizado la vida, de ahí que la actividad de bordar podría interpretarse como ser artífice del propio destino.

Si en el sueño nos vemos vestidos con ropas ricamente bordadas, eso indica que la gente ve en nosotros muchísimas cualidades admirables. Por la misma razón, si vemos a otra persona de esta manera en el sueño, eso será índice de que nos parece una persona digna de admiración.

Las vainicas, que suelen utilizarse para adornar los bordes de las prendas, indican que somos perfeccionistas, que prestamos atención a los detalles.

Bordillo

Podríamos decir que el bordillo es la zona que pone un límite entre las personas que van a pie y las que van en coche. Dicho de manera simbólica, entre las personas que se mueven por sí mismas y las que necesitan apoyo o ayuda externa.

Si caminamos por un bordillo quiere decir que no sabemos si solicitar ayuda para la resolución de un problema que nos angustia o si contar sólo con nuestras propias fuerzas.

Golpearse con el bordillo indica demostrar una autosuficiencia que no se tiene.

Borne

Son los puntos de contacto que se utilizan para transmitir energía eléctrica a un

artefacto o circuito, el punto de entrada y de salida del flujo eléctrico.
Si trabajamos sobre un borne con un cable u otro elemento a fin de establecer un circuito eléctrico quiere decir que estamos buscando la forma de aprovechar mejor nuestras energías.
Si recibimos una descarga, en cambio, es señal de que estamos demasiado cargados, que no tenemos válvulas de escape a nuestras emociones y que los pensamientos negativos nos impiden avanzar.

Borracho

Véase ALCOHOLISMO.

Borrador

Simboliza el hecho de olvidar, de renegar del pasado.
Si pasamos el borrador por una pizarra es señal de que nos arrepentimos de muchas de las cosas que hemos hecho y que buscamos la forma de olvidarlas.
Si la pizarra la borra otra persona quiere decir que los hechos que pretendemos olvidar son mucho más traumáticos, ya que además involucran a personas de nuestra familia.

Borrasca

Simboliza una amenaza. En el presente se está viviendo una situación que puede desembocar en pérdidas importantes, ya sea de prestigio, de afecto o económicas.
Si nos vemos envueltos en una borrasca pero se pueden ver los rayos del Sol, quiere decir que la situación no es tan desagradable como parece.
Si se observa la borrasca desde el mar, es señal de que las dificultades se presentarán en el terreno amoroso, sobre todo si las olas se agitan furiosamente.

Borrego

Véase OVEJA.

Borriquete

Estas estructuras compuestas por tres maderos, originalmente se han utilizado para que los carpinteros apoyen en él el material que cortan, hoy se emplean, también, para sostener superficies que sirven de mesa.
Simbolizan los cimientos de una relación o de un proyecto.
El hecho de que el borriquete se caiga o se cierre quiere decir que estamos trabajando con ahínco en un proyecto cuya base no es sólida. Puede ser una advertencia de que al seguir en ella estamos perdiendo el tiempo.

Borrón

Los borrones son errores que se producen al escribir o al pintar, de ahí que simbolicen alguna de las grandes equivocaciones que podemos haber cometido a lo largo de nuestra vida.
Si el borrón lo vemos ya hecho, quiere decir que arrastramos una situación penosa que se ha originado en nuestra familia sin nuestra intervención.
En caso de ser nosotros mismos quienes lo estamos haciendo durante el sueño, eso indica que, a pesar de lamentar un hecho similar en el pasado, volvemos a repetirlo.

Bosque

El bosque es uno de los símbolos más habituales de los cuentos y leyendas. En muchas culturas, ha sido el lugar consagrado al culto, ya que en sus árboles se colgaban las ofrendas.
El bosque se relaciona claramente con el principio femenino, aunque también puede ser interpretado como el escenario en el que transcurre nuestra vida.
En el bosque hay muchos elementos simbólicos: animales, plantas, accidentes del terreno, etc., que permitirán ahondar en el significado del sueño. Se pueden dar en él situaciones muy placenteras pero, también, otras que nos inspiren terror.
Soñar con un bosque equivale a

reflexionar sobre la propia vida. Si las imágenes son nocturnas y aterradoras, quiere decir que pasamos por un período muy difícil, tal vez a causa de alguna enfermedad propia o de alguna persona muy querida. La llegada del día o la presencia de una hoguera, con su fuego vivificador, indicaría una pronta recuperación.

Si en el bosque es de día, tiene frutos silvestres o se ven en él animales apacibles que nos den una sensación de alegría o paz, quiere decir que estamos en un momento muy bueno que merece la pena ser disfrutado.

Estar en el claro de un bosque, si no se siente ansiedad, significa haber llegado a un punto en el que se puede sentir paz y sosiego después de años de dura lucha.

Si nos extraviamos en el bosque quiere decir que no encontramos sentido a nuestra vida, que a menudo caemos presa de la desesperación y que no nos atrevemos a hacer aquello que nos gusta por miedo de perder el afecto de las personas que nos rodean.

Bosquejo

Muchos pintores, dibujantes o artistas en general, antes de ponerse manos a la obra hacen un bosquejo para que les sirva de orientación.

Si en el sueño bosquejamos algo, es muy importante tener en cuenta qué es lo que hemos dibujado ya que será lo que nos dé los elementos para hacer un análisis en profundidad.

En general, los bosquejos simbolizan los actos preparatorios para una actividad importante, de manera que el hecho de bosquejar cualquier cosa es índice de que en un futuro próximo nos veremos envueltos en una tarea interesante.

Bostezar

Este movimiento reflejo es un mecanismo que utiliza el organismo para obtener mayor cantidad de oxígeno. Se produce, por lo general, ante tres circunstancias: sueño, hambre o aburrimiento. También puede ser por contagio de otra persona que bosteza.

Lo esencial es que el hecho de bostezar indica que nos falta el alimento más preciado, el aire que respiramos, y que es el cerebro el primero que acusa esa carencia. Por ello simboliza la falta de alimento intelectual, de relaciones que nos aporten elementos culturales o que nos hagan pensar.

Si bostezamos en sueños es muy probable que estemos pasando por una etapa de intenso aburrimiento, que hayamos perdido momentáneamente la capacidad de motivarnos y que no sabemos cómo salir de esa situación.

Bota

Aunque este tipo de calzado, al igual que los borceguíes, hoy sea ampliamente utilizado tanto por mujeres como por hombres, tradicionalmente ha formado parte de ciertos uniformes como el militar o el de los jinetes.

Las botas, en ambos casos, representan la autoridad y los borceguíes, en cambio, una posición de rango inferior.

Si somos nosotros quienes las llevamos puestas, eso indica que tendremos una posición jerárquica superior en poco tiempo. Si son ajenas, en cambio, señala que nos sentimos coaccionados por una persona que ocupa un cargo superior.

Véase ODRE.

Botella

Las botellas, tal vez por el hecho de aparecer en los relatos de los náufragos como portadoras de un pedido de auxilio, representan la salvación.

Si soñamos con una botella, quiere decir que en muy poco tiempo tendremos la solución a un problema que nos preocupa. Ésta llegará de forma sorpresiva y de la mano de quien menos esperamos.

Botero

El cruce de las aguas es una imagen común en la mitología de diferentes culturas, al igual que la figura del botero. El elemento agua, presente también en los sueños en los que aparece el botero, se relaciona con el mundo emocional, con la sensibilidad, de modo que este personaje representa a alguien que podría ayudarnos a manejar los conflictos afectivos que estamos viviendo en ese momento.

Botijo

Como todo recipiente, guarda relación con lo femenino, de modo que podría simbolizar una mujer que conocemos. Su interpretación es similar a la de la botella sólo que, en cuanto a satisfacción del deseo sexual, aquella es un elemento más elaborado y refinado que el botijo, por lo que podría indicar una relación sexual menos pasional que la que sugiere el botijo.

Véase BOTELLA.

Botín

Se define con esta palabra los despojos que se les daban a los soldados después de haber conquistado una plaza. También se emplea para designar el producto de un robo.
Si tras una contienda recibimos o tomamos por nuestra cuenta enseres y objetos de los que fueron nuestros enemigos, eso señala que nos reconocerán, que hemos tenido razón al distanciarnos de una persona a la que calificamos de envidiosa y egoísta.
Si nos hacemos con el producto de un robo, en cambio, quiere decir que nos gusta adjudicarnos méritos ajenos.

Botones

Su forma, normalmente esférica, alude al Sol y a la Luna, pero para analizar claramente su significado se deberá tener en cuenta su color y el material con el que se han fabricado, así como el papel que cumplen en el sueño.
La pérdida de un botón simboliza la disolución de un vínculo, ya que los botones sirven para juntar dos partes de una prenda que se hallan separadas. De ahí que coserlos, o reforzarlos, indica una actitud de cuidado hacia la pareja.
Tradicionalmente se dice que los botones metálicos auguran invitaciones, posiblemente porque son propios de la ropa militar y durante muchos años esta profesión era socialmente muy bien vista. Los botones de madera aseguran el éxito en el trabajo y los de metales preciosos o semipreciosos, en cambio, indican tendencia al despilfarro.
Si el botón es de nácar indica que se harán viajes y que habrá sorpresas muy agradables en un futuro próximo. Si están forrados de tela, pueden denotar ocultamiento de intenciones por parte de quien los lleve en sus prendas.

Boutique

Las boutiques, como lugares donde comprarse ropa para cubrirse, simbolizan la necesidad de pasar desapercibidos.
Si soñamos que nos compramos ropa en una boutique, quiere decir que somos tímidos y queremos escondernos a los ojos de los demás, sobre todo si el sueño nos provoca ansiedad o angustia.
Vender en una tienda de este tipo, en cambio, denota una tendencia o gusto por la crítica.

Bóveda

Por la forma que ofrece su arquitectura, las bóvedas representan el útero materno, de modo que si en el sueño nos encontramos en el interior de una de ellas, las cosas que allí sucedan o los sentimientos que nos generen tendrán mucho que ver con la relación que tenemos con nuestra madre.
En caso de que la bóveda tuviera elementos claramente religiosos, el sueño

puede constituir una llamada espiritual, una invitación a la reflexión sobre nosotros mismos o la incitación a un cambio de vida.

Bovino

Véase BUEY, TORO, VACA.

Boxeo

Una actividad en la que priman los golpes dentro de un entorno controlado, con sus normas y reglas, sólo puede simbolizar el control de la propia agresión.
Si asistimos a un combate de boxeo quiere decir que la violencia no nos asusta pero que no la ejercemos, a menos que nuestra vida o la de otra persona corra serio peligro.
Si somos nosotros quienes boxeamos significa que nuestro instinto de lucha está muy desarrollado, pero que lo tenemos bajo dominio.

Bozal

Simboliza aquellas normas de educación o urbanidad que nos impiden decir la verdad crudamente.
Si en el sueño vemos un animal que lleva un bozal, quiere decir que nos gustaría dejar claras unas cuantas cosas pero que, por miedo a herir a los demás o de resultar desagradables, hemos preferido callarlas.
Si le ponemos un bozal a un perro significa que estamos haciendo esfuerzos enormes por callar lo que sería indiscreto decir.

Bozo

El vello que cubre el labio superior antes de nacer la barba se presenta en la pubertad, por ello simboliza esta etapa de la vida.
Si siendo hombre, en el sueño observamos nuestra propia imagen con bozo quiere decir que añoramos ese período, que nos gustaría volver a él para disfrutar de cosas que ya no tenemos. En el caso de que quien lo sueñe sea mujer, las imágenes muestran los temores que, en dicha etapa, se han tenido con relación al sexo o a la posible indefinición sexual.

Bragas

El significado del sueño depende del sexo de la persona que lo tenga.
Si un hombre sueña con bragas ello es índice de excitación sexual.
Cuando quien sueña es una mujer, indica que tiene necesidad de ocultar lo atraída que se siente por otra persona.
Si las bragas están colgadas en una cuerda, puestas a secar, eso muestra que se tiene una relación afectiva sana, sin problemas ni ocultamientos de ningún tipo.

Braguero

Estos vendajes están destinados a contener las hernias o quebraduras. Simbolizan los elementos o personas en los que nos apoyamos a la hora de tener que hacer un esfuerzo extraordinario. Dicho esfuerzo no tiene por qué ser dramático; a veces se trata de la preparación de una boda, de un examen difícil, de una mudanza, etc.

Bragueta

La abertura delantera que tienen los pantalones masculinos está, obviamente, relacionada con su aparato reproductor.
Si es una mujer quien la ve en sueños, indica excitación sexual.
Si es un hombre y el sueño es perturbador, puede aludir a trastornos en la próstata.

Brasero

El elemento fuego se relaciona con la voluntad y la capacidad creativa y las brasas son objetos incandescentes que, si bien no presentan llama, sí dan un gran calor que se mantiene durante mucho tiempo. Los sueños en los que aparecen braseros indican que nos preocupa mucho

la disciplina interior. Si en el brasero el carbón aún no ha sido encendido, significa que nuestro momento de mayor creatividad aún no ha llegado; que nos quedan cosas muy importantes por hacer.
Si las brasas están encendidas y el ambiente es invernal, quiere decir que sabemos mantener nuestra voluntad, nuestras energías, aun en los momentos más difíciles.
Si nos quemamos con un brasero, eso indica que estamos siendo excesivamente duros con nosotros mismos, que una disciplina demasiado rígida puede bloquear nuestra capacidad creativa.

Brazos

Las extremidades superiores son las que nos permiten hacer la mayoría de las actividades, de ahí que su significado esté relacionado en general con la productividad.
Si nos soñamos con brazos excepcionalmente fuertes quiere decir que sabemos trabajar duramente, que no nos incomodan los desafíos.
Una herida en un brazo puede indicar que nos han herido en nuestro orgullo, que nos consideran incapaces o que no nos dejan hacer las cosas a nuestro modo, cosa que nos irrita.

Véase ABRAZAR.

Brea

Esta sustancia negra, pegajosa, que se obtiene de las coníferas, tiene diversos usos medicinales. Sin embargo, en el lenguaje coloquial, brear quiere decir maltratar, de ahí que el significado simbólico de este elemento esté relacionado con la agresión.
Si utilizamos brea en el sueño es porque nos sentimos ofendidos y estamos dispuestos a vengarnos. Las manchas de brea simbolizan los arrebatos de furia que hayamos tenido en público, de los cuales nos sentimos avergonzados.

Bridas

Por lo general, sobre todo si en el sueño también está presente algún caballo, indican un próximo viaje.
Si le colocamos las bridas al animal quiere decir que nos preparamos para ir a otra ciudad, seguramente por motivos de negocios.
El hecho de quitárselas puede ser considerado como necesidad de retrasar un viaje muy esperado.

Brillante

Esta piedra preciosa que se origina tras la talla del diamante, es la más dura del reino mineral. Simboliza aquello que, tras años de trabajo y disciplina, se logra con uno mismo; por lo tanto, soñar con ella augura un éxito seguro.
Si nos regalan un diamante quiere decir que nos reconocerán los méritos. Estos sueños son muy importantes para las personas que desarrollan actividades artísticas y que dependen, en gran medida, de la aceptación del público.

Brillantina

Esta preparación cosmética tiene por objeto dar brillo a los cabellos. Como éstos se relacionan con la sensibilidad, con la capacidad mediúmnica y la percepción extrasensorial, el hecho de darse brillantina simboliza los ejercicios o actitudes que tienen como fin desarrollar estos talentos.
Si nos vemos en el sueño con brillantina en el pelo quiere decir que tenemos una gran capacidad paranormal.

Brindis

La finalidad de los brindis es desear un buen futuro a todos los que comparten el vino o la bebida que se esté utilizando. En sueños indica que deseamos algo bueno para esas personas.

Brisa

Véase VIENTO.

BRIZNA

Las briznas de hierba simbolizan el amor y el respeto por la naturaleza.
Si tenemos una entre las manos, quiere decir que necesitamos, a cada tanto, salir al campo y respirar aire puro.

BROCA

Se utiliza para hacer agujeros, para crear en la materia sobre la que se trabaje, un espacio vacío.
Simboliza las actitudes que a menudo se toman para transmitir a la pareja que se quiere dejar la relación o para intentar que sea ésta la que ponga punto final.
Si vemos en sueños utilizar la broca a otra persona, debemos pensar que, por alguna razón, quiere distanciarse de nosotros pero que en el fondo se siente culpable por ello. Lo mejor, en estos casos, es hablar con ella para aclarar cualquier posible malentendido.

BROCADO

En estas telas, los hilos de algodón, seda o lana se entretejen con otros de oro y plata, lo cual les confiere un aspecto suntuoso.
Si nos vemos vestidos con ropas confeccionadas con este material quiere decir que vamos a tener un golpe de suerte, que en un futuro próximo recibiremos un dinero que no esperamos.
Si es otra la persona que lleva ropas hechas con brocado, eso indica que nos puede ayudar a entrar en contacto con una persona por la que nos sentimos sumamente atraídos.

BROCAL

El brocal de un pozo representa la puerta de acceso a una institución, a una casa o a cualquier otro lugar al que deseemos entrar sin estar seguros de que nos esté permitido hacerlo. Por ejemplo, podría ser el despacho de un juez con el que quisiéramos hablar, la puerta de una discoteca o de un club privado, etc.
Si en el sueño el brocal adquiere importancia, quiere decir que lograremos nuestro propósito. Si la sensación que tenemos es de ansiedad o angustia, quiere decir que, tras acceder a ese lugar o persona tan deseada nos sentiremos decepcionados.

BROCHA

Como elementos que sirven para embellecer las paredes o cualquier tipo de superficie, las brochas de pintor simbolizan el mejoramiento de la propia imagen.
Si en sueños nos vemos utilizando una quiere decir que, gracias a los comentarios de una persona amiga, la imagen que tengan de nosotros mejorará increíblemente.
Las brochas de afeitar, en cambio, anuncian conflictos familiares, sobre todo de aquellos en los cuales intervienen los parientes políticos.

BROCHE

La tradición enseña que si soñamos con un broche quiere decir que alguien intentará engañarnos, probablemente en asuntos económicos. De manera que es conveniente no fiarse de los extraños a la hora de realizar un negocio que prometa ser interesante.

Véase JOYAS.

BROCHETA

En las brochetas se combinan alimentos de diferentes tipos (carne, pollo, algunas verduras e, incluso, frutas), por lo general previamente adobados.
Representan a nuestro círculo social en el cual encontramos personas con distintas ideas, con diferentes formas de ser.
Cuantos más elementos veamos en los pinchos, más amplio será el círculo en el que nos movamos. Si la brocheta sólo contiene un tipo de alimento (por ejemplo, carne) quiere decir que nos cuesta mucho aceptar gente que no tenga ideas que coincidan con las nuestras.

Bromear

En toda broma hay engaño. Quien hace la broma se aprovecha de la ingenuidad de quien la recibe a fin de provocar la hilaridad de los presentes.

Si en sueños hacemos bromas quiere decir que intentamos comunicarnos con los demás, pero sentimos mucho miedo a ser rechazados; por eso utilizamos el humor, como medio menos comprometido para lograrlo.

Si somos nosotros quienes las recibimos, eso indica que tenemos un carácter afable y abierto.

Bronce

Esta aleación de estaño con cobre, que a veces contiene algún otro mineral, es de color dorado. Confiere gran belleza a los elementos que se fabriquen con él. Sin embargo, no es apreciado como el oro y está al alcance de cualquier bolsillo. Se suele utilizar, entre otras cosas, para fabricar campanas, ya que tiene una gran sonoridad.

Por su dureza, representa el carácter firme; por su brillo, el pensamiento agudo y oportuno.

Si soñamos con este material quiere decir que tenemos, a los ojos de los demás, un gran atractivo. Nuestro interior se refleja en nuestros gestos y palabras y eso hace que en ningún lugar pasemos inadvertidos, aunque tal vez nosotros aún no lo sepamos o no seamos conscientes de ese atractivo.

Bronceador

La principal función de este cosmético es proteger nuestra piel de los rayos nocivos del Sol; por lo tanto, en sueños, significa que estamos expuestos a falsos maestros, a personas que nos pueden deslumbrar con su facilidad de palabra y su conversación aparentemente filosófica pero que, en el fondo, son charlatanes que buscan aprovecharse de nuestra ignorancia o ingenuidad.

Bronquios

El hecho de que los bronquios aparezcan en un sueño puede deberse a que estemos padeciendo un catarro y sintamos una molestia real en ellos.

En los fumadores, estos sueños pueden ser una advertencia: la manera en que el inconsciente nos recuerda que no damos el cuidado necesario a esta parte del organismo.

Brote

Los brotes simbolizan los hijos y las obras que realizamos.

Ver una planta con muchos brotes es símbolo de creatividad.

En caso de que el brote apareciera en una rama seca, en una estaca, eso indicará que realizaremos algo muy importante a una edad avanzada.

Bruja/brujo

En las leyendas y cuentos infantiles, las brujas se muestran como personas que utilizan poderes extraordinarios para hacer el mal.

Si nos vemos haciendo este papel en un sueño o consultando a una bruja, eso indica que tenemos mucho miedo a que nuestros deseos de venganza se cumplan, que nos sentimos tentados de provocar daños a otras personas pero que, a la vez, eso nos crea muy mala conciencia.

Si somos hechizados o amenazados en este sentido por una bruja, el sueño deberá considerarse como una advertencia. Aunque siempre debemos procurar ser educados y jugar limpio con los demás, cuando nos topamos con personas tramposas, que utilizan cualquier medio para vencernos o humillarnos, es lícito dejar parte de nuestra educación de lado y castigarles con la ayuda de la ley y la justicia.

Brújula

Simboliza a toda persona de la cual podamos recibir consejos útiles y sabios.

Si la brújula se rompe o se pierde, quiere decir que, a pesar de consultar a quien nos puede ayudar, terminamos por no hacer caso de sus advertencias. Cuando esto ocurre, sólo nosotros somos culpables de nuestro destino.
Usar una brújula para encontrar el camino indica que tenemos la suficiente paciencia como para analizar los problemas antes de decidir la acción a tomar. Ello, sin duda, augura éxito en todo lo que emprendamos.

Bruma

Normalmente recibe este nombre la niebla que se forma en las cercanías del mar, como producto de la evaporación del agua. Simboliza de modo general la infidelidad y cualquier tipo de engaño o traición de la pareja.
Si nos encontramos en el sueño a orillas del mar y en medio de la bruma, quiere decir que estamos siendo engañados por nuestra pareja, que, al menos en sus fantasías, si no físicamente, nos engaña con otra persona.
Cuando percibimos la bruma desde un barco, significa que no nos sentimos a gusto en la relación, que pasamos por un período de confusión y distanciamiento.

Bruñir

Véase PULIR.

Bucanero

Los bucaneros simbolizan a las personas que, por medio de manipulaciones, consiguen que actuemos en su favor. Su presencia en un sueño indica que un amigo intenta utilizarnos usando sus armas de seducción.

Bucear

El elemento agua está asociado con la sensibilidad, con las emociones; por eso el acto de bucear simboliza la toma de contacto con nuestros sentimientos más profundos y más secretos. Cuando en el sueño nos vemos buceando, eso indica que sabemos enfrentarnos valientemente con nuestras emociones, que no nos asusta el sentir ira u odio sino que, analizando estas emociones, podemos encauzarlas y convertirlas en sentimientos positivos.
También puede mostrar que sabemos manejar nuestros traumas infantiles, que comprendemos profundamente la naturaleza humana y que preferimos pasar un momento de dolor al tomar conciencia de ellos pero que elegimos este camino en lugar de acarrear rencores profundos durante toda la vida.

Véase AGUA, MAR, OCÉANO.

Bucle

Las líneas onduladas, las formas curvas, se relacionan con el universo femenino.
Los bucles indican una tendencia al misticismo, a teñir la realidad de connotaciones sobrenaturales y a eludir el pensamiento racional.
Si en las secuencias del sueño aparecemos con bucles, eso indica que no tenemos los pies sobre la tierra, que a cada cosa que acontece le damos un toque fantástico exagerando su importancia.

Buey

Es símbolo de sacrificio, sufrimiento, paciencia y trabajo.
Los bueyes que aparecen en los sueños, a menudo constituyen advertencias del inconsciente para que abandonemos la vida disipada y frívola que estamos llevando.
Los bueyes blancos, que los triunfadores romanos inmolaban al dios Júpiter, constituyen un augurio de victoria y prosperidad.
Si nos vemos atacados por un buey, quiere decir que un compañero de trabajo, más esforzado que nosotros, conseguirá el puesto que anhelamos.

Búfalo

Véase BISONTE.

Bufanda

Se usa para proteger el cuello, la zona que une la cabeza con el cuerpo. Simboliza los procesos de integración de cuerpo y mente.

Si la bufanda es de calidad y está en buen estado, significa que poseemos una gran armonía interior.

En caso de que la bufanda estuviera deteriorada, quiere decir que estamos interiormente descompensados, ya sea porque somos racionalistas a ultranza y no damos el debido lugar a la sensibilidad, o porque nos guiamos exclusivamente por el corazón sin hacer ningún análisis racional de los acontecimientos.

Bufete

Véase ABOGADO.

Bufón

Si bien los bufones eran los que hacían reír a los reyes y nobles en las fiestas, también eran los que solían hacerles ácidas críticas, siempre contando con el sentido del humor, de ahí que simbolicen nuestros defectos.

Aquellas cosas que el bufón diga en sueños, mostrarán cuál es nuestra parte negativa que es percibida por los demás.

Si el personaje permaneciera callado, haciendo cabriolas o contorsionando su cuerpo, debemos interpretar que si queremos prosperar, nos conviene cambiar nuestra manera de vestir, ya que es muy poco elegante.

Ver a una persona conocida convertida en un bufón significa haberle perdido todo el respeto.

Buhardilla

Es la ventana que asoma en los tejados para iluminar el desván y representa la curiosidad que podemos sentir acerca de la vida ajena.

Si nos asomamos por una buhardilla quiere decir que nos gusta el cotilleo, que siempre estamos atentos, mirando lo que hacen los demás.

Si nos caemos por una de estas ventanas, significa que seremos descubiertos en esta afición. Si quien se cae es otra persona, es necesario que prestemos atención a nuestro entorno porque hay una persona que está contando cosas de nuestra vida.

Búho

En los cuentos y leyendas infantiles, los búhos son los animales sabios del bosque. En la realidad, son aves rapaces que cazan de noche.

Si el búho que vemos en sueños nos observa y se mantiene quieto, quiere decir que recibiremos la visita de una persona muy especial, que nos dará excelentes consejos.

Si levanta el vuelo, indica que alguien nos utilizará con el fin de provocar daños a una tercera persona.

Buitre

Estas rapaces, de cuerpo grande y con una notable envergadura, no son cazadoras sino que se alimentan de carroña, de animales muertos.

En sueños, simbolizan la ocasión de aprovecharse de alguien que ha caído, a quien le han ido mal las cosas.

Si vemos que un buitre nos ronda, es señal de que un compañero de trabajo está esperando a que cometamos algún error para reclamar nuestro puesto o parte de nuestras obligaciones.

Si está quieto o en su nido, es señal de que aunque sepamos que podemos aprovecharnos de los errores ajenos para ascender, no estamos dispuestos a hacerlo porque lo consideramos una bajeza o un acto moralmente reprochable.

Véase AVES.

Bujía

Las bujías se utilizan para hacer saltar la chispa que encienda un motor de combustión interna. Son las que, en definitiva, hacen que éste se ponga en marcha.
En nuestros sueños simbolizan los acontecimientos, ya sean afortunados o lamentables, que nos impulsan a avanzar en la vida.
Si soñamos con bujías quiere decir que todo aquello que estamos viviendo, por desagradable que nos parezca, será lo que nos ayude a tomar conciencia de nuestro talento.

Bulbo

En los bulbos se almacenan las sustancias nutritivas de la planta, aquello que dará origen a un nuevo ejemplar.
En los sueños, simbolizan la mezquindad y la ambición.
Si guardamos bulbos en algún recipiente o cajón quiere decir que somos muy poco generosos, que tenemos mucho más de lo que necesitamos pero que no estamos dispuestos a compartirlo con los demás.
Si los plantamos, es señal de que tenemos una ambición desmedida.

Bulevar

Los bulevares simbolizan nuestra trayectoria.
Si en el sueño caminamos por un bulevar lleno de árboles sanos y floridos, significa que estamos conformes con la vida que nos ha tocado y que, en el presente, las cosas marchan a nuestro gusto.
Si los árboles del bulevar están sin hojas, si el ambiente es invernal, quiere decir que si bien nuestros asuntos no marchan como es debido, confiamos en que pronto lleguen épocas mejores.
En caso de que los árboles estuvieran enfermos o tronchados, la visión que tenemos sobre nuestra vida es trágica, consideramos que es injusto lo que nos ha tocado pasar.

Bulto

Si en sueños encontramos un bulto en nuestro cuerpo es señal de que tenemos algún órgano que no funciona correctamente. Esto no quiere decir que padezcamos una enfermedad grave sino que debemos hacer una vida más sana, tener una alimentación y descanso correctos.
En caso de encontrarnos con un bulto por la calle, eso indicará que próximamente recibiremos una visita que nos provocará disgustos.

Bumerán

Esta arma arrojadiza fabricada por los indígenas de Australia tiene, por su forma, la peculiaridad de volver al lugar desde el cual ha sido lanzada. Simboliza los castigos que sutilmente nos inflingimos para aliviar nuestra conciencia después de haber cometido un acto condenable.
Si somos nosotros quienes lanzamos el bumerán, significa que estamos dispuestos a causar daño a otra persona sin importarnos las consecuencias que ello nos pudiera acarrear.

Buque

Los grandes barcos indican tramos importantes de nuestra vida, empresas que serán las que definan, en cierta manera, nuestro futuro.
Si nos vemos a bordo de uno de ellos, quiere decir que lo que estemos haciendo ahora repercutirá en las posibilidades que tengamos más adelante, de modo que es necesario poner en la tarea la máxima atención.
Despedir un buque desde la orilla significa dejar pasar una oportunidad, por miedo a no poder responder adecuadamente a las expectativas de quienes nos la ofrecen.

Burbujas

Simbolizan las aspiraciones, los sueños, la fantasía y, en ocasiones, el rechazo a ver la realidad tal y como es.

Jugar con burbujas en un sueño es un síntoma positivo, ya que indica nuestra capacidad para soñar pero, al mismo tiempo, denota que tenemos un fuerte sentido de realidad.
Ver una construcción en forma de burbuja señala que sólo tenemos en cuenta aquellas cosas que nos parecen agradables, que rehuimos percibir los aspectos de la realidad que nos provocan dolor. Esta negación hace que no tengamos los suficientes elementos para evaluar cada situación que nos toca vivir, con lo cual nos vemos abocados a cometer errores constantemente.

Burdel

Véase PROSTITUTA.

Buril

Este agudo instrumento de acero sirve para grabar metales. Representa el razonamiento certero y agudo, la capacidad de convencer y de enseñar.
Si utilizamos en sueños un buril quiere decir que, después de muchos intentos, lograremos hacer entender, a una persona muy tozuda, nuestros puntos de vista. Es bastante posible que dicha persona sea nuestra actual pareja.
En caso de que el buril lo utilizara otra persona, será señal de que seremos criticados por alguien cuya lengua es extremadamente afilada.

Burladero

Si en el sueño nos escondemos tras un burladero, significa que acostumbramos a tirar piedras y esconder la mano. Que tenemos una actitud agresiva con los demás pero que, cuando éstos reaccionan, negamos nuestro comportamiento o echamos las culpas a otros.

Burocracia

Si en un sueño nos vemos inmersos en la burocracia, si tenemos que ir de un lado a otro rellenando papeles, presentándolos ante diversos funcionarios, es señal de que no tenemos muy claras las ideas ni la forma de conseguir lo que queremos. Ello es debido a que nos vemos sujetos a normas y principios que nos han inculcado en la infancia pero que, en la edad adulta, no hemos revisado convenientemente.

Burro

Como animal de carga representa el esfuerzo, el sacrificio. Sin embargo, los burros son célebres por su ignorancia y necedad, de modo que según sea el contenido general del sueño, se deberá tomar una u otra acepción.
Ir montados en un burro significa no querer aceptar lo que otro, con su razonamiento, nos está demostrando.
Si llevamos al burro por las bridas y sobre su lomo hay una pesada carga, quiere decir que estamos agobiados, pero que aún no tenemos fuerzas como para rebelarnos y cambiar la situación.

Busto

Los bustos son esculturas o pinturas en los que se representa la cabeza y la parte superior del tórax. Al ser inexistente el resto del cuerpo, simbolizan la represión sexual, la negación de lo instintivo.
Si vemos un busto con nuestra imagen, quiere decir que tenemos una idea sucia con respecto al sexo, que no podemos gozar ampliamente de los encuentros íntimos. Cuando se tienen sueños de este tipo, es conveniente visitar a un profesional que nos ayude a superar las inhibiciones.
Si el busto corresponde a otra persona, ello indica que intuimos que nos quiere proponer una relación íntima pero que le rechazaremos porque no nos sentimos en absoluto atraídos por ella.

Butaca

Si soñamos que ocupamos la butaca de un cine o un teatro quiere decir que

preferimos el papel de observadores al de actores. Que, en la vida cotidiana, dejamos que los demás resuelvan y que, la mayor parte de las veces, intentamos pasar desapercibidos.
Ver una sala con todas las butacas vacías puede ser indicio de soledad o aislamiento.

Butanero

En el habla coloquial, en los chistes, se habla del butanero como del hombre que ocupa en el lecho el lugar del marido cuando éste está trabajando. Por ello es un símbolo de infidelidad, sobre todo si ésta es cometida por una mujer.
En los sueños femeninos se considera la presencia del butanero como la fantasía de tener relaciones sexuales con alguien que no es la propia pareja.
En los masculinos, simboliza la sospecha de ser engañados y los celos.

Butano

Oler butano en el sueño indica que nos estamos acercando a una situación potencialmente peligrosa en la que las discusiones de pareja pueden desembocar en una ruptura.

Véase BOMBONA.

Buzo

Los buzos se sumergen en las aguas con un traje aislante. Además, mantienen contacto con la superficie a través de una goma que les aporta oxígeno y una cuerda que sirve para izarlos.
Como el agua está relacionada con los sentimientos y emociones, los buzos simbolizan la prevención contra éstos, la tentación de dar rienda suelta a nuestra sensibilidad y las precauciones que tomamos para que ésta no nos cause dolor.
Si en el sueño bajamos con escafandra al fondo del mar y ahí encontramos un tesoro o un barco hundido, será señal de que daremos un gran paso en el conocimiento de nosotros mismos y que éste nos proporcionará una gran paz espiritual.

Buzón

Los buzones, al igual que las estafetas de correo, recogen cartas y escritos de todo tipo de personas; sin embargo, no toman constancia del contenido de éstas. Por ello simbolizan la discreción, el respeto por la intimidad ajena.
Como también son elementos esenciales en la comunicación a distancia, la presencia de un buzón en sueños puede indicar que nos pondremos en contacto con personas de las que hace tiempo que no tenemos noticias.
Si echamos una carta al buzón quiere decir que preferimos dejar clara constancia de nuestros actos, que no nos fiamos de la palabra como elemento de compromiso.

C

Cábala

Este sistema judío de interpretación de las sagradas escrituras, con el tiempo fue utilizado para adivinar hechos futuros.
Ver un cabalista en sueños o seguir su sistema con el fin de conocer qué nos va a suceder, es señal de que nos encontramos interiormente perdidos, que no sabemos qué queremos aunque no estemos satisfechos con lo que tenemos y hacemos.
Si alguien acude a nosotros con ese fin, quiere decir que nuestros consejos resultan muy útiles a las personas que nos rodean.

Cabalgar

Véase JINETE.

Cabalgata

Las cabalgatas de carnaval simbolizan los placeres fáciles, la pérdida de control sobre el instinto. Soñar con ellas debe servir de advertencia: si descuidamos nuestro interior, llegará el momento en que nos sintamos vacíos.

CABALLA

Este pez simboliza la sumisión. Si lo vemos o comemos en sueños quiere decir que nos están explotando y no nos damos cuenta de ello.

CABALLERÍA

La caballería de un ejército simboliza, en sueños, un grupo de personas que tienen hacia nosotros una manifiesta hostilidad. Puede tratarse de un grupo de vecinos, de compañeros de trabajo o de personas de la familia.

En caso de ver un ataque producido por la caballería, debemos estar precavidos, ya que podemos ser víctimas de personas que, en conjunto, intentarán provocarnos algún daño.

CABALLERIZA

Las caballerizas simbolizan nuestros recursos para defendernos de las personas agresivas. Si las que vemos en el sueño están vacías, indica que nos dejamos avasallar, que tenemos miedo a causar daño.

Si en ellas hay hermosos caballos, es señal de que sabemos poner los límites a quienes pretenden atropellarnos.

CABALLERO

Los caballeros eran personas armadas que defendían un reino o territorio. Los sueños en los que intervienen, aluden a la necesidad de defender nuestra casa o nuestras posesiones.

Si en las imágenes somos armados caballeros, quiere decir que tendremos conflictos con nuestros vecinos, con el casero o con algún inquilino y que, posiblemente, debamos llevar el asunto a los tribunales.

En caso de trabar relación con un hombre que tenga unos marcados modales de caballero, debemos interpretar que conoceremos a una persona influyente que nos dará claves para prosperar.

CABALLO

El simbolismo del caballo es complejo, ya que se trata de uno de los animales más utilizados a la hora de presentar atributos humanos o partes de otros animales: Pegaso, o el caballo alado; el fabuloso unicornio o el centauro, cuyo cuerpo es mitad hombre y mitad equino.

En los ritos antiguos, los caballos ocuparon un lugar importante: los rodios, por ejemplo, sacrificaban anualmente una cuadriga empujándola al mar.

Como este animal estaba dedicado a Marte, su presencia se relaciona con la guerra. También es importante señalar que en las antiguas leyendas los caballos prevenían a los caballeros que los montaban de los peligros que podían acecharles. No olvidemos que, aún hoy, las herraduras son consideradas amuletos que nos protegen de las fuerzas negativas.

El sueño deberá ser analizado teniendo muy en cuenta las emociones que suscite y el tono emocional que presente. Si en las imágenes aparecen caballos salvajes galopando en una pradera, por ejemplo, lo natural es pensar en él como símbolo de instinto.

Si es un caballo de competición, representará nuestra capacidad de lucha e, incluso, de agresión. Otro tanto puede decirse de los caballos de ajedrez, ya que este juego simula una batalla.

Véase JINETE.

CABAÑA

Las casas de campo, pequeñas y hechas con troncos y techo de paja simbolizan los comienzos de la vida social y laboral.

Si estamos dentro de una cabaña, quiere decir que aún no hemos despegado, que no hemos tomado conciencia de todo lo que podemos dar de nosotros mismos y que nos mantenemos en el mismo punto en que hemos comenzado.Ver una cabaña desde fuera indica que hubo un error en la elección de la actividad profesional, de la carrera que se ha seguido y que hay un fuerte deseo de emprender un camino diferente. Si la cabaña se encuentra en buenas condiciones, será señal de que estamos preparados para ello y que, cuanto antes comencemos la nueva andadura, más felices seremos.

Cabaré

Los espectáculos que se ofrecen en estos lugares, son más bien frívolos y aluden al sexo o al erotismo.
Si nos encontramos en uno de estos locales quiere decir que tenemos una visión natural y amplia acerca de las relaciones sexuales.
Si participamos en el espectáculo, es señal de que nos gusta exhibir nuestro cuerpo, ser admirados y despertar la atracción sexual de los demás.

Cabellera

Los cabellos, aunque estén compuestos por células muertas, son una manifestación energética. Esto se pone claramente de manifiesto en la historia de Sansón, quien pierde sus fuerzas cuando le cortan la cabellera.
Para los hindúes, las cabelleras abundantes representan la fuerza vital y la alegría de vivir.
Los cabellos castaños simbolizan la fuerza material, las energías oscuras. Los rubios, en cambio, están emparentados con la energía solar y luminosa.
Para muchos autores, representan sus bienes espirituales, de modo que si se sueña a uno mismo con abundante cabellera eso será una señal de que la senda espiritual que se ha tomado es la correcta, que hay una elevación y comunión con Dios.
Perder los cabellos es símbolo de fracaso y pobreza en tanto que cuidar los cabellos, peinarlos o cepillarlos, se entiende como un avance en el desarrollo de las facultades paranormales.

Cabestrillo

Si en sueños nos vemos el brazo en cabestrillo, debemos tomarlo como una advertencia. Por mucho que quisiéramos hacer, no es el momento de actuar sino de aguardar nuevos acontecimientos.
Si es otra persona quien tiene el brazo lesionado, deberemos interpretar que tenemos un alto concepto acerca de nuestra capacidad de trabajo y pobre sobre la de los demás.

Cabestro

Si llevamos un caballo por el cabestro, quiere decir que tenemos un pleno dominio sobre nuestras emociones negativas a pesar de que una persona intenta que perdamos los nervios.

Cabeza

Es el lugar desde donde se controla todo el cuerpo, como si dijéramos nuestra torre de mando. Es también donde se aloja el órgano responsable del pensamiento y de las emociones. Por ello simboliza la mente y la vida espiritual.
Si en el sueño vemos una cabeza separada del cuerpo, quiere decir que damos una excesiva importancia a las ideas en tanto que tendemos a rechazar el mundo de los sentimientos. Esta posición excesivamente racional provoca un desequilibrio interior que, a la larga, puede tener como consecuencia un sentimiento de vacío y frustración.
Herirnos en la cabeza significa tener un problema que nos empeñamos en resolver.
A la hora de interpretar el papel de la cabeza que aparezca en un sueño, se debe prestar atención a los gestos que ésta pueda hacer o a las palabras que pueda pronunciar. Éstos nos darán más elementos para hacer un análisis en profundidad.

CABEZUDO

Estas figuras que se pasean por las calles en algunas fiestas populares representan el miedo que se vivía en la infancia y adolescencia frente a la inminencia de un examen.
Si soñamos con ellos quiere decir que en un futuro inmediato se nos presentará una prueba difícil y que, en gran medida, nuestro bienestar dependerá de lo airosos que salgamos de ella.

CABILDO

Véase AYUNTAMIENTO.

CABINA

Hay diferentes tipos de cabina, y cada una de ellas tiene su propio significado.
En general, a la hora de analizar la cabina que aparezca en un sueño, deberá tenerse en cuenta la actividad que en ella se realice.
Por ejemplo, las cabinas de teléfonos simbolizan las relaciones afectivas o amorosas que preferimos mantener en secreto. Por lo tanto, si nos encontramos en el sueño dentro de una de ellas, quiere decir que, o bien mantenemos un romance de este tipo, o nos surgirá en poco tiempo.
Las cabinas de los aviones, en cambio, simbolizan el control (a modo de piloto) que pretendemos ejercer sobre las ideas de las personas que forman nuestra familia.

CABLE

Los cables transmiten energía eléctrica y en los sueños simbolizan los nervios, que son los que se ocupan de llevar la energía nerviosa desde los órganos del sistema nervioso central a todo el cuerpo y viceversa.
Si soñamos con que un cable está en mal estado, quiere decir que tenemos algún pequeño problema neurológico o que tenemos un sistema nervioso sensible.

CABO

Si soñamos con un militar que tenga esta graduación, quiere decir que no debemos conformarnos con nuestro puesto de trabajo, que podemos aspirar a más.

CABRA

Es uno de los doce animales sagrados de la antigua China, venerado por los griegos, ya que no sólo constituía la base de su alimentación, sino que Zeus había sido amamantado por una cabra.
Aunque para el catolicismo este animal ha sido repudiado, y de hecho al demonio se lo representa con patas, cola y cuernos de macho cabrío, su presencia en un sueño es un buen augurio.
En general, simboliza la habilidad para escapar a cualquier peligro, por ello, si aparece entre las imágenes oníricas, quiere decir que tendremos la habilidad de esquivar una situación enojosa o delicada.

CABRACHO

Los sueños en los que aparecen estos peces indican que tenemos una gran habilidad para averiguar secretos ajenos.

CABRESTANTE

Estos dispositivos mecánicos tienen por objeto multiplicar la fuerza para mover pesos. En sueños indican que estamos inmersos en una lucha estéril que sólo nos hace perder energías.

CABRIOLA

Este ejercicio, que implica gran plasticidad corporal y que es más propio de los niños, simboliza la alegría.
Si en sueños hacemos cabriolas quiere decir que muy pronto tendremos una gran noticia: la confirmación de que algo muy anhelado se va a cumplir.
Si las cabriolas son hechas por otra persona, eso indica que en la familia se producirá un acontecimiento extraordinario que alegrará a todos.
Si la persona que hace cabriolas está

enferma, el sueño señala que tendrá una pronta recuperación.

CABRIOLÉ

Véase CARRUAJE.

CABURÉ

Esta pequeña ave, de la misma familia que las lechuzas, es quizás la más utilizada por los magos y hechiceros. Se dice que sus plumas traen suerte o protegen de los peligros.
Soñar con ella indica que tenemos la capacidad para defendernos de aquellos que, por medios esotéricos, pretenden causarnos daño.

CACAHUETE

Muchos pueblos los usan para cubrir las necesidades alimentarias y, también, para obtener aceite. En sueños, simboliza el ahorro, los pequeños sacrificios económicos que, a la larga, permiten hacer gastos más importantes.
Comer cacahuetes en sueños puede constituir una advertencia: tal vez estemos demasiado acostumbrados a darnos todos los caprichos y sería aconsejable que aprendiéramos a prescindir de ellos, a postergar, en definitiva, la satisfacción de los deseos. Ello dará otro sentido a todo lo que hagamos.

CACAO

Los aztecas creían que Quetzalcoatl, la serpiente emplumada jardinera del paraíso, envió desde el cielo la semilla del cacao a los hombres y les enseñó a cultivar el árbol. En la América precolombina, este fruto no sólo se utilizaba como bebida ritual sino, también, como moneda; de ahí que tenga una clara relación con el dinero.
La bebida preparada con cacao, es decir, el chocolate, estaba destinado sólo al emperador, la nobleza, los guerreros y comerciantes y era considerada la bebida de los dioses.
Hace relativamente pocos años se ha descubierto que el cacao favorece la producción de las hormonas de placer. El hallazgo se produjo cuando dos médicos observaron que los pacientes ingresados por depresión o por padecer un estado de tristeza y melancolía provocado por rupturas amorosas, comían grandes cantidades de chocolate.
Es indudable que nuestro organismo conoce estas cualidades del cacao, por lo que un sueño con este producto podría tener como fin el forzar a nuestro organismo a producir endorfinas a fin de elevar nuestro estado de ánimo.
Soñar que bebemos chocolate puede indicar que nuestros asuntos económicos estarán en alza, que tenemos la oportunidad de hacer grandes negocios o de ganar, por diversos medios, grandes sumas de dinero.

CACAREO

Con esta voz, propia de las gallinas, se designa el afán de hacerse propaganda a uno mismo, de enumerar las buenas acciones realizadas o los éxitos obtenidos.
Si en sueños oímos el cacareo de las gallinas, quiere decir que debemos ser menos humildes y hacernos valer ante nuestros jefes y compañeros de trabajo.

CACATÚA

Esta ave simboliza la fidelidad matrimonial; sobre todo la del hombre hacia su mujer. Por lo tanto, si soñamos con una cacatúa en un momento en el cual sospechamos que nuestra pareja nos sea infiel, su imagen deberá aportarnos tranquilidad, asegurarnos de que tenemos una percepción equivocada de ciertos hechos.

CACERÍA

Aunque el hombre ha tenido que recurrir a la caza para proveerse el alimento, hoy esta actividad ha dejado de ser necesaria y se practica sólo por placer. Como implica

la muerte de los animales, simboliza el sometimiento de los débiles ante los más fuertes.
Si en el sueño participamos en una cacería quiere decir que nos conviene imponer nuestra voluntad, hacer valer nuestra fuerza, aunque para ello tengamos que mostrarnos más enérgicos y exigentes de lo acostumbrado.
En caso de ver cazadores en una montería, sin tomar parte en ella, habrá que interpretar que en el ambiente laboral se producirán cambios importantes que involucrarán la caída de algunos responsables y el ascenso de otros. En este caso la situación sólo nos afectará indirectamente.

CACEROLA

Este utensilio doméstico que se utiliza para cocinar los alimentos simboliza la unión familiar.
Si se sueña con una cacerola vacía, quiere decir que, aun cuando no haya rencillas en la familia, el contacto entre sus miembros es más bien escaso; se respetan unos a otros y se tienen afecto, pero no se cuenta con ellos para las emergencias o las celebraciones.
En caso de que la cacerola contenga alimentos, la familia estará unida por estrechos lazos afectivos.
Si el utensilio estuviera, además, al fuego, eso indicará que en el seno familiar se suscitan emociones fuertes, tanto positivas como negativas, que a menudo hay rencillas entre los miembros pero que eso no altera el afecto y la actitud solidaria de unos hacia otros.
Si los alimentos que contiene la cacerola están en mal estado, por ejemplo, podridos, significa que en la familia se han generado odios, envidias y rencores muy perjudiciales.

CACHALOTE

Véase CETÁCEO.

CACHARRO

Los cacharros son objetos hechos con arcilla, con barro; por ello aluden al elemento tierra y, con él, a la vida instintiva.
Vernos dentro de una cacharrería significa tomar contacto con las emociones negativas o con los deseos más profundos e instintivos.
Los cacharros rotos aluden a la negación que, en ocasiones, hacemos de todo aquello que no nos gusta de nosotros mismos.
El hecho de beber o comer de un cacharro indica que tenemos un buen control sobre nuestra parte instintiva, que sabemos satisfacer sus exigencias sin caer esclavos de la misma.

CACHEMIRA

Soñar con prendas confeccionadas con este tipo de material es señal de que nos gusta hacer ostentación de nuestras posesiones.

CACHETE

Véase BOFETADA, MEJILLAS.

CACTUS

Estas plantas que a veces nos regalan con sus hermosas flores tienen un aspecto exterior agresivo. Según de qué especie se trate, las espinas adquieren grandes dimensiones.
Sin embargo, aunque por fuera sean hostiles, por dentro son sumamente tiernos, ya que contienen grandes cantidades de agua. Por ello representan a las personas que mantienen un aspecto exterior duro, amenazador, pero que tienen un gran corazón y una sensibilidad exquisita.
Si cuidamos de una de estas plantas quiere decir que un familiar muy cercano y querido presenta estas características.
En caso de que nos pinchemos con un cactus, debemos entender que, tal vez sin

querer, hemos hecho daño a una persona que aparenta ser muy fuerte pero que, en el fondo, es muy vulnerable.

Cadalso

Los cadalsos simbolizan, en sueños, los castigos a los que nos hacemos merecedores por nuestras malas acciones. Suelen aparecer cuando se tiene algún cargo de conciencia.
Si vemos un cadalso vacío, significa que estamos a punto de cometer un acto delictivo, deshonroso o injusto y que, posiblemente, en un futuro tengamos que pagar por ello.
En caso de que se esté utilizando el cadalso para ejecutar a otra persona, será índice de que nos rodeamos de quienes no nos aportan más que problemas, que debiéramos elegir mejor nuestras amistades.
Si estamos sobre el cadalso, a punto de ser ejecutados, debemos interpretar que esas imágenes son producto del arrepentimiento, que hemos obrado mal y que necesitamos reparar el error.

Cadáver

Cuando en los sueños aparece un cadáver, éste simboliza una situación que se está deteriorando rápidamente, que está corrupta y amenaza con desestabilizar nuestra vida y la de quienes nos rodean. El ámbito en el cual se enmarque esta situación puede ser el familiar, laboral o sentimental, por lo que será necesario analizar otros aspectos del sueño para obtener una respuesta amplia y precisa.
Lo importante, en todo caso, es tener en cuenta que hay al menos un aspecto de nuestra vida que no sabemos controlar, que se nos ha ido de las manos y que si no le ponemos remedio cuanto antes, lo lamentaremos. Ante este panorama, lo más acertado es hacer un examen de conciencia para detectar los sentimientos negativos que puedan estar influyendo en nuestra conducta equivocada.

Cadena

A la hora de analizar un sueño en el que aparezca una cadena, en primer lugar habrá que tener en cuenta si se trata de una joya o bisutería (collar, pulsera, etc.) o si es una cadena destinada a otros fines. En el primer caso, será símbolo de poder; en el segundo, de sometimiento, de esclavitud o de pérdida de libertad.
Si llevamos una cadena al cuello, como pulsera o cinturón, quiere decir que tenemos una personalidad que emana poder. Nuestra capacidad de liderazgo y el respeto que naturalmente inspiramos, nos abrirá muchas puertas.
En caso de que quien la use sea otra persona, significará que la vemos con autoridad y que, gustosamente, seguimos sus directrices.
Si la cadena es de hierro u otro metal, de eslabones más o menos gruesos, debemos interpretar que no nos sentimos libres, que hay una persona o situación de la que no podemos escapar y que eso nos produce un gran agobio.
Si la cadena está rota debemos pensar que, en poco tiempo, recuperaremos la independencia, el control total sobre nuestra vida.

Caderas

Tienen una fuerte connotación sexual, ya que en esta zona del cuerpo se encuentran los órganos reproductores. Su presencia en el sueño está vinculada a las relaciones amorosas.
Si las caderas que se ven están sanas, son fuertes y bien formadas, indican que las relaciones íntimas son satisfactorias y que, en caso de querer conquistar a otra persona, las posibilidades de conseguirlo son muy grandes.
Si su aspecto es desagradable, indica que tenemos bloqueos sexuales, posiblemente ocasionados por una educación represora.
El hecho de que otra persona apoye sus manos en nuestras caderas señala una relación fuerte, estable y duradera.

Los golpes en esta zona del cuerpo podrían representar una relación basada en la pasión. Por lo general, estos vínculos son sumamente intensos pero no demasiado duraderos.

Caduceo

Este símbolo gráfico consiste en una vara en la que se entrelazan dos serpientes. En su parte superior tiene dos alas o un yelmo alado. Según los pueblos que lo han utilizado ha adquirido muy diversos significados, razón por la que será importante averiguar el significado de los demás elementos del sueño para escoger de éste el más apropiado.
Para los romanos, representaba el equilibrio moral y la buena conducta: el bastón simbolizaba el poder, las dos serpientes la sabiduría y las alas la diligencia. El yelmo, cuando estaba representado, simbolizaba los pensamientos elevados. Esta interpretación será la que deba ser tenida en cuenta ante un sueño que presente un dilema moral.
En Occidente se utiliza para simbolizar la farmacia, por lo tanto, si hay alguna persona enferma en la familia, su presencia augura éxito en su curación.
También ha sido empleado para representar a Kundalini, la fuerza que, según el Tantra, permanece dormida en la base de la columna vertebral, factible de ser despertada por medio de los ejercicios y la meditación. Una vez que ésta asciende por la columna y llega al séptimo chakra, se alcanza el estado de beatitud. Esta interpretación será la que deba ser explicada en los sueños de contenido espiritual.

Caducidad

Si en el sueño vemos algún objeto que esté caducado (medicamento, alimento, entrada a cualquier tipo de evento, etc.) debemos tomarlo como una advertencia. Nuestro inconsciente nos indica que estamos empeñados en continuar con una situación que ya ha llegado a su fin; que no queremos aceptar que ahí ya nada tenemos que hacer y que es mucho más saludable poner nuestras energías en nuevos proyectos.

Caer

Los sueños en los cuales experimentamos caídas suelen terminar de forma brusca, ya que la carga de angustia que contienen es la que nos hace despertar. A veces se producen como respuesta a la situación que vive nuestro cuerpo mientras soñamos; por ejemplo cuando nos acercamos al borde del colchón y tenemos riesgo de sufrir una caída real, pero otras, nacen a consecuencia de nuestro estado interior.
En general puede decirse que estos sueños son advertencias del inconsciente para que tomemos conciencia de aquello que no estamos haciendo bien. Pueden anunciar problemas económicos o pérdida de prestigio o prevenirnos del resultado de caer en tentaciones poco recomendables.
Si experimentamos una caída en sueños y ésta se resuelve en un vuelo placentero, debemos entender que en el presente hemos de dar un paso importante que nos provoca mucho miedo, de ahí que lo representemos con una caída, pero que, en el fondo, nos conviene hacerlo porque nos proporcionará beneficios (representados por el vuelo).

Véase ACANTILADO.

Café

Esta bebida contiene un poderoso estimulante, la cafeína, que actúa despejando la mente, eliminando el sueño. El café, en los sueños, indica logros en cualquier tipo de labor intelectual. Si lo bebemos, quiere decir que nos está costando mucho llevar a cabo una tarea de esta naturaleza pero que, al final, nos sentiremos muy satisfechos con el resultado. Podría tratarse de un examen.

Si el café se derrama es señal de que no estamos aprovechando al máximo nuestras capacidades, que nos fiamos demasiado en que en el último momento podremos resolver todos los aspectos de una tarea y que, por ello, el resultado de ésta es pobre.

CAFETERÍA

Véase BAR.

CAIMÁN

Estos reptiles simbolizan los celos enfermizos.
Su aparición en un sueño indica que nuestra pareja tiene accesos de cólera motivados por la desconfianza.

CAÍN

La historia bíblica de Caín y Abel es un claro ejemplo de la rivalidad entre hermanos, de la envidia y los celos que en este vínculo pueden suscitarse.
Según se cuenta en las sagradas escrituras, Caín era labrador en tanto que Abel, su hermano menor, era pastor de ovejas. Cierto día, ambos hicieron sus respectivas ofrendas al Señor y éste, miró con agrado la de Abel pero no la de Caín. Ante este desaire por parte de su Dios, Caín se puso furioso; invitó a su hermano a dar un paseo por el campo y allí lo mató.
El relato explica crudamente que no todos los hijos son iguales a los ojos de los padres y que éstos a menudo tienen razones, válidas o no, para mostrarse más solícitos con unos que con otros.
Actualmente, gracias a la divulgación de la psicología, los padres conscientes de su labor evitan hacer comparaciones entre sus hijos; sin embargo, en ocasiones, no pueden evitar mostrar una mayor preferencia o entendimiento con unos que con otros.
Si soñamos con Caín, quiere decir que detectamos celos por parte de un hermano, que en sus actitudes denota una cierta envidia y que aun cuando nos muestre rencor o agresividad, en el fondo sufre porque no sabe cómo resultar agradable a los ojos de los demás. En este caso, lo mejor es estimularle para que saque lo mejor de sí mismo marcándole todas las buenas cualidades que tiene.

CAIREL

Estas pequeñas lágrimas o prismas de cristal que llevan muchas lámparas, cumplen dos funciones: por una parte, sirven de adorno y por otra, ayudan a que la luz de las bombillas se reparta por toda la estancia.
Como la luz tiene un significado espiritual o mental, los sueños con caireles aluden a nuestro estado interior.
Si los que vemos en el sueño tienen forma de lágrima, es señal de que nos cuesta mucho alcanzar la paz, que siempre estamos persiguiendo sueños imposibles, que nos cuesta mucho sentirnos alegres y dichosos con lo que vamos realizando o adquiriendo.
En caso de que los caireles tengan bordes agudos, deberá interpretarse que tenemos una inteligencia clara e inquisitiva, que nos gusta llegar al final de las cosas y obtener conclusiones por nosotros mismos.

CAJA

Las cajas sirven para guardar cosas, de ahí que el significado más inmediato de este símbolo sea la memoria. Sin embargo, debido al uso que se les suele dar, pueden relacionarse con aspectos diferentes de nuestra vida.
Como las formas, colores y texturas que puede presentar un objeto de esta naturaleza son enormemente variados, es muy importante atender a éstos para conocer el significado exacto del sueño.
Si la caja es negra y está hecha de madera o de algún otro material noble, indica que en breve tendremos una sorpresa agradable, que nos enteraremos de algo que existe en el presente pero que nos

está siendo ocultado para darnos más tarde una gran alegría.
Las cajas pintadas con muchos colores o que tienen figuras o paisajes, señalan encuentros afortunados en otra ciudad.
Las cajas bastas, de cartón, siempre que presenten un buen estado, indican que somos laboriosos y ordenados. Por el contrario, si están deterioradas o sucias denotan dejadez e indolencia por nuestra parte.
Las cajas vacías representan todo lo que nos espera vivir y el miedo que nos da el futuro incierto. Si están talladas o adornadas con piedras preciosas, muestran que tenemos una gran seguridad en nosotros mismos y que somos, tal vez, demasiado ambiciosos.

Véase CAJERO.

Cajero

Si soñamos con un cajero automático es importante saber si nos dirigimos a él a fin de pagar o de retirar dinero.
En caso de que nuestro deseo fuera depositar, indicaría un próximo ascenso económico, una época en la cual obtendremos fácilmente lo que necesitamos para vivir y además podamos ahorrar para gastos futuros.
Si la intención es retirar dinero, en cambio, quiere decir que no nos va a faltar nada, pero que debemos limitar los gastos para no vernos en apuros el día de mañana.
Obviamente, también será muy importante analizar para qué necesitamos el dinero en el sueño o la forma en que lo hemos obtenido, ya que eso dará otras pistas para comprenderlo en profundidad.

Cajetilla

Véase TABACO.

Cajón

Como todo recipiente, se vincula en primer lugar al principio femenino. Puede representar a una mujer próxima, sobre todo a alguien con quien tengamos una relación afectiva muy profunda.
Para hacer un análisis completo, es necesario saber qué contiene el cajón y ver lo que simbolizan los diversos objetos.
El hecho de buscar algo en él representa la satisfacción del deseo sexual, sobre todo si quien lo sueña es un hombre.
Encontrar una cajón revuelto significa tener conocimiento de ciertos hechos de la vida de la madre que producen desasosiego.

Cal

El óxido de calcio tiene innumerables usos que van desde la albañilería hasta la cocina.
Si en el sueño estamos encalando una pared, eso indica que una persona de nuestro entorno padece una enfermedad que puede ser contagiosa. Lo más probable es que se trate de un niño que esté incubando alguna de las típicas dolencias que se pasan en la infancia (sarampión, varicela, etc.).
Pasar cal por los troncos de los árboles de un huerto señala la presencia de personas no gratas en la casa.
Si la cal se usa en la cocina (algunos frutos en almíbar se echan en cal para que no pierdan consistencia al confitarlos), indica que podemos retrasar el disfrute, que somos capaces de mostrarnos pacientes a fin de obtener mejores resultados.

Cala

Esta flor que crece en lugares húmedos simboliza la tristeza.
Si en el sueño las calas están en un jardín, plantadas, es señal de que próximamente tendremos un disgusto, posiblemente amoroso.
Si las calas ya han sido cortadas y están en un jarrón, muestran que tenemos una tendencia a la melancolía, a regodearnos en nuestras propias miserias y dolores en lugar de verlo positivamente.

Calabaza/calabacín

Estos frutos, que según la especie muestran tamaños y formas muy variados, tienen la peculiaridad de desarrollarse rápidamente.

Si soñamos con calabazas grandes y éstas se encuentran aún en la planta, quiere decir que alguien nos va a proponer un negocio rápido, posiblemente de temporada, que nos va a dejar interesantes beneficios. Si la calabaza está abierta o cocida, es señal de que, a menudo, tenemos un comportamiento infantil y egoísta. Las calabazas secas que se usan para guardar líquidos señalan que hemos superado muchas ideas y formas de actuar negativas, que hemos realizado un importante trabajo de crecimiento interior. Regalar calabazas a otra persona; es decir, dar calabazas, simboliza un rechazo amoroso.

Calabozo

En general, señalan un sentimiento de agobio, de falta de libertad. Pero cuando se sueña con ellos, lo más importante es determinar en qué esferas de nuestra vida experimentamos esa sensación.

Si vemos un calabozo desde fuera, quiere decir que tenemos miedo de que al asumir una responsabilidad que nos proponen ya no podamos disfrutar de todo lo que nos gusta. En este caso, será necesario sopesar cuidadosamente las opciones antes de aceptar o no el papel que nos quieren adjudicar.

En caso de que nos encontremos dentro del calabozo, debemos pensar que alguien nos está manipulando, que nos hace sentir culpables a fin de que estemos constantemente a su servicio, preocupados por lo que necesita de nosotros.

Las celdas de castigo indican que una persona querida se ha distanciado de nosotros con el fin de vencer nuestra resistencia a hacer algo que no nos gusta. Si vemos un amigo o familiar en esta situación, será una advertencia para que no nos aprovechemos de su carácter débil y excesivamente condescendiente.

Véase CÁRCEL.

Calafatear

Las junturas de las embarcaciones se cierran con brea para impedir el paso del agua. Si realizamos esta acción en sueños, quiere decir que nos protegemos excesivamente de las emociones.

Calamar

Al igual que la sepia, es un animal marino, por lo que tiene relación con el inconsciente.

Hay muchas leyendas y cuentos que hablan de calamares gigantes que habitan el fondo del mar, que posiblemente estén basados en seres reales que hayan sido vistos en diferentes épocas. Normalmente, en estas historias los calamares aprisionaban las embarcaciones con sus poderosos tentáculos antes de llevárselas a sus guaridas submarinas.

En los sueños, los calamares simbolizan los fantasmas internos, los miedos irracionales que han quedado escondidos como producto de los traumas de la infancia.

Si vemos a un calamar nadando libremente y en una actitud que no sea agresiva, quiere decir que hemos superado todo lo desagradable que nos ha tocado vivir hasta el presente y que esas vivencias dolorosas no tienen ningún peso en nuestras decisiones actuales.

Si el calamar se muestra agresivo, indica que nos sentimos presos de sucesos que nos han pasado hace mucho tiempo, que no hemos podido encajarlos adecuadamente y que hoy se manifiestan en todo lo que hacemos.

Cortar en trozos un calamar simboliza desoír la llamada espiritual. Por una parte queremos avanzar, evolucionar, pero aún estamos demasiado atados al mundo material como para hacer caso a las necesidades de nuestro espíritu.

Si lo que aparece en nuestros sueños es un chipirón, es señal de que estamos intentando construir una sólida amistad con una persona que acabamos de conocer.

Calambre

Si soñamos que un grupo de músculos se nos contrae violenta y dolorosamente, es posible que eso se esté produciendo en nuestro cuerpo.
Los calambres, sobre todo cuando se producen en las extremidades, las dejan rígidas y sin capacidad de movimiento; por ello simbolizan los eventos desagradables y repentinos que nos impiden reaccionar a tiempo.
Si tenemos un calambre en las piernas quiere decir que alguien nos va a atacar verbalmente, que inesperadamente nos acusará de cosas que no hemos hecho.
Si el calambre es en las manos, será señal de que nos vemos incapaces de realizar la tarea que nos han asignado.

Calandria

Véase AVES.

Calar

El trabajo de calar consiste en quitar trozos a un material para que en él luzca un dibujo. Por ello simboliza el trabajo que hacemos en nosotros mismos, eliminando aquellos hábitos improductivos a fin de ser cada día mejores.
Si es otra persona quien está calando en el sueño, eso indica que podemos encontrar en ella una guía adecuada para nuestro desarrollo mental y espiritual.

Calavera

Representa la caducidad de la existencia y señala que, en algún momento, nos encontraremos con la muerte.
Sin embargo, no hay que tomarlo como mal augurio, ya que es precisamente la calavera lo que queda de nosotros en este mundo tras la muerte. Las calaveras en los sueños indican que, gracias a nuestras acciones y a la fuerte personalidad que poseemos, dejamos en los demás una huella importante y que nos iremos de este mundo dejando una parte de nosotros en las personas que nos rodean.

Calcar

Cuando calcamos, intentamos hacer una copia lo más exacta posible del original y a veces realizamos esta tarea a fin de tener un punto de partida fiable a la hora de hacer un dibujo. Sin embargo, también es posible que el calco esté destinado a hacer pasar como nuestro un diseño que es de otra persona, lo cual constituye un fraude. Estas dos alternativas deberán tenerse en cuenta a la hora de analizar un sueño.
También son importantes los objetos que se calquen, lo que simboliza cada uno de ellos, así como la actitud o sentimientos que el sueño, en general, nos suscite.
Si calcamos con el fin de aprender o de realizar sobre el calco un dibujo propio, quiere decir que nos gusta mucho aprender de las virtudes ajenas, que no somos competitivos y que nos complace reconocer los méritos de los demás.
Si pretendemos hacer pasar por propio el dibujo, indica que estamos constantemente comparándonos con quienes nos rodean y que no soportamos que otros hagan las cosas mejor que nosotros.

Calcetín

Antiguamente, se decía que los avaros guardaban el dinero en un calcetín, por eso este elemento tiene en los sueños un carácter económico.
Si nos ponemos calcetines quiere decir que recibiremos una suma importante, posiblemente como producto de pagos atrasados por un trabajo.
Lavar los calcetines puede ser indicio de que queremos cambiar de trabajo.
Guardarlos en un cajón o meterlos en una

maleta señala que en un futuro próximo deberemos hacer frente a gastos imprevistos.

CALCIO

Este elemento es el más importante en la constitución de los huesos, de modo que si soñamos con él, eso podría señalar una carencia en nuestro organismo.

CALCOMANÍA

Estos adornos, que se ponen en los objetos a fin de embellecerlos, simbolizan el cuidado que ponemos para hacer confortable nuestro espacio vital.
Si vemos calcomanías en el sueño, o las pegamos, quiere decir que, para nosotros, es fundamental estar en un espacio limpio, ordenado y armonioso, que somos muy sensibles a los malos olores y a los ruidos estridentes y que nos gusta crear diferentes atmósferas según la ocasión.
Si las calcomanías están deterioradas o sucias, es señal de que damos poca importancia a lo que nos rodea, que estamos demasiado ocupados en nuestros sentimientos como para prestar atención al mundo material.

CALCULAR

En sueños, indica el estado de nuestra economía.
Si somos nosotros quienes realizamos las operaciones, quiere decir que tendremos que arreglar algunas irregularidades con nuestro banco habitual.
En caso de ser otra persona quien los hace, significa que alguien que nos debe una suma de dinero, nos la pagará en poco tiempo.

CÁLCULOS

Las piedras que se forman en el organismo, cuando aparecen en un sueño, representan a las personas que pretenden vivir a costa de nuestro esfuerzo; de modo que si soñamos con que tenemos cálculos en la vesícula, en el riñón o en cualquier otro órgano, debemos desconfiar de las personas que nos adulan, ya que esperan conseguir favores a cambio.

CALDERA

Las calderas de los barcos de vapor o de los trenes antiguos, que aún hoy se siguen empleando en algunas zonas desfavorecidas, son recipientes que transforman el agua en vapor a fin de que éste genere el movimiento del vehículo. Simbolizan el entusiasmo con el que acometemos nuestras responsabilidades cotidianas.
Si soñamos con ella quiere decir que nuestro optimismo y confianza nos permitirán dar un gran paso en muy poco tiempo.

CALDERO

Los calderos forman parte de los rituales de muchas civilizaciones. También están presentes en los cuentos infantiles como recipientes que poseen en su interior alimentos mágicos capaces de conferir fuerza, sabiduría, inteligencia o vida eterna. Simbolizan, por ello, las cualidades que queremos alcanzar, las que, según imaginamos, nos permitirían llevar a cabo todos nuestros sueños.
Soñar con un caldero vacío indica que no encontramos, dentro de nosotros mismos, la energía necesaria para realizar cosas importantes.
En caso de que el caldero contenga algún alimento, debemos interpretar que en los asuntos que nos preocupan aún no hemos hecho todo lo que está a nuestro alcance para salir victoriosos.
Si el caldero contiene alimentos en mal estado quiere decir que hemos dejado pasar una gran oportunidad.

CALDO

Esta nutritiva bebida representa la paz en el hogar, la unión familiar.
Si en el sueño bebemos caldo quiere decir que muy pronto se solucionarán las

rencillas domésticas que nos preocupan.
Si servimos caldo a otras personas, eso indica que tendremos ocasión de hacer un gran favor a un hermano o a cualquier otra persona de nuestro entorno.
Cocinar un caldo significa estar muy atento a la felicidad de la familia, intentar en todo momento que cada uno de los miembros se sienta bien y tenga todo lo que necesita.

CALEFACCIÓN

El calor se relaciona con el elemento fuego y éste, con la inteligencia y el espíritu.
Si estamos en un lugar en el cual hay una calefacción alta, quiere decir que nos preocupamos debidamente por desarrollarnos culturalmente, que disfrutamos de la lectura y de las buenas tertulias y que eso, muy pronto, dará sus frutos.

CALEFACTOR

El hecho de poner en marcha cualquier aparato destinado a producir calor indica que tendremos que hacer próximamente un gran esfuerzo intelectual (podría ser un examen).

CALEIDOSCOPIO

Los juegos de espejos que contienen los caleidoscopios, al reflejar pequeñas piedrecillas o trozos de cristal, ofrecen hermosas figuras. Éstas no existen más que en la superficie pulida de los espejos, por ello simbolizan las situaciones engañosas y las falsas promesas.
Si miramos por un caleidoscopio quiere decir que alguien se propone hacernos víctimas de un timo.
Tener en las manos uno de estos artefactos pero no usarlo, indica que tenemos un espíritu racional que no se deja engañar por las falsas apariencias.

CALENDARIO

El calendario, en los sueños, señala un largo período de tiempo. Cuando aparece su imagen, es necesario averiguar en primer término lo que significan los demás símbolos del sueño y luego comprender que para que suceda lo que ellos anuncian, deberán pasar, como poco, un par de semanas.
Si en el sueño no hay advertencias o no se anuncian acontecimientos, el calendario podría simbolizar nuestra paciencia.

CALÉNDULA

Tradicionalmente, a esta flor se le han atribuido poderes mágicos que obrarían a favor de su portador en los casos relacionados con la justicia.
Verla en sueños significa que, si tenemos un juicio pendiente, el resultado de éste nos será favorable.

CALENTADOR

Los calentadores de agua simbolizan aquellas ideas y conceptos que, una vez comprendidos, abren paso a pensamientos más extensos y complejos. En ocasiones, la frase que leemos en un libro o que oímos de labios de un amigo, puede darnos la clave para entender conceptos nuevos e importantes acerca de nosotros mismos y de la realidad que nos rodea.
Si soñamos con un calentador, eso indica que estamos a punto de hacer un importante descubrimiento en este sentido.

CALESA

Véase CARRUAJE.

CALIGRAFÍA

La caligrafía simboliza las habilidades en el entorno de la comunicación y las relaciones personales.
Si en sueños practicamos este arte, quiere decir que somos conscientes de nuestras limitaciones a la hora de hacer amistades, de tener una relación fluida con los demás o de lograr que entiendan cabalmente nuestras ideas y propósitos.

CÁLIZ

El cáliz es un objeto litúrgico que no sólo cumple su función en la misa sino que ha sido utilizado en diversos rituales. Forma parte de los símbolos ligados al espíritu y representa el sacrificio, la ofrenda a dios.
Si bebemos con un cáliz quiere decir que estamos pasando por un período poco afortunado de nuestra vida pero que nos resignamos a ello con la confianza en que, más adelante, vendrán tiempos más felices. En este sentido, el cáliz puede significar que se ha superado el punto más crítico de la situación y que, a partir de ahora, todo irá paulatinamente mejor.
Un cáliz roto simboliza la rebeldía, la no aceptación del propio destino y la ira ante las situaciones problemáticas o poco felices que tengamos que afrontar.

CALLE

Las calles simbolizan la vida pública, el medio social y laboral en el cual nos movemos; por lo tanto es muy importante analizar los diferentes elementos que aparezcan en las imágenes para tener una idea cabal acerca de cómo nos sentimos en el entorno en el que transcurre nuestra vida social.
Si nos encontramos en una calle desierta, quiere decir que tenemos pocas relaciones. Si en ella hay negocios, puede añadirse que estos escasos vínculos son productivos, nos aportan conocimientos o nos ayudan cuando es necesario.
Si la calle está atestada de gente, en cambio, eso significa que tenemos una gran facilidad para establecer contacto con personas desconocidas, que tenemos una manera de comportarnos que nos hace populares.
En caso de que en la calle se produjeran disturbios, fuera atacada desde el aire o hubiera un incendio o catástrofe natural, debemos interpretar que nuestras relaciones sociales son más bien difíciles, que somos muy competitivos o nos mostramos egoístas o prepotentes y que eso nos crea una mala imagen que propicia el rechazo por parte de quienes nos rodean.

Véase CALLEJÓN.

CALLEJERO

Los mapas de calles de una ciudad simbolizan la información que nos procuramos a fin de cultivarnos interiormente. Son los libros, revistas, artículos o conferencias que nos hablan de la necesidad de ser solidarios, de la importancia de cuidar la naturaleza y el planeta o de alimentarnos de forma sana.
Consultar un callejero equivale a tomar conciencia de todas esas cosas que nos hacen más humanos, que elevan nuestro espíritu.

CALLEJÓN

Los callejones son pasajes estrechos y, por lo general, tortuosos. Simbolizan el agobio que nos producen algunos tipos de relaciones sociales.
Si nos encontramos en uno de estos lugares, quiere decir que, por razones de trabajo, nos vemos obligados a asistir a diferentes eventos y que ésto nos desagrada profundamente. Somos personas por tanto que preferimos las reuniones tranquilas, con pocas personas, pero que debido a nuestro trabajo tenemos que movernos en un medio más bullicioso.

Véase CALLE.

CALLICIDA

La utilización de un callicida simboliza un cambio positivo. Quiere decir que estamos dispuestos a utilizar otros medios para conseguir lo que deseamos, ya se trate de asuntos de trabajo, familiares o amorosos.

CALLO

En la vida real, las durezas en los pies dificultan el andar y evidencian el haber

utilizado zapatos inadecuados. De ahí que simbolicen el agobio que se siente al tener que avanzar por la vida cuando carecemos de los elementos mínimos para mantener una vida agradable.
Si en el sueño tenemos callos en los pies, quiere decir que nos cuesta mucho seguir luchando para ocupar el lugar que creemos merecer. Aunque esto sea cierto, también debe pensarse que, posiblemente, no hayamos utilizado las herramientas adecuadas para avanzar, que debemos explorar en nosotros mismos todas las posibilidades y talentos para ponerlos en juego y conseguir lo que deseamos.
Si los callos están en las manos indican que se ha trabajado duramente y que, no obstante, nos sentimos orgullosos y felices con la vida que tenemos.

Calma

Los sueños en los que las escenas muestran una calma total, indican que, próximamente, tendremos que hacer frente a molestos problemas.

Calmante

Los analgésicos que, en sueños, tomamos para combatir un dolor físico simbolizan la forma en que nos engañamos para paliar el dolor psicológico. Ofrecer un calmante a otra persona significa consolarla, escuchar sus problemas, aconsejarla.

Calor

En sueños, el calor representa la maduración de cualquier proceso, sea físico, mental o espiritual.
Si en el sueño sentimos mucho calor, eso indica que estamos llegando al final de una etapa, preparándonos para la siguiente. Como augurio es excelente, ya que anuncia también la cosecha de los frutos de nuestro trabajo.

Calumnia

Las calumnias que recibimos en sueños indican nuestra inseguridad con respecto a nuestro propio carácter. Señalan que, en el fondo, pensamos que algo de cierto hay en ellas.

Calvario

Las imágenes oníricas de Jesucristo haciendo el penoso camino del Calvario, tienen connotaciones claramente espirituales. Nos recuerdan que no debemos quejarnos de nuestra suerte, sino que es preferible aprovechar los momentos difíciles para evolucionar espiritualmente y comprender que la mayoría de la humanidad vive en peores condiciones en las que no tiene ninguna esperanza.

Calvicie

Ver a una persona totalmente calva en nuestros sueños no es un buen augurio. Por lo general indica que ha de tener muchas preocupaciones en los próximos tiempos.
En caso de que esa persona mostrara una actitud agresiva debemos interpretar que tiene una gran falta de sensibilidad y que, en ocasiones, puede llegar a ser muy cruel y despiadada.
Si somos nosotros quienes nos vemos calvos, lo mejor será que estemos prevenidos y que no dejemos nada librado al azar, ya que la tendencia del presente es que las cosas se malogren con mucha facilidad.

Calzada

Las calzadas anchas, despejadas, indican que nos tomamos la vida con excesiva ligereza. Si están en construcción, indican que nos preocupamos por nuestro desarrollo interior.
Las que vemos estrechas y tortuosas muestran que tendemos a dramatizarlo todo.

Calzado

Además de estar considerado como símbolo sexual, también lo es de la

libertad, ya que en la antigüedad, sólo los hombres libres iban calzados, mientras que los esclavos llevaban los pies desnudos.
Si en un sueño nos calzamos, quiere decir que nos sentimos libres de hacer lo que nos apetezca, que no estamos obligados a rendir cuentas a nadie.
Sin embargo, según cuál sea el tipo de calzado que veamos en las imágenes oníricas, su significado puede tener diversos matices.
Las botas, botines y borceguíes, por el contrario, indican libertad, pero siempre dentro de unos límites muy estrictos que nos hemos fijado nosotros mismos.
Los zuecos se vinculan a la libertad sexual, ya que al tener contacto con el barro, se refieren al mundo instintivo.
Las babuchas y calzados orientales, por último, aluden a la libertad intelectual.

Véase ZAPATILLA, ZAPATO.

CALZONCILLO

Tienen connotaciones sexuales; pueden indicar el deseo o la necesidad de reprimir el impulso a tener una relación íntima con alguien que no goza de la aceptación de la familia.

CAMA

Un tercio de nuestra vida lo pasamos sobre la cama, durmiendo; de ahí que sea muy importante analizar todos los aspectos del sueño en los que este mueble aparezca.
Su significado se relaciona con los cuidados que brindamos a nuestro cuerpo, tanto en lo que se refiere a la alimentación como al descanso.
Si la cama que vemos en el sueño es grande y cómoda, debemos interpretar que oímos los requerimientos de nuestro organismo.
Si es pequeña o tiene las sábanas revueltas o sucias, será señal de que no hacemos una dieta adecuada, que no descansamos lo suficiente o que exigimos a nuestro cuerpo esfuerzos más grandes de los que en realidad puede hacer.
Los catres o camastros, simbolizan las pequeñas dolencias a las que no hacemos caso pero que, en favor de una mejor salud, debiéramos tratar.

CAMADA

Las guaridas de animales en las que vemos una camada o, en el caso de las aves, una nidada, independientemente de la especie que se trate, simbolizan las obras y proyectos que tenemos en marcha.
Si las crías o pichones dan señales de tener hambre o estar enfermos, quiere decir que no ponemos todos los medios a nuestro alcance para llevarlos a su fin adecuadamente.

CAMAFEO

Representa el romanticismo, los comienzos de una relación.
Cuantos más detalles o mejor hecho esté el camafeo, mayores serán las atenciones que nos prodigue la persona de la cual nos hemos enamorado.
Si el camafeo estuviera roto quiere decir que el vínculo se halla deteriorado y que eso podría hacerlo desembocar en una ruptura.

CAMALEÓN

Este reptil tiene la capacidad de mimetizarse con el medio, de cambiar su color a fin de engañar a sus depredadores.
En sueños simboliza la tendencia a decirle a cada quien lo que espera oír; a utilizar la mentira como medio para medrar en el ambiente social.
Si vemos un camaleón quiere decir que no debemos fiarnos de la lealtad que nos muestre un compañero de trabajo; debemos saber que, aunque nos dé la razón cada vez que comentemos con él un problema, cuando no estamos presentes dice todo lo contrario y nos tilda de exagerados.

CÁMARA

Las cámaras fotográficas, de vídeo o de televisión, representan el estancamiento personal.

Si en sueños las utilizamos o hay otra persona que nos fotografía o nos filma, quiere decir que somos incapaces de avanzar, que tenemos posibilidades de hacer muchas cosas, de desarrollar grandes talentos pero que elegimos la comodidad y el estancamiento.

Con este vocablo también se designa el conjunto de diputados y senadores de un país, así como el lugar donde realizan sus reuniones.

Si nos encontramos en este recinto es señal de que debemos poner punto final a un desencuentro amoroso. Lo mejor es disculparnos por lo mal que hayamos podido proceder y, una vez restablecida la comunicación, intentar explicar a nuestra pareja nuestro punto de vista con la mayor serenidad posible.

CAMARADA

Los compañeros que, en sueños, participen junto a nosotros en alguna actividad política simbolizan los amigos interesados y señalan que vamos a descubrir las oscuras intenciones de una persona de nuestro entorno.

CAMARERO

Simboliza la vocación de servicio, el gusto de atender las necesidades de otras personas.

Si en sueños nos vemos servidos por un camarero quiere decir que contamos con un amigo que está a punto de hacernos un gran favor. Sin embargo, debemos tener en cuenta que no siempre hemos de contar con su apoyo; la ayuda que nos prestará será puntual.

Si somos nosotros quienes ocupamos el puesto de camarero, quiere decir que no nos sentimos lo suficientemente valorados en el trabajo, que hacemos todo lo que podemos para que las tareas se cumplan, pero que nadie nos lo recompensa ni agradece.

CAMARÓGRAFO

Simboliza los medios de comunicación y el conocimiento que los vecinos tienen acerca de nuestra vida.

Si vemos un camarógrafo filmando una escena en la que nosotros no intervenimos, quiere decir que sabemos mantener nuestra intimidad en el barrio, que no damos lugar a habladurías y que estamos considerados como buenos vecinos.

Si somos nosotros los que estamos siendo grabados, eso indica que estamos en boca de los demás, que la gente murmura acerca de nuestras costumbres, manera de vestir, etc.

CAMARÓN

Véase MARISCO.

CAMAROTE

Los camarotes, así como los coches-cama de los trenes, simbolizan la forma en la que ven los demás nuestro paso por la vida.

Si el camarote es lujoso y confortable, indica que sabemos mantener ocultas nuestras preocupaciones, que damos siempre la sensación de estar bien, de no tener ningún problema, que somos perfectos simuladores aunque en realidad no estemos bien.

Si pertenece a un buque de guerra o a un tren que transporte soldados, es señal de que nos ven enérgicos y agresivos, capaces de conseguir todo lo que nos hayamos propuesto.

Hallarnos dentro del camarote del capitán del barco señala que tenemos grandes dotes de liderazgo.

CAMASTRO

Véase CAMA.

Cambiar

En el acto de cambiar, damos algo que es de nuestra propiedad para que otra persona nos ofrezca algo suyo. Los objetos que se dan en el cambio simbolizan el afecto y la acción, el vínculo afectivo.

Si el cambio que realizamos en sueños nos deja satisfechos, significa que tenemos una relación fluida con amigos, familiares y pareja, que sabemos hacernos querer y que, a la vez, transmitimos fácilmente el afecto que sentimos por ellos.

Si en la operación de cambio somos engañados, quiere decir que tenemos una gran voracidad afectiva, que vivimos con la sensación de que no nos quieren lo suficiente.

En caso de que vayamos a una tienda a cambiar una artículo que hubiéramos comprado, debemos interpretar que nunca estamos conformes con nosotros mismos, que tenemos una ambición desmedida y que no sabemos disfrutar de los pequeños placeres.

Cambio

Los negocios destinados al cambio de moneda simbolizan viajes, desplazamientos al extranjero.

Si entramos en una casa de cambio debemos interpretar que sentimos una gran curiosidad por otras culturas, que nuestro espíritu abierto nos impulsa a conocer formas de vida diferentes. Muy probablemente hagamos un viaje provechoso, tal vez por motivos de trabajo.

El hecho de pasar por delante de una casa de cambio sin entrar, o de verla desde lejos, indica una actitud cerrada, y en cierta medida temerosa, hacia los extranjeros.

Camelia

Tradicionalmente, los japoneses han considerado a esta flor como la que trae la primavera. Simboliza la longevidad, el amor y el matrimonio feliz.

Soñar con camelias indica que nuestra relación de pareja actual, u otra que formemos más adelante, será para toda la vida, que tendremos un matrimonio feliz y próspero.

Si las camelias están marchitas quiere decir que el amor se ha acabado, que estamos pasando por una época difícil en la cual, posiblemente, sobrevenga una ruptura sentimental.

Camello

Para el mundo árabe el camello es símbolo de realeza, de majestuosidad. Es un animal que posee dos características importantes: por un lado, acumula agua en su organismo lo cual le permite atravesar el desierto sin necesidad de beber; por otro, cuando está domesticado se arrodilla para recibir su carga. Esta libertad de movimientos, unida a la realeza y a la humildad, le confieren una gran potencia interior, de ahí que simbolice la fuerza que nos mueve a hacer grandes conquistas.

Montar en sueños un camello significa estar a punto de realizar algo importantísimo para nuestra vida y la de quienes queremos. Es posible que la empresa requiera grandes sacrificios, pero a la larga seremos ampliamente recompensados.

Ver camellos galopando libremente indica que sabemos tomar ejemplo de las personas más sabias y espiritualmente evolucionadas que nosotros.

Camicace

Con este nombre se conoce a los pilotos japoneses de la II Guerra Mundial.

En los sueños, a menudo se viven escenas bélicas, de modo que la aparición de estos soldados, a los que tantas veces hemos visto en el cine, no es de extrañar.

Simbolizan el sacrificio que se hace con tal de fustigar a otra persona.

En ocasiones, nuestro inconsciente nos juega malas pasadas: nos hace creer que castigándonos a nosotros mismos vamos a generar culpas y malestar en las personas que nos hacen daño. Sin embargo, con esta conducta distorsionada, con esta manera de dirigir la agresión y la rabia hacia nosotros mismos, sólo conseguimos dañarnos y sentirnos peor. Es psicológicamente más sano mostrar nuestra furia a quien se la merece antes que realizar estas manipulaciones.

Camilla

Las camillas pueden tener dos significados: por un lado, representan la enfermedad, sobre todo si ésta requiere una intervención quirúrgica; por otro, el cansancio, el agotamiento.
El hecho de encontrarnos en sueños sobre una camilla puede indicar que algo no marcha bien en nuestro organismo (o en el de la persona que la ocupe), sobre todo si el sueño nos produce ansiedad o angustia.
Si se trata de la camilla de una consulta de estética (depilación, tatuaje, etc.), señala que no estamos conformes con nosotros mismos; que nos gustaría cambiar pero que no sabemos cómo hacerlo.
Cuando la camilla está destinada a los masajes muestra que hemos trabajado en exceso y que nuestro organismo está reclamando un descanso.

Caminar

Los sueños en los que se realizan largas caminatas que parecen no terminar nunca ni llevar a ninguna parte, son bastante comunes; indican el esfuerzo diario, la frustración de no encontrar lo que se desea, el vacío interior.
Si nos encontramos caminando de esta manera en un sueño y el sentimiento interior es de tristeza o desesperación, quiere decir que estamos en un período depresivo, sin fuerzas, sin esperanzas. En este caso es necesario pedir ayuda a una persona de confianza o a un profesional.
Si mientras caminamos vemos a lo lejos algún indicio de ciudad o asentamiento humano, quiere decir que la etapa dolorosa está a punto de finalizar, que nos esperan nuevas y enriquecedoras experiencias y que, en un futuro, seremos mucho más felices que en el pasado.

Camino

El camino simboliza nuestro paso por la vida, por lo tanto es muy importante tener en cuenta su estado, los accidentes del terreno que presente, y buscar el significado de éstos para hacer un análisis más profundo del sueño.
Si el camino es agradable, rodeado de árboles y está exento de peligros, quiere decir que nuestro paso por la vida es placentero, que poco a poco vamos aprendiendo y que sabemos aceptar los momentos amargos con entereza.
Cuando el camino es muy accidentado y peligroso indica que llevamos una vida complicada, que nos cuesta mucho resolver hasta los más mínimos problemas y que los pensamientos negativos sabotean nuestra felicidad.
Encontrarse a otras personas por el camino anticipa una vida social activa. La afabilidad u hostilidad que veamos en ellas representará la que encontremos en el medio en el cual nos toca movernos.

Camión

Los camiones se utilizan para el transporte de mercancías a los diferentes puntos del globo; por ello simbolizan el sistema circulatorio que, en nuestro organismo, lleva los nutrientes a todas las células del cuerpo.
Debemos prestar atención a la potencia y estado del camión; si éste es grande, va cargado y no presenta problemas, quiere decir que nuestro sistema circulatorio está en excelentes condiciones de salud. En caso de avería o comportamiento errático o deficiente, será señal de que tenemos algún pequeño trastorno (sería conveniente hacer un análisis de colesterol, por ejemplo, ya que es una de

las dolencias más comunes y tiene mucho que ver con la circulación de la sangre).

Camisa

La camisa o la blusa, sobre todo su pechera, simboliza la protección del honor personal, de las ideas que, según creemos, vale la pena defender.
Su estado indicará hasta qué punto tenemos estos ideales arraigados y somos consecuentes con ellos.
Si la camisa está sucia o arrugada, indica que nuestros ideales no pasan de ser un mero entretenimiento mental, que no nos comprometemos con ellos sino que los traicionamos si ello nos representa una momentánea ventaja.
Los adornos que pueda tener la camisa son las acciones de las que nos sentimos orgullosos.
Si lleva nuestras iniciales bordadas (o las de la persona que vista la camisa) quiere decir que ha tenido una esmerada educación, basada en sólidos principios.

Camisón

Esta prenda simboliza la necesidad de descanso, de regular nuestras horas de sueño.
Si tenemos puesto un camisón, debemos considerar el sueño como una advertencia: no estamos tratando bien a nuestro organismo y llegará el momento en que tengamos que pagar por ello.

Campamento

En ellos, las fuerzas del ejército se instalan provisionalmente a fin de descansar o protegerse de las inclemencias del tiempo.
Simbolizan la planificación estratégica antes de emprender una acción contra otras personas.
Estar en un campamento indica que nos preparamos para competir duramente o para defender de algún modo nuestro honor. Que estamos decididos a dar a cada quien lo que se merece, sin contemplaciones.

Campana

Las campanas, para muchas culturas, eran elementos que, con su sonido, ahuyentaban a los malos espíritus. En la mayoría de las aldeas o lugares donde estén, llaman al trabajo colectivo, al abandono de las labores individuales.
En ocasiones, sirven como voz de alarma a la población, de ahí que su significado en el sueño pueda ser ambiguo.
Si es de alarma, debemos tomarlo como advertencia: hay algo que, en poco tiempo, nos puede generar problemas. Si lo detectamos a tiempo, éstos serán mínimos.
La campana de un colegio o de una iglesia nos recomienda tener más trato con nuestros vecinos.
Si la campana suena a difuntos, es señal de que debemos resignarnos a que un proyecto no tenga salida.

Campanario

Cuando en un sueño nos encontramos subidos a un campanario debemos interpretar que ha llegado el momento de hablar claro, de descubrir una impostura.

Campanilla

Estas flores, que se abren de día y se cierran de noche, simbolizan la mesura, el comedimiento.
Cuando las vemos en sueños nos advierten de que debemos mantener la boca cerrada, que hay una situación por la que nos gustaría protestar, pero que éste no es el momento de hacerlo.

Campeón

La figura del campeón simboliza, obviamente, la victoria.
Si el título nos es concedido a nosotros, quiere decir que en la vida real sentimos que no nos recompensan lo suficiente por nuestro trabajo y que sería un buen momento para pedir un aumento de sueldo. En caso de que el campeón fuera otra persona o animal y nos acercáramos a

él, será señal de que elegimos estar cerca de los triunfadores, que nos gustan las personas famosas y que no tenemos buen criterio para escoger a nuestras amistades.

Campesino

Simboliza el agotamiento y el estrés que produce la vida moderna.
Ver un campesino en sueños, o a uno mismo cumpliendo ese papel, indica que estamos muy cansados del ajetreo que llevamos y que nos gustaría tener un poco más de tiempo para dedicarnos a nosotros mismos.
En caso de que el campesino se mostrara hostil, significará que tenemos una gran lucha interior entre la sencillez o la humildad y la ambición o grandeza a la que aspiramos.

Camping

Los campings simbolizan nuestra relación con la naturaleza. Si nos vemos en uno de ellos quiere decir que debemos hacer un alto en nuestras tareas y pasar unos días al aire libre. Nuestro cuerpo nos lo agradecerá.

Campo

El campo y la campiña, en sueños, representa la vida sana y natural.
Los sembradíos auguran felicidad y bienestar en la familia y si en ellos se puede presagiar una buena cosecha, será índice de que el nivel económico será próximamente más alto.
Los campos áridos pueden denotar una falta de entusiasmo o bien de creatividad, de que las ideas negativas bloquean toda posibilidad de prosperar.

Cana

Las canas son un síntoma claro del paso del tiempo y de nuestra aproximación hacia la muerte, pero también pueden indicar graves preocupaciones.
Si en sueños nos descubrimos canas quiere decir que nos preocupa y atemoriza la vejez, que estamos demasiado anclados al cuerpo físico, a la belleza exterior y que la idea de perderla nos deja una sensación angustiosa de vacío.

Canal

Los canales sirven para transportar agua. Como este elemento se relaciona con la mente y el espíritu, el canal simboliza los límites que ponemos a nuestra búsqueda espiritual o intelectual y la forma en que encauzamos las energías que les corresponden.
Los canales que discurren con agua limpia indican que sabemos dar a cada cosa su lugar y que tenemos una buena integración interior.
Si el agua que transporta el canal está sucia o contaminada, quiere decir que somos presa fácil de falsos maestros, que es tal la ansiedad con la que buscamos entrar en contacto con nuestro espíritu, que nos creemos casi cualquier cosa que nos digan.
En caso de que el agua del canal transporte hojas, animales o peces muertos, será señal de que hemos tenido a nuestro alcance la oportunidad de un gran avance espiritual pero que lo hemos desaprovechado.

Canapé

Los canapés invitan a descansar, pero también pueden convertirse en una incitación a la pereza.
Si estamos tumbados en un canapé, eso indica pasividad por nuestra parte, falta de iniciativa y de ambición. Nos gusta la vida fácil y no estamos dispuestos a hacer esfuerzos.
En caso de que nos presentemos ante una autoridad que estuviera recostada en un canapé, quiere decir que corremos el peligro de mostrarnos serviles y ganarnos con ello el desprecio de nuestros compañeros de trabajo, por lo tanto tengamos cuidado con nuestra actitud ante los otros.

CANARIO

Este pájaro simboliza la entereza moral, la fuerza que nos permite hacer frente ante las injusticias sin bajar la cabeza.
Si el canario está enjaulado y canta, quiere decir que en poco tiempo veremos pasar delante de nuestra puerta el cadáver de un enemigo; es decir, que alguien que nos ha hecho daño va a caer en desgracia.

CANASTILLA

Las canastillas anuncian la llegada de un bebé a la familia. Es probable que se sueñe con ellas cuando una persona de nuestro entorno está embarazada o cuando somos nosotros mismos quienes esperamos un hijo.

CANASTO

Véase CESTA/CESTO.

CÁNCER

La aparición de graves enfermedades en los sueños, no indica que nosotros, o alguna persona querida, las vaya a padecer, pero sí nos advierten de que no tenemos un control efectivo sobre nuestras emociones y que ello, a la larga, puede producirnos trastornos importantes en el organismo.
El hecho de encontrarnos en el sueño en una unidad de oncología, debe ser tomado como una advertencia: es necesario pedir ayuda a algún amigo o a un profesional para que nos dé pautas concretas que nos permitan dominar nuestras emociones.

Véase ZODÍACO.

CANCERBERO

Según la mitología, es un perro de tres cabezas que guarda las puertas del infierno. Simboliza el empeño que ponemos en apartar a una persona querida del mal camino que ha tomado.
Si el animal se muestra dócil y no nos ataca, quiere decir que lograremos nuestro propósito. De lo contrario, será necesario pensar que todos nuestros esfuerzos serán vanos, que tal vez el día de mañana, esa persona comprenda lo equivocado de su actitud y cambie por propia voluntad.

CANCILLER

Si en sueños hablamos con un canciller, quiere decir que nuestras ambiciones se verán frustradas por la intervención de un superior.

CANCIÓN

Véase CANTAR, MÚSICA.

CANDADO

A diferencia de las cerraduras, que pueden ser utilizadas para guardar la propia intimidad, el candado tiene como fin mantener objetos o secretos lejos de la codicia o curiosidad ajena. En sueños simboliza la desconfianza.
Si nos encontramos con un candado que nos impide conseguir algún objeto, quiere decir que percibimos en los demás cierta desconfianza ante nuestras actitudes, que por mucho que nos empeñemos en mostrarnos tal y como somos, no logramos que se nos crea de ningún modo.
En caso de poner nosotros un candado, eso indicará que nos sentimos rodeados de personas que no nos inspiran confianza.

CANDELA

Véase VELA.

CANDELABRO

Simboliza la luz espiritual y es muy importante tener en cuenta el número de sus brazos.
En el hebreo, que tiene siete, éstos se corresponden con los siete soles y siete plantetas por lo tanto su aparición en un

sueño señala que éste tiene connotaciones místicas. Podría indicar la búsqueda de un guía espiritual.
Para analizar más en profundidad el sueño conviene contar la cantidad de brazos que tiene y ver el significado de ese número.

Véase NÚMEROS.

CANDIDATURA

Simboliza la búsqueda de aprobación social o de reconocimiento de honores.
Si en sueños presentamos nuestra candidatura a cualquier tipo de elección, significa que nos sentimos superiores a los demás y que consideramos que no nos dan el trato que merecemos.
En caso de que el sueño nos produjera angustia o ansiedad, debería entenderse que nos gustaría ser reconocidos pero que, en el fondo, sentimos que no tenemos cualidades para despertar la admiración ajena.

CANDIL

Véase VELA.

CANELA

Esta especie es conocida y utilizada por el hombre desde la más remota antigüedad. Los egipcios la empleaban en sus embalsamamientos y en la Biblia, en el Antiguo Testamento, hay pasajes en los que se asegura que la canela era más valiosa que el oro.
Simboliza el amor y la felicidad conyugal, de modo que soñar con ella, o con su olor, augura muy buenos momentos en la pareja.
En caso de que cocinemos utilizando esta especia, deberá interpretarse que tenemos la intención de seducir a alguien que nos atrae con mucha intensidad.

CANGREJO

Este animal, junto con la constelación que lo representa, está íntimamente ligado a la Luna y, con ella, al mundo emocional. Su caparazón le permite resguardar el delicado y sutil mundo interior que alberga.
La característica más curiosa del cangrejo es su peculiar modo de andar: no avanza de frente sino, más bien, de costado.
Si soñamos con cangrejos quiere decir que tenemos una manera indirecta de abordar lo que deseamos, sean objetos o personas. Acostumbramos a ver el entorno como algo mucho más hostil de lo que realmente es; por ello, a menudo nos sentimos insatisfechos y regresamos al mundo de los recuerdos para buscar consuelo.

CANGURO

Véase MARSUPIAL.

CANÍBAL

El canibalismo es símbolo directo de estar padeciendo celos.
Cuando en los sueños estamos a punto de ser devorados por una tribu caníbal, quiere decir que hay alguien que nos quiere sólo para sí, que nos agobia comparando constantemente qué damos a los demás y qué a él o ella, deberíamos hablar seriamente con esa persona.
En caso de ser nosotros los caníbales, deberemos pensar que por la fuerza no se retiene a nadie, que se atrapan más moscas con miel que con vinagre.

CANICA

Por una parte, su forma esférica recuerda la perfección; por otra, constituyen un juego para niños, lo cual hace que se relacionen con la infancia.
Poseer canicas en un juego implica adornar los recuerdos a fin de quedarse con la niñez como el mejor período de la vida, aunque ello no sea cierto.

CANICHE

Véase PERRO.

Canilla

Véase BOBINA.

Canoa

La canoa es un tipo de embarcación estrecha y muy ligera, que se desplaza rápidamente por las aguas. Representa la agilidad mental, la capacidad de asociar ideas y conceptos aparentemente inconexos.

Si viajamos en este vehículo, quiere decir que tenemos una asombrosa facilidad para resolver problemas, para ver el camino más corto entre dos puntos.

Las canoas que vemos desde la orilla representan las personas inteligentes de las cuales nos rodeamos.

Canódromo

Véase HIPÓDROMO.

Canon

En esta composición musical, las voces van entrando sucesivamente, repitiendo lo que ya han cantado las anteriores; de este modo forman acordes entre sí.

Escuchar un canon en sueños o cantarlo, indica que tendemos a imitar a los demás, que no nos atrevemos a decidir por nosotros mismos, que no confiamos en nuestro gusto en el vestir o en la manera de actuar.

Cansancio

Los sueños en los cuales nos encontramos especialmente cansados indican que nos sentimos impotentes para resolver los problemas del presente.

Cantar

El canto es una vía para expresar emociones, de forma que si cantamos en sueños, será muy importante tener en cuenta el tipo de canción, así como la letra, ya que nos darán claves para hacer una correcta interpretación.

Las canciones melódicas, naturalmente, aluden a problemas sentimentales, a conflictos amorosos o, sencillamente, a expresiones del afecto que sentimos por otra persona.

Los cantos litúrgicos se relacionan con la espiritualidad, en tanto que los himnos, aluden a un sentimiento patriótico que podrían denotar xenofobia.

Cántaro

Estos recipientes de barro o metal, de boca estrecha, se emplean básicamente para guardar líquidos. Simbolizan la previsión, sobre todo en lo que se refiere a cuestiones económicas.

Si el cántaro está lleno, sea con agua o leche, quiere decir que no debemos preocuparnos por el futuro, que aun cuando no tengamos dinero ahorrado, sí hemos dado los pasos suficientes como para poder ganarnos la vida en cualquier momento.

En caso de que el cántaro se rompa o esté roto, deberemos ser más precavidos: tendemos a mostrarnos demasiado optimistas y a vivir exclusivamente el presente.

Cantera

Es de estos lugares de donde se obtiene la piedra o greda para la construcción de las casas y edificios; por lo tanto, las canteras se relacionan con la casa, sobre todo con la vivienda propia.

El trabajo que realicemos en una cantera representa los esfuerzos que debemos hacer para pagar nuestra propia casa.

Las situaciones penosas que ocurran en ella durante el sueño, simbolizan los tropiezos que tenemos a la hora de hacer frente a una hipoteca.

Si pasamos por una cantera pero no hacemos ninguna labor en ella, quiere decir que no nos preocupa la compra de una vivienda, que preferimos vivir de alquiler. En caso de que el sueño produjera angustia, indicaría que sí nos gustaría comprar una casa pero que, en el fondo, no creemos que pudiéramos pagarla u obtener el crédito necesario.

Cántico

Son composiciones poéticas extraídas de los libros sagrados y litúrgicos de diversas religiones, que se cantan como alabanzas, ruegos o agradecimiento a Dios.
Participar en cánticos es índice de elevación espiritual, de búsqueda mística. El oírlos puede significar una señal de que los ruegos que hemos hecho serán escuchados.

Cantimplora

Como elemento que sirve para transportar agua en los viajes o para guardarla en lugares donde ésta escasea, simboliza nuestro bagaje intelectual que nos permite emprender nuevos caminos.
Si llevamos una cantimplora llena de líquido quiere decir que estamos a punto de iniciar una nueva actividad profesional y que en ella nos esperan grandes éxitos.
El hecho de llenar una cantimplora simboliza los estudios que actualmente cursamos.
Cuando la cantimplora está vacía, quiere decir que se nos presenta una excelente oportunidad, pero que no podemos aprovecharla debido a que, en su momento, no hemos tenido la precaución de prepararnos intelectualmente para afrontarla.

Canutillo

Los diminutos tubos de cristal que se utilizan en ciertos bordados simbolizan la eficacia del trabajo en equipo.
Una sola de estas piezas no aporta gran belleza; sin embargo, en unión a otras, puede formar hermosos y delicados dibujos.
Si vestimos alguna prenda que tenga un bordado a canutillo quiere decir que estamos llevando a cabo una tarea en equipo y que, cuando finalice, seremos premiados por ella. En caso de que el bordado estuviera deshilachado o deteriorado, habría que pensar que en el grupo de trabajo hay tensiones y competitividad.

Caña

Las cañas son delgadas, altas y flexibles; simbolizan la versatilidad, la amplitud de espíritu y la capacidad de adaptación.
Si en sueños las vemos mecidas por el viento indica que, así como las cañas se someten e inclinan ante la brisa, nosotros lo hacemos ante los acontecimientos. No nos quebramos sino que, más bien, adaptamos nuestra conducta a las situaciones que se nos presentan.
La caña de azúcar simboliza la ternura, la expresión abierta del afecto; por ello, cuando aparece en sueños, indica que nuestras relaciones son muy satisfactorias.
Las cañas de pescar, en cambio, simbolizan la astucia y el oportunismo.

Cañamazo

Esta tela sirve de base y entramado para realizar diversos bordados. En muchos casos, una vez que la tarea llega a su fin, el cañamazo se deshace tirando de sus hilos.
Teniendo en consideración la función que cumple este tipo de tejido, simboliza el trabajo en la sombra, aquello que hacemos generosamente para que otra persona pueda alcanzar su máximo brillo.
Hacer un bordado sobre cañamazo significa que estamos ayudando a nuestra pareja o a alguna persona amiga a llevar a buen puerto su labor profesional o un incipiente negocio. Este trabajo nos será recompensado con el fortalecimiento del vínculo y con la alegría de ver cómo, gracias a nuestra ayuda, esa persona consigue triunfar.

Cañaveral

Los cañaverales simbolizan grupos de gente (como partidos políticos, corrientes

de pensamiento, escuelas de arte, etc.) que estén en plena evolución o reforma.
Si nos encontramos en medio de un cañaveral, la situación indica que nos sentimos incluidos dentro de una de estas corrientes o escuelas y que estamos luchando por abandonar las pautas y normas para adaptarla a la sociedad actual.

Caño

Estos tubos huecos se utilizan para el transporte de líquido o gas; de ahí que, en una primera instancia, se vinculen con los elementos aire y agua; o sea, intelecto y sentimientos.
El encuentro de un caño aislado, que no está integrado a una cañería, simboliza nuestra soledad, la falta de contacto con personas de ideas afines o con las cuales podamos establecer vínculos afectivos intensos.
Las cañerías, en cambio, representan las relaciones personales. Cuanto más extensas sean, más personas afines habremos encontrado.
El deterioro del caño o de la cañería señalaría el empobrecimiento de una o varias relaciones.

Cañón

Los cañones antiguos que se exhiben en museos o en diferentes partes de la ciudad, simbolizan las batallas que hemos ganado a lo largo de la vida. Su presencia en el sueño puede anunciarnos que hemos de pasar por un período similar a otro en el cual hemos tenido que luchar duramente.
En caso de que nos apunten con un cañón, el sueño deberá servir de advertencia: alguien pretende hacernos daño. Será preciso analizar los demás elementos del sueño (personas que aparecen, ambiente en el que se desarrolla la situación, clima general, etc.) para averiguar cuál es, concretamente, la amenaza.
Si somos nosotros quienes amenazamos, quiere decir que nos espera una gran victoria.

Caoba

Tanto el árbol como su madera simbolizan el orgullo y la vanidad.
Soñar con ellos indica que nos sentimos superiores a los demás, que estamos exageradamente satisfechos de nosotros mismos.
Su color rojo alude también a la ira; en este caso, producida porque los demás no tienen nuestro mismo punto de vista acerca de las maravillosas cualidades que creemos poseer.

Caos

El caos puede ser entendido como lo opuesto al orden o, como recientemente se empieza a aceptar, una suerte de ordenamiento que sigue pautas y normas diferentes a las que se han considerado tradicionalmente.
Aunque las situaciones caóticas suelen producir angustia o ansiedad, ya que en ellas la mente parece perderse, tener dificultades a la hora de estructurar las ideas, si éstas son puntuales, puede servir como motor para la creatividad; por ello soñar con cualquier tipo de caos no implica necesariamente que algo en nuestra vida vaya mal, podría ser el augurio de una época intensamente productiva, sobre todo en cualquier terreno artístico.
Si el sueño nos produce sensaciones negativas indica que hemos dejado ir demasiado lejos una situación amorosa que no nos aporta ninguna felicidad.

Véase ORDEN.

Capa

Esta prenda ha sido símbolo de poder, de posición social, ya que la utilizaban los reyes. Pero también la vestían los magos y sacerdotes de diferentes religiones, de ahí

que pueda tener diferentes simbolismos. Hay que tener en cuenta, sobre todo, su color.
Las capas blancas aluden al mundo espiritual, de manera que si vemos alguna persona vestida de este modo, debemos entender que es conveniente que demos más importancia a nuestro mundo interior. Las capas oscuras, en cambio, denotan que quien las lleva oculta algo (puede ser la intención de hacernos daño).

CAPARAZÓN

El caparazón de un animal puede ser entendido como escudo que le protege de las agresiones externas y también como vivienda.
Cuando está vacío simboliza la necesidad de protegernos, de buscar refugio y advierte de que en un futuro inmediato deberemos hacer frente a situaciones difíciles, a posibles agresiones (que no tienen por qué ser necesariamente físicas). Si el caparazón que aparece en el sueño es de un animal que está vivo, representa nuestro gusto por la soledad, nuestra tendencia al aislamiento.

Véase CARACOL, TORTUGA.

CAPATAZ

La función de un capataz es gobernar, vigilar y sacar rendimiento a los trabajadores. Este puesto suelen ocuparlo empleados que, según el sentir de los obreros, están más de parte del patrón que de sus compañeros y por ello simboliza la traición.
En caso de ser nosotros los capataces de una fábrica o de cualquier otro lugar de trabajo, significa que tendemos más a arrimarnos a los jefes que a nuestros compañeros. Eso nos puede traer inconvenientes, pues aunque las relaciones con los superiores son importantes y pueden abrirnos muchas puertas, la solidez de nuestra posición estará dada por aquellos que se encuentran en cargos similares al nuestro. Si estamos frente a un capataz o trabajando bajo sus órdenes quiere decir que, en la vida real, nuestro trabajo nos agobia; que en él vemos injusticias y que nos gustaría conseguir otro puesto mejor.

CAPERUZA

Véase GORRO.

CAPICÚA

Los números capicúa son los que se leen igualmente de izquierda a derecha que de derecha a izquierda.
Tradicionalmente se considera que dan buena suerte, de modo que si se sueña con ellos debe ser tomado como un augurio de éxito en los juegos de azar.

CAPILLA

Véase IGLESIA.

CAPITÁN

En general, soñar con personas que ostentan alguna jerarquía denota un sentimiento de envidia o de inferioridad, sobre todo si el sueño es perturbador y nos provoca desasosiego. En caso de que en la vida real nuestra posición social sea superior, deberá entenderse que nos sentimos humillados, que no sabemos cómo hacer valer nuestro rango o que las personas bajo nuestro mando no nos tienen el suficiente respeto.
Si el personaje que aparece en el sueño es el capitán de un barco, las imágenes estarán relacionadas con nuestra vida emocional. Si el capitán es benevolente y amable, significa que somos personas abiertas, que tenemos facilidad para establecer vínculos afectivos. Si es déspota, malévolo o difícil de tratar, quiere decir que no sabemos cómo hacernos querer, o que nos cuesta mucho declarar nuestro afecto a los demás por miedo a que eso nos haga más vulnerables.

Capitel

Los capiteles son los remates superiores de las columnas y simbolizan las creencias religiosas.
Los capiteles sencillos, como los dóricos, indican que tendemos a pensar que el universo ha surgido por sí mismo, sin intervención divina.
Los más elaborados, como los jónicos, muestran que aceptamos la presencia de Dios como supremo creador.
Por último, los capiteles más recargados o elaborados, como los corintios, señalan que tenemos un mundo místico complejo, por lo que nos preocupa tanto el origen del universo como nuestro destino en él y buceamos en diferentes religiones o filosofías para encontrar respuesta a estos enigmas.
Por todo ello, soñar con capiteles puede indicar una crisis de fe, una necesidad de confirmar que las ideas que hemos tenido hasta el presente son las correctas.

Capitolio

Soñar con estos edificios majestuosos, como la Acrópolis de Atenas, señalan una marcada aspiración de grandeza, la necesidad de hacer cosas sublimes o, en un terreno más frívolo, sencillamente de ser famosos.

Capitulaciones

Si en sueños firmamos capitulaciones matrimoniales quiere decir que no confiamos en la habilidad de nuestra pareja para manejar asuntos económicos.

Capítulo

Véase LIBRO.

Capón

Los animales o aves castradas representan la represión sexual producto de la educación.
Si aparece un capón en sueños quiere decir que nuestros padres, o uno de ellos, no nos ha permitido ganar paulatinamente libertad, que nos tienen bajo su tutela y que, debido a la manipulación que ejercen sobre nosotros, no somos capaces de obrar por nosotros mismos, de tomar el camino que nos parece más conveniente por temor a hacerles daño o a que dejen de querernos.
Si el animal está muerto quiere decir que la situación nos resulta agobiante y está llegando a un punto crítico.

Capote

Esta capa corta hoy se utiliza en la lidia de toros para hacer que el animal embista contra ella y no contra el torero o sus ayudantes. Es, pues, un elemento de engaño, de distracción.
El empleo de un capote para esquivar a un toro simboliza las acciones que realizamos para que los demás no centren su atención en aquello que pretendemos mantener oculto.
Dar un capote a otra persona significa mediar en una discusión a fin de que las partes lleguen a un acuerdo.

Capricornio

Véase ZODÍACO.

Cápsula

Véase MEDICAMENTO.

Capucha

La capucha es un gorro que, a la vez que cubre la cabeza, también tapa el rostro. Como nos permite esconder la cara, se relaciona con la vergüenza.
Sin embargo, según la escuela de Jung es un objeto litúrgico (de hecho, en las procesiones de semana santa muchos fieles van encapuchados), por lo que, en este sentido y siempre y cuando también se vista túnica, debe ser considerado símbolo de humildad de quien la lleva.
Si nosotros o algún otro personaje

aparecemos en el sueño vistiendo una capucha, eso indica que quien la lleva se siente avergonzado por un hecho que ha ocurrido recientemente.
En caso de que el encapuchado se muestre agresivo, este símbolo estará vinculado a la figura del verdugo, que también usa esa prenda, e indicará que alguien quiere ensuciar nuestra imagen.

CAPUCHINO

Véase RELIGIOSO.

CAPUCHÓN

La pieza que recubre las plumas estilográficas o los bolígrafos simboliza la discreción, el comedimiento en la palabra.
Si en sueños ponemos el capuchón a cualquiera de estos utensilios, quiere decir que debemos mantener silencio acerca de un conflicto laboral, que no es momento de hablar y, menos aún, de hacer comentarios acerca de la persona que nos está poniendo obstáculos en nuestra tarea.
La pérdida del capuchón de un bolígrafo o pluma representa una situación de estrés, posiblemente provocada por un superior, en la cual las emociones nos desbordan y nos llevan a buscar consuelo comentando los hechos con otros compañeros. Esta es una conducta que puede generarnos más problemas porque basta que una de esas personas nos traicione sacando a la luz nuestras confidencias para que nuestra situación empeore. En casos así, cuando se sufre acoso laboral, lo más adecuado es juntar pruebas para presentarlas ante la autoridad competente.

CAPULLO

Los capullos florales son el preludio de la floración, de la época en la cual la planta o el árbol cobra todo su esplendor. Por ello se relaciona con los cambios positivos en el ámbito material, con las posibilidades de hacer grandes avances en el terreno laboral, económico o social.
También se denomina capullo a una de las fases de metamorfosis de algunos insectos. Los gusanos y orugas se envuelven en un capullo tejido con una sustancia que segregan ellos mismos y, dentro de éste, se transforman en mariposas.
Si el capullo que aparece en el sueño es de origen animal, significa que estamos viviendo una profunda metamorfosis, que pasamos por una época de transición, aparentemente estéril desde el punto de vista material, pero que estamos haciendo cambios importantísimos en nuestro modo de ver y pensar.
A menudo reflejan períodos de intensa reflexión, previos a tomar decisiones que cambiarán radicalmente el curso de nuestra vida. No deben temerse, ya que saldremos de ellos fortalecidos y con una claridad mental muy superior a la que ahora tenemos.

CAQUI

Este fruto simboliza la sensualidad.
Su presencia en sueños da cuenta de una excelente relación amorosa.

CARABELA

Estas antiguas embarcaciones son especialmente conocidas por haber tomado parte en el descubrimiento de América. Simbolizan la rectificación de un rumbo, el cambio de actitud que nos llevará a conseguir lo que deseamos.
Si estamos sobre una carabela quiere decir que hemos comprendido que, hasta el momento, hemos obrado equivocadamente y que estamos dispuestos a rectificar nuestra conducta.

CARABINA

Véase ARMAS.

CARACOL

Por su hábito de encerrarse apenas se lo toca, este animal representa la timidez, la introversión. Si lo encontramos en sueños quiere decir que nos sentimos atraídos por una persona sumamente tímida y que su actitud de huida nos tiene muy desconcertados.

Véase CARACOLA, ESPIRAL.

CARACOLA

La concha de los gandes caracoles marinos, construida en forma de espiral, es símbolo de expansión y contracción, de avance y retroceso, de búsqueda del conocimiento y de la verdad. Debemos interpretarla teniendo en cuenta a los demás.

Véase ESPIRAL.

CARÁMBANO

En los carámbanos, el agua se convierte en un elemento sólido y, por lo general, delgado y puntiagudo. Simbolizan la agresividad verbal.

Toparse con un carámbano representa el encuentro con una persona que tiene una lengua muy afilada, que utiliza la ironía y que tiende a ridiculizar o menospreciar a los demás. El daño que el carámbano pueda hacernos simboliza el que los comentarios de dicha persona puedan provocarnos.

Si el carámbano se está derritiendo quiere decir que estamos cambiando positivamente, hacia mejor, que hemos aprendido que con enfrentarnos a los demás no ganamos nada más que disgustos y que, en ocasiones, una actitud paciente o diplomática da mejores resultados.

CARAMBOLA

Véase BILLAR.

CARAMELO

Véase DULCES.

CARANTOÑA

Tienen por objeto halagar a la persona a la cual se hacen con el fin de obtener de ella lo que deseamos. Simbolizan, por tanto, la hipocresía.

Las carantoñas que alguien nos haga en sueños deben tomarse como una advertencia: conviene que estemos prevenidos porque una persona que se muestra amiga, lo único que busca es su propia conveniencia y, una vez que consiga lo que pretende, nos dejará de lado o hablará mal de nosotros.

CARÁTULA

Las cubiertas de los discos, cintas de vídeo o libros simbolizan la forma en que los demás nos ven, la imagen que mostramos en los diferentes entornos en los que nos movemos. Por lo tanto, será importante analizar los elementos que aparezcan en la carátula (título de la obra, dibujos, colores, etc.) para saber cuáles son las cualidades o defectos que nos caracterizan a los ojos de las demás personas.

CARAVANA

En algunas regiones, la gente se sigue reuniendo a fin de hacer viajes en grupo. Normalmente se trata de lugares inhóspitos en los que una travesía en solitario engendraría grandes peligros. Por ello las caravanas simbolizan la protección que se consigue mediante la unión con los iguales.

Si vamos en una caravana quiere decir que nos conviene formar un frente unido con los compañeros de trabajo, con los hermanos o con un grupo de iguales a fin de hacer frente a los abusos de otra persona. En caso de ver pasar la caravana, la interpretación más correcta es que nos conviene asociarnos a un grupo ya constituido.

CARBÓN

Aunque el carbón ha sido un elemento esencial para el avance de la civilización,

su simbolismo ha sido siempre negativo. Por su negrura, se lo ha comparado con aquello que no vale nada (como, por ejemplo, en el caso de la tradición que dice que a los niños que se portan mal, los reyes magos les traen carbón).
Si el carbón está apagado, debemos tomarlo como que alguien intenta desacreditarnos a nuestras espaldas o que pretende hacernos parecer culpables de un hecho que no hemos cometido.
Si el carbón está encendido; es decir, si es brasa, su color cambia del negro al rojo y pierde estas connotaciones negativas.

Véase BRASA.

CARBONCILLO

Si en el sueño dibujamos con carboncillo o vemos una obra hecha con este material, lo más importante es analizar el simbolismo de las imágenes que componen el dibujo.
En caso de que el trabajo esté emborronado, quiere decir que tenemos un escaso control sobre la situación que el dibujo representa.

CARBONERO

Véase AVES.

CARCAJ

El carcaj es una bolsa de cuero que llevan a su espalda los arqueros y que les sirve para transportar las flechas.
La imagen que se relaciona con este símbolo es Cupido, siempre representado con arco y flecha en las manos y el carcaj en la espalda; de ahí que se relacione con el enamoramiento.
Si el carcaj que vemos en el sueño está vacío, quiere decir que la relación de pareja, si es que la tenemos, es estable. Si no la tuviéramos indicaría que aún no es tiempo de enamorarnos.
En caso de que el carcaj contuviera flechas, debería interpretarse que en poco tiempo conoceremos a una persona que nos resultará especialmente atractiva y que habrá muchas posibilidades de establecer con ella un romance muy agradable.

CÁRCEL

Los sueños cuyas escenas transcurren en la cárcel son, por lo general, muy agobiantes. Simbolizan el estado de ansiedad que tenemos ante la espera de un acontecimiento crucial (la nota que hemos sacado de un examen, la respuesta a una carta amorosa muy comprometedora, la confirmación de una promoción, etc.). Cuando vivimos situaciones de esta naturaleza, nuestra mente está presa de ese acontecimiento futuro, de tal modo que apenas podemos pensar en otras cosas o llevar a cabo la rutina diaria. Toda nuestra atención está concentrada en la respuesta que esperamos porque, hasta no resolver la incógnita, no podemos decidir hacia qué caminos nos conviene desplegar nuestras energías.
Si la cárcel que aparece en nuestros sueños es famosa, como por ejemplo La Bastilla o Alcatraz, significa que ese tiempo de espera será más largo del que habíamos pensado.
En caso de que el lugar donde nos tienen prisioneros sea una mazmorra, debemos prepararnos para una respuesta negativa.

CARCOMA

La madera a veces se ve atacada por estos pequeños insectos que la taladran dejando en ella túneles diminutos que terminan por hacerle perder toda consistencia.
Como la labor de estos animales lleva tiempo, representan las situaciones que, poco a poco, van minando nuestras fuerzas.
Si en sueños vemos un mueble o un piso con carcoma, eso quiere decir que estamos inmersos en un conflicto que no tiene solución, que nos empeñamos en mantener un vínculo afectivo que sólo nos

causa frustración y dolor. Lo recomendable es meditar sobre ello y comprender que, a veces, nuestro esfuerzo y voluntad no son suficientes para lograr cambios positivos en una persona, que éstos sólo se producen cuando ella pone algo por su parte y que pueden propiciarse con una retirada por nuestra parte.

CARDAR

El proceso de preparación que requiere la lana a fin de poder hilarla simboliza la separación de un grupo de personas; por ejemplo, de los estudiantes al finalizar el curso.
Si en el sueño somos nosotros quienes cardamos quiere decir que estamos dispuestos a apartarnos de amigos con los cuales hemos pasado algún tiempo realizando una tarea en común. Según sean los sentimientos que las imágenes susciten, este alejamiento lo viviremos de forma tranquila porque nos espera un futuro mejor o, por el contrario, nos sentiremos angustiados ante un futuro incierto y amenazador que nos preocupa sobremanera.

CARDENAL

Véase HEMATOMA, SACERDOTE.

CARDO

Aunque el cardo tiene mala fama e, incluso, es considerado una mala hierba, en realidad es una planta sumamente alimenticia que se utiliza también en medicina y cosmética por sus propiedades nutritivas.
Si soñamos con cardos quiere decir que estamos frente a una oportunidad difícil de verla como tal; al igual que el cardo, es espinosa y complicado de abordar. Sin embargo, si tenemos cuidado, podremos sacar de ella importantes beneficios.
El hecho de comer cardos indica que somos realistas, que jamás nos dejamos llevar por las apariencias.

CARETA

Los personajes que, en sueños, utilizan careta simbolizan el miedo que sentimos ante los desconocidos.
Si la careta es cómica, indica que tendemos a sentirnos superiores a los demás.

CAREY

Este hermoso material se obtiene del caparazón de un tipo de tortuga marina. Por ello, se relaciona con las defensas que mostramos ante la sociedad.
Si soñamos con algún objeto fabricado con este material, en primer lugar deberemos analizar su simbolismo y, en segundo término, conjugarlo con el concepto de defensa o introversión.

CARGA

Los sueños en los cuales debemos llevar una pesada carga son bastante comunes; por lo general indican que vivimos demasiado pendientes de lo que hemos vivido en el pasado, que tenemos una marcada tendencia a la melancolía y que preferimos recrear en la cabeza los acontecimientos que nos han marcado en lugar de emplear el tiempo en hacer nuevos planes o en resolver las dificultades del presente.
Si la carga la lleva otra persona, quiere decir que nos cuesta mucho mostrarnos solidarios, que no sabemos ver cuándo alguien necesita realmente nuestra ayuda.

CARGO

Los sueños en los cuales nos dan un cargo más importante del que tenemos indican que tendemos a vivir en un mundo de fantasía en lugar de avanzar en nuestras tareas pendientes.

CARIÁTIDE

Estas estatuas con formas femenina que se utilizan como columnas simbolizan las mujeres que sostienen sobre sus hombros todo el peso de la familia. Trabajan, cuidan de sus hijos y de los ancianos y se ocupan también de las tareas domésticas. Por lo general, son viudas o separadas. Cuando las vemos en sueños indican que en nuestro entorno hay una mujer de estas características que necesita nuestro apoyo. Puede tratarse de nuestra madre, de una hermana o una amiga muy cercana.

CARICATURA

Simbolizan las burlas, pero también la presencia de una persona muy perspicaz y empática, capaz de detectar inmediatamente los puntos débiles y los temores ocultos de los demás.
Si la caricatura nos representa a nosotros, debemos tomar precauciones, pues hay una persona que se está burlando de nosotros, que está deteriorando nuestra imagen con sus habladurías.
Si representa a otra persona, quiere decir que nos resulta transparente, que sabemos perfectamente qué podemos esperar de ella y que tenemos la seguridad de que intenta aprovecharse de nosotros.

CARIES

La boca es uno de los puntos más sensibles a las tensiones psicológicas; a menudo, las caries se producen en épocas en las cuales el estrés o la angustia hacen que el sistema defensivo de nuestro organismo se debilite. Por ello, simbolizan aquellas situaciones que nos producen ansiedad, que nos hacen temer el futuro.
Si en el sueño tenemos caries, quiere decir que vivimos una época muy difícil en la que todo parece ir cuesta abajo.
Ver a otra persona con los dientes cariados significa que en el medio laboral se están produciendo movimientos amenazadores, que hay compañeros que han tenido problemas y que tememos que otro tanto nos pase a nosotros.

CARMELITA

Véase RELIGIOSO.

CARMÍN

Las barras de labios sirven para resaltar una parte del cuerpo que resulta sumamente sensual y atractiva, de ahí que simbolicen los preludios a las relaciones sexuales.
Si nos pintamos los labios quiere decir que nos gustaría tener un romance, que deseamos vivir los comienzos de una relación o que sentimos que la nuestra es aburrida y sin emoción.
Si vemos a otra persona pintárselos, eso indica que percibimos, por su parte, una actitud seductora y sensual.

CARNAVAL

Las fiestas de carnaval de muchas regiones se caracterizan por el desenfado y una actitud en los participantes que podría caracterizarse de lujuriosa. En sueños, estos festejos simbolizan la supresión de las represiones sexuales.
Si soñamos con las figuras propias del carnaval, con personas disfrazadas, bailes de máscaras, chirigotas, etc. quiere decir que en nuestro interior estamos realizando un proceso para vencer la educación represiva que hemos recibido.

CARNE

Los sueños en los que se come carne, independientemente de qué animal provenga, pueden surgir de un déficit de proteínas en nuestro organismo. Pero, en general, la carne representa el cuerpo y, con él, el mundo instintivo alejado de la razón.
Si la carne que vemos en sueños no está cocida, simboliza el deseo sexual no satisfecho. En caso de tener mal aspecto, podría representar la frustración ante el romance con una persona que nos ha decepcionado. La carne congelada representa la represión, tanto afectiva como sexual. Los trozos de carne con hueso, como son las chuletas, indican que reprimimos la atracción que nos produce una persona del otro sexo.

CARNÉ

Sirve para confirmar la pertenencia a un grupo y el derecho de participar en sus actividades. Simboliza el aislamiento, la necesidad de tomar contacto con otras personas de ideas afines.
Si perdemos el carné quiere decir que la imagen que tenemos en el círculo social en el que habitualmente nos movemos, ha quedado deteriorada.
Obtener un nuevo carné significa conocer personas nuevas que realizan una actividad común.

Véase ACREDITAR.

CARNERO

Estos animales simbolizan las posesiones y las posibilidades de ascenso económico.
Si vemos pacer un rebaño y no hay amenazas en el entorno, quiere decir que nuestro ascenso será paulatino pero seguro.
Si en el sueño llevamos un carnero sobre los hombros, eso indica que recibiremos un dinero inesperado (podrían ser ganancias obtenidas en juegos de azar).
Un carnero perdido representa una situación económica que no sabemos cómo solventar. Si nos amenazan peligros, será mejor que tomemos precauciones porque podrían producirse grandes pérdidas.

CARNICERÍA

El hecho de que un sueño transcurra en una carnicería indica que no ingerimos la cantidad suficiente de proteínas. Advierte de que, de no mejorar la dieta, podemos enfermar.

CARPETA

Simboliza lo que más nos interesa, ya sea vocación, hobby, deporte, etc.
Si se sueña con una carpeta, deberá tenerse muy en cuenta su contenido: si se trata de facturas, por ejemplo, podría indicar que en esta época estamos abocados a mejorar nuestra situación económica, si se trata de un álbum de fotos familiares, nuestro interés está centrado en la familia. Las materias que pudiera contener (historia, biología, matemáticas) son las que nos resultan más atractivas y en las que mejor podríamos desarrollar nuestro intelecto.
Si la carpeta está abierta, si se ve su contenido, significa que podemos dar rienda suelta a nuestras aficiones; si está cerrada, en cambio, indica que por falta de tiempo o por cualquier otro problema, estamos postergando el momento de dedicarnos a ellas.

CARPINTERÍA

Los trabajos de carpintería, así como los carpinteros, simbolizan la recuperación emocional tras haber sufrido una importante pérdida.
Si estamos en una carpintería quiere decir que estamos terminando una etapa difícil, en la cual hemos debido acostumbrarnos a una situación nueva y más penosa que la anterior.
En caso de ser nosotros los carpinteros, indicará que aún nos queda un tiempo para superar una situación que nos ha sumido en un estado de depresión o tristeza.

CARRACA

Este primitivo instrumento, que se emplea en los festejos, simboliza la murmuración.
Su aparición en un sueño indica que están criticándonos a nuestras espaldas.

CARRASPERA

Las dificultades en el habla, por lo general, tienen que ver con la conveniencia o el deseo de mantener ocultos ciertos aspectos de nuestra vida o con el temor de decir más de lo conveniente.
Si padecemos en sueños este trastorno, habrá que prestar mucha atención a la persona con la que hablamos, ya que ella simbolizará a la que tememos ofender con

nuestras palabras. También es importante analizar las palabras que decimos, ya que serán la clave que nos permita conocer con qué aspectos de nuestra vida no estamos conformes y tememos que sean conocidos por los demás.

CARRERA

La participación en una prueba de atletismo simboliza la competitividad laboral. Si se trata de una carrera de velocidad, quiere decir que tenemos un ingenio agudo y mordaz, capaz de vencer dialécticamente a la mayoría de los contrincantes que se nos presenten, pero que carecemos de la paciencia necesaria para hacer presión sobre un mismo punto o mantener la tensión de la competencia a fin de lograr la victoria.
En caso de participar en una carrera de resistencia, debemos interpretar que nos gustan los retos a largo plazo, que realizamos el trabajo de modo que no dejamos cabos sueltos y que eso, al final, nos hará resultar vencedores.

CARRETA

Las carretas tiradas por bueyes que se utilizan habitualmente en el medio rural simbolizan la prosperidad económica.
Si la carreta que vemos en el sueño está cargada, quiere decir que estamos en plena ascensión y que no debemos preocuparnos por nuestro futuro.
Cuando la carreta está vacía, significa que tendemos a hacer más gastos de los necesarios y que es conveniente que, durante un tiempo, destinemos más recursos al ahorro.

CARRETE

Los carretes de fotografía simbolizan el narcisismo, la admiración que se siente por uno mismo.
Si el carrete del sueño está usado y con él se han hecho ya las fotos, debemos pensar que tendemos a creernos superiores a los demás.
Si el carrete está sin utilizar quiere decir que no tenemos una buena opinión de nosotros mismos.

CARRETERA

Las carreteras y los caminos pavimentados simbolizan el destino, nuestro tránsito por la vida. Según su estado y el paisaje que atraviesen, así veremos cómo nos ha ido en la vida. Lo que tenemos hacia el frente, es el futuro; el camino ya hecho, el pasado.
Si vemos una carretera desde un punto más alto, quiere decir que tendemos a contemplar nuestra vida con desapego y que enfocamos cada suceso desde un ángulo totalmente realista.

Véase ENCRUCIJADA.

CARRETILLA

Este vehículo representa el ingenio, la capacidad de ver el camino más corto entre dos puntos.
Sin embargo, a la hora de analizar un sueño en el que aparezca, debemos tener especialmente en cuenta la carga que se transporte en ella, ya que dará la clave acerca de las situaciones en las cuales solemos aplicarlos y advertirá, también, si hay algún problema que necesite por nuestra parte una rápida y sagaz intervención.
Cuanto menos nos cueste transportar la carretilla, mayor será nuestra habilidad para resolver los problemas.
En caso de que la carga que llevamos se vuelque, deberemos interpretar que estamos llevando un camino equivocado en la resolución del problema que más nos preocupa en el presente.

CARRIL

Los carriles de una calle o carretera simbolizan los diferentes ambientes en los que nos movemos. Por ello, deberemos observar a los coches que vayan por él, así como también a los que están en otros

carriles. Sus colores y su actitud permitirán sacar conclusiones acerca de las personas que frecuentamos.
Los carriles destinados a taxis y autobuses delimitan zonas en la calzada por las que no todos los vehículos pueden viajar; por ello simbolizan todo aquello que nos permite conseguir un trato especial por parte de nuestro entorno. A menudo se trata de la simpatía que despertamos en los demás, de la confianza que inspiramos o de la solidaridad de la que podemos hacer gala.
Si viajamos por el carril-bus quiere decir que, independientemente del ambiente en el que nos movamos, siempre vamos a ser populares y elegidos con especial predilección.

CARRO

Tradicionalmente el simbolismo del carro ha estado unido al del Sol, ya que se creía que el astro rey atravesaba el cielo en uno de estos vehículos. Por ello, es símbolo de victoria.
Viajar en un carro significa salir airoso de una contienda o terminar un proyecto con éxito.
Si lo que llama nuestra atención en el sueño no es el vehículo sino los caballos que tiran de él, debemos ver en ellos una alusión a nuestra fuerza vital.
Si el carro se mueve velozmente, quiere decir que tenemos una vitalidad excelente; si avanza con dificultades, deberá pensarse que tal vez estemos demasiado cansados y que, por ello, nuestro organismo no puede responder con la máxima eficacia.

CARROCERÍA

Véase VEHÍCULO.

CARROMATO

Los carromatos sirven de hogar a personas que, por oficio, por cultura o sencillamente por elección, llevan una vida nómada. Simbolizan el desarraigo y, al mismo tiempo, el afán de pertenencia a comunidades muy pequeñas.
Esta idea se hace extensiva a las casas rodantes, ya que son las que han reemplazado a los antiguos carromatos tirados por caballos.
A la hora de soñar con un carromato o con una casa rodante, lo primero que deberá tenerse en cuenta es si se trata de un vehículo aislado o si viaja en caravana junto a otros del mismo tipo, como ocurre con las compañías circenses. En el primer caso, además del desarraigo, indica un gusto por los viajes, por conocer gente diferente, así como la tendencia a evitar compromisos afectivos profundos. En el segundo, muestra una tendencia a pertenecer a círculos muy cerrados y pequeños.
También es importante observar en qué tipo de carromato nos encontramos y podemos analizar los elementos simbólicos asociados con la actividad a la que esté destinado (un paseo, en el circo, con un grupo étnico, etc.)

CARROÑERO

Los animales que se alimentan principalmente de carroña simbolizan a las personas que están siempre al acecho, esperando que cualquier persona de su entorno cometa algún error o caiga en desgracia para aprovecharse de la situación en su propio beneficio egoísta.
Difícilmente buscan el lugar que les corresponde por sí mismos, no hacen esfuerzos, no derrochan su energía, sino que, por el contrario, aprovechan siempre el trabajo y en lugar de tender la mano a sus compañeros cuando necesitan ayuda, si pueden, los empujan al abismo para ocupar su lugar.
Los animales carroñeros que aparezcan en nuestros sueños, como los buitres o chacales, deben servirnos de advertencia: alguien está esperando a que cometamos cualquier falta, por pequeña que sea, para

magnificarla y desplazarnos del puesto que tenemos.

Véase AVES.

CARROZA

Aunque en origen se designaba de esta forma cierto tipo de carruaje ricamente adornado hoy se entiende por carroza un vehículo que transporta una plataforma en la cual se representa una escena alegórica. Se suelen emplear en muchas festividades populares como el carnaval o las fallas.
Si soñamos con una carroza, lo importante es buscar el simbolismo de las figuras que estén sobre ella, así como la escena general que represente. Estos elementos nos darán la clave para hacer un buen análisis del sueño.
Si nos encontramos sobre la carroza, estaremos más implicados en la situación que ejemplifique que si la vemos pasar.

Véase CARRUAJE.

CARRUAJE

Los viajes en carruaje indican la forma en que nos movemos en la vida. Si es cerrado y tiene cuatro ruedas, como la carroza, el cupé, el faetón, la diligencia o el landó, quiere decir que somos conservadores, que nos apegamos a nuestros hábitos y costumbres y que los cambios que se producen en nuestro entorno nos resultan perturbadores. Si el carruaje que vemos en el sueño es de cuatro ruedas pero abierto o con capota, como las berlinas o las calesas, significa que si bien somos previsores y amantes de la seguridad, estamos dispuestos a cambiar nuestra forma de vida repentinamente si se nos presenta una oportunidad prometedora.
Los carruajes de dos ruedas, como el cabriolé o el tílburi, indican que quien va en ellos se deja llevar por las pasiones, que rehuye todo tipo de reflexión y que, a menudo, se mete en problemas. En caso de ser el cochero, sin embargo, deberá entenderse que tiene un gran sentido común y que sabe dar a cada cosa la adecuada importancia.

CARRUSEL

Véase TIOVIVO.

CARTA

Como medio de comunicación escrito, representa la forma en que soportamos la distancia con las personas que queremos. Sin embargo, según sea el contenido de la misiva, puede dar lugar a otras interpretaciones, por ello hay que prestar mucha atención a lo que dice la carta.
Si en el sueño la estamos escribiendo, quiere decir que nos duele el alejamiento que se ha producido con un amigo. Éste puede ser físico o emocional.
El hecho de recibir una carta indica que soportamos perfectamente la distancia, que no necesitamos muestras constantes de cariño sino que nos sentimos seguros del afecto que los demás sienten por nosotros.
Echar una carta al buzón significa que estamos haciendo todo lo posible por reparar un malentendido que nos ha distanciado de un amigo o familiar.

Véase NAIPE, TAROT.

CARTABÓN

La principal finalidad de este instrumento es dibujar líneas perpendiculares perfectas y por ello simboliza los dilemas morales, las dudas relacionadas con lo que es o no correcto.
Si trazamos líneas con ayuda de un cartabón, quiere decir que estamos ante una fuerte tentación y que no sabemos hasta qué punto podemos dejarnos vencer por ella. También es posible que nos veamos en medio de una disputa entre dos personas y que sintamos temor a cometer una injusticia si apoyamos a una de ellas.

CARTEL

En principio, los carteles que veamos en los sueños simbolizan la forma en que hablamos de nosotros mismos, la manera de vender nuestros talentos; pero, según su contenido, también podrían ser advertencias que nos apartarían de los peligros.
Si el cartel resulta agradable o anuncia cosas positivas, quiere decir que sabemos transmitir a los demás nuestros valores.
Si sus colores son muy estridentes o anuncian grandes acontecimientos, indica que tendemos a dar a nuestros interlocutores la sensación de que nos creemos superiores.
En caso de que el cartel sea desagradable o pobre en concepto o colores, debemos pensar que no nos valoramos lo suficiente y, por ello, no sabemos vendernos convenientemente.

Véase ELECCIONES.

CARTERA

En la cartera, junto con el dinero, suelen llevarse fotos de algún familiar así como los documentos de identidad; de ahí que ella simbolice quiénes somos, con quién estamos y qué tenemos.
Los sueños en los cuales perdemos o nos roban la cartera son muy habituales y representan el miedo a no ser reconocidos, a pasar desapercibidos en el entorno.
Cuando despiertan mucha ansiedad señalan un temor enfermizo a la pérdida de seres queridos.
Robar o apoderarse por algún medio de una cartera ajena indica que sentimos envidia por el éxito de una persona allegada.

Véase BILLETERA.

CARTERO

Es el moderno mensajero, la persona que facilita la comunicación entre dos puntos distantes. Por sus manos pasan miles de mensajes pero él jamás se entera de su contenido; de ahí que simbolice la discreción.
Si un cartero golpea nuestra puerta o nos encontramos con él por la calle, quiere decir que podemos depositar toda nuestra confianza en una persona que acabamos de conocer.
En caso de que se haya producido un conflicto con alguien de nuestro entorno, indica que estamos echando la culpa a un inocente, que quien ha motivado la disputa no es la persona que aparece en primer plano sino otra que se ha aprovechado de su buena fe.

CARTESIANO

Los ejes cartesianos son rectas perpendiculares que sirven para determinar la posición de un punto en el espacio. Es un sistema de coordenadas empleado en diversas disciplinas: geometría, cartografía, física, etc.
Simbolizan nuestra preocupación por el lugar que ocupamos dentro del entorno familiar.
Si hacemos un dibujo utilizando estas coordenadas, quiere decir que no nos sentimos demasiado seguros del papel que cumplimos en la familia o en el hogar, que no comprendemos muy cabalmente qué se espera de nosotros.

CARTILLA

Las cartillas son cuadernos pequeños en los que se hacen anotaciones. Según sea su tipo, sirven para determinados propósitos. En general, simbolizan los propósitos de enmienda que se quieren tener presentes en la conciencia para que se produzcan cambios positivos en la conducta.
Si soñamos con una cartilla de ahorro, quiere decir que nos hemos propuesto limitar nuestros gastos, que hemos llegado a la conclusión de que debemos ser más frugales porque se avecina una época en la que tendremos que afrontar el pago de

sumas importantes de dinero. Es posible que en el momento de soñar con ella no veamos sentido a la restricción, pero debemos pensar que, tal vez, esté a punto de presentarse la oportunidad de una compra ventajosa para lo cual deberemos contar con una considerable suma en efectivo.

Por medio de la cartilla militar queda constancia de los servicios que se han cumplido en el ejército. Soñar con ella indica que nos hemos hecho el propósito de poner límites firmes para no permitir que nadie se aproveche de nosotros y que, si es preciso, emplearemos la agresividad para defendernos.

También recibe el nombre de cartilla el libro que emplean los escolares para aprender a leer. Si la que aparece en nuestro sueño es de este tipo, quiere decir que tenemos el propósito de mejorar la comunicación con el entorno, que hemos decidido aprender nuevas habilidades sociales y dejar a un lado la arrogancia, la altivez y todas aquellas formas de conducta que generan rechazo.

Las cartillas de racionamiento que se emplean en la guerra o en momentos de crisis para repartir los alimentos en la población, pueden responder al propósito de hacer dieta para adelgazar.

Cartomante

Véase ADIVINO.

Cartón

Se utiliza, fundamentalmente, para hacer cajas y embalajes; por ello simboliza la memoria, el lugar donde guardamos el recuerdo de todo lo que hemos vivido.

A la hora de analizar este material, también deberá tenerse muy en cuenta el objeto que se haya construido con él (caja, cartel, portada de un cuaderno, etc.)

Soñar con un trozo de cartón roto o deteriorado indica que tenemos una memoria frágil y que hacemos poco uso de ella. Si el cartón que vemos en el sueño está limpio y en buen estado, quiere decir que nuestra memoria es excelente y que nos gusta rememorar el pasado.

Cartuchera

Esta funda de cuero sirve para que los soldados o cazadores guarden la munición. Simboliza los secretos que conocemos de otras personas y que podrían resultarles comprometedores.

Si la cartuchera que vemos en el sueño contiene munición, quiere decir que alguien se está portando mal con nosotros y que, por ello, nos vemos tentados a decir cosas de su vida que podrían deteriorar su imagen.

Si la cartuchera está vacía, indica que no nos interesa en absoluto la vida de los demás; que rehuimos de todo cotilleo.

Véase ESTUCHE.

Cartucho

Este recipiente cilíndrico se emplea para almacenar diferentes materiales, de ahí que tenga diferentes significados.

Los cartuchos empleados para cargar las armas de fuego, que albergan munición y pólvora, simbolizan la toma de distancia con personas que hemos querido mucho pero que nos han hecho daño. Soñar con ellos, a menudo anticipa una ruptura afectiva.

Si el cartucho pertenece a una cámara fotográfica o a una pluma, indica que vamos a vivir momentos de gran felicidad.

En caso de que el cartucho perteneciera a una máquina (como por ejemplo a una impresora), es necesario ver primero el simbolismo de ésta para comprender el del cartucho según sea su función; pero siempre deberá entenderse como el elemento que alimenta dicha máquina.

Cartujano

Véase CABALLO, RELIGIOSO.

Cartulina

Simboliza aquello que deseamos que no sea olvidado.
Si en sueños utilizamos un trozo de cartulina para escribir o dibujar, quiere decir que necesitamos dejar constancia fehaciente de algún acontecimiento. Será necesario observar lo que la cartulina tenga escrito para abarcar el simbolismo completo.

Casa

La casa, el hogar, es el refugio último, el lugar donde nos mostramos tal y como somos, sin necesidad de preocuparnos por nuestra imagen ni por lo que otros puedan pensar de nosotros. Hay un dicho popular que dice que es el reflejo del alma porque este entorno lo construimos casi con absoluta libertad. Por todo ello, nos representa a nosotros mismos.
Si la casa que vemos en el sueño no es la nuestra, su construcción, decoración y estado significarán la forma en que somos percibidos por los demás. Si está sucia, por ejemplo, quiere decir que no solemos prestar demasiada atención al aseo personal. Una casa sencilla dará cuenta de nuestra humildad, en tanto que una ostentosa, será índice de delirios de grandeza o de vanidad.
En caso de que la vivienda del sueño fuera nuestra, representaría la forma en que nos vemos a nosotros mismos.
Es importante analizar todo elemento de la casa que nos llame la atención: si tiene grandes ventanales, por ejemplo, será conveniente buscar el simbolismo de la palabra ventana para añadir otra clave importante a la interpretación.
También es necesario observar el tamaño de la vivienda ya que cuanto mayor sea, más integrados estaremos en el mundo que nos rodea.
Las casas muy pobres, construidas con materiales no adecuados como son las chabolas, señalan el descuido que mostramos hacia nosotros mismos. Los chalés con jardín indican nuestra necesidad de contacto con la naturaleza.

Casaca

Véase CHAQUETA.

Casamata

Estas bóvedas destinadas a instalar en ellas piezas de artillería simbolizan las peleas entre diferentes familias. Su presencia indica que tendremos discusiones con cuñados, suegros u otros parientes políticos.

Casamentero

Simboliza la preocupación que sentimos ante las desavenencias que se producen en un matrimonio cercano (puede ser el de los propios padres, hermanos, etc.).
Si vemos en sueños a un casamentero, quiere decir que una pareja de nuestro entorno está pasando por una crisis.
En caso de ser nosotros quienes cumplimos esta función, indicaría que si hablamos con uno o ambos miembros de la pareja podríamos conseguir que limaran sus diferencias.

Casamiento

Véase BODA.

Casanova

Véase DONJUÁN.

Cascabel

Esta bola hueca de metal, que tintinea al ser agitada, se emplea para diversos fines, pero siempre con el objeto de llamar la atención.
Si vemos un cascabel o un cencerro en el cuello de un animal quiere decir que hemos detectado que ejercemos un fuerte atractivo sexual sobre una persona que no es de nuestro agrado. Cuando un personaje de nuestro sueño aparece con

muchos cascabeles cosidos a su ropa, indica que nos gustaría trabar amistad con alguien a quien hemos conocido recientemente.

Cascada

Este es un poderoso símbolo, ya que muestra toda la potencia del agua. Ésta se relaciona con el mundo espiritual y sensitivo, de manera que si nos encontramos con una cascada en el sueño, debemos interpretar que en nuestro interior se agitan grandes emociones positivas.
Bañarse en una cascada significa purificarse de los errores cometidos en el pasado, reconciliarnos con nosotros mismos y comprender que, aun cuando hayamos fallado, siempre tenemos la posibilidad de enmendarnos y ser mejores cada día.

Cascanueces

Los frutos secos tienen una cáscara dura que protege el germen de lo que será la nueva planta. Los cascanueces, por ello, simbolizan la posibilidad de romper las defensas excesivas que impiden que nuestro yo se manifieste.
Si utilizamos un cascanueces en sueños, quiere decir que hemos llegado a la conclusión de que no debemos ser tan suspicaces, que el mundo puede ser un lugar difícil pero no necesariamente hostil hacia nosotros, que en la medida en que nos mostremos más abiertos y confiados, tendremos la oportunidad de unirnos a otras personas y conseguir protección a través del vínculo que podamos establecer con ellas. No hay que olvidar que la unión hace la fuerza.

Cáscara

Simboliza la parte menos importante de una situación o de un proceso.
Si soñamos con ella, quiere decir que estamos prestando atención a los elementos equivocados a la hora de resolver un problema y que sería más conveniente centrarnos en otros aspectos que, aun cuando parezcan insignificantes, son los que dan origen al problema.
Quitar la cáscara a un fruto representa la búsqueda de respuesta a un problema que nos tiene preocupados.

Cascarón

Esta palabra define la cáscara del huevo de cualquier ave una vez que el pollo la ha abandonado. Simboliza, por ello, el inicio de una nueva actividad creativa.
Si vemos un cascarón vacío, quiere decir que comenzamos a desarrollar alguna de nuestras capacidades o que se nos presentará una oportunidad para hacerlo.
En caso de que veamos cómo surge el pollo del cascarón, querrá decir que ansiamos hacer cosas nuevas, que nos sentimos capaces de grandes obras pero que no sabemos claramente cómo dar los primeros pasos.

Casco

Por una parte, los cascos aluden a los héroes, sobre todo si son alados; por otra, es una prenda que cubre la cabeza y la protege de cualquier agresión externa.
Las personas que en el sueño aparezcan cubiertas por un casco indican que nos encontramos ante alguien que jamás revela sus intenciones y que, además, difícilmente cambia de opinión.
Si somos nosotros quienes lo portamos, quiere decir que estamos en una etapa en la cual queremos resolver las cosas por nosotros mismos, sin la ayuda de nadie.
En caso de que quien lo lleve vista, además, como un guerrero, indicará que estamos a punto de conseguir algo por lo que hemos luchado duramente.

Véase BARCO.

Cascote

Aunque los cascotes son los fragmentos de una construcción que se ha caído o ha

sido demolida, suelen utilizarse para construir nuevos edificios. Simboliza todo lo que se puede salvar de una situación dolorosa.
Si vemos en el sueño una pila de cascotes, quiere decir que hemos pasado por un período muy difícil, que nos ha dejado un gusto amargo pero que, no obstante, también nos ha permitido adquirir una gran experiencia. En lugar de contemplar lo desgraciado de la situación, es preferible tener en cuenta las pocas cosas positivas que hemos obtenido con ella para poder utilizarlas a la hora de construir un futuro mejor.

CASETA

Las casetas, a excepción de aquellas que sirven de albergue a los perros, son lugares provisorios de refugio que sirven a diversos propósitos (cambiarse de ropa, montar guardia, etc.). Su interpretación dependerá de la función que cumplan.
Las casetas de playa o de los centros deportivos que se utilizan para cambiarse de ropa simbolizan el pudor y el recato en el vestir. Si vemos una de ellas en sueños, quiere decir que no nos gusta llamar la atención sobre nuestro cuerpo, que preferimos la elegancia al atractivo sexual.
Las que están destinadas a los perros, en cambio, indican que sentimos una gran necesidad de cuidar a los más débiles, que los niños y los ancianos nos conmueven y que estamos siempre dispuestos a echarles una mano.
Las casetas de las ferias auguran próximas alegrías.

CASINO

Los casinos y los bingos, lugares donde se realizan juegos de azar por dinero, simbolizan la necesidad de reconocimiento, el afán de demostrarse a uno mismo que si no tiene una mejor posición no es a causa de los propios errores sino de la mala suerte.
Si en el sueño estamos en un casino jugando, es señal de que no estamos conformes con nuestra propia vida, que sentimos que el destino ha sido injusto con nosotros dándonos menos de lo que merecemos.
En caso de trabajar como crupier, la interpretación será muy diferente, ya que este oficio simboliza la capacidad de actuar fríamente cuando la situación lo requiere.

CASIOPEA

La constelación de Casiopea es una de las más conocidas en el hemisferio norte, dada su proximidad a la Osa Menor.
La leyenda cuenta que Casiopea era una reina de Etiopía que, orgullosa de su belleza, se atrevió a decir que era más hermosa que las nereidas que atendían a Poseidón, dios del mar. Cuando éstas se enteraron de lo que Casiopea decía, pidieron al dios que la castigara y éste, para complacerlas, la colocó en el cielo, sentada en un carro boca abajo.
El simbolismo de esta constelación alude, sin duda, a la vanidad; por ello si la vemos en nuestros sueños, indica que nos sentimos superiores y que haríamos bien en cultivar un poco la humildad.

CASPA

La caspa simboliza aquellas cosas que decimos sin pensar, las pequeñas indiscreciones que nos ocasionan problemas.
Si en el sueño vemos que otra persona tiene caspa, debemos procurar no contarle nuestros secretos.

CASQUERÍA

La casquería se relaciona con los órganos internos, pues son el hígado, riñones, etc. de ciertos animales, que se utilizan como alimentos. Si soñamos que estamos en una tienda donde se venden estos productos, es probable que tengamos alguna pequeña deficiencia en nuestro organismo.

Castaña

Este fruto madura en otoño, por ello muchas veces se ha relacionado con el mundo de los muertos. Pero también las castañas siempre han estado vinculadas a los fríos días de invierno, ya que no sólo constituyen un alimento altamente energético sino que, cuando están asadas, sirven para que nos calentemos las manos.
Si comemos castañas en el sueño quiere decir que no tememos a la muerte, que vivimos intensamente y que no nos preocupa lo que pueda haber en el más allá. Si compartimos las castañas con otras personas, quiere decir que difícilmente nos sentimos solos, que sabemos escoger muy bien a nuestros amigos.
En caso de que las castañas estuvieran en almíbar, debemos entender que pasamos por un momento de depresión, de desesperación, en el que la idea de la muerte nos ronda la cabeza como fin de todas las tribulaciones.

Castañuela

Este instrumento musical de percusión simboliza los debates positivos. Es posible que en ellos haya posiciones enfrentadas que cada uno de los participantes defienda con pasión; sin embargo, aunque su exposición sea acalorada, si hay buena voluntad todos acabarán acercándose más a la verdad.

Castidad

La castidad puede simbolizar una entrega, una elección en la cual nos abstenemos de todo goce carnal para acercarnos más a Dios. Pero también puede ser un impulso originado en la represión sexual.
Si en el sueño la castidad aparece como un elemento importante y, además, nuestro estado de ánimo es bueno, es señal de que hemos decidido ser más selectivos en nuestras relaciones y dedicar más tiempo a los asuntos del espíritu. Si el sueño, por el contrario, es inquietante, dará cuenta de una confusión interna, de una sensación de culpa producida por una educación fuertemente represiva.

Castigo

Si en un sueño recibimos un castigo o reprimenda, quiere decir que, en la vida real, en el fondo nos sentimos culpables por algo que hemos cometido. No siempre es fácil acceder a este sentimiento de culpa: la mayoría de las veces resulta tan doloroso que nuestra conciencia lo oculta a nuestros ojos. Pero los demás elementos que aparezcan en el sueño, podrían dar las claves para comprender de qué se trata.
Si somos nosotros quienes castigamos a otra persona, eso demuestra que nos sentimos agraviados por ella y deseamos vengarnos.

Castillo

Estas grandes construcciones se han erigido con la intención de que fueran inexpugnables a fin de que salvaguardaran la vida de muchas personas.
Si nos encontramos en el interior de un castillo quiere decir que nos sentimos seguros en el seno de nuestra familia, que tenemos una excelente relación con las personas que nos rodean y que contamos con muchas habilidades sociales para triunfar.
Si vemos el castillo desde fuera, en cambio, significa que aspiramos a conseguir muchas cosas pero nos vemos incapaces de lograrlo.

Castor

Este curioso animal es uno de los mamíferos más laboriosos. Por su relación con el medio acuático, simboliza el esfuerzo personal puesto en la corrección de los malos hábitos, de las tendencias negativas. Si soñamos con un castor quiere decir que estamos preocupados por nuestro crecimiento espiritual, que somos conscientes de nuestras imperfecciones y que trabajamos duramente a fin de cambiar nuestra conducta.

CASTRAR

El miedo a la castración es uno de los temores profundos y ocultos más comunes en los varones. Pero aunque la pérdida de la capacidad de procrear sea un hecho físico, la castración también se relaciona con la imposibilidad de desarrollar la creatividad.
Si en sueños vivimos esta amenaza quiere decir que en el entorno hay una persona que nos impide sacar lo mejor de nosotros mismos. Tal vez se trate de alguien que, por medio de manipulaciones, nos haya convencido de la inutilidad de hacerlo o de nuestra incapacidad para conseguirlo.
En ocasiones puede simbolizar el miedo a caer en la tentación de empezar un romance que socialmente está mal visto.

CASULLA

Esta vestimenta que, a modo de poncho, se ponen los sacerdotes para celebrar la misa, simboliza la caridad y la unión con Dios.
Según sea su color, representa aspectos diferentes del camino para alcanzar la purificación del alma.
Si es blanca, quiere decir que nuestra evolución espiritual no está reñida con la vida que llevamos.
Si es roja, indica que deberemos hacer grandes esfuerzos y vencer muchas tentaciones a fin de mejorar.
Si es morada, muestra que nos veremos tentados muchas veces a abandonar la fe, pero que siempre volveremos a retomar el camino espiritual.

CATACLISMO

Estos lamentables acontecimientos auguran un cambio drástico en nuestra vida. Será difícil de asimilar pero, a la larga, comprenderemos que ha sido beneficioso.

CATACUMBA

En estos subterráneos, ocultos de las miradas de los romanos, los antiguos cristianos enterraban a sus muertos y practicaban los diferentes rituales de la Iglesia.
Si en el sueño estamos en una catacumba quiere decir que no nos atrevemos a confesar abiertamente nuestras creencias, que tememos que se nos tache de místicos o que no nos comprendan.

CATAFALCO

Estos túmulos epleados para guardar los restos de personas importantes simbolizan la ansiedad por vivir los acontecimientos futuros.

CATALEJO

Este instrumento óptico, que permite ver a grandes distancias, simboliza la capacidad de ver el presente y, de ello, deducir el futuro.
Si en sueños miramos algo con un catalejo quiere decir que aquello que observamos será lo que obtengamos en un futuro no muy lejano. Como las imágenes así percibidas también son simbólicas, será necesario analizarlas para comprender el significado global del sueño.

CATALEPSIA

Este accidente nervioso, generalmente producido por la histeria, hace que el cuerpo se paralice.
Si en sueños sufrimos un trastorno de este tipo o vemos a alguien que lo padezca, quiere decir que en la vida real se está viviendo un momento muy delicado y que, por el momento, lo más importante es mantener la calma y esperar a que todo se aclare.

CATALIZADOR

Estas sustancias, capaces de alterar o acelerar las reacciones químicas, simbolizan las personas que, cuando hay una discusión, azuzan a las personas en conflicto a fin de que éste se agrave.
Si en estos sueños aparece alguno de estos compuestos químicos, significa que

en nuestro entorno hay una persona que está tratando de enfrentarnos a otra. Lo mejor es no prestar oídos a sus murmuraciones y calumnias.

CATÁLOGO

Si soñamos con algún tipo de catálogo, será necesario mirar bien los artículos que ofrece y buscar lo que simbolizan.
En general, los catálogos que vemos en sueños muestran aquellas cosas que nos gustaría probar pero que no nos sentimos muy seguros de que nos vayan a gustar.

CATAPULTA

El objetivo de las catapultas es romper la defensa de una edificación o una ciudad. En sueños, simbolizan las artimañas de las que nos valemos a la hora de conquistar a la persona por la que nos sentimos atraídos.
Si utilizamos una de estas máquinas de guerra, quiere decir que la persona con la que queremos tener una relación íntima no nos hace caso.

CATARATA

Las cataratas comparten el mismo simbolismo que las cascadas: indican una profunda conmoción de los sentimientos, una agitación interna que no necesariamente tiene que ser negativa. Los sueños en los que vemos cataratas pueden aparecer en el momento en que nos enamoramos.

CATARRO

Las afecciones estacionales y leves, como las gripes y catarros, simbolizan la falta de tiempo, el exceso de trabajo y la necesidad de descanso.
También pueden indicar que estemos incubando algún resfriado.

CATARSIS

Si en una obra que vemos en sueños experimentamos un alivio en nuestras emociones, propio de la catarsis, es señal de que, gracias a la intervención de un familiar, el problema se va a solucionar.

CATÁSTROFE

Aunque las catástrofes naturales causan mucho dolor, también provocan profundas transformaciones en el medio. Por lo general se producen por un efecto de acumulación de agua, como en el caso de los maremotos, del fuego, como en los terremotos, o de altas presiones en la atmósfera. En los sueños simbolizan un estado interior de contención, de alta tensión que puede desembocar en un estallido en cualquier momento.
En los sueños, las catástrofes nos recuerdan que siempre hay que tener una válvula de escape, que toda restricción excesiva termina por provocar desbordamientos emocionales.

CATECISMO

Véase BIBLIA.

CÁTEDRA

Los catedráticos son profesores expertos en una materia, por ello, si en sueños ganamos o tenemos una cátedra, quiere decir que tenemos muchas cosas para enseñar a los demás, que debiéramos compartir con las personas débiles que nos rodean aquellas experiencias que les pueden ayudar a ser más felices o a comprender mejor su lugar en la sociedad.

CATEDRAL

Este lugar de culto simboliza la necesidad de sosiego espiritual, de paz interior.
Si nos encontramos en ella en el momento en que se oficia una misa o cualquier otro ritual religioso quiere decir que entramos en una etapa de evolución que nos va a producir una gran felicidad.

CATRE

Véase CAMA.

CAUCE

Véase RÍO.

CAUCHO

Esta resina vegetal tiene dos cualidades que le hacen único: elasticidad e impermeabilidad. Simboliza la capacidad de adaptación al medio y la desconfianza hacia todo aquello que no se pueda percibir con los propios sentidos.

Si soñamos con caucho quiere decir que somos afables, que sabemos adaptarnos a las más variadas circunstancias y que nos mantenemos flexibles y ágiles en momentos de crisis. No confiamos en el juicio ajeno: para nosotros es imprescindible comprobar cada verdad por nuestros propios medios.

CAUDAL

Véase RÍO.

CÁUSTICO

Véase ÁCIDO.

CAUTERIZAR

La cauterización es un método quirúrgico para restañar las heridas que consiste en aplicar sobre éstas un hierro candente a fin de detener cualquier hemorragia. Se emplea, pues, el fuego para evitar que el organismo pierda el precioso líquido.

Simboliza la fuerza de voluntad que se impone a los dictados del corazón; por ello, si soñamos que nos cauterizan una herida, quiere decir que aun cuando sintamos amor por otra persona, somos capaces de alejarnos de ella haciendo un gran esfuerzo de voluntad si llegamos a la conclusión de que la relación podría resultarnos peligrosa o perjudicial.

CAVA

El cava y el campán son las bebidas alcohólicas que más se emplean en las celebraciones. Simbolizan los buenos deseos que tienen los demás hacia nosotros.

Si en el sueño brindamos y bebemos cava o champán quiere decir que en nuestro entorno se nos quiere y respeta. Asistir a un brindis sin beber o ver el cava derramarse, en cambio, significa que a nuestro alrededor hay muchas personas que nos envidian.

CAVAR

La tarea de cavar implica traspasar la superficie, adentrarse en la tierra. Ésta, a su vez, simboliza por ello a la madre, por lo tanto el cavar simboliza el intento de conocer detalles de su vida o de su personalidad.

Si el pozo que cavamos es profundo, significa que tenemos un lazo afectivo muy sano con nuestra madre. En él está presente la confianza y la crítica constructiva. Además, los principios que ella, o que quien ocupe su papel en nuestra vida, nos ha inculcado, siguen teniendo plena vigencia.

Si el pozo es poco profundo significa que mantenemos una relación cordial y afable pero que, por ambas partes, hay una gran tendencia a mantener muchos secretos.

CAVERNA

Representa el subconsciente, los recuerdos encerrados bajo una fuerte censura, todo aquello que guardamos en nuestro interior y que sólo aparece, debidamente transformado por la censura, en los sueños.

Si nos encontramos en el interior de una caverna, será necesario prestar muchísima atención a todo lo que haya en ella. La presencia del agua puede dar cuenta de las emociones que bullen en nuestro interior: el fuego, las pasiones, las imágenes que pueda haber pintadas en sus paredes simbolizan los episodios que más nos han marcado de todos los que nos ha tocado vivir.

Si el sueño es tranquilo, indica que nos movemos con mucha libertad, que sabemos escoger el camino más conveniente en cada momento. Si experimentamos ansiedad, en cambio, quiere decir que vivimos en una constante lucha interior entre lo que es lícito, aceptable, y lo que no.

CAVIAR

Este alimento altamente energético, símbolo del refinamiento culinario, representa una actitud caprichosa con los alimentos.
Si en sueños comemos caviar indica que nuestra alimentación no es completa, que no ingerimos una gran variedad de alimentos sino que nos limitamos a tomar sólo lo que más nos gusta. Es necesario que tomemos conciencia de que una conducta alimenticia equivocada puede crear serias deficiencias en nuestro organismo.

CAVIDAD

Las oquedades y cavidades naturales son símbolos femeninos.

CAYADO

Véase BÁCULO.

CAZADOR

Los cazadores simbolizan aquellas personas que están en una actitud de seducción permanente.
Si vemos un cazador en sueños quiere decir que no debemos fiarnos de la fidelidad de quien dice querernos.

CEBADA

Para los egipcios, esta gramínea que se utiliza para la fabricación de la cerveza, era símbolo de la resurrección de Osiris.
Representa el empuje y la fuerza interior que nos lleva a superar las mayores pruebas que nos pone la vida. Si la vemos en el campo, quiere decir que nos espera una etapa de éxito que nos ayudará a comprender que los esfuerzos y sinsabores han valido la pena.

Véase CERVEZA.

CEBAR

Si nos vemos cebando a una persona o un animal, indica que pretendemos que los demás acepten nuestras demostraciones de afecto, a menudo exageradas.

CEBO

Simboliza el engaño, las falsas promesas y las traiciones por parte de los amigos.
Si vemos a una persona preparar un cebo, un anzuelo o una trampa, quiere decir que alguien espera sacar provecho de nosotros utilizando para ello promesas que no tiene intención de cumplir. Si somos nosotros quienes preparamos el cebo, indica que esperamos desenmascarar a un amigo que nos ha traicionado.

CEBOLLA

Este bulbo, con sus múltiples capas superpuestas, simboliza los diferentes niveles de conciencia, el conocimiento que tenemos de nosotros mismos.
Si la cebolla que vemos en el sueño está entera y sin pelar, quiere decir que el contacto que tenemos con nuestro yo más profundo es escaso, que nos movemos por impulsos o por hábito, sin cuestionarnos por qué hacemos las cosas.
El llanto que provoca el corte de esta hortaliza representa la toma de conciencia de nuestros sentimientos negativos (la envidia, el odio o la avaricia).
La aparición de cebollas en el sueño debemos tomarla como un buen augurio: quiere decir que ya hemos iniciado un trabajo con nosotros mismos que, a la larga, nos colmará de paz y felicidad.

CEBRA

Este animal, con su curioso pelaje, simboliza la originalidad, el gusto por la innovación y la libertad de expresar nuestra creatividad. Las cebras que aparecen en nuestro sueño indican que no nos dejamos llevar por las modas sino que tenemos ideas y gustos propios, muy asentados.

CEDAZO

Este instrumento sirve para separar lo útil de lo inútil, lo fino de lo grueso.
Simbolizan los exámenes de selectividad, ya sean para acceder a la universidad, para conseguir un puesto de trabajo o para cualquier otro fin.
Si utilizamos un cedazo en sueños quiere decir que estamos preocupados por un examen del cual podría depender nuestro futuro o el de alguna persona que forma parte de nuestro círculo íntimo.
Si las imágenes son agradables y las escenas transcurren en un clima distendido, significa que la prueba saldrá tal y como deseamos.

CEDRO

Este hermoso árbol es símbolo de majestuosidad y sabiduría.
Si en el sueño nos vemos sentados a su sombra, significa que sabemos aprovechar la experiencia y que tenemos un gran sentido de la dignidad. La tala de este árbol indica que no nos gusta reflexionar, que preferimos acallar nuestra conciencia con diversiones y actitudes frívolas que no nos aportan nada bueno.

CEGUERA

La pérdida de la visión simboliza el rechazo a ver la realidad tal y como es.
Si esta afección se presenta en el sueño de forma paulatina y progresiva, significa que tenemos la tendencia a ver los acontecimientos desde el ángulo que más nos favorece.
Si la ceguera es repentina, indica que hay un hecho en concreto que no queremos ver porque enfrentarnos a él nos resulta demasiado doloroso.

CEJAS

Es una de las partes más expresivas del rostro y simbolizan las emociones que predominan en el período en que se sueña con ellas.
Si se encuentran distendidas y relajadas quiere decir que nos sentimos serenos, que gozamos de paz interior.
Las cejas contraídas, es decir, el ceño fruncido, indican que la ira o la preocupación es el sentimiento que tiñe el presente. Si están arqueadas y elevadas, en cambio, muestran que nos sentimos contentos y felices, que tenemos motivos para estar orgullosos de nosotros mismos.
Las cejas tupidas representan la tozudez en tanto que las excesivamente delgadas, la debilidad de carácter.
Si en el sueño nos depilamos las cejas quiere decir que las circunstancias no nos permiten expresar lo que pensamos y sentimos.

CELDA

Véase CALABOZO.

CELEBRIDAD

El hecho de ver en sueños a una persona célebre indica que tendremos acceso a círculos sociales más altos. Si nos habla, quiere decir que seremos bien aceptados.

CELESTINA

La presencia de este personaje literario en un sueño indica que nos sentimos muy atraidos por una persona, pero que necesitamos la ayuda de un amigo o familiar para trabar contacto con ella y así poder seducirla.

CELIBATO

El celibato, sobre todo cuando quien lo sueña está casado o tiene pareja, es una advertencia de que en la relación hay muchas dificultades, posiblemente a causa de las diferencias de carácter. De modo que si aparece este concepto en las imágenes oníricas, debemos hacer una profunda reflexión para comprender mejor el origen de los conflictos con la persona que amamos.

Celo

Esta cinta adhesiva transparente simboliza el dinero que deseamos mantener oculto, que guardamos en secreto a fin de darnos un capricho más adelante.
Si vemos que una persona la utiliza, quiere decir que, aunque se queje de no poder afrontar ciertos gastos, tiene el dinero suficiente pero prefiere no emplearlo de momento.

Celofán

El celofán simboliza nuestros cambios de humor, la tendencia a dejarnos arrastrar por lo que ocurra a nuestro alrededor, a modificar nuestra conducta o nuestras ideas, drásticamente, según los acontecimientos.
El soñar con celofán debe ser tomado como una advertencia: debemos procurar mantenernos serenos ante los cambios y no dejarnos llevar repentinamente por las nuevas condiciones.

Celos

Cuando este sentimiento aparece en sueños, puede deberse a dos motivos: tal vez se trate de una emoción que reprimamos excesivamente en la vida real y que, por ello, emerja en las imágenes oníricas, pero también puede deberse a que, inconscientemente, hemos captado señales de infidelidad por parte de nuestra pareja y que luego, durante el sueño, éstas irrumpan en escenas más o menos distorsionadas.

Celosía

Estos enrejados que se ponen delante de las ventanas tienen la ventaja de permitir ver sin ser observado. Simbolizan la tendencia a pasar desapercibido unida a una gran capacidad de observación.
Si soñamos con ellas, es posible que estemos siendo espiados por una persona de nuestro entorno, tal vez por simple curiosidad o, en el peor de los casos, para provocarnos algún problema.

Célula

Esta palabra tiene varias acepciones y cada una de ellas constituye un símbolo.
Si en el sueño vemos células bajo un microscopio, quiere decir que tendemos a fijarnos más en los detalles que en la situación global, que nuestra mirada se posa más en el árbol que en el bosque.
Las células fotoeléctricas son dispositivos que se activan cuando reciben un haz de luz. Tienen diversos usos, entre los que se pueden citar la apertura y cierre automático de puertas, algunas alarmas antirrobo, etc. Simbolizan el sentido común, la capacidad de escoger siempre la vía más conveniente.
También se denominan «células» los pequeños grupos de simpatizantes activos de un partido político. Si en sueños pertenecemos a una de ellas, significa que estamos muy preocupados por los cambios sociales, que necesitamos hacer algo para que cambie todo lo que vemos errado.

Celular

Reciben este nombre cierto tipo de coches que utiliza la policía. Representan la firmeza a la hora de aplicar un castigo. Si viajamos en uno de ellos quiere decir que deberemos mostrarnos firmes con una persona de nuestro entorno para obligarle con ello a cambiar su conducta.

Véase TELÉFONO.

Cementerio

Es habitual que este lugar aparezca como escenario de conmovedoras pesadillas.
Aunque en él se alojen los muertos, en realidad representa el ciclo vital: el cuerpo que vuelve al seno de la tierra para enriquecerla.

Si el sueño es perturbador, habrá que interpretarlo como miedo a la muerte o como un intenso dolor ocasionado por la reciente pérdida de un ser querido.
Si, por el contrario, se trata de un sueño tranquilo e, incluso, placentero, quiere decir que aceptamos sin problemas el fin de cada ciclo de nuestra vida, que no nos apegamos al pasado sino que miramos hacia el futuro.

Véase ENTIERRO.

CEMENTO

Tiene diversos usos y hay cementos de muchos tipos; sin embargo, el simbolizmo más próximo es el de la felicidad conyugal, ya que el cemento es lo que permite unir los ladrillos a la hora de construir una casa.
Si en el sueño empleamos cemento, quiere decir que entramos en una etapa de gran armonía con nuestra pareja. Si no la tenemos, es muy probable que aparezca una persona con la que crearemos un vínculo muy sólido en un futuro.

CENA

La comida que se hace por la noche es la que, por lo general, se elige para celebrar los acontecimientos importantes o el encuentro con amigos. Simboliza la expansión social.
Si participamos en una cena quiere decir que estamos prreparados para conocer gente nueva e interesante; que, en el fondo, estamos buscando personas afines con las que compartir aficiones.
La última cena que Jesucristo hizo con sus apóstoles, ha sido pintada o esculpida por numerosos plásticos de todas las épocas y es un símbolo incorporado a toda la comunidad cristiana; simboliza la comunión, el compartir íntimamente, así como el apoyo de las personas queridas en los momentos difíciles. Por eso, si soñamos con un cuadro o escena que la represente, debemos comprender que, aun cuando pasemos momentos difíciles, nunca estaremos solos, que hay personas que nos quieren y que nos van a ayudar a superar las crisis.
Si en el sueño vemos los restos de una cena, significa que por estar demasiado apegados al grupo de amigos que hemos tenido desde la adolescencia, nos resulta difícil hacer nuevas relaciones que podrían ser sumamente interesantes.

CENCERRO

Los cencerros simbolizan la necesidad de controlar a la persona que amamos, sobre todo si en el sueño los vemos en el cuello de algún animal.

Véase CASCABEL.

CENICERO

Este símbolo se relaciona con el fuego que, a su vez, representa el mundo intelectual y espiritual. Por su vínculo con el tabaco, sustancia dañina, su presencia en los sueños se entiende como aquellas ideas negativas y perniciosas que tenemos acerca del mundo.
Si vemos un cenicero limpio quiere decir que estamos exentos de prejuicios, que nuestra mente está abierta. Si, por el contrario, contiene cenizas o colillas, indica que debemos despojarnos cuanto antes de las ideas preconcebidas y equivocadas.
Si en el cenicero hay cigarrillos encendidos, indica que tenemos una intensa vida intelectual pero ésta es estéril.

Véase TABACO.

CENIZAS

Las cenizas están formadas por los restos minerales que quedan tras la combustión de algunos materiales. Aparecen una vez que la llama se ha consumido, por eso se relacionan con lo que queda tras lo que ha consumido, en gran medida, nuestras energías. Si vemos cenizas amontonadas, éstas representan una relación que se ha

terminado, pero cuyo fin aún no hemos podido asimilar.
Si las cenizas son esparcidas por el viento, en cambio, indican que hemos terminado una obra y que, gracias a ella, seremos conocidos y admirados.

CENSO

Soñar con el censo es índice de la necesidad de pertenecer a un grupo. Esta imagen es más frecuente en personas que han emigrado, que viven en lugares distantes de su ciudad de origen.

CENSURA

La censura puede aparecer en los sueños bajo diferentes formas: carteles, expresiones verbales, tachaduras en un texto, etc.
Lo importante es observar qué se está censurando, ya que de ahí se obtendrán claves importantes para analizar el sueño.
En líneas generales, la censura aparece cuando hay deseos que se oponen a nuestro código moral, en el momento en que tenemos fuertes tentaciones que nos resultan difíciles de sofocar.

CENTAURO

Este ser mitológico, mitad hombre mitad caballo, representa la integración entre la vida mental y la instintiva.
Si lo vemos en sueños quiere decir que tenemos una moral bien estructurada en la cual tiene cabida, en su justa medida, la satisfacción de los instintos.
Soñar que se monta un centauro, en caso de que el durmiente sea una mujer, podría indicar la tendencia a mantener relaciones muy apasionadas.

CENTELLA

Las chispas que saltan del pedernal habitualmente se utilizan como símbolo de velocidad (más rápido que una centella).
Si soñamos con ellas quiere decir que algo agradable, que estamos esperando, se va a producir en muy poco tiempo.

CENTENO

Esta planta de la familia del trigo se utiliza como forraje, para hacer pan y, fermentada, para hacer algunas bebidas alcohólicas. Simboliza el invierno, el período en que nos mostramos menos expansivos, más concentrados en nosotros mismos y en nuestra familia.
Si soñamos con centeno quiere decir que estamos en una fase de introspección de la cual saldremos con muchas energías, dispuestos a llevar a cabo grandes proyectos.

Véase PAN.

CÉNTIMO

Los céntimos son la unidad mínima de moneda de un país, por ello simbolizan la escasez.
Si los céntimos se encuentran en nuestro poder, quiere decir que nos conviene mantenernos frugales, no cometer muchos gastos. Si pertenecen a otra persona eso indica que deberemos prestar auxilio económico a un amigo o familiar.

CENTINELA

Simbolizan las épocas de fuerte competitividad en las que es necesario que prestemos la máxima atención a los detalles para poder salir victoriosos.
Si somos nosotros quienes ejercemos el trabajo de un centinela, quiere decir que debemos esforzarnos más a la hora de realizar nuestro trabajo porque hay alguien que podría disputarlo.
Si en sueños aparece otra persona haciendo esta tarea, ello indica que nos conviene ser cautos, precavidos y, sobre todo, discretos en nuestro trabajo.

CENTRALITA

Simboliza las personas que, por trabajo o por cualidades personales, sirven de intermediarios entre otras.
Si estamos en una centralita quiere decir que somos capaces de hacer que dos

personas se entiendan y sabemos traducir las palabras de una a otra facilitando la comunicación entre ellas.

CENTRIFUGAR

En el movimiento centrífugo, las partículas o los elementos se alejan progresivamente del eje de rotación; por ello todo lo que se relacione con él simboliza la actitud egocéntrica que nos hace perder amigos.
Si en el sueño utilizamos la lavadora para centrifugar o cualquier otro elemento para hacerlo, es señal de que si no cambiamos de actitud, si no nos mostramos más humildes y empáticos, al final terminaremos por quedarnos solos.

CENTRO

El hecho de vernos en un sueño como centro de alguna actividad o en el punto central de una estancia, indica que tenemos un buen equilibrio emocional y psicológico.
Si buscamos el centro de alguna cosa sin encontrarlo, quiere decir que tenemos miedo a la pérdida de control.

CEÑO

Véase CEJAS.

CEPILLO

Este utensilio simboliza los mecanismos por los cuales eliminamos los problemas incipientes o impedimos su aparición.
Si en el sueño utilizamos uno, quiere decir que nuestro subconsciente ha detectado un posible problema, pero que sabemos cómo atajarlo antes de que se vuelva imposible de solucionar.

CEPO

Los cepos tienen como fin inmovilizar a la presa o a la persona que, por castigo, se coloque en él.
Si estamos metidos en un cepo significa que vivimos una desagradable situación ante la cual nos sentimos atados de pies y manos y que no podemos hacer nada para eludirla.

Véase TRAMPA.

CERA

Entre las propiedades de este producto de origen animal se encuentra la impermeabilidad. Como es producida por las abejas, hijas del Sol en la mitología egipcia, se vincula al mundo mental y simboliza la coherencia, la capacidad de mantener los ideales aun en las circunstancias más difíciles.
Si la cera que vemos en sueños está procesada, por ejemplo en forma de cera para suelos o para calzado, indica que no nos preocupa lo que piense la mayoría; nosotros siempre nos mantendremos muy firmes en nuestros puntos de vista.
En caso de que la cera mantuviera la forma del panal, quiere decir que en el lugar de trabajo intentan que pensemos cosas que no nos convencen.

Véase ABEJA, VELA.

CERÁMICA

Los objetos de cerámica simbolizan la evolución interior.
Si soñamos con ellos, debemos además averiguar el simbolismo de cada uno a fin de saber cuál es el mejor camino para mejorar interiormente.

CERBATANA

Es, tal vez, la única arma que se activa con la boca. Simboliza la capacidad de agresión verbal.
Si vemos a otra persona utilizarla, quiere decir que tendremos una discusión en la cual nos dirán cosas muy hirientes que posiblemente deterioren esa relación hasta enonces buena.
En caso de que seamos nosotros quienes la tengamos en las manos, indica que estamos dispuestos a ser muy duros con una persona que nos ha ofendido.

Cerco

Los cercos dejados en la ropa por el sudor o por las manchas simbolizan el deterioro de nuestra imagen por errores cometidos en el pasado. Soñar con ellos indica que debemos hacer lo posible por eliminar esos recuerdos.

Cerdo

A este animal, del cual se aprovecha absolutamente todo, las diferentes culturas han adjudicado simbolismos absolutamente extremos. En Oriente, se asocia a los ciclos de la vida; los budistas lo vinculan con la ignorancia en tanto que para los semitas es un animal repugnante, cuya carne no se puede tocar ni comer. Aunque es un mamífero sumamente inteligente, en Occidente se ha utilizado para representar los más bajos instintos. Según el ambiente general del sueño, el cerdo puede representar prosperidad, ignorancia (si es pequeño y está en brazos de otra persona), o intensos deseos carnales, en caso de que el animal se mostrara agresivo.

Cereales

Desde tiempos muy antiguos, se han considerado símbolo de prosperidad. Cuando aparecen en sueños, las ganancias serán proporcionales a la cantidad de cereales que aparezcan en las imágenes.

Cerebro

Este órgano, no sólo es el que permite el surgimiento de ideas, razonamientos y sentimientos, también es el que controla todos los movimientos de nuestro organismo, el funcionamiento de las diferentes vísceras. Por ello simboliza la obsesión como necesidad de tener todo bajo un estricto control.
Si vemos un cerebro en sueños quiere decir que debemos relajarnos, pensar que por mucho que no empeñemos jamás lograremos controlar todo lo que ocurre en nuestro entorno y que, cuanto más nos esforcemos en ello, más deterioraremos nuestra percepción natural.

Véase SISTEMA NERVIOSO.

Ceremonia

Como las ceremonias son de diversa naturaleza, deberá estudiarse ésta a fin de comprender el sueño.
Las ceremonias religiosas indican que necesitamos una guía espiritual, que sentimos miedo a que nuestra fe flaquee. Si presenciamos una ceremonia militar, quiere decir que necesitamos aprender a canalizar nuestros impulsos agresivos. Las ceremonias académicas, en cambio, demuestran nuestro espíritu inquisitivo, nuestro afán por aprender.

Cerezo

Para algunas culturas, las flores de cerezo son símbolo de muerte. Sin embargo, soñar con este árbol no augura el fallecimiento de una persona sino la distancia emocional que estableceremos con ella.
Si estamos debajo del árbol quiere decir que hemos decidido poner fin a una relación amorosa o de amistad. Si lo vemos en el horizonte, indica que echamos de menos a una persona a la que no vemos hace tiempo.

Cerilla

Se relaciona con el fuego y éste, a su vez, con la voluntad. Sin embargo, las cerillas tienen como objeto transmitir el fuego a otros materiales (el gas de una cocina, los leños de una chimenea, etc.) por ello hay que pensar en este símbolo como la chispa de voluntad que se enciende en los demás.
Si utilizamos una cerilla en sueños, quiere decir que debemos motivar a una persona querida para que haga algo que le conviene.

Véase FUEGO.

CERO

Este número, para nosotros tan familiar, no fue introducido en Europa hasta los siglos IX y X de nuestra era. En sueños, simboliza el vacío, la ausencia.
Si lo vemos en las imágenes oníricas es señal de que estamos en un período en el cual sufrimos muchas carencias, sobre todo afectivas.

Véase NÚMEROS.

CERRADURA

Simboliza las pruebas, los exámenes, todo aquello que nos puede capacitar para hacer avances laborales o académicos.
Si la abrimos con una llave es señal de que estamos preparados para afrontar el reto.
En caso de que el sueño tuviera tintes eróticos, la cerradura representaría la mujer que deseamos.

Véase LLAVE.

CERRAJERO

Estos profesionales simbolizan a quienes son capaces de hacernos ver los sentimientos negativos que albergamos.
Su presencia en un sueño indica que tendremos una interesante conversación al respecto con un amigo.

CERROJO

Tienen como fin impedir el paso a los desconocidos; por ello simbolizan el grado de desconfianza que se tiene ante toda persona que no pertenezca al círculo íntimo.
Cuanto más grande sea el cerrojo, mayores serán los recelos que nos despierten los desconocidos.

CERTAMEN

En los certámenes se ponen a prueba las cualidades de los participantes, de ahí que simbolicen la competitividad.
La participación en uno de estos eventos indica que nos importa muchísimo salir vencedores, demostrar al mundo lo que podemos hacer. Bajo esta conducta arrogante subyace, casi siempre, un doloroso sentimiento de inferioridad.

CERTIFICADO

Estos documentos, que tienen por objeto asegurar que algo es verdad, simbolizan, paradójicamente, la suspicacia, la desconfianza.
Si somos poseedores de un certificado quiere decir que sentimos que no nos toman en serio, que dudan de nuestra palabra y de nuestras intenciones. Si este documento está en manos de otra persona, indica que tendemos a no creer lo que nos dicen los demás.

CERVATILLO

Véase CIERVO.

CERVEZA

Es uno de los fermentos más antiguos producidos por el hombre: hay indicios de que ya la utilizaban los hombres del Paleolítico.
En ella se mezclan dos elementos: el agua, que desciende, y el fuego, que sube. Se vincula por ello al mundo de los sentimientos y al de la voluntad.
Cuando aparece en los sueños, indica una actitud racional que se antepone a las emociones o muestra la necesidad de controlar los sentimientos, ya que corremos el peligro de enamorarnos de la persona equivocada. La razón puede ayudarnos a elegir la decisión correcta.

Véase CEBADA.

CÉSAR

Véase EMPERADOR.

CÉSPED

Este manto verde que cubre los jardines y parques, simboliza la fertilidad.

Si lo vemos en sueños indica que en nuestro entorno va a nacer un niño.

CESTA/CESTO

Estos recipientes construidos con caña, con mimbre o con diversos materiales de origen vegetal simbolizan la armonía en el hogar.
Si guardamos cosas en un cesto quiere decir que nos preocupa enormemente el bienestar de las personas con las que convivimos y que estamos dispuestos a hacer sacrificios en favor de su comodidad.
Si el cesto contiene alimentos, puede tomarse como augurio de prosperidad.

CETÁCEO

Estos mamíferos marinos tienen un doble simbolismo: muerte y resurrección. Al respecto cabe recordar la historia bíblica de Jonás, que fue tragado por una ballena.
Entre los cetáceos, las orcas, que son carnívoras, se vinculan más con la muerte, por eso verlas en sueños puede indicar el temor que inspira el más allá.
Las ballenas que se alimentan de plancton y que alcanzan grandes dimensiones, se acercan más al concepto de fortaleza y resurrección, de ahí que su presencia indique el impulso necesario para un nuevo comienzo.

CETRO

Los antiguos emperadores y reyes utilizaban esta vara de oro, generalmente incrustada en piedras preciosas, como símbolo de dignidad.
La aparición de un cetro en sueños indica que tenemos un gran sentido del honor y de nuestra propia valía. También que posiblemente deberemos enfrentarnos con una persona que intente mancillarlos.

CHABOLA

Véase CASA.

CHACAL

En los sueños, estos animales simbolizan a personas que se aprovechan de las debilidades o de la bondad ajena.
Su presencia debe servirnos de advertencia, ya que hay en nuestro entorno un falso amigo del que nos conviene tomar distancia.

Véase CARROÑERO.

CHACINERÍA

Estos establecimientos simbolizan la alimentación deficiente. Si estamos en uno de ellos, quiere decir que no damos a nuestro organismo los nutrientes que necesita, que por capricho o pereza nos alimentamos mal y que, de seguir así, pagaremos las consecuencias.

CHAFLÁN

Estas esquinas truncadas simbolizan la previsión y la tendencia a obsesionarnos con los planes que realizamos.
Si entramos en una casa situada en un chaflán, ello indica que las previsiones que tenemos acerca del trabajo serán erradas.

CHAL

Los chales simbolizan la seducción femenina, el coqueteo previo al establecimiento de una relación íntima.
Si quien sueña con un chal es un hombre, significa que una mujer intenta conquistarle; si es una mujer, quiere decir que tendrá éxito en sus conquistas amorosas.

CHALANA

Estas embarcaciones se emplean en aguas poco profundas, por ello simbolizan la ligereza, la frivolidad en los sentimientos y la despreocupación del sufrimiento de quienes nos rodean.
Si viajamos en una de ellas quiere decir que no debemos forjarnos muchas esperanzas respecto a una relación de pareja que se nos propone.

CHALÉ

Véase CASA.

CHALECO

Esta prenda sin mangas abriga exclusivamente el torso y simboliza los amores contrariados.
Si en el sueño vestimos un chaleco quiere decir que nos hemos enamorado de una persona que no nos corresponde tal y como nos gustaría.

CHALUPA

Si vemos esta embarcación en sueños, quiere decir que debemos ser extremadamente perspicaces en el entorno laboral.
Si viajamos en ella, es señal de que nuestra vida afectiva será intensa y feliz.

CHAMARILERO

La presencia de un chamarilero en sueños señala que mostramos un excesivo apego por todo lo material, que somos incapaces de desprendernos de las cosas inútiles o rotas.

CHAMPÁN

Véase CAVA.

CHAMPIÑONES

Como toda seta u hongo, crecen al amparo de la humedad, de ahí que se relacionen con la vida afectiva.
Si vemos champiñones en sueños quiere decir que estamos viviendo un momento de grandes conmociones en la familia. Éstas pueden ser buenas o malas, según las emociones que tengamos en el sueño.

CHAMPÚ

El uso de este jabón líquido que se emplea para lavarse el pelo indica que estamos en un proceso de desarrollo de la intuición. Seguramente hemos tenido recientemente algunas vivencias que nos han hecho comprender que la racionalidad no siempre es la mejor herramienta para conocer la realidad.

CHAMUSCAR

Los sueños en los que se quema adrede la parte exterior de un objeto indican el desenmascaramiento de una persona que ha pretendido aprovecharse de nosotros.
Es importante buscar el simbolismo de lo que se chamusca para poder hacer un análisis más profundo del sueño.

CHANQUETE

Los chanquetes y, en general, los peces comestibles muy pequeños simbolizan la inconstancia en el amor.
Si en sueños los vemos fritos, quiere decir que tendemos a enamorarnos con mucha facilidad pero no logramos consolidar una relación de pareja duradera.

CHANTAJE

Si en sueños vivimos un chantaje, eso indica que, en la vida real, justificamos nuestras acciones en las supuestas exigencias ajenas, que cada vez que hacemos algo que puede ser censurado, alegamos que nos hemos visto obligados a ello por otra persona.
En caso de ser nosotros quienes efectuamos el chantaje, debemos entender que no sabemos asimilar las frustraciones.

CHAPA

Las hojas metálicas, que a menudo se utilizan para techar cobertizos, simbolizan las visitas inesperadas y no deseadas.
Soñar con ellas indica que recibiremos parientes que llegan de otra ciudad.

CHAPARRÓN

Las lluvias intensas, repentinas y cortas representan la necesidad de purificación. Estos sueños se tienen a menudo tras haber hecho un profundo examen de conciencia que nos lleve a la conclusión de que estamos siguiendo un camino reñido con nuestra ética.

CHAPOTEAR

La acción de chapotear indica que somos introvertidos, que nos gusta compartir los momentos felices y que tenemos un espíritu abierto y expansivo.
A menudo estos sueños auguran sorpresas agradables.

CHAPUZÓN

El hecho de sumergirse en el agua tiene como significado la toma de contacto con nuestras emociones y sentimientos.
Los chapuzones indican que no soportamos hacer un análisis profundo de nuestro mundo emocional sino que, por el contrario, apenas tomamos contacto con nuestras emociones nos inquietamos y optamos por distraernos con otras actividades.

Véase AGUA.

CHAQUETA

Esta prenda representa la imagen que mostramos a los demás; por lo tanto será importante analizar el simbolismo de su color, así como su forma y sus adornos.
Si la chaqueta cumple un papel importante en el sueño ello indica que nos preocupamos mucho por lo que se piense de nosotros.

CHARCO

Cuando soñamos con un charco es importante determinar si el agua que contiene está limpia (como en el caso de que el charco se esté formando por la lluvia) o estancada.
Los charcos de agua limpia simbolizan las relaciones afectuosas, pero no precisamente íntimas. Los que contienen agua estancada indican que tendemos a mostrarnos rencorosos.

Véase AGUA.

CHARLATÁN

Si vemos un charlatán en sueños quiere decir que una persona conocida intenta engañarnos.

CHAROL

Los zapatos y bolsos construidos con este material cuya característica principal es el brillo, simbolizan la pulcritud, el atildamiento.
Si somos nosotros quienes los utilizamos, es señal de que tendemos a obsesionarnos con la imagen que damos al exterior, de que nos fijamos más en la forma que en el contenido.

Véase BOLSO, ZAPATO.

CHATARRA

La chatarra es material de desecho que se recicla. Simboliza nuestra tendencia al ahorro y el sentido práctico.

CHEPA

Véase DEFORMIDAD.

CHEQUE

Si en sueños recibimos un cheque quiere decir que estamos preocupados porque no conseguimos cobrar una deuda.
En caso de que seamos nosotros quienes entregamos el cheque, indicará que nos sentimos preocupados por no poder hacer frente a los pagos que nos aguardan.

CHEQUEO

Los chequeos médicos indican que tenemos una buena salud, aun cuando podamos estar padeciendo una pequeña dolencia. En este caso, si nos realizan en sueños un chequeo, será señal de que rápidamente nuestra salud se verá restablecida.

CHICHARRÓN

Los chicharrones son un alimento compuesto mayoritariamente de grasa;

por lo tanto, aunque puedan resultar pesados, son muy energéticos.
Comerlos indica que nos sentimos cansados, que necesitamos tomar unas vacaciones.
Si los estamos preparando, señala que estamos ahorrando dinero para realizar una compra importante.

CHICLE

Mascar chicle es índice de que estamos pasando por un período de gran ansiedad.
El análisis simbólico de los demás elementos del sueño pueden dar cuenta de la razón por la que nos sentimos desasosegados.

CHILLIDO

Cuando es posible identificar el animal o persona que produce el chillido en el sueño, debemos buscar el significado simbólico del mismo.
Si es un chillido cuyo origen nos resulta desconocido, debemos interpretar que en la vida real nos vemos muy limitados por una actitud de desconfianza y temor respecto al mundo exterior.
Estos sentimientos probablemente sean producto de la sobreprotección que hemos recibido en la infancia.

CHIMENEA

Como elemento vinculado al fuego, simboliza la fuerza de voluntad.
Si nos encontramos ante una chimenea quiere decir que la voluntad de toda la familia se orientará hacia la resolución de los problemas de uno de los miembros.
Encender la chimenea simboliza el establecimiento de un propósito que exigirá, por nuestra parte, un gran esfuerzo.
Si la chimenea sólo contiene cenizas, anuncia dificultades financieras y si la que vemos en el sueño pertenece a una fábrica, es señal de que nuestros negocios tendrán un interesante crecimiento en poco tiempo.

CHIMPANCÉ

Véase ANTROPOIDE, MONO.

CHINCHETA

Simboliza la provisionalidad.
Si utilizamos la chincheta para fijar un papel en la pared, será muy importante tener en cuenta lo que éste dice o lo que representa el dibujo que contenga.
Si se emplea para fijar un adorno, quiere decir que nos aburrimos con mucha facilidad, que necesitamos realizar cambios constantemente a fin de sentirnos motivados.

CHINCHILLA

Los sueños en los que aparece este pequeño roedor indican que nuestra relación amorosa pasa por un período de fragilidad.
Si lo que vemos es sólo su piel, es señal de que nos gusta hacer ostentación de nuestros bienes.

CHINELA

Este tipo de calzado que se usa, principalmente, para salir de la cama, simboliza nuestro espíritu hogareño.
Si las chinelas son viejas o deslucidas quiere decir que nos estamos encerrando demasiado, que sería conveniente buscarnos una actividad en el exterior a fin de adquirir nuevos conocimientos.

CHIP

Estos componentes electrónicos simbolizan la tendencia a moverse de forma rutinaria, el rechazo a los cambios y nuevas experiencias.
Si el elemento está integrado en un aparato, señala que tenemos una gran capacidad para relacionar datos y hacer profundos análisis.

CHIPIRÓN

Véase CALAMAR.

CHIRIMOYA

Simboliza los problemas que, aun cuando no sean dramáticos, nos dificultan la consolidación de una relación amorosa.
Si quien come chirimoyas es otra persona quiere decir que los problemas están originados por nuestros celos.

CHIRLA

Véase MARISCO.

CHISTE

Si contamos o nos cuentan un chiste en sueños es señal de que debemos estar prevenidos porque un falso amigo sacará a relucir cosas de nuestro pasado.

CHISTERA

Las chisteras son los sombreros típicos que usan los magos. De ellos sacan los más diversos elementos.
Ponernos una chistera indica que recibiremos una sorpresa agradable.
Si la vemos en la cabeza de otra persona es señal de que nos exigirá algo que no le pertenece y a lo que debemos negarnos.

CHOCOLATE

Véase CACAO.

CHÓFER

Si vamos en un vehículo conducido por un chófer es señal de que no nos sentimos capaces de dirigir nuestra propia vida, de que preferimos que otros nos digan lo que nos conviene hacer.

Véase AUTOBÚS.

CHOPO

Antiguamente, este árbol ha sido asociado con el mal y el demonio.
Sin embargo, en algunas culturas, las hojas de este árbol que son oscuras por un lado y claras por el otro, representan los dod polos: el bien y el mal; la vida y la muerte; lo positivo y lo negativo.
Es el árbol que los griegos dedicaron a Hércules.
En sueños, simboliza las tentaciones. Si el árbol no tiene hojas, quiere decir que las tentaciones serán vencidas.

CHORIZO

Véase EMBUTIDOS.

CHUBASQUERO

Nos evitan el contacto con el agua, elemento ligado al mundo emocional.
Si nos vemos en sueños vistiendo un chubasquero quiere decir que intentamos luchar contra una pasión, contra un enamoramiento que consideramos que nos hará muy desdichados.
Si es otra persona quien lo lleva, es señal de que se muestra indiferente ante nuestro amor.

Véase AGUA.

CHUCHERÍA

Véase GOLOSINAS.

CHULETA

Reciben este nombre los apuntes hechos con letra diminuta que se emplean para copiarse en los exámenes.
Si en sueños utilizamos una chuleta en un examen, eso significa que no confiamos en nuestra capacidad intelectual.
En caso de que el profesor nos sorprenda copiando, es señal de que, en algún aspecto de nuestra vida, nos estamos saboteando.

Véase CARNE.

CHURRO

Este alimento tiene un simbolismo fálico. Verlo o comerlo en sueños, indica que tenemos relaciones sexuales muy satisfactorias.

Cianuro

Este veneno simboliza a los enemigos que se mueven en la sombra. Cuando aparece en un sueño debemos estar alerta porque intentan jugarnos una mala pasada.

Cibeles

A la diosa Cibeles los griegos le atribuían, entre otros, el poder de curación y de provocar enfermedades.
Soñar con ella, si estamos con algún problema de salud, augura una pronta curación. Si gozamos de buena salud, en cambio, significa que tenemos excelentes protecciones contra nuestros enemigos.

Cicatriz

Más que simbolizar heridas en el cuerpo, las cicatrices representan las heridas del alma.
Si nos vemos en sueños una cicatriz que en la vida real no tenemos, ésta simboliza algún episodio de nuestro pasado que nos ha dejado una profunda huella. El hecho de soñar con ella puede indicar que está afectando algunas de nuestras decisiones del presente.

Ciclomotor

Véase MOTOCICLETA.

Ciclón

Véase HURACÁN.

Cíclope

Este personaje mitológico, con un solo ojo en la frente en la que se centra la atención al mirarlo, simboliza la curiosidad.
Si lo vemos en sueños, significa que un vecino está indagando en nuestra vida, observando nuestros movimientos.

Cicuta

Esta planta venenosa simboliza la maledicencia en líneas generales. Si la vemos en sueños o, en su defecto, el veneno producido con ella, significa que alguien está hablando mal de nosotros con el fin de desprestigiarnos y que deberíamos vigilar las consecuencias.

Cielo

Al igual que el espacio interestelar, el cielo se relaciona con el mundo espiritual.
Cuando adquiere protagonismo en un sueño, es necesario observar los elementos que hay en él (nubes, estrellas, soles, etc.) así como los fenómenos atmosféricos que tengan lugar. Con ellos se obtendrán las claves para su correcta interpretación.

Véase ESTRELLA, LUNA, NUBE, RAYO, RELÁMPAGO.

Ciempiés

Los pies son el contacto directo con la tierra, por ello este insecto simboliza el apego al mundo material.
Matar a un ciempiés representa la búsqueda de caminos intelectuales y espirituales.
La picadura de este insecto simboliza el vacío que deja el excesivo apego al mundo material.

Ciénaga

Los parajes pantanosos simbolizan la confusion interior.
Si nos encontramos en medio de una ciénaga quiere decir que no sabemos qué rumbo dar a nuestra vida.
Hundirse en el barro significa no encontrar salida, tener conciencia de estar disconforme con la vida que se está llevando, pero no saber cómo salir de esa situación.

Ciencia

Representa el logro más importante de la inteligencia, por ello se vincula al mundo intelectual.
Estudiar alguna materia científica muestra la necesidad de hacer mayores esfuerzos por cultivar nuestro intelecto.

Ciervo

Este animal es objeto de culto entre los celtas y, tanto en la Biblia como en la cultura árabe, a menudo se lo identifica con el amante. Por otra parte, San Juan de la Cruz dice que la propiedad del ciervo es subirse a los lugares altos y, cuando está herido, busca refrigerio en las aguas frías.
Cuando soñamos con un ciervo debemos tener en cuenta el ambiente general en que transcurren las escenas. Si son eróticas o si el animal se acerca, éste representará a la persona amada; si son angustiosas, se refiere a la necesidad de buscar consuelo espiritual (agua).
Los cervatillos simbolizan el inicio de un romance.
Otros cérvidos, como el alce o el reno, tienen una significación diferente: generalmente se los relaciona con Santa Claus, ya que son estos animales los que, según la leyenda, tiran del trineo del famoso personaje en la Nochebuena.

Cifra

Cuando en el sueño aparecen muchas cifras, sea en una pizarra, en un cuaderno, en un libro o en el aire, quiere decir que el período de gran agobio económico por el que pasamos está próximo a su fin.

Cigarra

Este insecto representa la indolencia, la falta de responsabilidad.
Su canto en sueños nos advierte de que, si no ponemos más empeño en el trabajo, podemos perder el puesto o el estatus que tenemos.

Cigarrillo

Véase TABACO.

Cigüeña

Es símbolo de maternidad y nacimiento.
Si vemos una cigüeña volando quiere decir que hay un niño en camino. Los personajes que aparecen en las escenas podrían dar pistas acerca de quiénes serán los padres.
Si la cigüeña del sueño se encuentra sobre un campanario, significa que tendremos con el niño un vínculo de sangre.

Cilicio

Este instrumento de autocastigo simboliza la culpa y la necesidad de perdón.
Si en el sueño llevamos un cilicio quiere decir que nos sentimos profundamente arrepentidos de algo que hemos hecho y que no tenemos certeza de haber sido perdonados.

Cilindro

Los cilindros son formas fálicas, por ello simbolizan el aparato genital masculino.
Si quien sueña con cilindros es una mujer, ello indica que tiene fuertes deseos sexuales insatisfechos.
En caso de que el durmiente sea un hombre, puede significar que no se siente complacido con su desempeño sexual.

Cima

La cima de una montaña es la culminación del empeño de un alpinista. En sueños, llegar a ella augura un gran éxito en el terreno laboral.
Si la vemos desde abajo, eso indica que tenemos grandes ambiciones y que vamos camino de cumplirlas.

Címbalos

Véase INSTRUMENTOS MUSICALES.

Cimientos

Al constituir la base que permite la construcción de cualquier edificio, simbolizan los valores morales que hemos recibido en la infancia, ya que sobre ellos hemos desarrollado nuestros hábitos.
Cuando los cimientos aparecen claros, limpios y en buen estado quiere decir que hemos tenido una justa disciplina en la infancia.

Si, por el contrario, aparecen deteriorados, indica que hemos sido demasiado consentidos.

Cimitarra

Esta arma blanca, de hoja curva, simboliza la agresión verbal basada en una empatía mal empleada.
Si alguien en el sueño empuña una cimitarra significa que es una persona muy empática pero con malos sentimientos, ya que acostumbra a usar su percepción para herir a los demás.

Cincel

Este instrumento está especialmente diseñado y afilado para grabar o tallar elementos duros como la piedra y el metal. Simboliza los esfuerzos que se hacen por conquistar el corazón de la persona amada.
Si utilizamos el cincel quiere decir que estamos enamorados de una persona que no nos corresponde. Si es otro quien lo usa, significa que somos nosotros quienes no correspondemos a su afecto.

Cinco

Véase NÚMEROS.

Cine

Simboliza la soledad en medio de la multitud.
Cuando se sueña con el cine, hay que prestar mucha atención a las escenas de la película y analizar los elementos que aparezcan en ella; pero en líneas generales, estos sueños muestran que tenemos muchas relaciones y contactos pero que, en el fondo, nos sentimos muy solos.

Cinta

Por su flexibilidad está vinculada al viento, es decir al intelecto; simboliza la inteligencia dispuesta a transformar la materia.
Soñar con cintas da cuenta de nuestro sentido práctico, de la habilidad manual.

Cintura

Establece la división entre el torso y la zona del vientre y las extremidades inferiores. Cuando se sueña con ella quiere decir que los sentimientos no se involucran en la vida sexual, que hay una tendencia a tener relaciones en las cuales no se busca el compromiso sino, simplemente, la satisfacción del deseo.

Cinturón

Simboliza aquello que nos mantiene atado al modo de vida que llevamos.
El material del cual esté hecho, así como los adornos e incrustaciones que pudiera tener, pueden darnos pistas para entender nuestra actitud hacia las obligaciones.

Ciprés

El ciprés es símbolo de la hospitalidad.
Ver este árbol en sueños significa que nos recibir gente en casa, agasajarles y compartir lo que tenemos. Si sólo aparece en sueños su madera, quiere decir que los desengaños que hemos sufrido nos han hecho menos hospitalarios.

Circe

Esta famosa hechicera de la mitología griega que convirtió a los hombres de Ulises en cerdos, representa la capacidad de agresión femenina. Si soñamos con Circe es señal de que hay una mujer que quiere hacernos daño. Lo mejor es observar el entorno y moverse con cautela.

Circo

A diferencia del teatro, la ópera o el cine, el circo ofrece un espectáculo puramente visual. En casi todos sus números, se muestra la destreza y el coraje; allí, lo intelectual no tiene cabida, por eso se relaciona con el mundo material e instintivo. Si presenciamos un espectáculo circense quiere decir que habrá luchas por dinero en el seno de la familia. En caso de actuar en un circo, debemos interpretar que el llevar las riendas de la economía del grupo familiar nos resulta una carga muy pesada.

Circuito

Los circuitos eléctricos simbolizan el sistema nervioso y los problemas que en él se observan pudieran referirse a trastornos neurológicos que no son necesariamente graves (por ejemplo, jaquecas).

Círculo/circunferencia

Por no tener principio ni fin, la circunferencia, así como el área que contiene que se denomina círculo, se consideran símbolo de la totalidad y la continuidad.
En ambos se delimita claramente lo interior de lo exterior, por lo tanto representan lo más íntimo de uno mismo.
El color de los círculos que aparecen en los sueños, así como el material en que estén hechas las circunferencias, que tienen la misma simbología, son los que permitirán interpretar cómo nos sentimos interiormente o cómo somos en realidad.

Circuncisión

En un varón los sueños en los cuales es circuncidado responden al primitivo miedo a la castración.
En una mujer, soñar con un varón circuncidado representa su lucha contra las actitudes machistas.

Cirio

Véase VELA.

Ciruelo

El ciruelo da sus flores cuando la nieve aún cubre la tierra, por eso es símbolo de la valentía.
Si el árbol se encuentra florecido o con frutos, quiere decir que tendremos que hacer uso de nuestro valor para tomar una decisión difícil. Si nos arriesgamos, seremos recompensados en el futuro.
En caso de que el árbol no tenga ni flores ni frutos, debe interpretarse que los miedos nos impiden avanzar.

Cirugía

La cirugía actúa una vez que la medicina ha fracasado. Se opera y se quita lo que los medicamentos no pueden solucionar. Por ello las operaciones y todo lo relacionado con esta profesión, como son los quirófanos o los bisturíes, simbolizan las medidas drásticas que debemos tomar en la vida real.

Véase OPERACIÓN.

Cisne

Esta hermosa ave, que nada majestuosa en ríos y lagos, simboliza el valor de ser uno mismo.
Al respecto, es muy elocuente el cuento del patito feo, que era rechazado cuando era pequeño por ser diferente a los demás, pero que luego es admirado al convertirse en un bello cisne.
Si soñamos con esta ave quiere decir que debemos confiar en nuestros valores interiores. Es posible que no nos encontremos atractivos; sin embargo, nuestra belleza interior nos hará resplandecer.

Cisterna

Las cisternas son símbolo de purificación, de limpieza interior.
Su presencia en un sueño indica que debemos apartarnos de todo lo que hoy nos resulte imprescindible. Cuanto más ligeros de equipaje viajemos, más lejos podremos llegar.

Cítara

Según la mitología griega, era el instrumento favorito de Apolo, el dios de la profecía. Simboliza la percepción de futuro.

Cuando se sueña con este instrumento hay que prestar atención a todos los elementos que aparecen en las imágenes, ya que puede tratarse de un sueño profético.

CITOLOGÍA

Las pruebas citológicas, en sueños, pueden recordarle a una mujer la importancia de este chequeo de cara a la prevención de graves enfermedades, pero también puede simbolizar la búsqueda de los propios defectos a fin de combatirlos.

CÍTRICO

En estos frutos se mezclan la dulzura y la acidez. Estos árboles, y sobre todo sus flores, simbolizan el matrimonio.
Si soñamos con naranjos quiere decir que tenemos una relación matrimonial agradable, en la que nos sentimos plenos. En caso de soñar con limoneros significa que, aunque el afecto es grande,la convivencia a menudo resulta difícil por las constantes discusiones.

CIUDAD

Las ciudades simbolizan el conjunto de opiniones y creencias que conforman nuestros ideales.
El tamaño de la ciudad que aparezca en sueños, así como su forma, arquitectura, belleza, etc., dará cuenta de lo que nos importa el hombre en su conjunto, de lo sensibles que somos con respecto a los problemas sociales.

CLARA

Véase HUEVO.

CLARABOYA

Las ventanas que se abren en el techo o en la parte alta de las paredes no tienen como fin permitir ver el exterior sino renovar el aire de las estancias y dejar el paso a la luz. Simbolizan las metas intelectualmente elevadas, el final de una carrera, el aprobado de unas oposiciones.
Si vemos una claraboya en sueños y tenemos que hacer un examen, será un excelente augurio. Si no estamos estudiando, quiere decir que conviene prepararnos porque se nos presentará una excelente oportunidad.

CLARIDAD

Cuando un sueño cuyas escenas transcurren en una luz normal, de repente, cobra mucha claridad, las escenas que siguen a ese momento son sumamente importantes porque revelan la respuesta a un interrogante que nos preocupa. Será necesario, pues, intentar recordar todos los detalles y averiguar el significado de los mismos para poder hacer un análisis lo más exhaustivo posible.

CLARÍN

Este instrumento musical es más conocido por su protagonismo en los ejércitos, ya que los toques de clarín transmiten las diferentes órdenes a los soldados.
Simboliza el autoritarismo, el gusto por hacer que los demás cumplan las órdenes que uno dicta.
De la persona que toque en sueños el clarín puede decirse que tiene un carácter difícil, que no acepta que nadie le haga sugerencias y pretende siempre una obediencia ciega.

CLARINETE

Cuando se oye en sueños este instrumento quiere decir que, en poco tiempo, tendremos una alegría inesperada. En caso de ser nosotros quienes lo tocamos, indica que sabemos reponernos fácilmente de los malos momentos y vivir plenamente los buenos.

CLARIVIDENTE

Véase ADIVINO.

Clase

La asistencia a una clase en sueños puede indicar la preocupación que sentimos ante un examen, pero también simboliza el crecimiento intelectual, el amor al saber. Nuestra actitud en ella indicará la forma e intensidad con que cultivamos nuestro espíritu.

Véase ESCUELA, MAESTRO.

Clasificar

Si nos vemos clasificando objetos o papeles es señal de que tendremos discusiones a causa de la posesión de ciertos bienes familiares.

Claustro

Los claustros de los conventos son lugares cuya entrada está prohibida a personas que no pertenezcan a la congregación. Si nos encontramos en uno de ellos debemos entender que nos conviene prestar más atención a nuestra vida espiritual.

Claustrofobia

Los ataques de angustia o pánico que nos den en sueños por encontrarnos encerrados, simbolizan el agobio que nos produce una persona muy cercana que se muestra excesivamente dependiente de nosotros.
La libertad es una necesidad y si nos la intentan restringir, no sólo nos producen molestias sino que, además, ponen en peligro nuestra integridad psicológica.

Cláusula

Véase CONTRATO.

Clavecín

Véase INSTRUMENTOS MUSICALES.

Clavel

Esta flor ha tenido diversos simbolismos: por un lado, los pintores flamencos retrataban a los varones con un clavel en la mano como símbolo de resurrección y esperanza de vida eterna. De esta manera, se enfatizaba la importancia de la religión. Por otra, los claveles rojos han sido símbolo de lucha y también de pasión.
En general, esta flor simboliza el equilibrio entre la vitalidad y el envejecimiento; por ello, si aparece en sueños quiere decir que nos preocupa mucho el paso del tiempo, la idea de que nuestro cuerpo no responda adecuadamente.

Véase FLORES.

Clavija

En los instrumentos de cuerda, tienen como fin tensarlos a fin de que den la nota esperada. Simbolizan la disciplina para sacar lo mejor de nosotros mismos. El hecho de ajustar las clavijas de un instrumento significa hacerse firmes propósitos de enmienda (haré gimnasia, seguiré firmemente una dieta, dejaré de fumar, etc.). Si es otra persona quien lo hace quiere decir que pediremos ayuda a algún amigo para que nos recuerde que debemos ser consecuentes.

Clavo

Sirven para unir diferentes trozos de madera a fin de fabricar con ellos muebles y enseres.
Poner un clavo exige cierta dosis de agresividad y, al mismo tiempo, es posible lastimarse con ellos; sin embargo, se emplean de forma constructiva. Por estas características simbolizan la firmeza y la paciencia que a menudo es necesaria para mantener unida a una pareja. Puede haber tensiones y momentos de desacuerdo en los que los golpes verbales o las verdades que se dicen a la cara resultan dolorosas, pero si se hacen de forma constructiva, servirán para una unión más sólida y duradera.

Véase MARTILLO.

Claxon

Como su finalidad es alertar a peatones y otros vehículos de la posibilidad de colisión, cuando aparece en sueños indica que debe prestarse a la advertencia que simbolicen las imágenes.
Será necesario observar todos los elementos que aparezcan en las imágenes oníricas para saber dónde reside el peligro.

Clérigo

Véase SACERDOTE.

Clima

En los sueños, los diferentes tipos de clima dan cuenta del estado general que tenemos en la vida real.
Las tormentas indican que nos dejamos llevar fácilmente por las emociones; el frío, que anteponemos la racionalidad a los sentimientos; el calor tórrido nos habla de un temperamento apasionado y la lluvia, del sentimentalismo, de la melancolía.

Véase CALOR, HURACÁN.

Clínica

Véase HOSPITAL.

Clip

Simboliza la habilidad de cambiar de actitud según quién sea la persona que se tiene delante, es decir, la cualidad camaleónica de adaptación a las circunstancias.
Algunas personas tienen una innata capacidad de mimetismo, pero otras, en cambio, adoptan diferentes actitudes para sacar mayores beneficios.
Si encontramos en el sueño un clip sujetando papeles quiere decir que obramos de manera natural, que sabemos adaptarnos a los diferentes ambientes. Si el clip no sujeta nada, es señal de que tenemos una marcada tendencia a la hipocresía.

Cloaca

Las cloacas simbolizan las malas compañías, los lugares peligrosos y llenos de tentaciones.
Si tocamos el agua de una cloaca es señal de que corremos el peligro de alternar con estas personas.

Cloro

Si en sueños se huele este potente desinfectante quiere decir que tenemos deudas morales pendientes. Seguramente es necesario que nos disculpemos por algo que hemos hecho y, hasta que eso no ocurra, nos sentiremos interiormente incómodos.

Clorofila

Este pigmento verde, de una gran importancia biológica, simboliza el autoabastecimiento, la capacidad de conseguir para sí todo lo que cubre las necesidades básicas.
Si soñamos con él, sea en forma de pastillas, de pasta de dientes o de su extracción directa de un vegetal, quiere decir que necesitamos independencia, que nos gustan los desafíos y que no estamos dispuestos a que nos roben el menor protagonismo.

Cloroformo

Soñar con éste o con cualquier otro tipo de anestésico, no es buena señal, indica que no sabemos cómo enfrentarnos a los problemas.
En el caso de que el anestésico nos fuera aplicado por la fuerza, habría que interpretar que hay al menos una persona que pretende mantenernos quietos y absolutamente bajo su control.

Véase ANESTESIA.

Club

Los clubes ofrecen dos aspectos: por un lado, son lugares especialmente indicados para la práctica de deportes o de alguna

actividad específica (hay clubes literarios, de fans, de astronomía, etc.); por otro, son espacios de encuentro social.
Simbolizan el empeño por sacar el máximo partido de nuestro talento, a la vez que la flexibilidad con la que nos permitimos tener cualquier tipo de afición.
Si en el sueño pertenecemos a algún club, quiere decir que estamos buscando una actividad que nos resulte placentera para realizarla en nuestros momentos de ocio.
Si el sueño es agitado, hay que interpretar que nuestra timidez nos impide desarrollarnos tan ampliamente como deseamos.

Véase DEPORTISTA.

Coágulo

Cuando la sangre se coagula pierde su consistencia líquida; por ello los coágulos simbolizan la rigidez emocional.
Si en sueños vemos un coágulo de sangre, ya sea nuestra o ajena, quiere decir que evitamos, en la medida de lo posible, las reacciones emocionales. Nos gusta mostrarnos fríos y racionales, aunque eso no quita para que podamos ayudar a las personas que necesitan una mano amiga para pasar un mal trago.

Véase SANGRE.

Cobalto

Este mineral radiactivo se ha popularizado por su utilización en los procesos cancerosos. Simboliza las pérdidas que posibilitan el avance. Cuando aparece en un sueño, quiere decir que vamos a lamentar una pérdida (puede ser ocasionada por un despido, por la ruptura de una pareja, por el enfrentamiento con un amigo) pero que, gracias a eso, nuestra vida va a cambiar positivamente.

Cobaya

Estos animales, tan empleados en los laboratorios, simbolizan la manipulación. Si los vemos en sueños quiere decir que una persona de nuestro entorno nos está llenando la cabeza de falsos datos, a fin de aprovecharse de nosotros.
Es posible que nos quiera poner en contra de otras personas; por ello, lo mejor es no prestar oídos a los cotilleos, al menos por un tiempo.

Cobertizo

Estos techos que sobresalen de las casas tienen la finalidad de proteger a las personas, animales y enseres de la lluvia. Por esta razón simbolizan la firmeza de carácter, la actitud consecuente que mostramos a la hora de imponer disciplina o impartir justos castigos.
Si estamos bajo un cobertizo quiere decir que somos naturalmente exigentes; primero, con nosotros mismos y luego, con las personas que queremos. No nos dejamos conmover por ruegos y súplicas, sino que creemos en la efectividad de la disciplina.
Si es otra persona quien se encuentra bajo el cobertizo, ello indica que se muestra mucho más exigente con nosotros que consigo misma; que es déspota y arrogante y que le gusta mandar.

Cobertor

Véase MANTA.

Cobra

Por lo general, este animal aparece en los sueños que tienen connotaciones eróticas, sobre todo en los jóvenes.
Si la serpiente está dormida, indica que estamos en una época en la que damos mayor importancia a la vida espiritual y afectiva que a la instintiva. En caso de que nos amenace o que nos muerda, estamos a punto de enfrentarnos a una situación difícil que, posiblemente, nos produzca algún tipo de daño.

Véase SERPIENTE.

COBRADOR

Cuando aparecen en sueños, los cobradores indican que una suma de dinero que se nos debe nos va a llegar más tarde de lo esperado.
Si el sueño es angustioso o nos produce mucha inquietud, habrá que interpretar que pasamos por una etapa de agobio económico, que sentimos que no podemos hacer frente a ciertos pagos.

COBRAR

El hecho de cobrar un sueldo cuando en la realidad no estamos trabajando, indica que en poco tiempo nos propondrán un empleo con el cual estaremos muy conformes.

CÓCCIX

Este hueso, formado por vértebras soldadas entre sí, se relaciona con la pereza y la indolencia.
Si durante el sueño experimentamos alguna molestia en él, eso indica que tendemos a postergar las obligaciones y que ello, a la larga, nos puede traer problemas.
Si encontramos este hueso, sea humano o animal, quiere decir que hemos vencido la tendencia a la pereza.

COCHE

Para muchas personas, el coche es una prolongación de su personalidad: compiten con él, lo cuidan más que a cualquier otra posesión y sin él se sienten absolutamente perdidos. Para otros, en cambio, es símbolo de libertad, ya que permite trasladarse a cualquier lugar sin problemas.
Este símbolo de estatus, adquiere diversos significados según la persona que lo sueñe y del momento que ésta viva. Para quien está preparando el examen de conducción, por ejemplo, la aparición de un coche en sueños sería un buen augurio, ya que indicaría el éxito en el examen.
Viajar en coche equivale a andar por la vida; por ello, a la hora de analizar estos sueños, es necesario recordar con la mayor exactitud posible los detalles del paisaje, así como los objetos y personas que se encuentren en el interior del vehículo.
El estado de ánimo que se viva en sueños dará cuenta de la felicidad o tristeza que experimentamos en la vida real.
También puede brindar una clave importante el color del vehículo. Todos estos elementos, nos pueden orientar acerca de la forma en que vamos por la vida.

Véase VEHÍCULO.

COCHINILLO

Véase CERDO.

COCINA

Como lugar donde se cuecen y preparan los alimentos, representa el cuidado que le brindamos al cuerpo, no sólo en lo que respecta a la nutrición sino, también, al sueño, a la higiene y, muy importante, al equilibrio mental.
Si la cocina está bien provista de utensilios, quiere decir que somos conscientes de la importancia de atendernos a nosotros mismos y, por lo tanto, nos augura el éxito en los diferentes terrenos.
En caso de ser una cocina incompleta o de presentar síntomas de deterioro, será señal de que nos descuidamos excesivamente.
En este caso debemos ser conscientes de que si no atendemos debidamente el organismo estamos abriéndoles la puerta a las enfermedades.

COCINERO

Preparar alimentos para otros es símbolo de generosidad, de gusto por el cuidado de los demás.
Los cocineros que vemos en los sueños representan a las personas por las que nos sentimos protegidos. En caso de ser nosotros quienes tenemos esta profesión

en el sueño, quiere decir que tendemos a pensar, en primer lugar, en las necesidades del grupo y bastante después, en las propias.

Coco

Los cocos que vemos en las tiendas de alimentación son la semilla del enorme fruto de los cocoteros. Éste tiene el aspecto similar a una manzana que guarda en su interior la parte comestible. El agua que guarda esta semilla en su interior es sumamente nutritiva.
En muchas regiones, el coco es símbolo de feminidad y fertilidad y se utiliza en diferentes rituales de magia.
Si en el sueño vemos un coco cerrado quiere decir que estamos en un período fértil en el cual, si no queremos concebir, debemos poner los medios adecuados para evitarlo.
En caso de que el coco estuviera abierto o troceado o rallado, será señal de que tenemos una gran habilidad para tratar con los niños.

Cocodrilo

Entre los egipcios, el cocodrilo representaba al dios Sobek, creador del Nilo que, según la leyenda, habría nacido de su sudor. Era el dios de la vegetación, la fertilidad y la vida y su culto llegó a tener una gran importancia en las primeras dinastías.
Como dios de las aguas, se relaciona con la sensibilidad y los afectos. Los cocodrilos que vemos en sueños indican que tenemos fuertes sentimientos hacia otra persona. Cuando el animal se muestra agresivo y peligroso, indica que tenemos mucho miedo a sufrir un desengaño amoroso, a entregar nuestro corazón y que esta entrega no sea correspondida.
Los yacarés, que son saurios de estructura similar al cocodrilo pero más pequeños, señalan las dificultades que tenemos para abrirnos a los demás y, al mismo tiempo, los esfuerzos que hacemos para vencerlas.

Cóctel

El cóctel es una mezcla de bebidas, por lo tanto se relaciona con el conjunto de creencias que hemos ido seleccionando a lo largo de nuestra vida.
Si bebemos un cóctel quiere decir que, aun cuando nos sintamos próximos a una corriente religiosa, también sabemos tomar de otras las buenas enseñanzas que pueda ofrecernos.
Si ofrecemos cócteles a los demás, será índice de que nuestras palabras resultan reconfortantes y esclarecedoras, que tenemos un gran sentido común a la hora de comprender las motivaciones ajenas.

Código

Los códigos son convenciones hechas entre dos o más partes que resultan indescifrables para los demás. Simbolizan la complicidad.
Si vemos un texto escrito en un código que no entendemos, es señal de que ante nuestros ojos dos personas traman algo que, posiblemente, nos pueda afectar. Es muy probable que se trate de algún tipo de traición.
Si, por el contrario, podemos descifrar el código, es señal de que estamos muy compenetrados con nuestra pareja o, en todo caso, con la persona que esté presente en el sueño.
Si somos nosotros quienes escribimos crípticamente es señal de que necesitamos mantener algo en secreto. Puede tratarse de un nuevo romance, de un trabajo o de cualquier otra cosa que, por el momento, no queremos que sea divulgada.

Codo

Por la actitud con la cual se suele leer o estudiar, «hincando los codos», como popularmente se dice, esta parte del cuerpo simboliza la adquisición de conocimientos. Si en sueños nos duelen los codos quiere decir que nos hemos

preparado bien para un examen (sea o no académico) y que tenemos grandes posibilidades de pasarlo con éxito.
Si nos golpeamos en un codo, en cambio, significa que debemos hacer mayores esfuerzos para superar la prueba que nos espera.

CODORNIZ

Las codornices son aves de mal augurio. Cuando las vemos en sueños auguran infidelidades o rupturas con algún amigo por asuntos amorosos.
Por esta razón, cuando soñamos con ellas debemos tener mucho cuidado a la hora de censurar o hablar mal de la pareja de un amigo.

COFIA

El principal objetivo de la cofia es ocultar el pelo. Como éste a menudo se relaciona con la capacidad de percepción extrasensorial, las cofias sugieren la necesidad de no alardear de ésta, de mantenerla oculta o, mejor, utilizarla para ayudar a los demás pero sin llamar la atención.

COFRE

Los cofres guardan objetos valiosos y, sobre todo, secretos.
Si encontramos un cofre cerrado quiere decir que hay algo de suma importancia que desconocemos de nuestra familia. Este secreto no es necesariamente malo o doloroso, pero su conocimiento puede hacer dar un vuelco en nuestra vida.
Abrir un cofre es señal de conocer un secreto. Si es otra persona quien lo abre en nuestra presencia, quiere decir que se va a enterar de algo de nuestra vida privada.
Es fundamental recordar los elementos que contiene el cofre, ya que el simbolismo de éstos ayudará a completar el análisis del sueño.

Véase TESORO.

COHETE

Los cohetes de tierra que se usan en las fiestas populares simbolizan la alegría efímera, el entusiasmo que se apaga al poco de iniciarse.
Si los oímos explotar quiere decir que, aunque estemos pasando una época excelente, debemos estar preparados para afrontar los malos momentos.

COJERA

Por la dificultad que este trastorno presenta al andar, simboliza los retrasos.
Si somos nosotros quienes padecemos la cojera, quiere decir que nos va a faltar tiempo para terminar un trabajo que nos han encargado.
Si es otra la persona que está coja, significa que alguien tardará más tiempo de lo esperado en cumplir una promesa que nos ha hecho.

COJÍN

Simbolizan la falta de valor, la actitud cobarde que impide dar la cara por un amigo, familiar o compañero.
Si en el sueño estamos apoyados sobre cojines indica que decepcionaremos profundamente a una persona al negarnos a testimoniar en su favor.
Si los cojines están desparramados en el suelo quiere decir que nos sentimos culpables por no haber auxiliado a un amigo cuando nos ha necesitado.
En caso de que estemos bordando, lavando o sacudiendo un cojín, deberemos interpretar que, si bien en el pasado nos hemos mostrado excesivamente egoístas, estamos dispuestos a enmendarnos.

COL

Las hojas externas de la col cubren apretadamente las internas, más tiernas.
Por esta estructura de capas simboliza la exageración, el engaño.
Si alguien nos ofrece coles quiere decir que pretende engañarnos exagerando su propia valía o la de lo que nos quiere dar.

Cola

En muchos animales, la cola es una parte del cuerpo muy importante, ya que les sirve para comunicar al grupo su estatus, sus intenciones o su estado de ánimo. Por ello simboliza la capacidad de expresión.
Si pisamos la cola de un animal doméstico quiere decir que nos sentimos molestos por el éxito social de nuestra pareja.
Si vestimos con las colas de un animal, como por ejemplo las de visón, significa que hacemos grandes esfuerzos por caer bien a las personas que acabamos de conocer.
La cola prensil de un mono, representa la capacidad de ser protagonista en las conversaciones.
En el sueño también podemos ver un ser humano con cola; en este caso, el apéndice simboliza la brutalidad, la agresividad.

Véase VEZ.

Colada

El hecho de hacer la colada, de lavar la ropa, simboliza la aclaración de puntos conflictivos dentro de la familia.
Si ponemos las prendas dentro de la lavadora quiere decir que hemos decidido hablar con alguien que se está comportando de forma abusiva con nosotros o con alguna persona querida.
Si extendemos la ropa ya lavada a fin de que se seque, significa que estamos expuestos a que los demás hablen mal de nosotros, a que se metan en nuestra vida privada. En este caso, es aconsejable ser un poco más discretos.

Véase LAVAR.

Colador

El colador permite la separación de los elementos sólidos que están inmersos en un líquido.
En sueños, representa la acción de sopesar con sentido práctico hasta qué punto nos conviene una relación, sea de pareja o de cualquier tipo de amistad.
Estos sueños, por lo general, aparecen cuando no nos sentimos seguros de la fidelidad y lealtad de una persona.

Colcha

Esta prenda cubre la cama, el lugar donde estamos más desprotegidos. Simboliza la inocencia, la ausencia de malicia.
Si en el sueño tendemos o alisamos la colcha significa que preferimos conservar una actitud inocente, que nos empeñamos en pensar que todo el mundo es bueno y que nadie tiene malas intenciones hacia nosotros.
Si la recogemos o arrugamos, en cambio, quiere decir que somos suspicaces, que siempre estamos buscando segundas intenciones en los demás y que no nos dejamos engañar fácilmente.
Las colas que se hacen para esperar mientras somos atendidos muestran el lugar que, según sentimos, tenemos en el círculo que nos rodea.
Si estamos al final de la cola es señal de que creemos que no somos debidamente considerados. Si nos encontramos en el medio, eso indica que estamos confortablemente inmersos en la mayoría.
Estar al principio de la cola significa que nos sentimos superiores a los demás.

Véase CAMA.

Colchón

El lugar sobre el cual descansamos simboliza la armonía familiar.
Si el colchón está limpio y en buenas condiciones, significa que las relaciones con padres y hermanos son excelentes.
Cuando el colchón aparece deteriorado o sucio, es señal de que en el seno familiar hay amargas disputas.

Colchoneta

Las colchonetas de deporte nos protegen de los golpes cuando hacemos

movimientos que ponen en peligro nuestro cuerpo; por ello representan el arrojo lúcido y consciente a la hora de emprender cualquier tipo de acción.
Si hacemos algún deporte que implique el uso de una colchoneta es señal de que, en la vida real, sabemos aprovechar las oportunidades, que somos valientes a la hora de decidir pero que sabemos evaluar con suma lucidez los peligros que cada acción trae aparejada.
Si es otra persona quien usa la colchoneta quiere decir que admiramos a las personas valientes, que nos gustaría obrar como ellas pero que somos excesivamente temerosos.

COLECCIÓN

En general, las colecciones simbolizan la codicia, pero cuando se sueña con ellas es necesario tener en cuenta el tipo de objetos que componen la colección, buscar el simbolismo de éstos a fin de hacer un análisis correcto.

COLEGIO

Los colegios profesionales (de abogados, de médicos, etc.) simbolizan el afán de perfeccionarse en el oficio o profesión que desempeñamos.
Si recibimos una carta de uno de estos organismos, quiere decir que, en breve, nuestro trabajo será reconocido públicamente.

Véase ESCUELA.

COLETA

El pelo recogido en una coleta simboliza el ocultamiento de las propias creencias religiosas.
Si soñamos que tenemos una coleta, cuando en la vida real no la usamos, quiere decir que tenemos una tendencia mística que preferimos mantener oculta a los ojos de los demás.
En caso de que en el sueño seamos toreros y nos cortemos la coleta, acción simbólica que da paso al abandono del mundo del toro, significa que deseamos dejar una actividad o relación que hemos mantenido durante mucho tiempo.

Véase TORO.

COLGAR

Suspender cualquier elemento equivale a distanciarlo del suelo; por esta razón, el hecho de llevar a cabo una acción así simboliza el deseo de elevarnos espiritualmente.
Es importante recordar qué es lo que se está colgando en el sueño, ya que ese elemento puede dar claves acerca de la manera en que podemos tomar la adecuada distancia del mundo material y adentrarnos en un camino místico.

COLIBRÍ

Este pequeño pájaro, que se alimenta del néctar de las flores, simboliza la exquisitez.
Si lo vemos en sueños quiere decir que somos muy exigentes con lo que adquirimos, que no nos rodeamos de lujo pero que siempre intentamos que todo lo que compramos sea de calidad.
Si el pájaro está herido o muerto, debemos interpretar que nuestra actitud es mal comprendida por los demás, que nos tachan de vanidosos cuando, en el fondo, sólo se trata de buen gusto.

CÓLICO

Si en sueños experimentamos un cólico, es muy probable que se deba al trastorno en un órgano; es decir, que sea un dolor real que traspasa la barrera del sueño.
Si es otra persona quien lo sufre, es índice de que alguien de nuestro entorno necesita apoyo y ayuda psicológica.

Véase DOLOR.

COLILLA

Simbolizan la gula, el exceso en el comer y beber.

Verlas en un cenicero indican que somos demasiado complacientes con nosotros mismos así como, también, que no damos a nuestro cuerpo los alimentos que necesita. Tirar una colilla simboliza desprenderse de una persona o cosa que ya no nos interesa.

Colina

Están relacionadas con nuestra ambición: cuanto más elevadas y empinadas sean, mayores aspiraciones tendremos.
Si subimos la colina fácilmente, con agilidad, quiere decir que nuestras ambiciones serán colmadas.
Estar recostado en la ladera de una colina indica que, para conseguir nuestros objetivos, contamos con la ayuda de personas influyentes.
Estar en la cima muestra que tenemos la meta a la vista, que con un poco de trabajo conseguiremos aquello por lo que tanto hemos luchado.
Resbalar por una colina indica fracaso, imposibilidad de cumplir, por el momento, los sueños.

Coliseo

Como este edificio romano estaba destinado a diversos juegos en los cuales la violencia era la protagonista, representa la competitividad a ultranza, la decisión de ascender sin tener en cuenta los medios empleados para conseguirlo.
Si vemos un espectáculo en el coliseo o estamos ante el edificio significa que, en nuestro entorno, hay personas muy ambiciosas que carecen de escrúpulos. Es mejor tener cuidado, ya que no tendrán ningún problema en hacernos daño si con ello pueden acercarse a sus objetivos.
En el caso de que nos encontremos en la arena del coliseo, la interpretación será muy diferente: somos nosotros quienes tenemos la urgencia de ascender, de que todos acepten que somos superiores a los demás. Esta conducta equivocada puede llevarnos a amargas decepciones.

Collar

Los collares rodean una de las zonas más vulnerables de nuestro cuerpo: el cuello. Basta ajustarlos más de lo debido para que, inmediatamente, pongamos nuestra vida en peligro. Por lo fácil que es manejar a un animal que tenga el collar puesto, en los sueños simbolizan la libertad.
Si alguien nos pone un collar quiere decir que pretende recortar nuestra independencia.
En caso de ser nosotros mismos quienes nos lo ponemos, es nuestra vanidad, nuestra actitud egocéntrica, la que nos quita posibilidades de vivir más intensamente.
Si regalamos un collar a otra persona, quiere decir que no nos sentimos seguros de su fidelidad y que, por ello, intentamos mantenerla lo más controlada posible.

Colmena

Representa el lugar de trabajo, la oficina o la tienda en la que desempeñamos una labor remunerada.
Si en su interior las abejas están tranquilas significa que el ambiente de trabajo es bueno, que tenemos una excelente relación con compañeros y superiores.
En caso de que las abejas se muestren hostiles o agitadas, deberá interpretarse que el ambiente de trabajo no es armonioso, que tenemos una relación deficiente con los compañeros o que sufrimos acoso laboral por parte de un superior.

Véase ABEJA, PANAL.

Colmillo

En los carnívoros son los dientes más largos que les sirven para cazar, para asegurar con ellos a las presas.
Se relacionan con la agresión pero, más aún, con las amenazas. De hecho, como metáfora de ésta se usa la expresión enseñar los colmillos. Si vemos estos dientes en un animal quiere decir que

debemos cuidarnos de una persona de nuestro entorno porque nos puede jugar una mala pasada.
Si encontramos uno de estos dientes suelto, indica que estamos tratando de mantenernos firmes con respecto a alguien que pretende atropellarnos.

Colón

En los sueños, a menudo aparecen personajes históricos. Soñar con Colón indica que estamos descubriendo cosas importantes acerca de nosotros mismos, de nuestra sexualidad.
La actitud que Colón tenga hacia nosotros indicará el agrado o malestar que experimentemos acerca de las nuevas facetas que vemos en nuestro interior.

Colonia

Véase PERFUME.

Colonizar

La colonización de un territorio exige una dura lucha contra los elementos naturales del entorno, una voluntad férrea de construir en él un asentamiento sólido capaz de crecer y evolucionar. Para ello es necesaria la unión del grupo, la conciencia de hermandad y de la importancia del compañero de cara a la supervivencia.
Soñar que somos colonos indica que tenemos ante nosotros un difícil proyecto en equipo, una tarea novedosa que, sólo si mantenemos un vínculo fuerte con los demás, podremos llevar a cabo.

Color

Cada cultura ha atribuido a los colores diferentes significados que, con el tiempo, se han empleado en la liturgia, en la heráldica, en el arte y en la literatura.
En general, soñar con colores fríos simboliza la pasividad, lo negativo en tanto que los colores cálidos se relacionan con la actividad, la vitalidad. Cada color, por otra parte, tiene, como se explica a continuación, su propio significado.
El azul, color del cielo, simboliza el pensamiento y habla de una tendencia a centrar la máxima actividad en la esfera mental.
El amarillo, es el color de la intuición, del Sol que ilumina y hace huir a la oscuridad. Soñar con él indica que tenemos muy desarrollada esta función psicológica.
El rojo es el color del fuego, de la sangre, de los sentidos, de la percepción del propio cuerpo. Si lo vemos en sueños quiere decir que sabemos escuchar a nuestro organismo, percatarnos de sus necesidades.
El verde es el color de la naturaleza, por eso se relaciona con la percepción de lo que nos rodea. Su presencia da cuenta de nuestra capacidad de observación, de captación de todo lo que ocurre en nuestro entorno.
El negro es la ausencia de color, de ahí que, en Occidente, represente el luto, la muerte. Sin embargo, cuando aparece en sueños no siempre tiene connotaciones negativas; a menudo indica el final de un proceso que, tal vez, haya sido difícil y doloroso.
El blanco se ha asociado tradicionalmente a la pureza, a la inocencia y a la castidad. Habla de la elevación de nuestro espíritu, de la frugalidad y alejamiento de los bienes terrenales.
Los colores como el violeta (combinación de azul y rojo) o el anaranjado (amarillo y rojo) participan de las características de sus componentes.
La combinación de los objetos que aparecen en las imágenes oníricas con su color permite hacer una lectura muy rica de los mensajes de nuestro inconsciente.

Véase PINTAR.

Colorete

Simboliza los esfuerzos por no preocupar a la familia en el caso de que tengamos algún problema o dolencia.

Si nos ponemos colorete en sueños quiere decir que nos vemos ante un problema importante, pero que tratamos por todos los medios de que nadie se entere de ello por temor a que se preocupen o se disgusten.

Coloso

Estas representaciones gigantescas del hombre simbolizan lo masculino.
El que una mujer sueñe con un coloso indica que está enamorada de un hombre muy varonil, con los atributos que generalmente se han definido como masculinos.
Si es un hombre quien sueña, puede interpretarse que busca dentro de sí mismo dichos atributos.

Columna

Las columnas y pilares sirven de sostén a pisos y techos, por eso representan las bases sobre las que se asienta nuestra personalidad.
Cuanto más anchas sean las columnas que aparecen en el sueño, más sólida será la base sobre la que se asientan nuestras convicciones y creencias.
Si la columna aparece rota quiere decir que hemos desechado parte de las enseñanzas morales que hemos recibido en la infancia.
En caso de que en el sueño aparezcan dos columnas, éstas representarán la solidez matrimonial.

Columpio

Por su movimiento de vaivén, los columpios simbolizan la falta de decisión.
Si nos columpiamos por nosotros mismos es señal de que nos cuesta mucho enfrentarnos a cualquier tipo de elección por temor a escoger equivocadamente.
Esto indica una exigencia desmedida hacia nosotros mismos y una intolerancia extrema al fracaso.
En caso de que en el sueño nos esté columpiando otra persona, quiere decir que tendemos a valernos de la fuerza y el coraje de los demás a la hora de enfrentarnos a las personas difíciles de tratar.

Coma

Si vemos una persona en estado de coma, quiere decir que percibimos su impotencia ante un problema que le está preocupando.

Comadreja

Este mamífero carnicero de hábitos nocturnos es muy perjudicial, ya que se come los huevos de las aves. Simboliza el pesimismo.
Cuando este animal aparece en sueños lo hace para prevenirnos de que una persona de nuestro entorno, intenta que adoptemos una actitud negativa de nuestra situación como medio para impedir que nos desarrollemos.

Comadrona

Las comadronas y los tocólogos son los que ayudan a dar a luz, por eso representan a las personas que están a nuestro lado mientras damos forma a un proyecto o cuando, por fin, lo arrancamos.
A veces son amigos que nos alientan y motivan en el momento en que nos faltan fuerzas para seguir.

Combate

Los combates, sobre todo si son cuerpo a cuerpo, simbolizan la rivalidad entre hermanos.
Si el combate es observado por nosotros, es posible que un hermano se sienta celoso por el afecto de nuestros padres.
En caso de que participemos en él, quiere decir que en algún momento del pasado nos hemos sentido ofendidos por un hermano pero, en lugar de solucionar el malentendido, hemos optado por callar y acumular rencor.
Lo más recomendable en este caso es tener una charla reparadora y pensar que,

al estar distanciados, estamos perdiendo contacto con un testigo y compañero de nuestra infancia.

Combinar

Los sueños en los que intentamos combinar colores (sea en las prendas que vestimos o en la decoración de los ambientes) indican que nos preocupa la falta de armonía que existe entre las personas con las que convivimos.

Combustible

Los diferentes tipos de combustible representan las motivaciones que nos empujan a poner nuestro esfuerzo en las diferentes tareas que llevamos a cabo.
Si en el sueño la falta de combustible es un problema (es decir, si un coche se para porque se le acaba la gasolina) quiere decir que no nos sentimos contentos en nuestro trabajo, que nos aburre y no nos permite crecer interiormente.
Ponerle gasolina a un vehículo significa hacer todo lo posible por no perder la motivación.

Véase COCHE.

Comedero

Estos recipientes o construcciones sirven para que los animales tomen su alimento. Simbolizan la gula, la tendencia a comer o beber en exceso. Si junto al comedero que vemos en sueños hay animales, significa que vamos a ganar peso, que la ansiedad nos lleva a comer más de lo necesario.
Si el comedero está vacío, debemos vigilar nuestra alimentación porque carece de los nutrientes que nuestro cuerpo necesita.

Comedia

Véase ESPECTÁCULO.

Comedor

Este lugar de la casa simboliza la unión familiar, ya que es a la hora de comer cuando, por lo general, la familia realiza una actividad común.
Cuando el comedor está limpio, iluminado y presenta un aspecto agradable, se entiende que las relaciones familiares son buenas.
Un comedor recargado, excesivamente adornado, es índice de la hipocresía. La familia se preocupa mucho más del qué dirán que del bienestar de cada uno de sus miembros.
Los adjetivos que se adjudiquen al comedor que veamos en el sueño son los que darán las claves para comprender el tipo de familia que tenemos.

Comer

Los alimentos que tomamos en sueños indican la insatisfacción afectiva, de manera que es importante observar no sólo su calidad sino, también, nuestra actitud al ingerirlos.
Si lo que estamos comiendo no nos gusta o si tenemos dificultades al masticar o tragar, debemos interpretar que mantenemos una relación de pareja que no nos satisface.
Los alimentos crudos, sencillos y naturales (fruta, verduras, etc.) indican que estamos afectivamente satisfechos, que las relaciones que mantenemos son armoniosas.
El hecho de ingerir dulces revela que ponemos poco de nuestra parte para conservar las amistades, que por lo general son otros quienes nos llaman por teléfono, proponen actividades en común o se preocupan por mantener el contacto.

Véase ALIMENTOS.

Comerciante

Los comerciantes que aparecen en un sueño deben ser interpretados según las cosas que vendan. Si comercian con diferentes ramos, indican que deberemos desprendernos de un objeto al que tenemos gran aprecio.

Cometa

Los cometas son astros envueltos en un halo luminoso que dejan a su paso una estela en forma de cola. Simbolizan el brillo personal.

En nuestros sueños auguran que se nos presentará la oportunidad de hacer algo cuya consecuencia sea el reconocimiento de nuestras habilidades. Es muy posible que esta situación se produzca en el ámbito laboral, aunque también podría ser en el vecindario, la familia o la escuela.

Las cometas, por su fragilidad y capacidad de vuelo, representan los peligros que se avecinan tras un ascenso en el trabajo.

Si conseguimos remontar la cometa quiere decir que tendremos un cambio muy positivo en el trabajo. Cuanto más alto llegue, mayores serán nuestras posibilidades de crecimiento en la empresa. En caso de que la cometa no pueda remontarse será señal de que no estamos lo suficientemente preparados para optar como puestos de mayor responsabilidad.

Cómic

Como los cómics representan el presente y las características de la etapa que estamos viviendo, lo importante es recordar qué historia se cuenta en él.

Los que relatan batallas y escenas violentas indican que tenemos un enojoso enfrentamiento con una persona de nuestro entorno. En el cómic estamos representados por el héroe.

También es importante observar la calidad del dibujo: cuanto más explícito sea, más armas tendremos para superar los problemas del presente.

Comida

Véase ALIMENTOS.

Comillas

Las frases que en sueños aparezcan entrecomilladas tienen una especial importancia: nos revelan aquellas cosas que por costumbre creemos, pero que en la realidad no son ciertas.

Conviene recordarlas con la mayor fidelidad posible, ya que nos darían elementos para acercarnos a la verdad y eliminar creencias erróneas.

Comino

Esta pequeña semilla que se emplea como condimento siempre ha simbolizado tradicionalmente la avaricia.

El hecho de aderezar un plato con comino indica que nos sentimos excesivamente generosos y que hemos decidido mostrarnos un poco más egoístas a fin de no sufrir decepciones.

Si alguien nos regala cominos quiere decir que es una persona avara, a la que le cuesta desprenderse de su dinero.

Comisaría

Como lugar desde el cual se mantiene la seguridad de la población frente a los delincuentes, simboliza el control que ejercemos sobre las tentaciones.

En caso de que nos encontremos dentro de la comisaría realizando algún trámite, debemos interpretar que hay algo que nos atrae mucho, pero que está reñido con nuestras normas morales.

Si nos encontramos en este lugar pero dentro de un calabozo, es señal de que nos arrepentimos de un acto indigno que hemos cometido.

Hablar con el comisario equivale a hacer un examen de conciencia.

Comitiva

Los grupos de personas que acompañan a un personaje importante simbolizan la adulación interesada.

Cuando en sueños nos acompaña una comitiva quiere decir que quienes están a nuestro alrededor lo hacen por interés. En este caso nos conviene observarlos y buscar nuevas amistades más leales.

Si formamos parte de una comitiva y la

sensación que tenemos es de disgusto o incomodidad, quiere decir que tendemos a adular a los superiores a fin de obtener sus favores.

Véase CORTEJO.

CÓMODA

Cuando el mueble que vemos en sueños está lleno de ropa u otros enseres, es señal de que nos sentimos a gusto en la casa y con las personas con las que vivimos.
Si está vacío señala que estamos a disgusto, que la convivencia no es buena.

COMODIDAD

Cuando en un sueño nos llama la atención lo cómodos que nos sentimos, debemos entender que estamos pasando por una etapa de gran equilibrio mental y también que debemos aprovecharla para avanzar en todos los frentes.

COMODÍN

En los juegos de naipes, esta carta tiene por objeto reemplazar cualquier otra a fin de lograr los objetivos que conceden la victoria. Simboliza las estrategias que mantenemos ocultas para conseguir lo que queremos.
Si tenemos un comodín en la mano quiere decir que, si nos lo proponemos, podemos obtener lo que tanto nos importa, sólo es cuestión de arriesgarse un poco.
El hecho de que lo posea otra persona indica que admiramos en ella la facilidad que tiene para llegar rápidamente a sus metas. Lo mejor es, entonces, observar su conducta o preguntarle cómo lo hace.

COMPAÑERO

Cuando se sueña con un compañero es necesario observar los elementos que aparezcan en las imágenes porque nos pueden ayudar a comprender la relación que tenemos con él.
En caso de que el compañero del sueño sea un desconocido, debemos interpretar el hecho como que nos sentimos aislados en nuestro trabajo.

COMPARTIMENTO

Los compartimentos, ya sea que pertenezcan a muebles, bolsos, estuches o a cualquier otro recipiente, simbolizan las amistades que, por la razón que sea, deseamos mantener ocultas.
Los objetos que se guarden en el compartimento darán cuenta del tipo de amistad que se trata, así como de la importancia que le damos.

COMPÁS

Este instrumento tiene la particularidad de girar sobre sí mismo a fin de trazar círculos; por ello simboliza el egocentrismo, la tendencia a sentirse centro de todo lo que acontece en el entorno.
De quien emplea un compás en sueños puede decirse que es una persona que refiere y relaciona consigo misma cualquier hecho que ocurra en su proximidad, tenga o no que ver con ella. Este error de percepción la impulsa a creer que los demás están en su contra, que hacen las cosas para molestarle y no porque les guste hacerlas, que la envidian u odian, que intentan buscar su ruina, etc.
Cuanto mayores sean los círculos que trace con el compás, más acusado será su egocentrismo.

Véase PARTITURA.

COMPASIÓN

Si experimentamos este sentimiento en un sueño es señal de que no nos permitimos sentirlo en la realidad, ante la situación que vive un amigo.

COMPETICIÓN

Si participamos en una competición deportiva y salimos ganadores quiere decir que, en la vida real, conseguiremos el puesto de trabajo al que aspiramos.

CÓMPLICE

Hablar de cómplice es hablar de delito, de crimen, por lo tanto simbolizan las acciones reprobables que queremos cometer.

Si en sueños tenemos un cómplice debemos hacer un profundo examen de conciencia, ya que estamos yendo por un camino que no conduce a nada bueno. Tal vez no hagamos nada que esté penado por la ley, pero sí mantenemos una conducta que nosotros mismos censuramos por lo que, a la larga, deberemos pagar por ello.

La delación de un cómplice significa mandar a otros a hacer trabajos sucios para no arruinar nuestra propia imagen.

COMPLOT

Estas asociaciones, generalmente con fines sociales o políticos, simbolizan el afán de notoriedad y de poder.

Ser partícipes en un complot significa buscar, a toda costa, brillar por encima de los demás sin pararse a pensar en los medios que estamos utilizando para lograrlo.

En caso de que en el sueño el complot fuera en nuestra contra debemos interpretar que hay personas que nos envidian y que harían cualquier cosa con tal de desprestigiarnos.

COMPONER

La música es una creación artística que no admite explicaciones racionales. Entra por nuestros oídos y nos toca el alma transformando nuestros estados de ánimo.

El hecho de componer simboliza la capacidad de consolar, de infundir ánimo en los demás. Pero al igual que ocurre con los medicamentos, esta capacidad puede también ser empleada para sumir a otros en la desesperación.

Debemos ser conscientes de que nuestra palabra es escuchada y de que ese don debe ser aprovechado para ayudar al prójimo.

COMPOSTURA

El hecho de que algún personaje no guarde la compostura en el sueño indica que, en este momento, nos resulta muy difícil no perder los nervios, que estamos siendo blanco de críticas injustas y que en estas condiciones es difícil mostrarse paciente.

COMPRAR

Las compras simbolizan nuestras necesidades psicológicas. Para conocer en detalle el significado del sueño, debemos observar qué tipo de objetos compramos y buscar su correspondiente significado.

En general, comprar cosas nuevas indica una búsqueda interior, el ansia de cambiar de vida, de ampliar nuestros horizontes.

Si se compran antigüedades, en cambio, quiere decir que añoramos el pasado.

COMPRESA

Las compresas pueden aparecer en el sueño de una mujer en caso de que sienta alguna molestia ovárica en el momento de la ovulación o bien cuando percibe que va atener la menstruación.

También pueden expresar el deseo de no estar embarazada.

COMPRESOR

Estos aparatos, que sirven para comprimir el aire, simbolizan las situaciones injustas que no podemos remediar.

Si vemos un compresor en sueños significa que en nuestro lugar de trabajo presenciamos injusticias constantemente pero que no podemos denunciarlas, de momento, porque nos harían perder el puesto.

En caso de utilizar el compresor, debemos interpretar que nuestra forma de ser puede resultar sumamente irritante a los demás.

COMPROMISO

Los compromisos matrimoniales indican que nuestra autoestima es pobre, que

basamos nuestra valía en las cualidades de nuestra pareja.
Si el compromiso se establece con una persona desconocida, es señal de que no estamos conformes con nuestra pareja.

Véase BODA.

Compuerta

Las planchas de metal que sirven para regular el agua que contienen los diques o canales simbolizan el control sobre las emociones.
Si en sueños una compuerta se rompe, quiere decir que la ira, el miedo o los sentimientos negativos nos embargan a menudo y que no conocemos la forma de evitarlos.

Véase AGUA.

Comulgar

Los sueños en los que comulgamos simbolizan la reconciliación con Dios y con nosotros mismos. Por lo general se producen cuando ponemos punto final a un tipo de vida poco recomendable.
Si nos vemos tomando la primera comunión o vemos a una persona cercana haciéndolo, eso indica que deseamos volver a una época del pasado en el cual éramos más inocentes, más ingenuos.

Véase HOSTIA.

Comuna

Esta forma de vida, cuyo objetivo es acercarse a la naturaleza, autoabastecerse y establecer unas relaciones sociales diferentes entre sus miembros, tuvo un gran auge en la década de los sesenta.
Participar o vivir en ella significa buscar la forma de solucionar las diferencias que tenemos con nuestros padres y hermanos, el intento de lograr una comunicación más fluida en el seno familiar a través de la cual podrá ganarse una mayor independencia.

Comunicación

Este concepto abarca una gran variedad de significados que, de alguna manera, muestran la forma en que nos relacionamos afectivamente con los demás.
La comunicación escrita, por ejemplo, indica distancia y necesidad de precisión. No queremos dejar nada librado al azar y mostramos una conducta defensiva.
La que se produce entre un locutor o artista y su público, en cambio, muestra que tenemos una gran facilidad para conseguir el aprecio de los demás, que no tememos las decepciones y que siempre estamos dispuestos a dar y recibir afecto.

Véase CARTA, CHARLATÁN, TELÉFONO.

Concéntrico

Los círculos concéntricos indican concentración en uno mismo que, si es exagerada, puede desembocar en el egocentrismo.
También pueden dar cuenta de una situación familiar en la cual las jerarquías sean muy rígidas, donde haya un gran respeto por la autoridad paterna pero no de ésta hacia los hijos.

Véase CÍRCULO/CIRCUNFERENCIA.

Concha

Es uno de los ocho emblemas de la suerte del budismo chino y simboliza prosperidad en los viajes.
La posesión o encuentro de una concha anuncia un desplazamiento, posiblemente por trabajo, que dará más frutos de los esperados.

Concierto

Asistir en sueños a un concierto es un excelente augurio, ya que anticipa grandes alegrías en el seno familiar. Cuanto mayor sea la cantidad de músicos que en él participen, más serán las personas que gocen del gran momento que se avecina.

Cónclave

El hecho de que, en el sueño, los cardenales se hayan reunido en el cónclave para elegir un nuevo papa, quiere decir que en el presente nos sentimos espiritualmente desamparados, que nos gustaría tener un guía o alguien con quien consultar nuestros dilemas morales o religiosos.
Participar del cónclave sería indicio de que no aceptamos la autoridad que pretende imponernos nuestro padre, jefe o maestro.

Véase PAPA, VATICANO.

Concurso

Al participar en un concurso se ponen a prueba las propias habilidades, de ahí que si se concursa en sueños, indique el afán por saber hasta dónde podemos llegar.
En caso de que salgamos victoriosos debemos pensar que tenemos una seguridad en nosotros mismos relativamente grande y que esa confianza es decisiva a la hora de emprender cualquier tarea.
Si salimos perdedores significa que no sabemos valorarnos adecuadamente, que nos dejamos vencer por el desánimo y que tenemos pocos recursos a la hora de motivarnos.

Conde

Véase NOBLEZA.

Condecoración

Simboliza la falta de reconocimiento en el terreno laboral.
Los sueños en los cuales nos condecoran, expresan el malestar que sentimos al notar que nuestra labor no está lo suficientemente considerada.
En caso de ser nosotros quienes ponemos una condecoración a otra persona, eso quiere decir que nos sentimos en deuda con ella por algún favor que nos ha hecho en el pasado.

Condena

Las condenas suponen la evidencia de una culpa por nuestra parte, por eso simbolizan la humillación pública.
Los sueños en los que somos condenados se relacionan a menudo con situaciones en las que hemos sido reconvenidos en público o en las que, por hablar demás, hemos deteriorado nuestra imagen.

Véase BANQUILLO, JUICIO.

Condimento

Aunque las especies contienen elementos nutritivos para nuestro cuerpo, no constituyen la base de la alimentación sino un elemento para hacerlas más sabrosas. Simbolizan los recursos que tenemos para lucirnos en público.
Si utilizamos un condimento muy fuerte o excesivamente picante quiere decir que el afán de protagonismo nos lleva en muchas ocasiones al ridículo y a la pérdida de prestigio.
Los condimentos suaves, por el contrario, hablan de nuestra habilidad para mantener atentos a nuestros interlocutores, para no pasar desapercibidos y para caerle bien a los demás.

Véase COMINO, PIMIENTA.

Condón

La aparición de este elemento en un sueño puede hacer alusión a dos significados distintos: por un lado, muestra la preocupación ante la posibilidad de contagiarnos una enfermedad de transmisión sexual.
Si las escenas nos muestran preocupados o angustiados, señalarían una tendencia a la hipocondria; en cambio, si nuestra actitud es serena y tranquila, hablaría de nuestra capacidad de previsión y prevención en cuanto a los temas sanitarios, en especial los relacionados con el sexo. Otra lectura posible es el miedo a

tener que asumir, en el presente, una paternidad o maternidad.

CÓNDOR

Esta rapaz, similar a un buitre, simboliza el espacio y el movimiento.
Su aparición en sueños indica un viaje próximo o el traslado de casa por asuntos de trabajo.
Si el ave ataca a un animal quiere decir que en el lugar al cual vayamos nos encontraremos con un clima sumamente competitivo.

CONDUCIR

La forma de conducir indica la manera en que nos enfrentamos a las diferentes sorpresas que nos da la vida.
Si vamos a mucha velocidad quiere decir que nos desagrada perder el tiempo. Sin embargo, lejos de ser una virtud o algo conveniente, eso muestra que tenemos una fuerte ambición y que no nos damos tiempo para el ocio. De este modo difícilmente alcancemos la paz interior.
La conducción a velocidad normal, relajados, señala que sabemos tomarnos las cosas con calma y que sabemos establecer una escala de prioridades coherente.
En caso de conducir muy lentamente, debemos interpretar que avanzamos por la vida con miedo, que vemos el mundo exterior como un lugar peligroso. Eso frena mucho nuestra iniciativa y hace que no saquemos el máximo partido de nosotros mismos.

Véase COCHE, VEHÍCULO.

CONECTAR

El establecimiento de una conexión representa la habilidad para establecer un rápido contacto afectivo con las personas que acabamos de conocer. Si conectamos algo en sueños quiere decir que trabaremos relación con una persona que será muy importante en nuestro futuro.

CONEJO

Tanto el conejo como la liebre, por la velocidad a la que se reproducen, son desde la antigüedad símbolo del amor y la fecundidad.
Si vemos estos animales en sueños quiere decir que en breve iniciaremos un romance muy apasionado. También nos advierten de que, si no queremos concebir, debemos tomar las medidas adecuadas.
Cuando el sueño es agitado debe considerarse al conejo como símbolo de deseo sexual.

CONFERENCIA

La exposición de un tema ante el público indica la necesidad de dar testimonio de nuestras creencias.
En caso de asistir a la conferencia como oyente, debemos interpretar que nos interesa escuchar siempre los puntos de vista ajenos porque, estamos seguros, esa es la única forma de llegar a conocer parte de la verdad.
Cuando se sueña con una conferencia, es importantísimo tener en cuenta el tema que se trata y buscar el símbolo que le resulte más próximo.

Véase AUDITORIO.

CONFESIÓN

El hecho de confesarse simboliza las confidencias que hacemos a una persona, no necesariamente con el ánimo de descargar nuestra conciencia.
Si el sueño es perturbador, conviene ser muy cauto a la hora de contar secretos, ya que hay una persona que podría traicionar nuestra confianza.
En caso de que en el sueño alguien se confiese con nosotros, indica que obtendremos datos muy importantes para solucionar un asunto delicado.

CONFESIONARIO

En caso de que el confesionario que aparezca en un sueño cobre protagonismo o llame nuestra atención, debemos pensar que hay algo que estamos haciendo mal. Lo más probable es que se trate de un juicio erróneo que hemos hecho de una persona de nuestro entorno.

Véase CONFESIÓN.

CONFETI

Aunque el origen y significado de estos trocitos coloreados de papel se desconoce, lo cierto es que se emplean en las fiestas populares.
Representan la alegría y son símbolo de lo que nos puede venir «desde el cielo» augurando oportunidades sorprendentes que no debemos desaprovechar.

CONFIDENCIA

Es necesario distinguir entre confidencia y confesión: en la primera, se relata un hecho que la sociedad desaprueba; en el segundo, se trata del relato de un episodio íntimo.
Si en sueños hacemos confidencias quiere decir que tendremos que enfrentarnos a las habladurías desatadas por la traición de un amigo.

CONFIDENTE

Las personas que, en los sueños, actúan como confidentes de la policía o de cualquier autoridad simbolizan los amigos desleales.
Su presencia puede indicarnos que en nuestro entorno hay una persona que no es de fiar.

CONFUSIÓN

Cuando en el sueño aparecen escenas de confusión, es necesario prestar atención a los sentimientos que eso suscita. Si nos mantenemos tranquilos y no nos preocupamos demasiado por la falta de orden, quiere decir que nuestro equilibrio interno es bueno, que podemos manejar situaciones delicadas con la debida frialdad.
Si la confusión nos crea ansiedad o angustia, en cambio, indica que tenemos mucho temor a la irrupción de las emociones en nuestras acciones.

Véase ORDEN.

CONGELAR

El hecho de congelar alimentos simboliza la toma de distancia con un problema a fin de solucionarlo racionalmente.
La congelación de una parte del cuerpo indica que las acciones que con ésta se realizan no nos satisfacen.
Si es una mano, por ejemplo, no estamos conformes con nuestra habilidad manual; si es la nariz, con la capacidad que tenemos para «oler» las situaciones comprometidas. El congelamiento de los pies podría denotar una falta de rapidez a la hora de tomar decisiones.

CONGRESO

Es en este lugar donde se aprueban las leyes y los proyectos de un gobierno; por ello, si en el sueño nos encontramos dentro del congreso, significa que necesitamos revisar nuestra escala de valores.
El congreso visto desde fuera indica la frustración que sentimos al no poder convencer a los demás de nuestros puntos de vista.

CONJURA

Si en sueños somos víctimas de una conjura quiere decir que las rencillas familiares nos han llevado a un estado en el cual, injustamente, dudamos de todo el mundo.

CONJURO

Los conjuros representan lo opuesto a la elevación espiritual. Por lo general se realizan para obtener bienes materiales o para que la realidad responda a nuestros deseos. Si realizamos un conjuro en sueños quiere decir que no queremos

esforzarnos para conseguir lo que anhelamos, que preferimos utilizar las vías más fáciles y no siempre éticas para lograr los objetivos.
En caso de ser otra persona quien realiza el conjuro debemos entender que ese alguien puede emplear malas artes para competir con nosotros.

Véase HECHIZO, MAGIA.

Conmutador

Los conmutadores sirven para cambiar el estado de un aparato, dispositivo o instalación. Simbolizan los cambios repentinos.
El hecho de accionar un conmutador significa que haremos algo que cambiará radicalmente nuestra situación. Es posible que repentinamente se solucionen los problemas que nos agobian y que a partir de ese momento, entremos en un período de paz y prosperidad.

Cono

El significado simbólico del cono se deriva de dos figuras: el triángulo y el círculo. Representa la unión de lo masculino y lo femenino.
En los sueños, los conos auguran una próxima relación o bien un período de armonía con la pareja actual.

Conocidos

A veces, en sueños, aparecen personas a las que apenas conocemos. Simbolizan aquellos familiares que, por enemistades de nuestros padres, jamás hemos tratado. Indican que tendremos oportunidad de encontrarnos con alguno de ellos.

Conquistar

La conquista de un territorio representa el logro de un objetivo difícil de alcanzar.
Los sueños en los que aparecemos como conquistadores auguran que en muy poco tiempo veremos coronados nuestros esfuerzos.
En caso de que la conquista se efectúe mediante fuertes luchas, debemos interpretar que antes de lograr el éxito tendremos fuertes discusiones o desagradables enfrentamientos.
Los sueños en los que se presencian conquistas amorosas señalan una actitud de constante seducción por nuestra parte. Pueden indicar que disfrutamos más con el coqueteo que con las relaciones maduras y sólidas.

Consejos

Toda vez que oímos claramente un consejo en sueños, lo sensato es seguirlo a pie juntillas. Surgen del inconsciente que, sin duda, tiene más datos para analizar la realidad que nuestra parte consciente; por ello, puede trazar una mejor estrategia para enfrentarnos a los problemas.
Incluso en el caso de que seamos nosotros quienes brindemos en el sueño un consejo a un amigo, debemos entender que el mensaje nos está dirigido y que tiene que ver con nuestras actuales circunstancias.

Conserva

Los alimentos en conserva simbolizan el ahorro y la previsión.
Las latas y botes que veamos en el sueño indican que, por el momento, no tenemos que preocuparnos del futuro. Aunque no tengamos dinero sí será posible generarlo, por lo que no debemos preocuparnos por la situación económica.
Comer alimentos en conserva simboliza alimentarse intelectualmente de las ideas que surgieron en otras épocas históricas.

Consolar

El consuelo que prodiguemos en los sueños a otras personas son palabras que nos decimos a nosotros mismos para paliar la angustia que sentimos ante un problema.
Las escenas en las que aparecen indican que contamos con personas sabias y generosas, dispuestas a apoyarnos

psicológicamente en el momento en que lo necesitemos.

Conspiración

Las conspiraciones atentan, por lo general, contra el orden establecido; por eso, cuando aparecen en los sueños, debemos entender que no nos sentimos conformes con la vida que estamos llevando.
El cambio se impone y en las imágenes podemos encontrar las claves para llevarlo a cabo.

Constelación

Las constelaciones conocidas son símbolos muy antiguos. Todas tienen sus propias leyendas, de modo que si soñamos con ellas lo mejor es buscarlas por su nombre.
Si es una constelación desconocida significa que intuimos algunas verdades que aún no hemos podido poner en claro, pero que serán importantes en un futuro.

Construcción

Véase OBRAS.

Consulta

Si en sueños consultamos a un profesional, debemos entender que, en la vida real, debemos pedir consejo.
El tipo de profesional que aparezca dará cuenta del problema que estamos viviendo o que se nos presentará en un futuro inmediato.
Las imágenes oníricas pueden también servir de modelo para saber que, durante la consulta, debemos mantener una actitud abierta y receptiva, que no somos nosotros quienes decidimos qué datos son relevantes y cuáles no. Cuantas más cosas contemos al profesional acerca del problema, mejor servicio podrá darnos.

Contabilidad

Si nos vemos trabajando en la contabilidad de un negocio o empresa significa que tenemos problemas económicos difíciles de afrontar. El hecho de contratar un contable puede servir como sugerencia para que hablemos con un profesional a fin de que nos sugiera la forma de hacer frente a la situación.

Véase CONSULTA.

Contagio

El contagio de enfermedades en sueños simboliza los malos modelos que escogemos en la vida real.
Si nos contagiamos de una enfermedad quiere decir que intentamos actuar como una persona de dudosa moral que hay en nuestro entorno. A la larga, si seguimos por este camino pagaremos las consecuencias.

Contar

Independientemente de los elementos que contemos, equivale a hacer cálculos para saber cómo hemos de distribuir el dinero.
Si hacemos la cuenta repetidas veces, quiere decir que tendremos dificultades a la hora de hacer efectivos los pagos pendientes.

Véase NARRACIÓN.

Contestador

Los contestadores automáticos a menudo se emplean para simular una ausencia y, con ello, evitar la comunicación directa. Simbolizan la dificultad que tenemos a la hora de dar la cara.
Si hacemos en sueños una llamada telefónica y nos responde un contestador, quiere decir que la persona con la que queremos hablar acostumbra a eludir sus responsabilidades. En caso de ser nosotros quienes ponemos en marcha el contestador, seremos nosotros quienes tengamos esa forma de actuar.

Contorsión

La plasticidad corporal que manifestamos en los sueños son muestra de nuestra

amplitud mental, de la capacidad de asimilar conceptos nuevos o, al menos, intentar comprenderlos.
Si el sueño es agitado, provoca ansiedad o angustia, las contorsiones deben interpretarse como la búsqueda desesperada de la solución de un problema.

CONTRABAJO

Véase INSTRUMENTOS MUSICALES.

CONTRACTURA

Cuando en sueños sufrimos contracturas, casi siempre se debe a que las tenemos en la vida real pero que, al no ser dolores agudos, no llegan a despertarnos.
También pueden simbolizar tensiones ocasionadas por diferentes problemas, de ahí que sea importante tomar nota de la zona del cuerpo contracturada para buscar su significado y ampliar la interpretación del sueño.

CONTRAMANO

Conducir por una calle a contramano significa intentar una vía insólita y desesperada para resolver un problema.
Si la calle por la que vamos tiene vehículos que van en la dirección correcta quiere decir que nos conviene abandonar el intento. Si está vacía, en cambio, indica que hay muchas posibilidades de que el problema se resuelva.
Los demás elementos de la calle servirán para analizar el sueño en profundidad.

CONTRAPORTADA

En las contraportadas de las revistas, por lo general, aparecen anuncios. Por ello, si una de ellas cobra protagonismo en el sueño, debemos recordar los elementos que aparecen en la publicidad, ya que muestran deseos ocultos que comúnmente están reñidos con nuestros principios.

Véase REVISTA.

CONTRASEÑA

Las contraseñas representan la manera que, según creemos, nos ven los demás.
Por lo general se trata de una o más palabras clave, secretas, mediante las cuales se confirma que somos quienes decimos ser.
El análisis de las palabras que componen la contraseña revela lo que pensamos de nosotros mismos o descubre un punto o persona importante en nuestra vida.
Si nos olvidamos la contraseña es señal de que nos sentimos perdidos e inseguros ante la sociedad.

Véase ACCESO.

CONTRATO

Los tratados que se ponen por escrito simbolizan los acuerdos de todo tipo.
Cuando en sueños se está frente a un contrato es importante recordar las cláusulas que contienen, ya que son éstas las que pondrán límites, darán deberes y derechos a cada una de las partes que establezca el contrato.
Perder un contrato escrito equivale a darlo por finalizado.

CONTROL

El paso por un control, sea de carretera o de cualquier otro tipo, indica hasta qué punto nos sentimos aceptados y queridos por los demás.
El tiempo que seamos retenidos en el control simboliza las dificultades o facilidades para establecer lazos de confianza.
Si tenemos que evitar un control, significa que nos vemos muy poco valiosos ante los ojos de los demás y no vemos posible que nos acepten fácilmente.

CONTUSIÓN

Simbolizan los golpes que recibimos en el orgullo, las cosas que nos hacen sentir humillados. Toda contusión que se vea en sueños indica que hemos pasado recientemente por una situación en la que hemos quedado con la imagen deteriorada. Posiblemente esté motivada por una actitud competitiva por nuestra parte: hemos hecho un desafío y hemos salido perdiendo.

CONVALECENCIA

En sueños, no se refiere a la recuperación física tras una enfermedad, sino a la resolución de un problema grave que nos tenía preocupados.

La persona que aparezca como convaleciente en el sueño entrará en una etapa de paz interior y prosperidad.

CONVENTO

Los conventos son lugares de recogimiento y oración, de modo que si nos encontramos dentro de uno de ellos, aun cuando no hayamos profesado los votos, quiere decir que necesitamos hacer un profundo examen de conciencia.

Posiblemente nos sintamos inquietos con el rumbo que está tomando nuestra vida y necesitemos un poco de paz y sosiego a fin de tomar las riendas firmemente.

Ver un convento desde fuera significa añorar la paz de épocas pasadas y la inocencia propia de la niñez.

CONVULSIÓN

Los movimientos involuntarios y espasmódicos representan los actos irreflexivos que llevamos a cabo en nuestra vida diaria.

Por ello, si en el sueño sufrimos o vemos convulsiones o ataques epilépticos, quiere decir que hemos tomado una serie de medidas equivocadas que nos pueden crear problemas en un futuro.

COÑAC

Como bebida alcohólica, participa de las características del agua y del fuego; es decir, de los sentimientos y de la voluntad. Sin embargo, a diferencia de otras bebidas, ésta se toma en una copa que tiene forma especial, de ahí que tenga un símbolo propio y preciso.

Si bebemos coñac quiere decir que sentimos una gran atracción hacia otra persona pero que, en lugar de declararle abiertamente nuestros sentimientos, preferimos hacerlo de forma muy lenta y pausada.

En caso de que fuera otra la persona que en el sueño bebiera el coñac, debemos entender que se siente poderosamente atraída por nosotros.

COPA

Por su capacidad de contención, es un símbolo femenino.

Según sea su forma, color, tamaño y contenido, puede expresar las cualidades que debe tener la mujer ideal.

Si es de cristal fino, indicaría que la fragilidad es una de las cualidades buscadas. Si es de un metal precioso y está ricamente adornada, la elegancia es otro atributo importante.

El contenido expresa el interior de lo que el durmiente considera la mujer ideal. El agua, en este caso, indicaría la delicadeza de los sentimientos y la sencillez; las bebidas de alta graduación alcohólica son símbolo de la vehemencia.

COPETE

El mechón de pelo que se lleva levantado sobre la frente simboliza la agudeza en la percepción extrasensorial; en cierto modo, algo así como tener una intuición especial por encima de los demás.

Las personas que aparecen peinadas de este modo tienen una extraordinaria sensibilidad para predecir el futuro o mantener comunicación telepática con los demás.

COPIAR

Si hacemos una copia, ya sea de un dibujo o de cualquier otra cosa, quiere decir que en breve sufriremos una pequeña humillación.

Copo

La nieve, con su blancura, es símbolo de pureza. Al estar formada por agua, se relaciona con el mundo de los sentimientos, de ahí que simbolice, también, la inocencia y la bondad.
Su frialdad indica que el ser bueno no está reñido con la firmeza y la justicia, que la compasión debe estar unida a un carácter recto que sepa aplicar los castigos en la medida que sean necesarios.
Cuando en sueños estamos ante un paisaje nevado, quiere decir que tenemos en nuestro interior estas cualidades.
Si la nieve está cayendo significa que estamos haciendo un importante trabajo de elevación espiritual.

Copón

Por contener las hostias, representa la comunión con Dios.
Ver un copón en sueños significa que tenemos una gran necesidad de consuelo espiritual, pero que no hemos encontrado la forma de conseguirlo.

Copular

Los sueños eróticos son muy comunes y expresan el deseo sexual que puede experimentarse durante el descanso.
No debe causarnos ninguna preocupación el hecho de que tengamos relaciones íntimas con personas distintas a nuestra pareja. Eso no indica, de ningún modo, que estemos dispuestos a cometer una infidelidad o que deseemos hacerlo.

Coqueteo

Los coqueteos, en sueños, son una puesta a prueba de nuestra capacidad de seducción a la vez que un entrenamiento que tiene como finalidad el superar, en la vida real, ciertas inhibiciones de las que somos poseedores.
La persona con la que iniciemos el coqueteo podría ser alguien por quien sentimos una gran atracción pero, a la vez, un gran temor al rechazo.

Coquina

Véase MARISCO.

Coral

Como elemento marino, ligado al agua, el coral se relaciona con el mundo de los sentimientos.
Si cuando lo vemos estamos sumergidos, quiere decir que nos recreamos en nuestros sentimientos, que tendemos a la melancolía.
Si lo observamos desde fuera, significa que tenemos por costumbre analizar fríamente nuestras emociones.

Corán

Como libro sagrado del Islam, tiene una significación religiosa.
Ver un Corán en sueños, sin abrirlo, indica que estamos abiertos a comprender otras creencias religiosas sin renunciar a la propia.
En caso de que se lea un pasaje del libro, debemos recordar lo más fielmente posible los elementos que aparecen en el relato para poder buscar su correspondiente significado.

Coraza

La coraza, que sirve para proteger el torso de las agresiones externas, simboliza las dificultades para tener un contacto afectivo profundo con los demás.
Cuando vestimos en sueños una coraza quiere decir que tratamos, por todos los medios, de tomar distancia con la gente por miedo a que nos hagan daño retirándonos su afecto.
En caso de que fuera otra la persona que viste esta prenda, debemos interpretar que los esfuerzos por conquistar su corazón están resultando inútiles y que es mejor, por el momento, tomar distancia.

Corazón

En la antigüedad se creía que el corazón era la sede, no sólo de los sentimientos,

sino también del pensamiento, ya que se podía considerar como el órgano más importante del cuerpo.
Hoy se sabe que no es así; sin embargo, el corazón sigue simbolizando el mundo afectivo y en especial el amor.
Si vemos corazones en sueños quiere decir que nos sentimos profundamente atraídos por una persona, que ésta ocupa gran parte de nuestros pensamientos y que anhelamos estar con ella en todo momento.
Si el corazón está roto, significa que nuestro amor no es correspondido. Si es negro, indica que la relación que podamos establecer con esa persona nos causará mucho sufrimiento.
Los corazones verdes indican que la persona que los posee o dibuja es muy envidiosa.

CORBATA

Para Freud, la corbata es un símbolo claramente masculino; no sólo porque es una prenda que llevan los hombres sino, más bien, porque es una tira que cuelga.
Para interpretar este símbolo es necesario tener en cuenta el sexo del durmiente, así como también su costumbre de llevar o no corbata.
Si quien sueña es una mujer, indica que tiene una actitud masculina en cuanto a su forma de pensar; es decir, que usa más su razonamiento que su intuición.
Si la corbata produce agobio y quien sueña es un hombre, debe entenderse que en su fuero más íntimo siente temor al fracaso en su desempeño sexual.

CORCHETE

Estos broches constan de dos piezas: macho y hembra. Por ello simbolizan la unión matrimonial.
El hecho de abrochar los corchetes de una prenda indica que queremos fomentar la realización de una boda que puede ser nuestra o de otra persona. Por otra parte, los corchetes unidos representan matrimonios conocidos; los separados, parejas que se han roto (que podrían ser nuestras).

Véase ABROCHAR.

CORCHO

Entre las cualidades más importantes de este material están la impermeabilidad y la capacidad de flotar. Por ello simboliza la actitud de una persona que no se compromete afectivamente.
La persona que esté manipulando corcho o que lo tenga en sus manos tiene un temperamento frío y, en cierta forma, fatalista, de modo que no hay que esperar de ella una actitud afectuosa y cálida.

CORDEL

Tanto los cordeles como los cordones y sogas pueden tener diferentes significados según lo que se haga con ellos en el sueño.
Si el cordel cuelga desde una superficie superior o si trepamos por él, simboliza la ascensión económica.
Si envuelve un paquete, indica que tenemos secretos que no queremos que sean descubiertos.
Es importante saber para qué se está utilizando y buscar el simbolismo de los elementos asociados a él.
En caso de que el cordón sea de seda o algún material fino y se lleve atado a la cintura, deberá ser considerado como símbolo de castidad.

CORDERO

Simboliza la inocencia y la sumisión. También a las personas que se inician en cualquier actividad. Soñar con corderos en Pascua es augurio de prosperidad.

Véase OVEJA.

CORDÓN

Véase CORDEL.

COREOGRAFÍA

El baile es una expresión de la energía creativa y la coreografía representaría su ordenamiento.
Conviene prestar atención al tipo de danza que se está coreografiando.

Véase BAILAR.

CORISTA

Los coristas forman parte del personal que actúa en una revista, zarzuela o en un musical. No son protagonistas pero, con su voz y movimiento dan vida a la escena. Representan el trabajo callado y anónimo que posibilita la creación de una obra.
Si somos coristas en un espectáculo quiere decir que el éxito de la tarea que desempeñamos nos resulta más importante que el protagonismo personal. De este modo, es seguro que podremos llegar muy lejos.

Véase ESPECTÁCULO.

CORMORÁN

Los llamados cuervos marinos suelen ser aves de mal agüero.
Cuando aparecen en sueños anuncian problemas y complicaciones, posiblemente a causa de una maquinación con la que intentábamos obtener beneficios en el trabajo y que ha sido descubierta y puesta en evidencia.

Véase AVES.

CORNEJA

En la antigua Grecia, la corneja estaba dedicada al dios Apolo; sin embargo, era considerada un ave de mal agüero. Habitualmente era invocada en las bodas como símbolo de fidelidad y de felicidad conyugal porque esta ave, al morir su pareja no vuelve a establecer ninguna unión.
En sueños, las cornejas tienen un significado positivo: hablan de la buena marcha de las relaciones afectivas, sobre todo de la pareja.

CORNETA

Este instrumento de viento, similar al clarín, se emplea para dar órdenes a la tropa pero también para llamar a los cerdos.
En caso de que se emplee para este cometido, indicará la preocupación por las relaciones sexuales con la pareja.

Véase CLARÍN.

CORNISA

Las cornisas simbolizan el peligro. Si en un sueño tienen algún protagonismo quiere decir que estamos llevando un juego arriesgado con nuestra pareja que puede desembocar en ruptura.

CORO

En la tragedia griega, el coro era un elemento importantísimo. Entraba en escena antes de que comenzara la acción aprobando o censurando aquello que verían los espectadores. También advertía a los espectadores de lo que iba ocurriendo entre cada episodio.
En sueños, los coros son formas en las que recibimos mensajes del inconsciente con relación a la forma en que estamos llevando un asunto importante. Por eso es fundamental prestar atención a lo que dicen las letras cantadas.

CORONA

Es símbolo de jerarquía (la llevan los reyes) y de victoria (la corona de laurel).
Si en sueños alguien, o nosotros mismos, somos coronados o llevamos una corona quiere decir que hemos cumplido en gran medida nuestras ambiciones, que somos respetados en nuestro trabajo y que hemos logrado ascender. Sin embargo, cabe pensar si no daremos demasiada importancia a la imagen que ofrecemos al mundo.

Coronel
Soñar con personas que tengan este rango es augurio de discusiones y peleas en el seno de la familia.

Coronilla
La parte superior de la cabeza tiene una significación especial, ya que allí se encuentra el séptimo chakra.
Cuando esta zona del cuerpo adquiere protagonismo en un sueño es señal de que se está produciendo un interesante cambio en nuestro mundo psicológico y espiritual que nos enriquecerá y nos completará. Dejamos un poco de lado la racionalidad para prestar más atención a una función tan importante como es la intuición.

Corpulencia
Si en sueños nos vemos más corpulentos de lo que realmente estamos, quiere decir que sentimos es que no tenemos la suficiente presencia, que nos gustaría pasar menos desapercibidos y que los demás se fijaran en nosotros.

Corral
En él se crían animales domésticos que están destinados a servir de alimento, por ello simboliza los bienes y la capacidad de supervivencia.
Cuando el corral que vemos en sueños está limpio y bien cuidado, quiere decir que tenemos una economía saneada, que no nos sobra dinero pero que tampoco nos falta.
En caso de que el lugar esté sucio, derruído o medio abandonado, significa que no prestamos la debida atención a nuestras cuentas y que en un futuro próximo vamos a tener que pasar por una etapa de dificultades económicas.
Los animales que aparezcan en el corral contribuirán a hacer un análisis más preciso del sueño.

Véase GALLINA, GALLO, GANSO, PATO.

Correa
Las correas que se emplean para llevar a los perros simbolizan la dependencia que tenemos con la persona amada. Su presencia indica que estamos demasiado pendientes de su aprobación.

Correccional
Tienen un significado similar al de la cárcel pero en él sólo se admiten personas menores de edad.
Si nos encontramos en uno de estos recintos, significa que nos sentimos culpables por una mala acción cometida pero que, al mismo tiempo, la justificamos con una supuesta ignorancia o buena fe.

Correo
Las oficinas de correo simbolizan la urgencia por tener noticias de una persona. Ésta no necesariamente tiene que encontrarse lejos, en otra ciudad, podría tratarse de una pareja que ha reñido y uno de sus miembros espera que el otro le llame por teléfono.
Si en la oficina nos atienden pronto quiere decir que en breve tendremos las noticias tan esperadas.
En caso de que estemos despachando una carta, debemos interpretar que seremos al final nosotros quienes reanudaremos la comunicación.

Véase BUZÓN, CARTA.

Correr
Son muchas las razones por las cuales corremos en un sueño.
Si somos perseguidos, significa que hay una persona que pretende establecer una relación íntima con nosotros, pero que no es de nuestro agrado y no queremos verla.
En caso de que participemos en una carrera significa que estamos llevando a cabo una labor difícil y que hay alguien que quiere disputarnos el puesto o el éxito.

Correr en pos de otra persona indica que intentamos tomar contacto con alguien a quien le somos indiferentes.

CORRESPONSAL

Los corresponsales son los que informan al medio de comunicación de los acontecimientos que se suceden en lugares remotos.
Si tenemos este papel en un sueño quiere decir que debemos hablar en nombre de otra persona para que ésta consiga lo que desea (podría tratarse de una conversación con nuestros padres acerca de las aspiraciones de un hermano, de una charla con el jefe para exponerle los puntos de vista de un compañero, etc.)

CORRIDA DE TOROS

En las corridas de toros el hombre se enfrenta al animal. En sueños, este espectáculo simboliza la represión consciente de los instintos primarios.
Asistir a una corrida de toros significa tomar control sobre nuestra parte más animal.

CORRO

Los corros de adultos en los cuales se intercambian opiniones, cuando aparecen en los sueños, responden a la necesidad de pertenecer a un grupo, de encontrarnos con personas que tengan opiniones o aficiones similares a las nuestras. Cuando se trata de un corro infantil, en cambio, indican la necesidad de darnos más tiempo para el ocio, ya que éste es tan importante para la salud psíquica como el trabajo.

CORROSIÓN

Los objetos que en sueños muestran síntomas de corrosión delatan situaciones de la vida real a las que debiéramos poner punto final.
Si se busca el simbolismo del objeto corroído se tendrán más elementos para comprender de qué situación se trata.

CORSÉ

Los corsés constriñen el torso, la caja torácica donde se encuentra el corazón. Por ello, al igual que las corazas, simbolizan nuestros intentos por acallar las emociones y los afectos.

Véase CORAZA.

CORTAFRÍO

Esta herramienta que se utiliza para cortar el hierro simboliza la fuerza de voluntad que debemos emplear para dejar un hábito que nos perjudica.
Cuando aparece en sueños indica que es urgente que cambiemos de conducta porque, de no hacerlo, pagaremos las consecuencias.
Este elemento puede aparecer en los sueños de fumadores, bebedores o en personas que tienen un hábito que les resulta nocivo para su salud.

CORTAR

La acción de cortar expresa una decisión interior y profunda de la que aún no tenemos conciencia. Si soñamos que estamos cortando algo, debemos prestar atención al objeto, ya que será lo que nos dé las claves para ayudar a que esa decisión aflore a la conciencia.

CORTE

En los sueños, a menudo nos vemos en épocas históricas pasadas, de ahí que es posible encontrarse en medio de una corte medieval o de algún país remoto.
Estas escenas simbolizan la ambición desmedida, la necesidad de ascender en la escala social, aun si para ello debemos cometer acciones contrarias a nuestros principios.

Véase NOBLEZA.

CORTEJO

Los cortejos pueden ser de diferentes tipos y cada uno de ellos tendrá su propio

significado. Si formamos parte del cortejo de una personalidad política, es señal de que nos preocupan los problemas sociales, pero que no hay ningún grupo ni partido que nos satisfaga.
Cuando el cortejo acompaña a una personalidad eclesiástica indica una búsqueda espiritual infructuosa.
Si el cortejo es fúnebre, quiere decir que hemos decidido tomar distancia definitiva con una persona que ha estado muy próxima en los últimos años.

Véase COMITIVA, COQUETEO.

CORTEZA

La corteza de los árboles sirve para proteger su interior y simboliza la acción de replegarse sobre uno mismo cuando se tienen que vivir situaciones dolorosas.
Ver un trozo de corteza en sueños indica que tenemos una actitud de introversión que, si es temporal, no nos creará problemas, pero que si forma parte de nuestra forma de ser habitual podría determinar momentos dolorosos de soledad.

CORTINA

Tienen por objeto ocultar el interior de una estancia.
Si en el sueño descorremos las cortinas quiere decir que deseamos profundizar en nuestro interior.
Si las abrimos, en cambio, significa que queremos darnos a conocer.

CORTOCIRCUITO

Los cortocircuitos se producen por un deterioro de las conexiones eléctricas. Simbolizan las discusiones que surgen por los malentendidos.
Si en el sueño algo se cortocircuita y en la vida real hemos tenido recientemente una disputa, conviene repasarla mentalmente ya que, seguramente, encontraremos el malentendido que originó el acaloramiento.

CORZO

Es un símbolo de elevación espiritual.
Las manadas de corzos auguran grandes ganancias y triunfos en el plano laboral.
La cornamenta abandonada del animal anuncia que recibiremos una suma de dinero, posiblemente como herencia de una persona anciana.

COSECHA

Soñar que se realiza la cosecha es un excelente augurio, ya que presagia grandes ganancias.
En el caso de que viéramos que las plantas aún no han madurado significaría que debemos trabajar duro para recibir nuestra recompensa.

COSER

Esta labor ha sido tradicionalmente considerada propia de las mujeres. Desde tiempos inmemoriales, gracias a ella se han podido confeccionar las vestimentas que han protegido al hombre de las inclemencias del clima y de las agresiones del entorno.
En sueños, el hecho de coser significa tramar alguna estrategia para prevenirse contra un problema que se espera.

COSMOS

Los sueños con el cosmos, con el espacio sideral, indican la necesidad de tomar distancia con los problemas, de encontrar un respiro mientras se vive una situación dolorosa o complicada.

Véase ESTRELLA, PLANETA.

COSQUILLAS

Si en sueños alguien nos hace cosquillas significa que recibiremos un dinero que habíamos prestado y que no teníamos esperanzas de recuperar.

COSTURERO

Los sueños en los que se ve un costurero se relacionan, básicamente, con la

situación profesional que estamos viviendo.
Si el costurero contiene hilos y agujas quiere decir que tendremos la oportunidad de ascender a un puesto superior. Si está vacío, en cambio, indica que no estamos suficientemente preparados para asumir un puesto de mayor responsabilidad.

Véase AGUJA, DEDAL, HILO.

Cotorra

Las cotorras simbolizan las murmuraciones, los cotilleos.
Si vemos una de estas aves en el sueño quiere decir que alguien está hablando mal de nosotros.
Si está en nuestra casa, en una jaula o en su percha, es señal de que somos nosotros quienes disfrutamos con el cotilleo.

Coyote

Para los indios de ciertas tribus de América del Norte, el coyote es el animal que ha introducido la muerte en el mundo. Es un símbolo de final.
Si vemos uno de estos animales en sueños quiere decir que debemos abandonar una situación que nos resulta perjudicial. Puede tratarse de un puesto de trabajo, de una relación de pareja, de un barrio o de una afición que, por la razón que sea, nos resulta inconveniente.

Cráneo

El cráneo de un animal representa las cualidades más sobresalientes del mismo. Si es de un perro, por ejemplo, simboliza la lealtad; si es de un zorro, la astucia, etc.
Encontrar un cráneo en sueños significa poseer las cualidades del animal al cual ha pertenecido.

Véase CALAVERA.

Crear

Los trabajos creativos que realizamos en sueños, independientemente de la índole que sean, expresan los talentos que tenemos sin desarrollar; son un llamado de atención de nuestro inconsciente para que perdamos el miedo al fracaso y hagamos algo con ellos.
A menudo estas capacidades se descuidan porque no se encuentra en ellas una salida económica; sin embargo, hacerlas aunque sólo sea para nuestra satisfacción personal, es una manera de lograr un mayor equilibrio psicológico.

Crecer

Cuando en sueños un objeto o animal crece desmesuradamente significa que las cualidades que el mismo simbolice se verán incrementadas.
En caso de que el crecimiento lo experimente una persona, significa que nos será de una gran ayuda si se muestra amable, o que se convertirá en un enemigo peligroso si es que en el sueño tiene una actitud hostil.

Credencial

Las credenciales sirven para acreditar que somos la persona que decimos ser.
Simbolizan la afirmación de la personalidad, la seguridad en uno mismo y el deseo de continuar por el mismo camino.

Véase ACREDITAR.

Crédito

Si en sueños solicitamos un crédito y nos lo conceden es señal de que, sin utilizar este recurso, nuestros asuntos económicos tomarán un nuevo rumbo más positivo.

Crema

Las cremas sirven para realzar el sabor de los alimentos básicos; metafóricamente hablando, son adornos que ponemos en la comida. Simbolizan los conocimientos que, sin ser básicos ni estar ligados con nuestra profesión, nos enriquecen intelectualmente.

Ver cremas, comerlas o prepararlas significa satisfacer la curiosidad, la sed de conocimientos.

Cremallera

Este objeto, por su función de unir dos trozos de tela, simboliza las reconciliaciones.
Cuando aparecen en sueños indican que retomaremos la relación con nuestra pareja o, en caso de que no hubiera habido una ruptura, dos personas de nuestro entorno volverán a estar juntas.

Crepúsculo

El crepúsculo no es otra cosa que el momento que transcurre entre el día y la noche. Pronostica por tanto un cambio en la situación que estamos viviendo actualmente.
Las emociones que el crepúsculo nos suscite en el sueño son muy importantes, ya que serán las que nos den las claves para saber qué tipo de cambio se espera. Si tenemos una sensación de paz y bienestar, quiere decir que el cambio es positivo. En caso de que nos produzca tristeza o malestar, debemos prepararnos para pasar una etapa menos feliz.

Criadero

Ver en sueños un criadero es un excelente augurio, ya que anuncia una evolución económica importante.
Debe analizarse también el tipo de animales que se crían para poder dilucidar en qué campo debemos movernos para conseguirla.

Criados

Si en sueños nos vemos rodeados de criados debemos entender que próximamente recibiremos una visita agradable.
También puede ser una advertencia acerca de personas aduladoras que hay en nuestro entorno; lo mejor es no fiarnos de ellas.

Crimen

En las pesadillas los crímenes son frecuentes: muestran la zona más oscura de la mente humana.
Si el crimen lo hemos cometido nosotros, es señal de que albergamos sentimientos muy negativos hacia otra persona o que nos sentimos furiosos porque sentimos que la vida es injusta con nosotros.
En caso de que el criminal sea otra persona, eso indica que tenemos un sentimiento de culpa que nos hace sentir merecedores de un castigo.

Véase BANQUILLO, JUEZ, JUICIO.

Crin

Las crines comparten las mismas características que el pelo: se relacionan con las facultades paranormales.
Cuando en el sueño cobran protagonismo quiere decir que estamos desarrollando la intuición.

Cripta

En estos lugares subterráneos se acostumbraba a enterrar a los muertos y es un lugar que, por lo tenebroso, es habitual encontrarlo en las pesadillas.
Las criptas simbolizan las regiones más oscuras de nuestro inconsciente, aquellos sentimientos que tememos, que no sabemos cómo manejar.
Por ello, si en sueños nos encontramos dentro de una de ellas, lo recomendable es tomar contacto con nuestro interior a fin de exorcizar los fantasmas que, desde el inconsciente, nos acosan y perturban en nuestro quehacer diario.

Criptograma

Véase ACERTIJO, ADIVINANZA.

Crisantemo

El crisantemo es una flor que, en Japón, es sumamente venerada. Se la considera símbolo de longevidad.

Soñar con ella augura buena salud para toda la familia.

CRISOL

Estos recipientes de material refractario se utilizan para fundir elementos a muy alta temperatura.
La utilización de un crisol en sueños significa que buscamos diluirnos en el entorno, que deseamos pasar desapercibidos, al menos momentáneamente.
Si el sueño es de índole espiritual, significa que estamos en un proceso de eliminación de defectos.

CRISTAL

Los cristales son, dentro del mundo mineral, piedras de una gran pureza. El ordenamiento preciso de sus moléculas les confiere una gran belleza y ha hecho que, tradicionalmente, se les hubieran adjudicado propiedades mágicas.
Los cristales que se posean en el sueño indican que gozamos de grandes virtudes y que nos espera una etapa de gran lucidez en la que podremos encauzar positivamente nuestra vida.
Si el cristal es facetado y nos vemos reflejados en una de sus caras, quiere decir que nos cuesta mucho comprender algunas de nuestras acciones, que a menudo obramos por impulsos, como empujados por una fuerza interior.

Véase FACETADO.

CRISTO

La imagen de Jesús crucificado en un sueño indica que estamos viviendo una época muy difícil pero, también, que ésta ya llega a su fin.

CRITICAR

Las críticas que hacemos en sueños a otras personas o que recibimos de ellas, en el fondo son críticas que nos hacemos a nosotros mismos. Revelan los defectos que descubrimos en nuestro interior y son mensajes que nos advierten de que debemos erradicarlos.

CROAR

El croar de las ranas simboliza la maledicencia, la calumnia.
Oír en sueños este sonido indica que tendemos a hablar mal de los demás, que nos gusta el cotilleo.

CROCHÉ

Véase GANCHILLO.

CROMO

Los cromos señalan aquellas cualidades que admiramos en los demás.
Hay muchos tipos de cromos; algunos de ellos muestran el rostro de personajes conocidos, otros, escenas de películas o dibujos infantiles.
Es importante buscar el significado del dibujo o la foto del cromo para poder comprender qué nos despierta admiración o cuáles son las habilidades que nos gustaría desarrollar.

CRÓNICA

Las crónicas que leemos u oímos en sueños simbolizan los problemas a los que nos enfrentamos en el presente.
Para comprender estos sueños es necesario analizar simbólicamente las palabras que se dicen en la crónica.

CRONÓMETRO

El cronómetro sirve para medir el tiempo con exactitud. Simboliza el temor a la vejez y a la muerte.
Cuando aparece en sueños da cuenta de un temor morboso a las enfermedades, a la pérdida de la juventud o de los seres queridos.
Si el sueño es placentero, también nos recuerda que no vale la pena detenerse en estas disquisiciones, que el tiempo pasa y lo mejor es aprovecharlo positivamente en

lugar de perderlo anticipándonos a lo que nos toque vivir.

CROQUIS

Los dibujos esquemáticos simbolizan el comienzo de una obra, el esbozo de una idea que, antes de ponerla en práctica, debemos perfeccionar.

CRUCERO

Los cruceros son viajes de placer por vía marítima. Están, por ello, relacionados con el agua, con el mundo de las emociones y los sentimientos.

Viajar en un crucero simboliza encontrar en nosotros mismos el afecto que nos prodigan las personas que nos rodean y, en especial, el amor que siente por nosotros la pareja que hemos elegido.

CRUCIGRAMA

Véase ACERTIJO.

CRUJIDOS

Si los oímos en sueños y nos provocan terror, quiere decir que próximamente tendremos un problema importante que, afortunadamente, sólo quedará en un susto.

CRUPIER

Un crupier es un empleado del casino que juega en nombre de la banca y ésta, siempre gana. Por ello, el hecho de que aparezca en sueños suele tomarse como augurio de dificultades económicas.

CRUZ

Es el símbolo del cristianismo por excelencia y representa el máximo sacrificio.

Casi siempre anuncia épocas difíciles en las cuales deberemos hacer uso de paciencia y resignación. Sin embargo, también auguran un fortalecimiento espiritual y la paz interior en medio de la adversidad.

CRUZAR

El hecho de cruzar consiste en atravesar un espacio interpuesto entre nosotros y el destino al que queremos llegar; por lo tanto, implica un cambio.

Cuando en sueños cruzamos un río, ya sea utilizando un puente o una barca, significa que se ha producido un cambio en nuestros sentimientos, sobre todo en lo que respecta a la persona con la que formamos pareja.

Atravesar una calle o una franja de terreno es cambiar el rumbo de nuestra vida laboral, por lo tanto puede augurar un cambio de empleo.

Los elementos que se encuentren en el camino (sea en la calle o en el río) darán cuenta de las dificultades que encontraremos en el traslado.

CUADERNO

Representan la nostalgia de nuestra infancia.

Si abrimos el cuaderno en sueños y está en blanco, quiere decir que no nos sentimos conformes con la vida que hemos seguido hasta el momento y que hemos decido cambiar, empezar de nuevo «y con buena letra».

Los sentimientos que tengamos durante el sueño darán cuenta de lo satisfechos que estamos con nuestro pasado.

CUADRADO

El cuadrado es el símbolo de la materia, ya que en él están representados los cuatro elementos que, en la antigüedad, se consideraban fundamentales: tierra, agua, aire y fuego.

Soñar con esta figura muestra que tenemos una gran preocupación por los bienes materiales y que ésta nos impide, en cierta medida, la evolución espiritual y con ella el logro de la paz interior.

CUADRO

En general, los cuadros que aparecen en los sueños indican que nos gusta más vivir

en un mundo de fantasía que afrontar la realidad.
Sin embargo, es muy importante analizar las figuras o los detalles en él representados, ya que son los que nos darán idea de las razones por las que no podemos hacer frente a nuestra actual situación.

CUAJADA

Véase YOGUR.

CUARESMA

Para el cristianismo, la Cuaresma es un período de ayuno y abstinencia que rememora los cuarenta días que Jesucristo pasó en el desierto. Por ello soñar con esta época del año es un augurio de privaciones y sacrificios.

CUARTEL

Los sueños que transcurren dentro de un cuartel indican que, interiormente, estamos preparados para enfrentarnos a una persona que pretende impedirnos la realización de un deseo.
Es posible que el enfrentamiento sea doloroso, ya que dicha persona actúa de ese modo por miedo a que nos equivoquemos.

CUARZO

Es símbolo de independencia, fortaleza y claridad interior. Cuanto más puro sea el cristal que aparezca en nuestros sueños, mayores serán nuestros atributos en este sentido.
Si el cuarzo es amatista, de color violeta, indica, además, que tenemos el don de la clarividencia, posiblemente sin desarrollar.

CUATRO

Este número representa para muchas culturas, entre las que se encuentran la piel roja, la babilonia, la hebrea y la egipcia, los cuatro puntos cardinales.
Su aparición en sueños por lo general anuncia viajes, traslados, mudanzas o cualquier tipo de movimiento.

Véase CUADRADO, NÚMEROS.

CUBITERA

La presencia de una cubitera en sueños nos indica que debemos contener nuestras emociones, que estamos corriendo el peligro de enamorarnos de la persona equivocada.

CUBO

Al igual que los cuadrados que lo componen, simboliza la tierra y, para la tradición hermética, la piedra filosofal.
Su presencia indica que las mayores preocupaciones del momento están ligadas a los bienes materiales, especialmente a la vivienda.
El color claro del cubo muestra que estos problemas están en vías de solución. Si fuera oscuro o estuviera pintado con un color frío, en cambio, significaría que aún tendremos que esperar un tiempo para poder resolverlos.

Véase CUADRADO.

CUCAÑA

Simboliza nuestras aspiraciones.
Si trepamos por ella y llegamos a su punto más alto, significa que vamos por el buen camino, que conseguiremos lo que ansiamos.
En caso de resbalar y caer o de no poder trepar, debemos entender que nos falta la preparación básica para poder aspirar al puesto que nos interesa.

Véase TREPAR.

CUCARACHA

Estos desagradables insectos simbolizan la irrupción de problemas que no son graves pero que resultan muy molestos.
En caso de que se acercaran indicaría que somos nosotros quienes, por actuar

equivocadamente, generamos estos contratiempos.
El hecho de matarlas indica que pondremos fuera de juego a nuestros competidores.

Cuchara

Se relacionan con lo que acontece en el hogar.
Las cucharas de madera indican que las relaciones familiares son excelentes. A pesar de las dificultades económicas los miembros mantienen un vínculo de solidaridad y apoyo.
Si es de metal indica progreso.
La pérdida de una cuchara señala que estamos siendo acusados de una acción que no hemos cometido.

Cuchillo

Este utensilio simboliza el temor, pero también el odio y los deseos de venganza.
Si el cuchillo que vemos en el sueño es de mesa, señala que nos preocupan las disputas conyugales pero que, en el fondo, nos sentimos bien con nuestra pareja.
En caso de que el cuchillo sea de cocina, significa que la relación matrimonial está muy deteriorada, que las peleas son frecuentes y que tienen un peligroso grado de violencia.

Cuco

Esta ave pone sus huevos en nidos ajenos. Para hacerse lugar, expulsa los que ha puesto el ave anfitriona.
Simboliza el egoísmo y el abuso y su presencia en sueños indica que estamos conviviendo con una persona de estas características, que sólo mira por su propio bienestar.

Cucurucho

Este recipiente con forma de cono, participa de la simbología de este cuerpo geométrico; es decir, representa el matrimonio.
Sin embargo, al estar invertido, señala un claro predominio de la mujer sobre el hombre, de modo que cuando lo vemos en sueños, indica que estamos frente a una pareja formada por una mujer fálica, fuerte y decidida junto a un hombre débil y sumiso.

Véase CONO.

Cuello

Es la parte del cuerpo que une el tronco a la cabeza; por lo tanto, si en el sueño adquiere protagonismo, debe entenderse que refleja un conflicto entre lo que sentimos y lo que pensamos.
Posiblemente se trate de un asunto amoroso: sabemos que una relación no nos conviene pero, aun así, no tenemos la fuerza suficiente como para alejarnos de esa persona.

Cuentagotas

Los cuentagotas simbolizan la frugalidad, el control de nuestros deseos y la capacidad de postergar su satisfacción.
Cuando aparece en un sueño, indica que somos excesivamente exigentes con nosotros mismos, que reprimimos el disfrute de lo que nos gusta y que nos guiamos única y exclusivamente por el deber.
Esta conducta, a la larga, puede producir un deterioro psicológico y desembocar en una visión pesimista de la realidad.

Cuento

Los cuentos, sean hablados o leídos, indican una tendencia a vivir en un mundo de fantasía, a evadirnos de la realidad.
Si se tratara de un cuento tradicional infantil, denotaría una nostalgia por la niñez.

Cuerno

Cuando se sueña con cuernos, es necesario fijarse a qué animal pertenecen.
Si son de toro, indican fuerza, fertilidad y

paciencia. Si son de carnero, en cambio, señalan agresividad. Los de ciervo denotan docilidad aunque, en ocasiones, pueden significar peleas con hermanos.
En caso de que veamos que una persona lleva cuernos debemos interpretar que está viviendo una situación de infidelidad consentida.
El cuerno de la abundancia, que llevaba la diosa romana Fortuna, simboliza un aumento repentino en las ganancias.

CUERO

Es símbolo de agresividad, ya que procede de un animal muerto.
Soñamos con objetos, y sobre todo con prendas, de cuero en los períodos en los cuales tendemos a descontrolar las emociones negativas.
Para hacer un análisis completo del sueño deberán tenerse en cuenta los significados de los objetos de cuero que aparezcan.

CUERVO

Hay muchas supersticiones relacionadas con esta ave y, por lo general, su presencia es considerada un mal augurio.
Si se la oye graznar indica que habrá próximamente una pérdida. Ésta no tiene que ser necesariamente una muerte sino el distanciamiento, tal vez por viaje, de un ser querido.
En caso de que el cuervo sobrevuele sobre la casa se considerará que un miembro de la familia deberá enfrentarse a problemas importantes.

CUESTIONARIO

Representan las preguntas que nos hace nuestro inconsciente a fin de conocernos mejor a nosotros mismos.
Como ocurre siempre en sueños, éstas son simbólicas, de modo que será necesario analizar el significado de las distintas palabras que aparecen en el cuestionario una por una para poder comprender lo que el sueño, completo en su totalidad, simboliza.

CUEVA

Participa de la simbología de la caverna; es decir, se refiere a los contenidos del inconsciente. Sin embargo, al ser una oquedad más pequeña, el acceso a esos recuerdos y deseos resulta más posible.

Véase CAVERNA.

CULATA

Su aparición en sueños indica disputas, rivalidades, desavenencias.
Si somos nosotros quienes la empuñamos señala que nuestra autoridad es reconocida por el entorno.

Véase ARMAS.

CULEBRA

El significado que le ha dado la psicología tradicional es netamente sexual. Sin embargo, en la antigüedad, tenía otros muy diferentes, ya que se relacionaba este animal con la sabiduría y los poderes curativos.
Si en el sueño el animal se comporta agresivamente, debemos aplicar el simbolismo sexual. Si está dormido o pasa a nuestro lado sin amenazarnos, la interpretación estará basada en su relación con la sabiduría.
Ver la piel de una culebra tras la muda, augura una profunda transformación interior.

CULEBRÓN

El argumento de estos telefilmes está siempre basado en las relaciones amorosas; por ello, si aparecen en un sueño, expresan las dificultades que tenemos con nuestra pareja.
Las escenas que veamos en el culebrón darán la clave para comprender qué es lo que no funciona en la relación.

CULTIVO

Los cultivos simbolizan los proyectos que tenemos en marcha.

Si el campo está florecido, es señal de que pronto se recogerán los frutos del trabajo. Si las plantas aún son pequeñas, indican que pasará tiempo antes de que podamos capitalizar nuestro esfuerzo.
Los campos apestados, con las plantas marchitas o quemadas por las heladas, señalan el fracaso del proyecto.

CUMBRE

La cumbre de una montaña señala nuestras máximas aspiraciones.
Si la observamos desde el pie de la montaña y decidimos no subir, quiere decir que nos gusta soñar pero no hacer el esfuerzo por concretar los anhelos.
Si hacemos la ascención, el punto de la ladera en que nos encontremos indicará lo que falta para conseguir lo que perseguimos.
Si en el sueño nos vemos en la cumbre, significa que somos luchadores y que, más tarde o más temprano, conseguimos todo lo que nos proponemos.

CUMPLEAÑOS

El festejo en sueños de nuestro cumpleaños indica que estamos satisfechos de lo que hemos hecho hasta el presente y que nos mostramos optimistas con respecto al futuro.

CUNA

Los sueños en los que vemos una cuna vacía indican que, por muchos esfuerzos que hayamos hecho, no hemos tenido los resultados esperados. Es señal de frustración. Si en la cuna hay un niño y éste llora, es señal de que no atendemos debidamente nuestros asuntos, que no les prestamos atención a menos que amenacen con convertirse en un problema. Si el niño está feliz, augura prosperidad y crecimiento económico.

CUPÉ

Véase CARRUAJE.

CUPIDO

El personaje romano llamado Eros en la mitología griega, es el dios del amor. Se lo representa con un carcaj al hombro en el cual lleva dos tipos de flechas: unas doradas, con plumas de paloma, que provocan el amor instantáneo, y otras de plomo, con plumas de búho, que provocan la indiferencia.
Los sueños en los que aparece Cupido anuncian un futuro enamoramiento o, en caso de que usara flechas negras, la indiferencia hacia alguien que nos propone un romance.

CÚPULA

Las cúpulas son símbolo de la bóveda celeste, se relacionan con el elemento aire y simboliza la sabiduría, el aprovechamiento de los estudios y de la experiencia.
Si la cúpula pertenece a una iglesia, quiere decir que estamos guiando nuestros pasos en pos del desarrollo espiritual. Si está en lo alto de otro tipo de edificio, significa que lograremos el reconocimiento social por nuestra capacidad de asimilar datos.

CURA

Si somos creyentes, esta figura indica un mayor acercamiento a Dios, ya que es su representante.
En caso de que no lo fuéramos, puede ser considerada como curiosidad hacia las creencias de otras personas.

Véase RELIGIOSO.

CURANDERO

Lo que en sueños vemos como enfermedades del cuerpo, por lo general representan dolencias del alma. Por ello, si acudimos a un curandero, es señal de que interiormente estamos desasosegados, que nos cuesta mucho controlar las emociones y tenemos una visión pesimista del futuro.

Véase CURAR.

CURAR

Cuando en sueños nos hacemos una cura a nosotros mismos o se la aplicamos a otra persona, lo que representa esa acción es que damos consuelo espiritual.
En caso de que otra persona nos cure, deberíamos tenerla en cuenta y acudir a ella si nos viéramos en verdaderos problemas. Nuestro subconsciente la ha calificado como sanadora en el sueño y, por ello, debemos confiar en su capacidad para aliviarnos.

CURIOSIDAD

La curiosidad que mostramos en sueños responde a interrogantes que en la vida real no nos atrevemos a plantearnos.
Conviene tomar nota de lo que despierta nuestra curiosidad pues podría mostrarnos facetas desconocidas de nosotros mismos.

CURRÍCULUM VÍTAE

Los currículos son una carta de presentación en la que detallamos nuestras habilidades.
Cuando lo confeccionamos en sueños quiere decir que, en el fondo, sentimos que no somos lo suficientemente reconocidos por nuestra labor.

D

DACTILOGRAFÍA

Los sueños en los que utilizamos una máquina de escribir anuncian que recibiremos un documento oficial que nos causará preocupación.
En caso de ser otra persona quien escribe, debemos interpretar que alguien desea hacernos saber algo que ha ocurrido, pero que no se atreve a comunicárnoslo personalmente.

DÁDIVA

Si en sueños recibimos dádivas, el significado de las imágenes depende de quién nos las dé.
Cuando las recibimos de manos de un poderoso quiere decir que nuestra fortuna va a dar un giro positivo. Si nos las da una persona joven, debemos interpretarlas como problemas.
En caso de ser nosotros quienes las ofrezcamos a otra persona serán muestras de ingratitud por nuestra parte hacia un amigo que en el pasado nos ha ayudado.

DADO

Es un cubo con sus lados numerados, de modo que la interpretación tomará como base la de ese cuerpo geométrico.
Como el cubo representa a la tierra, los dados aluden al mundo material y, al ser empleados en juegos de azar, simbolizan la actitud pasiva que permite que los objetos se deterioren.
Los sueños en los que aparecen dados nos recuerdan las reparaciones que debemos hacer en la casa antes de que provoquen problemas más serios.

Véase CUBO.

DAGA

Esta arma blanca augura, en manos de un hombre, separaciones, ruptura matrimonial o de noviazgo.
En manos de una mujer, ruptura que, además, promoverá escándalo.

Véase ARMAS.

DALIA

Véase FLORES.

DALTONISMO

Quienes sufren este trastorno confunden los colores o, en algunos casos más severos, ven el mundo en diferentes tonos de gris.
Padecerlo en sueños indica que tenemos la habilidad de encontrar rápidamente el nudo de cada situación, de cada tema, lo cual nos facilita su rápida resolución.

Dama

La dama, en el juego del ajedrez, es la pieza más importante después del rey.
En el sueño de una mujer, simboliza la sensación de valor que adquiere mediante la mirada de su amado. En el sueño de un hombre, representa la mujer ideal.
Si la dama que vemos en el sueño es una mujer, debemos observar con sumo cuidado el color de sus vestimentas y su actitud hacia nosotros, ya que son los elementos que nos darán las claves para interpretar el sueño.

Véase DAMERO.

Damero

Los suelos en forma de damero o los tableros de algunos juegos simbolizan las metas rígidas que nos proponemos. Al no permitir los cambios según va mudando la situación o el entorno, el resultado no suele ser el esperado.
Por lo tanto, cuando vemos un damero en sueños es posible anticipar frustraciones.

Dañar

Si en sueños provocamos daños a cualquier persona o animal quiere decir que nos sentimos ofendidos con una persona en particular, pero no nos atrevemos a enfrentarnos a ella.
Si el daño se lo provocamos a un objeto, en cambio, es señal de que estamos disconformes con algún aspecto de nuestra personalidad.

Dardo

Es un arma sutil que realiza su acción mortífera sin que la víctima se dé cuenta.
El hecho de que nos arrojen un dardo indica que alguien intenta deteriorar nuestra integridad psíquica. Posiblemente se trate de una persona que busque la forma de hacernos quedar en ridículo frente a los demás.

Véase DIANA.

Dársena

Las dársenas son lugares protegidos de los puertos donde se realiza la carga y la descarga.
Simbolizan las relaciones productivas que tenemos con una persona. Gracias a las charlas que con ella mantenemos, vamos orientando nuestra vida, dándole un sentido más completo.

Dátil

En los países árabes, los dátiles siempre han sido considerados símbolo de fertilidad y fecundidad. Son, además, representantes del mundo masculino.
Para la escuela freudiana, este fruto simboliza el deseo sexual; de hecho, en los países que bordean los desiertos del norte de África, los dátiles nunca faltan en los festejos de boda.
Su presencia en los sueños puede indicar la aparición de la persona con la cual estableceremos una relación de pareja sólida y duradera.

David

Este personaje bíblico fue admirado porque, con sólo una honda, dio muerte al gigante Goliat. Simboliza la astucia sobre la fuerza.
Cuando lo vemos en sueños nos anuncia que, aun cuando no tengamos poder, sí tenemos ciertos elementos a nuestra mano que pueden dar la vuelta a la situación enojosa que estamos viviendo.

Deambular

Si en sueños nos vemos deambular, es señal de que hemos culminado un proyecto y no sabemos en qué poner nuestras energías.
Ante ello, debemos pensar que un corto período de ocio y descanso puede resultarnos beneficioso para reponer las fuerzas y permitir que nuevas ideas afloren en nuestra mente.
Si la forma de deambular indica que estamos perdidos o que hemos hecho de

la vagancia una forma de vida, indica que no nos sentimos a gusto con nuestro lugar en la sociedad.

DEBATIR

Los debates simbolizan los desacuerdos familiares en los cuales, aun cuando las discusiones sean acaloradas, no mellan el afecto que se tienen los miembros entre sí.
Si debatimos en sueños, debemos prestar atención a los sentimientos que experimentemos durante los mismos; éstos pueden indicar hasta qué punto estos conflictos familiares nos afectan más de lo necesario.

DEBER

Los sueños en los que el deber se convierte en protagonista, revelan que tenemos un carácter obsesivo.
Si en el sueño pretendemos que otra persona cumpla con su deber, quiere decir que nos preocupamos más por los defectos ajenos que por los propios.

DEBILIDAD

En los sueños, la debilidad se interpreta como fuerza en la vida real, siempre y cuando la experimente el durmiente.
Si vemos una persona débil, en cambio, debemos entender que no tiene sus principios bien asentados.

DEBUTAR

Cuando soñamos con un debut, en general puede decirse que estamos ensayando y poniendo a prueba nuestra capacidad para hablar en público, de cara a un evento que tendremos que hacer en la vida real. De este modo, ganamos confianza en nosotros mismos y nos presentamos al desafío con más soltura y menos miedo.

DECADENCIA

Las escenas en las que se muestra decadencia nos recuerdan el paso del tiempo y, con ello, la necesidad de desarrollar nuestras capacidades mientras es el momento de hacerlo.
Si lo que da muestras de decadencia es nuestra propia casa, debemos pensar que no estamos cuidando nuestro cuerpo con la debida atención.

DECÁGONO

Por tratarse de un polígono de diez lados, ha sido considerada como una figura perfecta, ligada a la divinidad.
En sueños representa la armonía en el hogar, en la familia.

Véase DIEZ.

DECÁLOGO

El decálogo más importante en el mundo cristiano son los diez mandamientos. Por ello, cualquier decálogo que aparezca en sueños aludirá a las tablas de Moisés, a las obligaciones y prohibiciones que sigue todo buen cristiano.
Cuando lo vemos en sueños indica que nos sentimos culpables por algo que hemos hecho.

DECANO

Al ser los miembros más antiguos de una junta o institución, los decanos simbolizan la experiencia.
Los que aparecen en sueños representan a personas de nuestro entorno que pueden ayudarnos con sus buenos consejos. Si pasamos por un momento difícil, será conveniente acudir a ellos.

DECAPAR

El proceso de decapado quita la capa de pintura dejando el objeto con el aspecto natural del material con el que ha sido fabricado.
Si en el sueño nos vemos decapando un mueble o cualquier otra cosa, quiere decir que necesitamos mostrarnos tal como somos pero que, por circunstancias sociales o de trabajo nos vemos obligados a fingir lo que no somos.

Decapitar

El hecho de cortarle la cabeza en sueños a otra persona indica que ésta dice verdades que nos duelen y que no deseamos oír.
Si los decapitados somos nosotros, eso significa que tendemos a eludir la reflexión, que preferimos obrar impulsivamente según los dictados del corazón.

Decepción

Si en un sueño sufrimos una decepción quiere decir que en la vida real estamos descuidando algo que, teóricamente, nos importa.
La razón de la decepción onírica puede dar la clave para saber a qué debemos prestar más atención.

Décimo

Los décimos de lotería simbolizan el dinero inesperado.
Si los vemos en sueños quiere decir que cobraremos una deuda que dábamos por perdida o que alguien nos facilitará una fuerte suma para iniciar un negocio.

Decisión

Es muy importante analizar las decisiones que tomamos en sueños, ya que nos aconsejan los pasos que deberíamos dar para solucionar los problemas de la vida real.
Como las imágenes oníricas generalmente son metafóricas, debemos buscar el simbolismo de los elementos que aparezcan en ellas para saber qué es lo que nos conviene hacer para liberarnos de las preocupaciones que nos atormentan.

Declamar

Quienes se dedican a la declamación, por lo general interpretan obras ajenas; de ahí que el declamar en sueños simbolice la falta de criterio propio. Esta acción también indica que tendemos a dar mayor importancia a la forma que al contenido.

Declaración

Las declaraciones amorosas indican que nos sentimos atraídos por una persona y que buscamos la manera de entrar en contacto íntimo con ella para que nos confiese su amor.

Véase IMPUESTOS.

Declarar

Si hacemos declaraciones en un juicio al que hemos sido llamados como testigos, debemos tomar esas palabras como frases referidas a nuestra propia situación. Si testificamos en favor de la defensa, significa que no tenemos sentimientos de culpa ni remordimientos. Si la declaración es a favor del fiscal, muestra que, en el fondo, sentimos cargos de conciencia por acciones cometidas en el pasado.

Véase JUEZ, JUICIO.

Decodificar

El tratar de aplicar o averiguar un código simboliza el deseo de conocer a una persona de la cual nos sentimos enamorados.
Si la tarea es resuelta con éxito, quiere decir que, poco a poco, la vamos entendiendo, vamos compenetrándonos con ella.

Véase CÓDIGO.

Decolorar

La acción de decolorar un objeto simboliza la búsqueda de la naturalidad.
Estos sueños indican que, debido a nuestro trabajo o a los círculos sociales que frecuentamos, debemos adquirir ciertos hábitos que no expresan nuestra verdadera naturaleza.

Decorar

Si en sueños decoramos nuestra casa quiere decir que estamos librando nuestro interior de aquellas cosas que no nos

gustan, que lo estamos poniendo en orden.
El lugar de la casa que decoremos, así como las personas y objetos que se encuentren en él, podrán dar claves para entender de qué cosas o recuerdos nos queremos desprender.

Decreto

Los decretos que aparecen en sueños nos recuerdan qué derechos y deberes estamos descuidando. Por ello es importante recordar la letra de los mismos para saber en qué nos estamos equivocando.

Dedal

Los dedales simbolizan las tareas que evitamos hacer.
Si en el sueño tenemos puesto un dedal quiere decir que tenemos mucho trabajo pendiente pero que, como no nos gusta realizarlo, lo dejamos para más adelante.

Véase COSTURERO.

Dedicatoria

Las dedicatorias expresan el vínculo que sentimos hacia otra persona.
Si recibimos un objeto que tenga unas líneas en las que nos lo dedican, significa que somos muy queridos por las personas que nos rodean.
En caso de ser nosotros quienes estamos escribiendo una decatoria, querrá decir que no tenemos dificultades a la hora de expresar nuestro afecto.

Dedo

Los dedos son apéndices capaces de crear, de transformar la realidad y, además, de realizar gestos; de ahí que simbolicen poder y comunicación.
El índice, por ejemplo, se utiliza para señalar y, delante de la boca, para imponer silencio.
Si alguno de los dedos está herido, es señal de que nuestra comunicación con el entorno tiene fallos. Si se trata del índice, significa, además, que hemos perdido capacidad de liderazgo.
Es necesario observar el gesto que se hace con los dedos para ampliar la interpretación.

Véase ANULAR.

Defecar

Esta acción, en sueños, simboliza la necesidad de desprenderse de las emociones negativas, de los sentimientos que nos producen dolor o nos impiden evolucionar.

Véase DIARREA.

Defecto

Al igual que cualquier tipo de deformidad, los defectos físicos que mostramos en sueños simbolizan defectos o carencias psicológicas.

Véase DEFORMIDAD.

Defender

Si en sueños tenemos que defendernos de algo o de alguien, es señal de que ese objeto o persona simboliza un elemento perturbador que hay en la vida real. Por lo tanto, lo primero que debe hacerse es buscar su simbolismo.
Si salimos en defensa de otra persona, es señal de que hay alguien en nuestro entorno que está sufriendo algún tipo de acoso, pero no nos atrevemos a salir abiertamente en su defensa.

Déficit

Si en sueños hacemos cuentas y vemos que tenemos un déficit quiere decir que estamos entregando nuestro amor a una persona egoísta, que no nos quiere lo suficiente.

Definir

El hecho de definir una palabra o una cosa en sueños indica que, en la vida real, no la tenemos clara. Es un recurso de nuestra mente para aclararnos dudas e incertidumbres mientras dormimos.

Deforestar

Si las imágenes oníricas nos muestran una superficie boscosa que se está deforestando, debemos interpretar que tememos sufrir en un futuro importantes pérdidas económicas. Participar en la deforestación es índicio de una furia profunda que tememos se ponga de manifiesto.

Véase TALAR.

Deformidad

Por lo general, los relatos, leyendas y cuentos en los que aparecen personajes que tienen alguna deformidad, muestran a éstos dotados de poderes especiales, de cualidades superiores a las del hombre normal.
La tradición popular también adjudica a estos seres la capacidad de dar buena suerte.
Si en sueños vemos alguna deformidad en nuestro cuerpo o en el de una persona conocida, debemos interpretar que en nuestro interior, o en el de dicha persona, hay cualidades que aún no hemos descubierto ni desarrollado.

Defraudar

Cuando alguien nos defrauda en sueños es señal de que hemos percibido que esa persona no es tal y como creíamos que era, que ya hemos tenido pruebas de sus defectos y de nuestro error al juzgarla.
Si se lo hacemos saber quiere decir que hemos de tomar distancia con ella.

Degollar

El hecho de degollar a una persona, de cortarle el cuello, indica que, para nuestro gusto, es excesivamente racional, que necesitamos sorprenderla, impactarla a fin de que sus emociones salgan a la luz.
Si nos degüellan a nosotros, es señal de que reprimimos excesivamente nuestras pasiones y sentimientos.

Degradar

Si en el sueño vestimos uniforme militar y nos degradan quiere decir que no nos sentimos seguros en el trabajo, que pensamos que no estamos cumpliendo con nuestras obligaciones y, por ello, tememos perder el puesto.

Degustar

Probar diferentes alimentos es símbolo de amplitud mental. Estamos dispuestos no sólo a escuchar diferentes ideas sino, también, a analizarlas y tratarlas con sumo respeto.

Dehesa

Encontrarnos en un paisaje de este tipo significa que hemos alcanzado un alto grado de evolución espiritual, que nos sentimos en paz con nosotros mismos y que gozamos de armonía inteior.
Para hacer un análisis más profundo debemos estudiar el estado de los elementos que aparecen en este paisaje. Si se trata de una imagen primaveral en la que las plantas y la hierba están verdes, es señal de que nos sentimos preparados para seguir avanzando. La hierba seca, por el contrario, indica bienestar, pero también estancamiento y conformismo.
Por último, es recomendable buscar el simbolismo de los elementos que aparezcan en la dehesa a fin de completar el análisis del sueño.

Deidad

Las diferentes deidades que pueden aparecer en nuestros sueños simbolizan diversas cosas; por ello, lo mejor es buscar su nombre en el diccionario a fin de ver su simbolismo.
En caso de que no estuviera detallado en este libro, será necesario tener en cuenta sus atributos, la cultura que la originó, así como la extensión de sus poderes.

Dejar

Si dejamos un objeto o persona en medio de un camino y luego seguimos avanzando, quiere decir que nos conviene tomar distancia con una amistad que no nos proporciona nada bueno.

Delantal

Esta prenda se ha empleado en rituales de diversa índole. Por esta razón simboliza las tareas cotidianas y fatigosas que nos vemos obligados a realizar.
Si vestimos un delantal, quiere decir que hay cosas que hemos dejado a medias, que hemos descuidado nuestra responsabilidad y que sería conveniente que reparáramos este hecho.
Debido a que son muchas las profesiones en las que se utiliza un tipo específico de delantal, conviene buscar el simbolismo de éstas con el objeto de afinar aún más la interpretación del sueño.

Delatar

La delación simboliza el deseo de agradar a la autoridad.
Si es otra persona quien nos delata, quiere decir que estamos siendo víctimas de un compañero de trabajo que intenta, a nuestra costa, congraciarse con los superiores.
Ser nosotros quienes delatamos a otra persona demuestra que no sabemos cómo congraciarnos con un jefe o directivo al que no podemos contentar.

Deletrear

El leer un texto deletreando indica que tenemos intención de hablar seriamente con nuestra pareja, pero queremos escoger cuidadosamente las palabras para que no haya malentendidos. Necesitamos cambiar ciertas cosas en la relación pero no estamos seguros de que esas modificaciones sean aceptadas de buen grado. Si es otra persona la que deletrea significa que sentimos que no confía en nuestras capacidades intelectuales.

Delfín

En los antiguos mitos, los delfines eran los seres que guiaban las almas a través del mundo subterráneo. Por ello simbolizan las personas que en la vida real nos ayudan a seguir por el buen camino.
Si vemos delfines en un sueño, quiere decir que nos encontramos ante un dilema moral que no sabemos cómo resolver. Lo importante, en este caso, es que el sueño nos recuerda que contamos con personas cuyo consejo puede ser inapreciable y que debemos acudir a ellas para que nos ayuden a superar la encrucijada.

Delgadez

La excesiva delgadez de una persona, en sueños, quiere decir que puede tener un pequeño trastorno de salud. Sería conveniente que se hiciera un chequeo médico.

Deliberar

Las reuniones en las que se deliberan diversos puntos a tratar representan los altercados familiares.
Cuando en sueños participamos en una de estas reuniones quiere decir que en el seno de nuestra familia hay viejas rencillas que aún no se han aclarado.
Es importante tener en cuenta el tema sobre el cual se está deliberando.

Delicadeza

Las personas u objetos frágiles y delicados, simbolizan las situaciones espinosas. Si aparecen en el sueño quiere decir que debemos refrenar nuestra lengua en el trabajo, suavizar nuestro trato con un superior aunque éste sea un déspota. Es preferible que reclamemos justicia más adelante.

Delicias

Los alimentos que producen un vivo e intenso placer simbolizan la sensualidad. Si los comemos es señal de que en la intimidad tenemos una gran libertad e imaginación, que sabemos disfrutar de los sentidos y proporcionar una gran satisfacción a nuestra pareja.

Delimitar

Cercar un terreno o poner límites a una superficie es símbolo de la distancia que ponemos con los demás.

Si en el sueño estamos delimitando cualquier superficie, es señal de que nos sentimos invadidos en nuestra intimidad, que hay al menos una persona que quiere inmiscuirse en nuestra vida y que estamos dispuestos a hablar claro con ella para fijarle los límites.

Delincuente

Los personajes oníricos que cometen delitos representan nuestra tendencia a cometer ciertos errores, los defectos que no podemos corregir.

Si se muestran violentos, indican que sentimos una gran animadversión contra una persona de nuestro entorno.

Delirio

El sueño en sí constituye un delirio, ya que sus imágenes son una deformación de la realidad.

El hecho de delirar en el sueño indica que hay elementos de la realidad a los que nos negamos a enfrentarlos cara a cara.

Véase ALUCINACIÓN.

Delito

El hecho de cometer un delito en sueños puede señalar la tentación inconsciente de cometerlo en la vida real.

Si provocamos una muerte, por ejemplo, sería señal de que la víctima es una persona que nos agobia y que desearíamos que desapareciera del escenario de nuestra vida. Esto no quiere decir que estemos dispuestos a matarla, ni mucho menos; es la forma en la que, en sueños, la «eliminamos» a fin de sentirnos mejor, de satisfacer ese deseo.

Delta

Los deltas que se forman en la desembocadura de algunos ríos constituyen terrenos de una extraordinaria fertilidad. El río, en su curso, arrastra materia orgánica que, al depositarse en la desembocadura, actúa como abono favoreciendo el crecimiento de la vida vegetal.

Los deltas que vemos en sueños, ya sea desde un avión, en un mapa o estando en el terreno, constituyen un excelente augurio: anuncian épocas de gran avance económico, de trabajo y prosperidad.

Es importante tenerlos en cuenta y aprovechar el conocimiento de la etapa que se avecina a fin de aprovecharla lo mejor posible.

Demacrado

Cuando en sueños vemos una persona amiga o familiar con el rostro demacrado quiere decir que nuestro inconsciente nos indica que tiene un pequeño trastorno físico. Puede tratarse de una leve anemia, de un estado gripal incipiente o de cualquier otra indisposición pasajera.

Demanda

Si presentamos en sueños una demanda ante un juez significa que tenemos enemigos en la vida real y que es conveniente recurrir a cualquier autoridad para ponerla al corriente de lo que ocurre.

Véase JUICIO.

Demencia

Véase LOCO.

Democracia

El concepto de democracia, cuando aparece como elemento significativo en un sueño, simboliza la idea de compartir derechos y deberes con las personas con las que vivimos. Por este motivo indica generalmente que en nuestro hogar se respira un clima tranquilo, de armonía y afecto.

Demolición

Toda demolición simboliza pérdidas, aunque algunas veces sea conveniente eliminar de nuestra vida algunas cosas que resultan inconvenientes.
Debemos analizar lo que se está demoliendo para saber qué aspecto de nuestra vida está simbolizado por ese elemento.

Demonio

La aparición del demonio en sueños, independientemente de la forma que adopte, indica que hemos tenido una infancia en la cual la culpa ha sido el motor utilizado para hacernos obedecer.
El resultado más probable de ello es que, en la vida adulta, no seamos capaces de poner los límites a los demás, que permitamos abusos porque si exigimos lo que nos corresponde nos sentimos mezquinos y egoístas.
Estos sueños indican que es necesario hacer un importante trabajo interior a fin de darnos a nosotros mismos todos los elementos que necesitamos para evolucionar y ser felices.

Demora

Los sueños en los que algo muy esperado tarda en llegar nos advierten de que debemos tener paciencia con relación a una respuesta cuya tardanza nos produce ansiedad.
Si en el transcurso del sueño el evento que esperamos se produce, es señal de que en breve la obtendremos.

Demostrar

Si en sueños hacemos alguna demostración, ésta simboliza los esfuerzos que realizamos para lograr que la persona a la que amamos comprenda lo mucho que nos interesa. Estos sueños pueden aparecer en los momentos en que la relación de pareja está atravesando una crisis.

Demudar

El rostro cambia de color cuando recibimos una emoción fuerte. Si nos ocurre esto a nosotros o a cualquiera de los personajes del sueño quiere decir que seremos descubiertos en una mentira muy embarazosa.

Densidad

Los líquidos densos o muy espesos simbolizan un mundo interior rico en el cual tienen preponderancia las emociones y los sentimientos.
Si removemos un material denso quiere decir que intentamos liberarnos de ciertos afectos que nos resultan dolorosos.
Será importante analizar el líquido que aparezca en el sueño, consultar el símbolo que le corresponde.

Dentadura

Las dentaduras postizas simbolizan las amenazas que no se cumplen.
Cuando las vemos en sueños quiere decir que alguien intenta impedir que hablemos o hagamos algo amenazándonos con perjudicarnos si lo llevamos a cabo. Sin embargo, no debemos tener miedo, ya que no está dispuesto a cumplirlas.

Dentera

La dentera que podemos experimentar en un sueño nos advierte de que tendremos que solucionar un problema con vecinos o personas que vivan en nuestra propia casa.

Dentífrico

Simboliza los falsos halagos.
Si somos nosotros quienes utilizamos este producto quiere decir que intentamos caerle bien a alguien porque nos conviene su amistad. Sin embargo, es difícil que consigamos nuestro objetivo.
Si es otra persona la que se lava los dientes, es señal de que pretende

mostrarse leal cuando, en realidad, nos traicionaría si con ello pudiera obtener alguna ventaja.

DENTISTA

Es un hecho aceptado por muchos odontólogos que, en los momentos de crisis personal, la boca puede sufrir importantes deterioros.
Si en sueños vamos al dentista, es señal de que estamos pasando por un momento difícil, que hay problemas que nos tienen muy preocupados.
Si en el sueño el dentista nos provoca dolor, quiere decir que los problemas surgen por las actitudes de terceras personas.
Si, por el contrario, la consulta es agradable y la relación con el profesional amable, entonces la solución de los problemas está mucho más próxima de lo que nos imaginamos.

DENUNCIAR

La denuncia, a diferencia de la delación, recae sobre una persona con la que no estamos asociados.
Simboliza el deseo de sentirse en el mismo nivel de poder que la autoridad a la que se efectúa la denuncia.

Véase DELATAR.

DEPARTAMENTO

Los diferentes departamentos en que se divide una empresa o institución simbolizan las prioridades que tenemos en la vida real. Si, por ejemplo, soñamos con el departamento de alimentación, quiere decir que damos mucha importancia a la comida.

DEPENDENCIA

Las personas que dependen de nosotros en un sueño, que están a nuestro cargo o bajo nuestro cuidado, simbolizan partes internas de nosotros mismos, facetas de nuestra personalidad, a las que no queremos aceptar. Las actitudes que estos personajes oníricos realicen en el sueño darán cuenta de esos aspectos ignorados o rechazados de nuestro carácter.

DEPENDIENTE

Los dependientes son los que nos dan, a cambio de dinero, los productos que necesitamos; por ello, simbolizan la vía para conseguir los objetos que esos productos representen.
Debemos analizar las características del dependiente, ya que esas son las que marcarán la actitud que debemos mostrar para obtener lo que deseamos, y también el producto que adquirimos, porque éste será lo que simbolice el objeto de nuestro deseo.

DEPILACIÓN

La depilación tiene, para quienes se la hacen, una función estética, de embellecimiento.
Hacerlo en sueños responde al deseo de mostrar una estudiada «naturalidad» con el objeto de seducir a una persona ya conocida.

Véase AFEITADO.

DEPORTACIÓN

Los sueños en los cuales nos deportan indican que no nos sentimos seguros de tener derecho a ocupar el puesto laboral que desempeñamos.
Si la persona deportada es otra, es señal de que nos veremos libres de un peligroso competidor.

DEPORTISTA

El practicar un deporte simboliza la preocupación por nuestro bienestar físico.
Si vemos a una persona vestida como deportista quiere decir que admiramos la capacidad de competir sanamente.
El practicar un deporte en equipo puede indicar la iniciación de un proyecto en el que trabajaremos con otras personas. El

éxito de éste dependerá del que tenga el equipo deportivo al que pertenezcamos.

Depósito

Los depósitos, sobre todo cuando están llenos de mercancías, auguran épocas de abundancia, de seguridad y prosperidad.
La permanencia en un depósito a oscuras indica que tenemos una gran seguridad en nuestra capacidad para ganarnos la vida, que no tememos quedarnos sin trabajo porque sabemos que podremos conseguir otro en muy poco tiempo.

Véase ALMACÉN.

Depravación

Las imágenes que, en los sueños, tienen contenidos donde se puede ver la depravación simbolizan el miedo a la pérdida de control sobre los instintos.

Depredar

La apropiación con violencia de los bienes ajenos indica momentos de crisis económica a la que no se encuentra salida.
Si en el sueño somos víctimas, quiere decir que aceptamos una situación de humillación por temor a perder nuestra posición social o familiar.

Depresión

Cuando en un sueño nos sentimos deprimidos, es importante recordar las causas que nos llevaron a ese estado de ánimo, ya que sin averiguar su significado simbólico será muy difícil comprender el mensaje que nos llega del inconsciente.

Derecha

La zona derecha de nuestro cuerpo se relaciona con el hemisferio izquierdo del cerebro. Éste se especializa en las funciones lógicas y en aquellos rasgos que, tradicionalmente, han sido calificados como masculinos.
Cualquier objeto en el que se resalte este lado estará teñido con las características de la masculinidad, por lo que habrá que calificarlo como positivo, activo, útil y creativo.

Deriva

Los sueños en los que nos encontramos dentro de una embarcación que va a la deriva indican falta de voluntad y de objetivos.
Si esta situación resulta angustiosa, es señal de que tratamos de superar la apatía. Si el sueño es placentero, en cambio, debemos pensar que el gusto por la comodidad, unido a la pereza, ha bloqueado nuestra capacidad de superación. Esto, a la larga, puede traer muy malas consecuencias.

Dermatitis

La piel es el límite que nos separa del mundo externo, por eso cualquier afección en ella simboliza los problemas que tenemos para comunicarnos con los demás, para ponerles límites y hacernos respetar.
En las dermatitis, psoriasis, eczemas, pruritos, sarpullidos o cualquier otra alteración de la piel, es importante analizar la simbología asociada a la zona del cuerpo en la que se produce.

Derogar

La acción de abolir una ley escrita o una costumbre señala, por una parte, que estamos muy seguros de nuestra escala de valores y, por otra, que no estamos conformes con la situación que vivimos en el entorno laboral, así que es el momento de poner las cosas en claro y hacer valer nuestros derechos.

Derramar

La acción de derramar se relaciona con la pérdida.
Cuando en sueños derramamos un líquido, es importante saber cuál es éste,

así como también sobre qué superficie se está derramando.
El líquido representa algunas partes de nuestra psiquis que estamos dejando de utilizar (si es alcohol, por ejemplo, podría tratarse de la voluntad, ya que se asocia al elemento fuego); la superficie o el lugar, indicaría en favor de qué se está dejando de emplear.

Derrame

A consecuencia de una contusión o de diversas anomalías en el sistema circulatorio, se pueden producir derrames de mayor o menor importancia. Los que se observan con mayor frecuencia son los oculares y los cerebrales.
Los oculares indican que tenemos ante nuestros ojos una situación que nos negamos a aceptar, que hacemos lo posible por negarla interiormente, ya que nos causa dolor (por ejemplo, muestras de la infidelidad de nuestra pareja).
Los derrames cerebrales expresan situaciones en las que nos vemos bloqueados, en las que nuestra capacidad racional y creativa no se puede poner en juego debido a los límites que nos imponen desde fuera. Si nosotros o cualquier otro personaje del sueño sufre un derrame, eso indica que nos sentimos constreñidos y faltos de libertad.

Derretir

El acto de derretir cualquier sólido simboliza la disposición a abandonar la rigidez, a permitir que las emociones salgan a la superficie.
Estos sueños suelen vivirlos las personas que temen sufrir a causa del desamor, que ponen barreras a la hora de establecer contactos intensos con los demás.

Derribar

El hecho de derribar algo en sueños indica que estamos haciendo un trabajo de purificación interior, que nos estamos despojando de hábitos que nos resultan nocivos. El simbolismo del elemento derribado puede dar importantes claves para comprender el sueño en profundidad.

Derrocar

Aunque esta palabra tiene diversas acepciones, se utiliza generalmente en política para indicar la expulsión de un mandatario del puesto que ocupa.
Derrocar a alguien en sueños indica que nos rebelamos ante algunas de las normas que nos han inculcado en la infancia y que estamos dispuestos a crear nuestra propia escala de valores pero que, en el fondo, nos sentimos estafados porque nos han dado pautas que no nos sirven para manejarnos correctamente en la vida cotidiana.

Derrochar

Los sueños en los cuales aparece el derroche a menudo surgen como compensación a una realidad económica difícil, en la cual debemos cuidar estrictamente nuestra economía.

Derrotar

Si en sueños derrotamos a un adversario quiere decir que tenemos en nuestras manos los elementos necesarios para salir victoriosos de una contienda amorosa.
Lo más común es que estas imágenes se presenten cuando hay otra persona que pretende conquistar a la persona que amamos.

Derrumbe

Si lo que se derrumba es un edificio, es señal de que estamos viviendo una crisis de pareja que puede desembocar en una ruptura.
En caso de que el derrumbe se produzca en campo abierto (por ejemplo en una montaña), debemos prestar atención a la forma en que vivimos, ya que estamos cometiendo errores que en un futuro nos pasarán factura y de los que podríamos arrepentirnos.

DERVICHE

Los derviches son religiosos del estilo de los sufíes o mahometanos. Verlos en sueños, sea orando o haciendo sus giros, es señal de que estamos buscando un camino espiritual, un guía.

DESABROCHAR

El hecho de desabrochar una prenda puede tener connotaciones sexuales e indicar el deseo de tener un contacto íntimo con una persona que bien puede estar presente en las imágenes oníricas.
Si lo que se desabrocha es la propia ropa también puede señalar la necesidad de conseguir nuevos amigos, de encontrar personas con las cuales podamos establecer un vínculo de confianza.

DESACATO

Cuando se comete un desacato quiere decir que no se siente la debida reverencia hacia quien ostenta la autoridad.
Hacerlo en sueños indica que en nuestra vida hay una persona que pretende mandar sobre nosotros, pero que está muy lejos de tener las cualidades morales necesarias como para erigirse en líder. Esa situación nos irrita y nos obliga a buscar la forma de impedir que siga dominando al grupo.

DESACREDITAR

Cuando en un sueño nos vemos desacreditando a una persona, hablando mal de ella a sus espaldas, eso indica que, en el fondo, envidiamos su posición o sus cualidades.

DESACTIVAR

La desactivación de un artefacto explosivo señala que tenemos en las manos la manera de impedir el ensañamiento que una persona conocida muestra sobre otra. Puede tratarse de una situación laboral o familiar, y el sueño nos advierte de que debemos actuar para impedir que siga produciéndose ese atropello.

DESACUERDO

Es importante tener en cuenta la persona con la que tenemos los desacuerdos en el sueño.
Si en la vida real esa persona ejerce su autoridad sobre nosotros (padre, jefe, agente de seguridad, etc.) ello indica que estamos haciendo un examen de nuestra escala de valores, que no estamos conformes con las pautas que hemos utilizado hasta ahora y que necesitamos dar un profundo cambio a nuestra vida.
Si los desacuerdos se producen con un igual (amigo, compañero de trabajo, hermano, primo, etc.) significa que intentamos proteger a esa persona de sí misma, que vemos que está siguiendo un camino equivocado y que tratamos de que entienda que debe rectificar su conducta.
Si los desacuerdos se producen con alguien que está a nuestro cargo o bajo nuestra autoridad, indica que somos muy flexibles en el trato con quienes dependen de nosotros y que, tal vez, debiéramos mostrarnos más enérgicos y seguros de nosotros mismos.

DESAFINAR

La desafinación simboliza el temor al fracaso, el pesimismo que, a menudo, nos paraliza a la hora de acometer cualquier proyecto.
Si somos nosotros quienes desafinamos en el sueño, debemos tener conciencia de que nuestro perfeccionismo nos impide realizar muchas cosas, equivocarnos en el proceso y aprender de nuestros errores.

DESAFÍO

Los desafíos, en sueños, tienen como finalidad entrenarnos en el ejercicio de la valentía.
Si somos tímidos o no nos sentimos con fuerza para enfrentarnos a otras personas, es posible que en los sueños vivamos desafíos de diversa índole. A través de ellos, podremos perder el miedo a salir mal parados de las confrontaciones.

Desagradecido

El hecho de que en sueños alguien se queje de la falta de agradecimiento de otras personas indica que, cuando hacemos algo en favor de los demás, siempre pensamos en las ventajas que obtendremos.

Desagravio

Aceptar en sueños que hemos cometido un error y que nos disculpamos por ello es señal de que no tenemos la conciencia tranquila.
Posiblemente hayamos ofendido a otra persona creyéndola culpable de algo que no ha cometido, pero nuestro orgullo nos impide rectificar el error.

Desaguar

El hecho de desaguar en sueños una estancia, indica que los sentimientos nos han inundado, que no podemos controlarlos y que sentimos la necesidad de ponerlos en orden.
Los desagües también tienen esta significación.
Es muy probable que, tras un sueño de esta naturaleza, se experimente alivio emocional.

Véase INUNDACIÓN.

Desahogarse

El hecho de contar a otra persona, en sueños, una situación que vivimos en la realidad sirve para aliviar el estrés que ese conflicto nos acarrea. En este caso el contenido del sueño aconseja que hablemos del tema con un buen amigo o con una persona sensata que nos pueda ayudar a resolverlo.
Si lo que se cuenta con el fin de desahogarse es una situación ficticia, diferente a la que vivimos en la realidad, será necesario estudiar los elementos que la componen a fin de comprender cuál es el problema que se está gestando en nuestro inconsciente.
En caso de ser otra la persona que en el sueño se desahoga hablando con nosotros nos conviene estar atentos porque alguien por quien sentimos afecto está atravesando una situación difícil, pero no quiere que la conozcamos a fin de evitarnos preocupaciones.

Desahucio

Si soñamos con que nos echan de la casa en la que vivimos, se expresa el deseo de cambiarnos de ciudad, de viajar, de conocer a otras personas.
Posiblemente estemos pasando por una época de gran estrés en la que nos vemos obligados a realizar muchas tareas que no nos satisfacen.

Desaliño

El desaliño indica abandono, falta de preocupación por la imagen que mostramos ante los demás.
Toda persona que en nuestros sueños aparezca desaliñada indicará que en estos momentos nos sentimos presos de una gran apatía y que no hay nada que nos interese especialmente, por lo que caemos fácilmente en el aburrimiento.
Si en el sueño experimentamos ansiedad, eso sería una señal de que, en el fondo, quisiéramos llevar a cabo muchos proyectos, que ideas y ganas no nos faltan pero que no encontramos la manera o los medios económicos para ponerlos en marcha.

Ver ANDRAJOS.

Desalojo

Si desalojamos a un inquilino de una vivienda que es de nuestra propiedad quiere decir que un amigo, al que le hemos dado la máxima confianza, nos ha traicionado. Queremos tomar distancia con él pero no sabemos cómo hacerlo sin perder en el intento el contacto con otras personas que mantienen relación con ambos. Es una situación sumamente delicada que requiere la mayor de las prudencias.

Véase DESAHUCIO.

DESAMOR

Cuando soñamos que ya no sentimos amor por nuestra pareja, debemos hacer un profundo análisis de lo que ha ocurrido en la relación en los últimos meses.
Seguramente se han producido situaciones a las que no les hemos querido dar importancia pero que, en el fondo, nos han dolido mucho y han dejado un poso de rencor en nuestro corazón.
Lo mejor es tomárselo con calma y no engañarse; a veces, el temor a enfrentarse con la soledad nos empuja a mantener y prolongar relaciones que ya no nos resultan placenteras.
Cualquier decisión que se tome, no obstante, debería estar precedida por una charla sincera con la persona a la que hemos amado, dándole la posibilidad de que cambie aquellos aspectos de su personalidad que no nos gustan.

DESAMPARO

Las situaciones de desamparo que vivimos en los sueños, casi siempre señalan problemas que hemos sufrido en la infancia.
Normalmente indican que ocurrieron ciertas circunstancias en el entorno familiar que determinaron que nuestros padres no nos pudieran dedicar todo el tiempo que hubieran querido.
Si es otra la persona que se ve desamparada, el sueño puede constituir una llamada de atención que nos invite a reflexionar si damos a nuestros hijos toda la atención que merecen.

DESANGRAR

La sangre representa la fuerza, la energía y la vida misma.
Si en el sueño una persona se está desangrando, debemos interpretar que, en la vida real, la vemos débil, sin energías.
Si quienes sufrimos este percance somos nosotros, podríamos interpretarlo como la advertencia de una posible enfermedad o de un gran cansancio.
En un plano psicológico, el hecho de desangrarse indica que no tenemos defensas emocionales para protegernos de una persona de nuestro entorno. Ésta, con sus desmedidas exigencias, nos consume toda la fuerza psíquica, ya que nuestro pensamiento está permanentemente centrado en que la relación con ella sea amable y tranquila.
Si se produce el fallecimiento de la persona que se está desangrando, indicaría un cambio notorio en la relación que tenemos con ella.

DESANIMAR

Si en sueños desanimamos a otra persona a que lleve a cabo una acción que no es ilícita ni peligrosa quiere decir que tenemos con ella una fuerte competencia y tememos salir derrotados.
A veces indica que sentimos hacia un amigo cierta envidia o celos profesionales.

DESANUDAR

Deshacer un nudo simboliza la intención de romper un vínculo entre dos personas. La razón que nos impulsa a ello pueden ser los celos o la necesidad de proteger a una de ellas de los abusos de la otra.

DESAPARECER

La desaparición de una persona en sueños indica que no estamos prestando atención a una parte importante de nosotros mismos, simbolizada por ese personaje.
Debemos, entonces, analizar cuáles son sus rasgos principales para saber qué zona de nuestra psiquis es la que no estamos teniendo en cuenta.

DESARMAR

Cuando desarmamos algún objeto en sueños quiere decir que estamos

intentando comprender la razón de algunos actos que cometemos compulsivamente.
Si la acción que vemos en las secuencias oníricas consiste en quitarle el arma a otra persona, debemos interpretar que se termina un largo período de confrontación con la pareja u otra persona de la familia, que ha quedado demostrado que teníamos razón por lo que, de ahora en adelante, el vínculo se fortalecerá.

Desarreglos

Los desarreglos que tenemos que corregir en cualquier cosa simbolizan los pequeños trabajos interiores necesarios para evolucionar espiritualmente.

Desasosiego

Este sentimiento es común en las pesadillas. Para analizarlo es necesario buscar el simbolismo de los elementos que en ella aparezcan.
El desasosiego en el sueño está producido por temores inconscientes, por fantasmas internos contra los que es muy difícil luchar.

Desastre

Las imágenes de desastres ocasionados por situaciones en las cuales la tierra, piedra o rocas son protagonistas, advierten de que tendremos que enfrentarnos a severos problemas económicos.
Si son ocasionados por vientos, como los huracanes, las complicaciones surgirán en los estudios o trabajos de tipo intelectual.
Los maremotos e inundaciones de toda índole señalan que deberemos hacer frente a conflictos de índole afectiva.

Véase HURACÁN, TERREMOTO.

Desatar

Las ataduras nos quitan libertad; por lo tanto, cualquier acción que implique desatar ligaduras, simboliza la necesidad de liberación.
Desatar a otra persona a la que nosotros mismos hemos atado, indica que nos sentimos más seguros con respecto a su afecto, que hemos logrado valorarnos más y mejor y que, por ello, podemos tener relaciones menos dependientes.

Desatascar

La acción de desatascar simboliza superar los bloqueos.
Si lo que se desatasca es una cañería (lavabo, inodoro, bañera), es señal de que hemos superado ciertas represiones en el plano emocional o afectivo.

Desayuno

Es la primera comida del día, la que nos da energías para hacer frente a todas las obligaciones.
Si los alimentos que vemos en el desayuno son naturales, quiere decir que tenemos nuestro trabajo al día, que nos sentimos conformes y contentos con él.
En caso de desayunar con otras personas, habrá que prestar atención a la actitud y conversaciones que surjan en la mesa. Simbolizan los problemas que se nos presentan a la hora de trabajar en equipo.
Si los alimentos del desayuno son desagradables, nos cuesta masticarlos o no los podemos tragar, eso indica una profunda insatisfacción con nuestra forma de ganarnos la vida. Sería conveniente, entonces, plantearnos si nos conviene cambiar de trabajo.

Desbandada

Las huídas en desbandada, ya sean de personas o de animales, dan cuenta de una situación en la cual, lo más fácil, es seguir la ley del «sálvese quien pueda». Deberemos hacer frente a una serie de problemas familiares sin contar con el apoyo de nuestros parientes más cercanos.

Desbloquear

Cualquier mecanismo que se desbloquee en sueños simboliza el desbloqueo de una

parte de nuestra psiquis. Si somos nosotros quienes lo desbloqueamos quiere decir que hemos superado la represión que hemos ejercido sobre nosotros mismos y que entramos en una etapa de mayor apertura mental, de pleno disfrute de nuestro cuerpo y de nuestras emociones.
En caso de que fuera otra la persona que efectuara la acción, debemos entender que necesitamos ayuda para lograr vencer nuestros bloqueos internos.

DESBROZAR

La acción de limpiar el terreno representa los argumentos que utilizamos para preparar a una persona antes de darle una noticia desagradable.
No tiene por qué tratarse de una desgracia personal, de una muerte o enfermedad, puede referirse a la pérdida de un puesto, a la baja nota de un examen, etc.

DESCALCIFICACIÓN

Si en sueños sufrimos una descalcificación ósea es posible que no estemos ingiriendo la cantidad suficiente de calcio para fortalecer nuestros huesos. Sería recomendable entonces hacer una dieta reparadora.

DESCALZO

Si en un sueño nos vemos descalzos, eso indica que nos vemos esclavos de algún tipo de hábito que queremos erradicar.

Véase CALZADO.

DESCANSILLO

Los descansillos de las escaleras simbolizan las etapas de transición.
Si nos vemos parados en uno de ellos, es señal de que hemos superado muchas cosas en los últimos tiempos y que, antes de emprender nuevos proyectos, es aconsejable que nos tomemos un respiro.
Nos espera una época de inicios en la cual deberemos contar con todas nuestras energías. Los descansillos también pueden aludir al período que sigue a una ruptura afectiva. En este caso augura la aparición de una persona con la cual formalizaremos una nueva relación.

DESCARGAR

Si llevamos a cuestas un objeto y lo descargamos en nuestra propia casa es señal de que nos espera una larga temporada de prosperidad.
Si lo descargamos en casa ajena, quiere decir que debemos prestar auxilio económico a un amigo que no se atreve a pedirnos ayuda.

DESCARRILAMIENTO

Es un símbolo que augura problemas. Indica que estamos llevando nuestra vida por mal camino, que estamos obrando en oposición a nuestros principios morales y que, tarde o temprano, tendremos que enfrentarnos a las consecuencias de tales actos.

DESCARTAR

La acción de descartarse en un juego de cartas simboliza el rechazo que sentimos hacia una persona que insiste en tener una relación amistosa con nosotros.

DESCENDENCIA

Soñar que tenemos una numerosa descendencia es signo de fuerza, vitalidad y optimismo.
Observando el comportamiento de nuestros descendientes podremos analizar la calidad de las obras que realicemos.

DESCENSO

Así como el ascenso simboliza la ambición, sobre todo material, el descenso representa la toma de contacto con nuestro interior.
Si el descenso se produce de forma pausada, normal, quiere decir que tenemos las herramientas necesarias para comprender nuestras emociones y,

también, para controlarlas convenientemente.
Si el descenso es muy brusco o peligroso, indica que hay en nuestro pasado hechos que aún nos causan un profundo dolor, que no han sido correctamente asimilados y que por ello pueden determinar una gran cantidad de actos en el presente.

Descifrar

Si en sueños desciframos un mensaje quiere decir que, en la vida real, recibiremos excelentes noticias relacionadas con una entrevista de trabajo.

Desclasificar

Al gran público no le está permitido leer documentos clasificados; por ello, la acción de desclasificar simboliza sacar a la luz hechos que han permanecido ocultos y que pudieran afectar al honor de otras personas.
Si en el sueño desclasificamos papeles quiere decir que sabemos cosas sobre alguien y que hemos decidido que es hora de que salgan a la luz pública, que juzgamos que esa persona no merece nuestra complicidad.

Desclavar

La acción de desclavar está relacionada con el concepto de desunir y desatar, ya que consiste en separar dos superficies u objetos que estaban unidos entre sí.
El desclavar alude al intento de separar a dos personas; en este caso, se refiere a las tácticas que podríamos utilizar para conseguir que la persona a la que amamos abandone su actual pareja o su relación extramatrimonial.

Véase DESATAR.

Descolgar

Esta acción simboliza el acto de tomar conciencia de los defectos de una persona o de nosotros mismos. Si descolgamos una prenda u objeto y lo ponemos a ras del suelo quiere decir que hemos sufrido una gran decepción, que creíamos contar con la amistad de una persona pero que ésta nos ha demostrado que no podemos confiar en ella.
Si es otra persona la que ejerce la acción de descolgar, significa que, por algún error que hemos cometido, nuestra imagen ante sus ojos ha perdido brillo. En este caso lo más recomendable es hacer un examen de conciencia, comprender qué es lo que hemos hecho mal y hablar con ella para disculparnos o aclarar cualquier posible malentendido.

Descolocar

Si cambiamos la ubicación de una serie de elementos para imponer nuestro orden, es señal de que pretendemos imponer nuestra voluntad en la familia.

Véase DESORDEN.

Descomposición

Los sueños en los cuales algún tipo de material se descompone indican que algo en nuestro interior se está corrompiendo. Es posible que, tras una larga época de tensión, hayamos optado por pasar por alto algunas pautas morales a las que siempre hemos respondido.

Descomprimir

Cuando un objeto se descomprime, gana volumen. Por eso esta acción simboliza el crecimiento personal tras una larga temporada de agobio, de restricciones.

Desconcertar

Si en sueños nos vemos desconcertados por los acontecimientos, es señal de que los negocios no van a salir mal, pero tampoco como teníamos pensado.

Desconchón

Las paredes desconchadas simbolizan los defectos del carácter que son visibles para los demás pero de los cuales no somos conscientes. Cuando se sueña con ellos, lo más recomendable es hablar con una persona de total confianza para que nos pueda guiar en la búsqueda de tales defectos y en su eliminación.

Desconectar

Cuando en sueños desconectamos un aparato eléctrico, debemos, ante todo, buscar el significado simbólico del mismo. Esta acción indica que pretendemos ignorar una parte importante de nuestra vida psíquica, ya sea por temor al sufrimiento, o bien porque una rígida educación no le ha permitido desarrollarse adecuadamente.

Desconfianza

Debemos prestar la máxima atención a todo aquello que en un sueño nos provoque desconfianza ya que, simbólicamente, indica cuáles son los peligros a que nos vemos expuestos en la vida real.
Buscando el significado simbólico de los elementos que veamos en el sueño, podremos saber cómo protegernos.

Descongelar

La acción de descongelar un alimento simboliza, al igual que la de derretir, una toma de contacto con nuestras emociones. Para ampliar el análisis del sueño debe buscarse también el significado simbólico del elemento que se descongele.

Desconocido

Los desconocidos que tienen un papel protagonista en nuestros sueños, es decir, que en los mismos los definimos como tales, simbolizan nuestra relación con el extranjero, con las personas que por cultura, raza o religión sentimos como diferentes.
Si el desconocido se muestra hostil quiere decir que tenemos un espíritu conservador, cerrado e, incluso, hasta xenófobo. Si el personaje se muestra tranquilo o amable, indica que tenemos un espíritu abierto, dispuesto a aprender de otros.

Descorchar

El acto de descorchar una botella que contiene alguna bebida alcohólica simboliza la fuerza de voluntad unida a la pasión.
Es importante averiguar de qué bebida se trata, ya que algunas de ellas tienen un significado simbólico específico.
Descorchar una botella de sidra o de cava significa que próximamente tendremos una gran alegría o motivo de festejo.

Descoser

Simboliza la espera de la persona amada. Estos sueños pueden presentarse en los períodos en los que no tenemos pareja y nos sentimos abrumados por la soledad, o bien cuando ésta se halla distanciada física o emocionalmente.
Por lo general estos sueños sirven para advertir que debemos tener paciencia y no perder la calma, que en un futuro estaremos felices en una relación hermosa y plena.

Descuartizar

Descuartizar en sueños a un animal o a su cadáver revela una tendencia a la posesividad y a los celos.
Lo más probable es que estemos en relación de pareja con una persona que tiene grandes habilidades sociales y que, a su lado, nos sentimos inseguros; de ahí que tengamos mucho miedo a perderle. Lo más adecuado es que desarrollemos con su ayuda la empatía y la capacidad de contactar fácilmente con los demás, que venzamos nuestra timidez y nos sintamos, de este modo, más seguros.

Descubrir

Los descubrimientos que se producen en sueños aluden a los hallazgos que hacemos en el interior de nosotros mismos, a la aceptación y conocimiento de

alguna cualidad que, hasta el momento, no sabíamos que teníamos oculta.
Deberá analizarse la naturaleza del descubrimiento para comprender cuál es esa cualidad, así como la manera en que podremos aprovecharla y desarrollarla.

DESCUENTO

Los descuentos ponen de manifiesto que alguien intenta sacar provecho de nosotros o que somos nosotros quienes pretendemos hacerlo.
Si nos hacen un descuento en una tienda quiere decir que una persona amiga intenta aprovecharse de nuestra generosidad.
Si somos nosotros quienes pedimos ese descuento, es señal de que no encontramos personas que nos resulten afines, que mantenemos relaciones poco intensas e insatisfactorias porque somos demasiado exigentes con los amigos.

DESDÉN

Si en un sueño alguno de los personajes nos trata con desdén, quiere decir que se nos van a echar en cara ciertos trabajos realizados bajo nuestra responsabilidad.

DESDENTADO

La presencia de personas o animales desdentados en un sueño señala que solemos mostrarnos muy agresivos con los débiles y muy sumisos con los fuertes.

DESDICHA

Los sueños en los que nos sentimos desdichados y sin suerte nos advierten de que debemos valorar todo lo que tenemos, que la autocompasión es una actitud que sólo sirve para bloquear la energía.

DESEAR

Sigmund Freud, el padre del psicoanálisis, aseguraba que los sueños representaban los deseos inconscientes.
Si deseamos algo en un sueño es señal de que lo podemos obtener en la vida cotidiana pero que, por temor a dañar con ello a terceras personas, no nos atrevemos a conseguirlo.

DESECHOS

Véase BASURA.

DESEMBALAR

La acción de abrir un paquete simboliza el hecho de aventurarnos a averiguar cosas sobre nosotros mismos o sobre nuestra familia.
Si el contenido es agradable, quiere decir que tenemos confianza en nosotros mismos, en lo que albergamos en nuestro interior o en lo que podemos esperar de los miembros de nuestra familia.
Un objeto desagradable o peligroso indicaría que tendemos a reprimir la agresión, que preferimos llevarnos la peor parte de una discusión antes que correr el riesgo de provocar daño a otras personas.

DESEMBARAZARSE

Si, por cualquier razón, en un sueño intentamos desembarazarnos de algún objeto, es señal de que intentamos dar por terminada una relación que nos causa mucho dolor.

DESEMBARCO

Simbolizan la toma de contacto con nuestro mundo instintivo.
Si presenciamos el desembarco, eso indica que esperamos recibir una propuesta amorosa por parte de una persona por la que nos sentimos atraídos.
En caso de ser nosotros quienes desembarcamos, deberemos interpretar que hemos conocido a alguien que nos atrae poderosamente y que no sabemos cómo seducirle.

DESEMBOCADURA

La desembocadura de un río simboliza la necesidad de reconciliarse con una persona de la familia con la cual se ha tenido una pelea recientemente. Quizá deberíamos escuchar nuestro inconsciente.

DESEMPAQUETAR

Si en sueños abrimos un paquete, debemos observar, en primer lugar, el aspecto exterior del mismo.
Si se trata de un paquete de regalo quiere decir que vamos a recibir una grata sorpresa por parte de nuestra pareja.

Véase DESEMBALAR.

DESEMPLEO

La falta de empleo representa la preocupación por el futuro económico de la familia.
Si el sueño es agradable y en él se consigue un nuevo puesto de trabajo, será señal de que no debemos albergar temores.
Si es angustioso, es posible que estemos haciendo gastos que no podemos afrontar, por lo que nuestro inconsciente nos advierte de que podemos tener problemas en el futuro.
En personas ancianas, los sueños en los cuales el desempleo cumple un papel protagonista indican que aún se sienten con fuerzas para desempeñar diversos trabajos y que temen verse relegadas a causa de su edad.

DESEMPOLVAR

La acción de desempolvar un mueble, unos libros o cualquier superficie simboliza la afluencia de recuerdos largamente enterrados en nuestra memoria.
Cuando deempolvamos algo en sueños debemos prepararnos para recordar cosas importantes que han marcado de algún modo nuestra vida.

DESENAMORAR

El desenamoramiento, en sueños, a menudo indica que no nos sentimos a gusto con la relación de pareja. Será necesario pues analizar nuestros sentimientos en profundidad y prepararnos para afrontar una crisis.

DESENFADO

Cuando en sueños mostramos un desenfado que habitualmente no tenemos, significa que somos demasiado estrictos con nosotros mismos, que tenemos un exagerado temor al ridículo y que nos conviene desarrollar, poco a poco, nuestro sentido del humor.

DESENFRENO

Las actitudes de desenfreno que tenemos en los sueños dan cuenta de que pasamos por un período de gran ansiedad, quizá motivada por conflictos en la pareja.

DESENMASCAR

Cuando en sueños quitamos la careta o la máscara a otra persona (por ejemplo, en un baile de disfraces) quiere decir que intuitivamente sabemos que una persona de nuestro entorno no es lo que dice ser.
Este conocimiento está en nuestro subconsciente, de ahí que estos sueños debemos tomarlos como un consejo que nos impulse a observar detenidamente a quienes nos rodean.

DESENTERRAR

El acto de desenterrar a una persona que en la vida real haya fallecido indica que nos sentimos identificados con ella, que nos sirve de ejemplo.
Si desenterramos un objeto quiere decir que buscamos mostrarnos más naturales, más sinceros y auténticos.

DESEQUILIBRIO

La pérdida de equilibrio físico indica un temor a la pérdida de control mental. Por lo general, los sueños en los que esto nos sucede se producen en momentos de gran tensión emocional, cuando tememos llegar a un alto grado de desesperación que nos impida obrar cuerdamente, por lo que es recomendable la prudencia.

DESERCIÓN

Los sueños en los cuales aparecemos como soldados, por lo general señalan que tenemos dificultades en conseguir que los demás comprendan nuestras motivaciones. Pensamos que a menudo nos tratan como egoístas o conflictivos porque pretendemos cumplir con nuestros ideales. El hecho de desertar indica que somos conscientes de este problema y muestra que hemos decidido cambiar la forma en la que actuamos a fin de evitarnos problemas.

DESFALCO

Cuando en sueños nos apoderamos de un dinero que no nos corresponde aprovechándonos de la confianza que nos han brindado, lo que debemos interpretar es que alguien se aprovecha de nuestra ingenuidad, de nuestras buenas intenciones para sacar ventajas.
De este modo, en sueños nos vengamos de dicha persona y aflojamos la tensión interna que su abuso nos produce.

DESFIGURACIÓN

Hay pesadillas en las que podemos ver nuestro rostro desfigurado. Indican que no nos sentimos seguros de nosotros mismos, que tenemos miedo de estar actuando bajo la influencia de los demás.
En caso de que fuera otra la persona desfigurada, debemos interpretar que tenemos dificultades para conocer a los demás, que continuamente nos sentimos desconcertados por sus acciones.

DESFILADERO

Los desfiladeros simbolizan períodos en los cuales nos encontramos solos, momentos en que debemos arreglarnos por nosotros mismos sin poder contar con la ayuda de los seres queridos.
El cruce de estos parajes suele augurar muy buena suerte; sobre todo si al final encontramos un río o cualquier otra fuente natural de agua.

DESFILE

Los desfiles militares son una ostentación de fuerza. Son una muestra de la capacidad de defensa del territorio.
En los sueños, asistir a uno de estos eventos indica que en la vida real estamos advirtiendo a una persona que, de seguir comportándose de manera injusta con nosotros, deberá atenerse a las consecuencias.
Si somos nosotros quienes desfilamos indica que estamos siendo utilizados para perjudicar a un tercero.

DESFONDAR

Los recipientes que en los sueños vemos desfondados indican problemas económicos derivados de una mala administración.

DESGARRAR

Cuando esta acción se cumple en sueños, es necesario determinar qué es lo que se desgarra y en qué circunstancias.
Si se trata de ropa, su poseedor sufrirá un severo daño en su reputación.
Desgarrar papeles indica perdonar deudas, olvidar ofensas.

DESGRACIA

Cuando se sueña con una desgracia es necesario determinar la misma y averiguar su simbolismo.
En el caso de que en las secuencias oníricas se mencione esta palabra sin especificar de qué tipo de desgracia se trata, debemos entender que tenemos en nuestro interior miedos difusos engendrados por traumas infantiles que no hemos podido solucionar.

Véase ACCIDENTE, ENFERMEDAD.

DESGRANAR

Soñar que desgranamos cualquier tipo de vegetal (por ejemplo, maíz, granadas, etc.) es símbolo de habladurías.
Cuando somos nosotros quienes

realizamos la acción es señal de que participamos en cotilleos que, a la larga, nos van a dejar en muy mal lugar.
Si son otras las personas que la realizan, quiere decir que están hablando mal de nosotros.

Desguazar

El desguace de un vehículo o de cualquier maquinaria indica que nos estamos preparando para poner fin a una relación mantenida durante muchos años. Ésta puede ser amorosa, de amistad o laboral y el paso que vamos a dar nos liberará de una pesada carga.

Desheredar

El hecho de que en sueños nos deshereden significa que, en nuestro interior, sentimos que no nos hemos comportado bien con nuestros padres, que no hemos cumplido con sus expectativas. Este sentimiento no tiene por qué corresponderse con la realidad; a veces los padres se muestran posesivos y dictatoriales haciéndoles sentir una gran cantidad de culpas a sus hijos.

Deshidratación

Los procesos de deshidratación que sufrimos en los sueños pueden indicar que, mientras dormimos, experimentamos sed o tenemos la boca seca.
También pueden indicar una tendencia a decepcionarnos fácilmente con los amigos y parejas.

Deshielo

Los sueños en los cuales presenciamos el deshielo, ya sea de la cumbre de una montaña o de algún objeto que se descongela, indican que estamos en proceso de recuperar una antigua amistad, truncada por malentendidos.
Si el sueño está acompañado por una sensación de ansiedad o angustia, indica una próxima reconciliación en la pareja después de una discusión.

Deshilachar

Si en sueños estamos deshilachando un trozo de tela quiere decir que en algún momento hemos dudado de la fidelidad de nuestra pareja y que ahora tenemos elementos para darnos cuenta de que nos habíamos equivocado.

Deshilvanar

La acción de deshilvanar indica que debemos reconstruir un proyecto, que la planificación que habíamos realizado con respecto a un negocio no es firme y que es mejor interrumpirlo para poder sentarlo bajo bases más sólidas.

Deshojar

El hecho de deshojar una rama, independientemente de la finalidad que tenga esta acción, indica que queremos mostrar frialdad a una persona que nos ha ofendido. Esto no significa que no sintamos un gran afecto por ella sino que, por el contrario, deseamos que comprenda el daño que nos ha hecho y que eso no vuelva a repetirse.

Deshollinador

Los deshollinadores simbolizan la resolución de malentendidos.
Verlos en sueños anuncian que, tras un período de distanciamiento, podremos reconciliarnos con una persona muy querida.

Deshonor

Los sueños en los que se pone en tela de juicio nuestro honor indican que tendemos a eludir las responsabilidades, que a menudo cometemos acciones reprobables de las que no nos hacemos cargo.

Deshuesar

El hecho de deshuesar un animal a fin de cocinarlo simboliza la pérdida de la rigidez, el abandono de una actitud excesivamente racional en favor de una integración entre la afectividad y el intelecto.

Desierto

Si soñamos que estamos en un desierto, es necesario prestar mucha atención a los sentimientos que el paisaje nos ha suscitado.
Si lo que experimentamos es angustia o tristeza, es señal de que nos sentimos profundamente solos e incomprendidos.
En caso de que el sentimiento fuera de paz, serenidad o alegría, este paisaje sugeriría que estamos inmersos en un proceso espiritual que nos obliga a tomar distancia con el mundo material.

Desinfectar

La acción de desinfectar se relaciona con la purificación interior. A menudo representa el hecho de revisar los recuerdos y dar a cada uno la importancia que le corresponde.

Véase AUTOCLAVE, ESTERILIZAR, INFECCIÓN.

Desinhibición

Los sueños en los que mostramos desinhibición son compensatorios. Indican que en la vida real somos excesivamente tímidos, que nos vemos inundados por el temor al ridículo y que, a la vez, tenemos conciencia de las limitaciones que estos sentimientos nos imponen.
Es importante que tomemos el sueño como un aprendizaje que nos puede llevar a desarrollar, poco a poco, una actitud más libre y natural.

Desinsectar

La acción de emplear diferentes productos a fin de combatir los insectos simboliza la decisión de apartarnos de las personas que no nos aportan nada.
Estamos en un período de crecimiento interior y debemos distanciarnos de quienes sólo nos distraen.

Deslumbramiento

Si en un sueño nos vemos deslumbrados, ya sea mientras estamos conduciendo o en cualquier otra circunstancia, quiere decir que nos hemos embarcado en una tarea que nos queda grande y que no tenemos capacidad para llevar adelante. Esto no anuncia un fracaso, sino que advierte de que deberemos hacer esfuerzos mucho mayores de los que habíamos previsto.

Desmayo

Los desmayos simbolizan la tentación de vivir placeres de corta duración que podrían dañar seriamente nuestra reputación.
En caso de que fuera otra la persona que se desmayara debemos entender que alguien está ofendido con nosotros por no haberle ayudado en un momento en que lo necesitaba.

Desmentir

Desmentir cualquier hecho en sueños simboliza tozudez.
En la vida real estamos convencidos de algo falso, pese a que quienes nos rodean intentan sacarnos de nuestro error.

Desmenuzar

Esta acción simboliza nuestra capacidad de análisis.
A menudo constituye una advertencia. Indica que estamos haciendo juicios de forma precipitada y sin tener en cuenta todos los datos necesarios.

Desmoronamiento

Los sueños en los que algo se desmorona, por lo general indican que algo, en nuestra vida, ha llegado a su fin.
Para tener más elementos de análisis debemos buscar el significado simbólico de lo que hayamos visto desmoronarse.

Desnivel

Los desniveles del suelo que puedan observarse en sueños simbolizan el peligro que puede acecharnos en el presente.
Si caminamos sobre una superficie que

cambia de nivel quiere decir que en la realidad debemos movernos con suma precaución porque podríamos encontrarnos con una trampa.

Desnudo

Muchos de los sueños en los cuales aparecemos desnudos tienen un claro contenido erótico, en cuyo caso darán cuenta de nuestro deseo sexual. Sin embargo, hay otros que no pueden ser incluidos en este grupo.

La desnudez indica naturalidad, ausencia de hipocresía, necesidad de mostrarnos tal y como somos.

Si el sueño nos resulta placentero y tranquilo quiere decir que estamos cansados de fingir, de adoptar actitudes que no reconocemos como propias.

En caso de que nos produzca agobio deberemos interpretarlo como que nos sentimos desamparados, que somos demasiado claros y que los demás, más hipócritas, se aprovechan de ello.

Desobedecer

La desobediencia, en sueños, puede significar seguridad en uno mismo o rebeldía inútil.

En el primer caso, la sensación que tendremos es de tranquilidad; en el segundo, en cambio, de ira o disgusto.

Desodorante

El uso de este producto simboliza la necesidad de pasar desapercibidos, de ocultar nuestros sentimientos y motivaciones.

Desolación

Este sentimiento de impotencia y absoluta falta de energías indica que, en la vida real, nos sentimos próximos a una catástrofe. Sin embargo, esta percepción no es correcta; tendremos que hacer frente a muchos problemas, pero no todo está perdido y al final del túnel podremos ver de nuevo la luz.

Desolladuras

Si en un sueño tenemos algunas partes de nuestro cuerpo que presentan desolladuras, es señal de que estamos dando una excesiva importancia a los asuntos materiales.

Desorden

Véase CAOS, ORDEN.

Despacho

Si acudimos al despacho de un profesional a fin de consultarle, debemos averiguar el significado de esa profesión para poder analizar el sueño.

En caso de que trabajemos en un despacho pero no sepamos de qué tipo es, debemos interpretar que recibiremos el aviso de que debemos hacer algunas gestiones engorrosas.

Despecho

Las acciones de despecho que se cometen en sueños auguran fracasos laborales. Cuando aparecen estas imágenes, es necesario indagar qué tareas tenemos pendientes para ponerlas al día y, de este modo, aspirar a cambios positivos.

Si el despecho es de índole amorosa quiere decir que estamos minando nuestra relación de pareja con sospechas infundadas.

Despedazar

Es necesario averiguar el significado simbólico de aquello que despedacemos en sueños para entender con qué tipo de elementos necesitamos tomar distancia.

Despegar

Véase AVIÓN.

Despeinarse

Si en sueños el viento o algún otro elemento nos despeina es señal de que un acontecimiento que hemos vivido recientemente nos ha sacudido emocionalmente. Si las imágenes nos provocan sentimientos positivos quiere decir que el impacto ha sido agradable; en caso de ser negativos, lo que nos ha sucedido constituye un problema que debemos resolver.

Desperdicios

Véase BASURA.

Desperfectos

Los desperfectos domésticos simbolizan la falta de atención a los asuntos cotidianos. Indican que estamos inmersos en la rutina y que no nos damos cuenta de todo lo que se está deteriorando a nuestro alrededor.

Despertador

Los sueños en los que aparece un despertador pueden presentarse a raíz del temor a quedarnos dormidos, o bien en los segundos que anteceden al despertar, ocasionados por el sonido de la alarma que se mezcla en el sueño.
En general, este aparato indica la urgencia por realizar algo en un límite de tiempo preciso.

Despertar

Soñar con que despertamos a otra persona simboliza enseñar a un amigo a superar sus conflictos.
Si lo hacemos nosotros en sueños quiere decir que hay una persona querida que necesita nuestra ayuda.

Despido

Si soñamos con que nos despiden del trabajo quiere decir que están a punto de ofrecernos precisamente todo lo contrario: una oferta laboral mucho más interesante.
En caso de que seamos nosotros los que despedimos a un empleado, es señal de que tenemos muchos temores acerca de nuestro futuro económico.

Despilfarro

Las imágenes en las que despilfarramos el dinero, simbolizan el gasto de energías que hacemos intentando mejorar lo que ya está bien hecho. Debemos entender que lo que nos impulsa a esta conducta es el temor a fracasar en nuevos campos.

Despiojar

Véase DESINSECTAR.

Despistar

El hecho de que en un sueño hagamos maniobras a fin de despistar a otras personas significa que estamos intentando eludir un sentimiento que nos da mucho miedo. Posiblemente nos sintamos atraídos por una persona ya comprometida o que, según pensamos, es difícil que se enamore de nosotros.

Despojar

El hecho de que en sueños una persona despoje a otra de lo que le corresponde indica que siente hacia ella una profunda envidia.
En caso de que quien realice el despojo sea un desconocido, puede significar que éste encarne a una persona conocida o bien que nosotros temamos la envidia ajena.

Déspota

Si en sueños tenemos que tratar con una persona despótica, quiere decir que hemos recibido una educación demasiado rígida. Lo más probable es que tengamos una relación distante y muy crítica hacia nuestro padre o hacia alguna figura masculina de la familia.

Destacar

El hecho de destacar en cualquier actividad en un sueño indica que, en la vida real, haremos algo extraordinario por lo que seremos reconocidos.
Tal vez esto no suceda pronto, pero en

algún momento se nos presentará esa oportunidad.

DESTELLO

Los destellos simbolizan las sospechas que podemos albergar respecto a una persona o una situación.

Cuando este elemento aparece en un sueño, debemos prestar atención a los sentimientos que nos suscite. Si son de temor, es señal de que tenemos la sospecha de que vamos a tener que enfrentarnos con un problema. Si, por el contrario, son sentimientos positivos, es señal de que sospechamos que nos espera una sorpresa agradable.

DESTEÑIR

La pérdida de color en nuestras ropas indica que estamos buscando un cambio de imagen, que no nos sentimos a gusto con nuestro aspecto físico.

En caso de que aquello que se destiñe en sueños sea ropa de cama, deberemos interpretar que estamos en un período sexualmente pasivo.

DESTETAR

El destete siempre es un paso traumático, ya que implica una separación física con la madre y con una fuente de placer, que es su pecho.

Si en sueños destetamos a un niño quiere decir que en nuestra infancia no nos hemos sentido lo suficientemente atendidos por nuestra madre. Esto no quiere decir que ella no se preocupara por nosotros sino, más bien, que hemos exigido más afecto del que acostumbran a demandar los niños.

Si la escena del sueño es dolorosa puede significar también el distanciamiento con la propia madre.

DESTIERRO

El destierro simboliza la soledad, la dificultad para encajar con el entorno, la sensación de ser extranjero en la propia tierra. Si soñamos que hemos sido desterrados es señal de que nos cuesta mucho comunicarnos con los demás, que no sabemos cómo resultar simpáticos y que nos manejamos con miedo a la hora de hablar o alternar con la gente. Esto, sin duda, se subsana adquiriendo habilidades sociales, viendo cómo se manejan los demás y pensando que las cualidades que muestran también están dentro de nosotros aunque sin desarrollar.

DESTILAR

En la destilación se produce la separación de dos o más sustancias líquidas por medio de calor. Es un método que se emplea mucho en química, pero que es más conocido como proceso por el cual se fabrican bebidas alcohólicas.

La destilación simboliza la concentración de la voluntad en pos de un objetivo.

Los sueños en los que se realiza esta operación anuncian un período de febril actividad mediante el cual estableceremos las bases de un nuevo negocio o profesión. El augurio es sumamente favorable.

DESTORNILLADOR

Véase HERRAMIENTA.

DESTROZAR

Los sueños en los cuales se producen destrozos nos hablan de un profundo sentimiento de ira, generalmente motivado por carencias afectivas.

Para analizarlos en profundidad es necesario buscar en el diccionario el significado simbólico de lo que se esté destrozando.

DESVÁN

Los desvanes, habitaciones en las cuales se guardan los objetos que, de momento, no se están utilizando, simbolizan los talentos que no nos atrevemos a desarrollar. La mayoría de las veces nos negamos a

hacerlo por miedo a descubrir, en el proceso, que son mucho menos importantes de lo que imaginamos.
Los objetos que se encuentren en el desván darán las claves para averiguar cuáles podrían ser las habilidades que aún tenemos dormidas.

Desvestirse

Si el sueño es erótico, responde a una excitación sexual. Si no lo es, el hecho de quitarnos la ropa simboliza el deseo de mostrarnos tal y como somos, de dejar toda hipocresía de lado.

Desvío

Cuando en el sueño hay algún obstáculo o elemento que nos obliga a desviarnos del camino que pensábamos seguir, es señal de que en la vida real surgirán acontecimientos imprevistos que nos harán cambiar los planes de trabajo.

Detective

Estos profesionales tan cinematográficos simbolizan los romances ocultos.
Si nos sigue un detective quiere decir que deseamos mantener una relación extramatrimonial, que nos sentimos atraídos por una persona que no es nuestra pareja. Sin embargo, no indica que en la realidad seamos infieles, sólo es un deseo.
En caso de estar trabajando como detectives debemos interpretar que intentamos restaurar la imagen de una persona que ha sufrido una injusticia, o que ha sido calumniada adjudicándole un romance inexistente. Reflexionemos por si podemos ayudarle.

Detención

Las detenciones bruscas que experimentamos en sueños, ya sea si viajamos en un vehículo o si vamos a pie, indican períodos en los cuales, por razones externas a nuestra voluntad, deberemos interrumpir nuestro trabajo.

Detonación

Las detonaciones aisladas simbolizan el temor a nuestra propia ira. Si oímos un disparo quiere decir que tendemos a reprimir nuestra agresividad ya que, pensamos, si la dejamos salir podemos perder el control sobre la misma y cometer alguna barbaridad.
En caso de oír varios disparos, significará que el ambiente laboral en el que nos movemos es altamente competitivo e hipócrita.

Deudas

Las deudas simbolizan los favores y las muestras de cariño que se evitan para no denotar debilidad.
Si en el sueño nos vemos agobiados por las deudas quiere decir que a nuestra familia y amigos les mostramos una indiferencia que está lejos de ser cierta.
En caso de que nos deban dinero a nosotros será señal de que no recibimos de amigos y familiares las muestras de afecto que necesitamos.

Devanar

Los hilos y la lana, tradicionalmente, se han relacionado con la vida.
Si devanamos una madeja quiere decir que estamos haciendo un trabajo de introspección en el cual ordenamos los recuerdos y hacemos una evaluación de nuestro desempeño en la vida.

Devaneo

Los devaneos que podamos tener mientras dormimos, según su intensidad, pueden indicar deseo sexual insatisfecho o, simplemente, una forma de confirmar nuestra capacidad de seducción, nuestro atractivo personal.

Devolución

El hecho de devolver objetos que se han comprado simboliza los desengaños sufridos en relación a un amigo. Es importante analizar el objeto que se devuelve, ya que de su simbolismo se obtendrán las claves para comprender el sueño.

DEVORAR

Comer con ansiedad simboliza las carencias afectivas que nos impulsan a realizar actos que llamen la atención de los demás. Es importante comprender que con ellos lo que habitualmente se consigue es el rechazo.

DÍA

Véase AMANECER, ANOCHECER, MEDIANOCHE, SEMANA.

DIABLESA

Simboliza a una mujer que ejerce una fuerte tentación sobre un hombre.
Si quien sueña es una mujer y ella encarna este personaje, es señal de que no tiene ningún pudor a la hora de seducir al hombre que le interese, aun cuando sólo espere tener con él una simple relación pasajera. En el fondo, lo que busca es competir con otras mujeres.
Si la diablesa fuera otra persona, es señal de que una mujer de nuestro entorno se comporta de manera frívola y seductora con los hombres, sin importarle que tengan o no pareja.

DIABLO

Véase DEMONIO.

DIÁBOLO

El diábolo representa la habilidad para salir airoso en las confrontaciones verbales.
Jugar con un diábolo significa que tenemos una gran capacidad dialéctica, que nos resulta muy fácil convencer a los demás de nuestros puntos de vista.

DIADEMA

Simboliza el orgullo, la conciencia del propio valor.
Si la diadema que usamos es sencilla, de plástico o carey, quiere decir que nos sentimos bien con nosotros mismos, que tenemos un gran sentido del honor y de la propia valía.
En caso de que la diadema tenga piedras preciosas o sea recargada, deberemos interpretar que somos soberbios y engreídos.

DIAGNÓSTICO

Los diagnósticos médicos que podemos ver u oír en sueños, no debemos tomarlos como augurios. Es posible, sin embargo, que indiquen un pequeño trastorno en un órgano o que se produzcan como consecuencia de una mala postura mientras dormimos.
Si el diagnóstico es sobre la salud de otra persona quiere decir que no estamos seguros de la lealtad que está dispuesta a brindarnos.

DIAL

Si soñamos con un dial, es importante determinar a qué aparato pertenece y qué se puede medir con éste.
En caso de que sea una máquina que, por ser ficticia, no tenga significado simbólico específico, su finalidad permitirá analizar el contenido del sueño.

DIALECTO

Los dialectos e idiomas extranjeros simbolizan el tipo de comunicación que tenemos con los demás.
Si oímos en sueños un dialecto incomprensible es señal de que nos cuesta comprender las motivaciones ajenas, de que nos sentimos diferentes a la mayoría.
Si lo hablamos, significa que tendemos a transformar nuestra forma de ser según cómo sea la persona que tenemos delante.

DIAMANTE

Los diamantes, además de augurar buena suerte, simbolizan la firmeza, la integridad y el valor.

Si uno de los personajes del sueño, o uno mismo, viste joyas que tienen diamantes quiere decir que posee unos ideales muy claros y es consecuente con los mismos. Además, que se le presentará una oportunidad muy buena que le dará importantes beneficios.

DIANA

El hecho de arrojar flechas o dardos a una diana simboliza la seducción.
Soñar con esta acción significa que nos sentimos atraídos por una persona. Si logramos clavar las flechas o los dardos en el centro, es señal de que conseguiremos, finalmente, seducirle. Si se clavan en otro lugar será señal de que todos los intentos por lograrlo serán en vano.

DIAPOSITIVA

Estas fotos sólo pueden verse al trasluz y representan aquellos pasajes de nuestra vida de los cuales nos arrepentimos.
Las imágenes que muestren las diapositivas pueden dar las claves para saber de qué sucesos se trata.

DIARIO

Los diarios íntimos y personales simbolizan la idea y valoración que tenemos acerca de nuestra propia vida.
Si el diario está en blanco es señal de que nos gustaría borrar el pasado, que no nos satisface nuestra trayectoria.
Escribir en el diario es señal de que estamos viviendo un presente interesante y enriquecedor.
Descubrir que otro ha leído nuestro diario significa que somos muy expresivos, que no podemos ocultar las emociones.

Véase PERIÓDICO.

DIARREA

Las diarreas pueden aparecer en sueños como producto de un pequeño trastorno digestivo que tengamos en la vida real.
Como la mayoría de las funciones relacionadas con el aparato excretor se vinculan a la purificación, a la eliminación de todo lo superfluo o nocivo.

Véase DEFECAR.

DIBUJO

Los dibujos que aparecen en sueños deben ser analizados a partir del simbolismo de los elementos que contienen.
El hecho de dibujar representa la necesidad de expresar sentimientos que nos hacen sentir vulnerables.

Véase PINTURA.

DICCIONARIO

Simboliza la necesidad de poner en orden nuestras ideas, nuestro mundo mental.
Si lo consultamos o leemos quiere decir que hemos pasado una etapa caótica y buscamos afanosamente la manera de aquietar nuestra mente, de organizar nuestra vida.

DIENTES

Los sueños en los cuales los dientes tienen un papel protagonista son muy comunes.
A menudo constituyen un mal augurio.
Soñar que se caen o son extraídos, para un hombre simboliza frustración, castración o temor a un deficiente desempeño sexual; en una mujer, miedo a envejecer.
Si los dientes que se caen son los incisivos, puede también simbolizar el temor a ver deslucida la propia imagen. Si son los colmillos, en cambio, es señal de que nos sentimos vulnerables ante la competitividad y agresión del medio en el que trabajamos.
Si soñamos que se caen las muelas, eso significa falta de determinación en los propósitos.

DIEZ

Es uno de los números más antiguos.
La filosofía pitagórica lo consideraba una

muestra de perfección, relacionada con Dios, al punto que juraban por este número con la misma reverencia con que lo hubieran hecho por una divinidad.
Es símbolo de totalidad; por ello, si soñamos con él, debemos interpretarlo como una muestra de la etapa de plenitud, en todos los sentidos, que estamos viviendo.

Difamar

La difamación, en sueños, sea dirigida contra nosotros o contra cualquier otra persona, indica que entramos en una etapa en la cual fácilmente obtenemos popularidad en el medio en el que habitualmente nos movemos.
Esta popularidad no tiene por qué ser negativa; si el sentimiento general del sueño es agradable, quiere decir que seremos reconocidos por nuestros valores y no por nuestros defectos.

Dificultades

Cualquier dificultad que tengamos en un sueño representa los contratiempos que sufrimos en la vida real. Sin embargo, muchas veces éstas sirven para que podamos hacer rápidos avances.

Difunto

Los sueños en los que aparecen personas que en la vida real han fallecido dan cuenta del tipo de relación que teníamos con él, así como la dificultad de aceptar la separación.
Si la persona que ha muerto se muestra iracunda o vengativa quiere decir que tenemos sentimientos de culpa por no habernos portado bien con ella.
Si una vez que ha fallecido le vemos morir en sueños, significa que aceptamos su ausencia y estamos elaborando el duelo.

Digestión

Si en sueños tenemos problemas para digerir un alimento, es señal de que la realidad que estamos viviendo nos resulta difícil de entender o manejar, que se nos presentan problemas nuevos a los que no sabemos darles solución.

Dígito

Cada uno de los dígitos, del cero al nueve, constituye un símbolo específico. Sin embargo, si soñamos con una gran cantidad de ellos que no permiten aislarlos o identificarlos entre sí, o con el concepto de dígito de forma abstracta (por ejemplo, no recordar un número en especial) quiere decir que tenemos razones para suponer que en un futuro nuestra economía sufrirá un descenso.

Véase NÚMEROS.

Dignidad

Si en sueños alguien muestra una actitud excesivamente digna o hace alusión a su propia dignidad quiere decir que en la vida real no damos crédito a sus palabras ni a sus actos, que nos resulta falsa y engreída.

Diligencia

Véase CARRUAJE.

Diluir

La disolución de un elemento sólido en un medio líquido simboliza la unión en la pareja.
Si lo que diluímos es una sustancia dulce o exenta de peligro, quiere decir que la relación de pareja es fuerte, que hay una gran compenetración y que el afecto es demostrado abiertamente.
En caso de diluir veneno o cualquier sustancia tóxica, debemos interpretar que tenemos un espíritu posesivo y que no escatimaremos esfuerzos hasta lograr que la persona a la que amamos se someta absolutamente a nuestra voluntad.

Diluvio

Si soñamos con un diluvio quiere decir que estamos en un ambiente en el cual se exhiben y magnifican las emociones. Es posible que nuestra familia sea expansiva o con una tendencia a hacer un drama por cualquier nimiedad.

Véase AGUA, CHUBASQUERO, LLUVIA.

Diminutivo

El uso exagerado de diminutivos alude a la infancia, a un período del cual tenemos imágenes de felicidad y protección.
Si una persona nos llama usando un diminutivo para nuestro nombre quiere decir que tiene hacia nosotros sentimientos más positivos de los que quiere demostrar.

Dimisión

El abandono de un cargo, sea público o privado, puede simbolizar la decepción con relación al trabajo, en cuyo caso seríamos nosotros quienes dimitiéramos o, también, la posibilidad de ascenso en el caso de que fuera otra persona la que abandonara su puesto.

Dinamita

Véase EXPLOSIVOS.

Dinero

El dinero representa, por una parte, los bienes materiales. Sin embargo, su significado es más profundo, ya que también da cuenta de nuestras habilidades para ganarnos la vida y para hacernos un lugar en la sociedad.
Si vemos una gran cantidad de dinero quiere decir que tenemos buenos recursos para salir adelante.
Perder dinero indica que no estamos poniendo en juego nuestras habilidades, que mantenemos una actitud apática por temor a frustrarnos o a quedar en ridículo.
Los sueños en los que nos vemos enriquecidos, auguran ganancias fáciles.
Cuando el sueño nos produce angustia o ansiedad, se puede estar refiriendo a los conflictos económicos que tenemos en el presente.

Dinosaurio

Simbolizan las ideas obsoletas, las normas de conducta que, debido a la evolución de la sociedad, ya no están en vigencia.
Si nos vemos atacados por uno de estos grandes saurios, quiere decir que nuestros padres o nuestra pareja tienen ideas demasiado anticuadas y pretenden que nos ciñamos a ellas.
Si le vemos pastando o en una actitud pacífica, es señal de que estamos revisando nuestras normas morales y eliminando aquellas que ya no tienen razón de ser.

Dintel

Es el punto que une dos superficies; ya sean dos habitaciones o bien el interior de la casa con la calle.
Cuando nos encontramos en este punto quiere decir que tememos vernos influidos por los demás, que nos sentimos demasiado ingenuos y que nos da miedo el no tener un criterio propio o una personalidad acusada y definida.

Dios

No es frecuente soñar con Dios; los sueños en los que aparece son realmente raros e indican una necesidad de protección, de guía, de consejo.
Si el dios que se nos aparece pertenece a una cultura que no es la nuestra, debemos buscar el significado de esa deidad para hacer un análisis más preciso.

Diosa

Si en sueños vemos o hablamos con una diosa debemos buscar las atribuciones que ésta ha tenido en la cultura que la ha creado. De este modo veremos cuáles son nuestras necesidades en el presente.
En caso de no ser una diosa reconocida, su presencia significará que nos sentimos perdidos y que ansiamos la ayuda de una persona afectuosa que sepa consolarnos.

Diploma

Los diplomas simbolizan el reconocimiento de que hemos adquirido suficientes conocimientos sobre una materia.
Representa el permiso interior que nos damos para iniciar una nueva actividad.
Estos sueños posiblemente surjan en un momento en el que las personas que nos rodean intentan convencernos de la inutilidad de una carrera o actividad; o bien cuando no estamos seguros de elegir nuestra vocación o decantarnos por estudios que, a la larga, nos puedan dar más dinero.

Diplomático

Son personas encargadas de representar a un país y, por otra parte, de actuar como mediadores a fin de suavizar conflictos.
En caso de que tengamos en el sueño esta profesión debemos interpretar que nos gusta rodearnos de un clima armonioso y que, para ello, no dudamos en apaciguar los ánimos cuando las personas que están en nuestro entorno discuten o se pelean.
Si vemos a otra persona actuando como diplomático quiere decir que necesitamos un mediador para reconciliarnos con un familiar.

Diputado

Véase CÁMARA.

Dique

Los diques son construcciones que sirven para contener el agua. Este elemento, a su vez, se relaciona con el mundo emocional, de ahí que los diques simbolicen la contención de las emociones y sentimientos.
Si vemos un dique quiere decir que nos sentimos interiormente tranquilos, que podemos controlar las emociones negativas como la ira y el miedo y que tenemos una buena integración entre la mente y los sentimientos. Si el dique está roto es señal de que no sabemos controlarnos, de que nos vemos presa del miedo o de la ira con suma facilidad.
Sobrevolar un dique indica distanciamiento con el mundo emocional.

Véase AGUA.

Dirección

Ver una dirección en sueños indica que recibiremos una visita inesperada.
Si damos a otra persona nuestra dirección, es señal de que deseamos tener una actitud más abierta con los demás.

Director

Encontrarnos en sueños con el director de una empresa significa que las nuevas relaciones que hemos establecido no serán tan fructíferas como habíamos esperado.

Dirigible

Los dirigibles simbolizan la inconstancia y la tendencia a dejarnos arrastrar por los acontecimientos.
Si observamos una de estas aeronaves quiere decir que en nuestro entorno hay una persona inconstante que nos preocupa.
En caso de viajar nosotros en ella, es señal de que cambiamos constantemente de opinión y actitud.

Dirigir

El hecho de dirigir a un conjunto de personas da cuenta de nuestra necesidad de ocupar un puesto de mayor responsabilidad.

Discapacidad

Las discapacidades físicas que tenemos en los sueños señalan la imposibilidad de llevar a cabo ciertas aptitudes mentales o afectivas.
Si el problema está centrado en los brazos, por ejemplo, es señal de que no sabemos transmitir el afecto que sentimos, que a menudo se nos exige más ternura o mayor implicación en las relaciones íntimas.

En caso de que el trastorno esté localizado en las extremidades inferiores quiere decir que no ponemos en juego todo nuestro potencial para conseguir un trabajo mejor.
Si tenemos dificultades en la vista, es señal de que nos negamos a ver la realidad, que la reemplazamos con nuestro mundo de fantasía.
Los problemas auditivos, en cambio, señalan la tendencia a no tener en cuenta las opiniones ajenas.

Véase CEGUERA, OTITIS.

DISCIPLINA

En sueños este concepto puede aparecer de muchas maneras y en cada una de ellas tiene un significado específico.
Si nos exigimos disciplina a nosotros mismos es señal de que tenemos un espíritu obsesivo y perfeccionista.
Si nos aplican una falta de disciplina quiere decir que nos sentimos culpables o temerosos de algo que sabemos que hemos hecho mal o que simplemente hemos dejado sin hacer.
Si somos nosotros quienes exigimos disciplina a otra persona, debemos interpretar que tendemos a ver más las faltas ajenas que las propias, lo cual debe hacernos reflexionar.

DISCÍPULO

Los discípulos simbolizan aquellos aspectos de nuestra personalidad que debemos mejorar a fin de tener un mundo interior más rico e integrado.
Debemos prestar atención a la lección que el maestro imparta a los discípulos y a las preguntas que éstos hagan al maestro, ya que esas serán claves importantes para comprender el sueño.
También conviene observar la actitud de los discípulos: si ésta es atenta y respetuosa, será señal de que nos interesa evolucionar interiormente.

Véase MAESTRO.

DISCO

Los discos de vinilo simbolizan los cambios de fortuna.
Si la música que contienen es alegre o suave, indican que estamos a punto de iniciar una etapa agradable en la que nos vamos a sentir con una gran paz interior.
Cuando contienen marchas militares señalan que tendremos conflictos con personas de la familia.
Si contienen música sacra, será señal de que entraremos en una etapa mística, de evolución espiritual.
La música estridente simboliza la dispersión, la frivolidad.

DISCÓBOLO

Véase ATLETISMO.

DISCORDIA

Las escenas en las que se observa un clima de discordia anuncian rencillas familiares. Nuestra implicación en ellas estará significada por nuestra actitud en el sueño. Si tomamos parte de las rencillas quiere decir que nos veremos involucrados.

DISCOS

Los discos, como forma, como casi todo lo que gira en torno a un eje, simbolizan el egocentrismo.
Las formas redondeadas hacen referencia al mundo femenino y a la fertilidad de la mujer.

DISCOTECA

Las discotecas son lugares de esparcimiento y reunión con los amigos, pero también lugares donde se espera encontrar una persona especial con la cual establecer una relación más o menos íntima. Si nos encontramos en uno de estos lugares, quiere decir que aspiramos a conocer a una persona que nos resulte afín y con la que podamos crear un vínculo duradero.

DISCRIMINAR

Si en sueños discriminamos a otra persona por razón de sexo, credo o raza quiere decir que, en la vida real, nos sentimos muy diferentes a los demás, que nos resulta difícil encontrar personas con las que compartir nuestros puntos de vista. Tal vez ello se deba a que hemos tenido una educación un tanto elitista.
También podría dar cuenta de una actitud soberbia por nuesta parte.

DISCULPAR

Pedir disculpas en sueños señala que, en el fondo, aunque nos cueste reconocerlo, sabemos que hemos obrado mal con otra persona.
En este caso, es conveniente que venzamos nuestro orgullo y nos hagamos perdonar las faltas que podamos haber cometido. Si nos piden disculpas a nosotros quiere decir que tendemos a mostrar una actitud arrogante, que no reconocemos nuestros errores.

DISCURSO

Véase AUDITORIO, CONFERENCIA.

DISCUSIÓN

Las discusiones que vemos en sueños casi siempre están referidas a las dudas o indecisiones. Es como si una parte de nosotros mismos se peleara con otra.
El tema de la discusión es, pues, fundamental para comprender el significado de estos sueños.

DISECAR

Los animales disecados simbolizan el mundo material y la acción de disecarlos nuestra tendencia a dar excesiva importancia a los bienes en detrimento de nuestra evolución espiritual.

DISEÑAR

El diseño de ropa, muebles o cualquier otro objeto da cuenta de una capacidad creativa sin desarrollar. Es importante observar los objetos que se diseñen porque su simbolismo también dará claves precisas acerca de nuestras carencias.

DISFRAZ

Los disfraces que adoptemos en los sueños simbolizan aquellos aspectos de nuestra personalidad que no nos atrevemos a sacar a la luz.
Si vemos a otra persona disfrazada, en cambio, debemos interpretar que no es lo que parece.

DISIMULAR

El hecho de disimular en sueños significa que estamos habituados a conseguir los objetivos mediante subterfugios, que no somos claros a la hora de pedir lo que necesitamos o negar aquello que no estamos dispuestos a dar.

DISLEXIA

Si en sueños nos vemos con la incapacidad de comprender lo que estamos leyendo quiere decir que, en la vida real, tenemos dificultades para comprender lo que otros nos quieren decir, que tendemos a ser demasiado subjetivos en nuestras apreciaciones.

DISLOCAR

El hecho de dislocarnos alguna extremidad o ver a otra persona que pase por este trance significa que nos sentimos muy torpes a la hora de realizar cualquier tarea nueva.
Esta torpeza no es real; más bien está motivada por un exacerbado miedo al fracaso.

DISOLVENTE

Los disolventes simbolizan la tendencia a olvidar las promesas.
La persona que en sueños utilice un disolvente será, seguramente, alguien a quien no le cuesta prometer ayuda; no por hipocresía, sino porque en el momento en

el que se la piden se siente motivada a darla. Sin embargo, olvida rápidamente lo que ha prometido y al final no se pone manos a la obra.

Disparo

El hecho de disparar un arma de fuego sobre un objeto inanimado simboliza la necesidad de emplear toda nuestra energía en un proyecto que aún no hemos comenzado.
Si el disparo se efectúa sobre un ser vivo, en cambio, significa que nos sentimos frustrados e impotentes por no poder hacer aquello que deseamos.

Véase HERIR, MATAR.

Dispensario

Los dispensarios médicos simbolizan la falta de cuidado que tenemos con nuestro organismo y nuestra salud. Su presencia en un sueño debe hacernos tomar conciencia de la importancia de alimentarnos bien y descansar lo suficiente.

Disputa

Simboliza la ira que guardamos en nuestro interior, sobre todo relacionada con temas familiares. Tal vez, por no hacer daño, callemos muchas cosas pero debemos pensar que, en ocasiones, lo mejor es dejar claros los problemas.

Disquete

Estos modernos dispositivos de almacenamiento de datos simbolizan los recuerdos, la memoria.
Si en el sueño un disquete se pierde o estropea, significa que hay partes de nuestra vida que preferimos olvidar.

Distancia

Si en un sueño la distancia constituye un problema quiere decir que, en nuestro interior, tenemos miedo de encontrarnos solos y de tener que afrontar nuevas responsabilidades.

Diurético

Estos medicamentos que ayudan a eliminar el exceso de líquidos del cuerpo simbolizan el dolor que se siente por una relación amorosa mal correspondida.
Si lo tomamos en sueños quiere decir que buscamos la manera de dejar de amar a una persona que nos hace daño.

Diván

Los divanes suelen ocupar un lugar de la casa destinado a las reuniones familiares, por eso señalan el estado de las relaciones entre los que conviven con nosotros.
Si el diván está roto o deteriorado quiere decir que el vínculo que mantenemos con la familia es precario.
Si nos echamos en él para dormir, indica que no somos nosotros quienes mantenemos vivos los vínculos a través de las visitas o llamadas telefónicas, que si bien les queremos, esperamos que sean ellos quienes tomen la iniciativa.

Diversión

Los sueños en los cuales nos divertimos son compensatorios. Indican que, en la vida real, sólo tenemos tiempo para trabajar y cumplir con nuestras obligaciones.
Debemos recordar que el ocio es fundamental para el equilibrio interior.

Dividir

Si hacemos una división en sueños, sea en forma de cálculo matemático o repartiendo algo en partes iguales, quiere decir que estamos preocupados por la parte que nos tocará en una herencia.

Divisas

Si en un sueño vemos dinero de otros países quiere decir que pensamos que nuestro entorno no nos da las suficientes posibilidades de desarrollo.
En caso de que el dinero fuese nuestro, debemos interpretar que entramos en una etapa de mayor prosperidad.

Divorcio

Si estando casados o en una relación de pareja formal soñamos que nos divorciamos, quiere decir que hay algunos aspectos de nuestro vínculo amoroso que no están claros, que se está gestando un conflicto que podría desembocar en una ruptura.
Si no tenemos relación de pareja, la imagen del divorcio puede estar referida a discusiones y peleas entre nuestros padres que hayan quedado grabadas en nuestro inconsciente.

Dobladillo

El dobladillo de un vestido, falda, pantalón o abrigo, si está deshilachado o descosido, indica que tendemos a desprendernos de los objetos que no utilizamos, que no solemos mostrar apego por las cosas.

Doblaje

Los doblajes de las películas tienen como objeto que sus diálogos sean comprendidos en otros idiomas.
Hacer el doblaje de una película indica que tenemos capacidad mediadora, que sabemos ponernos en el lugar de los demás y comprender sus puntos de vista.

Doble

Encontrarnos en sueños con nuestro doble o ser el doble de otra persona simboliza la necesidad de hacer un cambio de vida y la reticencia a la hora de probar nuevas experiencias.

Véase GEMELO.

Doctor

Véase MÉDICO.

Documental

Si vemos o filmamos un documental en sueños, lo más importante es averiguar sobre qué tema trata y buscar el simbolismo que más se le aproxime. Los que versan sobre la naturaleza suelen relacionarse con nuestra vida instintiva, en tanto que los que tratan temas históricos o actualidad, se relacionan con nuestro pasado y presente respectivamente.

Documento

Genéricamente hablando, los documentos simbolizan compromisos.
Es importante averiguar la índole del documento para hacer un análisis más preciso, como así también el estado de ánimo que tenemos en las escenas.
Si estamos contentos o tranquilos, nos hablan del futuro cumplimiento de una obligación que otra persona tiene hacia nosotros.
Si nuestro ánimo está inquieto, triste o enfadado, es señal de que deberemos hacer frente a un desagradable compromiso.

Dólar

Véase DINERO, DIVISAS.

Dolmen

Los dólmenes son edificaciones en forma de mesa que se utilizaban para los entierros colectivos. Simbolizan el alejamiento de la familia o de un grupo del cual hemos formado parte.

Dolor

Los dolores o molestias que sintamos durante el sueño pueden ser un reflejo de los que tengamos en la vida real. A veces indican que un órgano tiene algún problema, en cuyo caso, sobre todo si el sueño se repite, sería conveniente consultar a un médico.

Domar

La doma de un animal simboliza el control sobre nuestros sentimientos negativos.
Cuanta más energía se emplee en el sueño para conseguir que el animal nos

responda, mayor será el trabajo que debamos hacer sobre nosotros mismos.

Domesticar

La domesticación de un animal tiene, por un lado, el mismo significado que domar, sólo que los métodos que se emplean son más suaves.
Por otro, señala que tenemos un sentimiento de superioridad a la vez que un afán de control sobre las personas del entorno.

Domingo

Véase SEMANA.

Dominó

Este juego consiste en buscar puntos de contacto y afinidad entre las fichas.
Si jugamos al dominó en sueños quiere decir que nos sentimos fácilmente identificados con los demás, que buscamos más los puntos en común que aquellos en los que hay divergencia.

Donación

Las donaciones que recibimos en los sueños simbolizan aquellas cosas que necesitamos y esperamos obtener de los amigos y familiares.
Si somos nosotros quienes realizamos una donación, debemos entender que nos sentimos interiormente plenos, que pasamos por una buena época y que nos augura un futuro interesante.

Donjuán

Si vemos en sueños al personaje de Don Juan Tenorio o a un hombre que se dedique a coquetear con diferentes mujeres, indica que nos gusta el juego de seducción, que tendemos a coquetear y a buscar el halago del otro sexo.

Dorado

La profusión de objetos dorados o el hecho de que este color sea protagonista en el sueño quiere decir que nos gusta la ostentación y el lujo, que tendemos a darle más importancia a la apariencia de las personas que a su mundo interior.

Dórico

Los capiteles dóricos representan la sencillez, el gusto por las vida natural, así como la capacidad de síntesis.

Dormir

El hecho de vernos dormir en sueños revela que, por lo general, prestamos muy poca atención a lo que estamos haciendo.

Dos

Véase NÚMEROS.

Dosel

Las camas con dosel representan la intimidad.
Si las vemos o usamos en sueños quiere decir que echamos en falta la comunicación íntima con nuestra pareja, tal vez debida a que acostumbramos a estar siempre rodeados de amigos o familiares.

Dote

Si soñamos con una dote quiere decir que en muy poco tiempo habrá una boda en la familia.

Dragón

El símbolo chino del dragón representa la sabiduría y la energía interior conseguida tras largos años de disciplina y humildad.
Si se nos aparece en sueños quiere decir que los problemas que tenemos en el presente serán superados fácilmente.
En caso de que el dragón se muestre agresivo, debemos interpretar que tendemos a ser autodestructivos y necios.

Drama

Las situaciones dramáticas que vivimos en sueños dan cuenta de los temores que albergamos en nuestro interior. Por esta razón no deben tomarse como malos augurios sino, más bien, como metáforas de nuestras obsesiones.

DROGAS

La presencia de drogas en los sueños simboliza que buscamos placeres costosos que, tarde o temprano, nos pasarán factura. No tiene por qué ser, necesariamente, el consumo de drogas; también podría ser el juego, la práctica de un deporte caro cuando no tenemos medios para costeárnoslo, etc.

DROGUERÍA

En las droguerías se venden, básicamente, productos de limpieza, de ahí que estos lugares simbolicen la purificación.
Si nos vemos comprando en una de estas tiendas quiere decir que nos hemos hecho propósitos de mejorar y de apartarnos de aquellas compañías que no nos aportan nada positivo.

DROMEDARIO

Estos animales tan utilizados en los desiertos, simbolizan el sacrificio.
Si los vemos en sueños quiere decir que nos conviene pasar una temporada esforzándonos al máximo, sacrificando las horas de ocio en función del trabajo, ya que al final nos espera un avance claro tanto en lo económico como en lo laboral.

DRUIDA

Los sueños en los que aparecen los druidas nos hablan de la importancia que tiene para nuestro organismo el contacto con la naturaleza y con la vida sana.
Posiblemente estemos habituados a la ajetreada vida en la ciudad y nuestra alimentación y horas de descanso no sean las más convenientes para la salud.

DUCHA

Simboliza el afecto que nos prodigan las personas de la familia, la pareja y los amigos. Si su temperatura es agradable quiere decir que nos sentimos colmados, que nuestras relaciones son buenas.
Si el agua de la ducha está fría, es señal de que damos más de lo que recibimos y que, por ello, nos sentimos insatisfechos.

Véase AGUA.

DUELO

Batirse a duelo o presenciar que otros lo hacen simboliza discusiones y peleas.
Si somos nosotros quienes nos batimos quiere decir que estamos llevando demasiado lejos la disputa con un amigo o con nuestra pareja, que de seguir por este camino la ruptura será irreparable.
Si quienes se baten son otras personas, significa que dos seres queridos entrarán en conflicto y que recurrirán a nosotros para que actuemos en calidad de jueces.

DUENDE

Los duendes son espíritus protectores de la naturaleza.
Si los vemos en sueños es señal de que estamos protegidos, de que nuestra misma forma de ser nos previene de entrar en conflictos o exponernos a peligros.

DULCES

Los dulces y las golosinas en general simbolizan el engaño, el consuelo fácil que nos impide madurar y aceptar la realidad.
Si alguien nos regala caramelos quiere decir que nos está consolando por una situación difícil que nos ha tocado vivir.
Esa actitud por su parte nos lleva a sentirnos aún más desgraciados (merecedores de consuelo) y nos quita fuerzas para afrontar el problema que estemos viviendo.
En caso de robar cualquier tipo de dulces, de cogerlos sin que nadie nos vea, deberemos interpretar que tendemos a manipular a los demás, a mostrar debilidad para eludir responsabilidades.

Duna

Las dunas simbolizan la capacidad de transformación.
Si en el sueño nos vemos caminando por ellas, quiere decir que estamos pasando por un momento de dificultades en la familia, que nos resulta difícil afrontar el día a día.
Si estamos tendidos en una de ellas, en cambio, significa que no somos ambiciosos, que nos gusta la vida sencilla, los buenos amigos y la armonía familiar.

Dúo

Los dúos, sobre todo si son musicales, expresan las diferentes facetas de las que se compone nuestra personalidad.
Verlos en sueños indica que hay una parte de nosotros mismos que estamos reprimiendo excesivamente.

Duplicado

Si realizamos un duplicado (de llaves, de un documento o de cualquier otra cosa) quiere decir que tendemos a desconfiar de los demás.

Duque

Véase NOBLEZA.

E

Ebanista

Los sueños en los que aparece un ebanista, sobre todo si en las imágenes éste realiza su trabajo o si somos nosotros quienes desempeñamos ese oficio, simbolizan la búsqueda del confort y la dificultad para desprenderse de los objetos, aunque ya no sean útiles.

Ébano

Este árbol y su madera son símbolos de coraje y de longevidad.
Si soñamos con objetos fabricados con ébano indica que debemos hacer uso de nuestro coraje y optimismo a fin de realizar un cambio de trabajo que resultará sumamente ventajoso.

Ebriedad

Cuando en un sueño nos encontramos en estado de ebriedad quiere decir que una situación de la vida real, que creíamos dominar perfectamente, se nos ha ido de las manos.
Los restantes elementos del sueño pueden ayudar a dilucidar de qué cuestión se trata.

Ebullición

Cuando un material entra en ebullición, pasa del estado líquido al gaseoso. Si en el sueño observamos que algo está hirviendo quiere decir que estamos luchando denodadamente para mantener una relación que está en crisis.
Si el líquido se evapora por completo quiere decir que es difícil volver a restaurar el vínculo.

Véase HERVIR.

Echar

La acción de echar a una persona de nuestra casa indica que ésta, o aquella a quien el personaje onírico represente, está tramando algo a nuestras espaldas o levantando calumnias a fin de ensuciar nuestra imagen.

Eclipse

Las diferentes culturas han dado a los eclipses significados negativos. Para unos significaba que el Sol o la Luna estaban enfermos, por ello evitaban salir a la calle a fin de no contagiarse. Otros creían que estos elementos celestes eran robados por seres fabulosos con toda una mitología de viajes.
Lo cierto es que, mientras dura un eclipse la luz disminuye, por eso se relacionan con la falta de claridad mental, con la confusión y las dudas.

Eclosión

Si en sueños presenciamos la eclosión de un huevo, del capullo de una flor o de una crisálida, quiere decir que estamos dando comienzo a una nueva profesión u oficio para el que nos hemos preparado debidamente. Las perspectivas de éxito son, en este caso, enormes.

Eco

El eco simboliza la tendencia a oírse a uno mismo, a dirigirse a los demás como si no existieran o como si fueran personas de calidad inferior.
Si escuchamos nuestro propio eco quiere decir que tenemos un orgullo desmedido que nos creará problemas.

Ecografía

Cuando en sueños nos hacen una ecografía, es posible que tengamos alguna pequeña disfunción en un órgano; de modo que si sentimos molestias, aunque no sean graves, conviene visitar al médico.

Ecología

Si la ecología está presente en el sueño, ya sea como tema de conversación o en forma de libro o cartel, quiere decir que somos conscientes de que no llevamos una vida tan sana como debiéramos.

Ecologista

Los sueños con grupos ecologistas, reales o imaginarios, indican una preocupación por la forma de vida antinatural que llevamos, debido a las circunstancias de trabajo. Si participamos en alguna de sus acciones, quiere decir que estamos dispuestos a cuidarnos mejor, que somos conscientes de los perjuicios que el sedentarismo y la alimentación inadecuada causan a nuestro organismo.

Economía

Los aspectos económicos de los sueños revelan el bienestar general que sentimos; no sólo en el aspecto material, sino también en el afectivo e intelectual.
Cuanto más saneada sea la economía que mostremos en el sueño, mejor nos estará yendo en todos los aspectos de la vida.

Véase DINERO.

Ectoplasma

Es un hecho muy discutido que, en las reuniones espiritistas, a veces aparecen seres que han estado vivos o ciertas partes de sus cuerpos.
Si en sueños vemos un ectoplasma es señal de que estamos preocupados por la salud de una persona querida. Sin embargo, la presencia de un fantasma de este tipo, indica que va a recobrar la salud.

Ecuación

Los sueños en los cuales se ven ecuaciones matemáticas representan situaciones en las que seremos evaluados (exámenes, oposiciones, etc.)
El resultado de los mismos dependerá de que las ecuaciones sean o no resueltas.

Véase ÁLGEBRA.

Ecuador

El Ecuador es el círculo máximo perpendicular al eje terrestre. Augura la expansión, la búsqueda de nuevos horizontes.

Eczema

Véase DERMATITIS.

Edad

Si en sueños aparecemos con una edad menor de la que tenemos en la realidad quiere decir que añoramos el pasado, que lo hemos idealizado demasiado y que pensamos que no volveremos a lograr una mayor felicidad.
Si tenemos una edad más avanzada, en cambio, significa que no nos asusta la pérdida de la juventud, que la muerte nos

resulta tan natural como la vida y que nos enfrentamos a los acontecimientos con absoluta valentía.

EDEMA

La hinchazón de algún tejido blando del cuerpo se produce por la acumulación de líquidos. Si padecemos este síntoma en un sueño, es señal de que estamos acumulando rencor hacia una persona de nuestra familia.
La zona afectada puede dar, con su símbolo, claves para analizar el sueño con más precisión.

EDÉN

Véase PARAÍSO.

EDICIÓN

Si el año de edición de un libro resulta importante en un sueño, indica que en ese momento se ha producido un hecho que aún no hemos asimilado. Si es anterior a nuestro nacimiento, debemos buscar un hecho histórico ocurrido entonces que simbolice algún pasaje de nuestra vida.
El título del libro puede ayudar a comprender el mensaje del sueño.

EDICTO

Los edictos y bandos simbolizan aquellas normas que tendemos a eludir.
Como el material de los sueños suele ser metafórico, debemos analizar los elementos del texto para saber cuáles son los defectos que podemos corregir.

EDIFICIO

Los edificios simbolizan los logros que hemos alcanzado hasta el presente. La acción de edificar, el empeño que ponemos en construirnos un futuro de provecho. A todo tipo de edificio puede aplicarse la simbología que a la casa.

Véase CASA, CIMIENTOS.

EDIL

Si en el sueño tenemos el cargo de edil o vemos a una persona que lo ejerza, la actitud que muestre dará cuenta de la forma en que llevamos nuestra casa y organizamos la familia.

EDIPO

En una mujer, soñar con este personaje mitológico puede simbolizar el miedo de ser demasiado sobreprotectora, de ahogar al hijo con un afecto posesivo.
En un hombre, en cambio, simboliza el apego a la madre, la tendencia a comparar desfavorablemente con ella a todas las mujeres.

EDITORIAL

Las editoriales son lugares relacionados con el mundo intelectual.
Si en sueños trabajamos o nos encontramos dentro de una editorial, quiere decir que tendemos a analizarlo todo desde un ángulo racional, que nos sentimos atraídos por el mundo de la cultura.

EDREDÓN

Si en un sueño aparece un edredón es posible que, mientras dormimos, estemos pasando frío.
Esta prenda simboliza el calor del hogar, los cuidados impartidos por la madre en los primeros meses de vida. De modo que soñar con ella puede simbolizar la necesidad de protección y amparo.

EDUCACIÓN

Las normas de educación que se imparten u oyen en un sueño indican aquellas reglas de urbanidad que, por lo general, pasamos por alto en la vida real.
Es importante tenerlas en cuenta para poder corregirlas.

EDULCORANTE

Estas sustancias, que reemplazan el azúcar, simbolizan todo aquello que intentamos ignorar para no pasar malos momentos. Utilizarlo en sueños es sinónimo de autoengaño en cuestiones amorosas.

EFEBO

Por las características propias de la adolescencia, los efebos simbolizan etapas de cambio tumultuosas.
Si vemos un efebo en sueños quiere decir que un acontecimiento externo ha revolucionado nuestro interior. Posiblemente se trate del conocimiento de una persona que despierta en nosotros una gran atracción y que sirve de motor para iniciar una transformación interior necesaria y positiva.

EFEMÉRIDE

La celebración en sueños de cualquier aniversario de todo tipo de acontecimiento notable augura que va a volver a suceder. Los hechos no se repetirán exactamente como en la vez anterior, pero sí pueden tomarse éstos como metáfora de lo que está por llegar.
Es importante analizar el simbolismo de los elementos que celebra la efeméride para conocer, a través del sueño, una parte de nuestro futuro.

Véase ANIVERSARIO.

EFIGIE

Las efigies, al igual que las estatuas, representan personas o situaciones (por ejemplo, la efigie del dolor); por ello, para interpretar los sueños en los que aparecen, es necesario saber a quién o qué simbolizan.
Suelen ser de piedra o bronce, materiales rígidos y pesados; por ello en general encarnan aspectos que juegan un importante papel en el desarrollo de nuestra personalidad.

EFUSIVIDAD

Si en sueños alguna persona nos saluda o recibe muy efusivamente, es señal de que tendremos un reencuentro con alguien que, por circunstancias ajenas a su voluntad, ha tenido que separarse temporalmente de sus amigos.

EGOCENTRISMO

Cuando en el sueño hay personajes que adoptan una actitud egocéntrica, es señal de que nuestra timidez nos impide competir sanamente con los demás, que no sabemos reclamar los derechos que nos corresponden.

EGOÍSMO

Si en un sueño tenemos actitudes marcadamente egoístas, que no son habituales en nuestra vida real, quiere decir que nos sentimos faltos de afecto, que pensamos que es más lo que damos que lo que recibimos de los demás. En caso de que el egoísmo lo manifiesten otros personajes, debemos entender que en la vida real no somos lo suficientemente generosos.

EJE

Los ejes son un centro, real o imaginario, en el que giran alrededor uno o varios cuerpos. La preponderancia de un eje en un sueño indica que tendemos a ser egocéntricos, que nos gusta llamar la atención para que nos sigan y admiren.

EJECUCIÓN

Las ejecuciones, sobre todo si en ellas ocupamos el lugar del reo, dan cuenta de las culpas que interiormente acarreamos.

Véase CADALSO.

EJECUTIVO

Con el cargo de ejecutivo, generalmente se asocia el dinamismo, la agresividad, el empuje y la ambición.
Si en un sueño ocupamos esa posición quiere decir que debemos tener los ojos bien abiertos, ya que, en breve, se nos preesentará una ocasión laboral ante la

cual deberemos mostrar decisión y arrojo.
En caso de que nos encontremos en el sueño con un ejecutivo entenderemos que debemos mostrarnos menos dóciles y más emprendedores.

Ejercicio

Véase ENTRENADOR, GIMNASIA.

Ejército

Según el aspecto y la actitud que tenga, un ejército puede simbolizar camaradería o conflictos y agresión.
En caso de que esté realizando tareas de ayuda humanitaria, debe entenderse que nos sentimos dentro de un grupo solidario y amable que nos ayuda a evolucionar.
Si el ejército está luchando, en cambio, significa que vivimos en un medio conflictivo y competitivo en el cual las agresiones son algo habitual.

Véase SOLDADO.

Elasticidad

Si soñamos con gomas u otro tipo de objetos cuya principal característica es la elasticidad quiere decir que estamos siendo demasiado tercos a la hora de aceptar los puntos de vista y los deseos de nuestra pareja.
Lo más recomendable es que luchemos para evitar caer en obsesiones y demos a la persona que amamos toda la confianza y libertad que merece.

Eléboro

Esta planta ha sido sumamente utilizada en ritos mágicos. Se cree que formaba parte del ungüento de las brujas.
Su presencia en un sueño anuncia una enfermedad leve en la familia.

Elecciones

Las elecciones simbolizan la posibilidad de un cambio de rumbo y forma de vida.
Si participamos en la campaña de un candidato, en un sueño en el cual se hace patente el clima de elecciones, quiere decir que aunque nos sentimos bien con nuestro trabajo y con la vida que estamos llevando, queremos arriesgarnos a un cambio que nos permita mejorar nuestra situación.
Los carteles publicitarios de candidatos y partidos indican que estamos en una etapa de transición y que nuestro futuro depende de los pasos decisivos que demos ahora.

Electricidad

La electricidad es una forma de energía.
Si en el sueño se emplea de forma positiva, es señal de que nuestro sistema nervioso está equilibrado. Si, por el contrario, se emplea de forma negativa o está descontrolada, es señal de que nuestros nervios nos traicionan, que no tenemos un buen control sobre ellos.

Electricista

Estos profesionales simbolizan las personas con gran claridad mental.
Si soñamos con uno de ellos quiere decir que nos conviene consultar el problema que tenemos en el presente con un amigo que tenga estas características.
Seguramente nos dará la clave para solucionarlo o, por lo menos, trazará un esbozo de su evolución.

Electrocardiograma

A menos que nos hayan diagnosticado una dolencia cardíaca, en cuyo caso debemos entender este diagnóstico como una preocupación por nuestra salud, los electrocardiogramas simbolizan las dudas con respecto a los propios sentimientos; sobre todo con los relacionados con la relación amorosa que estamos manteniendo.

Electrodo

Los sueños en los que nos ponen electrodos en diversas partes del cuerpo a fin de hacer un diagnóstico (como un electrocardiograma, electroencefalograma, etc.), simbolizan la tendencia a padecer dolencias imaginarias.

Electrónica

Si nos vemos trabajando en electrónica o en un taller dedicado a esta especialidad quiere decir que tenemos una gran facilidad para conectar datos que, en apariencia, no tienen nada que ver. Esta capacidad de deducción es una herramienta sumamente útil para conocer la realidad y analizar todo lo que ocurra en nuestro entorno.

Elefante

Para muchas culturas el elefante es símbolo de buena fortuna. Para otras, lo es de sabiduría, fortaleza, moderación y eternidad. Soñar con este animal es un excelente augurio, ya que anuncia una época de paz y prosperidad.

Elevación

Las elevaciones del terreno se relacionan con el éxito social.
Si en sueños vamos por un camino ascendente es señal de que llegaremos a una posición social y económica más elevada que aquella desde la que hemos partido.

Elfo

En la mitología nórdica, los elfos son espíritus del aire, por lo tanto los sueños en que aparecen se relacionan con la inteligencia y la creatividad intelectual.
Ver un elfo indica que tenemos una gran facilidad para cualquier tipo de aprendizaje.
Si estamos próximos a un examen, estos personajes constituyen un excelente augurio.

Elipse

A diferencia del círculo que tiene un centro, la elipse tiene dos focos; de ahí que represente la infidelidad. Si soñamos con esta figura geométrica quiere decir que sentimos la tentación de iniciar una relación paralela a la que tenemos con nuestra pareja.

Elixir

Este tipo de medicamentos que acostumbran a venderse como milagrosos, simbolizan la resolución inesperada y positiva de un problema de salud.
Si en sueños vemos un elixir, lo tomamos o alguien hace uso de él quiere decir que en la familia hay una persona enferma que tendrá una pronta mejoría.

Elogios

En sueños, los elogios pueden tener dos significados: por un lado pueden surgir a modo de compensación por las cosas que hemos hecho y no nos han sido reconocidas; por otro, pueden simbolizar la hipocresía de quien los prodiga.

Embadurnarse

El hecho de embadurnarnos con barro o con cualquier otra sustancia indica que nos vemos envueltos en un problema sin que hayamos tomado parte en él.

Embajada

Si nos vemos en el interior de una embajada quiere decir que deberemos interceder en favor de un amigo, a fin de ayudarle en un conflicto laboral. Es posible que tengamos que actuar como testigos.

Véase DIPLOMÁTICO.

Embalar

Los paquetes que preparamos en sueños para ser transportados representan los rasgos negativos de nuestra personalidad que, por un mecanismo de proyección, tendemos a ver en los demás pero no en nosotros mismos. El simbolismo de los objetos embalados puede dar las claves para saber de qué defectos se trata.

EMBALSAMAR

Tradicionalmente se cree que los sueños en los cuales se embalsama un animal o una persona anuncian la enfermedad de un allegado. Ésta no es necesariamente grave, puede tratarse de una dolencia pasajera.

EMBARAZO

Cuando una mujer sueña que está embarazada, es posible que esas imágenes acudan a su mente porque sienta un gran deseo de ser madre.
Sin embargo, el embarazo puede simbolizar un proyecto creativo que esté a punto de ponerse en marcha.

EMBARCAR

Los sueños en los cuales subimos a una embarcación indican que estamos a punto de tomar una decisión radical que implique dejar atrás nuestra actual forma de vida en pos de otra mejor.

Véase NAVEGAR.

EMBARGO

Si en sueños sufrimos un embargo judicial o lo presenciamos, quiere decir que nos sentimos egoístas y culpables por pensar antes en nosotros mismos que en nuestra familia.

EMBAUCAR

El hecho de embaucar a otras personas revela que sentimos envidia por lo que tienen los demás. Si somos nosotros los embaucados, quiere decir que intentamos obtener beneficios de una transacción pero que saldremos malparados.

EMBESTIR

Si un animal o persona nos embiste en sueños es señal de que nos resulta muy difícil poner los límites a los demás, reclamar lo que nos corresponde, ser justos con nosotros mismos. Por temor a perder la amistad o el amor, tendemos a perdonar y disculpar en los demás aquello que jamás nos disculparíamos a nosotros mismos.
En caso de ser nosotros quienes embestimos a otra persona debemos entender que tenemos una tendencia a abusar de los demás.

EMBLEMA

Los emblemas son representaciones de personas, instituciones, situaciones, acciones, etc. Por lo tanto, para comprender el significado de los sueños en los que aparecen, será necesario buscar el simbolismo de los elementos que los componen.
En caso de que sea el emblema de nuestra propia familia quiere decir que damos mucha importancia a la posición social.

Véase ESCUDO.

EMBOSCADA

Los sueños en los cuales sufrimos o preparamos emboscadas, suelen presentarse en las épocas en las que tenemos conflictos laborales o de familia. Si es así, quiere decir que debemos analizar nuestra actitud. Es conveniente que cedamos un poco a fin de no perder todo lo que hemos conseguido.
Si el sueño aparece en una época de tranquilidad debe ser tomado como advertencia: es recomendable que nos movamos con cautela, pues alguien está planeando traicionarnos.

EMBRIAGUEZ

Véase ALCOHOL, ALCOHOLISMO.

EMBRIÓN

Los embriones, sean vegetales o animales, representan los proyectos en su primera fase de ejecución.
Si el embrión está en buen estado quiere decir que el proyecto saldrá adelante; si está enfermo o no crece, será señal de

que deberemos hacer esfuerzos mucho mayores que los calculados.

EMBRUJAR

El embrujo, en sueños, simboliza una atracción irresistible por otra persona.
Si somos nosotros los embrujados quiere decir que nos sentimos enamorados, pero que no creemos tener posibilidades de conquistar a la persona amada.
En caso de que el embrujado sea otro personaje del sueño, será señal de que, sin darnos cuenta, estamos alentando a otra persona cuando, en el fondo, no nos interesa para un posible romance.

Véase ENCANTAMIENTO.

EMBUDO

La utilización de un embudo simboliza las estratagemas que utilizamos para quedarnos con la mejor parte en una repartición de bienes. Éstos pueden provenir de una herencia, de una cesta de Navidad, de un regalo; lo importante no es el valor de los bienes sino la ambición.
Si mientras usamos el embudo el líquido se vierte, quiere decir que no lograremos nuestro propósito.

EMBUTIDOS

Los embutidos simbolizan las actitudes caprichosas en el comer y en el beber.
Si vemos chorizos, salchichones o cualquier otro producto de charcutería en el sueño, quiere decir que nuestra alimentación se basa en productos de fácil preparación, los cuales no siempre contienen todos los nutrientes que necesitamos.
Si los embutidos están incluidos en un plato de comida caliente, en cambio, será señal de que tenemos un gran consumo energético que necesita ser repuesto.

EMIGRAR

Los sueños en los cuales somos inmigrantes simbolizan la necesidad de tomar distancia con las normas que nos inculcaron nuestros padres.
A veces puede significar que no nos sentimos cómodos ni apreciados en nuestra propia familia.

EMPACAR

El hecho de hacer el equipaje simboliza la preparación y disposición para una nueva etapa. Ésta puede estar referida al mundo laboral o, también, al afectivo.
Estos sueños pueden presentarse antes de una boda, de un cambio de trabajo o de carrera, etc. El esfuerzo requerido para poner en las maletas lo que queramos llevar representa el que tendremos que hacer en la nueva andadura.

EMPADRONARSE

Los sueños en los cuales nos empadronamos revelan que la casa en que vivimos nos produce una intensa satisfacción. Es nuestro refugio y allí nos sentimos a gusto.

EMPALIZADA

Las empalizadas señalan peligros u obstáculos.
Si la derribamos, es señal de que necesitamos cambiar las pautas de relación con nuestra pareja o nuestra familia.
Si nos encontramos en un lugar cercado por una empalizada quiere decir que tenemos sólidos lazos afectivos que nos hacen sentir protegidos.
En caso de que la empalizada se caiga por sí misma o por la acción de otra persona, será señal de que no tenemos plena confianza en nuestras convicciones.

EMPANADILLA

Ver empanadillas en sueños significa que tendemos a juzgar a las personas más por su interior que por su apariencia externa.

EMPAÑADO

Si vemos un cristal o cualquier otra superficie empañada quiere decir que, a causa de las habladurías, nuestra reputación está en juego.

Empapelar

Si empapelamos o vemos empapelar las paredes de una casa es señal de que tendemos a vivir de las apariencias, que queremos parecer más de lo que somos y nos gusta aparentar.

Empaquetar

Si en un sueño se están haciendo paquetes, es importante averiguar el simbolismo de su contenido.
En general, el hecho de hacer paquetes indica que queremos mantener una parte de nuestra vida oculta a los ojos de nuestra familia.

Empate

Todo evento deportivo que empate en sueños, tano si participamos en él como si no, señala la necesidad de justicia, el deseo de que nos den lo que nos corresponde.

Empedrado

Los caminos empedrados simbolizan las convivencias difíciles, ya sean con nuestra familia, pareja, vecinos, etc.
Si nos vemos andando por uno de ellos es señal de que en breve tendremos dificultades con ellos.

Empeñar

Si en sueños empeñamos algún objeto quiere decir que, en nuestras relaciones, damos más importancia a las obras que a las palabras y que somos de la opinión de que el afecto se demuestra con acciones, no con frases bonitas.

Emperador

Para Sigmund Freud, las figuras masculinas que ostentan poder hacen alusión a la autoridad paterna.
Si el emperador que vemos en sueños es amable y complaciente, quiere decir que la relación con nuestro padre ha sido o es buena. Si el emperador se muestra déspota o iracundo, es señal de que dicha relación ha sido muy difícil.
Si nos vemos coronados o con los atributos de un emperador es signo de que pretendemos ocupar el lugar de máxima autoridad en la familia.

Emperatriz

La emperatriz simboliza la madre o cualquier figura de autoridad femenina.
Su talante, bueno o malo, indicará el cariz de las relaciones que tenemos con todas las mujeres que ocupen puestos jerárquicos.

Empleo

Cuando soñamos con un empleo es porque estamos preocupados por nuestra situación laboral.
Si nos vemos solicitándolo, quiere decir que en muy poco tiempo conseguiremos un puesto.
En caso de que nos estén despidiendo, será señal de que no nos sentimos seguros de estar desempeñándolo bien.

Empobrecer

Soñar que hemos perdido nuestros bienes, que somos pobres, es un excelente augurio, ya que anuncia que próximamente obtendremos interesantes ganancias.
Si es otra persona la que pierde su fortuna es señal de que, en el fondo, le envidiamos sus posesiones.

Empollar

Si vemos en sueños un ave empollando sus huevos debemos interpretar que el proyecto que tenemos entre manos tendrá más éxito que el esperado.

Empresario

Si soñamos que somos empresarios cuando en la vida real trabajamos por cuenta ajena quiere decir que es un buen momento para iniciar un negocio propio.

Si ya lo tenemos, debemos interpretar que estamos dedicándole demasiado tiempo y que sería bueno tomarnos un descanso.

EMPUJAR

La acción de empujar un pesado bulto de un lugar a otro indica que debemos hacer un esfuerzo final para resolver la crisis matrimonial o de pareja.
En caso de dar un empujón a otra persona, debemos interpretar que tenemos miedo de los competidores más próximos.

EMPUÑADURA

Vernos a nosotros mismos o a otra persona con la empuñadura de un arma sin hoja en la mano es señal de que acostumbramos a amenazar pero no a agredir.

ENAMORAMIENTO

El enamoramiento, con toda la emoción que implica, no es un estado demasiado duradero en la pareja; normalmente, al cabo de un tiempo las sensaciones experimentadas se atenúan para dar lugar a una relación más sólida y madura.
Si soñamos con que nos enamoramos quiere decir que echamos en falta la emoción de los primeros contactos, de los primeros besos, e indica que estamos cayendo peligrosamente en la rutina.

ENANO

Si nos vemos a nosotros mismos o a personas conocidas con una estatura anormalmente baja quiere decir que en este momento preferimos la diversión frívola y la evasión a la construcción de amistades más sólidas o de un mejor conocimiento de nosotros mismos. Si el sueño es, además, angustioso, debemos comprender que más tarde tendremos que arrepentirnos por haber perdido el tiempo en otro momento.

Véase GNOMO.

ENCADENAR

El hecho de encadenar a otra persona significa que no soportamos que otros hagan su voluntad, que bajo el disfraz de protección que esconden nuestras palabras y actos, tenemos un espíritu déspota y ególatra.
Si somos nosotros los encadenados, es señal de que estamos sufriendo los abusos de una persona que dice querernos.

ENCAJE

Si en sueños vestimos ropas con abundantes encajes quiere decir que nos estamos creando demasiados problemas por un asunto sencillo y fácil de solucionar.

ENCALLAR

Si el barco en el que viajamos en sueños encalla, quiere decir que tenemos muchas dificultades para realizar los cambios que deseamos en nuestra vida. No obstante, a la larga lo conseguiremos.

ENCANTAMENTO

Si en sueños somos víctimas de un encantamiento es señal de que, por el momento, nos cuesta mucho controlar nuestros impulsos. Que actuamos bajo los dictados de fuertes emociones y que ello podría traer malas consecuencias.

Véase EMBRUJAR.

ENCAÑONAR

Los sueños en los que nos encañonan con un arma simbolizan el miedo a ciertos aspectos de la relación sexual. A menudo indican rechazo a las relaciones íntimas que nos propone nuestra pareja.

ENCAPRICHARSE

El hecho de encapricharse con una persona o cosa desoyendo los consejos que en el sueño nos dan, indica que somos obcecados, que nuestro carácter es inflexible y no queremos ver que, por el camino que llevamos, sólo encontraremos sinsabores.

Encargo

Cumplir en el sueño el encargo que nos hace otra persona significa que alguien con quien nos hemos enemistado va a intentar reconciliarse con nosotros.

Encasquetarse

El hecho de encasquetarnos un sombrero, una boina o un gorro indica que no estamos dispuestos a oír los consejos que nos dan las personas con mayor experiencia.

Encender

El elemento fuego se relaciona con la voluntad, de ahí que el hecho de encender algún material en sueños simbolice el esfuerzo que estamos haciendo para conseguir lo que más nos interesa.
Si el objeto que encendemos arde fácilmente es señal de que lograremos nuestro propósito.

Encerar

Dar cera a los suelos simboliza el propósito de utilizar más el sentido común, de dejar a un lado las ensoñaciones para decidir según lo que nos adviertan nuestros sentidos.

Encerrar

El hecho de encerrar a una persona o un animal simboliza el rechazo que sentimos hacia determinadas conductas. Para saber cuáles son, debemos analizar las características del personaje que estamos encerrando.
Si somos nosotros quienes padecemos el encierro quiere decir que nos sentimos agobiados por las exigencias de la persona a la que amamos.

Encestar

Esta acción, común en algunos deportes como el baloncesto, simboliza el final de una larga tarea y el éxito que eso supone.
Si nos vemos encestando el balón quiere decir que recibiremos el beneplácito de nuestros superiores.

Enciclopedia

Consultar estos compendios del saber significa buscar en nuestras experiencias pasadas elementos que nos permitan comprender nuestra realidad presente.
Si soñamos con ella quiere decir que estamos viviendo una situación por la que hemos pasado anteriormente y que debemos reflexionar cuidadosamente para no caer en los mismos errores.

Encías

Los problemas en las encías simbolizan las crisis de maduración. Indican que el paso de los años y la pérdida de la juventud nos preocupan más de lo que debieran.

Encina

Este arbol ha sido, junto con el roble, el árbol sagrado de la península ibérica. Era símbolo de justicia y de fuerza para sus pobladores en tanto que los griegos celebraban a su sombra las reuniones en las que se debían tomar decisiones importantes.
Si la vemos en sueños o nos encontramos en un encinar, quiere decir que tenemos todos los datos para tomar sabiamente una decisión que, desde hace tiempo, nos viene preocupando.

Encoger

Los objetos que en sueños encogen simbolizan todo aquello a lo que damos una excesiva importancia. Buscando su significado simbólico podremos saber qué es aquello que solemos magnificar.

Encomendar

El significado simbólico de los objetos que nos encomiendan en sueños indica los aspectos de nuestra vida que estamos descuidando.

ENCONTRAR

El hecho de encontrar en casa o en la calle un objeto que no nos pertenece indica que algo nuevo está a punto de entrar en nuestra vida.
En este sentido es importante buscar el simbolismo de lo que hemos hallado, ya que ese objeto representará la parte de nosotros mismos que posiblemente estamos redescubriendo.

ENCORVARSE

El hecho de vernos en sueños encorvados indica que estamos aceptando responsabilidades que, en el fondo, no nos corresponden y que nos agobia pensar cómo las afrontaremos.

ENCRUCIJADA

Las encrucijadas simbolizan las elecciones difíciles.
Si nos encontramos frente a una de ellas, es señal de que tenemos que elegir entre opciones que de algún modo cambiarán nuestra vida.

ENCUADERNAR

El encuadernar o forrar libros da cuenta de lo importante que es para nosotros la cultura, muestra nuestra sed de conocimientos y augura el respeto a nuestra inquietud intelectual por parte de quienes nos conozcan.

ENCUBRIR

Si en un sueño encubrimos a una persona que ha cometido un delito, debemos prestar atención a lo que hacen las personas con las que tratamos de forma habitual. Posiblemente una de ellas esté inmersa en problemas que nos pueden afectar o de que podemos ayudarles a salir.

ENCUENTRO

Los encuentros con personas conocidas suelen formar parte de los sueños premonitorios.
Si nos vemos con alguien de quien hemos estado distanciados quiere decir que esa persona tiene algo importante que comunicarnos.

ENCUESTA

Las encuestas simbolizan el grado de aceptación que los demás tienen de nosotros.
Si somos los encuestados, es señal de que somos apreciados en el medio. Si somos quienes hacemos la encuesta, quiere decir que acostumbramos a tener roces con la gente.

ENCURTIDOS

Los alimentos macerados en vinagre simbolizan aquellos aspectos de nuestra vida que nos resultan insoportables. El hecho de comerlos indica que pronto los podremos resolver y que nos olvidaremos de ese problema.

ENDEREZAR

El hecho de enderezar en sueños algo que está torcido es un excelente augurio; indica que muy pronto lograremos revertir una situación que nos resulta muy desagradable y convertirla en algo bueno para nosotros.

ENDIBIA

Véase ALIMENTOS.

ENDODONCIA

La cura de un problema dental simboliza la decisión de mostrarnos más asertivos, de no dejar pasar por alto las faltas de respeto que tiene hacia nosotros un superior, sino hacerle frente con suficiente dignidad.

ENDOSAR

El hecho de endosar un talón a nombre de otra persona indica que no soportamos tener la más mínima deuda, que estamos conformes con lo que tenemos y no gastamos más de lo que nuestra economía nos permite.

Endrino

Este arbusto, considerado sagrado por los celtas, era utilizado para confeccionar los bastones de los magos y brujas. Simboliza las ansias de poder.
Si lo vemos en un sueño quiere decir que somos personas muy preocupadas por tomar la dirección de todo lo que acontece en nuestro entorno. Si las imágenes indican tensión entre los personajes, señala que mostramos habitualmente un comportamiento despótico.

Enebro

Este árbol simboliza la incorruptibilidad y la rectitud de juicio.
Verlo en sueños indica que tendremos el apoyo de una autoridad con estas características morales, de alguien que no se dejará seducir por halagos ni amedrentar por amenazas.

Eneldo

En la Edad Media se consideraba que esta planta brindaba protección contra los brujos.
Ver en sueños un ejemplar o sus hojas, que se usan como condimento, quiere decir que tendremos una pequeña rencilla con un vecino.

Enemigos

Los enemigos con los que tenemos que luchar en sueños, suelen ser más poderosos que los que tenemos en la vida real: no los temamos.

Energía

Los sueños en los que nos encontramos llenos de energía, nos vemos muy activos o creativos señalan que, en la vida real, estamos perdiendo el tiempo, que no aprovechamos las oportunidades tal y como debiéramos.

Enero

En sueños, el mes de enero simboliza los buenos propósitos que nos hacemos al comienzo del año. Por lo tanto, si este mes cobra un papel protagonista en las imágenes oníricas quiere decir que hemos resuelto hacer un profundo cambio en nuestra vida.

Enfado

Los enfados que tenemos en los sueños simbolizan aquellos que, en la vida real, nos obligan a tomar decisiones desagradables o peligrosas.

Enfermedad

Los sueños en los cuales nosotros o una persona conocida sufre una determinada enfermedad, no indican que ésta vaya a contraerse.
Buscando el significado de la parte afectada se podrán detectar algunos rasgos de la personalidad que es conveniente cambiar.

Enfermera

Cuando en nuestros sueños aparece la figura de una enfermera, es señal de que debemos auxiliar a una persona conocida. Lo más probable es que ésta no nos pida ayuda expresamente, por lo que deberemos estar atentos a las necesidades de los demás.

Enfriamiento

El hecho de padecer un enfriamiento en sueños simboliza el estrés producido por la necesidad de mantener una relación que ya no nos interesa.

Enfriar

Si enfriamos alimentos u otros objetos quiere decir que intentamos prescindir de ellos.

Engomar

El hecho de engomar o echar pegamento a los papeles indica que en este momento nos conviene delegar parte de nuestro trabajo.

ENGRANAJES

Se sueña con engranajes cuando nuestra actividad mental es incesante, en los momentos en los que, ante los problemas, no podemos dejar de buscar soluciones.
Si tenemos este tipo de sueños lo mejor es aprender a relajarse.

ENGRASAR

Si nos vemos en sueños engrasando un objeto o superficie hemos de entender que debemos suavizar nuestro carácter y ser más diplomáticos.

ENGRUDO

Simboliza la necesidad de reparar una relación que se ha roto. Si pegamos algo con él será señal de que nuestro deseo se verá cumplido.

ENHARINAR

Los sueños en los cuales enharinamos alimentos constituyen un buen augurio: indican que jamás nos va a faltar lo indispensable para vivir.

ENHEBRAR

El hecho de enhebrar hilos en sueños indica que sabemos tener todos los aspectos de nuestra vida bajo control.
Esto es una ventaja, pero también indica que somos excesivamente rígidos y que debiéramos vivir más relajadamente.

ENIGMA

Los enigmas simbolizan los secretos familiares que nadie quiere comentar o aclarar.
Si en sueños resolvemos un enigma quiere decir que vamos a enterarnos de un hecho que va a producirnos una gran emoción.

ENJABONARSE

El uso del jabón indica deseos de purificación.
Si nos enjabonamos a conciencia quiere decir que sabemos aceptar las críticas y que estamos abocados a una evolución personal.

ENJAMBRE

Los enjambres son parte de un mecanismo natural por el cual las abejas se dividen a fin de instalar una nueva colonia. Su aparición en un sueño indica la independencia, la constitución de la propia familia.

ENJUAGUE

Los enjuagues bucales simbolizan la habilidad de decir a cada persona lo que quiere oír, la posibilidad de ser diplomáticos cuando la situación lo exige.

ENLOQUECER

Cuando en un sueño perdemos la razón, debemos estar atentos porque es una señal de que estamos llegando al límite de nuestra paciencia.
Los demás elementos oníricos nos pueden dar claves para averiguar la razón.

ENMARAÑAR

Si revolvemos un cajón u otro recipiente para que todo se confunda, es señal de que queremos ocultar una relación amorosa a los ojos de nuestra familia.

ENRAMADA

Las enramadas simbolizan los problemas difíciles de abordar por su complejidad. Si nos vemos en medio de una enramada es señal de que aún no tenemos los datos suficientes para resolver lo que nos preocupa.

ENREDADERA

Aunque cada planta tiene su propio simbolismo y se deben ver por separado, las enredaderas, en general, simbolizan los malentendidos ocasionados por terceras personas con el ánimo de provocar disgustos en la familia.

Enredar

Los hilos o lana que en sueños aparezcan enredados indican que estamos haciendo grandes esfuerzos por desviar hacia otro lado la atención de los demás a fin de que un secreto que pretendemos guardar no sea descubierto.

Enriquecerse

Véase DINERO.

Enrollar

El hecho de enrollar papeles, alfombras o cualquier otro elemento de similares características indica que nos negamos a luchar por lo que nos pertenece, por lo que es nuestro.

Ensalada

Véase ALIMENTOS.

Ensartar

El hecho de ensartar cuentas en un hilo simboliza la acumulación interna de rencores con respecto a una persona. Indica que, en lugar de hablar claro ante cada hecho, lo guardamos en la mente a fin de echarlo en cara cuando más nos convenga.

Ensayo

Los ensayos, sean de teatro, de discursos, bailes o situaciones que tendremos que vivir, indican la inseguridad que sentimos a la hora de enfrentarnos a situaciones nuevas.

Enseñar

Los sueños en los que nos vemos enseñando indican que nos sentimos intelectualmente superiores a las personas que nos rodean.
Si durante el sueño experimentamos una sensación de paz y armonía o si tenemos una actitud que motive a nuestros alumnos, será señal de que nos gusta estimular a otros para que adquieran conocimientos.

Véase ALUMNO.

Ensillar

El hecho de ensillar un caballo simboliza la determinación de aceptar las proposiciones amorosas que nos ha hecho otra persona.

Ensobrar

Los sueños en los que ponemos papeles en diferentes sobres indican la búsqueda de la popularidad, los esfuerzos que hacemos por caerle bien a quienes nos rodean.

Enteritis

Véase DEFECAR.

Entierro

Si se sueña con el propio entierro no hay que preocuparse, ya que no indica una muerte próxima. Estos sueños anuncian que debemos abandonar el pasado y mirar más hacia el futuro.
En caso de que se entierre a otra persona quiere decir que nos sentimos culpables con alguien a quien hemos tratado mal. Lo más conveniente en este caso es intentar reparar el daño cometido.

Entornar

El hecho de entornar puertas o ventanas significa que queremos dar a conocer un hecho de nuestra vida íntima, pero que el pudor nos impide hacerlo.

Entrada

Las entradas para asistir a los espectáculos o al cine simbolizan aquellas cualidades que nos permitirían participar de círculos sociales más elevados, así como nuestro interés por ascender en la escala social.
Si perdemos las entradas es señal de que hemos llegado a la conclusión de que nos

sentimos mejor en el punto en el que estamos.

ENTRAÑAS

Si vemos las entrañas de un animal o persona, o el interior de algún aparato, quiere decir que buscamos comprender una situación que nos preocupa desde su origen.

ENTREABRIR

Véase ENTORNAR.

ENTREACTO

Los intermedios en las interpretaciones dramáticas señalan que comienza un período de descanso en el cual los problemas que nos aquejan se verán más controlados.

ENTRECEJO

Véase CEJAS.

ENTRECOMILLADO

Las frases que en sueños vemos entrecomilladas tienen muchísima importancia, ya que dan cuenta de la situación que más nos preocupa y, en ocasiones, señalan la forma de solucionarla.

ENTRECOT

El hecho de comer entrecot en sueños indica que no ingerimos la suficiente cantidad de proteínas. A través de las imágenes oníricas, nuestro organismo nos exige una mejor alimentación.

ENTRELAZAR

El trabajo con hilos o cintas a menudo simboliza la relación que tienen los diferentes aspectos de nuestra vida. Si en el sueño los entrelazamos, quiere decir que estamos implicando a la pareja en problemas de los que no es ni mucho menos responsable.

ENTREMESES

Estos alimentos tienen por objeto abrir el apetito; por ello, soñar que comemos entremeses, indica que no hacemos una alimentación equilibrada y completa, que nuestro organismo tiene un gran desgaste y necesita reponer fuerzas.

ENTRENADOR

Los entrenadores deportivos simbolizan las personas que, en nuestro entorno, nos alientan a desarrollar nuestras capacidades. Por lo general se trata de amigos que nos quieren bien y que no comprenden cómo podemos desperdiciar nuestro talento. El hecho de verlos en sueños debe constituir una motivación para que nos especialicemos en aquello que mejor se nos da.

ENTRETEJER

Véase TEJER.

ENTRETENER

Si en sueños entretenemos a una persona es señal de que, en la vida real, intentamos disimular una situación que nos resulta desfavorable.

ENTUMECIMIENTO

Sentir entumecimiento en alguna parte del sueño indica el afán por controlar los sentimientos, por dejar de querer a una persona después de haber sufrido una ruptura amorosa.

ENTURBIAR

Si removemos el agua de un charco, una fuente o cualquier otro recipiente a fin de enturbiarla, quiere decir que somos expertos en el arte de engañar a los demás. Esto nos traerá malas consecuencias.

ENTUSIASMO

Los sueños en los que nos sentimos entusiasmados, nos invitan a mirar la vida desde un ángulo más positivo, nos quieren decir que nuestra negatividad nos está cerrando puertas.

ENVASAR

El envasado de conservas, licores o cualquier otro alimento señala que tenemos un gran sentido de la economía y augura que nunca nos faltará lo imprescindible para vivir.

ENVEJECER

Si en un sueño nos vemos ancianos, quiere decir que sentimos una sana curiosidad por la vejez, que sabemos ver en ella la ventaja de haber adquirido una gran experiencia y sabiduría.

ENVENENAR

Véase VENENO.

ENVIDIA

La envidia que sentimos en un sueño da cuenta de la que experimentamos en la realidad sin que lo percibamos.
Si somos envidiados, quiere decir que hemos percibido este sentimiento en una persona de nuestro entorno.

ENVÍO

Las cosas que enviamos en sueños simbolizan lo que queremos decir a otros pero no nos atrevemos. Lo más probable es que utilicemos a otra persona para hacerle llegar nuestras opiniones.

ENVIUDAR

Para una persona casada, estos sueños indican que está decepcionada con su pareja. Para una soltera, la desconfianza hacia el sexo opuesto.

ENVOLVER

El hecho de envolver un objeto en sueños indica que tomamos distancia con un aspecto de nuestra vida. Es importante buscar el significado del objeto que se envuelve, ya que nos dará la clave de lo que queremos enterrar en lo profundo de nuestra mente.

EPIDEMIA

Si en sueños presenciamos una epidemia quiere decir que estamos preocupados por el estado de la sociedad en general, que nos preocupa el destino de la humanidad de forma íntima.

EPÍGRAFE

El sentido simbólico de las palabras que contengan estas frases indicará cuál es el problema más urgente que debemos resolver.

EPILEPSIA

Véase CONVULSIÓN.

EPISODIO

Si en el sueño estamos ansiosos por ver u oír el episodio de una obra, indica que tenemos un gran desconcierto con respecto a nuestro futuro pero, también, que debemos tener confianza.

EPITAFIO

Los epitafios, en general, representan a las personas con las que, en el pasado, hemos mantenido una estrecha amistad.
En estos sueños es esencial tener en cuenta el sentimiento que nos despiertan las imágenes: si nos provocan angustia o tristeza es señal de que en el presente no conseguimos conectar con personas que nos resulten afines, razón por la cual nos sentimos muy solos.
También es necesario tener en cuenta el significado del texto que componga el epitafio.

EQUILIBRISTA

Los funámbulos y equilibristas indican que estamos dando pasos muy arriesgados en el trabajo. Son una advertencia para que obremos con más cautela.

EQUIPAJE

Véase EMPACAR.

EQUIPO

Si en el sueño participamos en un equipo deportivo o de trabajo es señal de que próximamente recibiremos la oferta de llevar a cabo un proyecto muy interesante en el que participarán varias personas.

EQUITACIÓN

Véase CABALGAR.

EQUIVOCARSE

Las equivocaciones, en los sueños, simbolizan las dudas.
Es importante analizar el tipo de equivocación que cometemos; por ejemplo, si tomamos un camino errado que no nos lleva al lugar donde queremos ir, es posible que ese sitio al que no llegamos contenga elementos que nos produzcan rechazo.

ERA

Como todo lo que se relaciona con el grano, si está llena indica prosperidad, en tanto que si está vacía, augura problemas económicos.

ERECCIÓN

Soñar con que se tiene o se presencia una erección puede indicar en un hombre que ésta es real y, en una mujer, un intenso deseo sexual.

ERIZO

Este animal simboliza a una persona que se muestra muy arisca y agresiva, pero que tiene un buen corazón. Lo más probable es que se sienta muy vulnerable y actúe de ese modo para no verse tan expuesta.

ERMITAÑO

Los ermitaños simbolizan el abandono de todo lo terrenal.
Esta actitud, propia o ajena, revela que no se quiere reconocer un desengaño.

ERROR

Los errores cometidos en sueños, por nosotros o por otras personas, revelan lo que realmente, en el fondo, queremos hacer pero no podemos.
Es necesario estudiar el simbolismo de la acción errada, así como la de la que queríamos realizar para comprender nuestros deseos más profundos.

ERUPCIÓN

Véase VOLCÁN.

ESCAFANDRA

Los personajes que aparecen en sueños vistiendo una escafandra simbolizan a personas conocidas que quieren ocultar sus intenciones o su personalidad.

ESCALAR

Véase ALPINISMO, CIMA.

ESCALERA

Los sueños en los que aparecen escaleras son muy frecuentes. Simbolizan las aspiraciones y los temores que albergamos en el momento de soñar.
Si subimos por ella, es señal de que queremos ocupar un lugar más alto en la escala social y que estamos luchando por ello.
Si bajamos, indica que tememos haber cometido errores que determinen una pérdida de reputación.
Si contemplamos la escalera desde fuera quiere decir que eludimos toda situación que implique competir.

ESCALOFRÍO

Los escalofríos o el castañeteo de dientes, en sueños, simbolizan el desamparo.
Seguramente pasamos por un período en el cual necesitaríamos todo el apoyo de

nuestra pareja o familia y, sin embargo, sentimos que éstos no parecen darse cuenta de nuestra situación.

Escamas

Si en el sueño nos vemos cubiertos de escamas quiere decir que corremos el peligro de cometer errores graves si en este momento nos dejamos arrastrar por las emociones.

Escamotear

Los objetos que escamoteamos en sueños indican que tenemos asuntos espinosos que queremos ocultar de la vista de los demás.

Escándalo

Si en sueños nos vemos envueltos en un escándalo que amenaza nuestro buen nombre debemos mantener los ojos abiertos; posiblemente hayamos intuido que alguien nos está difamando.

Escaño

Véase CONGRESO.

Escapar

En las pesadillas, a menudo tenemos que escapar de monstruos o enemigos. El hacerlo indica que nos vemos agobiados por culpas que, en realidad, no nos corresponden.

Escaparate

El escaparate simboliza todas aquellas actitudes que hacemos por compromiso, por exigencia social.
Si soñamos que estamos mirando un escaparate es señal de que estamos muy pendientes de hacer las cosas tal y como se espera de nosotros, para quedar bien, restando naturalidad y magnetismo.

Escapulario

Los escapularios son elementos básicamente protectores mediante los cuales nos encomendamos a una virgen o a un santo.
Si los usamos en sueños quiere decir que estamos a punto de dar un paso arriesgado y tememos fracasar.
El santo o la virgen a quien esté dedicado el escapulario puede añadir detalles acerca de lo que vamos a hacer.

Escarabajo

Este coleóptero era considerado sagrado por los egipcios, quienes hacían amuletos de suerte y protección con su forma. Simboliza la regeneración, la resurrección. Soñar con él es un excelente augurio, sobre todo cuando se ha recibido un fuerte golpe del destino, porque anuncia el resurgimiento y el éxito.

Escaramujo

La presencia de esta planta en sueños, o del té que se prepara con ella, indica que nos sentimos deprimidos por algo que ha hecho nuestra pareja.

Escarcha

La escarcha simboliza las primeras dudas relacionadas con el fin del amor. Si la vemos en sueños quiere decir que, poco a poco, nos estamos desenamorando de nuestra pareja.

Escarola

Véase ALIMENTOS, VERDURA.

Escatimar

Los sueños en los que nos vemos escatimando algo que se nos pide indican que nos cuesta mucho negar favores, aun cuando sepamos que quien nos los pide, en realidad no los necesita.

Escenario

Los escenarios simbolizan el ámbito en el que se desarrolla nuestra vida.
Los que en sueños aparecen con el telón caído, hablan de nuestra tendencia a la

introversión. Si el telón está levantado, hay que prestar mucha atención al decorado, ya que los elementos que los compongan serán los que simbolicen los acontecimientos y clima general de nuestra vida.
Los personajes, así como las acciones que éstos realicen, simbolizarán la gente que nos rodea.

Esclavitud

Si en un sueño nos vemos como esclavos quiere decir que tenemos un dominio muy pobre sobre nuestras emociones.
Si este papel lo encarna otro personaje y nosotros somos amos, debemos interpretar que somos muy poco considerados con los demás.

Escoba

Los sueños en los que barremos con una escoba significan que estamos tratando de sacarnos de encima las conductas y formas de ver la vida que nos acarrean problemas. Este trabajo personal, sin duda, nos abrirá las puertas a una etapa de paz interior.

Escolar

Véase ALUMNO.

Escoldo

Las brasas resguardadas por ceniza simbolizan los amores que han dejado huella en nuestra alma. Su presencia en el sueño indica un próximo reencuentro.

Escollos

Los escollos que tenemos que superar en sueños a fin de lograr nuestros objetivos simbolizan los problemas que están retrasando un reconocimiento por parte de la empresa en la que trabajamos.

Escolopendra

Véase CIEMPIÉS.

Escoltar

Si nos vemos escoltando a un personaje importante, quiere decir que tendemos a comportarnos de forma servil con los que tienen puestos de poder.

Escombros

Los escombros simbolizan el resultado de una disputa familiar: personas deprimidas, otras contentas por haberse salido con la suya; el clima general de disgusto.
Si tropezamos con ellos es señal de que el tema nos ha afectado mucho y deberemos trabajar para restaurar la paz.

Esconderse

En los sueños se viven situaciones de peligro que, en ocasiones, hacen que un personaje tenga que esconderse. Este hecho indica que en la vida real nos sentimos avergonzados y temerosos por las consecuencias de algunos de nuestros actos.

Escopeta

Véase ARMAS.

Escorpión

Los escorpiones simbolizan las situaciones difíciles en las que hay que pelear hasta el último momento sin desfallecer, sin perder el optimismo ni las esperanzas.
El hecho de verlos en sueños augura que si nos esforzamos lo suficiente conseguiremos lo que tanto ansiamos.

Véase ZODÍACO.

Escote

Si una mujer se ve en sueños con un escote exagerado es señal de que no le gusta la foma o el tamaño de sus pechos.

Escribanía

Estos muebles simbolizan los trámites oficiales que tenemos pendientes. Indican que debemos realizarlos cuanto antes.

Escribir

El hecho de escribir en sueños habla de nuestra necesidad de comunicación, así como de un sentimiento de soledad o de abandono.
Para analizar este tipo de imágenes es necesario buscar el simbolismo de las palabras que estemos escribiendo.

Escrutinio

El recuento de votos de una elección indica que estamos muy pendientes de la impresión que causamos en los demás.
Si somos una de las personas que ha sido votada, el resultado del recuento dará cuenta de lo aceptados que nos sentimos.

Véase CANDIDATURA.

Escuadra

Véase CARTABÓN.

Escuadrón

La presencia de unidades militares de caballería en un sueño indican que ansiamos vivir un apasionado romance, pero aún no ha aparecido la persona indicada.

Escuchar

El hecho de escuchar tras las puertas o desde un lugar escondido indica que solemos ver enemigos donde no los hay.

Escudo

A menos que sea un escudo de familia, en cuyo caso indica la necesidad de reparar las rencillas familiares, los escudos indican la preparación para un enfrentamiento.

Escuela

Vernos en sueños como alumnos en una escuela indica la necesidad de recordar enseñanzas elementales. Éstas, no sólo son de tipo académico, sino también de índole moral. Es posible que muchos de los problemas que se nos presentan tengan su origen en un comportamiento infantil por nuestra parte.

Véase ALUMNO.

Escultura

Véase EFIGIE.

Escupir

El hecho de escupir en sueños señala que queremos sacarnos de encima algo que nos provoca un profundo rechazo, pero que queremos hacerlo de la manera más suave posible. Puede tratarse de una o varias personas, un objeto o una tarea a realizar.

Esencias

Las esencias aromáticas indican nuestra predisposición para establecer una nueva relación amorosa.

Esfera

La esfera ha sido considerada tradicionalmente símbolo de perfección. Los sueños donde aparece este cuerpo geométrico indican que hemos alcanzado la maestría en un oficio y que es el momento de investigar y poner en práctica otros talentos.

Esfinge

Es símbolo de fuerza y poder. Su significado en sueños depende de la sensación que experimentemos.
Si nos sentimos ansiosos, indica temor al castigo o a las represalias. Si nos encontramos tranquilos o contentos, representa la victoria sobre nuestros enemigos o competidores.

Esfuerzo

Los esfuerzos que realizamos en sueños nos recuerdan que debemos tener una actitud más activa en la vida real. Si no queremos retroceder, tenemos que aprender a motivarnos.

Eslabón

Véase CADENA.

Esmalte

Tradicionalmente, los objetos esmaltados indican la fragilidad de las relaciones afectivas. En un sueño significan que no debemos fiarnos de un amigo que se muestra obsequioso y solícito.

Esmeralda

En alquimia, esta piedra es símbolo de la justicia. Soñar con ella es un buen augurio, sobre todo cuando se tienen litigios pendientes. Su pérdida debe interpretarse como la escasa fe que se tiene en la administración de la justicia.

Esmoquin

Los personajes que, en sueños, visten de esmoquin, representan a individuos de nuestro entorno que quieren aparentar una posición social que no tienen.

Esnobismo

Si en sueños intentamos imitar las maneras de personas a las que consideramos más distinguidas quiere decir que, en el fondo, sentimos que la humildad y la sencillez no nos sirve para conseguir lo que queremos.

Esoterismo

Cuando los temas esotéricos irrumpen en un sueño, debemos entender que tenemos una fina sensibilidad y que es recomendable encauzarla o desarrollarla.

Espacio

Si nos vemos en medio del espacio quiere decir que nos cuesta mucho conectar con la realidad, adquirir un sentido práctico. Lo nuestro son las ensoñaciones y la fantasía.

Espada

Véase ARMAS.

Espadaña

Esta planta simboliza los ataques de celos. Su presencia en sueños indica que somos de naturaleza desconfiada, que estamos constantemente temiendo una infidelidad por parte de nuestra pareja.

Espalda

Las heridas, golpes o dolores en la espalda simbolizan el agotamiento; indican que estamos llevando una carga demasiado grande para nuestas fuerzas.

Espantapájaros

Si vemos un espantapájaros en medio del campo quiere decir que no sabemos controlar las emociones, que cuando nos embargan las hacemos visibles por medio de gritos de ira, lágrimas de pena, etc.

Espantar

El hecho de espantar insectos o animales en sueños indica que nos gusta ser diferentes, que tendemos a escandalizar a quienes nos rodean.

Esparadrapo

El esparadrapo, así como las tiritas y los apósitos, ocultan y protegen las heridas. Simbolizan las actividades que realizamos para distraernos de las preocupaciones, las aficiones que nos permiten hacer una pausa mental a fin de asimilar los problemas.

Soñar con ellos indica que tenemos buenas válvulas de escape para hacer frente a los problemas, que somos mucho más fuertes de lo que pensamos.

Esparcimiento

Los diferentes esparcimientos que tenemos en sueños nos recuerdan que el ocio es tan importante como el trabajo para nuestro equilibrio psíquico.

Espárragos

Véase ALIMENTOS.

Esparto

Los objetos hechos con esparto, ya se trate de calzado, capachos o cestos, simbolizan la flexibilidad mental.
La presencia de este material, sobre todo si lo tenemos en las manos, indica que gozamos de una gran habilidad para comprender y sopesar ideas ajenas.
Cuando se sueña con esparto es necesario también buscar el simbolismo del objeto que con él se haya fabricado.

Espátula

Esta herramienta, que se emplea para mezclar diferentes ingredientes, simboliza el deseo de incluirnos en un grupo que, de momento, nos rechaza.

Especias

Soñar con especias en general, es un buen augurio: indica que pronto recibiremos un regalo por parte de la persona amada.

Espectáculo

En los espectáculos oníricos se simbolizan diferentes aspectos de nuestra vida; por eso es importante encontrar el simbolismo de los elementos que en ellos aparezcan.
Si somos protagonistas quiere decir que tendemos a llamar la atención, que no nos gusta pasar desapercibidos.

Véase ESCENARIO.

Especulación

Los sueños en los que especulamos con dinero simbolizan la audacia.
Si hacemos diferentes transacciones para obtener ganancias, quiere decir que en la vida real nos gusta el riesgo, el peligro.

Espejismo

La aparición de un espejismo en sueños puede indicar que nos estamos dejando llevar por el entusiasmo, que estamos viendo un futuro brillante cuando no hay fundamentos para ello. Por esta razón anuncia decepciones.

Espejo

Los espejos indican cómo nos vemos a nosotros mismos, de manera que si nos reflejamos en él debemos recordar lo mejor posible nuestra imagen a fin de poder analizar los gestos y el estado de ánimo que transmite.
Si el espejo se rompe es señal de que no estamos conformes con nosotros mismos.

Espeleología

Esta afición simboliza la introspección, la reflexión sobre nosotros mismos.
Si practicamos este deporte quiere decir que debemos estar más atentos a nuestro interior y reparar nuestros errores.

Espera

Las esperas simbolizan el tiempo que nos damos para asimilar los sucesos dolorosos.
Si nos encontramos esperando un dinero, por ejemplo, es señal de que, en el fondo, sabemos que éste no va a llegar pero preferimos mantener la esperanza mientras asimilamos que nos han engañado.

Esperanzas

Cuando en un sueño nos vemos muy esperanzados en relación a un acontecimiento, quiere decir que en la vida real nos llevaremos una decepción.

Espeto

El hecho de cocinar alimentos en un espeto indica que ejercemos un control demasiado rígido sobre nuestra pareja.

Espía

El hecho de que veamos a un espía vigilar en sueños indica que tenemos un secreto que no queremos que sea revelado. También señala que alguien sospecha de ello, por lo tanto, nos conviene actuar con cautela.

Espiar

Si observamos desde un lugar escondido lo que hacen los demás da muestras de

nuestro egoísmo y de nuestra tendencia a manipular a las personas del entorno.
La falta de control nos desespera.

Espiga

Si soñamos con espigas debemos determinar si son de cebada, trigo o avena y luego buscar el simbolismo de estos vegetales.

Véase AVENA, CEBADA, TRIGO.

Espinacas

Véase ALIMENTOS, VERDURA.

Espinas

El hecho de clavarnos una espina indica que sospechamos que nuestra pareja nos está siendo infiel.
Si sangramos, es señal de que, en efecto, estamos siendo engañados.

Véase PESCAR.

Espingarda

Véase ARMAS.

Espino blanco

Este árbol, también llamado espino albar, ha sido considerado sagrado por los celtas, quienes encendían con él ramas cuyas cenizas eran esparcidas por los campos para garantizar la fertilidad.
Su presencia en un sueño augura un aumento de sueldo o la llegada de un dinero inesperado.

Espiral

Símbolo de expansión y concentración, de avance y retroceso. Indica que debemos hacer un avance cauteloso.
Si la espiral está dibujada en una prenda que tengamos puesta, simbolizará el egocentrismo; indicará que tendemos a convertirnos en el centro de todas las reuniones, que nos gusta llamar la atención y que nos cuesta mucho percibir las necesidades ajenas.

Véase CARACOL.

Espiritismo

La participación en una sesión espiritista simboliza la nostalgia por alguien a quien no vemos. Esa persona puede estar viva o haber fallecido.

Espíritu Santo

Los sueños en los que aparece la tercera persona de la Santísima Trinidad son claramente espirituales. Indican que hemos encontrado el camino de la fe y la bienaventuranza.

Espliego

Si en el sueño nos vemos plantando esta planta aromática quiere decir que tendremos excelentes ingresos en un negocio que estamos a punto de iniciar.

Esponja

Las esponjas tienen la cualidad de embeberse de líquido. Simbolizan la capacidad de mimetizarse con el sentimiento predominante en el entorno.
Si las vemos en sueños es señal de que tendemos a contagiarnos rápidamente de lo que sienten las personas que están a nuestro alrededor.

Esposas

Si en un sueño nos vemos con las esposas puestas, quiere decir que estamos sufriendo una situación difícil, en la que otra persona depende excesivamente de nosotros.
Si se las ponemos a nuestra pareja, es índice de celos.

Espuelas

Las espuelas simbolizan la impaciencia.
Si las vemos en sueños indican que estamos actuando atropelladamente y que eso nos traerá problemas.

Espuma

La espuma simboliza la vanidad, el hacer ostentación de los bienes o cualidades. Según sea el líquido que la forme, tendrá diferentes interpretaciones. Si es del mar, señala que nos sentimos mucho más buenos que los demás. Si la produce un producto cosmético, indica que tendemos a sentirnos sumamente atractivos y seductores y si surge de la comida (claras batidas a punto de nieve, por ejemplo) es señal de que nos gusta presumir de nuestra posición social.

Esquela

Si vemos una esquela mortuoria en el periódico es señal de que la persona que aparentemente ha fallecido va a vivir muchos años.

Esqueleto

Los esqueletos simbolizan los principios morales que nos hacen actuar de una u otra manera.

Si nos produce rechazo, es señal de que no estamos conformes con ellos, que los adoptamos por comodidad, porque así nos lo han enseñado.

Esquema

Los esquemas que vemos en sueños son importantes, conviene recordarlos porque en ellos se ve trazada nuestra situación actual y las personas o eventos relacionados con ellas. Indican la necesidad de comprender por qué nos va mal.

Esquí

El hecho de deslizarse ladera abajo, puede indicar una pérdida de la posición económica; sobre todo si el sueño es angustioso.

Véase PATINAR.

Esquivar

Si en sueños nos vemos obligados a esquivar un vehículo o un bulto grande que amenace con atropellarnos es señal de que, en la vida real, tememos que una persona que no nos atrae nos proponga una relación de pareja.

Establo

La aparición de un establo en los sueños indica que estamos demasiado inmersos en la vida urbana, que hemos perdido completamente el contacto con la naturaleza y que, por razones de salud física y mental, nos vendría bien un viaje al campo.

Estaca

Una vez enterradas, sirven de fijación para diferentes elementos.

El hecho de clavar estacas indica que constantemente estamos recordando a los demás nuestra relación de pareja, sobre todo para que sepan que la persona amada no está libre.

Estación

Las estaciones son puntos de transición entre el lugar de partida y el de destino. Si nos encontramos en ellas es señal de que se operará un profundo cambio en nuestra vida.

Si hay personas conocidas, quiere decir que ese cambio afectará también a nuestros allegados y que será positivo.

Estadio

Los sueños en los cuales aparece un estadio indican que estamos ansiosos por realizar tareas excepcionales, que nos vemos agobiados por la rutina.

Estadística

Véase ENCUESTA.

Estafa

Si en sueños sufrimos una estafa quiere decir que, en la vida real, tendemos a aprovecharnos de los demás, que siempre queremos jugar con ventajas.

Estafeta

Las estafetas de correos simbolizan la comunicación a distancia. Indican la posibilidad de establecer una relación de pareja con alguien que se encuentra en otra ciudad.

Estalactitas/estalagmitas

Las cuevas que tienen estas formaciones calcáreas indican que tenemos una vida interior sumamente rica.

Estallido

Véase EXPLOSIÓN.

Estandarte

Cuando soñamos con estandartes, lo importante es ver a qué institución pertenece. Luego, debemos buscar el símbolo más apropiado para ésta y comprender que nos sentimos unidos a su significado como ideal de vida.

Estanque

Los estanques nos proporcionan información sobre nuestras emociones. Si sus aguas están limpias, quiere decir que nos sentimos afectivamente cubiertos y felices. Si están turbias, quiere decir que albergamos sentimientos negativos.

Véase AGUA.

Estantería

El contenido de los objetos que aparezcan en la estantería, darán cuenta de lo que nos importa en la vida.

Los libros indican amor por el estudio y tendencia a la intelectualidad. Los objetos de arte, inclinaciones estéticas. La vajilla, en cambio, simboliza el amor por la familia.

Es conveniente mirar el significado simbólico de todo lo que se vea en la estantería.

Si está vacía indica que estamos abiertos a todo tipo de sorpresas.

Estatua

Véase EFIGIE.

Estela

Las estelas que dejan las embarcaciones en el agua simbolizan el recuerdo de relaciones pasadas. Verlas indica que añoramos a la persona que ha sido nuestra pareja.

Si las estelas son dejadas en el cielo por aviones, en cambio, simbolizan la necesidad de ponernos en contacto con un amigo al que no hemos visto últimamente.

Estera

Las esteras simbolizan la humildad pero, si dormimos en ellas, señalan que pasaremos por un período de penurias económicas.

Esterilizar

El hecho de esterilizar cualquier elemento en sueños indica la necesidad de purificación interior. Estos sueños aparecen cuando nos sentimos agobiados por emociones negativas como la ira, el miedo o el recuerdo de traumas infantiles.

Véase AUTOCLAVE.

Estiércol

Aunque los excrementos animales producen rechazo, son símbolos de buen augurio. Como se usan para abonar el campo simbolizan prosperidad y crecimiento económico.

Estilete

Véase ARMAS.

Estómago

Los sueños en los que percibimos el estómago son frecuentes, ya que este órgano puede producir molestias mientras dormimos, sobre todo después de haber hecho una cena copiosa.

También ocurre por estar íntimamente ligado a las emociones y reaccionar ante el miedo o el enfado.
Las molestias estomacales deben interpretarse como emociones negativas que no podemos manifestar.

Estoque

Véase ARMAS.

Estornudar

Esta acción involuntaria sirve para limpiar las vías respiratorias. Los accesos de estornudos indican que nuestro organismo tiene excelentes mecanismos de autocuración.

Estragón

Si quien sueña con esta planta o especia es una mujer, quiere decir que padece algún trastorno ginecológico. Si es un hombre, que tiene dificultades con su pareja, ya que ésta tiene problemas de síndrome premenstrual.

Estrella

Las estrellas simbolizan la capacidad de crear diversos mundos interiores con ayuda de la imaginación.
Si en un sueño tienen un papel protagonista quiere decir que tendemos a la ensoñación, a vivir en un mundo de fantasía.
Si la utilizamos como guía, es señal de que somos altamente intuitivos.

Estrenar

El hecho de estrenar ropa o enseres nuevos es un excelente augurio, ya que indica un cambio positivo en un futuro próximo.

Estribo

No suele aparecer en los sueños; pero si nos vemos montando sin estribos o los hemos perdido, significa que hacemos poco caso de nuestra razón.

Estropajo

La utilización de un estropajo en sueños indica que necesitamos reparar una falta que hemos cometido, que nos sentimos culpables o que tenemos fuertes inhibiciones sexuales.

Estuche

En los sueños femeninos a menudo anuncian que se va a recibir un regalo de manos de la persona amada.

Estudiar

Si nos vemos estudiando en sueños quiere decir que debemos abocarnos a la solución de un problema, ya que si la seguimos postergando se generarán nuevas dificultades.

Estudios cinematográficos

Si el sueño transcurre en un estudio de cine es señal de que no tomamos las cosas tan seriamente como debiéramos.

Véase ACTOR/ACTRIZ, FILMAR.

Estufa

Simboliza el afecto y los cuidados exentos de cualquier connotación sexual.
Si la estufa está encendida, es señal de que nos sentimos apreciados y valiosos; si está apagada, indica que, en nuestro interior, pensamos que damos más de lo que recibimos.

Esturión

Soñar con este pez indica dificultades con los hijos o con una persona muy joven de la familia.
Si el sueño transcurre plácidamente, quiere decir que, aunque existen esos problemas, pronto se solucionarán.

Etiqueta

Las escenas en las que los personajes visten de etiqueta anuncian cambios positivos en el estatus social como consecuencia de una promoción laboral.

EUCALIPTO

Este árbol es símbolo del amor conyugal, del compañerismo y amistad entre marido y mujer.
Su aparición en los sueños de una persona soltera, augura un matrimonio feliz; en los de una casada, un cambio positivo en la relación.

EUNUCO

En los sueños de un hombre indica temor a la castración; en los de una mujer, actitud exageradamente posesiva hacia su pareja.

EVACUAR

El hecho de ser evacuados de un edificio o ciudad que ha sufrido un desastre o corre el peligro de derrumbarse indica que ya no vemos solución posible a nuestra relación de pareja.

EXAMEN

Los sueños en los que somos examinados revelan inseguridad. En caso de ser nosotros quienes examinamos a otros, indican nuestra arrogancia intelectual.

EXHIBICIONISTA

La aparición de un exhibicionista en sueños da cuenta de nuestra curiosidad sexual. A menudo indica que tenemos fantasías que no nos atrevemos a llevar a la práctica.

EXILIO

Es símbolo de soledad, de incomunicación.
Si el sueño es perturbador, puede indicar problemas graves con los vecinos.

EXORCISMO

Representa la lucha contra el mal e indica que tenemos un pésimo concepto de nosotros mismos, probablemente generado por una persona manipuladora de nuestro entorno que se empeña en hacernos ver lo peor de nosotros mismos y nunca muestra lo bueno.

EXPEDICIÓN

Las expediciones simbolizan el viaje interior de autoconocimiento.
Los elementos que aparezcan en ellas indican el encuentro con facetas de nuestra forma de ser que, hasta el momento, no teníamos conscientes.

EXPLOSIÓN

El oír o presenciar una explosión anticipa el agotamiento de nuestra paciencia frente a una situación de injusticia que venimos sufriendo desde hace tiempo.
Indica que pondremos las cosas claras, que exigiremos lo que nos corresponde y augura que conseguiremos una posición más ventajosa.

EXPLOSIVOS

Las sustancias explosivas simbolizan la necesidad de dar a conocer al mundo todo nuestro potencial, nuestra fuerza creativa.
Es posible que este tipo de sueños surja cuando alguien intenta limitarnos.

EXPOSICIÓN

Las exposiciones de cuadros o fotografías dan cuenta de nuestra tendencia a mirar la realidad desde fuera, a no involucrarnos.

EXPRIMIDOR

El uso de un exprimidor indica que nos gusta llegar al final de las cosas, comprender hasta los más pequeños detalles antes de actuar o decidir.

EXPULSIÓN

Si en sueños somos expulsados de algún lugar, eso indica que no nos sentimos a gusto en el trabajo o en el vecindario, que no logramos integrarnos y compartir las tareas o responsabilidades con los demás.

EXTRANJERO

Simboliza la necesidad de adquirir otras costumbres, de evadirse de la rutina.
Si la actitud del extranjero es amable

quiere decir que conoceremos una persona que introducirá importantes cambios en nuestra vida. Si es agresiva, indica que debemos ser más cautelosos con los desconocidos.

EXTRATERRESTRE

Los extraterrestres reflejan la actitud ante las personas que, por raza, credo o lugar de origen, son diferentes a nosotros. Según se muestre el extraterrestre, así nos comportamos nosotros en su presencia.

EXTRAVIAR

El hecho de extraviar algunos objetos en sueños, tiene su propio significado, pero en líneas generales el perder algo indica que debemos estar preparados para hacer frente a pruebas duras. Eso no debe preocuparnos ni desanimarnos; tenemos capacidad para salir airosos y la situación que vivamos una vez que las hayamos pasado, será infinitamente superior a la que tenemos actualmente.

EXTREMAUNCIÓN

Este sacramento que se administra a los moribundos está destinado al perdón de los pecados y la paz con Dios. Por lo tanto si soñamos con él, a la persona que lo reciba le espera una época de bienestar interior, de armonía y tranquilidad.

EYACULAR

La eyaculación, tanto en un hombre como en una mujer, señala el deseo sexual y aparece casi invariablemente en los sueños eróticos.

F

FA

La cuarta voz de la escala musical simboliza el apoyo que se brinda en la sombra. Es la nota más grave de algunos instrumentos de viento (flauta contralto y tenor, por ejemplo).

Si soñamos con ella, ya sea oyéndola, mencionándola o escuchando un concierto en fa menor o mayor, quiere decir que debemos prestar auxilio a un amigo sin que éste se entere, de momento, que lo estamos haciendo.

Obviamente, si pregunta no es lícito ocultárselo; la cuestión es hacerlo de la manera más discreta posible.

FÁBRICA

Las fábricas se relacionan con nuestro mundo laboral.

Si vemos una fábrica en plena actividad, es señal de que tenemos un trabajo estable o que, de no ser así, en muy poco tiempo lo conseguiremos.

Si está inactiva indica que corremos el peligro de perder el empleo. En este caso lo mejor será investigar las posibilidades de encontrar otro.

FÁBULA

Las fábulas contienen enseñanzas morales; por lo tanto, si leemos u oímos uno de estos relatos en sueños quiere decir que debemos prestar atención a la moraleja porque nos habla de un defecto que tenemos que corregir o de una virtud que nos conviene cultivar.

FACETADO

El término «faceta» se suele emplear para denominar las caras de una piedra tallada. Si vemos un objeto facetado, que presenta múltiples caras, quiere decir que en la realidad nos cuesta trabajo determinar qué es lo importante y qué lo superficial de un asunto, que tendemos a dar una excesiva importancia a los detalles pero nos olvidamos, a menudo, de lo esencial. Esto nos lleva a cometer errores de juicio.

Véase CRISTAL.

FACHADA

Simboliza la imagen que damos a los demás; no sólo en cuanto a apariencia

física, sino también en lo que respecta a ideas y formas de vida.
Si la fachada está en buenas condiciones quiere decir que nos ven como personas de bien, en las que se puede confiar.
En caso de que la fachada esté deteriorada, debemos interpretar que a menudo no caemos bien a los demás.
Si en la fachada se observan pintadas, es importante comprender el significado y simbolismo de las mismas, ya que nos pueden dar claves para mejorar nuestra apariencia.

Facturas

Simbolizan la tendencia a gastar más de lo que podemos.
Recibirlas en sueños puede ser indicio de que, próximamente, nos veremos en la necesidad de hacer ciertos sacrificios a fin de afrontar los gastos cometidos bajo un impulso.

Facultad

Si soñamos con que vamos a la facultad o nos encontramos en ella, debemos tener en cuenta si esto lo hacemos o no en la vida real, ya que para un estudiante, este lugar forma parte de su entorno habitual, pero para otras personas no es así.
En general, estos lugares simbolizan la preparación para hacer frente a los eventos más importantes de nuestra vida y denotan las preocupaciones que nos producen nuestra falta de habilidad en determinados terrenos.
Es importante saber de qué facultad se trata, qué se enseña en ella, porque de este modo tomaremos conciencia de nuestras carencias.
Si estamos (o vemos) en la facultad de Medicina o Farmacia, es señal de que nos preocupa nuestra salud o la de nuestra familia. La de Veterinaria indica que tememos el descontrol de nuestros instintos. La facultad de Ingeniería, sobre todo en la especialización de caminos y puentes, señala las dificultades que tenemos por establecer un contacto sólido con los demás.
Las de Ciencias, en general, muestran nuestra tendencia a analizarlo todo desde un punto de vista racional, dejando los sentimientos y la intuición de lado.
La facultad de Psicología, simboliza la necesidad de conocernos a nosotros mismos.
Si nos encontramos en la facultad de Arquitectura, debemos entender que necesitamos tener nuestra propia casa, nuestro lugar.
Las de Humanidades (Sociología, Historia, Filosofía, Antropología) señalan nuestro idealismo, la preocupación por el ser humano como especie.

Fagot

Véase INSTRUMENTOS MUSICALES.

Faisán

Los faisanes son una de las piezas de caza más apreciadas en la cocina. Simbolizan el esmero en el cuidado de los demás; ya sea a la hora de alimentarles o de prestarles auxilio cuando lo necesiten. Ver estas aves en sueños indica que nos gusta halagar a las personas que queremos, que nos preocupamos por su bienestar.

Faja

Estas prendas se utilizan para estilizar la silueta y disimular los kilos de más, por ello simbolizan lo superfluo.
Si en sueños vemos o nos ponemos una faja quiere decir que tendemos a adquirir cosas que no necesitamos, que el consumo es un hábito que tenemos muy arraigado.

Falda

Las faldas son un elemento típicamente femenino, de ahí que simbolicen las cualidades atribuidas tradicionalmente a las mujeres: sensibilidad, intuición, generosidad, servicio, etc.

Si una mujer se pone una falda en sueños, deberá buscar el significado simbólico de su color, así como de los dibujos que pueda tener, ya que éstos señalarán las cualidades que ella tiene.
Si la falda es inapropiada para la edad indica falta de madurez; si es anticuada, señala que tenemos un carácter conservador.
En caso de que se la ponga un hombre, debe interpretarse que desea cultivar en su interior habilidades tradicionalmente femeninas. Ésto, sin duda, le permitirá una mejor integración personal y una clara evolución como ser humano.

Faldón

Si en un sueño son visibles los faldones de la camisa de un hombre quiere decir que se ha descubierto que éste no es lo que aparenta ser.

Fallar

Los fallos cometidos en sueños indican los temores que tenemos en la vida real con relación a nuestra capacidad de desempeñar diferentes tareas.
Un análisis de la acción permitirá determinar en qué terrenos nos sentimos más inseguros.

Falo

El órgano sexual masculino, tanto en los sueños de un hombre como en los de una mujer, simboliza el deseo sexual.
Las sensaciones que tengamos ante él darán cuenta de nuestras posibles represiones.

Falsificar

El hecho de hacer en sueños una falisificación, sea de dinero, de un cuadro o de un documento, indica nuestra predisposición al autoengaño.
Descubrir la falsificación, en cambio, significa tener una clara conciencia de la realidad y rechazar todo tipo de mentiras que la hicieran menos dolorosa.

Fama

Los personajes famosos simbolizan las cualidades que vemos en ellos y que tenemos aún sin desarrollar.
Si en un sueño somos famosos quiere decir que estamos necesitados de reconocimiento, que nos aceptamos a nosotros mismos pero nos resulta injusto que los demás no vean nuestros valores.

Véase AUTÓGRAFO.

Familia

Los sueños en los cuales aparece la familia deben ser estudiados detenidamente, ya que los elementos que contienen muestran el estado de las relaciones entre sus miembros.
Lo más práctico es buscar en el diccionario el simbolismo de cada objeto que aparezca en el sueño; sobre todo de aquellos que tengan en él un papel protagonista.
También deberán recordarse los sentimientos que nos han suscitado las imágenes y el talante de las personas que en ellas aparezcan.
Si se muestran agresivas, aun cuando la agresión no esté dirigida a nosotros, es señal de que estamos descuidando nuestro papel de hijos, padres o hermanos.

Fanatismo

Los personajes que actúan desde el fanatismo simbolizan nuestra propia intransigencia.
Cuando los vemos en sueños indican que nos cuesta mucho comprender los puntos de vista ajenos, que somos intolerantes y competitivos, defectos que nos traerán a la larga muchos problemas.

Fanfarronear

Los sueños en los cuales fanfarroneamos son compensatorios, nos sirven para sentirnos bien con las cualidades que, en la vida real, no nos atrevemos a reconocernos.

En caso de que fuera otra la persona que fanfarroneara cabría decir que, aunque finjamos humildad, somos muy orgullosos.

FANGO

Es un barro glutinoso que se forma, habitualmente, con la mezcla de tierra y agua estancada. Suele contener todo tipo de gérmenes.
Si estamos metidos en él quiere decir que hemos llevado nuestra vida por mal camino, pero que estamos dispuestos a enmendarnos.
La proximidad a un lugar fangoso indica que nos sentidos tentados a cometer actos que pudieran ser perjudiciales para nuestra salud física o psíquica.
Las manchas de fango indican que nuestra reputación ha sufrido algún deterioro.

FANTASMA

Los fantasmas que en los sueños se nos aparecen con la forma tradicional (es decir, como cubiertos por una sábana blanca), son augurios de felicidad y armonía.
Si en el fantasma reconocemos a algún antepasado fallecido quiere decir que debemos prepararnos para un contratiempo, que cuanto más tengamos al día nuestros asuntos, menos importante será. En caso de que el fantasma estuviera vestido de negro, lo más probable es que un amigo nos traicione.

FAQUIR

Simboliza la disciplina y el esfuerzo, la renuncia a los caminos fáciles y el empeño en dar todos los pasos necesarios para conseguir los objetivos.
Ver a uno de estos personajes en el sueño es un buen augurio, ya que indican que muy pronto veremos la recompensa a nuestra dedicación y buen hacer.

FARAÓN

Los sueños en los cuales aparece un faraón señalan nuestro amor por el lujo y la magnificencia.

FARDO

Los fardos, sobre todo si los llevamos a cuestas, son los hechos traumáticos del pasado que han dejado en nuestra mente una huella imborrable.
Si el fardo es pequeño, quiere decir que hasta ahora nuestra vida ha transcurrido con normalidad, sin grandes disgustos. Si es voluminoso, en cambio, es señal de que el pasado ha sido mucho más difícil que el presente.

FARINGITIS

Esta dolencia suele ocasionar ronquera o dificultad para hablar; por ello se relaciona con una pobre comunicación con el entorno.
Si es otra la persona que padece esta dolencia, quiere decir que nos encontramos frente a personas hipócritas, que no acostumbran a hablar con claridad.

FARMACIA

Estas tiendas simbolizan el miedo a la enfermedad propia o a la de cualquier persona de la familia.
Si estamos en su interior, es señal de que tendemos a ser hipocondríacos.
También pueden indicar la peligrosa costumbre de automedicarse.

FARO

Los faros sirven de guía a los barcos que están en altamar; por ello simbolizan las personas que, con sus consejos, nos enseñan a manejar sabiamente nuestras relaciones afectivas.
Si nos encontramos en el interior de una de estas construcciones quiere decir que tenemos una gran capacidad para hacer comprender a los demás los errores que cometen en sus relaciones amorosas.

Véase VEHÍCULO.

FAROL

Se relacionan con la claridad a la hora de plantearse los problemas. Según en qué

lugar estén situados, esta claridad se pondrá de manifiesto más efectivamente en unas ocasiones que en otras.
Si el farol está situado en la fachada de una casa, es señal de que tenemos una habilidad especial para resolver los problemas familiares.
Si está en una calle, habla de nuestra capacidad para movernos en sociedad, para establecer contacto con personas interesantes y realizar buenos tratos con ellas.
En caso de que el farol estuviera en un parque, deberíamos interpretar que tenemos una gran habilidad para resolver cuestiones de índole práctica o material.

Farolillo

Esta planta simboliza la gratitud.
Si la vemos en sueños es señal de que recibiremos el regalo de una persona a quien hemos hecho un gran favor.

Fascículo

Los fascículos indican que tendemos a abarcar muchos temas, pero a no profundizar en ninguno, que nos interesa tener sólo una cultura superficial para poder hacer creer a los demás que tenemos una gran cultura.

Fastidiar

Si en el sueño nos entretenemos en fastidiar a otra persona, sea con bromas o con pullas, quiere decir que en el fondo nos sentimos ofendidos por algo que ha hecho, pero que no nos atrevemos a decírselo a la cara.

Fatiga

Si en un sueño experimentamos una fatiga excesiva que nos impulsa al jadeo, quiere decir que nos sentimos agobiados por una relación amorosa que quisiéramos cortar.
Si es otra la persona que se ve afectada por una respiración difícil, eso significa que nos irrita su tendencia a la queja, su victimismo.

Fauces

Las fauces de un depredador en primer plano simbolizan la excesiva voracidad afectiva.
La visión de la boca abierta de un animal feroz indica que nuestra pareja es demasiado posesiva, que no nos deja espacio para ser nosotros mismos.
Si el animal ataca, es señal de que tenemos pocas posibilidades de resolver este problema, ya que si planteamos un distanciamiento o una ruptura, nos manipulará de manera que la culpa nos ocasione un profundo desasosiego.

Fauno

Este semidiós de los campos y selvas simboliza la lascivia.
Su aparición en sueños señala que nos sentimos sexualmente acosados por una persona de nuestro entorno.

Favoritismo

Si en sueños nos vemos beneficiados por el favoritismo de un superior quiere decir que nuestros padres nos han dado todas las herramientas necesarias para abrirnos paso en nuestra vida.
Si es otra la persona que se beneficia de ello, indicará que nos sentimos celosos de los cuidados y afectos prodigados a un hermano.

Fax

Los faxes simbolizan trámites oficiales pendientes.
Recibir o enviar un fax en sueños nos recuerda que tenemos que realizar ciertas diligencias impuestas por las autoridades de la ciudad o del país (renovación del carnet de conducir, del DNI, etc.)

Fecha

Si en sueños se nos aparece una fecha que apunta al futuro, debemos tenerla muy en cuenta; seguramente alrededor del día que se señale en el sueño se producirá algún acontecimiento digno de mención, cuya naturaleza podrá anticiparse por el resto de los elementos que aparezcan en el sueño.

Felicidad

Simboliza el bienestar interior, la ausencia de sentimientos de culpa y la satisfacción por nuestro desempeño en la vida.
Teniendo estos pilares bien asentados, tal y como se demuestra en estos sueños, es fácil deducir que nos espera un futuro venturoso, que podremos hacer frente a los problemas que se nos presenten.
En ocasiones, la felicidad se puede vivir en los sueños a modo de compensación, sobre todo si en la realidad estamos haciendo enormes esfuerzos para salir adelante.

Felicitar

El hecho de felicitar en sueños a otra persona por algún trabajo que haya podido realizar simboliza nuestra generosidad y solidaridad.
Si somos nosotros quienes, por el contrario, recibimos las felicitaciones quiere decir que no tenemos demasiada confianza en nosotros mismos, que necesitamos que, desde fuera, nos confirmen que somos valiosos.

Feligrés

Los feligreses de una iglesia representan la comunidad en la que vivimos, sea religiosa o laica.
Las sensaciones que experimentemos en el sueño indicarán en qué medida nos sentimos integrados con el entorno, así como el grado de aceptación de nuestra posición en la escala social.

Felinos

Estos carnívoros simbolizan en general la gracilidad unida a la astucia, aunque cada uno de ellos tiene, además, atributos que le son propios.
El león indica la renuencia a abandonar la ciudad en la que se ha nacido; por lo tanto, si vemos uno de estos animales en un sueño es posible que, por asuntos de trabajo o familia nos veamos obligados a efectuar un viaje.
Como rey de los animales, se lo considera también un símbolo de fuerza y un principio masculino. Es, según Jung, indicio de pasiones latentes y puede representar el miedo a ser devorado por el inconsciente.
Si el león de los sueños pertenece a un circo y está domado, y el que sueña es un hombre, es señal de que no se siente con fuerzas suficientes para hacerse valer. Si es una mujer, indica que acepta momentáneamente un papel de sumisión con el objetivo de rebelarse en el momento más oportuno.
El tigre, para los chinos, simboliza la fuerza física, la energía propia de los primeros momentos de entusiasmo que no tiene en cuenta otros elementos importantes de cualquier aprendizaje.
Las panteras representan la elegancia y simbolizan a las personas que se saben agraciadas y usan este atributo como un elemento más a la hora de competir.
Los gatos han tenido diversos significados según el lugar y la época. Para los egipcios, eran animales sagrados, capaces de servir de puente entre los dioses y los hombres. Pero en el siglo XII, en cambio, la iglesia los persiguió por considerarlos aliados del diablo y de las brujas.
La mala fama de este animal cambió hacia el siglo XVII cuando se comprobó que era el medio más eficaz para combatir las plagas de ratas.
En los sueños, los gatos tienen también este significado ambiguo: si se muestran dóciles o juguetones, indican vitalidad; si se muestran agresivos o huraños, dan cuenta de un carácter obsesivo que nos lleva a perdernos muy buenas oportunidades.
El tigre, en cambio, se considera relacionado con la sabiduría; por lo tanto, si vemos uno en sueños es señal de que

usamos nuestra astucia para adquirir y ordenar conocimientos y experiencias.
Se dice que el jaguar es uno de los pocos animales que ataca aunque no tenga hambre, por ello simboliza la agresión gratuita, la astucia puesta al servicio de la maldad.
El puma, en cambio, es un animal solitario, por ello simboliza la tendencia a rechazar todo tipo de ayuda.
Los linces son símbolo de astucia. Indican la celeridad con que se aceptan las buenas oportunidades.

Felpa

Simboliza la ternura, los cuidados que se brindan a las personas queridas.
Si el objeto de felpa está en nuestro poder, quiere decir que somos personas muy cariñosas, que no nos sentimos intimidadas a la hora de expresar nuestras emociones.
En caso de que dicho objeto lo tenga otra persona, será señal de que nos sentimos apreciados por la familia y los amigos.

Feminismo

Las situaciones que, en sueños, impliquen feminismo (manifestaciones, escritos, conversaciones, reconvenciones, etc.), si el durmiente es un hombre, simbolizan la preocupación acerca del papel que de él se espera. En caso de que la persona que experimente el sueño sea una mujer, es señal de que tiene mucho miedo a ver su libertad limitada, quizá por culpa de su pareja.

Fénix

Esta ave mitológica tenía la facultad de renacer de sus cenizas. Por ello simboliza el resurgimiento personal tras una etapa en la cual la propia imagen se ha visto dañada.

Féretro

Véase ATAÚD.

Feria

Cuando se sueña con ferias, lo importante es buscar el simbolismo del tipo de productos que promueven. En general simbolizan aquellos elementos con los que esperamos despertar interés en los demás. Como ejemplo, cabe decir que si la feria es de viajes, intentamos captar la atención ajena mostrando un espíritu abierto, dispuesto a aceptar todo tipo de costumbres.

Fermentar

La acción de fermentar un producto o el fermento como elemento catalizador simbolizan un cambio importante en nuestra vida.
Si el proceso de fermentación da como resultado un producto que se puede comer o beber (queso, yogur, bebida alcohólica) quiere decir que el cambio es positivo. Si da como resultado un producto tóxico, por el contrario, es señal de que ese cambio será, al menos temporalmente, perjudicial para nuestros intereses.

Ferocidad

El encuentro con un animal feroz simboliza la toma de contacto con nuestras emociones más violentas.
Si sufrimos un ataque por su parte quiere decir que, al no poder tener un control sereno sobre estos sentimientos, a menudo terminan por hacernos daño a nosotros mismos; por ejemplo, en forma de enfermedades.

Ferretería

Los sueños que transcurren en las ferreterías simbolizan la necesidad de reparar una acción injusta que hemos cometido.

Véase HERRAMIENTA.

Ferrocarril

Las estaciones de ferrocarril tienen dos símbolos posibles, según el sentimiento que nos acompañe durante el sueño. Si es placentero, tranquilo o alegre, señalan próximos reencuentros. Si son de tristeza, temor o angustia, indican que próximamente tendremos que tomar distancia temporalmente con una persona muy querida.

Véase ANDÉN.

FERTILIZANTE

Los fertilizantes señalan nuestra tendencia a pedir ayuda ante la primera dificultad, la incapacidad para esforzarnos y lograr por nosotros mismos aquello a lo que aspiramos.

FERVOR

Si rezamos fervorosamente durante el sueño o vemos a otra persona hacerlo, quiere decir que nos sentimos desconcertados ante los acontecimientos del presente, que nos vemos incapaces de resolver los problemas que se nos presentan.

Véase ORAR.

FESTEJAR

Los sueños en los que se festeja algún acontecimiento auguran éxitos en la vida real.
Para saber en qué ámbito se producirán es necesario busca el simbolismo más aproximado de aquello que se celebra.

FESTIVAL

Los festivales son acontecimientos artísticos en los cuales tienen un importante papel la música o la danza.
La asistencia a uno de estos eventos como espectador simboliza el reconocimiento de las cualidades artísticas de una persona de nuestro entorno.
Si somos nosotros quienes actuamos quiere decir que tenemos inclinaciones artísticas que no hemos desarrollado por temor al ridículo o por miedo a fracasar.

FESTÓN

Simboliza la forma racional y civilizada de terminar una relación.
Si el festón de alguna prenda cobra especial importancia en el sueño, es señal de que estamos buscando la manera de poner punto final a un romance, que nos tomamos el tiempo necesario para encontrar la forma de hacerlo con el menor daño posible.

FETAL

Toda persona que en las imágenes oníricas aparezca en posición fetal indica que en el presente se encuentra vulnerable ante un peligro que la amenaza.
Dicho peligro no tiene por qué ser físico; también podría tratarse de una pérdida de prestigio, de difíciles momentos en el trabajo o de conflictos amorosos que atentaran contra su estabilidad psíquica.

FETICHISMO

Las relaciones fetichistas que tengamos en sueños actúan a modo de compensación. Lo más probable es que respondan a intensos deseos seuales que no nos atrevemos a plantear a nuestra pareja.

FETO

El significado de los sueños en los que aparece un feto varía según éste vivo o no. Si se ve dentro del vientre de la madre (por ejemplo en una ecografía), es símbolo de proyectos que se llevarán a cabo satisfactoriamente. Si no está vivo, en cambio, indica que deberemos interrumpir un trabajo en el que llevamos mucho tiempo invertido.

FEUDAL

Los sueños que transcurren en la época feudal indican que tenemos conceptos bastante anticuados en cuanto a los papeles que deben desempeñar las mujeres y los hombres en esta sociedad. Pueden ser claros índices de machismo. Los elementos que aparezcan en las imágenes serán los que, una vez buscados sus significados, explicarán en detalle cuáles de nuestras ideas no se adecúan a la época en que vivimos.

Fichero

Simboliza la memoria, la organización de los recuerdos.
Si el fichero está ordenado y limpio, quiere decir que nuestra memoria es excelente, que recordamos los hechos que hemos vivido con todos sus detalles y de forma organizada.
Si está desordenado o deteriorado, es señal de que los recuerdos son confusos, que los mezclamos unos con otros.

Véase ARCHIVADOR.

Fidelidad

Cuando la fidelidad aparece como tema central en un sueño, da cuenta de nuestro carácter posesivo.
Estos sueños pueden aparecer ante un ataque de celos, ante la falta de seguridad en nuestra capacidad para mantener a nuestro lado a la persona amada.

Fiebre

Los sueños en los cuales nos sentimos afiebrados, pueden deberse a que dormimos demasiado abrigados, lo cual nos hace sentir calor.
En caso de no ser así, podrían augurar alguna pequeña molestia física que, de manifestarse con otros síntomas, debería ser consultada con un médico.

Fieras

Los animales salvajes y agresivos, por lo general, anuncian peligros que nos acechan y de los cuales no somos conscientes.
En ocasiones pueden simbolizar cualidades que poseemos o que muestran las personas que están en nuestro entorno.

Véase FELINOS, LOBO.

Fiesta

Las fiestas siempre auguran éxito, sobre todo en el mundo laboral.

Véase FESTEJAR.

Figuración

Si actuamos en una película como figurantes, lo que comúnmente se denomina «extras», es señal de que interiormente sentimos que no tenemos ningún atributo que despierte interés en los demás.

Fijador

Los fijadores para el pelo lo dejan quieto, sin su movimiento natural. Por ello simbolizan los esfuerzos que hacemos para acallar la intuición, para descartar una corazonada que, de cumplirse, nos daría un disgusto.
Si utilizamos este producto, debemos ser cautos en cuanto al futuro y no intentar justificar aquellas acciones de los demás que nos resulten sospechosas.

Véase CABELLERA.

Fila

El lugar que ocupamos en una fila mientras esperamos que nos atiendan, así como la actitud que tenemos en ella, muestra el lugar que ocupamos en la sociedad y la forma en que nos desempeñamos en él.
Cuanto más próximos estemos a la ventanilla, mejor posición habremos alcanzado en la vida.

Filatelia

Los sellos sirven para permitir la comunicación epistolar; así, las colecciones de sellos simbolizan la libertad de elegir a nuestras propias amistades, más allá de la opinión que éstas le merezcan a nuestros padres o cónyuge. Soñar con una colección indica que tenemos amigos que gustan a nuestra familia.

Filigrana

Los delicados trabajos realizados con hilos de oro y plata simbolizan sorpresas agradables que están preparando a nuestras espaldas.

Puede tratarse de una fiesta de cumpleaños, de un regalo o de cualquier otro presente que nos haga mucha ilusión. Si soñamos con ellos debemos entender que, en un corto espacio de tiempo, recibiremos una agradable muestra del aprecio que nos tienen nuestros amigos.

Filmar

En las filmaciones, sean hechas en cine o en vídeo, se recoge una parte de la realidad dejando lo demás fuera. Por ello las escenas que filmamos en sueños simbolizan lo que nos parece más significativo de nuestro presente.

A la hora de analizar estos sueños es necesario buscar el significado de los elementos que estamos filmando; su símbolo nos permitirá comprender qué cosas son las que, en el fondo, nos preocupan.

Filología

El estudio de la estructura de una lengua simboliza el afán por la precisión, la necesidad de puntualizar y ser muy claro en todo lo que se dice. Esto, naturalmente, encierra el miedo a no ser comprendido.

Filtro

Los filtros simbolizan los impedimentos que encontramos en el trato con la familia política. Pueden augurar diferencias con cuñados o suegros.

Fimosis

Si un varón sueña que tiene fimosis, es probable que, mientras duerme, sienta alguna molestia en sus órganos sexuales. Si no es así, este sueño significaría que tiene dudas acerca de su desempeño como amante.

Fin

Si en sueños vemos la palabra «fin» indicando que un libro o película ha terminado, quiere decir que debemos tomar una decisión radical, aunque dolorosa, con el problema que nos viene preocupando.

Fingir

El hecho de fingir en sueños indica que tendemos a engañarnos a nosotros mismos. Si es otro quien finge, es señal de que sabemos conocer bien a los demás.

Finiquito

El hecho de finiquitar una deuda, sea a nuestro favor o al de otro, simboliza en sueños el cese del rencor y, en algunos casos, el perdón y la reconciliación con una persona de la que nos habíamos distanciado.

Finura

Cuando en sueños un personaje demuestra una finura exagerada es señal de que nos esmeramos en llamar la atención e impresionar a los demás. Esta conducta puede producir un efecto contrario en quienes nos observan.

Firmar

La firma es una representación gráfica del consentimiento que damos para cualquier asunto.

Por ello, el hecho de firmar indica que nos movemos con seguridad, que sabemos lo que queremos y que estamos dispuestos a conseguirlo.

Es importante también conocer la índole del documento que firmamos a fin de buscar su significado simbólico y completar el análisis del sueño.

Fiscal

Si en un juicio nos vemos desempeñando la labor de fiscal quiere decir que tendemos a ver más los errores ajenos que los propios.

Física

El estudio de esta materia indica que tenemos urgencia por comprender la realidad, sobre todo relacionada con un problema al que tenemos que enfrentarnos. Vivimos un momento desconcertante y eso nos tiene preocupados.

Fisioterapeuta

El hecho de consultar con uno de estos profesionales indica que debemos tener una charla con un amigo más experimentado en cuestiones de trabajo, a fin de que nos instruya acerca de cómo conseguir avanzar en el terreno profesional.

Fisura

Las fisuras o rajas que vemos en una pared pueden indicar profundas desavenencias conyugales o con las personas con las que convivimos.
Si lo que está dañado es un hueso, señala que un hecho reciente nos ha dejado perplejos y no sabemos cómo reaccionar.

Flaccidez

El hecho de que en un sueño detectemos en nuestro cuerpo una flaccidez que en la realidad no tenemos indica que nuestro subconsciente nos advierte el paso del tiempo.
Los sentimientos que estas imágenes despierten mostrarán si estamos o no preparados para aceptar la vejez.

Flamenco

Véase AVES.

Flan

Véase POSTRES.

Flato

Los gases intestinales pueden ser tan molestos que, si sobrevienen mientras dormimos, es probable que irrumpan en el sueño.
Si no es así, simbolizan los recuerdos y anécdotas que queremos olvidar.

Flauta

Véase INSTRUMENTOS MUSICALES.

Flecha

Véase DIANA.

Flecos

Simbolizan las historias amorosas que no se han terminado claramente.
Si llevamos una prenda con flecos quiere decir que hemos dejado una relación en suspenso sin aclarar que está realmente terminada.

Flemas

El hecho de percibir flemas en un sueño puede deberse a un estímulo externo; es decir, que las tengamos en la realidad. Si no es así, simbolizan el agobio que nos produce una persona que nos quiere pedir un favor que no podemos hacerle.

Flemón

La dentadura es una zona del cuerpo muy propicia para las somatizaciones, de modo que si soñamos que tenemos un flemón, quiere decir que tenemos un problema serio que no sabemos cómo solucionar.

Flequillo

El flequillo tapa la frente, de ahí que su presencia se asocie con la necesidad de ocultar las intenciones.

Flores

Los sueños en los que recibimos flores indican que tenemos necesidades afectivas sin cubrir. Su color indica el tipo de afecto o de compañía que nos gustaría tener: las blancas, expresan un amor sincero. Las amarillas, representan la búsqueda de una

pareja que proporcione lujos y bienestar económico. Las rojas, el anhelo de un amor apasionado. Las violetas, un compañero que sea sencillo e inteligente. Las anaranjadas, el deseo de consolidación de una relación ya iniciada.
El tipo de flor también ayuda a completar el significado de estos sueños: las margaritas representan la amistad; las gardenias, la alegría; la azalea, la moderación en las pasiones, el control que nos imponemos sobre nuestro mundo instintivo; las dalias, el amor constante.

Véase ANÉMONA, AZAHAR, CLAVEL.

FLORETE

Véase ARMAS.

FLOTADOR

Si nos vemos con un flotador, es señal de que necesitamos ayuda para mantenernos económicamente.
Si, además, nadamos, quiere decir que en poco tiempo podremos valernos por nosotros mismos.

FOGÓN

El fogón es el lugar donde se concinan los alimentos; por lo tanto, simboliza aquellas actividades que la familia tiene en común y que son las que propician su cohesión.
Si los vemos en sueños es señal de que las relaciones entre hermanos y padres son excelentes.

FOLCLORE

Las canciones o danzas folclóricas simbolizan el sentimiento de solidaridad con los vecinos.
Si aparecen en el sueño quiere decir que se realizará una tarea en común para beneficio del vecindario.

FOLIO

Si en sueños vemos folios, debemos prestar atención a los textos o imágenes que éstos contengan y averiguar su simbolismo.
Si el folio está en blanco quiere decir que estamos ansiando tener una relación de pareja o un romance duradero.

FOLLAJE

Simboliza el mundo que nos rodea y la visión que tenemos de la realidad.
Si paseamos por un lugar de denso follaje y nos sentimos tranquilos, es señal de que tenemos gran confianza en nosotros mismos. Si nos perdemos en él, tenemos miedo o nos amenazan peligros, quiere decir que no somos dueños de nosotros mismos, que tendemos a depender de los demás.

FOLLETO

Los folletos suelen ser hojas explicativas o destinadas a hacer publicidad de un producto. Representan aquellas cosas que nos gustaría que se destacaran en nuestra personalidad.
Para comprender estos sueños en toda su amplitud es necesario averiguar el significado de las palabras u objetos que aparezcan en el folleto.

FONTANERÍA

Relacionada con el elemento agua, se vincula al mundo emocional.
Si está en buen estado, señala que nuestras relaciones son fluidas y agradables. Si está atascada, indica que nos hemos quedado anclados en una relación anterior. Si se desborda, quiere decir que vivimos una pasión incontrolable.
Los fontaneros representan a personas muy seductoras, capaces de manipularnos emocionalmente.

FORCEJEO

Los forcejeos, en sueños, indican que en la realidad hay personas que pretenden obligarnos a hacer cosas que no deseamos.

El resultado del forcejeo y el clima emocional del sueño pueden dar claves acerca del camino a seguir y de los resultados.

Fórceps

Los fórceps, sobre todo si hay un embarazo en la familia, pueden indicar el miedo al parto.

Véase INSTRUMENTAL MÉDICO.

Forja

Relacionada con el elemento fuego, simboliza la voluntad y la inteligencia clara. Si nos vemos trabajando en ella es señal de que daremos un gran paso en nuestra evolución espiritual.

Formón

Véase HERRAMIENTA.

Formulario

Cuando se sueña con formularios debe prestarse atención a las emociones que éstos nos suscitan. Si son de desagrado quiere decir que somos introvertidos, que no nos gusta airear nuestros problemas.
Si el estado de ánimo es alegre o distendido, es señal de que tendemos a la extroversión, que nos gusta contar todo lo que nos pasa.

Forraje

Simboliza la prosperidad y la abundancia. Si está acumulado en parvas o balas, bien ordenado, indica que sabemos cuidar de nuestros intereses. Si está esparcido o desordenado quiere decir que tendemos a dilapidar el dinero.

Forro

El tejido interior de las prendas simboliza la imagen que tenemos de nosotros mismos y el grado de autoconocimiento. Su buen estado y la delicadeza de la tela indican que nos sentimos orgullosos de lo que somos. Su deterioro o bastedad dan muestras de nuestra humildad.

Fortificar

La fortificación del lugar en el que nos encontramos, o de nuestra propia casa, indica un excesivo temor al mundo externo, motivado posiblemente por una sobreprotección en la infancia.

Fosa

La fosa, sobre todo cuando uno de los personajes del sueño está dentro de ella, simboliza la depresión.
La forma en que se salga de ella dará las claves para superar las dificultades.

Fósil

Los fósiles están constituidos por materia orgánica alguna vez viva, que se ha convertido en piedra.
Simbolizan el recuerdo de un gran amor que está perturbando las actuales relaciones de pareja.

Fotocopia

El hecho de hacer fotocopias en sueños indica que nos negamos a avanzar, que nos resistimos a hacer cambios en nuestra vida por temor a fracasar.

Fotografía

Simbolizan el pasado, la añoranza de los momentos felices que hemos vivido.
Ver un álbum de fotos es señal de que echamos de menos nuestra juventud o nuestra infancia.
Si sacamos fotos quiere decir que estamos muy satisfechos con el presente.

Frac

Véase ETIQUETA.

Fracaso

Las decepciones sufridas en sueños indican que tendemos al pesimismo. Si vemos fracasar a otros, en cambio, indica que sabemos aprovechar las experiencias ajenas en nuestro beneficio.

FRAGUA

Véase FORJA.

FRAILE

Ver un fraile en sueños indica que un amigo o pariente nos va a pedir que le prestemos dinero.

FRAMBUESA

Las frambuesas son símbolo de humildad y capacidad de servicio.
Si las comemos en sueños es señal de que somos solidarios con quienes nos necesitan.

FRANELA

Este tejido de invierno, empleado generalmente para ropa de cama o infantil, se relaciona con nuestra niñez.
Si vestimos prendas confeccionadas con él es señal de que tenemos gratos recuerdos de nuestros primeros años de vida.

FRASCO

Si soñamos con un frasco que contiene líquido claro, transparente, es señal de que recibiremos una gran alegría.
Si contiene un líquido turbio, en cambio, anuncia incidentes desagradables.
Los frascos vacíos señalan frialdad y tendencia a una excesiva racionalidad.
Si el frasco se rompe, augura discusiones.

FRASE

Las frases que vemos en sueños pueden tener mucha importancia, ya que constituyen mensajes del inconsciente.
Para analizar el sueño es preciso buscar el significado simbólico de las palabras que contienen.

FRATRICIDIO

El hecho de matar a un hermano en sueños no debe alarmarnos. Debemos pensar que sentimos que nuestros padres le brindan más cariño y protección y que, en el fondo, sólo estamos un poco celosos.

FRAUDE

Si se produce un fraude en el sueño, debemos estar alerta: es muy posible que alguien de nuestro entorno más íntimo pretenda engañarnos o estafarnos.

FREGADERO

Si nos vemos lavando vajilla o prendas en un fregadero, quiere decir que hemos tomado la decisión de confesar una mentira.

FREGONA

Pasar la fregona en sueños es símbolo de despejar de nuestra cabeza las fantasías y falsas esperanzas con que nos veníamos consolando. Indica la toma de contacto con la realidad, aun cuando ésta sea desagradable.

FREIDORA

Este electrodoméstico, así como el hecho de freír, indica que pondremos fin a una relación amistosa que ya no nos da el estímulo mental que necesitamos.

FRENAR

Los frenos sólo cobran importancia en los sueños cuando se utilizan para evitar un accidente o para detenernos en un punto preciso.
La acción de detener un vehículo indica que nos estamos haciendo demasiadas ilusiones con una relación que acaba de empezar, que la estamos construyendo más con la imaginación que con los datos reales.

FRENTE

La frente es el lugar que se asocia con la memoria. Si tiene un papel importante en el sueño quiere decir que súbitamente recordaremos hechos que estaban

sepultados en nuestro inconsciente.
Una herida en esta zona de la cabeza indica que tales recuerdos serán dolorosos.

Fresno

Considerado por los celtas árbol de la vida, su presencia en los sueños indica prosperidad y trabajo.
Vernos sentados a su sombra es augurio de buena suerte.

Friccionar

Si uno de los personajes del sueño hace fricciones a otro, es señal de que en la realidad percibimos que quien las recibe está muy abatido y queremos transmitirle parte de nuestras fuerzas.

Frigidez

La frigidez, en sueños, casi siempre representa problemas personales que no nos permiten desarrollar nuestros proyectos o bien las dificultades en la expresión de los sentimientos.

Frío

Véase CLIMA.

Frontera

Las fronteras simbolizan cambios.
Si nos encontramos frente a una de ellas, es señal de que vamos a dar un paso importante que implicará una nueva forma de vida que hasta entonces no nos habíamos planteado.

Fruta

Véase ALIMENTOS, FRAMBUESA, MANDARINA, MANZANA.

Fucsia

Esta planta simboliza la incertidumbre. Si la vemos en sueños es señal de que no comprendemos qué le ocurre a nuestra pareja, por qué se ha distanciado o por qué nos hace menos caso.

Fuego

Este elemento está relacionado con la voluntad y con la racionalidad. Es la energía que nos empuja a conseguir nuestros propósitos.
Si el fuego que aparece en el sueño está controlado (es decir, si lo vemos en la chimenea o en la cocina), es señal de que tenemos fuerza de voluntad. Si está descontrolado, en cambio, indica que no tenemos control sobre la fuerza interior y que ésta tiende a desbordarse impetuosamente.

Fuelle

Este utensilio está relacionado con el fuego y simboliza los recursos que utilizamos para motivarnos.
Si lo vemos en sueños quiere decir que tenemos buenas estrategias para fomentar nuestra fuerza de voluntad.

Fuente

El agua se relaciona con los sentimientos, con el mundo emocional, y las fuentes son las que la dispensan; por ello simbolizan a aquellas personas capaces de dar y recibir afecto, a las que se preocupan por los demás.
Si vemos una fuente con agua en nuestros sueños es señal de que estamos afectivamente satisfechos, de que nos sentimos queridos.

Fuerte

Es símbolo de seguridad y protección.
Si lo vemos de lejos, quiere decir que pronto solucionaremos nuestros problemas. Si entramos en él, augura que estamos a punto de adquirir una gran seguridad en nosotros mismos.

Fuerza

Si en las escenas de un sueño tenemos una fuerza extraordinaria, sobrehumana, quiere decir que estamos en un período muy productivo en el que no encontramos oposiciones ni obstáculos de ningún tipo.

FUGA

Las fugas simbolizan la huida de la realidad.

Si nos fugamos en un sueño es señal de que tendemos a imaginarnos situaciones inexistentes para no enfrentarnos con los problemas reales.

FUMAR

Si no somos fumadores y nos vemos fumando en sueños, debemos interpretar que necesitamos expandirnos, dejar bien claros nuestros deseos y propósitos esperando a que éstos sean respetados.

FUMAROLA

Estos gases volcánicos simbolizan los sentimientos que no permitimos que sean conocidos. Si la fumarola tiene mal olor, indica que estas emociones son negativas.

FUNÁMBULO

Véase EQUILIBRISTA.

FUNCIONARIO

Los funcionarios simbolizan aquellas personas que no hablan claro y de frente. Si nos encontramos con uno de ellos en un sueño quiere decir que alguien pretende que le ayudemos, pero no se atreve a pedírnoslo directamente.

FUNDIR

Véase DERRETIR.

FUNERAL

Los funerales no deben ser tomados como signo de mal augurio. Anuncian la finalización de un proyecto o de una relación que puede ser dolorosa.

FUNICULAR

Por su característica de hacer siempre el mismo trayecto y ser dirigidos desde fuera, los funiculares simbolizan la sumisión.

Si lo vemos desde fuera quiere decir que hay una persona que se muestra de este modo hacia nosotros; si viajamos en él, somos nosotros quienes mostramos sumición ante un jefe, una pareja o cualquier otra persona.

FURIA

La ira, en los sueños, siempre refleja un enfado real. Para comprender más claramente el sueño en el que aparezca será necesario buscar el significado de otros elementos que aparezcan en las imágenes.

FUSIL

Véase ARMAS.

FUSILAR

Las ejecuciones denotan un sentimiento de culpa. En el caso de los fusilamientos, como son varias personas las que, en definitiva, actúan como verdugos, indican que sentimos remordimientos por una acción que ha afectado a varias personas. Si somos la víctima, quiere decir que estamos sufriendo acoso laboral.

FUSTA

Las fustas se utilizan para que el caballo siga las indicaciones del jinete. En este caso, el animal representa nuestra parte instintiva y la fusta nuestra racionalidad. Si la empleamos en sueños es señal de que estamos luchando para aplacar una pasión desbordada.

G

GABARDINA

Esta prenda de vestir se relaciona íntimamente con la lluvia y ésta, con la emoción.

Si vestimos una gabardina quiere decir que nos encontramos en un período de gran sensibilidad, que nos vemos afectados por cualquier cosa que ocurra en nuestro entorno.

Gacela

Las gacelas representan la elegancia femenina. Si la vemos en sueños quiere decir que una mujer de nuestro entorno nos provoca una intensa admiración.

Gachas

El hecho de comer gachas en un sueño anuncia que algo que anhelamos lo obtendremos, pero demasiado tarde; es decir, cuando ya no nos interese.

Gafas

Si usamos gafas en sueños, debemos tener en cuenta el color de los cristales así como la capacidad de éstos para agrandar o empequeñecer los objetos.

Si no tienen color, tendemos a ver la vida tal y como es. Si sus cristales son ahumados, es señal de que en ocasiones nos engañamos a nosotros mismos.

Si las gafas aumentan los objetos es señal de que tendemos a magnificar los problemas; si los empequeñecen, dan cuenta de un gran valor por nuestra parte.

Gafe

El hecho de que en un sueño una persona sea gafe indica que hemos percibido que en la vida real actúa equivocadamente. Lo mejor es tratar de ayudarla.

Gaia

Soñar con la tierra como ser vivo que siente, sufre y está siendo deteriorado simboliza la preocupación por uno mismo y por el futuro de los hijos.

Gaita

Este instrumento musical simboliza la indiscreción, la tendencia a hablar de más, a decir inconveniencias.

En el caso de que seamos nosotros quienes la toquemos, el sueño nos está advirtiendo de que podemos tener problemas con un amigo porque hemos revelado cosas de su vida que prefería mantener ocultas.

Galantería

Quienes en sueños se dirijan a nosotros con una actitud claramente galante tienen un profundo miedo al compromiso y prefieren mantener la distancia afectiva aunque se muestren siempre cordiales.

Galápago

Los galápagos y las tortugas simbolizan la longevidad; por lo tanto, su aparición en sueños suele augurar una larga vida.

Galaxia

Ver una galaxia o una nebulosa en sueños indica que tenemos una tendencia a filosofar. Si nos encontramos en otra galaxia, es señal de que somos muy ambiciosos, que queremos llegar lejos.

Galera

Estos navíos indican el fin de una etapa y el comienzo de otra.

Si viajamos en ella, es señal de que aceptamos el desafío, que en poco tiempo estaremos en una posición social y económica mucho más favorable.

Si la vemos de lejos, en cambio, indica que aún no nos hemos decidido a dar el cambio necesario para ello.

Galería

Las galerías de arte simbolizan aquellos proyectos que sabemos que no podremos realizar.

Si la galería pertenece a una mina indica que, con grandes esfuerzos, veremos nuestras aspiraciones cumplidas.

Las galerías comerciales señalan que, gracias a una idea nuestra, habrá interesantes ganancias en un negocio.

Galgo

Los galgos son los perros más veloces y simbolizan la rapidez con la que tomamos las decisiones. Su presencia en un sueño nos advierte de que debemos ser un poco más reflexivos.

Véase PERRO.

GALLETA

Este alimento altamente energético, si el sueño es inquietante, señala momentos de escasez.
Cuando aparece en sueños plácidos indica que añoramos la infancia.

GALLINA

Las gallinas a menudo se han asociado con el cuidado de los pollitos. Simbolizan la necesidad de protección.
Si las vemos en sueños indica que buscamos la compañía de personas más fuertes que nosotros.

GALLO

Esta ave ha sido ampliamente utilizada para confeccionar los más diversos hechizos.
Siempre ha estado ligada a situaciones negativas, como por ejemplo la que narra el Nuevo Testamento acerca de la negación de Pedro tres veces antes del canto del gallo.
Si en el sueño es medianoche y el gallo canta, es señal de que en la familia habrá muchos problemas. Si cacarea ante la puerta de casa, en cambio, anuncia visitas desagradables.
Si se oye cantar un gallo en el interior de la vivienda es porque habrá un conflicto conyugal.

GALONES

Si en sueños vestimos o nos colocan galones es señal de que serán reconocidos nuestros méritos en el terreno laboral.

GALPÓN

Las escenas oníricas que transcurren en galpones indican que no nos sentimos a gusto en la casa en que vivimos, que quisiéramos mudarnos a otra más espaciosa o confortable.

GAMBAS

Véase MARISCO.

GAMO

Son animales de buen augurio.
Cuando en el sueño aparecen en manada, indican prosperidad económica.
Si el animal está junto a sus crías, anuncia fertilidad y próximo nacimiento.
Si se acerca a nosotros, es señal de que seremos inmensamente felices en la actual o próxima relación de pareja.

GANADO

Es un símbolo que anuncia riqueza.
Cuanto más grande sea el rebaño o el grupo de animales y más alimentados estén, mayor será nuestra fortuna.

GANAR

Si en sueños competimos y ganamos es señal de que, en la vida cotidiana, nos tenemos que enfrentar con personas o situaciones a las que no podemos vencer.
Si son otros quienes ganan, quiere decir que estamos permitiendo que algunas personas usurpen nuestro lugar.

GANCHILLO

El hacer una labor de ganchillo indica que tenemos un problema que ocupa toda nuestra conciencia.
Si la labor se termina, es señal de que pronto lo solucionaremos.

GANGLIO

Los ganglios, generalmente, no se perciben al tacto a menos que estén inflamados. Si esta situación se presenta en sueños indica que nos sentimos invadidos por ideas ajenas, que alguien está intentando convencernos, influir en nuestras decisiones y no podemos expresarnos libremente.

GANSO

Los gansos representan la libertad y el contacto con la naturaleza. Verlos en sueños indica que nos sentimos constreñidos y agobiados, que necesitamos un cambio de vida.

GANZÚA

Las ganzúas simbolizan la desconfianza. Si soñamos que abrimos una puerta con estas llaves quiere decir que desconfiamos de nuestra pareja y estamos dispuestos a averiguar sus secretos sin importar el medio que debamos emplear.

GARABATO

Los garabatos sin sentido que se hacen, por ejemplo, mientras se está en una reunión de trabajo, cuando se habla por teléfono o se presta atención a cualquier cosa, señalan las prisas por ponerse en acción.

Si los hacemos en sueños quiere decir que estamos impacientes por comenzar un nuevo proyecto que puede ser laboral o amoroso.

GARAJE

Los sueños que transcurren en un garaje pueden surgir de la preocupación por nuestro coche o, si no tenemos vehículo, señalar el deseo de adquirir uno.

GARBANZO

Véase ALIMENTOS, LEGUMBRE.

GARDENIA

Esta flor es símbolo de la alegría.

Si la vemos en sueños quiere decir que en breve recibiremos una grata sorpresa.

GARFIO

Los garfios sirven para aferrar objetos. Simbolizan el amor desesperado.

Si lo empleamos en sueños quiere decir que nuestra pareja quiere dar por finalizada la relación, pero que no queremos aceptar esa decisión y nos aferramos a ella.

GARGANTA

Si en sueños tenemos dificultades en la garganta, quiere decir que en el trato diario nos encontramos con una persona que nos resulta detestable y que, a pesar de ello, nos vemos obligados a ser amables con ella.

GARGANTILLA

Véase COLLAR.

GÁRGARAS

Si hacemos gárgaras en un sueño es señal de que nos sentimos incapaces de hablar claramente sobre nuestros sentimientos, que callamos por miedo a herir a otra persona, posiblemente a nuestra pareja.

GARITA

Las garitas o casetas de guardias, policías o cualquier otra autoridad son advertencias. Indican que estamos a punto de cometer una grave imprudencia en nuestra vida sentimental.

GARLOPA

Si en sueños utilizamos esta herramienta de carpintero, quiere decir que debemos apartar de nuestro entorno a ciertas personas que nos utilizan descaradamente. La generosidad es una virtud, siempre y cuando no sea exagerada.

GARRA

Las garras sirven a los depredadores para aferrar a sus presas.

Si las vemos en un sueño indica que nos están manipulando para hacernos sentir obligados a ayudar a una persona que no lo merece.

GARRAPATA

Las garrapatas son parásitos que viven chupando la sangre a su huésped. En sueños, indican la presencia de un amigo que abusa de nuestra generosidad.

Garrote

Los garrotes y las mazas indican que, diariamente, tenemos que luchar contra personas difíciles de abordar. Éstas pueden estar relacionadas con el trabajo o bien vivir bajo nuestro techo.

Garza

La presencia de estas aves acuáticas en un sueño puede tomarse como una advertencia. Nos dicen que tenemos con los demás modales y formas de hablar excesivamente bruscos y que sería conveniente suavizarlos.

Gas

Este elemento etéreo se vincula con el elemento aire y, por ello, con la inteligencia y la capacidad de comunicación.
Si olemos un escape de gas quiere decir que tenemos una lengua muy afilada, que nuestra capacidad de agresión verbal es notoria.

Gasa

Los sueños en los cuales vestimos prendas de gasa o utilizamos este tipo de tela indican que intentamos abrirnos, ser menos introvertidos, y que buscamos la conexión con personas nuevas.

Gasolina

Tanto la gasolina como el gasoil se emplean para hacer funcionar máquinas y vehículos; por lo tanto, simbolizan la motivación.
Su presencia en sueños indica que tenemos un nuevo entusiasmo que nos lleva a realizar grandes y provechosos esfuerzos.

Gasolinera

Los sueños que transcurren en las gasolineras indican que necesitamos reponer energías, ya que el agotamiento no nos permite realizar un buen trabajo.

Gastos

Los sueños en los cuales nos vemos preocupados por los gastos indican, por un lado, que tenemos una mala administración de nuestro dinero y, por otro, que tendemos a ser tan previsores que caemos en la avaricia.

Gatear

El hecho de gatear nos lleva, emocionalmente, a la primera infancia.
Si nos vemos realizando esta acción en un sueño quiere decir que añoramos los cuidados que nos prodigaron en los primeros años de vida, que estamos muy cansados y queremos que alguien tome las decisiones.

Gato

Véase FELINOS.

Gavilán

Véase AVES.

Gaviota

Esta ave, relacionada con el medio marino, a menudo se ve vinculada con los viajes largos.
Si la vemos planear en el cielo es probable que tengamos que trasladarnos temporalmente a otra ciudad.

Véase AVES.

Géiser

En los géiseres se pone de manifiesto la energía telúrica que emana de las entrañas de la tierra. Simbolizan las pasiones ocultas que están a punto de irrumpir en nuestra vida.
Si soñamos con un géiser es señal de que no podemos mantener oculta por más tiempo una relación pasional.

Gelatina

La gelatina es un producto habitualmente translúcido que tiene como característica la inestabilidad, el tembleque.
Si aparece en sueños es señal de que nos cuesta mucho tener un criterio propio, que siempre estamos buscando pautas en los demás, copiando su forma de actuar o de vestir.

Gemas

Desde la antigüedad, las gemas han sido símbolos de poder. Se les han atribuido poderes mágicos y cada una de ellas representa virtudes o defectos específicos.

Véase AGUAMARINA, AMATISTA, ÁMBAR, CUARZO, DIAMANTE, ESMERALDA, MALAQUITA, RUBÍ, TURQUESA, ZAFIRO.

Gemelo

El encuentro en sueños con un hermano gemelo o mellizo, o la presencia de dos personas que tienen esta condición, indica que una parte de nosotros mismos (sea la masculina o la femenina) está completamente sofocada por la otra.

Véase DOBLE.

Gemidos

Los gemidos de un niño que podamos oír en sueños señalan las necesidades afectivas que hemos padecido en la infancia.
Si es un enfermo quien se queja de esta manera, quiere decir que no estamos prestando la debida atención a nuestro organismo.

Géminis

Véase ZODÍACO.

Genciana

Esta planta de florecimiento lento y vida larga, se asocia a las personas que labran su porvenir poco a poco, paso a paso.
Si la vemos en sueños indica que el éxito llegará tarde pero seguro.

Genealógico

Los árboles genealógicos indican que no sabemos cuál es el papel que nos corresponde en la familia: si conviene que nos hagamos cargo de ciertos asuntos o si debemos dejarlos en manos de un hermano o pariente político.

Genética

Los sueños en los cuales aparece la genética como tema, indican que no nos sentimos a gusto porque nos vemos profundamente diferentes a nuestros padres e, incluso, al resto de nuestra familia.

Genialidad

Las ideas brillantes que nos aplauden en sueños indican que debemos ser más audaces a la hora de hacer propuestas, que es necesario que adquiramos confianza en nosotros mismos.

Genitales

La visión de los genitales, de uno u otro sexo, puede indicar deseo sexual en el caso de que se trate de un sueño erótico o bien represión, si la sensación es molesta.

Gentío

Las grandes concentraciones de gente, las aglomeraciones, dan cuenta de un profundo sentimiento de soledad, de la conciencia de ser únicos y de la importancia de nuestra evolución espiritual.

Geranio

Esta flor simboliza el amor a la tierra, al lugar donde se ha nacido, pero tiene diferentes significados, según sea su color.
Si es oscuro, indica melancolía; si es rosa, dudas acerca de los propios sentimientos y si es escarlata, añoranzas y recuerdos de un amor perdido.

Gérmenes

Los gérmenes, en general, indican que nos vemos agobiados por pensamientos negativos, que albergamos ideas de venganza o viejos rencores.

Véase BACILO, BACTERIA, CONTAGIO.

Germinar

Si en sueños vemos germinar una planrta, es señal de que nuestros asuntos marchan solos y que no necesitan de grandes esfuerzos.
Si la planta fuera una mala hierba, será señal de que pueden torcerse y crearnos problemas.

Gesticular

Si los gestos que hacemos o realiza otra persona en un sueño son muy exagerados, es señal de que, quien los hace, está intentando ser comprendido y no lo consigue.

Gestión

Si realizamos en sueños alguna gestión quiere decir que hemos visto que la gente de nuestro entorno laboral o del vecindario tiene problemas y queremos preverlos antes de que se nos presenten a nosotros.

Gigante

En la mitología, los gigantes representan las fuerzas elementales. En sueños, indican que hemos desatado fuerzas que no podemos controlar, que nos hemos hecho con un poder que nos queda demasiado grande.

Gimnasia

El hombre es una unidad psicofísica, de modo que todo trabajo que se haga sobre el cuerpo, repercute también sobre la mente.
El hacer gimnasia en sueños indica que tenemos un exceso de energías que no canalizamos adecuadamente.
El trabajo sobre la tensión muscular, el hacer pesas, por ejemplo, indica que tenemos un exceso de flexibilidad, que nos lleva a justificar con demasiada ligereza nuestros errores y los ajenos.
El aeróbic señala que somos demasiado obsesivos y rutinarios; la gimnasia rítmica, en cambio, indica que tendemos a dar una importancia exagerada al mundo material y que descuidamos el mental y espiritual.

Ginecólogo

Estos profesionales, en sueños, tienen diferente significado si el durmiente es mujer o varón. En el primer caso, puede indicar que tenemos alguna disfunción leve que conviene hacernos mirar.
Si el durmiente es un hombre, indica que alberga temores respecto a su desempeño sexual.

Girar

Los giros que se realizan en sueños indican la conexión con la tierra y su energía. Revelan, también, la necesidad de conectarnos con nosotros mismos, de buscar nuestro eje.

Girasol

El dios solar Helios tenía una enamorada, Clitia, que estaba constantemente adorándole. Cierto día, aburrido, la convirtió en girasol, por ello esta planta siempre está mirando al Sol.
Los girasoles, por ello, son símbolos de la pasión ciega.

Glaciar

Estas inmensas moles de hielo señalan la capacidad de vencer los sentimientos por medio de la razón. Indican que debemos hacernos fuertes para superar un desengaño amoroso.

Gladiador

Estos luchadores romanos simbolizan las rencillas y peleas que hay en nuestro entorno de trabajo. Si somos nosotros quienes salimos a la arena, es señal de que nos veremos involucrados en ellas.

Gladiolo

En la antigua Roma, esta flor era entregada a los gladiadores que resultaban vencedores, de ahí que simbolice la victoria.
Su aparición en sueños indica que podremos derrotar a nuestros actuales adversarios.

Glicina

Estas flores se han asociado a la amistad. Su presencia en sueños anuncia que conoceremos una persona con la que nos sentiremos profundamente identificados.

Globo

Señala la acumulación de la tensión interna, sea emocional, sexual o intelectual.
Si el globo está deshinchado, indica que tenemos buenas válvulas para liberarla. Si está lleno, en cambio, muestra que tendemos a acumular presión y a tener luego estallidos ocasionales. Los globos aerostáticos señalan nuestra tendencia a exagerar todo lo que contamos.

Véase HINCHAR.

Glorieta

La presencia de una glorieta en sueños anuncia un nuevo romance. Si nos encontramos en ella, quiere decir que la relación tendrá carácter oficial.

Glotonería

La avidez en las comidas que hacemos en los sueños indican, por un lado, que estamos pasando un período de ansiedad. Por otro, señalan que somos ambiciosos y nos faltan muchas cosas para ser felices.

Gnomo

Estos seres mitológicos eran los espíritus de la tierra. Reputados mineros, célebres por su carácter áspero, simbolizan la productividad.
Si los vemos en sueños quiere decir que veremos reconocidos nuestros esfuerzos en el trabajo de una forma más positiva de la que podíamos haber imaginado.

Gobierno

Si soñamos con personas que están en el gobierno es señal de que estamos seriamente preocupados por nuestro futuro económico.
Si éstos se muestran de buen talante, quiere decir que no debemos temer ningún problema al respecto.

Gol

Los goles son, en ciertos deportes, acciones que permiten ganar el partido. Si metemos un gol es señal de que conseguiremos lo que nos hemos propuesto en el trabajo; si estamos en la portería y el gol lo hace otro, deberemos esperar más tiempo para conseguir nuestros objetivos.

Golf

El golf está considerado un deporte de élite. Si no somos golfistas y nos vemos practicando este deporte, aspiramos a conocer gente de alta posición.

Golondrina

Cuenta la leyenda que las golondrinas llevan dos piedras preciosas: una roja que cura la locura y otra negra que da buena suerte a su portador.
El ver nidos de golondrinas o ver a estas aves volar, señala una época de gran prosperidad y avance económico.

Golosinas

Véase DULCES.

Golpear

El golpe es una manifestación de la energía interior.

Si golpeamos un objeto, es señal de que sufrimos fuertes presiones internas y necesitamos descargar la energía. En caso de que los golpes se los demos a una persona, quiere decir que sentimos un fuerte rencor hacia ella.
Cuando somos nosotros quienes los recibimos, indican sentimiento de culpabilidad.

GOMA

Si soñamos con una goma de borrar quiere decir que hace muy poco tiempo hemos hecho algo de lo que nos arrepentimos profundamente. Es posible que de esa acción se deriven consecuencias desagradables.

Véase ELASTICIDAD.

GÓNDOLA

Estas embarcaciones simbolizan los cambios que se realizan en la pareja.
Si subimos a una góndola junto con otra gente indica que tendremos una vida social más activa. Si está vacía, es posible que tomemos una distancia temporal con nuestra pareja. Si subimos acompañados por ella, es señal de que el cambio será altamente positivo.

GORILA

Los gorilas representan a las personas que nos resultan poco refinadas, aunque puedan tener buen corazón.
La actitud del animal simbolizará el tipo de relación que mantenemos con estas personas.

GORRIÓN

Véase AVES.

GORRO

Los gorros son símbolos de poder, de manera que si nos vemos usando uno en sueños es señal de que sabemos hacernos respetar por quienes nos rodean.

GOTERA

Estos incómodos agujeros que dejan pasar el agua simbolizan los sentimientos que persisten a pesar de nuestros esfuerzos por ignorarlos. Soñar con ellas indica que hemos sufrido una gran decepción.

GÓTICO

El arte Gótico pertenece a la baja Edad Media; un período difícil pero dinámico.
La presencia de obras góticas en el sueño indica que tenemos conflictos de fe, que nos sentimos decepcionados por la religión que hemos abrazado hasta el presente.

GRABACIÓN

El hecho de hacer una grabación en sueños indica que debemos prestar atención en todo lo que se diga en el trabajo, ya que una persona de nuestro entorno falseará la verdad.

GRAGEA

Si las grageas que vemos en el sueño son medicinales, es señal de que tenemos un pequeño trastorno físico que se resolverá por sí mismo. En caso de que sean las utilizadas para decorar tartas, indican que no debemos hacer tantos esfuerzos por conquistar a la persona amada.

GRAJO

Según la tradición popular, cuando el grajo vuela a ras del suelo se esperan intensos fríos. Tal vez por ello y por el efecto que las heladas producen sobre las cosechas, este animal se considere de mal agüero.
Si sobrevuela una casa indica que sus moradores deberán hacer frente a desagradables problemas económicos.

GRANADA

Esta fruta es símbolo de fecundidad, de sensualidad y de placer. Cuando está abierta indica que hay posibilidades de un intenso romance.

Véase DESGRANAR.

Granate

Esta piedra simboliza la virtud y antiguamente era considerada como protectora contra los rayos.
En sueños indica que nuestra racionalidad impide que nos dejemos dominar por las bajas pasiones.

Granero

En los cuentos, leyendas, películas y novelas, el granero suele ser el lugar de encuentro de los amantes clandestinos. Su presencia en un sueño indica, de este modo, que estamos iniciando una relación que no será bien vista por nuestros amigos o familiares.
En caso de que el soñador viva en el campo, el granero simbolizará, si está lleno, prosperidad.

Granito

Este mineral simboliza la dureza, a veces necesaria, para corregir defectos en las personas que queremos.
Verlo en sueños indica que debemos ser más firmes con una persona que está estropeando su vida.

Granizo

Su aparición en sueños es un mal augurio; por lo general anuncia pérdidas materiales.

Granja

Si en sueños nos encontramos viviendo en una granja, eso indica que nuestros negocios marchan muy bien. Si sólo estamos en ella de visita, es señal de que debemos revisar nuestras cuentas porque hay riesgo de pérdidas.

Grano

Estas pequeñas infecciones cutáneas simbolizan los sentimientos de venganza y rencor que albergamos en nuestro interior.
Si es otra la persona que está afectada debemos cuidarnos de ella, ya que podrían estar dirigidos hacia nosotros y eso nos mantiene prevenidos.

Grapadora

Cuando en sueños aparece este elemento de escritorio es señal de que tenemos algunos documentos vencidos (pasaporte, DNI, etc.) y que conviene que lo regularicemos cuanto antes.

Grasa

La grasa es un lubricante natural que hace que todo lo que impregne se torne resbaladizo.
En sueños, simboliza las pequeñas mentiras que decimos para evitar los enfrentamientos.
Si uno de los personajes oníricos aparece con manchas de grasa, es señal de que nos miente creyendo hacernos con ello un favor.

Gratificación

Si por hacer una buena acción en sueños obtenemos una gratificación, debemos entender que en la vida real no nos sentimos lo suficientemente recompensados por las personas que queremos.

Gratis

Los objetos o favores que consigamos gratis en sueños indican que no nos sentimos merecedores de la situación económica o social de la que gozamos.

Grava

Andar por un camino de grava indica que, próximamente, tendremos que pasar por algunas dificultades.
Si la marcha es cuesta arriba, no obstante, es un buen augurio, ya que el esfuerzo que nos veamos obligados a hacer para superarlas, nos colocará en una posición mucho más alta que la actual.

Graznido

Los graznidos de los cuervos y otras aves suelen ser un mal presagio. Pueden indicar rencillas matrimoniales, problemas en la familia, pérdidas de dinero o enfermedades.

GREGORIANO

El canto gregoriano se emplea en diversos ritos religiosos, por lo tanto los sueños en los cuales lo oímos constituyen una clara llamada espiritual.

GRIFO

Los grifos simbolizan la capacidad de seducción.
Si están abiertos, es señal de que tenemos éxito en nuestras conquistas. Si gotean, quiere decir que tendemos a regodearnos en el coqueteo, pero evitamos las relaciones más profundas o sólidas. Si el agua no sale de ellos aunque se abran, quiere decir que nos sentimos muy torpes a la hora de coquetear.

GRILLETE

Los grilletes indican que nos sentimos presos de una situación que nos desagrada profundamente. Si durante el sueño nos los podemos quitar, ello indica que en poco tiempo nos veremos libre de ese problema.

GRILLO

El canto del grillo augura felicidad y paz doméstica. Su presencia señala una buena relación con parientes políticos.

GRIPE

Véase CATARRO.

GRIS

Si este color neutro es predominante en nuestro sueño quiere decir que no encontramos motivaciones suficientes en nuestra vida.

GRITO

Si oímos gritos en sueños debemos determinar si son de alarma o de ira. En el primer caso, nos advierten de que estamos haciendo algo mal en nuestra vida; si son de ira, ya sea proferidos por nosotros o por otra persona, indica su frustración al ver que no comprendemos sus intenciones.

GROSELLA

Estas frutas simbolizan, según su color, diferentes estados de la vida amorosa.
Si son rojas anuncian un amor fiel, constante y sólido. Las blancas indican amor platónico y las negras, contactos puramente físicos.

GRÚA

Estos aparatos se utilizan para levantar grandes pesos. Simbolizan los buenos amigos, las personas que se acercan para darnos su apoyo en los momentos difíciles. Soñar con ellas indica que sabemos elegir a los que vamos a incluir en nuestro círculo íntimo.

GRULLA

Tradicionalmente se la relaciona con la longevidad.
Si en el sueño las vemos volar en pareja, indican un próximo nacimiento.

GRUMOS

Simbolizan los pequeños contratiempos cotidianos.
Si en un sueño deshacemos los grumos de una salsa o de cualquier líquido, es señal de que sabemos resolver las pequeñas dificultades. Si los tragamos, indica que somos el tipo de personas que se ahogan en un vaso de agua.

GRUÑIDO

Estos sonidos se producen, con frecuencia, en los sueños en los que aparecen animales salvajes.
Si los oímos, es señal de que próximamente nos veremos amenazados por un superior.

GRUPO

Los grupos que aparecen en los sueños simbolizan los equipos en los que trabajamos o los compañeros que tenemos en nuestro empleo. Las actitudes que ellos tengan hacia nosotros y viceversa, indicarán la forma en que nos relacionamos con nuestros iguales, así como el grado de aceptación mutuo.

GRUTA

Las grutas que contienen vírgenes, santos o altares indican que debemos prestar más atención a nuestra vida espiritual.

Véase CAVERNA.

GUACAMAYO

Véase LORO.

GUADAÑA

Esta herramienta siempre ha estado relacionada con la muerte. Sin embargo, los sueños en las que aparecen no indican defunciones y sí, en cambio, el final de un trabajo o de una relación.

GUANTES

Los guantes resguardan las manos del contacto con el mundo exterior. Si los utilizamos en sueños quiere decir que evitamos implicarnos, que tratamos de pasar desapercibidos y que nos perdemos muchas experiencias interesantes.

GUARDAESPALDAS

El hecho de utilizar en un sueño guardaespaldas indica que no nos gusta asumir responsabilidades, que siempre echamos a los demás la culpa de nuestros errores.

Si somos nosotros quienes trabajamos como guardaespaldas, es señal de que tendemos a sobreproteger a las personas queridas, a suplantarles cuando tienen que correr riesgos.

GUARDARROPA

Simbolizan la posibilidad de mostrarnos tal y como somos.

Si en el sueño dejamos nuestro abrigo en el guardarropa de un restaurante, de un cine o teatro, quiere decir que las personas representadas por los demás personajes del sueño merecen nuestra confianza, que ante ellos no debemos mostrarnos excesivamente recelosos.

GUARDERÍA

A veces, el hecho de soñar con guarderías indica que sentimos añoranza por nuestra primera infancia. Sin embargo, la mayoría de las veces estos sueños indican que nos faltan conocimientos básicos para aplicarlos a los planes que tenemos para el futuro.

GUARDIA

Los sueños en los cuales nos encontramos en situación de hacer guardia en un lugar indican que hemos percibido situaciones que amenazan nuestra seguridad y nos preparamos para solventarlas en cuanto se produzcan.

GUARIDA

Encontrarnos en el interior de una guarida de ladrones o maleantes, indica que tenemos la posibilidad de neutralizar los ataques de una persona que está jugando sucio con nosotros y que ha llegado el momento de desenmascararla.

GUATA

Este material se utiliza en diversas prendas a fin de hacerlas más abrigadas. Su presencia en un sueño simboliza a las personas que nos cuidan en la sombra, sin hacer ostentación de ello.

GUBIA

Véase HERRAMIENTA.

GUERRA

Las guerras, en sueños, pueden simbolizar luchas inconscientes entre el bien y el mal, pero si en el sueño experimentamos cólera, debemos entender que expresa la necesidad de liberarnos de una situación que nos resulta agobiante. En el caso de que el sentimiento sea de miedo, indicará que alguien intenta usar todos los medios posibles para perjudicarnos.

Guía

Debemos prestar mucha atención a las personas que, en los sueños, se nos presentan como guías: suelen ser amigos o familiares capaces de darnos consejos que, en el momento del sueño, nos resultan muy valiosos.

Guijarro

Las piedras pequeñas, los guijarros, simbolizan tropiezos domésticos, pequeños desperfectos en el hogar. Verlos en sueños indica que algún aparato o cañería debe ser reparado.
Si el guijarro estuviera en el zapato, en cambio, debemos interpretar que representa desavenencias entre el portero y los vecinos.

Guillotina

Es un instrumento destinado a separar la cabeza del cuerpo. Si la vemos en un sueño indica una integración deficiente de nuestro intelecto con la vida emocional e instintiva.

Guindas

Esta fruta se relaciona tradicionalmente con la impaciencia. Si las vemos en sueños o está presente el árbol, es señal de que debemos refrenarnos, que hay algo que nos produce demasiada ansiedad y corremos el riesgo de estropearlo si nos precipitamos.

Guindilla

Este alimento de sabor picante anuncia que próximamente viviremos emociones fuertes y positivas.
Si se lo damos a comer a otra persona y ésta lo acepta, significa que tendremos agradables sorpresas en el terreno amoroso.

Guiñol

Como en todo espectáculo que vemos en sueños, lo importante es analizar el simbolismo de los elementos que aparecen en el mismo, así como el argumento. Éste refleja una de las preocupaciones o alegrías que estamos viviendo en el presente. Si manejamos a uno de los títeres, es que tenemos un gran dominio sobre una persona de nuestro entorno.

Véase MARIONETA.

Guión

Los guiones de cine o televisión simbolizan la vida que nos gustaría llevar. Es necesario, entonces, prestar atención a su argumento para comprender algunos de nuestros deseos ocultos.

Guirlache

Véase POSTRES.

Guirnalda

Las guirnaldas se utilizan para las celebraciones, por lo que si las vemos en sueños quiere decir que pronto tendremos motivos para realizar un festejo.

Guisante

Soñar con guisantes es índice de que nos sentimos demasiado pequeños e insignificantes ante los acontecimientos que debemos afrontar.

Guiso

Esta comida, sencilla pero nutritiva, simboliza el cuidado que prodigamos a nuestro cuerpo. Si lo estamos cocinando quiere decir que somos protectores con las personas que queremos. Si lo comemos, indica que tenemos una buena salud.

Guitarra

Para los budistas, este instrumento es símbolo de integración. Al ser un instrumento armónico, anuncia un buen entendimiento entre las personas que aparezcan en la escena.

Gusano

Los gusanos pueden tener dos significados claros: si durante el sueño se transforman en mariposas, indican elevación espiritual. Si se encuentran en materia putrefacta, en cambio, nos anuncian que estamos obrando mal.

Habano

Véase TABACO.

Habas

La tradidicón enseña que soñar con habas es el mejor augurio que puede tener la persona que desea un hijo.

Habitación

En los sueños, las habitaciones nos representan a nosotros mismos. Si son alegres y armoniosas, significa que nos sentimos bien, que poco a poco vamos realizando nuestros sueños y que no hay problemas graves. Si es oscura, desagradable o está deteriorada, quiere decir que en el presente estamos pasando por una mala época.
Las ventanas simbolizan la comunicación con los demás, con el exterior, de manera que deberán tenerse en cuenta los paisajes a divisar desde ellas. Cuanto más agradables sean, mayores serán nuestras habilidades sociales.

Hábitos

Véase UNIFORME.

Habladurías

Por lo general auguran conflictos familiares, disputas y peleas en el ámbito más íntimo.
Si participamos en ellas activamente quiere decir que nos veremos involucrados en los acontecimientos que anticipan.

Hacha

Simboliza nuestra agresividad, la capacidad que tiene toda persona para hacer daño a otra.
Si el sueño es tranquilo, señala la capacidad defensiva; si es tenso, angustioso o en él hay elementos de ansiedad y desasosiego, representa el miedo a perder el control sobre la ira.

Hacienda

Véase IMPUESTOS.

Hacinamiento

La falta de espacio está relacionada con la imposibilidad para dar las propias opiniones o de ser tenido en cuenta por los demás.
Si nos encontramos en una situación de hacinamiento, quiere decir que nos cuesta mucho sobresalir, aunque sólo sea puntualmente, sobre las personas que nos rodean.

Hada

Las hadas auguran la concreción de nuestros deseos más íntimos.
Si somos tocados por su varita, significa que muy pronto conseguiremos algo que intentamos tener hace mucho tiempo.
Si nos vemos a nosotros mismos en el papel de hada, eso quiere decir que nuestro mayor anhelo es ayudar a los demás o a alguna persona en particular.

Halago

En los sueños, los halagos nos previenen de las personas falsas y traicioneras, de modo que debemos tener cuidado con quienes nos los hagan.
Si halagamos a otra persona significa que en ella vemos cualidades positivas que, aunque también las poseamos, nos cuesta mucho reconocer.

Halcón

El vuelo de esta ave simboliza el ascenso social y económico.
Si caza otro pájaro en el aire quiere decir que, a pesar de la oposición de algunas personas, conseguiremos una mejor posición en el trabajo.
Si un halcón nos ataca significa que a menudo nos sentimos cohibidos ante las personas que ostentan un mayor rango.

Hallazgo

El hecho de encontrar objetos simboliza el conocimiento que tenemos de las diversas facetas que componen nuestra personalidad. Si los hallazgos son afortunados, si los objetos encontrados son valiosos, significa que sentimos un sano orgullo por ser como somos. Si los objetos son inútiles o desagradables, el sueño da cuenta de lo poco que nos valoramos.

Hamaca

Simboliza la pereza, la indolencia, la pasividad.
Si nos vemos a nosotros mismos tumbados en una hamaca quiere decir que no estamos haciendo los esfuerzos necesarios para resolver los problemas y que no intentamos sacar el mayor partido de nuestros talentos.
Si es otra persona la que está tumbada, deberemos tomar conciencia de que estamos sobreprotegiendo a alguien, haciendo las cosas por él y que, de esta forma, lo único que logramos es perjudicarle.

Hambre

Si en sueños sentimos hambre, es muy probable que no hayamos comido lo suficiente y que sean los jugos gástricos los que nos estén provocando esa sensación.
Si la escena onírica trascurre en un lugar en el que el hambre es un problema generalizado (sea por una guerra, por tratarse de un país pobre, etc.) debe entenderse como un miedo a la pobreza, a la falta de recursos.

Hámster

Este roedor, al igual que muchos otros animales que viven en desiertos o en zonas donde la alimentación no es suficiente, tiene sus propios mecanismos para almacenar lo que ha de comer en épocas de escasez. Se trata de dos bolsas de piel a los costados del cuello. Por ello se asocia con la previsión, con la capacidad de anticiparnos a las situaciones difíciles y actuar antes de que éstas sean irreversibles.
Si el hámster que aparece en nuestros sueños es dócil y se muestra sano y activo, quiere decir que no debemos preocuparnos por el futuro inmediato. Si estuviera enfermo o se comportara agresivamente, es muy posible que estemos viviendo los comienzos de una época económicamente difícil.

Hangar

Ver en sueños un hangar, sobre todo si en su interior se halla algún avión, puede ser presagio de un largo viaje.
Si saliendo del hangar despega alguna aeronave, eso indica que nuestras finanzas tienden a mejorar en un futuro próximo.

Harapos

Los harapos simbolizan los conflictos pendientes, las rencillas que nunca se han aclarado.
Si nuestra ropa está hecha jirones, indica que tenemos tendencia a no zanjar terminantemente los asuntos desagradables.
Si vemos a otra persona vistiendo harapos, ésta representa los amigos que están en condiciones socioeconómicas inferiores.

Harén

Es común que en los sueños eróticos las escenas transcurran en un harén.
Normalmente se producen cuando hay

una excitación sexual, tanto en hombres como en mujeres.

HARINA

Simboliza el alimento básico tanto para el alma como para el cuerpo.
Por un lado, si aparece en sueños indica que no nos va a faltar lo esencial para vivir. Al respecto, cuanta mayor cantidad de harina haya, mayor prosperidad alcanzaremos.
Por otro, en cuanto a alimento espiritual y psicológico, puede decirse que su aparición en un sueño revela que nos sentimos afectivamente satisfechos y que tenemos un buen grado de autoconocimiento.

HASTÍO

Esta desagradable sensación se produce cuando perdemos toda motivación.
Si en el sueño nos sentimos hastiados quiere decir que estamos a punto de renunciar a algo que nos interesa mucho, pero que nos resulta muy difícil de alcanzar. Ante esa situación, lo mejor es que en lugar de abandonarlo definitivamente nos tomemos un descanso para reponer fuerzas y poder ver con mayor objetividad el origen de los problemas.

HATILLO

Representa la escasez de medios para realizar nuestros sueños.
Si los portadores del hatillo somos nosotros significa que, aunque tengamos buenas ideas y seamos capaces de poner todo nuestro esfuerzo en llevarlas a cabo, no contamos con las herramientas necesarias para ello. Debemos, pues, esperar a que las condiciones nos sean favorables para poner los proyectos en marcha. Si el hatillo lo lleva otro, quiere decir que admiramos la inteligencia, generosidad y desprendimiento en una persona de nuestro entorno, ya que, a pesar de su talento, no se muestra ambiciosa, sino muy preocupada por su crecimiento interior.

HAYA

Sus frutos son afrodisíacos y al abrigo de su densa copa crece una amplia variedad de especies. Para los celtas, este árbol de rápido crecimiento era símbolo de la fecundidad.
Su presencia en un sueño indica grandes progresos personales en todos los órdenes: personal, laboral, amoroso y familiar. Si se sueña con él estando en período de convalecencia, augura una rápida recuperación.

HEBILLA

Simboliza las reuniones familiares en las que intervienen varios miembros; ya sean celebraciones o encuentros para solucionar problemas.
Si la hebilla que aparece en el sueño se encuentra en buen estado y es agradable, quiere decir que habrá encuentros familiares muy positivos. Si está rota, sucia o deslucida, en cambio, el sueño anuncia que habrá desavenencias con hermanos o parientes políticos.

HEBRA

Soñar con hebras significa tener una gran responsabilidad sobre otra persona, ya sea sobre los hijos, los alumnos, los empleados, etc.
Si las hebras se enredan, es señal de que será difícil controlar lo que éstas hagan y que su conducta puede dar dolores de cabeza.
Si con las hebras se fabrica algún tejido, significa que las personas que están a nuestro cargo harán muchas cosas de provecho sirviéndose de los buenos consejos que les brindaremos en el futuro.

HEBREO

Véase LENGUA.

Hecatombe

Véase DESASTRE.

Hechizo

Los hechizos simbolizan los deseos con los que no nos atrevemos a enfrentarnos. A menudo sugieren que estamos viviendo una situación que nos resulta incontrolable o que nos asaltan miedos irracionales.
Si es otra persona la que realiza el hechizo, quiere decir que nuestra intuición nos está advirtiendo de una traición. Ante ello, conviene que nos preparemos adecuadamente y que observemos atentamente el entorno para minimizar los daños en la medida de lo posible.
Si somos nosotros quienes hacemos el hechizo, debemos interpretar que pasamos por un período de dudas morales, que deseamos cosas que nos resultan reprobables o mal vistas a los ojos de nuestra familia o amigos, pero que no podemos evitar caer en la tentación. Será necesario, por tanto, hacer un profundo examen de conciencia y revisar nuestra escala de valores.
Las maldiciones, que son en definitiva hechizos que no requieren un ritual específico, indican el deseo de poner en evidencia los defectos que otra persona se empeña en ocultar o negar.

Véase MAGIA.

Hedor

El olfato es, junto con el gusto, uno de los sentidos que menos participación tiene en los sueños. A menudo los olores aparecen como comentarios que hace alguno de los personajes y no como producto de la percepción directa, como ocurre en la vida real.
Los malos olores indican recuerdos traumáticos sepultados que, a pesar de no ocupar el centro de la conciencia, determinan en gran medida nuestras actitudes cotidianas.

Helada

Cuando la humedad o el rocío se congelan, las superficies expuestas al aire libre muestran una delgada película de hielo. Éstas son temidas tanto por los conductores, debido a los accidentes que pueden provocar como por los agricultores, que ven sus cosechas estropeadas a causa del hielo.
Si en nuestro sueño ha helado, debemos entender que el trabajo efectuado puede verse echado a perder por razones ajenas a nuestra voluntad. Debemos, pues, estar preparados para esta contingencia y ver qué origen podrían tener los problemas.

Helado

Representan las noticias inesperadas, los sucesos sorprendentes y positivos que sólo ocurren muy pocas veces en la vida.
Si somos nosotros quienes comemos un helado, quiere decir que se está gestando un gran cambio en nuestra vida, que la suerte estará de nuestra parte y que la sabremos aprovechar.

Helecho

Simboliza el reencuentro con un antiguo amor, con alguien a quien no vemos desde hace mucho tiempo.
Si están al aire libre, en un bosque o en medio de cualquier escenario natural, el encuentro que anticipa transcurrirá de forma placentera. Si el helecho está en un tiesto o en el interior de una casa, en cambio, será tenso, incómodo y puede dar lugar a recriminaciones o malentendidos.

Helenio

Esta planta, utilizada en la fabricación de licores y que constituye un manjar en Alemania, simboliza la irritación que nos produce una persona cercana que intenta entrometerse en nuestra vida.

Hélice

Simboliza el movimiento del medio, el cambio turbulento que posibilita un

cambio de estado, positivo o negativo.
Los sueños en los cuales se ve una hélice girando, sobre todo si pertenece a un aeroplano, indican un ascenso económico.
Las de las embarcaciones, si resultan amenazantes o peligrosas, simbolizan el miedo a sufrir desengaños afectivos, a ser abandonado por la persona amada.

Helicóptero

Los viajes en helicóptero significan que estamos viviendo más allá de nuestras posibilidades, que tendemos a gastar mucho más de lo que debiéramos y que nos podemos encontrar en dificultades económicas en un tiempo relativamente corto.
Si el sueño tiene elementos espirituales, el helicóptero puede simbolizar elevación, armonía interior, beatitud.

Heliotropo

Simboliza el disimulo, la impostura.
Si alguien nos regala un ramo de heliotropos, quiere decir que no debemos fiarnos de esa persona porque no es lo que parece.
Juntar o cortar heliotropos, en cambio, debe entenderse como una búsqueda de la naturalidad, como la necesidad de conectarnos con nosotros mismos y olvidarnos del juicio que puedan emitir los demás acerca de nuestra imagen o de nuestras acciones.

Hematoma

Se forma por la ruptura de los capilares tras una contusión.
En sueños, simboliza la expresión del malestar, la capacidad de decir con absoluta claridad las propias opiniones, sobre todo cuando éstas son contrarias a las de los demás.
Si el sueño provoca angustia o ansiedad, puede entenderse que encontramos mucha oposición en las personas que nos rodean y que sentimos que no nos tienen debidamente en cuenta.

Hemeroteca

Simboliza la historia de la familia.
Si estamos en una hemeroteca buscando datos, quiere decir que ansiamos conocer mejor a nuestros padres y abuelos, que queremos entender las razones que determinan su conducta.
Si el protagonista del sueño es otra persona y es ésta quien está en la hemeroteca, significa que hay personas que se interesan de forma malsana por nuestros asuntos o que somos víctimas de la maledicencia.

Hemisferio

La mitad de una esfera simboliza los problemas que determinan un débil equilibrio interior.
Si a imagen del sueño está relacionado con alguno de los hemisferios cerebrales, habrá que tener en cuenta si es el derecho o el izquierdo, así como los sentimientos que provoquen las imágenes.
En el primer caso, el sueño se relacionará con el despertar de la intuición, con una mayor apertura hacia el mundo afectivo; en el segundo, con el mundo mental, con la adquisición de nuevas habilidades intelectuales o con el deterioro o merma de las que se poseen.
Por ello, quien sueñe con el hemisferio izquierdo del cerebro, deberá indagar en aquellos talentos que ha desperdiciado a fin de desarrollarlos.

Hemorragia

Simboliza la pérdida de la energía vital.
Si somos nosotros quienes tenemos la hemorragia, deberemos averiguar qué es lo que provoca la pérdida de fuerzas psíquicas, qué es lo que lleva a nuestra mente a perderse en reflexiones que no llevan a ningún puerto. Es muy probable que se trate de alguna obsesión, de un miedo oculto e irracional.
Si es otra persona la que padece este contratiempo, significa que un aliado con el que contábamos ya no es tan fiable.

Puede tratarse de un socio que ya no tiene las mismas energías para emprender un negocio en común, o de una pareja que parece más interesada en otros asuntos que en la marcha de la relación.

Hendidura

Véase AGUJERO.

Heno

Esta planta simboliza la riqueza, la prosperidad, el éxito comercial.
Grandes cantidades de heno indican que los negocios marcharán bien, que habrá un interesante crecimiento económico, sobre todo si se encuentra convenientemente almacenado, en parvas ordenadas y en un entorno agradable.
Cuando el heno está esparcido, desordenado o en mal estado, indica que no sabemos administrar nuestros bienes y que corremos el riesgo de sufrir pérdidas y contratiempos.

Heptágono

Este polígono formado por siete lados y siete vértices a menudo se utiliza en los rituales de magia. Verlo en sueños simboliza el malestar que sentimos ante la soledad, sobre todo a la hora de comparar nuestra situación con la de otras personas que están en pareja.

Véase SIETE.

Heráldica

Los escudos de armas indican la pertenencia a antiguas y renombradas familias; por eso representan los vínculos que tenemos con nuestros padres y nuestros ancestros, así como el apoyo que recibimos de todas las personas a las que estamos unidos por vínculos de sangre.
Si el sueño es placentero, la relación que mantenemos con nuestra familia es sana y productiva; si, por el contrario, nos provoca angustia o ansiedad, quiere decir que estamos inmersos en una familia conflictiva en la que sus miembros no mantienen una buena relación entre sí.

Heraldo

Los heraldos anuncian decisiones gubernamentales que afectan a toda la población; por ello, si los vemos en sueños, debemos pensar que hay aspectos de la realidad que no controlamos, que se nos pasan por alto y que, a raíz de ello, obramos equivocadamente.

Herbolario

Soñar que estamos en un herbolario significa que no debemos preocuparnos excesivamente por nuestra salud, que nuestro organismo está bien preparado para efectuar las tareas de autocuración pero que, al mismo tiempo, debemos esforzarnos en llevar una alimentación y descanso correctos.
Estos sueños pueden presentarse a las personas hipocondríacas que, temerosas de contraer o padecer enfermedades, buscan remedios de todo tipo aunque no los necesiten.

Hércules

Es símbolo claro de la fuerza física.
Posiblemente, este personaje mitológico aparezca en sueños cuando debamos hacer grandes esfuerzos en la vida real (por ejemplo, si practicando algún deporte nos preparamos para una competición, si vamos a iniciar una aventura, etc.). En este sentido, augura claramente el éxito.
Si el sueño nos inquieta o Hércules se muestra amenazador, debemos entender que damos una excesiva importancia a nuestra apariencia física y que descuidamos el desarrollo de otras cualidades relacionadas con los mundos mental, emocional y espiritual.

Herejía

Véase INQUISICIÓN.

Herencia

Los sueños en los que cobramos una herencia o legado que nos ha dejado un familiar desconocido representan cambios positivos en el trabajo, reconocimiento por parte de los superiores.
Si la herencia proviene de alguien a quien conocemos, en cambio, indica que recibiremos el apoyo de esa persona a la hora de solventar un conflicto familiar.
Cuando lo que se hereda no es dinero sino objetos, será importante averiguar el simbolismo de éstos para hacer un análisis más profundo.

Herida

Las heridas o llagas del cuerpo físico representan los daños emocionales o psicológicos que hemos recibido. Si están en vías de curación o presentan un aspecto normal, significa que si bien hemos pasado por experiencias traumáticas, éstas no nos han dejado secuelas importantes. En cambio, si las heridas tienen mal aspecto, están infectadas o sangran, quiere decir que hemos sufrido golpes de los cuales no nos hemos repuesto todavía, que nuestra conducta se ve afectada por ellos y que, tal vez, sería conveniente que visitáramos a un psicólogo para que nos ayude a entender y superar esos problemas.

Hermafrodita

Los sueños en los cuales aparecen personajes que poseen atributos sexuales de ambos sexos son relativamente comunes y su análisis depende de las emociones que en ellos se vivan.
En caso de que el sueño sea plácido o no suscite ninguna tensión, la presencia de un hermafrodita indica, en un hombre, que ha integrado armónicamente su parte femenina y en una mujer, que ha asumido su parte masculina con absoluta naturalidad. Esto no significa, de ningún modo, que se reniegue de la opuesta sino, más bien, que no se teme mostrar cualidades que son tradicionalmente adjudicadas al sexo opuesto (la sensibilidad en un hombre, la fuerza física en una mujer, etc.).
Si el sueño es angustioso o provoca ansiedad, señala un miedo inconsciente a una posible homosexualidad.

Hermandad

Las hermandades, sobre todo si se trata de organizaciones secretas, muestran la necesidad de integrarse al medio y la imposibilidad de establecer vínculos fluidos en el trabajo, el vecindario, el lugar de estudio, etc.
Los sueños en los cuales los miembros de una hermandad nos persiguen, pueden representar una situación de acoso laboral o de marginación que estemos viviendo en la realidad.

Hermano

En los sueños, los hermanos son una representación de nosotros mismos. Los temores que manifiestan, sus deseos y su manera de actuar son los que presentamos nosotros en la vida real. De modo que observando su conducta podemos deducir cómo somos vistos por los demás.

Hernia

Las hernias simbolizan los esfuerzos que hemos hecho más allá de nuestros límites. Si quien padece este trastorno es un bebé, quiere decir que nos estamos preparando para afrontar una época de dificultades y que estamos dispuestos a salir adelante, cueste lo que cueste.

Herodes

Uno de los hechos más conocidos en la vida de este romano lo cuenta la Biblia. Al enterarse del nacimiento del Mesías, mandó matar a todos los niños menores de dos años de la región, a fin de dejar a los judíos sin el rey que les auguraban la escrituras.

Si aparece en nuestros sueños, quiere decir que estamos preocupados por la salud o los problemas de un niño, seguramente de la familia.

Héroe

Simboliza aquellas virtudes que, en un momento crucial, convierten a un hombre en un ser valiente, capaz de dar la vida con tal de que la justicia se imponga.
Si en el sueño llevamos a cabo actitudes heroicas, quiere decir que tenemos una escala de valores muy asentada y que estamos dispuestos a luchar por ellos. Los contratiempos que, como héroes, tengamos que sufrir en el sueño advierten que el camino no siempre es fácil y que debemos estar preparados para solventar cualquier contingencia que pudiera presentarse.
En caso de que los actos de heroísmo los lleve a cabo otra persona deberemos interpretar que nos sentimos profundamente abatidos y que no sabemos a quién podemos pedir ayuda. De todos modos, aunque pasemos una etapa difícil, el sueño también anuncia un cambio próximo.

Herradura

Soñar con herraduras es augurio de buena suerte; sobre todo si la encontramos o la colgamos detrás de la puerta.
En caso de perderla, significa que tendremos que luchar duramente para conseguir lo que nos hemos propuesto.
La acción de herrar un caballo está relacionada con el aprendizaje y el entrenamiento. Si el animal se mantiene quieto, significa que alcanzaremos un alto grado de capacitación.

Herraje

Las piezas de hierro o bronce que se utilizan para guarnecer ciertos muebles, simbolizan la elegancia.
Si los herrajes que aparecen en el sueño pertenecen a un objeto de nuestra propiedad, quiere decir que destacamos por nuestro buen gusto a la hora de vestir y de arreglarnos.
En caso de que el herraje estuviera deteriorado o mal puesto deberemos pensar que sería conveniente que prestáramos más atención a nuestro aspecto físico.

Herramienta

Las herramientas, en general, simbolizan las diferentes capacidades que tenemos para resolver los problemas que se nos presentan en la realidad. Según de qué herramienta se trate, explicarán qué métodos son los que solemos utilizar.
Soñar con un martillo indica que no tenemos paciencia para esperar los resultados de nuestras acciones, que tendemos a ser agresivos y a utilizar toda nuestra fuerza desde los comienzos. Eso hace que, en ocasiones, los proyectos se malogren.
Si en el sueño aparecemos utilizando pinzas, tenazas o algún elemento que sujete, quiere decir que nuestra tendencia es atacar los problemas desde diferentes flancos, probando cuál ofrece la menor resistencia.
Si utilizamos, en cambio, un destornillador, significa que tendemos a analizar con profundidad el origen de los problemas antes de emprender cualquier acción para resolverlos.
En caso de aparecer una herramienta cortante en el sueño quiere decir que preferimos tratar el problema solucionándolo por partes.
Las gubias, punzones, taladros, berbiquíes y formones, señalan la tendencia a tomar decisiones rápidas y drásticas, a veces equivocadas.
Las que se utilizan en jardinería, señalan nuestra capacidad para la diplomacia.

Herrero

Los herreros simbolizan los maestros y preceptores exigentes porque moldean

nuestra alma y nuestro carácter de la misma manera que el herrero da forma al hierro.
Si quienes ejercemos este oficio somos nosotros, quiere decir que habrá personas a nuestro cargo a las que deberemos enseñar.
Si estamos en una herrería y ahí vemos un herrero trabajando, éste representa a una persona cercana.

Herrumbre

La herrumbre simboliza la decadencia, la caída económica, la pérdida de prestigio o de consideración por parte de los demás.
Si nos manchamos con óxido quiere decir que debemos tener más cuidado a la hora de elegir nuestros amigos.

Hervir

Hervir alimentos en sueños indica un excelente estado de salud.
Si lo que se hierve es algún objeto o ropa con la intención de desinfectarlo, quiere decir que sabemos protegernos de las influencias nocivas.

Hexágono

Véase SEIS.

Hibernar

Ciertos mamíferos, cuando las condiciones invernales se hacen extremas, bajan al mínimo sus constantes vitales entrando en estado de hibernación. Así, ahorran energías y evitan tener que conseguir alimento durante la estación más fría.
Si soñamos que estamos hibernando o vemos en el sueño un animal que lo hace, significa que en este momento debemos reservar las fuerzas en lugar de luchar contra lo imposible. Ya vendrán tiempos mejores.

Hibisco

Esta planta simboliza el amor apasionado.
Su presencia indica que nos propondrán una relación amorosa que, a pesar de su intensidad, no durará mucho tiempo.

Híbrido

Con esta palabra se designa, generalmente, a aquellos ejemplares de plantas en los que se han cruzado dos especies diferentes.
Si el sueño donde aparecen híbridos es plácido, significa que nos sentimos contentos con lo que nuestros padres nos han legado en concepto de educación.
En caso de que las imágenes provoquen tensión o angustia quiere decir que los conflictos y diferencias que se suscitan entre nuestros padres nos preocupan y que, ante ellos, nos sentimos completamente impotentes.

Hidroavión

En él se conjugan dos símbolos importantes: agua y aire; es decir, el mundo sensitivo y el mundo mental.
Los sueños en los que aparecen estas aeronaves reflejan la dificultad que tenemos a la hora de hacerle caso a nuestra intuición o a nuestra reflexión.

Hiedra

Esta planta es símbolo de la amistad, de la lealtad, pero también puede indicar un excesivo apego al mundo material.
Cuando aparece pegada a un muro, representa los afectos duraderos, las relaciones que llevan mucho tiempo.
Si está en un tiesto, en cambio, puede ser símbolo de nuevas y gratas amistades.

Hiel

Esta sustancia amarga de origen animal simboliza todo aquello que consideramos una desgracia. Al respecto cabe decir que no tiene porqué ser anuncio de una muerte o una grave enfermedad.
Los sueños en los cuales la hiel tiene un papel importante, por lo general, se presentan cuando vivimos etapas difíciles, afectivamente dolorosas.

Un sueño de este tipo puede señalar una próxima ruptura amorosa.
También pueden tenerse estos sueños cuando amamos a una persona que no nos corresponde.

Hielo

El hielo simboliza, ante todo, el desamor.
Si soñamos que vamos en el coche y hay hielo en la carretera, significa que estamos en una relación de pareja en la que el afecto no es suficiente. Tal vez la sigamos manteniendo por comodidad o por temor a la soledad, pero debemos pensar que, mientras estemos involucrados en ella, perdemos la oportunidad de consolidar otra con más futuro.
Si el hielo está en un vaso, en forma de cubitos, quiere decir que detectamos en nuestra pareja síntomas de agobio, cansancio o aburrimiento.

Véase CONGELAR.

Hiena

Las hienas, a pesar de su tamaño relativamente pequeño, son unos animales muy agresivos que cazan en grupo. Soñar con ellas significa que en el trabajo deberemos hacer frente a dos o más compañeros que harán todo lo posible por crearnos una injusta y mala fama. Para ello, utilizarán la calumnia y toda suerte de manipulaciones.
Si damos muerte a uno de estos animales, quiere decir que vamos a desmontar un complot en nuestra contra.

Hierba

Si en el sueño estamos tendidos en la hierba, disfrutando del paisaje, quiere decir que estamos demasiado inmersos en el trabajo y en los problemas cotidianos, que debemos tomarnos un tiempo para descansar, gozar de lo que la naturaleza nos ofrece y preocuparnos más de nuestro mundo interior. Si, además, podemos percibir el olor de la hierba, sea la que nos rodea o la que alguien esté cortando, quiere decir que hemos adquirido un interesante grado de sabiduría que nos permitirá vivir plenamente y en armonía con el medio.

Hierbabuena

Esta planta ha sido considerada, tradicionalmente, como un excelente protector para todo tipo de enfermedades.
Si soñamos con que tenemos hojas o ramas de hierbabuena en la mano, quiere decir que nuestro organismo se encuentra en perfectas condiciones o, si estamos enfermos, que sanaremos rápidamente.
Si la hierbabuena está en el bolso o en un bolsillo recibiremos un dinero inesperado.

Hierro

Tanto el hierro como el acero simbolizan la fortaleza física, pero también la rigidez, la intransigencia, el rigor excesivo.
En ocasiones puede representar a una persona que haya obtenido el poder por medio de la fuerza.

Véase HERRERO.

Hígado

Muchas culturas, entre ellas la griega, han relacionado cada uno de los principales órganos del cuerpo con un humor y con un sentimiento específico. El hígado se vincula a la bilis negra y a la melancolía, ya que los médicos de la antigüedad observaron que si este órgano enfermaba, el paciente adoptaba una actitud claramente melancólica.
Los sueños en los que esta víscera, sea propia o de algún animal, cobra un papel protagonista nos están advirtiendo de que debemos cambiar nuestra actitud, que es necesario recuperar la alegría y tener una actitud más optimista frente a la vida.

Higiene

El acto de higienizarse representa el anhelo de mejorar, de eliminar las conductas equivocadas, de trabajar sobre los defectos a fin de erradicarlos.

Véase BAÑARSE.

HIGUERA

Este árbol, al igual que sus frutos, simboliza la prosperidad, la abundancia, siempre y cuando presente las hojas verdes.

Si se trata de un árbol viejo pero con brotes significa que una mujer mayor va a quedar embarazada.

Si los frutos están verdes el sueño debe interpretarse como una advertencia para que trabajemos más duro en aquello que deseamos conseguir.

HIJO

Si ya hemos sido padres, soñar con nuestros hijos revela que estamos preocupados por ellos; de modo que será necesario analizar los restantes elementos del sueño para comprender éste en profundidad.

En caso de que en la realidad no tengamos hijos, el verlos en sueños puede ser un augurio favorable que indique su presencia en un futuro.

HILACHA

Las hilachas simbolizan los pequeños detalles que, una vez terminados, dan un mejor aspecto a cualquier actividad u obra.

Cortar las hilachas de una tela significa dar los últimos toques a un proyecto a fin de perfeccionarlo.

Si se viste una prenda con hilachas significa que no se presta la debida atención al aspecto personal.

HILAR

Simboliza la utilización de la diplomacia y de la mano izquierda a fin de resolver los problemas.

Si somos nosotros quienes manejamos el huso o la rueca quiere decir que estamos abocados a sacar un negocio adelante y que éste requiere una negociación difícil, pero que estamos preparados para obtener los resultados apetecidos.

HILO

Gracias al hilo se mantienen unidos los diferentes trozos de una tela, por ello simbolizan los lazos de familia, los vínculos de afecto con los amigos y con la pareja.

Si utilizamos hilo para coser una prenda quiere decir que nos preocupamos por tener una relación agradable con las personas que tenemos más cerca; si, por el contrario, llevamos hilos colgando, significa que mantenemos una actitud egocéntrica en la que no cabe preocuparnos por lo que piensen o deseen los demás.

Véase COSTURERO.

HILVÁN

Simboliza el trabajo hecho con rapidez y sin prestar atención.

Cuando en sueños hilvanamos una prenda quiere decir que a la hora de cumplir con nuestras obligaciones lo hacemos sin entusiasmo, intentando tan solo quitarnos la tarea cuanto antes. Eso nos lleva a realizar las tareas de forma imperfecta.

Tal vez el problema esté en que tenemos un trabajo que no nos motiva, de manera que aquí habría un punto sobre el que deberíamos reflexionar.

HIMNO

Los himnos representan la disciplina necesaria para trabajar en equipo.

Si estando en un grupo entonamos un himno, quiere decir que estamos a punto de hacer un gran esfuerzo que, con el tiempo, tendrá su recompensa. También advierte de que no debemos buscar el protagonismo sino, por el contrario, es mejor que nos mostremos solidarios y modestos, ya que así conseguiremos mejores relaciones.

Hinchar

Desde el punto de vista psicoanalítico, la mayoría de las acciones que tienen un efecto acumulativo tienen connotaciones sexuales.
En el caso de hinchar un globo, por ejemplo, se manifiestan ciertas similitudes con la excitación: aumento paulatino de la presión interna, tensión en las paredes del globo y, finalmente, liberación y relax cuando el globo es deshinchado.

Hinchazón

En términos generales, simboliza la soberbia, el orgullo mal entendido aunque, en ocasiones, también puede representar una tendencia a la exageración.

Hinojo

Antiguamente, era costumbre colgarlo en la puerta de la casa para ahuyentar a los malos espíritus. También se pensaba que su semilla, llevada en un saquito, proporcionaba buena suerte.
Soñar con esta planta indica que, en el medio en el que nos movemos, contamos con personas que siempre estarán dispuestas a defendernos.

Hipar

El hipo simboliza los excesos y la ambición desmedida. Si nos vemos hipar en sueños, quiere decir que estamos tratando de abarcar más cosas de las que, en realidad, podemos tener entre manos.

Hipertrofia

El crecimiento desmedido de una zona del cuerpo indica un desequilibrio entre el mundo material, el mental y el espiritual.
A menudo prestamos demasiada atención a las ideas dejando de lado o menospreciando las emociones; otras, tendemos a centrarnos en éstas olvidándonos de que lo importante es el equilibrio, la armonía, el que cada aspecto de la realidad tenga la debida importancia.
Si es otra la persona que padece este trastorno quiere decir que en ella sólo vemos un aspecto de su forma de ser, bien el positivo o el negativo, y que tenemos que esforzarnos por tomarla como un ser completo, con sus cosas buenas y sus cosas malas.

Hipnosis

Cuando se somete a una persona a la hipnosis, su voluntad queda, en gran medida, supeditada a la del hipnotizador.
Si somos hipnotizados en sueños quiere decir que hay alguien que tiene un gran poder sobre nuestras decisiones, que consideramos su opinión más certera que la propia y que nos dejamos influir excesivamente por quienes nos rodean. En caso de que la hipnosis en la que participamos como sujetos pasivos sea realizada en grupo (es decir, que haya también otras personas en nuestra misma situación), podría entenderse como una señal que nos previene de alguien acostumbrado a controlar, a manipular a cuanta persona esté a su lado.
Si somos nosotros quienes hipnotizamos a otra persona, en cambio, significa que tenemos grandes dotes de liderazgo, indica que despertamos fácilmente la admiración de los demás, que sabemos resolver rápidamente cualquier situación y que, en general, se nos tiene muy en cuenta.

Hipocampo

En diversos lugares se cree que el cuerpo de estos curiosos animales, una vez disecado y utilizado como talismán, da suerte a quien lo posee, de modo que se considera como buen augurio soñar con ellos.
Como aun viviendo en el medio acuático tiene una forma más propia de animales de tierra, simboliza la materialidad unida a la sensibilidad.
Si en el sueño tenemos cerca uno de estos animales, puede tomarse como anuncio de un período muy creativo, sobre todo en

lo que se refiere a artes plásticas. De manera que si tenemos alguna inclinación hacia la pintura o la escultura, será el mejor momento para trabajar sobre ella.
El hipocampo en una pecera simboliza el talento artístico sin desarrollar.
También recibe el nombre de hipocampo una zona del cerebro; de modo que si es este concepto o imagen el que aparece en el sueño, deberá interpretarse de otra manera.
Como está ligado al mundo emocional, podría indicar una tendencia a la exageración, una forma de actuar visceral y precipitadamente que nos crea problemas.

Hipocondría

Como los sueños suelen transcurrir en un marco de tiempo relativamente breve, no es común que se presente una situación que permitiera calificar a una persona de hipocondríaca. Sin embargo, si en las imágenes nos sentimos excesivamente preocupados por enfermedades que no tenemos, ello puede simbolizar el castigo por alguna culpa inconsciente.
Si es otra la persona que dice padecer diversas enfermedades, ella representará los defectos que más nos debilitan.

Hipódromo

El cabalgar simboliza, por un lado, el dominio de nuestros instintos más básicos; por ello, si participamos como jinetes en una carrera en el hipódromo, debemos interpretar que hemos conseguido superar algunos defectos gracias al estímulo y ejemplo que hemos recibido de una persona de nuestro entorno.
Pero el hipódromo está ligado a los juegos de azar, de manera que si soñamos que hacemos apuestas o que presenciamos una carrera, quiere decir que buscamos una salida fácil a la situación angustiosa que estamos viviendo. Ésta no tiene que ser necesariamente económica, puede tratarse de un problema familiar, amoroso, laboral, etc.

Hipopótamo

A pesar de su gran volumen y de su aparente placidez, el hipopótamo es uno de los animales que más muertes ocasionan en los lugares en los que vive. Estas bestias simbolizan la ira contenida y el rencor.
Si en el sueño somos atacados por un hipopótamo quiere decir que sin habernos dado cuenta hemos ofendido a una persona muy rencorosa y que ésta busca el modo de vengarse.

Hipoteca

A veces, las hipotecas están presentes en sueños muy angustiosos en los que se pierde una propiedad, generalmente la casa en la que se vive. Sin embargo, esto no debe considerarse como un mal augurio sino como un deseo profundo de hacer cambios en la propia vida y de sentir una mayor libertad.
Obtener un dinero poniendo la casa como garantía señala la valoración que se tiene no sólo del hogar en el que se vive sino, también, de las personas con las cuales se comparte. El dinero aquí simboliza el valor que se le da a todo ello.

Hipótesis

Como parte fundamental de los teoremas, las hipótesis son, por así decirlo, presunciones o enunciados que se intentarán demostrar más adelante.
Si en el sueño formulamos hipótesis o las oímos, quiere decir que nos vemos enfrentados a una situación difícil que aún puede empeorar debido a que no sabemos plantear una resolución correcta.

Hirsutismo

La presencia de pelo o vello abundante a menudo se ha tomado como índice de gran sensibilidad, de talento para captar todo aquello que no se ve ni se oye.
Los sueños en los que nos vemos con una pilosidad abundante advierten de que tenemos dotes como médium, que nuestra

percepción extrasensorial está muy agudizada.
Si es otra persona la que aparece con vello o cabellera abundante indica que es alguien de nuestro entorno quien posee cualidades para conocer el futuro.

Hisopo

Como aspersor de agua bendita, el hisopo es un símbolo de espiritualidad o, por el contrario, de concupiscencia.
Si somos nosotros quienes lo utilizamos indica que estamos preocupados por el desarrollo espiritual de las personas a las que queremos, que nos vemos inclinados a una acción de apostolado y que estamos dispuestos a ayudar a los demás a efectuar un cambio positivo en este sentido.
Si, por el contrario, alguien esparce agua bendita sobre nosotros, debemos interpretar que estamos excesivamente apegados al mundo material, que es necesario que nos preocupemos más de nuestro interior porque sólo así conseguiremos ser más felices.

Histeria

Cuando en los sueños se tienen o se presencian ataques de histerismo significa que en la vida real hay una situación que se nos está yendo de las manos.
Para hacer un análisis más profundo, deberán tenerse en cuenta las razones que propiciaron el ataque.
En ocasiones, también puede ser una señal de que no logramos controlar nuestras emociones y una advertencia para que procuremos encontrar un poco de sosiego.

Historia

El estudio de esta materia simboliza la tendencia a la reflexión, indica que nos preocupamos por entender los efectos que se producen tras nuestras acciones.
El período o el hecho histórico que estemos estudiando podría arrojar una luz sobre los problemas que más nos preocupan en el presente.

Hocico

El hocico de un animal que en el sueño se muestre amistoso, puede indicar la presencia de un amigo o hermano mayor que nos ayude a encontrar la mejor forma de actuar en los momentos difíciles o peligrosos.
En cambio, si el animal es agresivo o nos busca olfativamente para atacarnos quiere decir que nos movemos en un medio laboral difícil, que la competencia en él es muy fuerte y que debemos protegernos las espaldas.

Hogar

Muchos de los sueños, naturalmente, tienen como escenario la propia casa.
Cuando ésta se convierte en protagonista nos simboliza a nosotros mismos.
Partiendo de esta base, será necesario analizar los demás elementos que aparezcan en las imágenes oníricas para conocer su significado.

Hoguera

Está claramente vinculada al elemento fuego y, por lo tanto, a la voluntad.
Soñar con que estamos frente a una hoguera significa sentirnos seguros de nuestra capacidad para dominar los problemas que se presenten y, también, tener un lugar o actividad donde refugiarnos cuando la estabilidad psíquica se ve amenazada.

Hojaldre

Esta masa laminada que aumenta su volumen en el horno simboliza las ambiciones desmedidas, así como la tendencia a darnos importancia.
En caso de estar cocinándola, por el contrario, indica nuestra preocupación por mejorar cada día, por adquirir habilidades que sean útiles a los demás.

Hojarasca

En un entorno boscoso, la hojarasca se forma con las hojas muertas de los

árboles; de ahí que, en sueños, se relacione con los afectos perdidos.
Si el caminar sobre la hojarasca no nos angustia ni nos preocupa, quiere decir que hemos superado felizmente una ruptura.
Si, por el contrario, nos da miedo o nos perturba, es índice de que aún no hemos superado la distancia con una persona a la que hemos querido mucho.

Hojas

Simbolizan el dinero, la situación económica del presente o de un futuro inmediato.
Las que se ven verdes en el árbol o la planta, indican que se está en un momento en el que se pueden obtener interesantes ganancias, que habrá oportunidades que permitan la prosperidad. Las hojas secas, por el contrario, anticipan dificultades y advierten de que es mejor limitar lo más posible los gastos superfluos.

Véase HOJARASCA.

Hollín

Mancharnos con hollín simboliza la disposición a poner punto final a una situación molesta. Indica que no estamos dispuestos a aguantar impertinencias y que no nos importa que una actitud firme por nuestra parte pueda enturbiar nuestra imagen.

Holocausto

Ver ASESINAR.

Hombrera

Si en el sueño llevamos hombreras muy marcadas, eso indica que tenemos una gran capacidad para ayudar a quienes están sufriendo, que sabemos impartir consuelo, así como escuchar confidencias íntimas.
Cuando es otra la persona que las lleva indica que aparecerá en nuestro entorno una nueva persona dispuesta a cooperar en lo que la necesitemos.

Hombro

Los hombros son la zona del cuerpo que, por lo general, soporta gran parte de las cargas, como de hecho sucede cuando transportamos un bolso o una mochila. De ahí que aluda a nuestra capacidad de resistencia, al aguante y paciencia que tengamos a la hora de superar los obstáculos con tal de cumplir nuestros objetivos.
Un dolor en el hombro puede indicar que estamos tomando por nuestra cuenta responsabilidades ajenas.

Homicida

Son muy comunes los sueños en los cuales un homicida nos persigue. Simbolizan nuestras propias ganas de provocar daño a los demás, la furia que sentimos ante un hecho o ante las constantes actitudes de una persona que está próxima a nosotros.

Homosexualidad

Las relaciones homosexuales, en sueños, pueden dar cuenta de deseos perfectamente naturales aun en personas claramente heterosexuales. También es posible que indiquen un gran afecto hacia otra persona del mismo sexo.

Honda

Tomando como elemento de vinculación la historia bíblica de David y Goliat, que es el referente más próximo y común al uso de la honda, simboliza la astucia del débil contra la potencia del fuerte.
Utilizar una honda en sueños indica que tenemos a nuestro alcance los elementos necesarios para vencer a personas a las que tememos debido a su aparente fuerza. Ésta no tiene por qué ser física; tal vez se trate de competidores con una gran experiencia, de personas que nos superan en belleza o en cualquier otra cualidad.
Si otro personaje del sueño emplea una

honda contra nosotros, en cambio, debemos estar preparados y no confiarnos demasiado, ya que tenemos rivales peligrosos.

HONDONADA

Simboliza los períodos de reflexión, de repliegue sobre nosotros mismos.
Estas etapas de introversión no tienen por qué estar ligadas a momentos difíciles; a veces se producen como medio para propiciar la evolución espiritual.
Si nos refugiamos en una hondonada para escapar de unos enemigos que nos persiguen, el lugar será símbolo del retorno a la familia, del reencuentro con personas que, en otros momentos de nuestra vida, nos han resultado positivas.

HONGO

Véase CHAMPIÑONES.

HONOR

Los sueños en los que restablecemos nuestro honor indican que hay personas de la familia que nos avergüenzan.

HONORARIOS

El cobro de honorarios en sueños simboliza el agradecimiento por los favores que hayamos hecho a otras personas. En caso de ser nosotros quienes los pagamos, indica que nos sentimos en deuda y que queremos retribuir el apoyo recibido.

HORA

Véase CRONÓMETRO, RELOJ.

HORCA

La horca es un castigo que aún hoy se sigue empleando en muchos países; por lo tanto, si en el sueño somos ahorcados quiere decir que en nuestro interior sentimos remordimientos por haber actuado mal. Es posible, también, que tengamos este tipo de sueños en caso de dormir con una prenda que nos rodee el cuello; es una forma que tiene el inconsciente para crearnos el suficiente desasosiego que nos lleve a despertar y poder evitar, de este modo, el peligro de morir asfixiados.

Véase VERDUGO.

HORCHATA

Véase ZUMO.

HORIZONTE

El horizonte es el punto donde, ante nuestra vista, se une el cielo con la tierra o, en caso de estar en la playa, con el mar. Por lo tanto, se puede hablar de la integración armoniosa de dos elementos interiores.
Si el horizonte que vemos en sueños está formado por tierra-cielo quiere decir que utilizamos la inteligencia y la razón para conseguir bienes materiales.
Si el horizonte lo vemos desde la playa, con la mirada puesta sobre el mar, quiere decir que tenemos una gran capacidad de empatía y que sabemos explicar a los demás muchas cosas de sí mismos que, por sí solos no comprenden. También puede tomarse como una advertencia: esta maravillosa percepción no debe ser nunca utilizada para manipular a los demás, sino para ayudarles en su evolución.

HORMIGÓN

Si está fresco, si lo estamos utilizando para construir una pared, simboliza los pilares sobre los que se asienta nuestra personalidad.
En caso de que sea hormigón sólido, deberá interpretarse como un obstáculo que nos separa de la persona que amamos.

HORMIGUERO

La actividad que se despliega en un hormiguero es incesante, ya que estos

insectos se caracterizan por su gran laboriosidad.
Tanto las hormigas como los túneles que les sirven de morada simbolizan el trabajo excesivo y la ausencia de momentos de ocio y esparcimiento, tan necesarios para la salud mental.
Si destruimos un hormiguero, ello significa que debemos tomar urgentemente un respiro, ya que por cansancio nuestro rendimiento en el trabajo o en los estudios se está viendo mermado.

HORMONA

Las hormonas son, en cierta medida, las encargadas de que se ejecuten las órdenes del director de orquesta que es el cerebro. Su presencia en la sangre desencadena diversas actividades en los órganos y además suscitan diferentes emociones.
Soñar con hormonas, sin especificar de qué tipo de sustancia se trate, indica que somos excesivamente impulsivos, que no nos tomamos el debido tiempo para pensar cada cosa.
En caso de que se trate de hormonas sexuales, podría decirse que el sueño alude a fantasías sexuales que, por pudor o por miedo no nos atrevemos a enfrentar.

HORNO

Simboliza por una parte el aparato digestivo, ya que es en él donde los alimentos sufren una transformación; por extensión, el horno puede entenderse como un lugar en el cual «se cocinan cosas», de ahí que pueda representar la dirección de una empresa, la cúpula de gobierno o cualquier grupo de personas cuyas decisiones afecten a la mayoría.
Lo importante, en todo caso, es tener muy en cuenta para qué se está utilizando el horno durante el sueño. Si es para cocinar alimentos, significa que tendemos a descuidar la alimentación, sea por exceso o por defecto, y que debiéramos hacer una dieta más sana. Si el horno se utiliza para otra cosa, será necesario analizar el simbolismo de los elementos que intervengan en esa tarea.

HORÓSCOPO

Consultar el horóscopo en sueños indica una excesiva preocupación por el futuro que no permite vivir el presente intensamente.

Véase ZODÍACO.

HORQUILLA

Esta herramienta, que habitualmente se utiliza para ordenar y acumular los cereales segados, simboliza las preocupaciones relacionadas con Hacienda.
Los sueños en los que utilizamos eficientemente una horquilla indican que la declaración de la renta próxima no significará un problema.
Vernos atacados por una persona que porta una horquilla, en cambio, quiere decir que debemos estar preparados para el momento de la declaración y que si no la hacemos correctamente nos surgirán problemas.

HORTENSIA

Una tradición común en muchos lugares dice que en las casas en las que hay hortensias las muchachas permanecen solteras. Esta flor, por ello, es símbolo de la belleza fría y desapasionada.
Cuando aparece en sueños indica que podemos tener algunos problemas en el terreno sexual. Las sensaciones y el estado de ánimo que el sueño nos suscite explicarán si se trata de un trastorno pasajero o si es conveniente que consultemos con un especialista.
Si una mujer sueña que regala hortensias a otra quiere decir que la ve como a una posible rival en el terreno amoroso.

HOSPITAL

Los hospitales, hospicios y sanatorios son lugares cuyo cometido es la recuperación de la salud, del equilibrio. Simbolizan una

búsqueda de la armonía interior, de la integración de cuerpo, mente, emociones y alma.
Estar hospitalizado significa volver la mirada hacia nosotros mismos y señala que tenemos la humildad suficiente como para pedir ayuda a personas más sabias en caso de que la necesitemos.
En ocasiones, soñar con un hospital puede mostrar un temor enfermizo a la propia muerte.
Si en el sueño nos encontramos en una clínica privada, quiere decir que sabemos buscar nuestro propio equilibrio interior, que tenemos recursos para encontrar la paz aun en medio de las situaciones dramáticas.

Hostia

Es un claro simbolismo religioso.
Cuando aparece en sueños y el clima que en éstos se vive es calmo y armonioso, significa que hemos alcanzado un alto grado de paz interior.
Si la hostia es profanada o la sensación que experimentamos es de angustia o ansiedad, quiere decir que nos ocupamos demasiado de cuestiones materiales o afectivas, que hemos dejado de lado nuestra evolución espiritual, así como que sin ésta nunca alcanzaremos la felicidad.

Véase COMULGAR.

Hotel

Los hoteles son lugares habitados temporalmente por todo tipo de personas. En ellos se dan una amplia variedad de situaciones, de ahí que simbolicen en gran medida nuestra actitud y reacción ante los imprevistos.
Soñar que vivimos en un hotel significa que la vida que llevamos nos parece vacía, que ansiamos tener un mayor desahogo económico y que nos atrae poderosamente el lujo y el glamour.
También puede ser índice de un profundo deseo de libertad y mostrar, asimismo, el agobio al cual estamos sometidos por parte de la familia.
Ser administrador de un hotel indica que tendemos a manipular a los demás, que nos interesa controlarles la vida y que sentimos una gran curiosidad por su intimidad.
Perdernos dentro de un hotel significa que nos sentimos desvalidos y temerosos frente a las circunstancias que se salen de lo habitual.

Hoyo

En general, los accidentes del terreno simbolizan los obstáculos que encontramos en nuestro camino.
Observar un hoyo desde el borde indica una actitud cautelosa y prudente frente a los problemas que estemos viviendo en el presente.
Caer en un hoyo augura una pequeña pérdida de prestigio, sobre todo si el sueño está acompañado de una sensación de angustia.

Hoz

Al igual que la guadaña, es símbolo de muerte. Sin embargo, no necesariamente augura la de un ser querido; como muerte también se entiende el final de un proceso, de una relación.
Si utilizamos una hoz o una guadaña quiere decir que la situación presente exige que tomemos una decisión tajante, que no nos conviene seguir por el camino que llevamos.

Hucha

Es un símbolo claro del ahorro, pero no sólo en lo que se refiere a dinero, sino también a energías.
Los sueños en los cuales guardamos monedas en una hucha sirven para recomendarnos que ahorremos nuestras fuerzas, que si bien no está mal ser confiados y optimistas, es aconsejable mostrar una mayor cautela. Romper una hucha significa utilizar los últimos recursos

con los que contamos para conseguir lo que queremos, simboliza una última oportunidad.

Huelga

Simbolizan, por un lado, las exigencias que deberíamos plantear frente a nuestros empleadores. Por otra, pueden augurar un estancamiento en los negocios.
Si nos vemos involucrados en una huelga quiere decir que no nos están pagando lo suficiente por el trabajo que realizamos y que debemos exigir un sueldo mejor o plantearnos la posibilidad de cambiar de empleo.
En caso de que la huelga nos la hagan a nosotros, sería bueno plantearse si estamos siendo justos con las personas que nos rodean y si en realidad no les estaremos dando menos de lo que se merecen.

Huellas

Indican la búsqueda de una persona importante para nuestro equilibrio interior. Ésta puede ser alguien que conocemos o, sencillamente, alguien que nos sirva de guía, que con su sabiduría nos indique qué es lo que más nos conviene hacer.
Si estamos viviendo un problema específico, el soñar con huellas puede aludir a la búsqueda del profesional más adecuado para resolverlo.

Huérfano

La orfandad es una situación en la que se viven enormes carencias afectivas, por ello soñar con ella significa que tenemos miedo a la soledad, al aislamiento, a la pérdida de afecto por parte de nuestros seres queridos.
Acoger a un huérfano en sueños indica que buscamos proteger la parte más débil de nosotros mismos y que, por ello, a menudo tomamos distancia con los demás por temor a que nos hagan daño con su indiferencia o porque pensamos que no podríamos superarles.

Huerto

Simboliza el trabajo que hacemos sobre nosotros mismos a fin de evolucionar.
Si en el sueño somos propietarios de un huerto verde, sano, productivo, quiere decir que nos preocupamos por cultivar las más altas virtudes, que ansiamos ser cada vez mejores y que lejos de asustarnos o molestarnos las críticas que nos puedan hacer, más bien las agradecemos.
Un huerto deteriorado, por el contrario, señala que nuestro mundo interior nos interesa muy poco, que estamos demasiado apegados al éxito material y que ese descuido nos lleva a la infelicidad.
Si vemos un huerto ajeno y en buenas condiciones, éste simboliza las excelentes cualidades de una persona de nuestro entorno. En tal caso, deberemos hacer un examen de conciencia para determinar hasta qué punto sentimos envidia de su poseedor.

Hueso

Al ser la parte más sólida y compacta de nuestro cuerpo simbolizan la firmeza del carácter, el conjunto de ideas y normas que forman nuestro código de conducta.
Romperse un hueso significa estar frente a una gran tentación que amenace con quebrantar nuestros principios.
Sufrir un accidente de modo que la herida permita ver el hueso significa que gracias a los problemas que hemos tenido que resolver en un pasado inmediato, en la actualidad nos encontramos más fortalecidos moralmente.

Véase OSAMENTA.

Huésped

La hospitalidad es un claro símbolo de riqueza interior, ya que independientemente de cuál sea nuestra situación económica, estamos dispuestos a compartir lo que tenemos con otros más necesitados. Tener huéspedes en nuestra casa indica que se nos presentará la ocasión de hacer un intercambio muy provechoso.

Huevo

Es un símbolo de principio vital y puede entenderse como germen de cualquier cosa que tengamos como proyecto. Este símbolo también se extiende a todo aquello que tenga una forma oval.
Se han utilizado los huevos para llevar a cabo diferentes ritos que tienen como fin averiguar si se va a contraer matrimonio; por ello, su presencia en sueños también alude a la relación amorosa.
Si los huevos están enteros quiere decir que, o bien se convive con la persona amada, o eso se logrará en un futuro.
Los huevos rotos pueden mostrar el temor a no casarse, a la esterilidad o al fracaso sexual.
Si los huevos son utilizados para cocinar quiere decir que pondremos en marcha un interesante proyecto.
Soñar con la clara es, tradicionalmente, augurio de boda.
La yema del huevo es el embrión del futuro pollo y representa lo esencial de una situación, el punto central al cual hay que atender para poder resolverla. Si soñamos con que nos la comemos, indica que tenemos todo bajo control.

Huir

La necesidad de huir de una amenaza constituye uno de los elementos oníricos más comunes en las pesadillas. En este tipo de sueños es necesario prestar mucha atención al elemento amenazador, ya que será el que indique con su simbología cuáles son los que nos atemorizan en la vida real.
Las huidas, en sueños, pueden significar nuestra reticencia a asumir responsabilidades o compromisos.

Humedad

Al estar provocada por el agua, se relaciona con la esfera de la sensibilidad. Sin embargo, debido a las connotaciones negativas de la humedad, hay que entender que representa los aspectos más negativos o enfermizos de esta cualidad.
Ver en el sueño manchas de humedad indica que prestamos una atención exagerada a nuestros problemas, que tendemos a dramatizarlo todo y que queremos conseguir lo que deseamos por el método de sentirnos víctimas y mover en los demás el sentimiento de culpa.

Humillación

A veces los sueños sirven para impartir lecciones, para hacernos tomar conciencia de nuestros defectos.
Partiendo de esta base, el hecho de sufrir una humillación o cualquier tipo de vejación en sueños tiene como fin hacernos dar cuenta de que tenemos un orgullo desmedido.
En caso de ser nosotros quienes humillamos a otra persona, eso indica que alguien pretende abusar de nuestra buena fe y que es hora de que le hagamos ver que hemos descubierto sus intenciones.

Humo

Este elemento gaseoso toma su color de las partículas que tiene en suspensión y su símbolo está emparentado con los elementos fuego y aire; es decir, con la voluntad y la razón.
Es necesario distinguir el humo que se observa salir de una chimenea del que nos invade. En el primer caso, sobre todo si es tenue y de color blanquecino, indica que tenemos una mentalidad clara y que sabemos poner en juego toda nuestra voluntad a la hora de conseguir los objetivos que nos planteamos. Si el humo que sale por la chimenea fuera negro, debemos pensar que actuamos con excesiva precipitación y que carecemos de la paciencia suficiente para llevar los proyectos a término.
Cuando en el sueño nos vemos invadidos por una humareda quiere decir que

estamos viviendo un período de confusión mental, que nos vemos sumergidos en una situación que nos supera y que no podemos encontrar la forma de salir airosos de ella.

HUMUS

Véase TIERRA.

HUNDIR

Para analizar un sueño en el que algo o alguien se hunde, hay que ver qué simboliza ese objeto o persona.
Si es un barco el que se hunde quiere decir que veremos fracasar un proyecto aun antes de haberlo iniciado.
Si somos nosotros quienes nos hundimos en el agua, significa que estamos viviendo un período de introspección y búsqueda interior. Si es otra persona, debemos prestar atención a las personas que hay a nuestro alrededor, ya que una de ellas está pasando por un momento difícil y se encuentra esperando nuestra ayuda.

HURACÁN

En la vida real, los huracanes provocan daños enormes y ocasionan tragedias en muchas familias; de ahí que, en sueños, simbolicen los peligros que nos aguardan en un futuro próximo.
Lo esencial es tener en cuenta cuál es nuestra actitud frente al huracán: si lo observamos tranquilamente y a resguardo, quiere decir que estamos preparados para afrontar lo que el futuro nos depare. Si sentimos miedo o si el tifón nos amenaza directamente, debemos ser conscientes de que necesitamos una mayor claridad mental, de que debemos aprender a tomarnos las cosas con serenidad, ya que la agitación sólo puede tener consecuencias negativas.

HURGAR

Esta palabra se utiliza, generalmente, para describir la acción de buscar algo que otros prefieren que se mantenga escondido. Si en sueños hurgamos en un cajón, en un armario o en cualquier otro sitio quiere decir que estamos actuando a espaldas de otra persona de la cual queremos descubrir sus defectos y exponerlos a la vista del público. Ante ello, cabe reflexionar si no debiéramos mostrar mayor caridad hacia los demás y comprender que, a la larga, esta actitud nos acarreará el propio descrédito.

HURÓN

Este roedor es un excelente cazador que puede ser domesticado. Por su flexibilidad y rápido metabolismo representa a aquellas personas que tienen una peculiar vivacidad, que se mueven con rapidez y que demuestran astucia.
Tener un hurón como mascota indica que hay una persona que posee las características señaladas y que se convertirá en un aliado inmejorable a la hora de plantear cambios en el trabajo.
Ser atacado por un hurón, por el contrario, significa que debemos estar en guardia, ya que alguien está preparándonos una trampa.

HURTADILLAS

El hecho de movernos en sueños a hurtadillas indica que no queremos que se nos descubran ciertas facetas de nuestra personalidad.
Lo más probable es que, en la escena onírica, esta forma de andar esté justificada por la presencia de un peligro o por el temor de despertar a otra persona que, en el sueño, esté durmiendo. Serán precisamente estos elementos los que permitan averiguar mediante su simbolismo cuáles son las características que deseamos disimular o mantener ocultas a los ojos de los demás.

HURTO

Si el hurto está realizado por otra persona quiere decir que tendemos a no dar

demasiada importancia a nuestras pertenencias.
En caso de ser nosotros quienes hurtamos algún objeto en sueños, es señal de que tenemos importantes carencias afectivas.

Véase ROBO.

HUSO

Véase HILAR.

I

IBIS

Para los egipcios, esta ave era ímbolo de sabiduría y del alma que sobrevivía al cuerpo. Su presencia en sueños indica que tenemos una tendencia mística a la cual debemos prestar más atención.

ICEBERG

Estos bloques de hielo tienen la peculiaridad de ser ocho veces más grandes en su parte sumergida que en la que sobresale del agua. Al igual que los témpanos, simbolizan la hipocresía, el desprecio disfrazado de amabilidad. Su aparición en un sueño advierte de que debemos desconfiar de una persona.

IDENTIDAD

Los documentos de identidad acreditan quiénes somos. Su presencia en los sueños puede señalar que interiormente nos sentimos confundidos ante nuestras propias reacciones, que en cierto modo nos desconocemos.
Si en el sueño los perdemos, es señal de que nos gustaría cambiar y ser de otra manera.

IDILIO

Los romances vividos en sueños suelen tener un fuerte componente erótico y, por lo general, responden al deseo sexual experimentado mientras dormimos.

IDIOMA

Se dice que una lengua extranjera se domina cuando es el lenguaje empleado en los sueños. La presencia de un idioma desconocido indica que nos cuesta adaptarnos a la gente con la cual convivimos y que nos sentimos incomprendidos.

ÍDOLO

Los ídolos adorados por diferentes culturas simbolizan la búsqueda de ayuda sobrenatural. Su presencia indica que nos sentimos desconcertados, sin saber qué camino tomar.

Véase FAMA.

IGLESIA

Para todo creyente, soñar con la iglesia equivale a recordar sus deberes religiosos. Si la persona que sueña con ella no tiene una religión específica, puede indicar la necesidad de un guía espiritual o la búsqueda de ayuda y consuelo.
En caso de pertenecer a otro credo, el hecho de entrar en la iglesia significa que no está conforme con muchas de las leyes, normas o conceptos de su propia religión.

IGUANA

Este reptil simboliza los temores injustificados al iniciar un proyecto laboral. Si aparece en sueños nos preguntaremos si no paralizamos nuestros proyectos por un exagerado miedo al fracaso.

ILUMINAR

La luz se vincula con la inteligencia, con el entendimiento. Iluminar con una linterna, antorcha o vela un objeto, indica el intento de comprensión de una situación. Aquello que el objeto simbolice será el objeto de estudio.

ILUSIONISTA

Los ilusionistas y magos nos recuerdan que la realidad a menudo es engañosa, que no

debemos confiar ciegamente en los sentidos.
Si aparece en nuestros sueños, indica que nos dejamos llevar por las apariencias.

IMÁN

Simboliza el poder de atracción y el magnetismo personal, e indica que somos personas que causamos impacto en los demás.

IMANTAR

Si hay objetos que, en el sueño, aparecen imantados, quiere decir que finalmente conseguiremos hacer prevalecer nuestras ideas sobre las ajenas en una discusión que tenemos pendiente.

IMITAR

Cuando imitamos a otras personas en sueños quiere decir que nos gustaría ser como ellas, pero que en la realidad no nos atrevemos a actuar de ese modo.

IMPEDIMENTO

Es importante buscar los símbolos que se asocian a los impedimentos que vivimos en sueños, ya que representan los obstáculos que nos impiden el avance en la vida real.

IMPERMEABLE

El agua simboliza las emociones, por lo tanto, esta prenda que en realidad nos aísla de ella, representa el temor a conmovernos, a emocionarnos, así como los medios que ponemos para que eso no nos ocurra.

IMPOTENCIA

En los sueños de un hombre, la impotencia sexual indica el miedo a la pérdida de la virilidad.
El sentimiento de impotencia frente a los acontecimientos señala la conveniencia de no dar ningún paso, de esperar a que la situación que nos preocupa se resuelva por sí sola.

IMPRENTA

Si nos vemos en el interior de una imprenta es señal de que nuestras palabras tienen mucho peso en el entorno. Es probable que próximamente debamos hacer pública nuestra opinión sobre un asunto enojoso.

IMPUESTOS

Los impuestos simbolizan la disposición a corresponder los favores que nos hacen. Si nos sentimos agobiados por no haberlos pagado, es señal de que no hemos prestado la ayuda suficiente a un amigo que estuvo a nuestro lado en momentos de necesidad. El pago de ellos, en cambio, indica que somos agradecidos y sabemos corresponder a quienes nos ayudan.

IMPUGNAR

La impugnación de una votación muestra, a las claras, que no estamos de acuerdo con la mayoría. Esta situación indica que en la vida real se ha presentado un asunto sobre el cual nuestra opinión es absolutamente contraria a la de nuestra familia o de nuestros amigos.

IMPULSO

La acción de tomar impulso para realizar un esfuerzo físico como saltar, simboliza la toma de conciencia de las propias capacidades e indica que, cuanto antes las desarrollemos, más beneficios podremos obtener de ellas.

INACCESIBLE

Los lugares que en sueños nos resultan inaccesibles simbolizan las metas que, según creemos, no podemos alcanzar.
Si tras grandes esfuerzos podemos acceder en el sueño a esos lugares, quiere decir que también alcanzaremos otros objetivos aunque hoy nos parecen inaccesibles.

INANICIÓN

La falta de víveres puede presentarse en los sueños en los que se viven aventuras.

Simboliza la carencia de afectos, la soledad provocada por una excesiva timidez.

Inapetencia

Si en el sueño nos negamos a comer cuando los demás lo hacen es señal de que pasamos por una etapa en la que nuestro impulso sexual está adormecido. Ello puede deberse a decepciones, estrés o miedo a fracasar en la relación de pareja.

Incapacidad

La aparición de este concepto en un sueño muestra la impotencia para resolver los actuales problemas. Es importante, también, buscar el símbolo de la tarea que no podemos realizar para comprender la naturaleza de los obstáculos.

Véase DISCAPACIDAD.

Incendio

Los incendios simbolizan la pasión.
Si lo que se está quemando es una casa, indica que nuestra familia no acepta a la persona que hemos elegido. Si el fuego se extiende por el campo, quiere decir que debemos tener cuidado porque ese amor nos llevará a perder muchas otras cosas.

Incesto

Las muestras de afecto entre hermanos son naturales en la infancia. En la edad adulta se produce naturalmente un alejamiento físico.
Las imágenes incestuosas indican que no estamos satisfechos con nuestra pareja y que añoramos los mimos y cuidados que nos prodigábamos entre hermanos cuando éramos pequeños.

Incienso

Los aromas del incienso actúan sobre nuestros sentidos y nos impulsan a la elevación espiritual, de modo que su presencia en un sueño nos advierte de que escuchemos las necesidades del alma.

Incinerador

Relacionado con el fuego, se vincula a la voluntad. Su utilización simboliza el empeño que ponemos para corregir nuestros defectos.
Si por error tiramos a él algo que nos gusta, es señal de que nos desprendemos de una relación que nos impulsa a obrar mal.

Incógnito

El hecho de ir de incógnito en un sueño indica que, en la vida real, queremos pasar desapercibidos, que somos muy desconfiados y buscamos, de ese modo, descubrir las maquinaciones ajenas.

Incontinencia

Cuando soñamos que nos orinamos en la cama, lo más probable es que tengamos la vejiga llena y no podamos contenernos. Generalmente, ante esto, nos despertamos; en ocasiones, después de haber mojado la cama.

Incultura

Las muestras de incultura señalan el temor de no estar lo suficientemente instruido como para ocupar el puesto que nos han adjudicado.

Indagar

Los sueños en los que hacemos indagaciones simbolizan aquellas cosas que queremos comprender de nosotros mismos.
El simbolismo de las respuestas a nuestras pesquisas puede darnos claves importantes para entender nuestras motivaciones y actos.

Indefensión

Las amenazas vividas o los peligros a los que nos vemos expuestos sin posibilidad de salvación, señalan que estamos viviendo una época en la que no tenemos armas para defendernos de quienes nos buscan la ruina. A veces se trata de conflictos con un jefe al que no podemos denunciar.

Indeleble

Todo lo que se escriba con tinta indeleble o no se pueda borrar en el sueño, señala hechos que hemos cometido en el pasado, de los cuales nos sentimos arrepentidos.
En la medida en que nos perdonemos a nosotros mismos, que nos comprendamos, éstos van a dejar de martirizarnos.

Indemnización

El hecho que alguien nos indemnice señala que estamos llevando demasiado lejos una ofensa, que la persona ya nos ha dado satisfacciones y que, por lo tanto, debemos perdonar.
Si somos nosotros quienes pagamos una indemnización, es señal de que nos sentimos culpables y que necesitamos hacer una reparación.

Independencia

Vivir el sentimiento de independencia en un sueño indica que, en la vida real, tenemos compromisos y responsabilidades que nos agobian, pero que también podríamos desprendernos de algunos de ellos.
El análisis de los demás elementos del sueño puede señalar cuáles son éstos y la manera en que podemos librarnos de su presión.

Indescifrable

Los textos, jeroglíficos o acertijos indescifrables simbolizan los actos de la persona amada que nos resultan incomprensibles y sin razón de ser.
Muestran nuestra preocupación e impotencia para mejorar el vínculo.

Indestructible

Si en sueños alguien desea romper un objeto pero éste se muestra indestructible, es señal de que tenemos una gran fuerza interior que desconocemos, que nos sentimos moralmente más débiles de lo que realmente somos.

Indigestión

Cuando se ha hecho una comida copiosa, es posible que se sueñe con malestares gástricos en cuyo caso nos despertaríamos con sensación de pesadez.
Si no es así, la indigestión debemos interpretarla como un hecho o una persona incorporada recientemente a la familia que no somos capaces de «digerir».

Indignación

Los hechos que en sueños nos producen indignación simbolizan situaciones que, aun cuando nos molesten profundamente en la vida real, nos vemos obligados a disimular. Soñando con ellas y demostrando abiertamente nuestros sentimientos, compensamos la frustración de no poder hacerlo despiertos.

Indio

Los sueños en los que aparecen personajes de culturas primitivas señalan la necesidad de conectarnos con nuestro interior, de quitarnos el barniz que nos impone la civilización para saber cómo somos realmente.
La actitud que muestren estos personajes dará cuenta de nuestros impulsos más profundos: si tienen una actitud amable, quiere decir que no albergamos rencores; si se muestran belicosos, debemos entender que hemos pasado situaciones muy difíciles que han dejado en nuestro interior un amargo poso de rabia y rencor.

Indulgencias

La iglesia católica instituyó las indulgencias que consisten en la conmutación del tiempo que deberíamos pasar en el purgatorio a cambio de rezos u otras formas de devoción.
Soñar con ellas indica que tememos un castigo por algo que hemos hecho y que buscamos la manera de salvarnos de él.

Industria

Los sueños en los que se fabrican objetos en plan industrial hablan del estado de nuestros negocios.
Si nos vemos dirigiendo una empresa quiere decir que éstos marchan adecuadamente. Si el proceso industrial está detenido, es señal de que nuestras decisiones nos están afectando económicamente.

Infancia

Los sueños en los que volvemos a la infancia nos recuerdan las carencias que vivimos a causa de haber querido crecer demasiado pronto en la creencia de que ser adulto es menos doloroso.
Este tipo de sueño puede servir de advertencia: debemos dejarnos un espacio para el ocio, para el juego, ya que estas actividades son indispensables para la salud psíquica.

Infanticidio

Los infanticidios que se cometen en un sueño indican que nos avergonzamos de nuestras actitudes infantiles.
Normalmente, cuando esto ocurre quiere decir que hemos idealizado el concepto de madurez y que corremos el riesgo de ahogar nuestro mundo emocional a fin de conseguir el respeto del entorno, lo cual sería una grave equivocación.

Infarto

Si en sueños sufrimos un infarto, es posible que tengamos alguna molestia en el pecho provocada por una mala postura o por gases producto de la digestión.
Si no es así, estos sueños indican que estamos en proceso de superar una gran decepción, probablemente amorosa.

Infección

Cuando soñamos que tenemos una infección, quiere decir que nos sentimos invadidos por deseos e ideas que no están de acuerdo con nuestra ética.
El éxito o fracaso que tengamos a la hora de controlar la infección dará cuenta de la victoria o fracaso en el control de esas tentaciones.

Véase DESINFECTAR.

Infidelidad

Cometer una infidelidad en sueños no es algo grave ni debe poner en peligro la relación de pareja. Simplemente debemos tomarlo como el deseo sexual manifestado por una persona atractiva y no como la intención de traicionar a quien amamos.

Infierno

Este es un lugar de castigo y simboliza las faltas que, desde el punto de vista de la sociedad, hemos cometido.
Lo natural es que los sueños que transcurren en el infierno no sean agradables.

Información

Si en el sueño acudimos a la ventanilla de información de un aeropuerto, de una tienda o de cualquier institución quiere decir que no tenemos claro lo que se espera de nosotros en el trabajo. Eso nos produce agobio, ya que puede ser una forma de manipulación por parte de nuestros superiores.

Informática

Hoy en día la informática es una herramienta de uso común. Cuando se sueña con ella es necesario prestar atención a lo que se hace con el ordenador y buscar el símbolo de los elementos que en él aparecen (si se trabaja con una hoja de cálculo, buscar el significado de álgebra, matemáticas, etc.; si se escribe un texto, las palabras que contiene, etc.)

Infracción

Las infracciones de tráfico que cometemos en los sueños señalan que tenemos un espíritu transgresor, que nuestra relación con la autoridad no es buena.

INFUSIÓN

Estas bebidas suelen tener efectos beneficiosos para el organismo y actúan a modo de medicamentos, por lo que debemos interpretar que no nos sentimos bien.

El malestar puede ser físico o psicológico. En el primer caso, es conveniente visitar al médico; en el segundo, bucear en nuestro interior para ver cuáles son nuestros errores, qué es lo que nos lleva a sentirnos mal o a que las cosas no respondan a nuestros deseos.

INGRAVIDEZ

El hecho de flotar en el aire por ausencia de gravedad indica la necesidad de olvidarnos un poco del mundo material. Estos sueños pueden responder a la necesidad de iniciar un camino espiritual o al vacío que sentimos por haber reprimido excesivamente las emociones.

INHALADOR

Si quien sueña con este tipo de dispositivos es una persona que los usa habitualmente, la escena será algo cotidiano, sin importancia.

Para quien no los emplee, simbolizará la necesidad de tomar aire, de respirar, de verse libre de las responsabilidades. Lo más probable es que necesitemos unas vacaciones.

INICIALES

Cuando en un sueño aparecen nítidamente las iniciales de un nombre o una sigla, es importante tener en cuenta todos los elementos que en él aparezcan.

A menudo, estas letras constituyen mensajes del inconsciente que pueden ser premonitorios.

Si fueran las iniciales de nuestro propio nombre, debemos entender que somos soberbios y arrogantes.

INJERTO

La realización de un injerto vegetal sugiere la necesidad de aceptar en la familia o en el círculo de amigos íntimos a una persona que proviene de otra cultura, que tiene costumbres diferentes.

Los sentimientos que estas imágenes nos susciten darán cuenta de lo que pensamos acerca de ella y de su inclusión en nuestro entorno.

INJURIAS

Las injurias e insultos que en sueños nos dediquen a nosotros o a otras personas indican lo que, en el fondo, pensamos de la persona injuriada aunque no lo queramos reconocer.

INJUSTICIA

Las injusticias que vivimos en los sueños indican el daño que alguien pretende causarnos a nuestras espaldas.

En caso de ser nosotros quienes las cometamos, debemos pensar que actuamos bajo una emoción negativa y que, por medio del sueño, nos vemos libres de ella.

INMADUREZ

Los sueños en los cuales actuamos con inmadurez son compensatorios. Indican que en la vida real nos vemos obligados a tomar más responsabilidades de las que nos corresponden y que ansiamos tener un poco de respiro al respecto.

Si acusamos de inmadurez a otra persona, es señal de que tendemos a ser excesivamente rígidos con nosotros mismos y con los demás, que debiéramos tener un poco de sentido del humor.

INMOBILIARIA

Si nos vemos en uno de estos negocios es señal de que no estamos conformes con nuestro entorno doméstico, que no nos gusta la casa o bien que no estamos contentos con las personas con las que convivimos.

Inmortalidad

Los sueños en los cuales nos vemos inmortales pueden tener dos significados diferentes: por un lado, dar cuenta de un avance espiritual en el cual reconocemos la existencia del alma. Por otro, sobre todo cuando el entorno está centrado en lo material, indica miedo a la muerte.

Inmunidad

La sensación o idea de inmunidad indica que no estamos haciendo caso de nuestra conciencia, que estamos a punto de cometer un acto que, ante nuestros propios ojos, resulta reprobable.

Inocencia

Cuando en un sueño nos vemos obligados a demostrar nuestra inocencia, es señal de que en la vida real nos estamos sintiendo juzgados por quienes nos rodean. Lo importante, en este caso, es ver de qué se nos acusa y analizar hasta qué punto nuestras acciones poco claras puedan dar pie a que se nos juzgue equivocadamente o no.

Inocentada

A menudo, las inocentadas resultan graciosas para todos menos para quienes las sufren.
Si somos nosotros quienes las hacemos, debemos entender que nos consideramos superiores a las víctimas. Si nos las hacen, en cambio, serán señal de que nos sentimos menos inteligentes que los demás y deberíamos trabajar la autoestima.

Inquilino

Si en el sueño tenemos un inquilino en nuestra casa es señal de que necesitamos gente nueva a nuestro alrededor, que sentimos que quienes nos rodean no nos dan el estímulo intelectual suficiente.
Si somos nosotros los inquilinos, el sueño indica que no nos sentimos cómodos en nuestra familia.

Inquisición

La inquisición ha sido una institución político-religiosa en nombre de la cual se cometieron actos terribles para la humanidad.
Soñar con ella indica que tememos el resultado del fanatismo religioso de una persona de nuestro entorno.

Inscripción

Las inscripciones que aparecen en sueños, sean en mármol, en bronce o en cualquier otra superficie, deben ser analizadas según las palabras e imágenes que contengan. Por lo general son mensajes del inconsciente que nos advierten de posibles peligros.

Insectos

Los insectos, aunque muchos son beneficiosos para la agricultura, por lo general resultan molestos, de ahí que su aparición en sueños simbolice todo lo que nos irrita de nuestro entorno.
El resto de los elementos del sueño puede dar claves para saber de qué cosas se trata.

Inseminación artificial

Soñar con la inseminación artificial, sea de un ser humano o de un animal, puede ser síntoma de un temor a la esterilidad, probablemente vivida como castigo.

Insensibilidad

En ocasiones, mientras dormimos, adoptamos posturas que nos provocan la insensibilidad de manos, piernas, pies o cualquier otra zona del cuerpo; por lo tanto, si en las imágenes oníricas aparece este trastorno, probablemente se deba a un estímulo externo.
Si no es así, la insensibilidad debe ser comprendida como una carencia, como la falta de operatividad del miembro dormido. En este caso debemos averiguar su símbolo para saber qué impedimentos tenemos en la vida real.

Insignia

Las insignias son, de por sí, símbolos de instituciones o países. Es necesario saber a qué pertenece a fin de analizar qué representa dicha institución para comprender el significado global del sueño.

Inspector

Los inspectores, independientemente de la índole que sean, simbolizan nuestra conciencia; nos advierten de cuáles son las cosas que estamos haciendo mal.
El análisis simbólico del objeto de inspección dará las claves para saber en qué no nos estamos comportando de acuerdo con nuestros principios.

Inspiración

El hecho de recibir inspiración artística durante un sueño, indica que estamos en un período muy creativo al que tenemos que dar salida. La forma de hacerlo podría consistir en estudiar aquello que más nos atraiga.

Instalar

La instalación de cualquier aparato o dispositivo simboliza la implantación de nuevas normas en nuestro entorno.
La persona que la realice será quien disponga las nuevas leyes y los sentimientos que experimentemos en el sueño serán los que nos provoquen estas nuevas disposiciones.

Instituto

Si tenemos los estudios medios terminados, los sueños que transcurren en un instituto indican la añoranza por la época en la que éramos adolescentes.
Si carecemos de estudios, en cambio, señalan que nos gustaría adquirir una mayor cultura.

Institutriz

Generalmente, las institutrices se conocen a través de los cuentos o películas, ya que son pocas las personas que toman contacto con ellas en la vida real.
Generalmente se las muestra como personas sumamente exigentes y, en ocasiones, hasta crueles.
En los sueños simbolizan los supervisores, los compañeros de trabajo que tienen un puesto superior al nuestro sin que lleguen a ser jefes.
Según sea el talante de la institutriz, así será la relación que mantengamos con nuestros supervisores.

Instrucciones

Debemos prestar mucha atención a las instrucciones que recibamos en sueños, sobre todo si están encaminadas a armar algún objeto. El simbolismo de éste representaría el problema que más nos preocupa y las indicaciones, metáforas que nos expliquen la forma de solucionarlo.

Instrumental médico

La aparición de este tipo de instrumental en sueños puede indicar que tendemos a la hipocondría, pero también puede ser una advertencia para que mejoremos nuestra alimentación y horas de descanso.

Instrumentos musicales

La música es un lenguaje que nos toca el alma sin pasar por la razón. Cuando la oímos, nuestro estado de ánimo cambia sin que medien palabras ni conceptos.
Cada grupo de instrumentos tiene su propio significado.
Los de percusión, como el piano, timbales, platillos y tambores, a excepción de la batería, dan cuenta de una gran energía psíquica puesta al servicio de los sentimientos.
Los cuatro instrumentos que utilizan arco, como el violín, la viola, el violonchelo y el contrabajo, indican que los impulsos afectivos surgen sólo cuando otras personas nos dan muestras de experimentarlos hacia nosotros.
Los de cuerda, como la mandolina o la

bandurria, indican que tendemos a mimetizarnos con el clima emocional del entorno.
Los instrumentos de viento como la flauta, el oboe, el trombón, la trompeta o la quena, indican que tendemos a intelectualizar demasiado nuestras emociones.
Los instrumentos antiguos como el laúd, la lira o la sanfona, simbolizan las ideas que ya han pasado de moda e indican que somos demasiado conservadores, que nos cuesta mucho aceptar los cambios.

Véase BATERÍA, GUITARRA.

INSULTAR

Véase INJURIAS.

INSURRECCIÓN

Si en sueños participamos en una insurrección, quiere decir que no aceptamos las autoridades que hoy nos indican qué debemos hacer. Generalmente estos sueños rebelan una mala relación con los padres o los jefes.

INTEGRAL

Los productos integrales (pan, bollos, etc.) indican la necesidad de purificarnos interiormente. Posiblemente sintamos culpa por algo que hemos hecho recientemente.

INTEMPERIE

Si en sueños nos vemos obligados a dormir a la intemperie, quiere decir que estamos viviendo tensiones muy desagradables en nuestro hogar.

INTERPONERSE

El hecho de interponernos entre dos personas señala la necesidad de buscar un mediador para nuestras discusiones de pareja. Lo más aconsejable es que éste sea un profesional adecuado que entienda nuestro caso.

INTERPRETAR

Si en sueños hacemos el papel de intérpretes quiere decir que en la realidad debemos interceder en favor de una persona de la familia a la que le cuesta exponer sus puntos de vista ante los demás.

INTERROGATORIO

Los interrogatorios que sufrimos en sueños señalan que escondemos algunos hechos que no queremos que salgan a la luz. Si somos nosotros quienes interrogamos a otra persona, eso indica que sospechamos que hay alguna conspiración en contra nuestra.

INTERVENTOR

La presencia de un interventor en una empresa onírica simboliza la presión que sentimos ante el excesivo control que ejerce un superior sobre nosotros.

INTOXICACIÓN

Las intoxicaciones, en sueños, indican un exceso de emociones negativas que debemos depurar con la mayor urgencia. Seguramente hemos tenido que aceptar hechos que no nos han gustado, que han generado una rabia que no hemos podido manifestar.

INUNDACIÓN

Las inundaciones simbolizan la irrupción violenta de emociones.
Si nos vemos en medio de ellas, quiere decir que no podemos controlar nuestros sentimientos a pesar de saber que no nos llevan a buen puerto.
Si ayudamos en una inundación es señal de que estamos trabajando para combatir deseos que, de cumplirse, a la larga nos harían desgraciados.

INVALIDEZ

Los sueños en los que nos vemos inválidos son muy angustiosos. Es posible que se originen por un estímulo externo como podría ser una mala posición que afecte el riego sanguíneo de uno de los miembros.

Véase DISCAPACIDAD.

INVASIÓN

Si vivimos en sueños la invasión de nuestro país quiere decir que, en la vida real, una persona nos falta el respeto pretendiendo inmiscuirse en nuestra vida y en nuestras decisiones.

INVENTARIO

Los inventarios que hacemos en sueños anuncian cambios importantes en nuestra vida. Señalan que estamos a punto de entrar en una nueva etapa y que para ello debemos dejar atrás algunas cosas. También pueden querer recordarnos los asuntos que tenemos pendientes.

INVENTO

Simbolizan aquellas cosas que echamos en falta. Es necesario comprender el significado del objeto inventado para entender qué simboliza.

INVERNADERO

Los invernaderos constituyen perfectos microclimas adecuados para el crecimiento de las plantas. Simbolizan los entornos cerrados y protegidos en los cuales podemos dar rienda suelta a nuestra creatividad y emotividad.
Por lo general, este lugar es nuestra propia casa pero, en ocasiones, puede ser el trabajo o la casa de algún amigo o pariente.
Su presencia en un sueño indica que tenemos material para hacer alguna labor creativa, que debemos ponernos manos a la obra.

INVESTIGAR

Las investigaciones simbolizan el empeño en conocer los sentimientos que una persona tiene hacia nosotros. Por esta razón, todas las pistas y elementos que salgan en estos sueños, nos darán la clave para averiguarlo.

INVIERNO

Durante el invierno, todo el crecimiento vegetal se frena y muchos animales se aletargan. Es un tiempo de intimidad y reflexión, por lo tanto se vincula con el trabajo interior y con los vínculos familiares. Los estados de ánimo que experimentemos durante el sueño darán cuenta del estado de las relaciones con padres, hermanos, hijos y otros parientes. En cuanto al trabajo interior, debemos entender estos sueños como una llamada espiritual.

INYECCIÓN

Si en un sueño nos ponen una inyección, ésta simboliza ciertas acciones desagradables que los demás han hecho alegando que eran por nuestro bien.

IRA

Las explosiones de ira presentes en los sueños señalan la imposibilidad de manifestar este sentimiento en la vida real. Es importante comprender que si no tenemos una válvula de escape estos sentimientos se acumulan y pueden crearnos perjucio a nosotros mismos o a otras personas.

IRIDISCENCIA

Los objetos iridiscentes, como las pompas de jabón o el nácar, indican que estamos viviendo situaciones poco claras y que eso nos preocupa.
Si el tono general del sueño es distendido o alegre, es señal de que tomaremos las medidas más adecuadas al respecto. Si es angustioso, en cambio, anuncia que debemos actuar con suma cautela, ya que podemos cometer errores importantes.

IRIS

En los sueños, hay elementos que pueden pasar a primerísimo plano aun cuando en

la realidad nunca lleguen a hacerlo. Si soñamos con el iris de los ojos de una persona, es señal de que nos sentimos observados.
Si los ojos son claros, quiere decir que estamos siendo duramente juzgados por la persona que nos observa; si son oscuros, en cambio, es señal de que el objeto de la observación no es otro que el comprender mejor nuestras acciones.

Irradiar

Las personas que en sueños irradian una luz especial simbolizan aquellas a las que admiramos. Es importante tener en cuenta la actitud que muestran las cosas que hacen, ya que serán las que debamos cultivar en nuestro interior para sentirnos más a gusto.

Isla

Las islas simbolizan los lugares de recogimiento, la soledad y el contacto con nosotros mismos.
Observando los detalles que aparezcan en ella podremos tener las claves para comprender nuestros más íntimos deseos.

Itinerario

Los itinerarios que se marcan en los mapas representan los planes laborales que tenemos para un futuro a largo plazo. Es importante, por ello, comprender qué simboliza cada punto del trayecto, a fin de tener más claros los pasos que debemos dar.

J

Jabalí

Como animal salvaje, el jabalí alude a nuestro mundo instintivo, expresa las pasiones que pulsan por salir a la superficie.
Si en sueños somos atacados por uno de estos animales, es que tenemos un control demasiado rígido sobre nuestros deseos instintivos, de modo que, después de un largo período de represión, éstos tienden a salir de forma violenta.

Jabalina

Aunque esta arma se utiliza hoy en las competiciones deportivas, antiguamente era usada para la caza mayor.
Utilizar una en sueños, a menos que se haga como deporte, significa que estamos dispuestos para un cambio de trabajo, que tenemos grandes posibilidades de progresar.

Véase ATLETISMO.

Jabón

Si en el sueño nos lavamos con abundante jabón, ello indica que intentamos reparar algún acto que hemos cometido y que está reñido con nuestra moral.
Si lo que lavamos es la ropa o cualquier otra de nuestras pertenencias, indica que tenemos algunas dificultades con las relaciones personales o de trabajo.
Patinar con una pastilla de jabón, en cambio, es señal de que hemos querido jugar con trampa en algún asunto y hemos sido descubiertos.

Jacinto

Según la leyenda griega, Jacinto era un hermoso joven, hijo del rey de Esparta.
Su belleza era tan grande que atrajo la atención de otras deidades como Apolo, igualmente bello, que se enamoró perdidamente del muchacho, y Céfiro, dios del viento del Oeste.
Apolo y Jacinto solían ir al río Eurotas donde se entrenaban lanzando discos y cierto día, el airado Céfiro, sopló fuertemente y de forma tan artera que el disco desvió su trayectoria yendo a dar en la frente del muchacho.
Al verlo herido de muerte, lo único que pudo hacer Apolo fue transformar la sangre que manaba de la frente del muchacho en una hermosa flor: el jacinto.

Soñar con jacintos puede ser, por una parte, símbolo de una relación homosexual, de la atracción que sentimos por alguien de nuestro mismo sexo y del temor que estos sentimientos, naturales (y la mayoría de las veces esporádicos e intrascendentes) puedan despertar en nosotros.

JACTARSE

Las personas que hacen propaganda acerca de sus propios logros tienen una escasa valoración de sí mismos. Por ello, si nos jactamos en sueños, eso quiere decir que al lado de las cualidades de los demás, las propias nos parecen insignificantes.
Si es otro quien se jacta, debemos entender que nos cuesta mucho reconocer los valores ajenos.

JACULATORIA

Rezar jaculatorias en sueños indica que necesitamos pedir ayuda a una persona de confianza pero no nos atrevemos a hacerlo.

JADE

Esta piedra es símbolo de autoridad y poder. Soñar con objetos confeccionados con ella indica que tenemos grandes posibilidades de conseguir un puesto de mayor responsabilidad.

JADEAR

El jadeo tiene como fin oxigenar el organismo. Si respiramos de este modo en un sueño quiere decir que necesitamos cambiar de ambiente y desarrollar nuevas inquietudes.

JAGUAR

Véase FELINOS.

JALEA

La jalea es un dulce traslúcido que tiene una apariencia similar a la gelatina.
Comerla en sueños indica que estamos bajos de energía, que no tenemos fuerzas para hacer todas las tareas pendientes.

Véase MERMELADA.

JALEO

Véase ALBOROTO.

JAMÓN

Su significado depende del hecho de que el jamón aparezca en sueños cortado en lonchas o entero.
Si está troceado sobre un plato indica que instintivamente nos sentimos insatisfechos.
La pata de jamón entera, en cambio, representa la insatisfacción sexual.

JAQUE

En el ajedrez, quien consigue dar jaque mate al rey gana la partida.
En sueños, el jaque simboliza el control sobre las acciones de otra persona, la capacidad de anular sus movimientos y la ventaja de sentirse invulnerable ante ella.

JAQUECA

Si soñamos que tenemos una jaqueca, eso puede indicar que padecemos un leve dolor de cabeza que atraviesa las barreras del sueño mezclándose con los demás contenidos oníricos. También puede indicar preocupación ante situaciones a las que no encontramos solución.

JARABE

Si en el sueño tomamos un jarabe con fines medicinales, es probable que tengamos la garganta irritada o alguna otra molestia física que se mezcle con los demás contenidos oníricos.
El jarabe tomado como postre simboliza el deseo de ser amado por otra persona.

JARDÍN

El jardín representa un lugar de reposo para las fatigas diarias, un espacio feliz en

el que cada planta da sus flores y cada árbol da sus frutos.
Los sueños que transcurren en jardines, por lo general, auguran un futuro tranquilo, lleno de paz y armonía.
Si tiene flores o árboles frutales, indica prosperidad.
Los jardines descuidados son una advertencia para que pongamos más atención en nuestros asuntos.

JARDINERO

Si en sueños vemos un jardinero trabajando, eso advierte de que debemos consultar a un profesional para que nos ayude a resolver el asunto que más nos preocupa en este momento.

JARRA

Las jarras que contienen agua, vino u otra bebida representan los asuntos amorosos. Si están llenas indican satisfacción con la relación de pareja. Si están vacías o contienen muy poca cantidad de líquido, quiere decir que la soledad nos agobia o que los romances no son felices.

JARRÓN

Los jarrones, si contienen flores, simbolizan las aspiraciones espirituales y culturales; si están vacíos, indican que pasamos por un período en el que no encontramos motivación en nada. A menudo esto se produce cuando pasamos por una depresión.

JASPE

Esta piedra se ha asociado, tradicionalmente, con el embarazo y el parto.
Su presencia en un sueño indica un próximo y feliz nacimiento en la familia o en el círculo de amigos.

JAULA

Si en el sueño nos encontramos encerrados en una jaula, con ello nuestro inconsciente quiere simbolizar el agobio y la represión que el medio ejerce sobre nosotros.
El hecho de salir de una jaula puede mostrar nuestro deseo de dejar un trabajo en el que no nos sentimos a gusto, o el sueño de independizarnos.
Encerrar a otra persona muestra la necesidad que tenemos de mantenerla bajo control.

JAURÍA

Las jaurías de perros, sobre todo si son agresivas, simbolizan las pasiones incontroladas y no correspondidas.
Si la jauría se muestra dócil o tranquila, quiere decir que nos sentimos satisfechos con nuestras relaciones sexuales.

JAZMÍN

Desde la antigüedad, la esencia de las flores de esta planta se han utilizado en los afeites, perfumes y cremas por su alto valor afrodisíaco.
Los sueños con jazmines hablan de nuestra sensualidad, de la necesidad de iniciar un juego amoroso, del placer de conquistar y ser conquistados.

Véase FLORES.

JEFE

Las imágenes de autoridad, en general, se relacionan con el padre. Si en el sueño la relación con el jefe es difícil deberemos interpretar que también lo es el vínculo que tenemos con la figura paterna.
Sin embargo, si estamos pasando por una etapa de estrés laboral, también puede representar a nuestro jefe en la vida real y darnos claves que nos sirvan para mejorar el trato con nuestro superior.
Si el jefe que vemos en el sueño tuviera características extrañas, como por ejemplo venir de un país remoto o mostrar costumbres o indumentaria completamente diferentes a las nuestras, ello indica que nos cuesta comprender la mentalidad de nuestro superior y que es

esa la razón por la cual se producen los malentendidos. En definitiva: es una advertencia para que hagamos el esfuerzo de ponernos en su lugar y entender lo que motiva su conducta.

Jején

Los insectos molestos y pequeños representan los pequeños inconvenientes que nos encontramos a diario. Si en el sueño nos ponemos nerviosos o nos desespera su presencia, eso quiere decir que tenemos una escasa tolerancia al fracaso y a los inconvenientes.

Jeque

Véase AUTORIDAD.

Jerga

Si en sueños hablamos una jerga incomprensible para los demás, significa que tenemos dificultades para aceptar nuevas personas dentro de nuestro círculo más íntimo, que somos muy rígidos y exigentes a la hora de escoger las amistades.
Si son otras personas las que la hablan, ello da cuenta de nuestro sentimiento de inadecuación, del temor que experimentamos ante una posible marginación por parte de nuestro entorno.

Jergón

Dormir sobre un jergón simboliza nuestra preocupación por la pérdida de nivel económico, ya sea en la infancia o en un pasado inmediato.
Si el sueño es placentero, se entiende que se avecinan tiempos mucho mejores.

Jeringuilla

En sueños, las jeringuillas pueden tener diferentes significados según la aplicación que se les dé.
Si somos nosotros quienes la utilizamos para poner una inyección a fin de mejorar la salud de otra persona, quiere decir que alguien conocido necesita nuestra ayuda, pero que no sabe cómo pedirla.
Si es alguien que intenta inyectarnos una sustancia, la interpretación dependerá de cuál sea ésta. Si se trata de veneno, debemos entender que alguien nos quiere jugar una mala pasada.

Jeroglífico

Las inscripciones incomprensibles simbolizan los rasgos que nos desconciertan en la persona que amamos. Si en sueños logramos descifrarlo, quiere decir que estamos en vías de encontrar las pautas para crear con ella una relación de pareja armoniosa y feliz.

Jersey

Las prendas de abrigo simbolizan la necesidad de protección psicológica. Es probable que nos sintamos demasiado ingenuos o influenciables y que el hecho de ponernos un jersey sea una manera de recordarnos que debemos mostrarnos cautos ante las opiniones de los demás.

Jesuita

Véase RELIGIOSO.

Jesús

La vida de Jesús es lo suficientemente amplia y rica como para poder soñar con diferentes episodios. En líneas generales, puede decirse que los sueños en los que aparece constituyen un llamamiento espiritual. Habrá que recordar, con la máxima claridad posible, las palabras que él pronuncie para poder hacer un análisis profundo. En ocasiones, promete ayuda, lo cual es un excelente augurio; en otras, la pide, lo que debe entenderse como una llamada de atención a nuestra escasa generosidad.

Jíbaro

Este grupo de indios de América del Sur, son famosos por su costumbre de reducir el tamaño de las cabezas de los enemigos

muertos. En sueños constituyen una advertencia para que no demos tantas vueltas a los sentimientos y nos dejemos llevar más por ellos.
Si el sueño nos provoca angustia, puede indicar que es urgente tomar una decisión que nos resulta dolorosa.

Jinete

Cuando soñamos que vamos a lomos de un animal, es necesario tomar estas imágenes como una advertencia. Indican que estamos llevando nuestros asuntos con una excesiva precipitación. Es, en suma, una llamada a la reflexión.
Si es otra la persona que monta, significa que alguien actúa como mensajero, como intérprete entre nosotros y un tercero. Según el contenido emocional del sueño, esta relación entre los tres resulta positiva o negativa.

Véase YOQUI.

Jirafa

La característica más importante de este animal es su largo cuello. Gracias a él, mantiene la cabeza a una gran altura, pudiendo ver así lo que ocurre a distancia. Soñar con una jirafa significa que debemos prestar más atención a todo lo que pasa a nuestro alrededor, que si las cosas nos salen mal es porque descuidamos detalles que nos negamos a conocer.

Job

La historia de Job es el ejemplo más claro de paciencia que muestra la Biblia. Soñar con él significa que debemos seguir su ejemplo, que los problemas que hoy nos preocupan, sin duda se van a arreglar, siempre y cuando sepamos manejarlos con la debida paciencia.

Jofaina

Si está vacía simboliza la necesidad de un profundo examen de conciencia, de revisar nuestra forma de vida. Si contiene agua clara, indica que somos generosos con nuestro trabajo y nuestro tiempo. Si, por el contrario, dentro de ella hay agua sucia o turbia, señala que estamos intentando solucionar un problema por una vía que no es la correcta ni la más eficaz.

Joroba

Los defectos físicos simbolizan aquellos rasgos, físicos o de carácter, que rechazamos en nosotros mismos.
La joroba, además, simboliza lo que llevamos a la espalda: las experiencias buenas y malas.

Joyas

Simbolizan situaciones engañosas a las cuales nos vemos expuestos y sobre todo las que se producen en el terreno laboral. Llevarlas puestas, si el sueño es tranquilo, indica que somos blanco de envidias por parte del entorno. Si durante el transcurso del mismo experimentamos miedo o angustia, quiere decir que queremos dar una imagen falsa de nosotros mismos y tememos ser descubiertos en nuestra mentira.
El robo de joyas simboliza las tentaciones; si somos nosotros quienes nos apoderamos de las de otra persona, debemos entender que hay algo que nos atrae poderosamente, pero que está reñido con nuestra moral. Si sufrimos un robo, por el contrario, es índice de humildad: señala que nuestros logros nos resultan naturales y no hacemos ostentación de ellos.
Encontrar joyas tiene, en cambio, un sentido más espiritual: muestra que estamos en una etapa de la vida en la cual hemos establecido un provechoso contacto con nuestro ser más profundo.

Joystick

Si en el sueño estamos jugando con un ordenador o una consola, será importante ver el contenido de las pantallas para poder hacer un buen análisis. El joystick, en sí mismo, tiene por su forma connotaciones sexuales, de modo que podría expresar el deseo oculto que sentimos hacia otra persona.

Jubilación

Soñar que el momento de la jubilación ha llegado indica que termina un período de grandes preocupaciones en el trabajo. También puede ser índice de que damos al trabajo una importancia y dedicación mucho mayor de la que le damos a la familia.

Judías

Véase ALIMENTOS, LEGUMBRE.

Juegos

Representan un modo de aliviar las tensiones que nos afligen; sobre todo si se trata de juegos infantiles e inocentes.
A menudo constituyen una recomendación de descanso. Si estamos demasiado abocados a nuestro trabajo y nos desahogamos para el ocio, la mente no tiene tiempo para reponerse al estrés cotidiano y, más tarde o más temprano, eso nos pasará factura.
Los juegos de azar representan una actitud irresponsable frente a los problemas. Lo más probable es que estemos posponiendo su solución en la certeza de que se arreglarán por sí mismos.

Jueves

Véase SEMANA.

Juez

Los jueces, obviamente, representan la ley, pero por extensión también pueden ser el símbolo paterno.
Los sueños en los que estamos ante un juez como acusados muestran que no nos sentimos conformes con nuestra forma de ser, que nos encontramos mil defectos y que debemos hacer algo para adquirir una mejor valoración de nosotros mismos.
Estar como parte demandante indica que siempre intentamos buscar personas con más poder para que resuelvan los problemas que deberíamos solventar nosotros.
Si somos nosotros el juez, quiere decir que nos preocupa muchísimo la búsqueda del equilibrio, que tendemos a huir de toda confrontación y que, a menudo, preferimos salir perdiendo a reclamar asertivamente lo que nos corresponde.

Juglar

En la antigüedad, los juglares cantaban, danzaban y recitaban poemas en los que, a menudo, se ensalzaban las cualidades de los héroes o las victorias en las batallas.
Si en sueños nos vemos convertidos en un juglar, significa que hay cosas que debemos comunicar, pero que aún no hemos encontrado la manera de hacerlo.
En caso de que el juglar sea otra persona, el sueño nos está invitando a reflexionar sobre el juicio que hemos hecho sobre alguien porque, seguramente, es equivocado.

Jugo

Se vincula con el elemento agua, ya que está formado por los elementos líquidos de un tejido orgánico. Por ello, simboliza el adormecimiento de la emoción, el miedo a sentir y sufrir por ello, el empeño en ver el mundo desde un punto de vista meramente racional.

Véase ZUMO.

Juguete

Simboliza la relación con nuestra infancia.
Si nos vemos rodeados de ellos, quiere decir que en nuestros primeros años no hemos recibido la atención y el cariño necesarios por parte de nuestros padres.
La pérdida de un juguete representa la ausencia o distancia de alguien querido.

JUICIO

Si asistimos a un juicio en el que no somos jueces ni parte de la acusación o la demanda, significa que tendemos a evitar los compromisos, que ante una confrontación que presenciemos evitamos ponernos de parte de alguno de los contendientes por miedo a quedar mal o a que eso nos cree problemas.
Si nos sentamos en el lugar del juez significa que tendemos a ser excesivamente críticos con los demás.

Véase CONDENA, JUEZ, JURADO.

JUNCO

El junco, con su típico movimiento de vaivén que le imprime el viento, simboliza la inconstancia.
Si lo vemos en sueños debemos recapacitar acerca de nuestra falta de paciencia.
Que otra persona sea quien lleve uno o varios juncos en sus manos debe tomarse como advertencia, ya que es alguien que cambia constantemente de opinión.

JUNGLA

Los sueños que transcurren en la jungla, sobre todo si en ellos experimentamos angustia o ansiedad, revelan nuestro temor a lo desconocido. Muestran una actitud pesimista con respecto a los demás y señalan que tendemos a ver el mundo como un lugar peligroso en el que debemos movernos con suma cautela.
Si estamos en la jungla y disfrutamos con ello, en cambio, quiere decir que tenemos un espíritu abierto y que sabemos aprender de los demás.

JUNTAR

Véase UNIR.

JUNTURA

En general, los límites entre dos superficies simbolizan la distancia que establecemos con los demás. Si la juntura es de color claro, definida y está limpia, quiere decir que no tenemos problemas a la hora de marcar nuestros límites con las personas que nos rodean. Si, por el contrario, es oscura o está sucia, eso indica que tendemos a exigir más de lo que damos.

JURADO

Soñar con que estamos ante un jurado significa que, en la vida real, sentimos que los demás se entrometen en nuestros asuntos, que nos juzgan sin tener los elementos necesarios para hacerlo.

JURAMENTO

En sueños, un juramento tiene una interpretación opuesta a la que le damos en la realidad.
Todo lo que juremos o prometamos a otra persona es, precisamente, aquello que no tenemos intrención de cumplir y lo que nos juren a nosotros, es lo que no está dispuesta a hacer la persona que lo prometa.

Véase JUICIO, JUEZ, CONDENA, BANQUILLO.

JUSTIFICANTE

El justificante que se extiende para ser presentado en el centro de estudios o en el trabajo simboliza el permiso o la aceptación que necesitamos tener de nuestra pareja a la hora de realizar ciertas acciones. Muestra que tenemos mucho miedo de hacer las cosas mal y ser criticados por ello.

JUVENTUD

Representa los valores, actitudes y formas de comportamiento propias de esta edad.
Si soñamos que somos más jóvenes, indica que damos una excesiva importancia a nuestro físico. Si nos vemos inmersos en un grupo de jóvenes, quiere decir que tenemos un espíritu abierto, capaz de mostrarse comprensivo y empático con las futuras generaciones.

L

Laberinto

En estas construcciones de complicada estructura se puede delimitar el centro, que simboliza el inconsciente, nuestra esencia, y lo que hay a su alrededor. Esto último simboliza los caminos equivocados que tomamos en la búsqueda de nosotros mismos y de nuestra espiritualidad.
Soñar con un laberinto es índice de confusión, de grandes dudas, de conflictos internos. Si se logra salir de él, quiere decir que en poco tiempo conseguiremos la paz y el sosiego que tanto buscamos.

Labio

Los labios son una de las zonas del cuerpo que poseen mayor expresión erótica, de modo que en los sueños indican deseos sexuales.

Laboratorio

En los laboratorios se realizan experimentos que permiten analizar diversos elementos o bien trabajos mediante los cuales se fabrican.
Estar en un laboratorio o soñar con probetas, pipetas, retortas o cualquiera de los elementos habituales en ellos, indica que tenemos una curiosidad que exige satisfacciones; habla de nuestra gran capacidad de análisis.
Es importante observar, también, cuál es el trabajo que realizamos en ese lugar a fin de completar el significado del sueño.

Labores

Véase BORDADO, TEJER.

Labrador

Los labradores simbolizan las personas que están siempre dispuestas a hacer cosas de provecho.
Si vemos un labrador en sueños, quiere decir que estamos dejando que alguien nos aventaje en la disputa por un puesto de trabajo y que debreríamos luchar más por ello.

Labrar

El trabajo de la tierra indica los esfuerzos que se hacen en la educación de los hijos. En caso de que no se tuvieran, indicaría la lucha por conseguir una mejor posición laboral y económica.
Si la tierra que se labra es fértil, quiere decir que el trabajo dará sus frutos.

Laca

Esta sustancia brillante y translúcida simboliza las palabras vacías que a menudo se dicen para quedar bien o para dar a los demás una sensación de erudición que estamos lejos de tener.
Si otra persona la emplea en sueños, es mejor que desconfiemos de lo que nos ofrece.

Lacayo

Simbolizan a la persona de la cual otra se aprovecha.
Si los lacayos nos sirven a nosotros, es recomendable hacer un examen de conciencia porque estamos siendo injustos con una persona que nos quiere y que tenemos próxima.
Si el trabajo de lacayos lo hacemos nosotros, recordemos que las actitudes serviles no nos harán ganar el afecto de los demás.

Lacón

Este alimento se prepara con el brazuelo del cerdo. El hecho de comerlo o servirlo indica que debemos ser más diligentes, que nos estamos dejando llevar por la pereza.

Lacre

El lacre, puesto en una carta, indica que está sellada para que nadie más que el destinatario vea su contenido. Por esta razón el lacre representa los secretos que guardamos en complicidad con otra persona y que pudieran estar a punto de ser descubiertos. Quizá es recomendable renovar la confianza.

Lactante

Los bebés que se alimentan del pecho materno simbolizan el deseo de tener hijos. Si en sueños vemos amamantar o somos quienes lo hacemos, quiere decir que estamos preparados para la maternidad o paternidad.

Lácteo

Los lácteos en general se asocian con la madre, de modo que si nos gustan y están en buen estado, quiere decir que nuestra relación con ella es buena.

Véase LECHE, QUESO, YOGUR.

Ladear

Cuando en sueños ladeamos un objeto que, de por sí, tiene que mantener la vertical, es señal de que nos cuesta mucho mantener el equilibrio interno, que no aceptamos fácilmente la autoridad.

Ladera

Las montañas y colinas representan la ascensión en la escala social o bien la lucha por el logro de nuestras ambiciones. Si vemos la ladera desde abajo, quiere decir que no nos atrevemos a poner en juego nuestras energías para conseguir lo que deseamos. Si estamos en la ladera, debemos observar cuánto nos falta para llegar a la cumbre; eso indicará lo cerca o lejos que estamos de nuestra meta.

Véase CUMBRE, MONTAÑA.

Ladrido

Los perros suelen ladrar como advertencia ante un peligro; por eso, los ladridos que se oyen en sueños nos anuncian que debemos estar prevenidos porque se nos van a presentar dificultades.

Ladrillo

Es la unidad con la cual se construyen los edificios, por eso simboliza los principios, que son los que conforman nuestra personalidad.
Soñar con una pila de ladrillos en buen estado significa tener principios sólidos. Si están rotos quiere decir que uno ha renunciado a todo lo que le han inculcado en la infancia.

Ladrón

Los ladrones reflejan el temor a las pérdidas.
Si somos nosotros quienes robamos, indica que nos sentimos inseguros en nuestras acciones porque tememos estar usurpando los derechos de otra persona.

Lagar

La preparación del vino es una tarea que el hombre lleva haciendo desde siempre. Simboliza el aprovechamiento de los recursos. La visión de un lagar o el hecho de trabajar en él indica que tenemos un excelente sentido de la economía, lo cual nos permitirá vivir siempre sin grandes dificultades.

Lagarto

Los lagartos representan la oportunidad de hacer una maniobra de distracción a fin de engañar a un posible competidor, a una persona que pretende ganarnos terreno.
Si vemos un lagarto en sueños quiere decir que nos conviene utilizar esta argucia para poder conseguir nuestros propósitos.

Lago

Por su carencia de olas y su superficie tranquila, hay muchas leyendas en las que se los compara con espejos.
Soñar con lagos indica que dirigimos la mirada hacia nuestro interior, sobre todo a nuestras emociones y sentimientos simbolizados en el elemento agua.
Los objetos o elementos que haya en el lago (cisnes, monstruos, barcas de paseo,

etc.) nos darán la clave de lo que vemos en nosotros mismos.

Véase LAGUNA.

Lágrimas

Las lágrimas surgen ante las emociones fuertes y pueden ser de pena o de alegría. Indican que tendremos una sorpresa que será buena o mala según los sentimientos que experimentemos en el sueño.

Véase LLANTO.

Laguna

Soñar con estos depósitos de agua dulce significa bucear en nuestros sentimientos, pero, a diferencia del lago, en busca de algo concreto, de un tema que nos preocupa y no como búsqueda de crecimiento personal.

Véase LAGO.

Lama

Como representante de la religión budista, simboliza el acercamiento a Dios. Por ello indica en los sueños la conveniencia de dar una mayor importancia al espíritu, de entender que el mundo material es engañoso y la felicidad que produce es tan sólo momentánea.
El hecho de que el lama nos hable augura una época de paz y sosiego.

Véase PAPA.

Lamento

Si oímos lamentos en boca de otra persona quiere decir que ésta intenta conseguir favores mediante la manipulación.
En caso de ser nosotros quienes nos lamentamos, indicaría que nos sentimos disconformes con nuestro destino porque no hemos sabido aprovechar las experiencias, porque nos negamos a evolucionar.

Lamer

En los animales, esta acción es muestra de cuidado y de afecto.
Si somos lamidos en sueños por un animal, éste representa a una persona que nos quiere y protege.
Si quien lame es un hombre o una mujer, en cambio, el sueño tiene connotaciones eróticas.

Lamia

Este personaje mitológico semejante a una sirena, que habita en cuevas y desiertos acompañada normalmente por un dragón, enamora a los hombres y devora niños.
En sueños simboliza a una mujer que se ha empeñado en conquistar a un hombre a toda costa y no con el fin de amarlo sino para mostrarlo como trofeo.

Lámina

Al igual que con los cuadros y los dibujos en general, será necesario estudiar el significado de cada uno de los elementos que la componen.
Si la lámina estuviera sobre una puerta indicaría que su contenido representa una prueba que debemos pasar para poder acceder a un puesto superior.

Véase CUADRO, DIBUJO.

Lámpara

Es considerada, tradicionalmente, símbolo de inteligencia.
Los sueños en los que las lámparas toman protagonismo, indican que tenemos una inteligencia clara a la cual debemos sacarle partido.
Si las lámparas son modernas y funcionan con electricidad, quiere decir que nos gusta poner al día nuestros conocimientos; si son de aceite o antiguas, denotan nuestro gusto por la historia, así como cierto conservadurismo y rigidez intelectual.

Véase LUZ.

LAMPIÑO

Muchos ocultistas han atribuido al pelo la virtud de servir de antena a fin de captar ondas telepáticas; por ello, éste se relaciona con la percepción extrasensorial. Siguiendo este razonamiento, las personas que en nuestro sueño aparezcan como lampiñas, pueden ser calificadas de faltas de empatía.

Véase PELO.

LANA

Cuando aparece en sueños, augura un período feliz, de paz hogareña y prosperidad de los negocios.
La excepción es si la lana se está quemando, en cuyo caso anuncia pérdidas importantes de dinero.

LANCETA

Véase INSTRUMENTAL MÉDICO.

LANGOSTA

En el simbolismo cristiano, estos insectos representan las fuerzas de destrucción.
Si vemos una langosta en sueños debemos tomar la imagen como advertencia: si no cambiamos nuestra forma de actuar, tendremos que enfrentarnos con enojosos problemas.
En caso de que presenciáramos una plaga quiere decir que ya es tarde para enmendarse, que ahora deberemos trabajar en lo echado a perder.

LANGOSTINOS

Véase MARISCO.

LANZA

Es un símbolo de guerra a la vez que sexual.
Cuando aparece en sueños es muy importante tener en cuenta el clima general del mismo. Si es tenso o irritante, debemos entender que estamos interiormente enfadados con una persona que nos ha ofendido, aunque no queramos enterarnos claramente de ello.
Si el sueño es plácido o erótico simboliza un deseo sexual no satisfecho.

LANZALLAMAS

Por su conexión con el fuego simbolizan la voluntad de eliminar todo lo que se interponga en nuestro camino.
Quienes emplean esta arma en sueños están utilizando tretas sucias para descalificar un posible competidor. A la larga, eso se volverá contra ellos.

LANZAMISIL

Véase ARMAS.

LÁPIDA

Cuando tienen el nombre y apellido de una persona conocida, las lápidas indican que hemos decidido romper todo contacto con ella, aunque por motivos sociales o laborales debamos fingir que hay una relación.

LAPIDAR

Si soñamos con esta cruel forma de ejecución quiere decir que estamos pasando un mal momento debido a las murmuraciones que se han desatado en nuestra contra.

LAPISLÁZULI

En diversas culturas es símbolo del cielo nocturno.
Los trozos u objetos de lapislázuli denotan que pasamos por una etapa de interrogantes y de disquisición filosófica de la que nos interesa comprender nuestro papel en el mundo, hacia dónde vamos y de dónde venimos.

LÁPIZ

Por la facilidad que ofrece el borrado de su trazo, el empleo de un lápiz en sueños indica una actitud poco firme y segura de lo que hacemos. La firma de papeles que se hace empleando un lápiz indica que hay intención de no cumplir los acuerdos.

Lápiz de labios

Los labios pintados realzan una de las zonas erógenas del cuerpo; por lo tanto, si utilizamos en sueños un lápiz de labios es señal de que nos preparamos interiormente para seducir una persona que nos atrae.

Larguero

Los largueros de la cama son los que forman el bastidor sobre el cual se apoya el somier. Si soñamos con que éste se rompe quiere decir que estamos a las puertas de una crisis marital.

Laringe

En la laringe se encuentran las cuerdas vocales, por lo que si en sueños tenemos problemas en ese órgano, ello indica que tenemos dificultades en la comunicación verbal.

Larva

Independientemente del animal al que pertenezcan indican los proyectos en su comienzo.
Si las larvas se mueven o se transforman en ejemplares adultos quiere decir que culminaremos nuestras obras con mucho éxito. Si están muertas, auguran fracaso.

Láser

Dado que es un haz de luz muy concentrada simboliza la inteligencia aguda que descubre cualquier maquinación.
Emplear un láser en sueños es símbolo del descubrimiento de un complot en el trabajo.

Lata

Cuando soñamos con latas, lo importante es averiguar su contenido y buscar el símbolo que le corresponda. Si la lata está vacía quiere decir que nos están haciendo perder tiempo con una promesa que no se va a cumplir.

Látex

La flexibilidad y la impermeabilidad son, quizás, las dos características más importantes de esta resina natural. Los objetos que se han fabricado con ella representan la habilidad para no comprometerse, para esquivar responsabilidades que estén ligadas a los afectos.

Véase AGUA.

Latido

La percepción de los latidos del propio corazón en sueños constituye una advertencia: debemos prestar más atención a nuestro mundo emocional, a los afectos, y tomar distancia con lo material. Eso nos enriquecerá interiormente.
Si escuchamos el latido del corazón de otra persona es señal de que ésta siente un amor apasionado por nosotros, pero prefiere mantener esos sentimientos ocultos.

Látigo

El látigo participa de dos símbolos diferentes: el del cetro, que representa la dominación y la superioridad y el del lazo, que se vincula más a la idea de unir, de atar.
Cuando vemos en sueños este elemento debemos interpretar un temor exagerado al castigo, en caso de que el sueño nos produzca angustia, o bien la necesidad de castigar a otra persona, si es que somos nosotros quienes manejamos el látigo.

Véase CETRO, LAZO.

Latín

Esta lengua ha sido utilizada, en ocasiones, para que el vulgo no tuviera

acceso a descubrimientos o ritos importantes.
Si la oímos o vemos escrita en un sueño quiere decir que tenemos ciertos conocimientos que no estamos dispuestos a revelar por el momento.

LATÓN

Los objetos construidos con esta aleación de cobre y cinc simbolizan la impostura.
Si los vemos en sueños quiere decir que una persona de nuestro entorno intenta hacerse pasar por lo que no es.

LAÚD

Véase INSTRUMENTOS MUSICALES.

LAUREL

Este árbol consagrado a Apolo, es símbolo de victoria. Con sus hojas se hacían las guirnaldas con las que se tocaba la cabeza de los grandes hombres.
Usarlo en sueños augura un gran éxito en el terreno laboral.

LAVA

La lava que surge de un volcán simboliza las palabras que decimos bajo una intensa emoción.
Su presencia en sueños indica que hemos tenido un altercado con otra persona y hemos hablado de forma inconveniente, revelando secretos que hubiera sido mejor mantener ocultos.

LAVABO

Este sanitario simboliza la costumbre de eludir las responsabilidades
Lavarse las manos en él indica que hemos cometido una acción negativa, pero pretendemos que otro cargue con las consecuencias.

LAVADERO

Si se sueña con un lavadero comunitario, quiere decir que en la vecindad se están produciendo problemas importantes y que las autoridades no les ponen remedio.
Indica también la conveniencia de organizarse para subsanarlos.

LAVADORA

La utilización de una lavadora en sueños indica que estamos haciendo esfuerzos por limpiar el buen nombre de una persona de nuestra familia que ha sido calumniada.

LAVANDA

El aroma de esta flor se ha utilizado como relajante e inductor del sueño. Simboliza la paz interior.
Su olor, en sueños, indica que tenemos dificultades a la hora de acallar o controlar los sentimientos negativos.
El lavanda, como color, es símbolo de la comunidad gay, por lo tanto si aparece en nuestros sueños podría indicar la homosexualidad de una persona de nuestro entorno. Los demás elementos oníricos completarían el mensaje.

LAVANDERÍA

Estar dentro de una lavandería indica que tenemos por costumbre airear las disputas familiares ante los vecinos y amigos.

LAVAR

La acción de lavar revela una necesidad inconsciente de desprendernos de todo lo superfluo. Pasamos por una etapa que requiere una buena concentración y conexión con nuestro interior y no es momento para perder el tiempo con cosas que no son importantes.
Si el sueño es angustioso puede responder a un deseo de purificación tras haber cometido una acción que va contra nuestros principios.

LAVAVAJILLAS

Este electrodoméstico simboliza la preocupación por la salud de la familia.
Si ponemos o quitamos la vajilla del aparato quiere decir que prestamos una

excesiva y obsesiva atención a todo lo que pueda afectar a la salud de quienes nos rodean.

LAZARILLO

En los sueños, los lazarillos señalan las personas que, con sus consejos e ideas, nos guían a la hora de hacer frente a situaciones que nos resultan nuevas o desconocidas.

LAZO

En general, los lazos se asocian con la idea de ligar, de unir.
Si el sueño tiene connotaciones espirituales, el lazo equivale a unirnos con nosotros mismos a través de una búsqueda interior.
En el terreno mundano equivale al encuentro de una pareja o a la formalización de un vínculo ya establecido.

LEALTAD

La lealtad que exigimos en sueños a otra persona simboliza el deseo de ser coherentes con nosotros mismos.
Indica, además, que solemos caer fácilmente en las tentaciones, que no tenemos fuerza de voluntad para obrar de acuerdo a nuestros principios.

LEBREL

Véase PERRO.

LECCIÓN

Si hemos dejado atrás los estudios, el hecho de ponernos a aprender una lección o de recitarla frente a un profesor, indica que tenemos una gran nostalgia por la infancia. Tal vez hayamos idealizado excesivamente ese período de nuestra vida.

LECHE

La leche simboliza el vínculo con la madre, así como los primeros meses de vida.
Si tomamos este alimento en sueños y eso nos proporciona placer o sacia nuestra sed, ello indica que la relación con nuestra madre es o ha sido buena, que hemos recibido de ella los cuidados y el afecto necesarios.
En caso de que alguien nos obligara a tomar leche deberíamos interpretar que la relación con nuestra madre siempre ha sido difícil y complicada.

LECHUGA

La lechuga simboliza la modestia.
Si la comemos, quiere decir que tendemos a mostrarnos orgullosos y a reclamar halagos por todo lo que hacemos.
Lavarla, por el contrario, señala que nos gusta pasar desapercibidos, que nos sentimos satisfechos con nosotros mismos y que no buscamos que los demás nos aplaudan.

LECHUZA

Es uno de los animales considerados de mal agüero.
Para los egipcios, esta rapaz nocturna representa el frío, la noche y la muerte, ya que aparece bajo la ausencia del sol.
Su presencia en un sueño nos previene de posibles contratiempos, pero para captar el significado completo del mensaje será necesario buscar la simbología de las imágenes que acompañen al ave.

LEER

Toda lectura, en sueños, indica la inquietud por conseguir un dato que nos falta.
El hecho de leer generalmente está vinculado con algún secreto que, intuimos, se guarda en la familia.
Es importante tener en cuenta qué es lo que estamos leyendo en sueños para hacer un análisis más completo.

LEGADO

Si en sueños recibimos un legado es señal de que nos movemos más por interés que por afecto de que estamos demasiado centrados en lo material y hemos descuidado nuestro crecimiento espiritual.

Legajo

Los legajos aluden a los problemas jurídicos; por lo tanto, si aparecen en sueños, pueden anunciar una demanda o algún conflicto que deba resolverse por medio de la autoridad.

Legañas

Durante las horas de sueño, la mucosa que cubre el ojo se regenera y, por la mañana, la que se desprende aparece en forma de legaña en el borde interno del ojo. Es un tejido muerto del que se desprende nuestro cuerpo.
Las legañas, en sueños, pueden tener dos significados: si son normales señalan que estamos abiertos a considerar diferentes puntos de vista con respecto a nuestras creencias. Si son abundantes, en cambio, muestran que no queremos ver las cosas tal y como son, que tendemos a engañarnos a nosotros mismos.

Legumbre

Indican una situación económica precaria pero muy bien administrada.
Comer un plato de legumbres significa tener que esperar un tiempo antes de que tengamos una situación desahogada.
Si las cocinamos, en cambio, es señal de que nuestros asuntos de dinero van en vías de solución.

Véase ALIMENTOS, LENTEJA.

Lejía

Es uno de los desinfectantes más comunes en los hogares, de ahí que simbolice la purificación desde el punto de vista interno y personal.
Por otra parte, su utilización en sueños muestra que, interiormente, nos sentimos sucios; tal vez a causa de prejuicios y represiones en el terreno sexual que no nos dejan actuar libremente.

Lencería

En los sueños eróticos, la lencería suele ocupar un lugar muy importante.
Soñar con estas prendas indica que tenemos deseos sexuales insatisfechos.

Lendrera

Utilizar uno de estos peines para desparasitar la cabeza de una persona querida, simboliza el querer quitarle ideas perniciosas que le ha metido un mal amigo.

Lengua

Tradicionalmente se ha adjudicado a los demonios o seres asociados con el mal una lengua larga o carnosa; tal vez teniendo en cuenta el daño que se puede hacer con la palabra, a la vez que el erotismo relacionado con este órgano.
Con la lengua pueden hacerse diversos gestos: burla, incitación, muestras de ansiedad, etc., de modo que si vemos en sueños una lengua debemos observar, además, qué gesto es el que está realizando.
Si nos la mordemos quiere decir que guardamos un secreto que queremos divulgar.

Véase IDIOMA.

Lenguado

Este curioso pez, de carne delicada, tiene espinas en todo su contorno. Simboliza las oportunidades que exigen valor, esfuerzo y sacrificio pero que dejan excelentes beneficios.
Si lo vemos o comemos en sueños quiere decir que tenemos la posibilidad de hacer algo importante para lo cual sólo debemos confiar en nuestra propia capacidad.

Lente

Cuando se sueña con lentes debe tenerse en cuenta de qué tipo son: si son cóncavas, hacen que la imagen se vean más pequeñas. En este caso simbolizan la tendencia a minimizar los problemas.

Si son convexas, en cambio, los objetos se ven más grandes, por ello indican que acostumbramos a exagerar la importancia de todo lo que nos sucede.

Lenteja

Dentro de las legumbres, las lentejas tienen un simbolismo especial: indican la rivalidad entre hermanos.
Comerlas en sueños indican que sentimos celos de algún hermano o cuñado.
Prepararlas es signo de rivalidad que busca despertar la envidia ajena.

Lentejuela

Como adornos que se ponen en la ropa indican que queremos llamar la atención. Sin embargo, en lugar de recurrir para ello a nuestras capacidades intelectuales o espirituales, buscamos hacerlo a través de nuestras posesiones o nuestro estatus social.

Lentillas

Los sueños en los que se sienten molestias a causa de las lentillas pueden tener su origen en estímulos externos como, por ejemplo, la irritación real en los ojos.
Las lentillas de colores simbolizan la necesidad de cambiar de punto de vista con respecto a un problema que nos preocupa. Las translúcidas, advierten de que debemos recabar más datos antes de tomar una decisión.

Lentitud

Los sueños en los que las escenas parecen transcurrir a cámara lenta indican ansiedad.
Se producen cuando estamos pendientes de un resultado, de una respuesta.
Si la imagen transcurre luego a ritmo normal, es señal de que éste nos resultará favorable.

Leñador

Simbolizan la fuerza física y la agresión controlada.
Su presencia en un sueño hace alusión a nuestra fortaleza interior, a la capacidad de resistencia frente a las enfermedades.

Leño

La madera es la materia prima para la fabricación de muchos objetos y también una fuente de energía calórica.
Si el leño que vemos en el sueño está encendido, es señal de que nos hemos enamorado. Si está cubierto de líquenes, indica que tenemos un mundo interior rico y que somos amantes de la soledad.
El hecho de partir un leño indica un buen sentido práctico.

Véase CHIMENEA.

Leo

Véase ZODÍACO.

León

Véase FELINOS.

Leopardo

Es símbolo de bravura y ferocidad. Expresan los aspectos más agresivos de nuestra personalidad.
En sueños, indica que tenemos la decisión de enfrentarnos a una persona que nos está haciendo mucho daño.

Leotardos

Esta prenda que nos cubre desde la cintura hasta los pies simboliza la plasticidad física.
Si los leotardos tienen un importante papel en el sueño, es señal de que estamos haciendo una vida demasiado sedentaria, que nuestro cuerpo necesita fortalecer y flexibilizar su musculatura.

Lepra

Esta enfermedad, que afortunadamente está prácticamente erradicada, simboliza las pérdidas importantes (ya sea por defunción, robo, separación, etc.) Si en sueños nos vemos afectados por esta dolencia, es señal de que no hemos podido asimilar la falta de una persona o cosa que hemos tenido cerca en otros tiempos.

Lesbianismo

Las imágenes lésbicas, tanto en sueños masculinos como femeninos, son índices de deseos sexuales.

Que una mujer sueñe con ellas no quiere decir que sea una homosexual latente sino, más bien, que tiene curiosidad al respecto y que muestra una actitud abierta y sana respecto al sexo.

Letanía

Las letanías son cantos o rezos que se repiten. Simbolizan los mandatos y normas que nos han inculcado en la infancia.

Si las rezamos de buen grado, quiere decir que estamos de acuerdo con ellas; si las oímos y nos molestan, es señal de que tenemos una escala de valores distinta a la de nuestros progenitores.

Letargo

Los sueños en los que estamos aletargados son advertencias del inconsciente. Su mensaje es que debemos mostrarnos más activos y buscar alguna motivación si no queremos tener conflictos en el trabajo.

Letra

Las letras se pueden presentar de diversas maneras en un sueño. A veces, a modo de iniciales, otras, desordenadas. Si fuera éste el caso, será conveniente recordarlas y tratar de componer con ellas algún mensaje para saber qué es lo que nuestro inconsciente nos ha transmitido.

Levadura

Este fermento simboliza la tendencia a exagerar los problemas, a magnificar las emociones. Su presencia en un sueño indica que nos atrae el dramatismo y los grandes gestos de amor o de odio.

Levantarse

Cuando estamos ansiosos por lo que debemos hacer al día siguiente, es frecuente soñar que ya es hora de levantarse aunque sólo hayamos dormido unos pocos minutos. Estos sueños dan cuenta de los temores a ser juzgados o a tener un desempeño pobre en las tareas que tenemos que realizar al día siguiente.

Levita

Esta prenda simboliza la adulación.

El hecho de vestirla indica que nos sentimos muy cohibidos ante la autoridad y, por ello, intentamos caerle bien y aceptar lo que dice aunque no estemos de acuerdo con ello.

Levitar

Véase INGRAVIDEZ.

Lezna

Esta herramienta utilizada por los zapateros, simboliza la envidia ante el éxito laboral ajeno.

Su empleo o aparición en un sueño indica que nos sentimos molestos ante el reconocimiento recibido por algún compañero de trabajo.

Liana

Simbolizan las fuerzas o posibilidades para obtener una posición mejor.

Si estamos sujetos a una liana, quiere decir que en breve se nos presentarán buenas oportunidades para mejorar. En caso de que trepemos por ella, debemos interpretar que nuestra ambición nos llevará lejos aunque podamos perder muchos amigos.

Si la liana se rompe o nos caemos, es señal de que nuestras estrategias para ascender no son las correctas.

Libélula

Este insecto es símbolo de inconstancia y frivolidad.

En sueños, nos advierten de que debemos prestar más atención a nuestras emociones, a nuestra parte espiritual, ya que de no hacerlo en poco tiempo nos sentiremos vacíos y decepcionados.

Liberación

Las acciones que llevamos a cabo para liberar a otras personas en sueños simbolizan el esfuerzo que hacemos para liberarnos a nosotros mismos, para apartarnos del mundo material y elevarnos espiritualmente.

Libra

Véase ZODÍACO.

Libreta

Estos pequeños cuadernos se emplean para hacer anotaciones rápidas, para poner referencias útiles. Simbolizan la memoria a corto plazo.
Si hacemos apuntes en ella quiere decir que tendemos a olvidar hechos recientes pero, en cambio, recordamos con gran fidelidad los ocurridos hace tiempo.

Libro

Los títulos de los libros que veamos en los sueños, así como los textos, pueden dar claves para entender cuáles son los problemas que nos preocupan o la solución para los mismos.
Nuestra presencia en el interior de una librería indica que damos más importancia al mundo mental que al emocional.

Licántropo

En la leyenda del hombre lobo se pone simbólicamente de manifiesto la naturaleza animal e instintiva del ser humano.
Soñar con uno de estos personajes o bien convertirse en lobo durante el sueño se relaciona con la tendencia a perder el descontrol, a tener dificultades en manejar la ira.

Licor

Los licores participan, al igual que el alcohol, de las características del fuego y del agua; es decir, voluntad y sentimientos. El hecho de beberlo indica que podemos adoptar actitudes que han sido consideradas como propias del otro sexo (en una mujer, por ejemplo, la fuerza; en un hombre, la ternura).

Licuadora

Este electrodoméstico simboliza la necesidad de aglutinar a la familia tras un período de tensiones y conflictos.
Utilizarla en sueños señala los empeños que hacemos por establecer la reconciliación entre dos personas queridas.

Líder

Cuando en un sueño nos vemos como líderes o seguirmos a otra persona que ejerza este papel, quiere decir que en la vida real no nos atrevemos a dar nuestras opiniones por muy seguros que estemos de ellas. Indica que somos tímidos y no encontramos la manera de solucionar el problema.

Liebre

Este animal, al igual que el conejo, es símbolo de procreación y fecundidad.
Cuando la vemos en sueños, indica que hay muchas posibilidades de embarazo, ya sea propio o de alguna persona cercana.

Véase CONEJO.

Lienzo

Véase PINTURA.

Liga

Esta prenda, cada vez más en desuso, señala el rechazo a los cambios.
Su presencia en un sueño advierte de que no debemos aferrarnos a nuestra situación actual y que, con un pequeño esfuerzo, si aceptamos el cambio podremos mejorar.

LIGAMENTO

Si en sueños experimentamos molestias en un ligamento puede deberse a que nuestra postura, mientras dormimos, no es la adecuada.

LIGAR

Si lo que ligamos es una salsa, quiere decir que estamos preocupados por un conflicto que hay en la familia y que deseamos intensamente que el distanciamiento entre dos de los miembros finalice.

Véase ATAR, COQUETEO.

LIGEREZA

A veces, en los sueños, se tiene la sensación de que el cuerpo no pesa. Esta sensación se corresponde con el elemento aire y expresa la voluntad de superación.

Véase VOLAR.

LIGUERO

Los sueños en los que aparece esta prenda, a menudo son eróticos y dan muestras de una excitación sexual momentánea.
Si no es éste el caso y quien sueña es una mujer, indica el deseo de conquistar a un hombre de su entorno.

LIJAR

La acción de lijar cualquier superficie simboliza el deseo de librarnos de pequeños defectos que, aun no siendo graves, queremos corregir.
El simbolismo del objeto podría dar las claves acerca de los mismos.

LILA

Esta flor ha sido tradicionalmente considerada como un excelente protector del hogar; por ello se plantaba en los jardines y se ponía en jarrones dentro de la casa.
En sueños indica que la relación familiar es excelente, que hay una unión sólida y que todos los miembros responderán solidariamente cuando otro lo necesite.
En caso de que estemos pasando por una etapa de problemas, podremos acudir a ellos confiadamente.

LIMA

Por su carácter ácido, los cítricos a menudo se asocian con la purificación.
Este fruto anuncia en los sueños la rápida recuperación de un enfermo.
La herramienta que lleva este nombre simboliza la tendencia al perfeccionismo.

LIMBO

Los sueños en los que nos encontramos en este lugar indican que nos vemos a nosotros mismos como ingenuos, inocentes, capaces de ser engañados fácilmente.
Pueden servir para advertir de que nuestras sospechas sobre la traición de una persona están sobradamente justificadas.

LIMÓN

El árbol que da origen a este fruto tiene flores exquisitamente perfumadas, Sin embargo los limones son ácidos, pero ello no quita para que se empleen en la preparación de comidas y postres.
Simboliza el matrimonio, con sus altos y sus bajos; con sus momentos dulces de caricias y abrazos, pero también con sus agrias discusiones.
Si soñamos con limones debiéramos tratar de tener un mayor entendimiento con nuestra pareja.

LIMOSNA

Tradicionalmente se dice que soñar con que se da una limosna augura excelentes ganancias. Recibirla, por el contrario, indica que se sufrirán importantes pérdidas.

LIMPIEZA

Todo aquello que tenga que ver con la limpieza se relaciona con la necesidad de

purificación. Estos sueños suelen aparecer cuando interiormente nos sentimos culpables por una falta cometida.
Los objetos o lugares que se limpien darán la clave, con su símbolo, de qué es lo que hemos hecho mal.

LINCE

Véase FELINOS.

LINCHAMIENTO

Los sueños en los que aparecen estas imágenes son sumamente perturbadores, ya que en ellos se observa hasta qué punto el ser humano, cuando se encuentra enardecido, pierde su escala de valores. Los linchamientos simbolizan el desbordamiento de las emociones que, al no tener una salida normal, se vuelven contra uno mismo por la ira autodestructiva.

LÍNEAS

Los sueños en los cuales aparecen líneas sin un propósito específico pueden dar muestras de nuestro carácter.
Si se trata de líneas curvas, es señal de que tendemos a la conciliación, que sabemos expresar el afecto. Si son líneas rectas, en cambio, indican que somos excesivamente rígidos y exigentes, tanto con nosotros mismos como con los demás.

LINGOTE

Los lingotes suelen ser principalmente de hierro, oro, plata o platino. Cada uno de ellos simboliza un posible aspecto de nuestra personalidad.
Si son de hierro, indican fortaleza física y rigidez; si son de oro, espiritualidad; si contienen plata, señalan la delicadeza de nuestros sentimientos; si son de platino, muestran nuestra evolución espiritual.

LINIMENTO

Este fármaco se usa, principalmente, para hacer fricciones; a menudo para aliviar el dolor de las contracturas o agujetas.
Si en sueños hacemos o nos hacen fricciones con linimento, quiere decir que estamos poniendo en el cuerpo tensiones de índole psicológica, que debemos relajarnos y no preocuparnos por problemas sin importancia.

LINO

La tela de lino, sobre todo si es blanca, simboliza la pureza.
Su presencia en sueños puede indicar un amor platónico.

LINTERNA

Como toda luz, simboliza la inteligencia; en este caso enfocada hacia un punto específico.
Si utilizamos una linterna, quiere decir que hay un tema al que, por necesidad o por afición, dedicamos gran parte de la vida intelectual. También es posible que se trate de la preparación de un examen.

Véase LÁMPARA, LUZ.

LIQUEN

Este vegetal ha sido dedicado al dios Saturno y se relaciona con la soledad y la meditación. Si en sueños vemos una piedra o cualquier otra superficie cubierta de líquenes, debemos entender que ha llegado el momento de hacer un profundo examen de conciencia.

LIQUIDACIÓN

En las liquidaciones se ponen las mercancías a bajo precio a fin de venderlas para ganar espacio o para cerrar un negocio. Los sueños en los que aparece una tienda que liquida sus existencias señalan la necesidad de desprendernos de objetos inútiles en nuestro entorno y de poner orden en nuestra casa.

LIRA

Véase INSTRUMENTOS MUSICALES.

Lírica

Las composiciones líricas revelan los sentimientos de su autor. Leerlas o escucharlas indica que una persona quiere demostrarnos su afecto pero que, por miedo, nos negamos a aceptarlo.

Lirio

Los lirios, sobre todo si son blancos, han sido relacionados con la pureza, con la virginidad.
Ver estas flores en sueños da cuenta de la limpieza de nuestros sentimientos, de nuestra ingenuidad y falta de malicia. También pueden anunciar una boda.

Lirón

La característica más conocida de estos roedores nocturnos es la de pasar el invierno aletargados.
Su presencia en sueños indica que éste no es un momento para realizar cambios, sino que es preferible mantenernos tal y como estamos hasta pasados tres o cuatro meses.

Lis

La flor de lis es un símbolo heráldico relacionado, desde la antigüedad, con la realeza.
En la Edad Media se la consideró vinculada a la iluminación.
En sueños indica que, gracias a la conexión que tenemos con personas de influencia, lograremos una situación laboral o comercial excelente.

Listín

Los listines telefónicos personales dan cuenta de las personas que conocemos.
Si en el sueño éstos aparecen con muchos nombres, es señal de que no tenemos problemas para comunicarnos con las personas del entorno. Si están vacíos, por el contrario, indican que nos resulta sumamente difícil hacer amigos.
La pérdida de un listín señala que deseamos un cambio de ambiente.

Litera

En estas camas estrechas, a menos que se encuentren en los barcos o trenes, duermen los niños.
Los sueños en los que nos encontramos en ellas pueden representar una añoranza de la infancia o un deseo que jamás hemos podido ver cumplido.
Si nos encontramos en la litera de arriba es señal de que nos sentimos superiores a nuestros hermanos.

Litografía

El hecho de grabar una piedra a fin de imprimir con ella el dibujo realizado simboliza los esfuerzos que hacemos por sacar a la luz nuestros gustos o ideas y el empeño en ser nosotros mismos.
Estos sueños suelen tenerlos las personas que se dejan influenciar fácilmente por los demás.

Llaga

Véase HERIDA.

Llamar

Si en sueños llamamos, sea por teléfono o gritando, a otra persona quiere decir que tenemos una noticia importante que comunicarle pero que no estamos seguros de cuál será su reacción tras oírla.

Llamas

Por su relación con el elemento fuego, la mayoría de las veces simbolizan el intelecto.
Si las que vemos en el sueño son rectas y sin humo indican que hemos puesto el intelecto al servicio del espíritu.
Si es vacilante, indica una escasa firmeza en nuestras convicciones.
Cuando las llamas nos amenazan revelan el miedo a afrontar la realidad.
Si avanzamos decididamente hacia ellas con algún objetivo, en cambio, revelan que estamos dispuestos a lograr nuestras metas y que al final lo conseguiremos.

Llano

Las llanuras, lugares donde no se percibe otro límite que el horizonte, siempre se han relacionado con los sentimientos de paz, plenitud y comunión con uno mismo. Su aparición en sueños es un excelente presagio, ya que anuncia que hemos logrado un buen equilibrio interno y que podemos utilizar nuestra racionalidad sin sofocar, por ello, los sentimientos o las aspiraciones espirituales.

En caso de que en el sueño se vivan sentimientos desagradables, debemos entender que el llano también puede resultar monótono y, en este caso, quedaría al descubierto la falta de emociones en nuestra vida.

Llanto

El llanto es producto de una gran emoción. Puede ser de tristeza o de alegría, de ahí que si aparece esta manifestación emocional en sueños y está provocada por una sorpresa agradable, sería un buen augurio, pero ocasionada por un hecho desafortunado, anticiparía problemas y tristezas.

Llave

Para Sigmund Freud, la llave era símbolo fálico, de modo que si el sueño es erótico, debe entenderse como producto de una excitación sexual momentánea.

Los ocultistas, por el contrario, siempre han visto en la llave un símbolo de iniciación, de apertura del espíritu hacia una realidad superior. Por ello, su presencia en sueños debe entenderse como una posibilidad de elevación espiritual, de integración interior.

La pérdida de las llaves, sobre todo si está acompañada por un sentimiento de angustia y el sueño es masculino, debe interpretarse como complejo de castración, entendiendo ésta como una disminución del impulso sexual o un mal desempeño en las relaciones íntimas.

Si el sueño es femenino, en cambio, puede simbolizar insatisfacción sexual o mal entendimiento con la pareja.

Llave inglesa

Véase HERRAMIENTA.

Lluvia

El agua simboliza las emociones, por lo tanto la lluvia se interpreta como el desbordamiento del sentimentalismo, de la melancolía.

Si la lluvia es torrencial, indica que tenemos un intenso mundo emocional y si está acompañada de otros fenómenos atmosféricos como rayos, truenos o relámpagos señala que la ira es una de nuestras emociones más habituales.

Si en el sueño nos vemos impedidos de movernos a causa de un aguacero, es señal de que las emociones nos impiden avanzar, que nos dejamos llevar por nuestros impulsos y que, a causa de ellos, cometemos errores que más tarde nos bloquean el camino.

Véase AGUACERO, CLIMA.

Lobo

Este animal simboliza el mal y la destrucción. Si lo vemos en sueños quiere decir que tendremos que hacer frente a enemigos que pretenden nuestra ruina.

Loco

El loco es el último arcano del tarot y, según algunos autores, el primero. Simboliza al instinto salvador que nos dicta las acciones oportunas en un momento de peligro.

Indica que tenemos un excelente espíritu de supervivencia y que el ingenio nunca nos abandona.

Locomotora

Las locomotoras, que durante siglos han sido alimentadas por carbón y accionadas por el vapor generado con éste, están

emparentadas con los elementos agua y fuego; es decir, con la voluntad y las emociones.
En sueños representan la fuerza que surge de los sentimientos e indican aquellas empresas arriesgadas que estamos dispuestos a emprender por amor.

Locutorio

Los locutorios suelen utilizarse para hablar con personas que viven en lugares lejanos. Si nos encontramos en uno de estos locales, quiere decir que sentimos la necesidad de entablar contacto con alguien con quien se ha establecido una distancia en tiempo, no en espacio; con alguien que hace mucho que no vemos.

Logotipo

Al igual que las iniciales, representan entidades físicas o virtuales.
Es imprescindible saber a qué corresponde el logotipo para buscar su significado simbólico y analizar, de este modo, el sueño.

Lombriz

Las lombrices son animales que a muchas personas producen rechazo; sin embargo son sumamente beneficiosas en los cultivos porque con sus túneles airean la tierra. Si las vemos en sueños quiere decir que tendemos a refugiarnos en la intimidad del hogar, que llevamos una vida más bien solitaria y que tenemos pocos pero muy buenos amigos.

Longaniza

Véase EMBUTIDOS.

Loro

Véase AVES.

Lotería

Véase AZAR.

Loto

Esta flor tiene múltiples significados, según la cultura que le dé origen.
Representa, entre otras cosas, la realización personal, de modo que si la vemos en sueños, indica que lograremos cumplir con todas nuestras aspiraciones.

Loza

La loza simboliza la armonía familiar, así como la delicadeza de los sentimientos.
Es frecuente que cuando se sueña con ella se estén viviendo momentos de gran felicidad.

Véase VAJILLA.

Lubricante

Las sustancias lubricantes sirven para evitar los roces entre piezas en movimiento.
Simboliza el tacto, la diplomacia, la mano izquierda con que manejamos las situaciones difíciles.
Si nos vemos en sueños utilizando algún tipo de lubricante quiere decir que es necesaria nuestra presencia en una reunión a fin de evitar un conflicto entre varias personas.

Lucero

Recibe este nombre el planeta Venus, relacionado astrológicamente con el amor.
La visión de esta estrella en el cielo onírico augura un romance intenso y feliz a las personas solteras.
Si el durmiente tiene pareja o está casado quiere decir que tiene una excelente relación aunque en este momento pueda estar pasando por una pequeña crisis.

Lucha

Por lo general, las luchas que mantenemos en sueños, aunque nuestro contrincante sea otra persona, reflejan las peleas con nosotros mismos.
Si el sentimiento que se experimenta en las imágenes es de ansiedad o temor, indica que intentamos tener un férreo

control sobre nuestros deseos pero que, paradójicamente, esta exagerada represión nos lleva a cometer actos impulsivos que nos traen problemas.
Si lo que sentimos es ira, en cambio, indica que nos enfadamos con nosotros mismos por no atrevernos a hacer cosas que no entrañan peligro, que nos vemos demasiado determinados por el «qué dirán» y que eso limita nuestras posibilidades de ascenso o crecimiento.

LUCIÉRNAGA

Soñar con luciérnagas siempre es un buen presagio. A veces nos advierten de que no debemos ser desagradables con quienes no nos caen bien.

LUJO

Las escenas en las que nos vemos rodeados de lujo pueden tener un sentido compensatorio. A veces se presentan en las épocas de escasez, de dificultades económicas y sirven de válvula de escape a los problemas que éstas nos acarrean.
Si no es éste el caso, debemos entender que, en sueños, nos estamos premiando por haber hecho un esfuerzo en favor de nuestra familia.

LUJURIA

Las escenas lujuriosas pueden tener dos significados muy distintos: si se experimentan con placer o alegría, indican un deseo sexual momentáneo. Si ante ellas sentimos rechazo, en cambio, es señal de que vemos al sexo como algo sucio, que nuestra represión nos impide vivirlo como un hecho natural.

LUNA

La Lluna es uno de los símbolos más complejos, ya que a través de la historia ha tenido muy diversas significaciones.
En primer lugar, se relaciona con el mundo femenino, ya sea por la duración de su ciclo medio que coincide con el menstrual, como por su contraposición al Sol, que es un símbolo netamente masculino.
Desde esta perspectiva, la aparición de la Luna en un sueño masculino puede representar a la mujer amada.
Su relación directa con las mareas la vincula al mundo emocional, de manera que su luz, sobre todo si ilumina el campo, puede entenderse como una señal de que nuestras emociones están en calma.
Las diferentes fases muestran otros aspectos de nuestro presente: la Luna llena indica plenitud, satisfacción, regocijo interior; el cuarto menguante, temor al futuro, miedos imprecisos, falta de confianza en nosotros mismos; el cuarto creciente, en cambio, indica optimismo y confianza en lo que nos toque vivir; la Luna nueva, que no se ve, señala que necesitamos una guía espiritual, que nos sentimos perdidos.

LUNES

Véase SEMANA.

LUPA

Por su función de aumentar el tamaño de lo que se ve tras ella, la lupa indica una tendencia a observar los detalles, a ver con mayor claridad los árboles que el bosque.
Su aparición en un sueño puede significar que estamos prestando demasiada atención a cosas que no son las que realmente tienen importancia.

LUTO

El hecho de vestir de luto en un sueño, no augura ninguna muerte. En cambio puede dar cuenta de una reciente enemistad tras la cual hemos decidido romper definitivamente las relaciones con la persona con la que nos hemos distanciado.

LUZ

Simboliza el conocimiento, la revelación, la claridad. Los sueños en los que la iluminación es buena o normal, a menos

que haya otros indicios, revelan confianza en nosotros mismos. Si la luz es excesiva, indican que tendemos a considerarnos mejores de lo que somos (más inteligentes, más bondadosos, más guapos, etc.) La mala iluminación, en cambio, puede ser índice de depresión, de pesimismo o falta de confianza en nuestras aptitudes.
En el caso de que veamos luces puntuales, como las de una linterna, deberemos analizar el símbolo del objeto que iluminan y entender que está relacionado con el conflicto que más nos preocupa en el presente.

Véase APAGÓN, LINTERNA.

M

MACABRO

En los sueños, y sobre todo en las pesadillas, es bastante habitual ver escenas macabras. En ocasiones su contenido impactante ocasiona una angustia tan grande que obliga a despertar.
Si tenemos un sueño de este tipo quiere decir que tendemos a dramatizar, a sentirnos y mostrarnos incapaces para resolver hasta los problemas más pequeños quizás con la esperanza de que otros nos ayuden en la empresa.

MACACO

Véase MONO.

MACARRONES

Soñar con alimentos puede indicar que, en la vida real, tenemos hambre, pero el alimento también puede simbolizar los deseos instintivos no satisfechos.
Los macarrones tienen estructura fálica por ello, si lo sueña un hombre, es señal de que le preocupa su vida sexual. Si es una mujer, en cambio, los macarrones podrían ser índice de una intensa atracción por el sexo opuesto unida a una gran represión.

MACETA

Véase FLORES.

MACHETE

El principal uso que se da a esta herramienta es abrir camino en la selva virgen o en las forestas densas.
Si se sueña con un machete, será necesario observar los demás elementos del sueño e identificar lo que las imágenes despierten.
Si se trata de un sueño erótico indicará la necesidad de contacto con un hombre (según Freud las armas blancas son símbolos fálicos); si se emplea para abrir camino, en cambio, puede simbolizar una herramienta para abrirnos camino en el mundo laboral.
En caso de que alguien nos amenace con un machete debemos interpretar esta imagen como una representación del temor que nos inspiran las personas agresivas o excesivamente asertivas.

MACHISMO

Las situaciones en las que el machismo se hace evidente pueden ser vividas desde diferentes ángulos, ya que nuestra sociedad aún no ha asumido al cien por cien el avance de la mujer.
Cuando las escenas nos parecen naturales y lógicas muestran nuestra tendencia al conservadurismo. Si, por el contrario, provocan angustia o ansiedad, demuestran que nos sentimos amenazados por todo tipo de segregación. En caso de que la durmiente sea una mujer, quiere decir que se siente amenazada en su vida real por un hombre, posiblemente su pareja.
Si es un hombre, muestra su preocupación por una mujer de su entorno que está padeciendo a causa del machismo de su compañero o de su padre.

MACHO

Cuando en el sueño se centra la condición de macho de un animal quiere decir que se ensalzan interiormente las cualidades tradicionalmente ligadas al hombre: fuerza física, espíritu protector, cualidades de mando, agresividad, etc.

Macizo

Los macizos de flores aluden a los encuentros amorosos.
Si los vemos en sueños quiere decir que recibiremos una declaración de amor o una confidencia importante.

Macuto

Véase MOCHILA.

Madeja

Las madejas de lana o hilo tienden a enredarse, de ahí que simbolicen las situaciones confusas.
Si soñamos con ellas, quiere decir que estamos pasando por una época poco clara que no sabemos cómo afrontar. Tal vez nos obsesionemos buscando la solución a los problemas que se nos presentan pero no logramos centrarnos en su origen.
Si observamos que sale una punta de la madeja, quiere decir que pronto encontraremos la manera de aclarar el panorama.

Madera

Es la materia prima por excelencia para casi todo y también uno de los primeros elementos que utilizó el hombre para construir sus herramientas, sus utensilios, sus rústicos muebles e, incluso, para hacer sus armas.
Naturalmente, si la madera aparece en sueños, será importantísimo ver qué objeto se ha fabricado con ella, ya que eso dará la clave para comprender su amplio simbolismo.
Si soñamos con un trozo de madera, quiere decir que entramos en un período de gran ingenio y creatividad que, de cara al futuro, conviene aprovechar.

Madrastra

Son muchas las leyendas y cuentos infantiles en los cuales aparece la figura de la madrastra. Ésta es casi siempre malvada y siente hacia sus hijas mujeres una profunda envidia.
En sueños, representa el lado más oscuro de la feminidad, la competencia cruel con otras mujeres, el miedo a que las hijas desplacen a una mujer del lugar que ocupa en el corazón de su marido.
Si las imágenes oníricas producen angustia, es probable que expresen los conflictos con nuestra propia madre.

Madre

Es símbolo de entrega, de afecto incondicional.
Los sueños en los que aparece nuestra madre, sobre todo si producen ansiedad, expresan necesidad de protección, de cuidados.
Si las imágenes son placenteras, indican plenitud afectiva.

Madreperla

De este marisco, de concha dura de color verde por fuera e iridisado por dentro, se obtiene el nácar y también algunas perlas. Simboliza la versatilidad.
Si encontramos su concha quiere decir que tenemos una gran habilidad para acomodarnos a los cambios e, incluso, provocarlos a nuestro favor.
Si la concha estuviera cerrada indicaría que necesitamos hacer mayores esfuerzos para conseguir lo que deseamos.
La concha rota significa falta de habilidad para adaptarse a los cambios.

Madreselva

Estas flores simbolizan las uniones fuertes, indisolubles.
Si no tenemos pareja, el sueño augura la aparición de alguien con quien estaremos toda la vida. Si ya la hemos encontrado, señala una relación duradera, aunque puede tener muchos momentos críticos.

MADRIGUERA

Constituye el refugio de muchos animales, de ahí que simbolice la necesidad de esconderse, de protegerse ante un peligro real o imaginario.
Si las imágenes oníricas nos provocan miedo quiere decir que la amenaza es interna, que lo que más nos asusta son los pensamientos negativos con los que alimentamos nuestra conciencia.
En caso de que se experimente tristeza o nostalgia, la madriguera simbolizará la añoranza de la infancia o de otro período en el que nos hayamos sentido protegidos y cuidados.
La construcción de una madriguera simbolizaría los planes de boda.

MADRINA

Véase PADRINOS.

MADROÑO

Este arbusto, y sobre todo sus frutos, rojos por dentro y amarillos por fuera, simbolizan la osadía, la tendencia a ir contra las convenciones sociales.
Si en el sueño el madroño aparece con las ramas desnudas, quiere decir que se presentan muchos obstáculos para unirnos a la persona que amamos. Si está cargado de frutos, indica que nos sentimos atraídos sexualmente por una persona que no es libre, quizá un casado.

MADRUGAR

Los sueños en los cuales madrugamos, indican que tenemos una gran necesidad de anticiparnos a los acontecimientos, que estamos ansiosos por ver el resultado de un proceso que puede ser crucial.
Sin embargo, estos sueños también indican la necesidad de reflexionar antes de dar el primer paso, de no dejarnos llevar por la inquietud, ya que eso nos impediría observar los acontecimientos desde una perspectiva más serena. Porque si bien «al que madruga Dios le ayuda», «no por mucho madrugar amanece más temprano».

MAESTRO

Simboliza la sabiduría. No tanto el conocimiento académico, sino todo aquello que se recoge como fruto de la experiencia.
Si vemos un maestro en sueños quiere decir que necesitamos algún tipo de orientación psicológica, que nos enfrentamos a un dilema que no sabemos cómo resolver.
En caso de que seamos nosotros quienes desempeñemos el papel de maestro, indicará que una persona de nuestro entorno buscará nuestro consejo.

MAFIA

Simboliza el hecho de verse enfrentado a un grupo de personas (pueden ser vecinos, compañeros de trabajo, de estudios, etc.) Los demás elementos del sueño podrán ayudar a dilucidar este punto.
Si somos nosotros quienes pertenecemos a la mafia quiere decir que no sabemos escoger sabiamente las amistades y que eso, a la larga, perjudicará nuestra reputación.

MAGIA

La magia, en los sueños, simboliza aquellos procesos mentales que escapan a nuestro control: las emociones que nos desbordan y nos empujan a realizar actos que, en circunstancias normales, no haríamos. Si en las escenas del sueño nos sentimos víctimas de un acto mágico, quiere decir que a menudo nos cuesta comprender nuestros propios actos, que perdemos el control con facilidad. Si, por el contrario, somos nosotros quienes hacemos los rituales, eso indica que, por nuestra forma de ser, tendemos a hacer perder los nervios a toda persona que intente contradecirnos o controlarnos.

Véase HECHIZO.

Magma

La masa mineral en estado viscoso que forma lagunas bajo la corteza simboliza la voluntad.

Si la vemos aparecer en forma de lava en el cono de un volcán, quiere decir que una vez que hemos tomado una decisión, nos dirigimos al objetivo con absoluta determinación, dispuestos a conseguirlo.

Si en el sueño nos hablan de su presencia y su peligro, significa que no nos atrevemos a poner en juego nuestra voluntad, por temor a dañar a las personas que queremos.

Magnate

Las personas económicamente poderosas simbolizan todo lo que consideramos inalcanzable. Verlas en sueños quiere decir que tenemos deseos muy concretos, pero no nos sentimos con las cualidades necesarias para poderlos cumplir.

Si somos magnates, por el contrario, significa que, tras un proceso de maduración y crecimiento, hemos llegado a la conclusión de que podemos realizar muchas más cosas que las imaginadas.

Magnetismo

Por extensión, se define de esta manera a la atracción que se produce entre dos cuerpos o entre dos personas. Simboliza la capacidad de liderazgo.

Véase IMÁN.

Magnetófono

Estos aparatos cumplen dos funciones: grabar y reproducir, por ello simbolizan el cotilleo. Si utilizamos el aparato para grabar sonidos, quiere decir que en breve nos enteraremos de ciertos aspectos oscuros de la vida de un amigo o familiar.

En caso de que lo usemos para reproducir significa que estamos tentados de traicionar la confianza que han depositado en nosotros, contando un secreto a cambio de ser protagonistas.

Magnolia

Esta flor tradicionalmente se ha utilizado como símbolo de nobleza.

Su presencia en sueños indica que somos personas leales, nobles, capaces de hacer cualquier esfuerzo por nuestros amigos o por la victoria de nuestros ideales.

Mago

Veáse MAGIA.

Maíz

Esta planta originaria de América tiene, para los nativos de ese continente, una gran riqueza simbólica. Por una parte, algunos grupos étnicos creían que el primer hombre fue hecho de maíz; de ahí que, en ocasiones, sea su símbolo.

También representa la prosperidad y la fecundidad. Por el color amarillo intenso de sus granos y por la rubia cabellera que le confieren sus barbas, también se vincula al Sol y al fuego.

Soñar con mazorcas de maíz es un buen augurio, ya que anuncia una época de crecimiento económico importante.

Si en las escenas las mazorcas se pelan, eso puede indicar que habrá un futuro miembro en la familia. Las comidas elaboradas con maíz representan alimento espiritual e intelectual (Sol, fuego).

Majestuosidad

Los entornos majestuosos simbolizan la presunción, la arrogancia.

Si nos encontramos en una estancia majestuosa quiere decir que tendemos a exagerar nuestras cualidades o posesiones, que nos gusta hacer saber a los demás lo valiosos que somos. Estos sueños también nos alertan de nuestra superficialidad y de nuestro afán de basar nuestra seguridad en el poder adquisitivo.

Malabarismo

Los juegos malabares representan la tendencia a buscar situaciones de riesgo y

la habilidad para salir airosos de ellas.
Si somos nosotros quienes los practicamos en el sueño, quiere decir que tenemos una gran capacidad para encontrar rápidamente la solución a cualquier problema que amenace nuestra integridad física o psicológica.
Si quien hace malabares es otra persona, indica que sentimos una gran atracción por el riesgo, pero que a la vez conocemos nuestros propios límites y somos prudentes.

Véase CIRCO.

MALAQUITA

A este mineral se le han atribuido muchos poderes mágicos. Los generales griegos, por ejemplo, llevaban a la guerra sortijas y brazaletes construidos con esta piedra para que les inspirara las estrategias más adecuadas en la batalla. La tradición esotérica, en cambio, le atribuye el don de la persuasión.
Si en el sueño tenemos algún objeto de malaquita en las manos, quiere decir que deberemos utilizar toda nuestra paciencia para sacar de un error a una persona de nuestro entorno. Si nos regalan algo hecho con esta piedra quiere decir que, interiormente, esa persona reconoce nuestras buenas cualidades.

MALARIA

Esta enfermedad tropical simboliza la nostalgia del hogar paterno, de los cuidados que nos han prodigado en la niñez.
Si en el sueño se produce una amenaza de epidemia, quiere decir que nos movemos en un entorno que nos resulta hostil.

MALDICIÓN

Véase HECHIZO.

MALETA

Como en ella se guarda lo que hemos de utilizar en nuestros desplazamientos, por lo general simboliza todo aquello que se deja atrás.
Si en el sueño estamos preparando una maleta, quiere decir que estamos a punto de abandonar una situación o una persona, que hemos decidido iniciar un nuevo camino. El sentimiento de alegría que pueda acompañar esta acción significa que estamos preparados para afrontar esa nueva vida. Si, por el contrario, nos encontramos tristes, debemos interpretar que estamos obligados a dar ese paso pero que no tenemos ganas de hacerlo.
El transporte de una maleta pesada indica nuestro apego al pasado.

MALETERO

Como en él se ponen las cosas que no llevamos encima ni en nuestros bolsillos, simboliza toda responsabilidad que queremos rehuir.
Si colocamos los objetos en el maletero quiere decir que tendemos a culpar a los demás de nuestros errores, que nos agobian los compromisos y que nuestro sentido de la responsabilidad es muy deficiente.
Si, por el contrario, sacamos objetos de él, eso indica que nos gusta ocuparnos de nuestros propios asuntos, que confiamos más en nosotros mismos que en los demás.

MALETÍN

Esta pequeña maleta destinada a guardar papeles simboliza los trámites pendientes, los asuntos burocráticos.
Si perdemos un maletín quiere decir que nos cuesta mucho enfrentarnos a todo tipo de gestión administrativa. En caso de tener pendiente la renovación de un documento, podría ser una advertencia.
Encontrar un maletín en la calle augura la resolución de un asunto jurídico.

MALEZA

La abundancia de arbustos y zarzas simboliza una situación confusa en la

relación de pareja. Si nos encontramos rodeados de maleza quiere decir que estamos preocupados porque hay un tema que no hemos llegado a aclarar con la persona que amamos.
Si nos encontramos perdidos en medio de la maleza indica que hemos sido sorprendidos en una contradicción, lo que nos hace sentirnos atrapados y temerosos. Encontrarnos el camino de salida de la maleza significa tomar conciencia de nuestra situación y encontrar los medios para resolverla.

MALFORMACIÓN

Las partes del cuerpo que, en el sueño, aparezcan deformes no aluden a los defectos físicos sino a los de nuestra personalidad.
La deformidad de las manos, por ejemplo, señala la avaricia; la de los ojos, gusto por entrometerse en la vida de los demás; la de los pies, cobardía y la de la espalda, frivolidad.

MALHUMOR

Los sueños en los cuales mostramos malhumor indican que, aunque no queramos reconocerlo, una persona a la cual queremos nos ha herido con sus comentarios o acciones.
En caso de que el malhumor lo manifieste otro de los personajes, será señal de que tememos que la persona a quien representa esté disgustada con nosotros.

MALICIA

Las palabras o gestos que denotan malicia por parte de uno de los personajes del sueño, por lo general señalan que la persona que los hace está pensando en realizar una mala acción y que para ello pretende contar con nuestro apoyo.

MALMETER

Cuando uno de los personajes de un sueño malmete contra una persona que conocemos, debemos entender que representa a nuestro inconsciente, que nos advierte de los defectos que ha detectado en una persona de nuestro entorno.

MALVA

Esta planta simboliza la fecundidad, por un lado, y la ambición femenina por otro. Su presencia indica que tendemos a juzgar a los demás por sus posesiones materiales, que buscamos hacer amigos de influencia y casarnos con una persona adinerada.

MAMAR

La imagen de un niño o de la cría de un animal mamando, simboliza la relación materno-filial.
Si vemos una secuencia de este tipo en un sueño quiere decir que, en el fondo, sentimos que no hemos recibido de nuestra madre todo el afecto que hubiéramos necesitado.

MAMPARA

Véase BIOMBO.

MAMUT

Estos animales prehistóricos simbolizan el poder y la solidez en una situación particular. Es posible que habitualmente nos dejemos dirigir por otras personas, pero cuando aparece un mamut en un sueño indica que es hora de que tomemos las riendas en nuestros asuntos.

MANÁ

Este manjar milagroso que, según el Antiguo Testamento, envió Dios al pueblo judío desde el cielo, simboliza las ventajas que se consiguen sin esfuerzo.
Si en un sueño vemos llover maná, es señal de que en poco tiempo se nos presentará una oportunidad sorprendente que debemos aceptar sin pensarlo.

MANANTIAL

Los manantiales se relacionan, por una parte, con el agua y ésta con el mundo

emocional. Por otra son fuente de vida, ya que el agua es esencial para la supervivencia.
Uniendo estos dos conceptos, los manantiales simbolizan los afectos, tanto buenos como malos, que son motores de nuestras acciones.
Si el agua del manantial es turbia indica que habitualmente tenemos un talante sereno y más bien apático, pero que reaccionamos vivamente cuando nos vemos afectados por la ira.
Los manantiales secos indican que nuestra tendencia a la racionalidad impide que actuemos desde el corazón.
Si contiene agua clara y bebemos de él, señala que sabemos vivir intensamente.
Si el manantial se encuentra en nuestro jardín, debe ser tomado como augurio de prosperidad.

Véase AGUA.

Mancha

En los sueños de personas adolescentes o jóvenes, las manchas suelen revelar un temor a la sexualidad.
Las que se producen durante el sueño indican tentaciones en las que estamos a punto de caer, pero las que se han producido antes, en cambio, señalan el remordimiento experimentado ante los errores del pasado.

Manco

Véase DISCAPACIDAD.

Mandar

Los sueños en los cuales alguna persona manda mientras las demás obedecen señalan el estado de las relaciones con la autoridad.
Si somos nosotros quienes mandamos, ello indica que no aceptamos fácilmente a la autoridad, que tenemos cualidades de liderazgo. Si obedecemos de buen grado, es señal de que aceptamos la autoridad siempre y cuando ésta sea razonable. Si mientras hacemos lo que se nos dice nos sentimos mal, quiere decir que tendemos a complacer a la autoridad más por miedo que por convicción. Si nos negamos con buenos modos a cumplir las órdenes, es señal de que tenemos una gran seguridad en nosotros mismos. Si nos encolerizamos, ello indica que somos rebeldes y no aceptamos autoridad alguna.

Mandarina

Las mandarinas simbolizan algunos aspectos del matrimonio.
Si las que vemos en el sueño están en buen estado, es señal de que nuestras relaciones amorosas son buenas, de que hay compañerismo, afecto y pasión.
Si se encuentran pasadas, en cambio, es señal de que la pasión se ha terminado, que la relación se sustenta más en la rutina que en las emociones que despierta.

Mandíbula

Las heridas o golpes que podamos tener en la mandíbula simbolizan la falta de voluntad, la tendencia a permitir que los problemas sigan su curso, empeorando día a día, con la convicción de que alguien nos ayudará luego a solucionarlos.

Mandil

Si estamos sin trabajo y nos vemos en un sueño vistiendo un mandil quiere decir que en poco tiempo encontraremos un empleo.
En caso de que ya lo tengamos puesto, el uso de esta prenda indica que, de momento, no se producirán cambios laborales.

Mandoble

Véase ARMAS.

Mandolina

Véase INSTRUMENTOS MUSICALES.

MANDRÁGORA

Esta planta tóxica ha sido utilizada por las brujas de la Edad Media. Simboliza la lujuria.
Su presencia en sueños indica que tenemos un gran apetito sexual y que, en ocasiones, no dudamos en trabar relaciones con personas que no nos convienen.

MANGAS

Las mangas simbolizan la apertura o estrechez mental con la que tomamos contacto con ideas ajenas.
Si son aplias y largas, quiere decir que tendemos a escuchar los puntos de vista ajenos, que confiamos en la buena fe de los demás.
Si son estrechas, indica que somos desconfiados, conservadores y rígidos, que no aceptamos de buen talante los cambios sociales.
Las prendas de mangas cortas señalan que tenemos un criterio más amplio para juzgar nuestras propias acciones que las ajenas.

MANGO

A esta fruta originaria de la India, se le han adjudicado propiedades afrodisíacas y, por su semejanza con los testículos, es considerada un símbolo erótico.
Su presencia en sueños señala el deseo sexual.

MANGUERA

Por su conexión con el elemento agua se relacionan con el mundo de las emociones.
Las mangueras tienen la propiedad de concentrar la salida del agua en una boca pequeña, por la que ésta sale con mucha fuerza. Por esta razón señala una tendencia a reprimir las emociones durante mucho tiempo para, después, soltarlas en un estallido.

Véase AGUA.

MANIATAR

Los sueños en los que alguien nos ata las manos o en los que somos nosotros quienes hacemos esto a otra persona, simbolizan la lucha contra una fuerte tentación y el miedo a caer en ella.
Si quien está maniatado logra liberarse, es señal de que cometerá aquello que tanto teme.

MANICOMIO

Si soñamos con un hospital para enfermos mentales es señal de que estamos viviendo una etapa muy difícil, que tenemos que enfrentarnos a situaciones que de ninguna manera hubiéramos esperado y que éstas nos hacen dudar de nuestra capacidad para el raciocinio.

MANILLAR

El manillar de una bicicleta o de una moto cumple las mismas funciones que el volante de un coche: dirigirnos hacia el lugar al que queremos ir.
Si lo mantenemos con firmeza es señal de que sabemos lo que queremos, que somos dueños de nuestro propio destino.
Si el manillar oscila de un lado a otro, en cambio, indica que aún no sabemos lo que queremos, que nos sentimos desconcertados y que nos preocupa estar perdiendo el tiempo lastimosamente.

MANIQUÍ

Los maniquíes tienen dos tipos básicos: los que sólo son una réplica del torso y las caderas, empleados por modistas y sastres para probar sus confecciones, indican que tendemos a actuar irreflexivamente, que nos dejamos llevar por el corazón, sin pensar en las consecuencias de nuestros actos. Los que tienen cabeza y extremidades, empleados en los escaparates, tienen por objeto publicitar las diferentes prendas de vestir.
Los sueños en los que éstos aparecen indican que nos importa mucho nuestra imagen y que nos dejamos influenciar

excesivamente por las apariencias externas.

MANO

Las manos son nuestras principales herramientas, ya que son la parte del cuerpo más empleada para realizar todo tipo de obras. Por ello simbolizan la capacidad de acción.

La derecha corresponde al hemisferio izquierdo, también llamado masculino. Se encarga de las funciones lógicas y conscientes. La izquierda, al hemisferio derecho o femenino, vinculado al arte y a la irracionalidad.

Si vemos en el sueño manos grandes, fuertes y bien formadas, éstas indican ascensos en el trabajo. Si son pequeñas y débiles, por el contrario, señalan que no tenemos la seguridad suficiente para asumir responsabilidades y que, por ello, veremos frenado nuestro desarrollo profesional.

Si las manos tienen callos indican que tendemos a ensalzar más nuestra capacidad de esfuerzo que los talentos naturales con los que contamos.

Dar la mano es indicio de amistad, de confianza incipiente.

MANÓMETRO

Este instrumento sirve para medir la presión, por lo que si lo vemos en un sueño, quiere decir que estamos soportando una situación que nos resulta insostenible.

MANOPLA

Estos guantes que carecen de separación entre los dedos limitan las acciones que podemos realizar; de ahí que simbolicen la presencia de un superior que impide, con su ineptitud, que nos desarrollemos profesionalmente.

MANSIÓN

Véase CASA.

MANTA

Los sueños en los que vemos mantas probablemente estén originados por estímulos externos, por un exceso de frío o calor.

También pueden indicar que debemos prestar atención al comportamiento de uno de los niños de la familia.

MANTEL

Los manteles indican el grado de prosperidad y bienestar de la familia.

Si están limpios y son bonitos, es señal de que la posición social y económica mejorará notablemente.

Si está sucio o roto, augura pérdidas económicas importantes.

MANTO

Los mantos son símbolo de realeza, de honores.

Si en sueños vestimos esta prenda es señal de que en breve tiempo tendremos un cambio laboral que nos permitirá el acceso a un nivel superior.

MANUAL

Los sueños en los que se ve este objeto indican que tenemos un problema al que no sabemos cómo atacar.

Lo importante en estos sueños es recordar cuál es el tema que trata el manual y buscar el símbolo de esa materia en el diccionario. Eso nos puede dar las claves para resolver el problema.

MANZANA

Las manzanas, por su significación en los textos bíblicos, simbolizan la tentación.

Si un personaje ofrece en sueños una manzana, es señal de que la persona que éste simboliza intenta seducir a la que hace el regalo.

Si vemos una manzana que tiene gusanos quiere decir que hemos cometido un acto del cual nos arrepentimos. Éste, probablemente, estará ligado a una relación amorosa.

El hecho de pelar una manzana significa quitar toda importancia a una relación que ya ha terminado.

MANZANILLA

Esta pequeña flor es símbolo de humildad y cuando aparece en sueños señala que esa es una de nuestras virtudes.
La preparación de una infusión con esta planta indica, en cambio, que es una cualidad que tenemos que cultivar.

MAPA

Los mapas simbolizan el entorno físico en el que vivimos.
Su aparición en un sueño indica nuestro descontento con el vecindario o con la casa que habitamos.
Si el sentimiento que experimentamos en esos sueños es tranquilo o alegre, en cambio, es señal de que pronto vamos a hacer un viaje.

MÁQUINA

Cada máquina tiene su propio significado, pero todas en general señalan la necesidad de tener una vida productiva y fructífera.
Si las máquinas que vemos en el sueño están en funcionamiento, quiere decir que sabemos en qué ocupar nuestro tiempo, señalan nuestra sana ambición.
Si están inactivas, por el contrario, muestran nuestra indolencia.
Si vemos una máquina pero no sabemos para qué sirve, quiere decir que tenemos talentos que, a pesar de reconocerlos, no sabemos en qué o cómo emplearlos.

MAR

El mar abarca símbolos diferentes. Por un lado, con el predominio del elemento agua, se relaciona con el mundo emocional. Por otro, con el inconsciente colectivo.
Un mar en calma indica que nuestra vida está tranquila, que es confortable y sin complicaciones.
Su agitación es símbolo de nuestra confusión interior, de nuestras emociones encontradas.
Los sueños en los que nos vemos en el mar y no luchamos por mantenernos a flote indican que nos dejamos llevar por las circunstancias aun cuando éstas sean dramáticas y nos lleven a un mal fin.

Véase AGUA.

MARACAS

Véase INSTRUMENTOS MUSICALES.

MARCHITO

Las flores o plantas que en sueños aparecen como marchitas, indican el final de una relación amorosa o una crisis importante en la pareja muy difícil de salvar.

MARCIANO

Los supuestos habitantes de Marte, planeta dedicado al dios de la guerra, indican que tendremos altercados importantes con personas de nuestra familia.

Véase ALIENÍGENA.

MARCO

Todo lo que en sueños aparezca enmarcado tiene una importancia especial. Para saber qué simboliza, se deberá buscar en el diccionario su significado más aproximado.
Si el marco está vacío es señal de que no tenemos demasiados alicientes. Señala que, a pesar de querer hacer grandes cosas, nos sentimos aburridos y faltos de motivación.

MAREMOTO

Los maremotos están vinculados a tres principios elementales: tierra, agua y fuego. Por lo tanto se relacionan con el mundo instintivo, la voluntad y los afectos.

Señalan períodos de gran ansiedad motivada por la fuerte atracción que sentimos hacia otra persona. Representan los esfuerzos que hacemos por conquistarla y la desazón que nos deja el fracaso.
Si durante el maremoto nos encontramos a salvo, es señal de que lograremos superar esta situación.

MAREO

Si en sueños la cabeza nos da vueltas, quiere decir que nuestros afectos están en conflicto, que nos interesa quedar muy bien con dos personas a un tiempo pero que eso no es posible.

Vease ATURDIMIENTO.

MARFIL

Este material no es otra cosa que colmillos de elefante, un elemento que los paquidermos utilizan para defenderse.
Los objetos de marfil que veamos en sueños, además de su símbolo particular, deben ser analizados como algo que nos permitirá defendernos en un futuro.
El maíz, por ejemplo, augura prosperidad; una mazorca de marfil, indicaría que aun cuando pasemos una época de beneficios económicos, debemos guardar parte de lo ganado para defendernos de las posibles caídas en un futuro.

MARGARITA

Esta flor simboliza la ansiedad que se experimenta al no saber si el amor que se siente por otra persona es correspondido.
Si la vemos en sueños quiere decir que estamos enamorados de una persona que aún no nos ha declarado sus sentimientos.

MARGEN

El tamaño de los márgenes que aparecen en los folios después de haberse escrito el texto, si son más amplios que de costumbre, indican nuestra tendencia a expandirnos, a aprovechar las oportunidades y a ocupar el máximo lugar posible en todas las escenas.
Si son más estrechos de lo habitual, señalan nuestra timidez, el miedo a ser protagonistas, a caer en el ridículo.

MARGINACIÓN

Los sueños en los que se sufre marginación en ocasiones simbolizan situaciones reales; es decir, que en el entorno no somos aceptados por condiciones que aún no comprendemos.
Sin embargo, la mayoría de las veces denotan una percepción errónea de la realidad según la cual no caemos bien a los demás. En el fondo, somos nosotros quienes nos apartamos.

MARÍA

La virgen María es, simbólicamente para los católicos, la gran madre de todos.
Reúne las virtudes propias de la maternidad, como son la generosidad, la bondad, la comprensión incondicional, el consuelo, etc.
Soñar con ella puede ser, por una parte, el equivalente a una llamada espiritual pero, por otra, indicar que echamos en falta en nuestra madre real las cualidades de María.

MARIACHI

Véase SERENATA.

MARIDO

Los sueños en los que una persona soltera tiene marido indican el deseo de formar una familia, de tener un compañero.
Las características que tenga el marido onírico darán cuenta de las cualidades que, en el fondo, buscamos en la persona que hemos de amar. Éstas no siempre son las que creemos desear.

MARIMBA

Véase INSTRUMENTOS MUSICALES.

Marinero

Los marineros, por su vinculación con el mar, simbolizan aspectos de nuestro mundo emocional.
Si vemos un marinero en tierra quiere decir que conoceremos a una persona con la cual iniciaremos un romance breve pero intenso.
La presencia de un marinero en alta mar, en cambio, augura una relación duradera.
Vernos a nosotros mismos vestidos de marineros, indica que buscamos relaciones esporádicas, sin mayores compromisos.

Marioneta

Los muñecos accionados por otras personas simbolizan a quienes se dejan dominar fácilmente.
Si somos nosotros quienes los manejamos, es señal de que tenemos a una persona bajo nuestro control, aun sin quererlo. Esta situación, en el fondo, nos produce un profundo sentimiento de soledad y ansiamos que nuestra «marioneta» se rebele.
Si los controla otra persona, en cambio, es a nosotros a quienes alguien domina, en cuyo caso debemos tener en cuenta los sentimientos que esta situación nos suscita. Si son angustiosos, es señal de que no sabemos cómo liberarnos; si son de alegría o de serenidad, indica que en cualquier momento podemos invertir la situación, que en el fondo por comodidad, permitimos que sea la otra persona quien lleve las riendas aunque nunca perdemos de vista nuestro propio criterio.

Mariposa

Estos insectos simbolizan la ligereza, la imprudencia, aunque también pueden representar el resurgimiento tras una caída, ya que son gusanos que sufren una destacada metamorfosis.
Su color puede dar indicios acerca de la naturaleza de nuestra imprudencia: si es blanca indica ignorancia; amarilla, escasez de datos; roja, falta de control sobre los impulsos; azul, ingenuidad.

Mariquita

Se consideran portadoras de la buena suerte por lo que su presencia en un sueño debe ser considerada como buen augurio.

Marisco

Cuando se sueña con mariscos es importante ver de qué tipo de animal se trata.
Los crustáceos, como las langostas, langostinos, camarones y quisquillas, simbolizan, por una parte, la vergüenza, ya que se ponen rojos al cocerse. Por otra, debido a su forma encorvada, representan la ancianidad. Por esto se dice que su presencia en sueños augura larga vida.
Los mariscos bivalvos grandes, como son los mejillones, ostras o almejas, por su similitud con el aparato genital femenino, indican deseo sexual. Los pequeños, como berberechos, chirlas o coquinas, indican que guardamos secretos que no queremos dar a conocer.

Marisma

Las marismas simbolizan los momentos en los cuales nos sentimos embargados por nuestros celos.
Si en el sueño nos encontramos en peligro, quiere decir que los celos son infundados y que están poniendo en peligro nuestra unión.

Mármol

Este material simboliza la frialdad y la perduración.
Su presencia en sueños indica la existencia de una relación que empieza con poco entusiasmo pero que, con el correr del tiempo, se consolida.

Marmota

Las marmotas son uno de los mamíferos que hibernan, razón por la que simbolizan

la apatía, la falta de motivación.
Si las vemos en sueños, quiere decir que estamos pasando por una etapa poco creativa, que queremos hacer cosas pero no sabemos cuáles. Estos períodos no son eternos; en un tiempo relativamente breve contaremos con más energía.

MARQUÉS

Véase NOBLEZA.

MARQUESINA

El hecho de ver nuestro nombre en una marquesina indica que somos ambiciosos, que nos gusta la popularidad y que haremos todo lo posible por alcanzarla.
Si el nombre que aparece en ella es de otra persona, eso indica que tiene cualidades que admiramos y nos esforzamos en imitar.

MARRÓN

Este color es el símbolo de la humildad.
Su presencia en sueños bien puede indicar que ésta es una de nuestras cualidades, en cuyo caso los sentimientos que tendríamos en él serían positivos o bien señalaría que esa es una cualidad que debemos cultivar. En este caso, la emoción predominante en el sueño será negativa.

MARSUPIAL

Los marsupiales, como el canguro o algunas zarigüeyas, tienen la peculiaridad de mantener a sus hijos dentro de una bolsa que llevan en el vientre. Simbolizan la posesividad, sobre todo con respecto a los hijos.
Si soñamos con estos animales quiere decir que necesitamos tener muy cerca a las personas queridas, que cualquier alejamiento de éstas nos produce desasosiego.

MARTA

Si soñamos con este animal o con su piel, debemos tener una extrema cautela a la hora de hacer negocios con amigos, pues corremos el riesgo de sufrir una gran decepción.

MARTE

Es el dios romano de la guerra, por lo tanto, simboliza la lucha, la agresión.
Si es predominante en sueños, ya sea como estatua, a través del planeta que lleva su nombre o como concepto, quiere decir que tendemos a utilizar nuestras energías para conseguir lo que queremos, no teniendo ningún reparo en emplear la agresividad si ésta fuera necesaria.

MARTES

Véase SEMANA.

MARTILLO

Véase ATLETISMO, HERRAMIENTA.

MÁRTIR

Si soñamos con uno de los personajes que han sufrido martirio por su fe, quiere decir que nos sentimos identificados con él, que estamos pasando por una dura prueba y que buscamos en él confianza para sobrellevar nuestros problemas.

MASAJE

Los masajes simbolizan la necesidad de tener un mejor cuidado con nuestro cuerpo.
Si nos masajean en sueños, lo más probable es que llevemos una vida sedentaria y que hayamos acumulado tensiones en los músculos, razón por la cual no están distendidos y producen molestias. Un poco de gimnasia no nos vendrá mal.

MÁSCARA

Las máscaras, históricamente, han sido empleadas con dos fines: por un lado, los religiosos y por otro, los teatrales. En el primer caso, el hechicero o quien las

emplea asume la identidad de una deidad durante un ritual. En el otro, los actores muestran a los espectadores diferentes estados de ánimo o personalidades.
Pero lo importante es que las máscaras no enseñan lo que tenemos dentro, sino aquello que queremos mostrar, por ello simbolizan la hipocresía.
Si vemos una persona cuya cara esté cubierta por una máscara, lo más prudente es desconfiar de ella en la vida real porque seguramente está ocultando malas intenciones.
En caso de ser nosotros quienes la llevamos puesta, también es posible interpretar que no estamos conformes con nuestra forma de ser e intentamos mostrar una faceta más agradable.

Véase ANTIFAZ.

Mascota

Las mascotas simbolizan la necesidad de dar afecto a otras personas; sobre todo, a las más vulnerables e indefensas.
Indican, además, que tenemos una gran empatía y que nos conmocionamos fácilmente con los problemas de los demás.

Masculinidad

Los sueños femeninos en los que aparece este concepto o en los que la durmiente tiene rasgos marcadamente masculinos indican que es necesario dejar todo sentimentalismo de lado y tomar una actitud enérgica para resolver los problemas que tenga en el presente.

Masoquismo

Las actitudes masoquistas que adoptemos en los sueños indican que en la vida real estamos permitiendo que otras personas atropellen nuestros derechos.
Si es otro personaje quien muestra esas actitudes, quiere decir que nos duelen las humillaciones que está sufriendo un amigo o persona de la familia.

Masticar

Esta acción simboliza los acontecimientos a los que debamos hacer frente en un futuro próximo.
Si lo que masticamos en sueños nos resulta desagradable, correoso y difícil de tragar es señal de que nos esperan momentos difíciles aunque no dramáticos.
Si mordisqueamos algo distraídamente, con una actitud apática es señal de que estamos tristes o un poco deprimidos.
El hecho de masticar dulces indica que tenemos una excelente relación de pareja.
Si lo que tenemos en la boca son alimentos naturales y sencillos, quiere decir que sabemos aprovechar las oportunidades, que vivimos intensamente pero siempre teniendo una actitud cautelosa y previsora.

Mástil

Los mástiles, sean de barco o de los que están en tierra, en muchas culturas son símbolos de fertilidad.
Si vemos uno en sueños, cabe esperar que pronto nacerá un niño en la familia.

Masturbación

En los sueños eróticos, la masturbación es bastante frecuente. A menudo las imágenes se producen por estímulos externos o por una necesidad fisiológica.
Si el sueño no es placentero puede señalar la falta de entendimiento en la pareja.

Matadero

Soñar con un matadero no es muy buen augurio. Probablemente, esas imágenes sean un intento de advertir que estamos en peligro; sobre todo si están acompañadas por una sensación de angustia o ansiedad.

Matar

Los sueños expresan, por lo general, deseos o conflictos inconscientes. Si se trata de la expresión de un deseo, éste no es literal; por lo tanto, si soñamos con que

damos muerte a una persona eso no significa que la querramos ver muerta sino, sencillamente, que deseamos que no se inmiscuya en nuestra vida.
Si quien mata es otra persona, es señal de que interiormente estamos desconcertados ante la conducta de una persona de nuestro entorno.
En caso de que la víctima sea un animal quiere decir que nos queremos quitar de encima un asunto que nos resulta muy molesto.

MATEMÁTICAS

El estudio de esta materia en sueños puede significar que estamos preocupados por la marcha de nuestros negocios, en cuyo caso sentiremos preocupación.
También puede anunciar el encuentro con una persona de gran saber que nos ayudará a avanzar profesionalmente.

MATERNIDAD

Si una mujer sueña con su propia maternidad y aún no ha tenido hijos, las imágenes expresan el deseo de engendrar.
En caso de que tenga los hijos crecidos, estos sueños pueden señalar la añoranza de la época en la que eran pequeños o bien un temor al paso de los años, a la pérdida de la juventud.

MATORRAL

Los matorrales simbolizan las dificultades que tendremos que enfrentar antes de consolidar una relación de pareja.
El hecho de verlos, anuncia próximos conflictos, discusiones tontas que generarán un clima de tensión pero que no pondrán en peligro la relación.
Si podamos el matorral es señal de que tenemos la habilidad suficiente para solventar los conflictos y que la relación se consolidará notablemente.

MATRICULARSE

Los sueños en los que nos matriculamos tienen que ver con el deseo de la adquisición de conocimientos. Si en la vida real cursamos estudios, las imágenes pueden ser una advertencia con respecto al número de materias en las que conviene matricularnos. Al respecto, es importante tener en cuenta todos los elementos del sueño así como los números que aparezcan en el mismo.
Si no somos estudiantes pero tenemos una carrera terminada, estos sueños indican que sentimos nostalgia por nuestra época estudiantil.
Si no hemos hecho carrera alguna, en cambio, señala la posibilidad de cumplir ahora con ese deseo. Para aprender, nunca es tarde.

MATRIMONIO

Véase BODA.

MATRONA

En un sueño femenino, las matronas pueden representar el deseo de ser madre.
Si la matrona se muestra rígida o exigente (tal vez respondiendo a la imagen que antes se tenía de ellas), indica un miedo considerable al parto.
Ver a una matrona en funciones, asistiendo a un parto, señala que estamos a punto de lanzarnos a un nuevo proyecto y que éste nos dará grandes satisfacciones.

MAULLIDO

Los gatos son animales que tienen una injusta fama de traicioneros, por eso oír maullidos en sueños indica que una persona de nuestro entorno está aprovechándose de nuestra confianza para jugarnos una mala pasada.

MAUSOLEO

El hecho de encontrarnos en sueños frente a un mausoleo, indica que estamos muy preocupados por el paso del tiempo, que hemos dado una excesiva importancia a la edad y que tomamos muy mal el hecho de perder la juventud.

Mayonesa

Véase SALSAS.

Mayordomo

Los sueños en los que tenemos un mayordomo indican que no nos hacemos con el gobierno de la casa, que no nos gustan las tareas domésticas pero, al mismo tiempo, no soportamos el desorden.
Si somos nosotros quienes nos desempeñamos en este oficio, es señal de que reprobamos la manera en que otra persona, amigo o familiar, dirige su propia casa.

Maza

Véase ARMAS.

Mazmorra

Véase CÁRCEL.

Mecánico

El trabajo de los mecánicos consiste en arreglar desperfectos en vehículos u otros artefactos. Simbolizan la habilidad práctica y el conocimiento especializado.
Su presencia en sueños indica que deberíamos consultar a un profesional (abogado, dentista, arquitecto) para que nos ayude a resolver nuestro actual problema.

Mecenas

Las personas que, en sueños, nos ayudan económicamente para que podamos dedicarnos a las artes simbolizan una parte de nosotros mismos que nos impulsa a sacar a la luz los talentos que guardamos en nuestro interior.
Es posible que tengamos notables aptitudes para la música, la escultura, la pintura o cualquier otra manifestación artística, pero que no le demos salida debido a que nos apoyamos en una visión absolutamente materialista. Como pensamos que de eso no vamos a comer, lo dejamos estar. Sin embargo, el desarrollo de estas habilidades es fundamental para el equilibrio psicológico.

Mechero

Los mecheros, sobre todo si se encienden durante el sueño, simbolizan los pequeños esfuerzos que hacemos para intentar quedar bien con nuestra conciencia.
La pérdida de uno de estos dispositivos indica que ya no podemos seguir augoengañándonos.

Medalla

Las medallas que se otorgan como premio a una buena acción simbolizan la satisfacción inconsciente por haber obrado bien.
Es importante el material con el cual han sido fabricadas: si son de oro, indican que nos sentimos profundamente orgullosos de nosotros mismos; si son de plata, indican que pensamos que no hemos hecho otra cosa que cumplir con nuestro deber. Si son de bronce u hojalata, quiere decir que nos sentimos más satisfechos por ser hábiles a la hora de dar una buena imagen a los demás que por la acción realizada.
Las medallas que tienen imágenes religiosas, en cambio, señalan la necesidad de prestar más atención a nuestra espiritualidad.

Medianoche

La medianoche es una hora que se ha utilizado en muchos ritos mágicos. Los sueños en los que sus escenas transcurren en esta hora, a menudo son pesadillas que nos obligan a despertar con sensación de agitación. Simbolizan el paso del tiempo y nos recuerdan la cercanía de la vejez y de la muerte.
Si la Luna llena está presente, indica que no tememos al futuro, que aceptamos nuestro fin como algo natural.

Medias

Protegen nuestros pies, que es la zona que ponemos en contacto con la tierra, y simbolizan la necesidad de disimular ciertos deseos o aspiraciones por miedo a que no sean bien vistos por la sociedad.
Si las medias están nuevas y limpias, es señal de que aquello que anhelamos no es reprobable, que puede haber unas pocas personas que lo censuren pero que tenemos todo el derecho a vivirlo.
Si tienen carreras, están rotas o sucias, quiere decir que debemos reflexionar sobre el tema, comprender que, de cumplirse esos anhelos, no seremos más felices sino muy desgraciados.
Es importante aclarar que esos deseos no son delitos sino, sencillamente, prejuicios o normas sociales que tal vez se adopten en nuestro círculo íntimo. Para muchos, por ejemplo, el hecho de actuar en un teatro de revistas, de mantener relaciones con una mujer divorciada o de establcer una relación homosexual puede, desde sus prejuicios, ser reprobable cuando no lo es en absoluto.

Medicamento

Las medicinas simbolizan las ayudas para el alma, el consuelo recibido en momentos en que nos sentimos abatidos, tristes o deprimidos.
Si somos nosotros quienes los tomamos, es señal de que debemos buscar la ayuda de algún amigo, alguien de confianza a quien comentar nuestros problemas a fin de liberar la tensión interna.
En caso de que las medicinas las tome otra persona, debemos interpretar que somos nosotros quienes intentamos consolarla.
Las medicinas en forma sólida se refieren al alivio de preocupaciones materiales, en tanto que las que tienen forma líquida, al consuelo recibido por problemas afectivos.

Médico

El hecho de llamar al médico o de acudir a su consulta puede ser un aviso de nuestro inconsciente de que tenemos un pequeño trastorno de salud. Si el sueño nos provoca mucha angustia, revela una tendencia a buscar en la salud un medio de preocupación aunque estemos sanos, como forma de no pensar en lo que realmente es urgente, pero nos asusta demasiado.
Si actuamos como médicos y en la realidad no lo somos, indica que nos sentimos impotentes ante las desgracias ajenas, que no sabemos cómo reaccionar cada vez que un amigo nos cuenta un problema y que nos gustaría tener recursos para poder brindar un consuelo más efectivo.

Medir

El hecho de medir un objeto en sueños simboliza la necedidad de saber cuánto valemos.
Si el resultado de la medición es una cifra estándar, indica que nos manejamos dentro de la normalidad de la población.
Si es menor al que esperábamos, quiere decir que nos infravaloramos y si es superior, en cambio, que somos engreídos, vanidosos y pedantes.

Meditación

La meditación es una de las herramientas que más contribuye al desarrollo espiritual.
Si realizamos esta tarea en sueños, quiere decir que nos hemos alejado demasiado de nuestro mundo interior, que vivimos de las apariencias, inmersos en lo material. De manera que estas imágenes oníricas pueden ser tomadas como una advertencia del inconsciente, como una petición de auxilio para que nos centremos más en nuestra vida psíquica y menos en la adquisición de bienes o en el ascenso social.

Médium

Los médiums tienen, supuestamente, conexión con el mundo de los espíritus, con las personas que han fallecido.
La participación de una sesión con alguien

que ejerza de médium indica que necesitamos entablar contacto con una persona que ha muerto o bien con alguien a quien no vemos desde hace tiempo.
En caso de ser nosotros quienes operamos como médiums, eso querrá decir que nos sentimos mal porque nuestra forma de actuar, nuestro egocentrismo u orgullo mal entendido nos ha hecho perder importantes amigos.

Medusa

El mar, relacionado con el agua, nos habla de nuestros sentimientos. Las medusas, que se mueven en el medio marino, simbolizan con sus filamentos urticantes los momentos dolorosos que se sufren a causa de los malentendidos,
Sufrir su picadura en un sueño indica que estamos levemente disgustados con nuestra pareja o con un amigo íntimo. La relación no corre peligro, pero la suma de estos pequeños conflictos podría llegar a dañarla más seriamente.

Megáfono

Estos aparatos que sirven para amplificar el sonido simbolizan la necesidad de hacernos oír y de ser respetados.
Posiblemente hablemos por megáfono en sueños cuando sentimos que no tenemos el peso suficiente en el grupo familiar o en el trabajo, cuando percibimos que no se nos tiene en cuenta, que no se presta la debida atención a nuestras ideas.
Si es otra la persona que en el sueño usa el megáfono quiere decir que tiene algo importante que comunicarnos, pero que hacemos oídos sordos porque lo que nos va a decir nos desagrada. Esta forma de huir de la realidad, sólo puede acarrear malas consecuencias.

Mejillas

Las mejillas no son un lugar del cuerpo particularmente expresivo, a menos que se tiñan de rojo por la vergüenza.
Si en el sueño notamos las mejillas ardientes es señal de que tenemos deseos que no queremos reconocer y, menos aún, que sean percibidos por los demás.

Mejillón

Véase MARISCO.

Mejorar

Las mejoras que durante un sueño podamos hacer en el trabajo hecho por otros, indica que tenemos ideas brillantes, pero no la suficiente confianza en nosotros mismos como para proponerlas o desarrollarlas en la práctica.
El objeto o tarea que se mejore puede dar claves importantes acerca de nuestras habilidades.

Melancolía

Esta desagradable sensación impide al que la padece encontrar gusto o diversión en cosa alguna.
El hecho de que en un sueño tengamos una actitud melancólica y nos sintamos invadidos por la desazón, no quiere decir necesariamente que estemos pasando por una etapa así en la vida real; más bien, todo lo contrario: es una advertencia del subconsciente para que refrenemos el ritmo frenético que llevamos, para que no tomemos decisiones por el momento, ya que corremos el riesgo de cometer algún error que nos dará problemas en el futuro.

Mellizo

Véase GEMELO.

Melocotonero

Este árbol simboliza la primavera y la abundancia, las épocas de prosperidad y de avance económico.
Si se ve florecido, es señal de que habrá una boda en la familia o en el círculo de amigos.
Los árboles cargados de frutos indican la buena marcha de los negocios o los

avances profesionales. Ver una bandeja llena de melocotones augura felicidad e indica cohesión familiar.
Si comemos la fruta quiere decir que sabemos permitirnos los placeres sin caer indiscriminadamente en ellos.

Melón

Por su tendencia a producir indigestiones, el melón se considera relacionado con los temas de salud.
Si en sueños una persona enferma come melón, se toma como augurio de próxima curación en tanto que si lo come alguien que está sano, indica que puede tener próximamente pequeñas molestias que le harán recurrir a un médico.

Membrana

Este tipo de tejidos se encuentran en muchas zonas de nuestro cuerpo, de modo que si se sueña con ellas lo mejor es buscar el símbolo de la zona que recubre (por ejemplo, oído si se trata de la membrana timpánica o nariz si es la nasal).
También puede aparecer como algo antinatural, como es el caso de las membranas interdigitales que unen los dedos de las patas en las aves acuáticas.
Si en las imágenes aparece una persona, o nosotros mismos, con membranas interdigitales es señal de que tiene una perfecta conciencia y control sobre su mundo emocional.

Membrillo

El membrillo simboliza la compenetración que se logra tras largos años de matrimonio o convivencia.
Si los frutos están enteros y en buen estado, es señal de que el tiempo no ha deteriorado la relación. Si están podridos o tienen manchas de golpes en su superficie, quiere decir que la relación se mantiene más por el miedo a la soledad que muestran los cónyuges que por el sincero amor que se profesan. Si con el membrillo se ha hecho dulce quiere decir que, con los años, el vínculo ha ido mejorando.
El matrimonio al que se refieren las imágenes con membrillos no tiene por qué ser el propio, a menudo se relaciona con el de los padres o cualquier otro miembro de la familia.

Memorándum

Son muchas las razones por las que se manda un memorándum, ya que se trata de una carta escueta en la que se advierte del cambio de una situación, de una nueva directiva o de cualquier otra cosa que tenga que saber su receptor. Sin embargo, uno de los empleos frecuentes que se dan a estas misivas consiste en dejar constancia de un hecho a fin de guardarse las espaldas ante lo que pudiera suceder.
La redacción de un memorándum en sueños indica, por ello, la desconfianza que sentimos hacia una persona que nos asegura fidelidad y lealtad.
Si lo recibimos quiere decir que quien nos lo manda no se fía de nosotros.

Memoria

Cuando en un sueño intentamos recordar algo sin conseguirlo es señal de que en nuestro subconsciente guardamos un hecho traumático que no queremos que salga a la luz.
La naturaleza del dato que queremos traer a la memoria, con su simbolismo, nos dará las claves para averiguar qué es lo que nos ha ocurrido y cómo ha afectado a nuestra vida.

Mendigo

Indican, nuestro miedo a la ruina, la inseguridad que mostramos respecto a nuestra capacidad para ganar dinero.

Véase LIMOSNA.

Menhir

En la mayoría de las culturas, los menhires son símbolos solares y representan la

claridad mental unida a la fuerza de voluntad.
Soñar con ellos es un buen augurio, dado que indican que estamos haciendo las cosas correctamente y que obtendremos provecho de ello.
En los sueños eróticos, los menhires son claros símbolos fálicos.

Mensaje

Los mensajes que recibimos durante un sueño pueden tener una gran significación, ya que son instrucciones o datos abreviados que, por lo general, sirven para advertirnos de que corremos un peligro.
Para comprenderlos, es necesario buscar el simbolismo más próximo a las palabras que contengan.

Menstruación

En los sueños femeninos, puede indicar que las imágenes se producen por un estímulo externo; en este caso por el hecho de que haya comenzado a menstruar.
Si no es así, puede revelar el deseo inconsciente de no tener hijos por el momento.

Menta

Esta planta aromática es símbolo de hospitalidad.
Su presencia puede augurar visitas que vienen de lejos o la posibilidad de realizar un viaje a otra provincia o país.

Mentira

Las mentiras que se dicen en sueños a menudo albergan verdades que nuestra parte consciente no puede o no quiere aceptar.
Si somos nosotros quienes las decimos, es señal de que tenemos un conflicto interior, que no sabemos qué creer con respecto a un tema que nos atañe.
Si las dice otra persona, indica que nos sentimos traicionados por alguien a quien profesamos un gran afecto.

Menú

Los menús simbolizan las diferentes opciones de trabajo espiritual que se nos presentan.
Estos sueños pueden presentarse a personas a las que gusta estudiar historia de las religiones, que muestran una gran curiosidad por otras culturas y que encuentran en otros credos elementos con los cuales se identifican o que les resultan válidos.
Los alimentos que veamos en el menú pueden aclarar más estos sueños.

Véase ALIMENTOS.

Mercado

Tradicionalmente, los mercados son el lugar donde se compra y se vende, el sitio donde se ofrecen los productos en los cuales se ha trabajado y donde se adquieren los necesarios para vivir.
Simboliza la sociedad, el mundo en el que nos movemos.
Las personas que vemos en él simbolizan a las que hay en nuestra vida real, de modo que si un personaje del mercado adquiere en algún momento un papel protagonista, estará representando a un amigo o a una persona de la familia.
Si el mercado lo vemos de lejos y no entramos en él es señal de que rehuímos, dentro de lo posible, el contacto con la gente, que tenemos cierta tendencia al encierro y que la desconfianza marca muchas de nuestras acciones.
Si entramos pero no compramos, quiere decir que evitamos comprometernos, que mantenemos relaciones cordiales pero distantes.
El agobio que podamos sentir ante la cantidad de gente que hay en él, revela nuestra timidez.
Si tenemos en el mercado un puesto de venta, será señal de que estamos felizmente integrados en la sociedad. En este caso, puede ser interesante buscar el símbolo de los productos que vendemos

para saber qué herramienta psicológica solemos emplear para tener relaciones armónicas con el entorno.

Mercenario

Los mercenarios simbolizan a las personas de nuestro entorno que no tienen ideas definidas, que adoptan aquellas que más les conviene en cada momento.
La aparición de estos personajes en un sueño puede constituir una advertencia: hay alguien cerca de nosotros de quien no nos deberíamos fiar.

Mercurio

Es el primer planeta del Sistema Solar; el que tiene su órbita más próxima al Sol. Simboliza por ello la inteligencia, la agudeza mental.
Si vemos al planeta, al metal que es su correspondiente o bien al signo que lo simboliza, es señal de que somos perspicaces, que tenemos una mente analítica, así como una gran capacidad de adaptación.

Merengue

Véase ESPUMA, POSTRES.

Meridiano

La visión de los meridianos en un mapa o en un globo terrestre indica que necesitamos poner orden en nuestra propia famlia, que nos urge que cada cual ocupe su lugar y, sobre todo, que quien lleva la voz cantante abandone ese papel.

Méritos

El hecho de que en un sueño nos reconozcan nuestros méritos indica que deberíamos ser nosotros mismos quienes los vemos y apreciamos. Esta actitud por nuestra parte, reforzaría nuestra personalidad dándonos más confianza y libertad.
Si en las escenas vemos que lo que consideramos méritos propios se los dan a otros, quiere decir que debemos aprender a luchar y exigir lo que nos corresponde.

Merlín

Este mago, que según la tradición vivía en Gran Bretaña a principios del siglo VI, simboliza la necesidad de meditación.
Si aparece en nuestros sueños quiere decir que nos estamos dejando llevar por las ideas de falsos gurúes, que debemos encontrar primero nuestro centro interior y que, posteriormente, podemos pedir que otras personas nos guíen en el camino de desarrollo espiritual.

Mermelada

Las conservas hechas a base de frutas y azúcar, como las mermeladas y jaleas, son alimentos que dan una energía rápida que se consume en poco tiempo.
Si aparecen en sueños pueden indicar que estamos pasando por una época muy estresante, que necesitamos alimentarnos mejor y, sobre todo, tener el adecuado descanso para reponer las fuerzas.

Merodear

La acción de merodear implica el observar una situación sin ser visto. Si lo hacemos en un sueño quiere decir que nos interesa saber qué es lo que dicen de nosotros los demás, en qué concepto nos tienen y, sobre todo, hasta qué punto son fieles o traicioneros.

Mes

Si un mes determinado aparece en el sueño especialmente remarcado, conviene que lo apuntemos junto con los demás elementos del sueño y sus correspondientes significados simbólicos, ya que podría tratarse de una premonición.

Mesa

Es el lugar de reunión de toda la familia por lo tanto simboliza diferentes aspectos de la organización familiar.

Si la mesa es rectangular, quiere decir que tenemos una familia muy estructurada en la que hay una autoridad indiscutida.
Si es cuadrada, las jerarquías están más diluidas: hay una menor distancia entre padres e hijos. Los adultos toman las decisiones y los niños las acatan.
Las mesas redondas revelan que en la famlia no hay jerarquías de ningún tipo. Esta situación caótica puede ser nefasta para los niños ya que, al no imponérseles límites, pueden llegar a sentirse desprotegidos.
Si la mesa está bien servida, augura prosperidad. Si estamos sentados solos en ella, indica que no recibimos de hermanos, esposo, hijos o padres la atención y el cariño que creemos merecer.
La rotura de la mesa o su derrumbe debe tomarse como mal augurio, ya que anuncia próximas rencillas famliares.

Véase CENA.

MESALINA

Esta romana fue célebre por su libertinaje, de manera que en algunos lugares se utiliza su nombre para calificar a las mujeres desprejuiciadas.
Su aparición en sueños indica que tenemos un punto de vista excesivamente rígido con respecto a la sexualidad femenina, que nos cuesta equiparar sus derechos a los del hombre.

MESÍAS

Soñar con la imagen de Cristo como Mesías, o de cualquier otra persona que cumpla con ese papel, indica que nos sentimos en peligro psicológico o espiritual, que hay algo o alguien que atenta contra nuestras convicciones o contra nuestra salud mental. Ante una situación tan grave, debemos pensar que su mera presencia indica que tenemos en nuestro interior las herramientas para salvarnos a nosotros mismos, para darnos todo lo que necesitamos.

METAL

Los metales son materiales generalmente duros, con una temperatura inferior a la del ambiente. Simbolizan la rigidez, el exceso de normas y el conservadurismo.
Los sueños en los cuales los ambientes están decorados con objetos metálicos señalan que tendemos a ser excesivamente exigentes con nosotros mismos y con los demás, que reprimimos nuestros impulsos y que, por no saber divertirnos sanamente o estar excesivamente centrados en el deber, amargamos nuestra vida y la de los que están a nuestro alrededor.

METAMORFOSIS

Cuando en sueños se produce una metamorfosis es importante tener en cuenta cuál es el punto de partida y cuál el resultado del cambio.
Anuncian transformaciones internas fundamentales y, casi invariablemente, constituyen un excelente augurio.

METEORITO

Los aerolitos que caen del cielo, mientras están en él, son estrellas fugaces; de ahí que si los vemos antes de tocar tierra constituyan un buen augurio. Señalan que nuestro más ardiente deseo, en el presente, se verá cumplido en un futuro próximo.
Si vemos cómo el meteorito toca tierra, en cambio, es un mal presagio, pues indica que tendremos que afrontar situaciones imprevistas que pueden poner en peligro nuestro puesto de trabajo.

METRO

Los metros, al igual que la mayoría de los vehículos o los viajes, representan los cambios que estamos afrontando o deberemos realizar en breve.
Si antes de subir al metro vemos que de él sale gente, quiere decir que las modificaciones que hagamos ahora en nuestra vida no serán definitivas.
Ver su llegada significa que tendremos

próximamente una gran oportunidad que no podemos desperdiciar.

MEZQUITA

Las mezquitas, al igual que las iglesias y las sinagogas, son lugares de culto; por lo tanto, si aparecen en un sueño indican que necesitamos prestar más atención a nuestra vida espiritual.
El hecho de entrar en ella, si no somos musulmanes, significa que hay cosas de nuestra propia confesión que no nos agradan.

MICROBIO

Véase GÉRMENES.

MICROFILM

Es difícil que en la vida real se haya tenido contacto con un microfilm. La mayoría de las veces se sabe de su existencia por las películas de espionaje, por las novelas o los periódicos.
Si soñamos con él quiere decir que tememos que alguien nos traicione, que se inmiscuya en nuestra vida y luego airee cosas que no nos interesa que se sepan.

MICRÓFONO

El uso de un micrófono en sueños indica que no nos sentimos escuchados, que nos parece que la gente no nos hace el debido caso o que nos toman en broma.
Ante estos sueños conviene revisar cuál es nuestra forma de actuar, qué es lo que hacemos mal para que se produzca esta situación y reflexionar, también, si no estaremos cometiendo un error de percepción surgido de un desmedido afán de protagonismo.

MICROSCOPIO

El uso de esta herramienta en sueños da cuenta de nuestro espíritu inquisitivo, de la necesidad de ahondar siempre en todo lo que sucede a fin de conocer sus causas lo mejor posible.

MIEDO

Los miedos que experimentamos en sueños, aun cuando surjan después de haber visto una película de terror, muestran los temores irracionales que alberga nuestro inconsciente.
Es importante averiguar el simbolismo de lo que provoca el miedo para saber qué hechos traumáticos guardamos en nuestra memoria.

MIEL

Esta sustancia ha tenido diferentes significados, según la cultura. Algunos la han asociado con la prosperidad y el éxito, de modo que si la vemos en sueños y las imágenes están acompañadas por sentimientos de bienestar, debemos adoptar este significado.
Para los mayas, en cambio, la miel era símbolo de lo oculto, de modo que si en el sueño hay otros elementos que se relacionen con el esoterismo, deberá entenderse de esta manera.

MIÉRCOLES

Véase SEMANA.

MIGAS

Si vemos una mesa con migas de pan, es señal de que nos sentimos insatisfechos con los reconocimientos que recibimos por parte de nuestra famililia.

Véase PAN.

MIGRACIÓN

Las aves, cuando se acerca el invierno, migran hacia regiones más cálidas.
Si vemos una de estas migraciones en sueños quiere decir que no nos sentimos cómodos con la vida que llevamos, que queremos mudarnos de casa, vecindario, trabajo o país, o en general hacer un buen cambio en nuestra vida.
La presencia de las aves indica que es un buen momento para hacerlo.

MILAGRO
Los milagros simbolizan aquellas cosas que, conscientemente, consideramos que no podemos realizar, pero que inconscientemente sabemos que estamos capacitados para hacerlas.
Si presenciamos un milagro en sueños debemos entender que nos estamos negando a afrontar una tarea porque nos sentimos incapaces, pero que deberíamos hacerla porque tenemos la habilidad necesaria para realizarla.

MILANO

Véase AVES.

MILENRAMA
Los brujos han concedido a esta planta propiedades mágicas. Se dice que protege a su portador.
Su aparición en sueños se considera un buen augurio siempre y cuando se encuentre verde y lozana.

MILITAR
Los militares simbolizan las obligaciones que nos impone la sociedad, así como sus prohibiciones.
Su aparición en sueños puede ser índice de agobio ante una responsabilidad que no queremos asumir.
Si vestimos uniforme militar y la sensación es angustiosa, revela nuestro rechazo a una sociedad que impone la competitividad, que desvaloriza lo espiritual y ensalza lo material.
La visión de un ejército marchando puede indicar que somos prepotentes y nos gusta alardear de nuestra fuerza o de nuestro supuesto coraje.

MILLONARIO
Si en sueños nos vemos millonarios es señal de que tenemos confianza en las posibilidades de prosperar. Ver que lo es otra persona, indica que admiramos a las personas que saben hacer dinero.

MIMBRE
El mimbre es un material flexible, por lo tanto indica nuestra predisposición a aceptar todo tipo de sugerencias que nos hagan.
Si lo vemos destrozado o quemado es señal de que esta actitud abierta y confiada ha servido para que algún mal amigo se aprovechara de nosotros.

MIMO
En los espectáculos de mimo no se emplean palabras, sino sólo movimientos que transmiten las más complejas situaciones.
Si presenciamos una obra de mímica, quiere decir que somos perspicaces y empáticos, que estamos muy atentos a los problemas de nuestros amigos y que próximamente tendremos que prestar auxilio a uno de ellos.

MIMOSA
Este árbol simboliza la pureza espiritual, sin embargo, como su tronco es recio, también la fortaleza que nos impulsa a mantenernos fieles a nuestros principios.
Su presencia en un sueño indica que tenemos una gran sensibilidad y que nos preocupamos por nuestro desarrollo interior.

MINA
Las minas simbolizan los tesoros,las cosas valiosas que aún no han salido a la luz. Éstos pueden ser valores personales, objetos de familia, el descubrimiento de un medicamento importante, etc.
El hecho de encontrarnos en el interior de la mina indica que, cuando lo valioso aflore, nos veremos especialmente beneficiados.
En caso de que la mina sea de plata, oro, o cualquier mineral precioso, quiere decir que tendremos, a causa de ello, un cambio muy beneficioso en nuestra vida.
Las personas que estén trabajando en el socavón son las que nos ayudarán a

descubrir detalles importantes de nuestra personalidad.

Ministerio

Si nos encontramos en el interior de un ministerio debemos interpretar que vemos deficiente la organización de la casa en la que vivimos, que deseamos hacer reformas y cambios.
El hecho de entrar en un ministerio anuncia obras y reformas que trastocarán, por un tiempo, la vida de la familia.

Minotauro

Este personaje mitológico con cuerpo de hombre y cabeza de toro, simboliza las relaciones prohibidas.
Si soñamos con él, quiere decir que estamos intentando controlar la pasión que sentimos por una persona que no es libre.

Minuta

Si pagamos la minuta de un profesional es algo así como un presagio de que, en breve, necesitaremos de sus servicios profesionales.
Si la cobramos, es señal de que nuestros negocios tendrán un crecimiento importante.

Miopía

Si tenemos bien la vista, los sueños en los que padecemos miopía simbolizan la incapacidad para imaginar o prever el futuro.

Véase GAFAS.

Mirada

El hecho de mirar a los ojos a otra persona indica que queremos saber si en la realidad nos está diciendo la verdad.
Sentirnos mirados, en cambio, denota cierto sentido de culpabilidad por alguien de nuestro entorno.

Véase VISIÓN.

Mirilla

La observación del exterior a través de la mirilla de la puerta indica que sentimos miedo y desconfianza ante todo lo que simbolice el mundo externo. Posiblemente hayamos sido excesivamente protegidos en la infancia y eso haga que sólo nos sintamos realmente seguros cuando estamos en el hogar, rodeados de la familia.

Mirlo

Tradicionalmente se han tenido como pájaros de mal agüero. Su presencia indica que seremos víctimas de murmuraciones y calumnnias.

Misa

Para las personas católicas, el hecho de asistir a la misa debe entenderse como advertencia de que están descuidando sus deberes religiosos.
Si no profesamos esta religión, indica que necesitamos ayuda de una persona de jerarquía superior para resolver asuntos laborales.
Los católicos que sueñen con este símbolo deberán tener en cuenta qué parte de la misa es la que aparece en las escenas.
Si es la elevación, por ejemplo, puede indicar que se está pasando por una crisis de fe. El acto penitencial, en cambio, señala sentimientos de culpa.

Miseria

La miseria simboliza la disminución de posibilidades para ganarnos la vida.
Si tenemos negocio propio, indicará que hemos perdido clientes; si trabajamos por cuenta ajena, que nos han quitado algunas responsabilidades, con lo que la posibilidad de un ascenso queda descartada.

Misionero

La visión de un misionero en sueños señala que recibiremos una ayuda inesperada.
Si somos nosotros quienes desempeñamos

esa función, quiere decir que tendemos a considerar a los demás menos favorecidos que nosotros, que a menudo pecamos de orgullosos.

Misterio

Los misterios simbolizan todo aquello que no podemos comprender en la vida real. Generalmente se refieren a situaciones familiares, a hechos que han debido vivir nuestros padres, de los cuales no quieren hablar o lo hacen de forma velada.

Mitad

Todo lo que en sueños acepte el concepto de mitad, se refiere a la pareja. Si vemos algo dividido en dos partes iguales, será señal de que la relación es positiva y agradable.
Ver la mitad de algo y en mal estado, por el contrario, anuncia problemas de convivencia o rencillas.

Mitología

Los personajes mitológicos que se nos presentan en sueños, tienen el mismo significado y atributos que les otorgó la cultura que les dio origen.
Soñar con Zeus, por ejemplo, puede tener dos significados: si su talante es benévolo indica que tendremos una excelente protección por parte de los superiores, si se muestra enfadado, quiere decir que seremos castigados o reprendidos.

Mitón

Véase MANOPLA.

Mochila

Simboliza el pasado que llevamos a cuestas, los hechos significativos que hemos tenido que vivir.
Si la carga es pesada, es señal de que no hemos asimilado de ellos todas las enseñanzas posibles.
Si está vacía, indica que nos sentimos en paz con nosotros mismos y que eso nos permite vivir situaciones nuevas con entera libertad. No tenemos culpas que pagar ni pensamos que otros estén en deuda con nosotros.

Mochuelo

Véase AVES.

Moda

La moda es aquello que nos iguala a quienes nos rodean, al resto de las personas con las que vivimos en sociedad. El hecho de preocuparnos por la moda en un sueño, indica que hemos renunciado a ser nosotros mismos, que nos interesa tanto quedar bien y ser aceptados, que preferimos copiar las costumbres ajenas que explotar nuestras propias habilidades.

Modelo

Aunque a primera vista pueda parecer que la herramienta de trabajo de una modelo es su belleza, lo que ella emplea a la hora de desfilar es un cuerpo armonioso pero, sobre todo, la gracia de sus movimientos y una personalidad atractiva que se trasluce en su gestualidad, en su mirada.
Si en sueños somos modelos y nos vemos desfilando en una pasarela, es señal de que estamos preocupados por nuestra apariencia física, por nuestra belleza y juventud, pero que estamos descuidando ese otro aspecto, el interior, que es lo que definitivamente hace a toda persona interesante o anodina.

Modista

Son quienes confeccionan la ropa que nos ponemos, por lo tanto están relacionadas con la imagen que queremos dar a los demás.
Simbolizan aquellas personas que saben instruirnos acerca de los pasos que debemos dar para integrarnos con los demás.
Si nos estamos probando un nuevo atuendo y nos pinchan con un alfiler, es

señal de que cometemos graves errores en el trato social. Posiblemente nos mostremos excesivamente huraños, hablemos de más, o hagamos un evidente esfuerzo por llamar la atención.

Mofeta

Estos roedores se defienden de sus depredadores gracias a su pestilente olor. Simbolizan la falta de higiene y su presencia en un sueño indica que alguna persona con la que estamos conviviendo nos produce rechazo a causa del poco caso que hace de su higiene personal.

Moho

Los objetos cubiertos por moho indican que hemos dejado pasar una excelente oportunidad.
Ésta puede estar vinculada al mundo laboral pero, también, a la relación de pareja o a la familia.

Moisés

En el Antiguo Testamento, este personaje aparece en muchos pasajes en los que se relata alguna parte de su vida. El más significativo para el catolicismo es la entrega que le hizo Dios de las Tablas de la Ley. En ellas está el origen de los diez mandamientos.
Soñar con Moisés significa hacer un examen de conciencia, revisar hasta qué punto hemos cumplido con estos diez preceptos básicos.
Si la actitud del patriarca es benévola, quiere decir que nos sentimos en paz con nosotros mismos. Si se muestra airado, en cambio, es señal de que tendemos a cometer alguno de los errores tipificados en estas tablas.

Molino

Los sueños en los que aparecen granos (de trigo, cebada, centeno) por lo general auguran prosperidad. Si hay otros elementos en el sueño que puedan confirmar esta posibilidad, será la que debamos tomar para analizar el sueño.
Por otra parte, los molinos son máquinas rudimentarias movidas por viento o por el agua.
Si el molino de nuestro sueño es de viento, quiere decir que tenemos una gran capacidad intelectual y que sabemos ponerla al servicio de nuestros intereses.
Si es movido por agua, en cambio, poseemos una empatía natural que nos permite caerle bien a todo el mundo y, de este modo, conseguir lo que deseamos.

Momia

El descubrimiento de una momia indica que se producirán acontecimientos desagradables basados en algo que ocurrió hace mucho tiempo.
Posiblemente alguien de nuestro entorno sea una persona rencorosa que haya esperado el momento preciso para vengarse.
Si se sueña con momias debe extremarse la cautela, ya que auguran problemas.

Monaguillo

En sueños masculinos, la figura de un monaguillo simboliza la nostalgia de la infancia, de un momento en el cual se tenía una mayor comunión con Dios.
En los femeninos puede indicar el malestar causado por las limitaciones que ha sufrido en la infancia a causa de su sexo.

Monasterio

Los monasterios son lugares de culto y recogimiento. Cuando aparecen en sueños dan cuenta de la necesidad de consuelo espiritual.
Si nos encontramos en él con hábitos religiosos es señal de que ansiamos volver al cuerpo de la iglesia, que nos hemos distanciado y ahora necesitamos volver a sentirnos dentro de ella.

Mondadientes

Como elementos utilizados para la higiene bucal, simbolizan la purificación interior, el

hecho de descartar falsos gurúes, falsos credos, e ir en pos de una fe sólida.
Soñar con él indica que tenemos una sana preocupación por nuestra vida interior, que tratamos de tener un mejor comportamiento cada día.

MONEDA

Las monedas simbolizan nuestra relación con el dinero, con los bienes materiales.
Si nos vemos en el sueño contando monedas es señal de que a menudo nos mostramos mezquinos o avaros con los demás, que tenemos tanto miedo al futuro que no nos atrevemos a gastar a menos que sea totalmente imprescindible hacerlo.
Si encontramos un puñado de monedas quiere decir que recibiremos una inesperada ayuda económica. Puede tratarse de la concesión de un crédito o de un préstamo e incluso podría ser una herencia.
El hecho de perder monedas indica que tenemos una escasa capacidad para manejar asuntos financieros.

MONEDERO

La utilización o presencia de un monedero simboliza los períodos de escasez económica.
Su pérdida significa que debemos prepararnos para tiempos aún más difíciles.

MONJA

La presencia de una monja en sueños se relaciona con el deseo de recuperar la inocencia.
Si se trata de una profesora o de alguien que tiene autoridad sobre nosotros en el sueño, es señal de que nos sentimos culpables a causa de nuestras represiones sexuales.
Las monjas de clausura, como las carmelitas descalzas, indican el deseo de formar parte de un grupo de amigos que realicen actividades en común.

MONJE

Muestran nuestra actitud ante la vida, la escala de valores morales con la que nos manejamos habitualmente.
Los franciscanos, por ejemplo, señalan nuestro respeto por la naturaleza o, en caso de que el monje se muestre encolerizado, el descuido por nuestra salud y exceso de materialismo.
Los de clausura, como los trapenses, muestran nuestra tendencia a mostrarnos firmes con los principios que nos han inculcado. A pesar de que algunas costumbres se hayan relajado, permanecemos fieles a lo que creemos correcto.
Los jesuitas denotan un intenso amor al estudio y la erudición.

MONO

Los monos representan nuestro mundo instintivo, así como nuestro comportamiento en sociedad.
Su aparición en sueños indica, también, que debemos desarrollar nuestro mundo mental y espiritual.
Los más comunes, como el chimpancé, el gorila o el orangután son antropoides.

Véase ANTROPOIDE.

MONÓCULO

Los monóculos tienen la peculiaridad de utilizarse sobre un solo ojo, de modo que la imagen que se ve tras ellos carece de perspectiva.
Si utilizamos una de estas lentes en un sueño, quiere decir que tendemos a parcializar la realidad, a ver los acontecimientos desde un solo ángulo sin tener en cuenta otras posibles alternativas. Eso hace que nos consideren tercos y necios.

MONSTRUO

En los sueños, sobre todo en las pesadillas, es frecuente la aparición de monstruos de todo tipo. Simbolizan los miedos

inconscientes que nos limitan en la vida real provocándonos miedo a actuar, a caer en el ridículo, o a ser rechazados.
Es importante estudiar las características del monstruo, así como su talante, a fin de averiguar qué conceptos erróneos tenemos sobre nosotros mismos.
Si el monstruo se muestra furioso, por ejemplo, es señal de que tememos la extrema violencia que imaginamos en nosotros. Ésta no es real, sino producto de una represión excesiva de la agresión.

Montaña

Las montañas simbolizan las ambiciones, de modo que su altura puede indicar la medida en que deseamos avanzar y ser respetados.
Si subimos a ella quiere decir que vamos camino de cumplirlas, que nos esforzamos por conseguir bienes materiales.

Véase LADERA.

Moño

El cabello se relaciona con la intuición y con las facultades paranormales.
Si nos vemos en sueños con un moño, es señal de que nos dan miedo las corazonadas que se nos presentan a menudo, que preferimos no saber nada del futuro y que en el fondo, sentimos que tenemos un poder que no sabemos manejar.

Moquear

El hecho de moquear en sueños puede deberse a que estemos incubando una gripe o un resfriado y hagan su aparición los primeros síntomas.
Si no es así, significa que nos sentimos desasosegados sin causa aparente alguna, que tenemos una sensación de ansiedad pero no podemos decir qué es lo que la está causando.
Estudiando los demás elementos que aparecen en el sueño es posible determinar qué nos ocurre internamente, qué es lo que está mal y nos acaba produciendo ese malestar.

Mordaza

Si en el sueño somos amordazados, es señal de que conocemos la infidelidad de una persona hacia otra y no sabemos si sacarla o no a la luz.
Si vemos a otro amordazado, quiere decir que tememos que se descubra algún secreto.

Morder

Si mordemos a otra persona en sueños es señal de que necesitamos controlarla y tenerla bajo nuestro dominio.
Si somos mordidos, quiere decir que una persona de nuestra confianza nos ha agredido.
Las mordeduras de animales, por lo general, indican el temor a caer bajo los dictados de nuestros instintos.

Morera

Tradicionalmente se ha considerado este árbol como símbolo de prudencia y sabiduría.
Si está cargada de frutos es señal de que nos sentimos reticentes a comenzar una relación amorosa. La persona que nos la propone nos atrae, pero dudamos si aceptar sus proposiciones debido a los comentarios que hemos oído acerca de ella.

Mortaja

El ver a una persona, o a nosotros mismos, con la mortaja puesta indica que quien la lleve sufrirá un gran cambio en su vida. Generalmente, se trata de un augurio positivo.

Mosca

Los insectos a menudo simbolizan las personas molestas que hay a nuestro alrededor. Puede tratarse de un vecino, de un compañero de trabajo o de alguien de la familia.

Si las matamos en el sueño es señal de que nos queremos apartar de las personas vanidosas y pagadas de sí mismas.

Mosquetón

Véase ARMAS.

Mosquitero

Los mosquiteros simbolizan las conductas que desarrollamos a fin de protegernos de personas insidiosas e hirientes.
Su presencia en el sueño indica que en nuestro entorno hay alguien que tiene estas características.

Mosquito

Los mosquitos simbolizan las personas que quieren entrometerse en nuestra vida y con ello nos despiertan una gran irritación.
Si los matamos es señal de que debemos ser claros y explicarles que nos molesta enormemente su actitud.

Mostaza

Véase SALSAS.

Motocicleta

Este vehículo, utilizado básicamente por gente joven, simboliza el gusto por la aventura, la necesidad de vivir emociones fuertes.
En los sueños de una persona madura indica la nostalgia por su juventud perdida.
En hombres, puede indicar miedo a la impotencia.

Motor

Los motores indican la marcha de nuestros negocios. Si somos asalariados, denotan la relación que existe con nuestros superiores y las posibilidades de crecimiento profesional.
Si el motor que vemos en el sueño está trabajando, es señal de que nuestros asuntos marcharán sin problemas.
En caso de que se detenga, será señal de que debemos esperar un tiempo antes de poder cosechar beneficios.
Si el motor se rompe o falla, quiere decir que estamos cometiendo errores que nos conviene subsanar cuanto antes.

Muchedumbre

Los sueños en los que nos encontramos inmersos en una muchedumbre indican que sentimos miedo a la soledad, que no nos sentimos a gusto con nosotros mismos y que rehuimos reflexionar acerca de nuestra vida.
Los sentimientos de angustia o claustrofobia que pudieran suscitar las imágenes deben entenderse como el agobio producido por las personas que nos rodean. Seguramente se trata de una familia que se empeña en mostrarse a sí misma como muy unida.

Mudanza

Los cambios de casa pueden simbolizar la compra de una vivienda; sobre todo si el sentimiento que se experimenta durante el sueño es de alegría.

Muebles

Se relacionan con la armonía y estabilidad familiar.
Si los muebles se rompen durante el sueño quiere decir que habrá rencillas y malentendidos entre dos personas de la familia.
Si se cambian de lugar, es señal de que habrá motivos de fiesta y celebración.

Muelas

Véase DIENTES.

Muelle

Los muelles son objetos que, cuando están comprimidos, encierran una gran energía. Ésta se manifiesta cuando el muelle deja de recibir presión y se distiende.
Simbolizan la fuerza que almacenamos

antes de hacer un esfuerzo importante, en los momentos previos a tomar una decisión importante.
Si el muelle está comprimido, es señal de que nuestra preparación es la adecuada; si está distendido, en cambio, es señal de que no nos tomamos en serio el paso que vamos a dar o que lo consideramos menos importante de lo que es en realidad.

Muérdago

Esta planta, sagrada para los druidas, simboliza la necesidad de afecto, de ahí que su presencia en sueños a menudo se produzca en épocas de soledad o tras la ruptura de una pareja.

Muerte

La muerte, en sueños, también es un símbolo y no el anuncio de una defunción. Cuando en las imágenes oníricas se vive el propio fallecimiento, por lo general lo que se siente no es la angustia de dejar este mundo sino una paz infinita, una serenidad desconocida en la vida real.
Estos sueños son muy importantes, ya que nos preparan para ver la muerte como parte de un proceso natural, como un cambio de estado y no como un trágico final.
Si quien muere es otra persona, quiere decir que nuestra relación con ella o con quien represente cambiará drásticamente. Lo más probable es que se produzca un distanciamiento definitivo.

Mujer

En los sueños masculinos, la presencia de una mujer desconocida que cumpla el papel de protagonista simboliza su parte femenina, el ánimus del que habló Jung. En los femeninos, en cambio, es el yo interior e integrado.
Estos sueños son muy importantes y debe prestarse la máxima atención a las palabras que la mujer dice en ambos casos. Son éstas las que nos darán pistas para poder trabajar sobre nuestra psiquis, a fin de alcanzar la serenidad y una vida espiritual estable.

Mula

Los animales de carga simbolizan los instintos y la forma en que éstos nos impulsan a conseguir lo que deseamos, ya que a partir de éstos se distribuye la energía necesaria para realizar todo tipo de cosas.
Si el animal es fuerte y sano,quiere decir que cumpliremos nuestros deseos. Si además está cargada será señal de que tendremos más de lo que nos hemos atrevido a desear.
Las agresiones que sufra el animal durante el sueño son los golpes que recibiremos en nuestro orgullo.
Si vamos montados en una mula, es señal de que nos dejamos guiar por los instintos, que no reflexionamos lo suficiente antes de actuar.

Muletas

Si en la vida real circunstancialmente llevamos muletas, el sueño revelará una situación que nos resulta incómoda. Si no es así, las muletas simbolizan los apoyos morales que recibimos a la hora de corregir nuestros errores.
Si las imágenes oníricas nos hacen sentir deprimidos o tristes, las muletas simbolizarán la falta de seguridad en nosotros mismos. Si las abandonamos durante el sueño, quiere decir que estamos en vías de recuperar la confianza perdida.
Ver a otra persona caminando con muletas significa percibir sus temores, sus miedos a actuar por sí misma.

Multa

Las multas en un sueño simbolizan las reprimendas que esperamos que nos den en el trabajo. Independientemente de lo que las motive, indican que no ponemos en las tareas la debida atención y que por tanto esperamos un reproche.

Muñeca

En los sueños femeninos, las muñecas representan la soledad, la falta de amigos. También pueden indicar nostalgia de la niñez.

Muralla

Las murallas representan obstáculos que debemos salvar para conseguir nuestros objetivos, independientemente de que éstos estén relacionados con el trabajo, los afectos y relaciones sentimentales o la familia.
Si la muralla está en buen estado, es señal de que deberemos hacer grandes esfuerzos para conseguir lo que nos hemos propuesto.
Si vemos un agujero en ella, debemos entender que hay una manera de saltar el obstáculo pero que, para ello, debemos actuar de una manera distinta a como lo venimos haciendo.
Si la muralla está derrumbada es señal de que los obstáculos están en nuestra propia mente, que no nos sentimos capaces de conseguir lo que ansiamos o que no nos creemos merecedores de ello. Por esta razón actuamos torpemente y no podemos obtenerlo.

Murciélago

En algunas culturas precolombinas, este animal es el mensajero de los dioses. Para ellos simboliza el portador de ruegos que, de esta manera, llegan a los oídos de las deidades.
Sin embargo, en Occidente el murciélago está relacionado con la noche y los bajos instintos.
Su presencia en un sueño indica que tramamos una acción de la que, en el fondo, nos sentimos avergonzados por verla como algo indigno. Quiere decir que estamos dolidos con una persona y planeamos una sucia venganza.
Si el animal aparece muerto debemos entender que lograremos evitar la tentación de hacer daño.

Murmullos

Si oímos en sueños murmullos pero no podemos detectar su origen quiere decir que hay gente que está hablando mal de nosotros.
Si finalmente sabemos de dónde provienen, debemos entender que, en algún momento, sabremos quiénes han dado origen a las maledicencias.

Museo

Los museos simbolizan, por una parte, la sed de conocimientos. Por otra, la valoración del pasado como experiencia de la cual se puede aprender.
Si nos encontramos en uno de estos edificios quiere decir que los errores que cometemos nos sirven para comprendernos mejor a nosotros mismos, que no eludimos las responsabilidades ni nos sentimos derribados por los fracasos. En suma, que tenemos una actitud sumamente positiva que nos va a permitir llegar muy lejos.

Musgo

Estas plantas crecen en lugares húmedos y umbríos recubriendo la corteza de los árboles, las piedras o el suelo. Simbolizan la melancolía.
Si las vemos en sueños indica que nos sentimos tristes y apagados, que echamos mucho en falta a una persona que, hasta hace poco tiempo, ha estado a nuestro lado.

Música

No es frecuente oír música en sueños, pero cuando está presente, da cuenta de los sentimientos que dominan nuestro presente.
Si se trata de una música alegre, quiere decir que nos sentimos satisfechos con lo que hacemos. Si se trata de música romántica, es señal de que estamos centrados en nuestra relación de pareja. En caso de que sea música clásica, indica que nuestros intereses son, en su mayoría,

intelectuales. Si lo que oímos es una marcha militar, quiere decir que nos sentimos irritados con el entorno y si es una marcha fúnebre, que nos sentimos agobiados o deprimidos.

Véase INSTRUMENTOS MUSICALES.

MUTILACIÓN

Las pesadillas en las que se producen mutilaciones deben interpretarse buscando el significado simbólico de la parte mutilada, como si ésta hubiera sido herida.

N

NABO

Véase ALIMENTOS.

NÁCAR

El nácar ha sido asociado siempre con las dificultades, con los problemas familiares. Si soñamos con objetos hechos con este material, debemos prestar atención a los pequeños trastornos domésticos, ya que pueden convertirse en situaciones más difíciles de resolver.

NACER

El hecho de ver nacer a un ser humano o un animal, simboliza nuestro propio renacimiento espiritual. Si durante el sueño experimentamos angustia o ansiedad, es posible que nos estemos resistiendo a este cambio.

NACIONALIDAD

Los sueños en los que aparecemos con una nacionalidad que no es la nuestra indican que no nos sentimos a gusto en el barrio o ciudad donde vivimos.

NADAR

El hecho de nadar en sueños simboliza el esfuerzo que hace nuestra mente por construir nuestra propia personalidad, por diferenciar nuestros propios sentimientos de los ajenos, por sentirnos el centro de nosotros mismos.
Según sean las aguas claras o turbias, esta experiencia tendrá diferentes significados.

Véase AGUA.

NAFTALINA

Este producto utilizado para ahuyentar a las polillas simboliza la necesidad de mantener vivos los recuerdos.
Es probable que estemos pasando una mala época y busquemos en los hechos pasados elementos que nos den fuerzas y entusiasmo.

NAILON

Véase PLÁSTICO.

NAIPE

Los naipes simbolizan la tendencia a dejanos arrastrar por los acontecimientos, a no poner en juego nuestra voluntad a fin de controlarlos. Según cuál sea su palo, este hábito se refleja más en unas facetas de nuestra vida que en otras.

Véase PALO.

NANA

Las nanas nos traen recuerdos de la primera infancia, guardados profundamente en el inconsciente.
Si las oímos en sueños quiere decir que estamos pasando por un momento difícil y que añoramos los cuidados que nos brindaban los adultos.

NARANJO

Estos árboles, con sus flores de delicado perfume, como otros cítricos, simbolizan el matrimonio o las relaciones amorosas.
Si se encuentran florecidos o cargados de frutos y en buen estado, auguran una relación apasionada y sincera. Si los azahares están marchitos o las naranjas en

mal estado, es señal de que hemos dejado pasar un amor que nos hubiera dado una gran felicidad.

Narciso

Esta flor ha sido relacionada frecuentemente con la muerte, pero también con el egocentrismo y la vanidad. Su presencia en sueños debe ser interpretada según el sentimiento que susciten las escenas: si es de satisfacción o alegría, deberemos entender que estamos, quizás, excesivamente satisfechos de nosotros mismos y que podemos caer fácilmente en la vanidad. Si el sentimiento es de tristeza, es señal de que hemos tomado distancia con una persona querida o que hemos terminado un trabajo que nos procuraba muchas satisfacciones.

Narcótico

Estas sustancias provocan el sueño, por lo tanto se relacionan con los estados de inconsciencia o de falta de responsabilidad.
Si nos narcotizan en sueños es señal de que estamos completamente dedicados a la persona que amamos, al punto de que descuidamos por ella nuestras obligaciones cotidianas.

Narcotráfico

Si en sueños nos vemos envueltos en una red de narcotráfico es señal de que no estamos conformes con la ética que muestran algunos amigos.
Si peleamos contra los delincuentes, quiere decir que nos preocupa mucho el camino que sigue una persona que está afectivamente próxima a nosotros.

Nardo

Es la flor con que María Magdalena enjugó los pies de Jesús. Se considera símbolo de espiritualidad.
Soñar con él indica que estamos descuidando nuestros deberes religiosos o que deseamos ayuda espiritual.

Nariz

Los sueños donde la nariz aparece como protagonista son especialmente importantes cuando el durmiente es un niño.
Si se ve en las imágenes con una nariz desmesuradamente grande, es señal de que teme que los adultos conozcan sus mentiras.
Las hemorragias nasales dan cuenta de las reprimendas excesivamente severas que se reciben.

Narración

Las narraciones que oímos en sueños simbolizan aspectos de nuestra vida con los que no queremos enfrentarnos.
En caso de que sean agradables y nos causen placer, es posible que, en el fondo, los hechos que simbolizan nos produzcan cierta culpa.
Si son desagradables, por el contrario, es señal de que aún no hemos asimilado el mal momento que hemos tenido que vivir.

Nata

Este producto es altamente graso, por lo que si la vemos en sueños y nos produce repugnancia, es posible que tengamos una pequeña disfunción hepática y que el cuerpo nos esté advirtiendo de que no nos conviene tomarla por un tiempo.
Como los alimentos suelen referirse a la nutrición espiritual, si la comemos quiere decir que sabemos rodearnos de personas que nos hagan evolucionar.

Natillas

Véase POSTRES.

Naturaleza

Los sueños que transcurren en medio de la naturaleza pueden tener dos significados diferentes, según ésta se muestre benévola o agresiva.
Si el sueño es placentero, indica que tenemos una excelente integración con el

medio y que, además, sabemos dar a nuestro organismo todo lo que necesita para conservarse sano y fuerte.
Si en medio del entorno natural nos acechan peligros y sentimos miedo, en cambio, es señal de que llevamos una vida excesivamente artificial, que no comemos adecuadamente y que, a la larga, eso nos creará trastornos de salud.

NAUFRAGIO

El elemento agua simboliza el mundo emocional; por lo tanto, si ésta nos amenaza o tenemos el peligro de morir ahogados, quiere decir que nuestras emociones están a punto de desbordarse y arrasar con otros aspectos de nuestra mente. Los objetos a los cuales nos aferremos para mantenernos a flote, como troncos, salvavidas e, incluso, otros náufragos, simbolizan las personas que pueden ayudarnos a comprender las emociones que nos embargan y que tan amenazadoras nos resultan.

NÁUSEAS

La náusea es un mecanismo de defensa que obliga a vomitar o rechazar aquellos elementos que podrían dañarnos. Si las experimentamos en sueños es señal de que estamos a punto de entrar en una situación que nos comprometería gravemente.

NAVAJA

Véase ARMAS.

NAVE ESPACIAL

Las naves espaciales simbolizan la necesidad de cambiar de entorno o, en caso de verlas en el cielo, de afán de conocimientos, de curiosidad científica.
Si estamos en el interior de una de ellas, en el espacio, es señal de que no nos sentimos a gusto con las personas que frecuentamos, que nos resultan aburridas o que no cumplen nuestras expectativas.

NAVEGAR

Indica que se termina una relación sentimental para dar comienzo a otra.
Los diferentes aspectos del viaje mostrarán cómo se desarrollará el nuevo romance.
La cantidad de gente que veamos en el barco señalará el tipo de vida social que vayamos a tener como pareja.
El estado del mar, en cambio, dará cuenta de lo tranquila o tempestuosa que será la relación.

Véase EMBARCAR.

NAVIDAD

Soñar con esta fiesta familiar indica la necesidad de encontrar el apoyo en hermanos, padres y primos.
Si el sentimiento que experimentamos en el sueño es de tristeza, quiere decir que la familia no está unida, que hay enemistades y que nos encontramos en medio de las rencillas. Si el ambiente es alegre es señal de que nuestros familiares acudirán cada vez que los necesitemos.

NAZARENO

También llamados penitentes, salen en semana santa vestidos con hábito y capucha.
Simbolizan la necesidad de expiar las culpas que sentimos por no haber cumplido los deberes religiosos.

NEBULOSA

Véase GALAXIA.

NECEDAD

Las personas que en sueños se nos aparecen como necias, tercas e incapaces de aceptar nuestros razonamientos, indican que de esta manera solemos comportarnos ante los demás.

NECESER

Esta pequeña maleta de viaje simboliza la preocupación por la propia imagen y la

necesidad de disfrazar el propio pasado.
Si aparece en sueños quiere decir que hay aspectos de nuestra vida que hemos deformado a fin de parecer personas más interesantes a los ojos de los demás.

Necrológica

Véase ESQUELA.

Negar

Las negaciones que recibimos en sueños cuando pedimos algo a otros personajes son advertencias que nos incitan a poner límites a los demás.
Lo más probable es que nos cueste mucho negarnos a hacer favores y que solemos elegir por otros antes que por nosotros mismos. Las imágenes nos muestran que el sano egoísmo no está reñido con la bondad.

Negocio

La resolución de un negocio en sueños (una venta, una compra, etc.) simbolizan los problemas a los que hemos encontrado solución.
En caso de que ese negocio onírico nos produzca pérdidas, debemos entender que aun haciendo lo más correcto, siempre perderemos algo.

Negro

El negro es la ausencia de luz y en nuestra civilización simboliza el luto.
Sin embargo, en los sueños tiene otra significación. Si vestimos de negro o éste es el color predominante, quiere decir que no hacemos caso de la razón, que tendemos a obrar bajo el dictado de las emociones.

Nenúfar

Tradicionalmente, esta flor se ha considerado símbolo de un corazón puro.
Verla en sueños indica que naturalmente albergamos buenos sentimientos hacia los demás, que nos gusta ser generosos y solidarios y que basamos nuestras relaciones en la confianza y la lealtad.

Neón

Se emplea básicamente para los letreros luminosos, a fin de destacar su presencia.
Cuando aparece en sueños, lo importante es analizar su texto o el simbolismo del dibujo que forma e interpretar que es ésto lo que pretendemos que los demás piensen de nosotros.

Nepente

Esta curiosa planta, al igual que todas las insectívoras, simboliza la habilidad para facilitarles las posibilidades a quienes nos quieren engañar con el fin de ponerlos en evidencia.
Su presencia en sueños indica que tenemos fuertes sospechas sobre la deslealtad de un amigo y que hemos dispuesto las cosas de modo que ésta quede al descubierto.

Neptuno

Los sueños en los que aparece este planeta, ya sea como imagen o como símbolo, indican que hemos entrado en una etapa de recogimiento y evolución espiritual.
Es probable que, en sus inicios, este camino resulte duro o asuste por la responsabilidad y sacrificios que implica, pero en poco tiempo experimentaremos una gran felicidad.

Nerviosismo

Los estados de nerviosismo que se tienen en sueños pueden estar originados por la ansiedad que teníamos antes de dormirnos.
Indica que tenemos problemas que nos crispan y que no nos los podemos quitar de la cabeza, quizá preocupaciones laborales, familiares, etc.
A menudo se trata de situaciones conflictivas en las que hemos involucrado demasiado nuestro ego.

Neumático

Su forma circular se vincula a la perfección.
Como son la cubierta externa de las ruedas, indican las formas en las cuales buscamos el protagonismo.
Si están en buen estado, aceptamos ser naturalmente el centro de las reuniones cuando somos elegidos para ello. Si están muy desgastadas o rotas, en cambio, quiere decir que intentamos sobresalir utilizando artificios carentes de naturalidad.

Nevera

Este electrodoméstico, con su contenido, habla muy claramente de las finanzas familiares.
Si está bien provista, llena de alimentos y ordenada, es señal de que la economía familiar es buena.
En caso de que contenga pocos alimentos, que éstos se encuentren en mal estado o desordenados, indica que no somos previsores y que estamos poniendo en peligro nuestro futuro económico.

Nido

Los nidos simbolizan la familia más próxima: padres y hermanos. Cuando se encuentra ocupado por las aves y sus pollos, auguran una gran felicidad.
Los daños que se le hagan al nido, así como su robo, indican que hay un peligro para la familia.
Pero no sólo las aves hacen nidos; también las serpientes, por lo que si se sueña con uno de ellos será señal de que en el seno de la familia se halla una persona dispuesta a traicionar al resto de los miembros.

Niebla

La niebla simboliza, por lo general, los períodos de transición en los que sólo se puede esperar o preparar el futuro.
Si nos encontramos en medio de ella es señal de que hemos decidido cambios importantes en nuestra vida, pero que aún no hemos comenzado a ponerlos en práctica. Puede ser el traslado al extranjero, un nuevo trabajo o la decisión de una ruptura.
Si buscamos algo en medio de la niebla quiere decir que intentamos recobrar una vieja amistad.
Si la niebla, durante el sueño, se deshace es señal de que en muy breve tiempo nos podremos efectuar los cambios que tenemos proyectados.

Nieve

La nieve es un símbolo claramente invernal. Si la vemos en sueños indica que debemos entrar en una etapa de recogimiento, de introspección.
Este tipo de imágenes aparecen cuando llevamos una vida excesivamente frívola, cuando buscamos aturdirnos en lugar de procurar la solución a nuestros problemas.

Ninfas

Los sueños en los que aparecen estos espíritus de las aguas auguran una feliz relación de pareja.

Niños

La aparición de niños en sueños tiene múltiples significados posibles, pero en general representan nuestra añoranza de la infancia, el reencuentro con el niño que siempre llevaremos dentro.
En caso de que se trate de un bebé, quiere decir que estamos a las puertas de una evolución mental o espiritual.
A menudo, sobre todo cuando estos sueños transcurren en el entorno de nuestra propia infancia, nos permiten recuperar muchos recuerdos que podrían ayudarnos a entender algunas reacciones que tenemos en el presente.

Nirvana

El nirvana es, para el budismo, el estado de bienaventuranza producido por la unión con la divinidad.

Si soñamos con este estado quiere decir que estamos camino de una interesante integración interior que nos procurará paz y serenidad.

NÍSPERO

La dura madera de este árbol era utilizada por algunas tribus primitivas para fabricar los bastones de los chamanes; de ahí que la presencia en sueños, tanto del árbol como de sus frutos, simbolice la curación. Verlo en un sueño indica que una persona que está enferma sanará en breve.

NITROGLICERINA

Véase EXPLOSIVOS.

NIVEL

Esta herramienta utilizada por albañiles y carpinteros sirve para marcar la horizontalidad de una superficie.
En sueños simboliza la necesidad de saber si los demás nos consideran mejores o peores que a la mayoría; es decir, si tenemos cualidades que nos permitan destacar en el conjunto. Ello revela cierto sentimiento de inseguridad o la tendencia a desvalorizarnos.

NOBLEZA

Los títulos nobiliarios o las personas que lo ostentan simbolizan la ambición por alcanzar una alta posición social. Este anhelo será mayor para aquellos que sueñen con reyes, príncipes, duques y marqueses, y menor para quienes lo hagan con condes o barones, ya que estos títulos son los menos encumbrados.
En caso de que aparezcamos en las escenas ostentando un título será señal de que en tiempos pasados hemos tenido una posición económica muy superior a la actual.

NOCHE

Si este momento del día cobra una significación importante en nuestro sueño quiere decir que debemos tomar decisiones importantes, pero no tenemos todos los datos necesarios para ello.
Si el sentimiento general del sueño es optimista y alegre, es señal de que haremos lo que más nos beneficie; si es de angustia o miedo, indica que debemos tener una extrema cautela a la hora de actuar.

NODRIZA

Los sueños en los que aparece una nodriza, si son femeninos, indican el deseo de ser madre. Sin embargo, la maternidad también puede entenderse como la creación de una obra importante. Éste es, también, el significado que deberá entenderse en caso de que quien sueñe con una nodriza sea un hombre.

NÓDULO

Los sueños en los cuales nos aparece un módulo en el cuerpo, es posible que simbolicen una advertencia, que los hayamos detectado con nuestro inconsciente y que éste lo envíe a nuestra mente en forma onírica. En este caso, conviene palpar la zona en la que aparece a fin de desechar esa posibilidad.
Estos bultos pueden también indicar que necesitamos que la persona amada nos preste más atención.

NOÉ

Si soñamos con el personaje bíblico o bien con su arca, quiere decir que tendemos a unir a las personas que queremos, que a menudo hacemos el papel de casamenteros o que, si ésta no es nuestra costumbre, estamos preocupados por la soltería de una persona de la familia.

NOGAL

Tradicionalmente se considera la presencia de este árbol como un símbolo de protección.
Si es robusto y frondoso, es señal de que nos rodean personas que nos van a prestar

su ayuda en los momentos cruciales; si es raquítico o no tiene hojas, ello indica que nos sentimos desvalidos y sin protección alguna.
Subirse a un nogal indica buena fortuna y si en él anidan pájaros, gran felicidad en la familia.

Véase NUEZ.

NÓMADA

La visión de grupos nómadas en un paisaje desértico simboliza nuestro miedo a la pérdida de bienes, a la ruina económica.
Si nos vemos haciendo vida de nómadas, en cambio, quiere decir que nos sentimos agobiados por las presiones de la familia y del trabajo y queremos liberarnos de ellas.

NOMBRE

Es natural que si somos protagonistas de nuestros sueños, oigamos nuestro nombre en ellos. Sin embargo, es posible que en las imágenes nos llamemos de otra manera. En este caso debemos interpretar que no estamos conformes con nosotros mismos, que nos hubiera gustado tener otra forma física, otra personalidad y otras posibilidades en la vida.

NOMEOLVIDES

Esta flor simboliza la fidelidad matrimonial o de pareja.
Su presencia en sueños indica que no hay probabilidades de que la persona que amamos nos sea infiel.
Si estuvieran marchitas podría ser índice de celos.

NORIA

La noria simboliza el conservadurismo, la negativa a los cambios, la tendencia a rechazar todo lo nuevo.
Si la vemos en sueños debemos interrogarnos acerca de nuestra reticencia a cualquier tipo de avance. Lo más probable es que esté sustentada por el miedo a no sabernos desenvolver adecuadamente ante las nuevas circunstancias.

NOTARIO

La función de los notarios consiste en levantar testimonios, en certificar que un hecho es verdad porque lo han presenciado (ya sea la firma de un testamento, el contrato de compra-venta de una casa, las palabras que se digan ante otra persona, etc.)
Soñar con un notario indica el temor a tener testigos de algunos de nuestros actos.

NOTAS

En caso de que seamos estudiantes, las notas reflejan la preocupación por el éxito de nuestros exámenes.
Si no lo somos, indican que nos preocupa excesivamente la opinión que tienen de nosotros.

NOTICIA

A veces, las noticias que oímos en sueños por radio o televisión, o bien que leemos en un periódico, son premonitorias.
Nuestra mente selecciona trozos que ha oído en uno u otro lado y, con ellas, compone un razonamiento que presenta durante el sueño.
Si no es éste el caso, las noticias son aquellas cosas que ansiamos que sucedan o, si el sueño es angustioso, que tememos que ocurran.

NOVATADA

Las novatadas no siempre son bien recibidas; a veces se tratan de actos realmente agresivos con los que se pretende dar la bienvenida a un nuevo miembro del grupo.
Si en sueños nos hacen una novatada es señal de que tendemos a pasarlo muy mal cada vez que tenemos que tratar con personas desconocidas, que acostumbramos a sentirnos arropados por nuestros amigos y por la familia.

Ello puede deberse a una actitud muy sobreprotectora de nuestros padres que nos han inculcado que el mundo externo está lleno de peligros.

Novela

Cuando se sueña con obras literarias, lo importante es el tema que traten y, en ocasiones, el título. Si se busca su simbolismo se encontrarán las claves para comprender el sueño.
En caso de que en el sueño estemos escribiendo una novela o nos encontremos a punto de publicarla debemos interpretar que nos sentimos orgullosos y contentos con la vida que hemos tenido hasta el presente.

Novillo

Este animal antiguamente se consideraba símbolo de las fuerzas instintivas; tanto de las creadoras como de las destructivas.
Si el animal está sano y se muestra sereno y majestuoso es señal de que tenemos a nuestra disposición una pujante energía creativa.
Si el novillo nos persigue es señal de que estas fuerzas las utilizamos para reprimirnos, para atentar contra nosotros mismos.

Novios

En una persona sin pareja, el hecho de verse con un novio actúa a modo de sueño de compensación.
Es posible que esté sola porque tiene miedo a los compromisos o al dolor que pueda causar una ruptura.

Véase BODA.

Nube

Las nubes son los pequeños problemas que empañan los momentos perfectos, que echan a perder las sorpresas agradables.
Si en nuestro sueño hay nubes oscuras, es posible que debamos solucionar asuntos de mayor importancia. Si son nubes claras y algodonosas, quiere decir que habrá algunos inconvenientes pero que el panorama se presenta muy favorable.

Núcleo

El núcleo de una cosa, independientemente de lo que ésta sea, simboliza nuestro yo más profundo.
Los sueños en los que este concepto aparece indican que estamos demasiado dispersos, que pasamos demasiado tiempo huyendo de nuestras responsabilidades.

Nudillo

Una de las pocas ocasiones en que se utilizan específicamente los nudillos es cuando se golpea una puerta con el puño cerrado. Por lo tanto, si éstos cobran preponderancia en el sueño (sea porque estén lastimados, sucios o por cualquier otra razón) quiere decir que necesitamos ayuda, pero que nos negamos a pedirla a quien nos la pueda dar por miedo a que nos la niegue.

Nudos

Los nudos que vemos en los sueños pueden indicar el deseo de unión con otra persona. En este caso las imágenes serán agradables y nuestros sentimientos, positivos.
Si predomina la ansiedad o la angustia, quiere decir que intentamos entorpecer las acciones de una persona que nos está perjudicando.

Nuera

Si tenemos hijos casados, y en el sueño la nuera se muestra ofendida, quiere decir que deseamos seguir controlando la vida de nuestros hijos. Su actitud amable, en cambio, señala que recibiremos una grata sorpresa por su parte.

Nueve

Véase NÚMEROS.

NUEZ

Por su forma, la nuez ha sido comparada muchas veces con el cerebro, pero por el hecho de tener que abrirla para tomar su contenido simboliza aquellos objetivos que se pueden cumplir pero que exigen un esfuerzo mayor del esperado.
Soñar con nueces puede presagiar atrasos en la resolución de un asunto importante o la necesidad de hacer una inversión mayor en un negocio antes de obtener los beneficios esperados.

NÚMEROS

Cada uno de los números, del cero al nueve, tiene su propio simbolismo. Éste se toma del número anterior al que se agrega un nuevo elemento.
Este tema es sumamente complejo, ya que cada número se vincula, a su vez, con una o varias figuras geométricas, así como con las cartas del tarot y muchos otros elementos que se han empleado en el esoterismo.
En esencia, lo que representa cada uno de los diez dígitos se resume de esta manera:
El cero representa la ausencia, la nada, el vacío.
El uno, la totalidad. Soñar con él es índice de integración psíquica.
El dos simboliza la duda, la indecisión y, a la vez, los dos hemisferios cerebrales junto con sus funciones. También indica la unión de pareja.
El tres simboliza la producción, la creatividad, la paternidad y el asentamiento.
El cuatro indica el poder que tenemos en nuestras manos y que nos permite la expansión.
El cinco muestra la expansión a la que aspiramos una vez que hayamos consolidado nuestra posición.
El seis indica la victoria, la conquista de un nuevo espacio intelectual, emocional o material.
El siete señala las luchas a las que debemos hacer frente para no perder nuestra posición. Este número, a menudo es considerado de buena suerte
El ocho representa el distanciamiento del mundo material, que ya hemos dominado, y nuestra búsqueda del reino espiritual.
El nueve indica la soledad, el aislamiento, las pruebas que debemos pasar para despojarnos de todo lo que, aun siendo superfluo, nos produce goce.

Véase DIEZ.

NUTRIA

Las nutrias simbolizan la falsedad.
Cuando aparecen en nuestros sueños nos indican que una persona que está cerca nos aconseja mal para beneficiarse profesionalmente de nuestros errores.

OASIS

Simboliza la búsqueda interior, el conocimiento profundo de uno mismo y el despertar espiritual.
Si vamos por el desierto en busca de un oasis, eso quiere decir que no descansamos en nuestro afán de mejorar y que tenemos las ideas muy claras.
Si nos encontramos en medio de un oasis, significa que hemos hallado en nuestro interior cualidades positivas que no habíamos imaginado. Nos podemos reconocer ahora con más fuerza, entereza y madurez y esta visión será la que nos impulse a conseguir nuevas metas.
Ver un oasis desde el aire quiere decir que no encontramos la manera de aquietar nuestro interior, que los problemas nos superan y no encontramos la forma de solucionarlos.

OBCECACIÓN

Tener una actitud obcecada en un sueño puede indicar nuestro temor a dejarnos llevar por las opiniones ajenas. Sin embargo, también puede destacar en nosotros la cualidad de la tenacidad ante cualquier empresa que pongamos en marcha y nuestra lucha por todo aquello que consideramos que es justo a lo largo de nuestra vida.

Obediencia

Si en sueños obedecemos las órdenes de otra persona, quiere decir que estamos buscando que otros nos den pautas claras para saber cómo debemos actuar.
Exigir obediencia, en cambio, es un rasgo de vanidad y soberbia; significa que no estamos dispuestos a sacrificarnos para conseguir lo que deseamos porque consideramos que nos los merecemos.

Obelisco

Este símbolo solar es muy antiguo.
Representa la luz del entendimiento y la voluntad de conseguir un gran crecimiento espiritual.
Por su forma claramente fálica, también señala el órgano sexual masculino, de modo que en un sueño erótico indica los deseos no satisfechos.

Obesidad

Tener en un sueño un peso notablemente mayor, indica que hay muchas cosas a las que estamos apegados y que es hora que nos desprendamos de ellas. Si es otra la persona que ha engordado en nuestro sueño, la vemos con muchas posibilidades de hacer algo de provecho en la vida.

Obispo

Las jerarquías eclesiásticas simbolizan la vida espiritual, pero según el contexto del sueño, también pueden aludir a una falta total de fe.
Si el sueño es perturbador, la presencia del obispo indica que se da una excesiva importancia a los asuntos materiales y una escasa importancia al alma o a la vida interior. Si se trata de un sueño placentero significa que estamos en un camino de evolución espiritual permanente.

Objeción

Simboliza el deseo de cambiar el mundo, de anteponer el propio código moral a cualquier otra cosa.
Si somos nosotros quienes la ejercemos, indica que en breve deberemos tomar una decisión muy difícil pero que podemos estar tranquilos, ya que tomaremos la elección correcta.

Obleas

De estas galletas extremadamente finas, que se hacen con harina y agua sobre un molde caliente, se obtienen las hostias; de ahí que su simbolismo se relacione con el mundo espiritual.
Comer obleas equivale a comulgar, a tener un acercamiento con Dios.

Obligación

En sueños, las obligaciones representan las cosas que, en la vida real, debemos realizar aun en contra de nuestra voluntad.
Si las hacemos gustosamente, si el sueño no es perturbador, quiere decir que estas tareas nos costarán mucho menos de lo que tenemos pensado.

Oboe

Oír en sueños el dulce sonido de este instrumento significa que estamos a punto de hacer confidencias muy íntimas a una persona de nuestro entorno.
Su presencia también puede augurar momentos románticos.

Véase INSTRUMENTOS MUSICALES.

Obras

Simbolizan nuestro presente con relación a los planes de futuro.
Si se trata de una construcción amplia, sólida y en un terreno llano, indica que necesitamos ampliar más nuestro radio de acción, que tenemos una sana ambición y queremos importantes mejoras en nuestro futuro.

Si la obra aparece abandonada o en mal estado, eso indica que debemos revisar cuanto antes nuestros planes de futuro, ya que corren el riesgo de fracasar.
Las construcciones pequeñas pero bien distribuidas, que aparecen limpias y cuidadas o que tienen obreros trabajando en ellas, señalan mejoras importantes en nuestra vida, sobre todo en el terreno laboral.

Obrero

Es símbolo de trabajo, de todo lo que acontece en el entorno laboral.
Si el sueño es agradable, presagia el cambio a un empleo con mejores condiciones; sobre todo si en él aparece un grupo numeroso de obreros.
Si genera ansiedad, en cambio, será índice de los temores que albergamos con respecto a la renovación de un contrato.

Obsequio

Véase REGALO.

Observador

La observación de un objeto o situación en un sueño, por contraposición, simboliza el grado de indiferencia que sentimos ante el mismo.
Si somos observados y eso nos inquieta quiere decir que tenemos mucho miedo a la pérdida de la libertad, que eludimos, siempre que sea posible, establecer sólidos compromisos.

Observatorio

Los observatorios son centros especializados en el estudio de diversas materias. Los astronómicos simbolizan el afán por conseguir metas que, objetivamente hablando, están fuera de nuestro alcance. Ver su cúpula desde fuera simboliza miedo el miedo al fracaso.
Si soñamos que estamos dentro de un observatorio meteorológico, debemos interpretar que pasamos por un período difícil, de incesantes cambios y que buscamos la manera de anticiparnos a éstos.

Obsesión

En sueños, los pensamientos repetitivos que ocupan todo el foco de la atención indican que tenemos un carácter cerrado, que somos incapaces de dar la razón, que nos aferramos a lo conocido. Todo ello revela un profundo miedo interior, posiblemente fomentado por la desconfianza que nos han enseñado a desarrollar desde pequeños.
Si el sentimiento que provoca el sueño es de angustia o ansiedad, es recomendable hacer un profundo examen de conciencia, revisar nuestra escala de valores y descartar aquellas normas que consideremos inútiles.
Si se trata de un sueño erótico dará lugar a pensar que tenemos amores contrariados, que amamos a una persona que no nos corresponde.

Obsidiana

Soñar con objetos fabricados con este material significa que nos estamos preparando para un enfrentamiento que puede ser muy desagradable. Sin embargo, no debemos tener miedo, ya que saldremos victoriosos de la contienda.

Obstáculo

A menudo indica las dificultades que, en un breve espacio de tiempo, tendremos que afrontar, así como el resultado de nuestra acción.
Si colocamos obstáculos en el camino de otra persona, con ello el inconsciente simboliza el miedo a ser superados, lo importante que nos resulta ganar hasta las más insignificantes confrontaciones.

Obstetra

Por lo general, anuncian un nacimiento en la familia; sin embargo, también pueden simbolizar a la persona que está dispuesta

a prestarnos ayuda en un proyecto importante.
Un sueño perturbador en el que un obstetra tenga gran protagonismo revelará el miedo a equivocarnos.

Obtuso

Véase TORPEZA.

Obús

Véase ARMAS.

Oca

Es símbolo de la felicidad hogareña.
Si oímos sus graznidos, indica que hay un peligro cerca; por lo tanto, deberemos tomar las necesarias precauciones.
Dos ocas nadando en un estanque simbolizan la armonía en la pareja.
Si vemos una bandadda de ocas en el cielo, quiere decir que es conveniente que cambiemos de trabajo o de vivienda.
Servir una oca en la mesa es índice de prosperidad.

Ocarina

Véase INSTRUMENTOS MUSICALES.

Ocaso

Véase ATARDECER.

Occipital

Si la región occipital tiene en el sueño un papel predominante, indica que estamos en un proceso de desarrollo de la intuición, que pasamos por una etapa en la que nos conviene hacer más uso de ésta que de la razón.
En caso de experimentar dolor en la zona posterior de la cabeza, justo encima de la nuca, habrá que interpretarlo como un exceso de materialismo por nuestra parte, como una tendencia a negar todo aquello que no se pueda ver y tocar.

Océano

Simboliza las fuerzas en movimiento. Es el estado intermedio entre lo sólido, corpóreo, ya formado y lo gaseoso, etéreo, aún por formar.
Representa la vida en su totalidad, ya que de él nacieron las primeras especies.
En él debe reconocerse este carácter creador y, también, su terrible fuerza destructora. En sus abismos se encuentran monstruos, mitológicos o reales, y la fuerza de sus aguas puede ser aniquiladora.
También está asociado a la madre, ya que en la etapa fetal nos encontramos en un medio líquido.
Si en el sueño nos sumergimos en el océano, eso significa que tratamos de comprendernos a nosotros mismos, que buscamos en el pasado las situaciones que han marcado nuestro carácter.
Si lo atravesamos a bordo de un barco indica que preferimos sepultar los acontecimientos desagradables; que somos incapaces de recordarlos por temor a sufrir.
Cuando vemos el océano desde la orilla quiere decir que tomamos la debida distancia con los problemas a fin de poder calibrarlos mejor.

Véase AGUA.

Ocelote

Véase FELINOS.

Ocho

Véase NÚMEROS.

Oculista

Simboliza la capacidad de ver la realidad, sin autoengaños, de enfrentarse confiadamente a las pruebas, por duras que éstas sean.
Cuando el sueño es perturbador indica que hay una situación que, por más que lo intentamos, no podemos comprender.

Ocultismo

En sueños, todo lo relacionado con el ocultismo (prácticas, libros, elementos de diferentes rituales) simboliza la necesidad de respuesta ante un problema o duda que nos angustia.

Si el sueño es apacible, quiere decir que no debemos preocuparnos, que nuestras sospechas son infundadas. Por el contrario, si es perturbador, nos advierte de que debemos estar prevenidos porque nuestro inconsciente ya conoce la respuesta y ésta no será de nuestro agrado.

Odio

Este sentimiento, cuando lo dirigimos hacia alguna persona, indica que en el fondo la admiramos y nos gustaría ser como ella.

Si es a nosotros a quienes nos odian en el sueño, eso quiere decir que en la vida real tenemos enemigos que harían cualquier cosa con tal de provocarnos daño. Por ello, al menos durante un tiempo, es preferible mantener una actitud de cautela que nos permita defendernos de dichas personas.

Odre

Simboliza la situación económica del presente. Si está lleno indica abundancia, que los negocios marchan bien y que no hay que temer el futuro.

Si está vacío, en cambio, anuncia pérdidas y contratiempos en un breve espacio de tiempo.

Oeste

Simboliza la aceptación del propio destino, de aquellos acontecimientos que no podemos evitar.

Si la escena es agradable, como podría serlo un paisaje con los típicos elementos de esa zona, indica que sabemos afrontar los cambios y que nos preocupamos más por avanzar que por lamentar lo que ya no tenemos.

Ofensa

Las ofensas que recibimos en sueños simbolizan aquello que, secretamente, pensamos de nosotros mismos.

Las palabras ofensivas que otros nos dirijan son las que nos decimos a la hora de juzgarnos.

Oficina

Como lugar de trabajo, simboliza nuestras relaciones laborales.

Una oficina elegante, con una buena y agradable iluminación, indica que nos sentimos a gusto con el trabajo que estamos realizando. Si, por el contrario, es oscura, lóbrega, con muebles desvencijados o que aparece en desorden, muestra que nuestros asuntos laborales no marchan demasiado bien, que no nos encontramos cómodos con las tareas que realizamos o que no tenemos posibilidades de ascender.

Si nos encontramos en una oficina atendiendo clientes, quiere decir que no hay, de momento, posibilidades de mejorar nuestra situación.

Oficio

Si desempeñamos un oficio diferente al que tenemos en la vida real, quiere decir que no estamos conformes con lo que hacemos, que debiéramos pensar en qué nos gustaría trabajar y poner todo el empeño en conseguir un empleo de esa naturaleza.

Si lo que aparece en el sueño es un oficio judicial, quiere decir que tendremos discusiones en el entorno familiar o laboral.

Ofidio

Véase SERPIENTE.

Ofrenda

Se hace ofrendas a los dioses o a los muertos a fin de pedir su auxilio. Por ello simbolizan las cosas que deseamos, que

quisiéramos conseguir. Si ofrendamos flores, quiere decir que lo que nos resulta inalcanzable es una relación amorosa, pero el sueño también indica que con el tiempo la haremos realidad.
En caso de que la ofrenda consistiera en comida, lo que nos preocupa es la situación económica y, como en el caso anterior, en este sentido no debemos preocuparnos de cara al futuro.
En caso de que las ofrendas estuvieran ajadas o deslucidas, habrá que tomar precauciones, ya que podrían augurar una época difícil.

Ogro

El ogro simboliza al padre terrible que exige constantemente logros a sus hijos. Por extensión, también puede representar a un jefe o autoridad despótica.
Dar muerte a un ogro significa liberarse de la tutela paterna o de la autoridad, conseguir la libertad de obrar tal y como a uno le parece correcto.

Oído

Es el órgano mediante el cual escuchamos lo que nos dicen los demás; por ello está relacionado con la comunicación.
Tener un buen oído, en sueños, indica que sabemos prestar atención a los consejos o llamadas de ayuda que nos hacen las personas que nos rodean.
Las dificultades auditivas, en cambio, dan cuenta de una actitud arrogante y terca, de la imposiblidad que tenemos de escuchar a los demás.

Véase DISCAPACIDAD.

Ojal

Los ojales simbolizan las relaciones íntimas con la persona amada.
Vestir una prenda con muchos ojales puede indicar una tendencia a la promiscuidad, el tener varias relaciones amorosas a un tiempo y no respetar normas de fidelidad.

Ojiva

Los arcos y ventanas en forma de ojiva son propios de las catedrales de estilo gótico, de ahí que los sueños en los que se ven ojivas tengan una simbología religiosa.
Estar debajo de uno de estos arcos o asomado a una ventana con forma de ojiva significa que hemos pasado una etapa de introspección, de encierro en nosotros mismos, pero que ya estamos dispuestos a salir al mundo con nuestras fuerzas renovadas.

Ojo

En muchas culturas, es símbolo de la inteligencia y el espíritu y en otras se utiliza como la representación de la deidad.
Los ojos aislados, dibujados o pintados, aluden a la sensación de estar permanentemente observados e indican un espíritu sumamente autoexigente y perfeccionista.

Véase MIRADA.

Ola

Representa la trama de circunstancias que determinan nuestro destino.
Dejarnos mecer por las olas significa que tenemos una actitud indolente ante la vida, que confiamos que las cosas se arreglen por sí mismas.
Si en el sueño somos revolcados por una ola quiere decir que estamos viviendo un problema que nos supera pero que, sin duda, saldremos de él fortalecidos y maduros.
Caminar sobre las olas es indicio de elevación espiritual; indica que hemos superado el materialismo y que tenemos metas elevadas.

Oleoducto

Como sistema de transporte de combustible simboliza el modo en que aprovechamos nuestras energías.
Estar junto a un oleoducto indica que

sabemos motivarnos y que tenemos una actitud optimista y creativa.
Una rotura del oleoducto muestra que las circunstancias del presente han mermado nuestra capacidad creativa y nos han restado fuerza de trabajo.

Olfato

Por la localización de los centros olfativos en el cerebro, este sentido es el que más se relaciona con las emociones.
Los olores agradables y frescos están vinculados a la armonía y paz interior; los densos y dulces, al mundo afectivo, a las relaciones amorosas; los ácidos o picantes, a los problemas que debemos enfrentar.
Los olores desagradables representan las tentaciones a las que no queremos sucumbir.

Olimpiada

Simboliza la sana competencia, el arrojo que mostramos a la hora de confrontarnos a los demás.
Si ganamos una medalla en los juegos olímpicos significa que tendemos a luchar por lo que queremos, pero siempre respetando a nuestros competidores.
Si asistimos a los juegos olímpicos pero sin participar, eso indica que no tenemos una justa valoración de nosotros mismos, que a menudo nos sentimos inferiores a los demás y que, por ello, rehuímos cualquier tipo de competencia.
Perder en el deporte que hayamos escogido significa que sobrevaloramos nuestras posibilidades y que no siempre hacemos juego limpio.

Olivo

Este árbol, y en especial sus ramas, son símbolo de paz.
Si tenemos una rama de olivo en las manos, indica que nos reconciliaremos con una persona de nuestra familia o con una pareja con la que hayamos roto.
El árbol, si está cargado de frutos, muestra que podremos prosperar siempre y cuando trabajemos con ahínco, que en el entorno laboral no tenemos enemigos que nos creen dificultades.
Talar un olivo equivale a tener disputas tan amargas en el entorno familiar que obligarán a tomar una distancia definitiva.

Olla

Una olla llena de comida y sobre el fuego significa que pronto nos llegará una noticia sorprendente y agradable.
Si la olla está vacía y sucia, indica que hemos dejado pasar una importante oportunidad de trabajo.
Si está limpia y sin usar, quiere decir que en la relación de pareja no damos todo lo que está en nuestra mano, que nos cuesta mucho comprometernos.

Olmo

Es símbolo de renacimiento. Si está sano y es frondoso, quiere decir que emprenderemos nuevas metas con las mejores posibilidades de conseguirlas.
Si el olmo está seco o talado, eso indica que no somos ambiciosos, que nos conformamos con lo que tenemos y que damos una mayor importancia a los sentimientos y a la vida espiritual que a lo material.

Olvidar

En sueños, los olvidos muestran el deseo de tomar distancia con la persona a la cual amábamos.
Si la sensación que experimentamos ante el olvido es de angustia, quiere decir que no sabemos cómo decirle que la relación ha terminado. Si es tranquilo y apacible, indica que la decisión es clara y que no se perciben mayores dificultades para llevarla adelante.

Olvido

Los olvidos, sobre todo si están acompañados de una sensación de angustia o ansiedad, simbolizan aquellos aspectos que nos negamos a tener en

cuenta, situaciones que tememos y que nos parecen inevitables.
Los olvidos experimentados por otras personas y que nos afectan, en el sueño, negativamente, simbolizan el miedo a no resultar lo suficientemente atractivos, el temor a la indiferencia que nos puedan mostrar quienes nos rodean.

Ombligo

Simboliza el centro de nuestra personalidad, los rasgos más característicos y las cualidades o defectos que más resaltan.
Si el ombligo resulta desagradable o está sucio o malformado, aun cuando fuera de otra persona, quiere decir que no estamos conformes con nosotros mismos, que nos encontramos muchos más defectos de los que realmente tenemos y que, probablemente, en nuestra infancia haya habido una persona que fomentara nuestra inseguridad.
Si del ombligo salen seres u objetos, aunque estos sean monstruos, significa que tenemos un gran potencial creativo sin utilizar. En caso de que lleváramos unido el cordón umbilical, se interpretará que somos excesivamente dependientes.

Ombú

Este gigantesco y frondoso arbusto simboliza la protección.
Hallarse a su sombra indica que hay personas de alto rango o muy bien consideradas socialmente, que están dispuestas a ayudarnos, a enseñarnos o a facilitarnos la entrada en otros círculos.
Ver un ombú de lejos significa que sabemos desenvolvernos por nosotros mismos pero que también, cuando es preciso, pedimos auxilio a profesionales competentes sin que ello magulle nuestro orgullo.

Omega

La última letra del alfabeto griego simboliza nuestro deseo de poner punto final a una situación o relación que ha dejado de interesarnos.
La superficie sobre la que esté escrita o tallada nos especificará de qué situación se trata; si la encontramos en un lugar de trabajo, por ejemplo, quiere decir que deseamos cambiar de empleo. Si aparece como un colgante sobre el pecho de una persona, indica que necesitamos distanciarnos de ella.
Para hacer un análisis más profundo deberán consultarse los demás elementos del sueño.

Omnipotencia

Habitualmente, los sueños en los cuales nos sentimos omnipotentes (es decir, en los que podemos volar, tenemos una fuerza sobrehumana, etc.) son formas con que el subconsciente compensa las frustraciones en la vida real.
Si nos encontramos frente a un contrincante que muestra omnipotencia significa que mantenemos una fuerte represión sobre nuestra agresión, hasta el punto de que no nos permitimos siquiera defendernos adecuadamente. El miedo a hacer daño nos paraliza.
Si somos nosotros quienes nos sentimos omnipotentes, es necesario pensar que, en algunos aspectos, y aunque no lo queramos reconocer, hemos visto frustradas nuestras aspiraciones.
En ocasiones, si el ambiente del sueño es pacífico y armonioso, puede indicar una necesidad de hacer algo por los demás.

Omoplato

Por su posición en la espalda simboliza las experiencias que arrastramos del pasado.
Si el protagonismo de esta parte en el sueño está relacionada con el dolor, quiere decir que nuestra infancia ha sido muy problemática, que desde pequeños hemos tenido que afrontar situaciones duras y que éstas nos han dejado cicatrices.
Si, a causa de llevar un peso sobre la espalda, nos molesta, indica que estamos

dispuestos a olvidar ofensas, a ponerle punto final a nuestro rencor.

Oncología

Véase CÁNCER.

Onda

Soñar con formas onduladas y sinuosas indica tranquilidad de espíritu, capacidad para comprender las motivaciones de los demás y tendencia a la conciliación.

Ondinas

Como seres que habitan en las aguas, simbolizan algunos aspectos del mundo afectivo. Su presencia a veces tiene el carácter de advertencia: nos recuerdan que nadie puede jurar amor eterno, que la relación de pareja es un vínculo que se construye día a día y que debemos ser sumamente críticos con nosotros mismos.
Si la actitud de las ondinas es amistosa, amable o seductora, quiere decir que en el entorno hay una persona que quiere tener una relación íntima con nosotros.

Onírico

A veces, durante el sueño, aparece la clara convicción de que aquello que estamos viendo o viviendo son sólo imágenes oníricas.
Esta capacidad para distinguir, en sueños, la realidad de las imágenes que en ellos aparecen denota un excesivo control racional y una necesidad de saber, en todo momento, lo que ocurre en el entorno.
Estos sueños sirven para advertir que conviene relajarse, que por mucho control que se tenga sobre lo que nos rodea, no podremos prever todos los acontecimientos. Es más útil y sano actuar con una mayor flexibilidad, viviendo cada problema cuando éste se presente.

Opacidad

Los objetos que son naturalmente brillantes o transparentes que en sueños aparecen opacos, simbolizan la necesidad de ocultarse, de encerrarse en uno mismo.
Si las escenas transcurren en un espacio armonioso quiere decir que, de momento, preferimos disminuir la vida social y dedicarnos más a nosotros mismos.
Si las imágenes nos provocan tensión o angustia significa que nos sentimos llenos de defectos y tememos que los demás los perciban.

Ópalo

El ópalo simboliza la inconstancia, pero según la tradición, abre la puerta al amor a las personas que están solas.
En sueños, tener una sortija con un ópalo simboliza estar predispuesto a iniciar una nueva relación amorosa. Si es otra la persona que la posee, quiere decir que en nuestro entorno hay una persona con la que quisiéramos entablar una amistad.

Ópera

Las óperas representan los hechos más representativos de la vida de quien sueña con ellas. El argumento describe simbólicamente las situaciones más destacadas o los problemas que más le acucian.
Para hacer un análisis completo es necesario tener en cuenta los diferentes elementos de la obra, así como la trama principal de la escena que veamos representada.
Si participamos en el espectáculo quiere decir que tenemos una buena integración entre el cuerpo, la mente y el espíritu.

Operación

El hecho de entrar en un quirófano en sueños, no significa que tengamos problemas de salud. La mayoría de las veces, las operaciones simbolizan la reparación de problemas en otras áreas.
Una operación de corazón, por ejemplo, indica que tenemos que resolver con la mayor urgencia nuestros problemas afectivos o de pareja. Si la operación es de

alguno de los órganos del sistema respiratorio, quiere decir que nos sentimos agobiados por la familia, por el trabajo o por problemas económicos.
Si nos operan de manos o piernas, en cambio, significa que tenemos un gran potencial creativo que no sabemos cómo poner en marcha.
Las operaciones del aparato digestivo representan aquellos problemas que no hemos sabido asimilar, que siguen determinando nuestra conducta. A menudo se trata de antiguos rencores.
Una operación del cerebro advierte de que nos dejamos llevar por los impulsos y que es conveniente ser más reflexivos.
Los otros elementos del sueño permitirán hacer un análisis más completo.

Véase CIRUGÍA.

Opio

Los sueños en los cuales nos encontramos en un fumadero de opio, sobre todo si nos estamos drogando, indican que tendemos a evadirnos de los problemas en lugar de hacerles frente, que preferimos huir de los inconvenientes.
Si entramos sólo para curiosear, para conocer el ambiente, el sueño muestra que tenemos una gran fortaleza interior y una excelente confianza en nosotros mismos.

Oponente

Los oponentes que aparecen en los sueños representana los que tenemos en la vida real, así como los obstáculos a los que debemos enfrentarnos.
Si entramos en contienda con ellos, el resultado nos indica con qué fuerzas contamos para resolver nuestros problemas.

Oportunidad

Simbolizan las posibilidades de mejora que, por desidia o error hemos dejado pasar.
Si en los sueños las aprovechamos, significa que se van a volver a presentar.

Opositar

El hecho de presentarse a una oposición imboliza la necesidad de seguridad y la preocupación excesiva por el futuro.
Si salimos bien de ella significa que corremos el riesgo de dejar de lado cosas que nos gustan pero a las que juzgamos como inútiles. Es, en definitiva, una llamada de atención para que desarrollemos todos los talentos.

Opresión

La sensación de opresión en un sueño puede deberse a alguna disfunción del cuerpo, como por ejemplo a una digestión pesada.
También puede simbolizar la imposibilidad de sentirse acosado por un jefe muy exigente o por una pareja excesivamente celosa.

Óptico

En la vida real recurrimos a un óptico cuando tenemos problemas en la vista, a fin de que nos ayude a subsanar el problema. En sueños, un óptico simboliza a la persona que, con su claridad de pensamiento, con su lucidez, nos ayudará a enfocar y solucionar una situación difícil por la que estamos pasando.

Optimismo

La actitud de optimismo que podemos mostrar en los sueños está relacionada con la feliz marcha de los asuntos en todos los terrenos.
Lo más probable es que augure una etapa de prosperidad, de felicidad y de gran compenetración con la pareja y la familia.

Opulencia

Los sueños en el que se suceden imágenes de opulencia, sobre todo si participamos en esas escenas, indican prosperidad, avance económico.

ORÁCULO

Los oráculos, en caso de consultarlos, representan el miedo que tenemos a enfrentarnos a ciertos aspectos del futuro; en caso de que seamos nosotros quienes los pronunciamos, simbolizan la seguridad que tenemos en nosotros mismos y el buen funcionamiento de la intuición.

ORADOR

Los discursos que pronunciamos en sueños representan los sentimientos que quisiéramos expresar a los demás pero que callamos por miedo a ser incomprendidos o rechazados.
Oír un discurso, en cambio, muestra la necesidad de sabernos queridos, de resultar aceptables a los demás.

ORANGUTÁN

Simbolizan nuestra parte instintiva, los deseos más inmediatos.
Si el orangután se muestra tranquilo, es señal de que sabemos gozar de la vida, que tendemos a cuidarnos y a darnos aquellas cosas que nos hacen felices.
Si se comporta agresivamente, en cambio, hay que entender que tenemos una marcada tendencia a reprimir nuestros impulsos, que somos excesivamente racionales y que tomamos una exagerada distancia con nuestras emociones.

Véase ANTROPOIDE.

ORAR

La acción de orar puede tener en un sueño dos significados: por una parte, se considera una necesidad de comunicación con Dios, con nuestro mundo espiritual, así como una llamada de atención con respecto a un posible exceso de materialismo. Por otra, puede indicar desfallecimiento, falta de fuerzas para enfrentarnos con los problemas del presente.
En caso de que no seamos nosotros quienes rezamos, sino que en la escena aparece mucha gente orando, significa que debemos revisar profundamente nuestras convicciones acerca de la gente, que tendemos a desconfiar demasiado, e incluso consideramos que quienes nos rodean son más egoístas y peligrosos que nosotros mismos y, también, que nos cuesta mucho detectar y aceptar las virtudes de los demás.

ORATORIO

Como lugar de concentración, de recogimiento, simboliza nuestro interior. Las escenas que sucedan en él describen el equilibrio o tensión psíquicos que tenemos en el momento de soñar.
Entrar en un oratorio es volver la mirada hacia nosotros mismos; por ello significa que sabemos ejercer la autocrítica y que estamos empeñados en mejorar. Es, en este sentido, un sueño de buen augurio.

ORBE

Es el conjunto de todo lo creado, a menudo simbolizado por una esfera terrestre o celeste. Sólo podemos verlo, en sueños, si estamos situados fuera de él, de modo que debe interpretarse como un estado de aislamiento, de distancia con todo lo que hay en el mundo. Muestra la tendencia al encierro, la falta de compromiso, el miedo a adquirir responsabilidades.
Si nos acercamos a él quiere decir que nos gusta conocer gente nueva y que consideramos que todo lo que hace a los demás diferentes constituye una valiosa fuente de conocimientos.

ÓRBITA

Vulgarmente, se utiliza la expresión «estar fuera de órbita» para señalar que hay temas o asuntos que no comprendemos. Por contraposición, si en el sueño nos encontramos en la órbita de algún planeta, significa que tenemos una aguda percepción que nos permite captar todos los detalles de nuestro entorno e incorporarlos como datos que nos ayuden a movernos eficientemente.

ORCA

Véase CETÁCEO.

ORCO

Los orcos, personajes de ficción que en los últimos años han adquirido gran popularidad gracias a su aparición en la literatura fantástica, simbolizan todo lo opuesto al refinamiento y a la cultura.
Si somos atacados por uno de estos seres quiere decir que nos sentimos envidiados por alguna persona del entorno y que debemos cuidarnos de las habladurías.
La amistad que podamos tener en sueños con un orco simboliza la aceptación de nuestros defectos, así como el deseo de corregirlos suave pero firmemente.

ORDEN

La percepción del orden en un sueño muestra la ausencia de problemas en las áreas más importantes de nuestra vida.
Si estamos preocupados por mantenerlo, quiere decir que tenemos mucho miedo al descontrol, que sufrimos fuertes tentaciones pero que no nos sentimos capaces de acceder moderadamente a ellas.

Véase CAOS.

ORDENADOR

Indica la necesidad de tener todo bajo control: tanto aquellos asuntos que nos atañen directamente, como otros que no nos competen o que nos tocan muy tangencialmente. Si trabajamos o jugamos con una de estas máquinas quiere decir que estamos demasiado pendientes de lo que hacen o dicen los demás, que vivimos tan obsesionados por defendernos de cualquier eventualidad que no podemos disfrutar de los buenos momentos que nos ofrece el presente.

ORDENANZA

Con este vocablo se designa tanto los mandatos y leyes que se refieren a un asunto en concreto, como también a la persona que se encarga de distribuirlos.
Toparnos o entablar conversación con un ordenanza indica que hay una autoridad que se niega a escucharnos. Puede ser el jefe, el padre o cualquier persona jerárquicamente superior. Las ordenanzas por escrito, sean en forma de bando, de memorándum u otra, simbolizan los preceptos y normas morales que nos han inculcado en la infancia. La actitud que tengamos hacia la ordenanza en el sueño, mostrará si aceptamos o rechazamos las pautas del entorno familiar.

Véase JUICIO.

ORDENAR

Poner orden en alguna cosa propia (habitación, papeles, cajones, etc.) significa analizar la propia vida a fin de darle un cambio positivo. Muestra el afán por comprender qué parte de responsabilidad tenemos en todo aquello que nos provoca sufrimiento. Equivale, pues, a hacer un profundo examen de conciencia.
Ordenar espacios o asuntos ajenos significa utilizar nuestra claridad mental a fin de prestar ayuda a una persona que pasa por un momento de confusión.

ORDEÑAR

Significa sacar el máximo provecho a un trabajo, a la tarea en la que estemos empeñados.
A menudo indica un avance económico importante, sobre todo si somos nosotros quienes ordeñamos al animal.
Si al hacerlo experimentamos dificultades, quiere decir que en nuestros proyectos hay algunos aspectos que debemos corregir cuanto antes, ya que podrían malograrse los resultados.

Véase LECHE.

ORÉGANO

Las especies, en general, simbolizan regalos o ventajas inesperadas, aunque también muchas de ellas tienen un simbolismo propio.
La expresión «no todo el monte es orégano», confiere un peculiar simbolismo a esta planta, ya que quiere decir que no todo será fácil en la empresa que se está llevando a cabo. Por ello, la visión de una plantación de orégano puede indicar dificultades en el ámbito laboral o problemas inesperados que malograrán los resultados.

OREJAS

En primer lugar, simbolizan la comunicación, la capacidad de escuchar a los demás y de atender sus demandas.
En este sentido, si soñamos que nos las lavamos, indica que estamos dispuestos a acercarnos a una persona de nuestro entorno que está pasando por un problema, así como que queremos ayudarle en lo que podamos.
La oreja de un animal, sin embargo, puede denotar triunfo, victoria, premio (debe tenerse en cuenta que, en el toreo, las orejas del animal constituyen un trofeo).
Esconder las orejas con el pelo, un pañuelo o un sombrero significa simbólicamente no querer prestar oídos a los consejos de los demás, indica que en nuestro interior sabemos que estamos actuando equivocadamente pero, como eso nos produce cierto placer, no queremos que otros hagan despertar nuestra adormecida conciencia, ya que esto nos resulta más cómodo.
Si en el sueño tenemos las orejas desmesuradamente grandes, quiere decir que tendemos a pensar que los demás están hablando constantemente mal de nosotros.

OREJÓN

Las frutas desecadas, ya sean orejones o pasas de uva, simbolizan los proyectos que hemos dejado en el camino. Indican que, aunque haya pasado el momento óptimo para realizarlos, aún estamos a tiempo para concretarlos con buenos resultados.

ORFANATO

Simboliza todo aquello que a nuestros ojos es valioso, pero para quien lo posee de verdad, no.
Si soñamos que estamos en uno de estos lugares, como adultos, es muy posible que en un tiempo relativamente corto una persona esté dispuesta a darnos un objeto de su pertenencia al que no da ningún valor. También puede tratarse de un trabajo, de una casa en alquiler, etc.

ORFEBRE

En general, los sueños en los que interviene el oro son un augurio de mejoría económica.
Si ejercemos como orfebres, quiere decir que nuestra situación tiende a ser mucho más próspera que en un pasado inmediato. Si, en cambio, consultamos a uno de estos maestros o le hacemos un encargo, significa que no tenemos demasiada confianza en nuestra habilidad para manejar la economía de la familia, que solemos comprar muchas cosas inútiles y, en cambio, postergamos la adquisición de aquellas que nos darían un mejor nivel de vida.

Véase ORO.

ORGANIGRAMA

Estos gráficos sirven para categorizar objetos, actividades o personas. Son árboles jerárquicos que indican la posición que ocupa cada elemento con respecto a los demás.
Si vemos nuestro nombre en un organigrama, lo importante será analizar los elementos con los cuales se vincula, ya que pueden darnos una clave para saber cómo nos sentimos con relación al medio que nos rodea.

Lo importante, en este caso, es que el hecho de figurar en él nos hace sentir parte de un todo más complejo y potente. El hecho de trazar nosotros el organigrama debe entenderse como una necesidad de poner orden en nuestro interior, posiblemente frente a la urgencia de una elección complicada.

ORGANILLERO

La aparición de este agradable personaje en nuestros sueños es una reconvención para que no nos tomemos los problemas con tanta gravedad, para que disfrutemos de la vida y demos la debida importancia a cada cosa. Cuando somos nosotros quienes ejercemos el oficio, significa que tenemos un buen sentido del humor, pero que quizás en ciertos ambientes nos convendría actuar con menos frivolidad.

ORGANISTA

En las iglesias, los organistas ocupan por lo general una posición más elevada que la de los fieles, ya que el órgano suele estar colocado en un plano superior al de la nave. Por otra parte, la música que ejecutan llega a todos los rincones.
Por estas razones, si somos organistas en una iglesia, quiere decir que tenemos una personalidad acusada, que jamás pasamos desapercibidos y que, a menudo, constituimos un ejemplo para los demás. Nuestra palabra, representada en el sueño por la música que ejecutamos, es escuchada y tenida en cuenta, ya que sabemos dar buenos consejos.
Si quien toca el órgano es una persona conocida, quiere decir que sentimos un gran respeto hacia ella y que nos gustaría contar con su ayuda para pulir ciertos aspectos de nuestra personalidad.

Véase ÓRGANO.

ORGANIZAR

En los sueños en los cuales se organizan diversos elementos o personas, éstos tienen una importancia fundamental a la hora de hacer el análisis.
Si se trata de personas, por ejemplo, quiere decir que deseamos ocupar un puesto jerárquico, que no aceptamos que otros nos manden y que, a menudo, nos resulta muy difícil reconocer nuestros propios errores.
Si organizamos objetos, en cambio, será imprescindible ver el simbolismo de los mismos para comprender cabalmente el significado.

ÓRGANO

En este símbolo juega un importante papel el elemento aire, ligado al mundo mental y también a la comunicación.
A menos que el instrumento esté en una iglesia, en cuyo caso nos remitimos a la palabra «organista», se relaciona con nuestra capacidad creativa y con la facilidad para hacer amistades o relacionarnos con los demás.

ORGASMO

Los orgasmos en los sueños son muy comunes; por lo general se presentan en los sueños eróticos de gran contenido sexual, e indican la satisfacción onírica del deseo.

ORGÍA

Participar en una orgía es uno de los sueños eróticos más comunes; por lo general, expresa un deseo sexual sin que haya un objeto amoroso determinado.
Si somos obligados a participar en ella, quiere decir que no nos atrevemos a llevar adelante nuestras fantasías sexuales.
Ver a la propia pareja participar de una orgía es índice de desconfianza. Ésta nace de una pobre valoración de nosotros mismos.

ORIENTAR

Indicar la correcta dirección a un caminante expresa una clara capacidad para saber, en todo momento, hacia

dónde nos dirigimos. Muestra que tenemos un espíritu emprendedor al que no le asustan los desafíos.
Si somos nosotros quienes buscamos orientación, quiere decir que somos permeables a los buenos consejos de los amigos o parientes.

Orificio

La interpretación de este símbolo dependerá, en gran medida, del lugar donde se encuentre el orificio. Sin embargo, es importante tener en cuenta que es un punto por medio del cual se conectan dos superficies, de ahí que pueda simbolizar a los intermediarios o a las situaciones que sirven de puente entre otras dos.
Si hacemos, por ejemplo, un orificio en una pared, será fundamental determinar qué significan cada una de las estancias conectadas por este orificio.

Origen

Buscar el origen de un objeto, persona o situación simboliza el intento de comprender nuestro papel en la vida, el lugar que ocupamos en la sociedad, en la familia y, en el trabajo.
Si en las escenas queremos encontrar el origen de un sendero, de un camino, ello indica que nos encontramos en una situación desafortunada y que no comprendemos qué ha sido lo que nos ha llevado a ella.

Originalidad

Los sueños en los cuales algo nos llama la atención por su originalidad simbolizan el deseo de destacar, de llamar la atención o, en ocasiones, de despertar el interés de una persona por la que nos sentimos atraídos.

Orillar

Hacer el dobladillo a una prenda o a cualquier trozo de tela implica evitar que aparezcan en ella hilachas o, si las hubiere, ocultarlas. En sueños, esta tarea representa nuestros esfuerzos por ocultar los defectos, por querer mostrar una imagen de nosotros mismos muy superior a la que naturalmente ofreceríamos.
También puede indicar una afición a decir mentiras o una tendencia a la exageración.

Orinal

En él se depositan los productos de desecho, por ello simboliza todo aquello que resulta perjudicial para nuestro organismo o para nuestra salud psíquica.
Si en sueños utilizamos un orinal, quiere decir que intentamos poner orden en nuestro interior. Perderlo o no encontrarlo equivale a no saber de qué manera podemos descartar ciertas conductas que nos acarrean problemas o que nos provocan dolor.

Orinar

Cuando la realidad se mezcla con las imágenes oníricas, en sueños se puede sentir la urgencia de orinar cuando la vejiga se encuentra llena.
Cuando no es así, esta acción simboliza la eliminación de lo superfluo, de lo nocivo.
Si orinamos en campo abierto, quiere decir que buscamos el contacto con la naturaleza, que hacemos una vida excesivamente desordenada y que deberíamos prestarle una mayor atención al cuerpo.

Orión

Esta brillante constelación, con la característica forma de un guerrero gigante, representa al hijo de Poseidón, dios del mar, y Gea, diosa de la tierra.
Para conseguir la mano de Mérape, hija del rey Enapión, exterminó gran número de alimañas y animales dañinos que causaban grandes pérdidas en las cosechas. Sin embargo, una vez cumplido este requisito impuesto por el rey, éste se negó a darle a su hija por esposa. Al no poderse vengar del monarca, durante

mucho tiempo se dedicó a matar a todo tipo de animales con el fin de calmar su cólera.
Cierto día, se estaba vanagloriando de sus hazañas, asegurando que no temía a ninguna bestia, que a todas podía hacerles frente. Su actitud soberbia molestó a su madre que le envió un escorpión. El gigante, al verlo, se rió diciendo que era un adversario ridículo; al percibir su aparente insignificancia, se confió. Por eso el escorpión le provocó la muerte clavándole su aguijón en el talón.
La visión de Orión nos recuerda que no hay enemigo pequeño, que debemos ser precavidos y que no es conveniente vanagloriarse de las propias virtudes.

Orla

Simboliza todo aquello que queremos resaltar en nuestra personalidad o el empeño que ponemos en encontrar virtudes en los demás.
Si vemos una fotografía rodeada de una orla, quiere decir que representa a una persona que admiramos o que nos parece inalcanzable.
Si es nuestra propia imagen la que está rodeada, significa que estamos contentos con nosotros mismos, que sabemos valorarnos aunque eso no sea un obstáculo para querer mejorar cada día.

Ornamento

Los ornamentos suelen percibirse como tales cuando son excesivos o si resaltan claramente. Representan la hipocresía, la falsedad y la presunción.
Si soñamos con una estancia que tiene muchos ornamentos y en ella hay personas, quiere decir que no conviene que nos fiemos de ellas, ya que aparentan ser mejores de lo que son en realidad.
Si tenemos un objeto muy ornamentado, quiere decir que alguien pretende engañarnos, ofrecernos algo que en realidad no necesitamos a cambio de un favor.

Ornitología

Esta ciencia o afición, al estar relacionada con los pájaros, se vincula también con el elemento aire y, a través de éste, con el mundo mental.
La observación de las aves en el cielo simboliza la sed de conocimientos, la necesidad de saber, de encontrar respuestas. Sin embargo, si es otra persona quien lo hace, podría indicar que en nuestro entorno hay alguien que se dedica a hablar mal de nosotros o que intenta hacer públicos ciertos aspectos de nuestra vida que preferiríamos mantener ocultos.

Oro

Este metal precioso simboliza, por un lado, la riqueza; pero también es símbolo de la esencia humana, de aquello que hace al hombre más semejante a Dios.
Si tenemos objetos de oro en las manos quiere decir que estamos dispuestos a hacer sacrificios, a trabajar duramente por evolucionar, por ser cada día mejores.
Simboliza, en cierto sentido, la elevación espiritual y la búsqueda mística.
Si perdemos un objeto de oro y el sueño nos provoca angustia quiere decir que, en algún sentido, pensamos que hemos adquirido ciertos hábitos que no entran dentro de nuestra escala de valores, que por agradar al medio podemos mostrar una faceta agresiva o ambiciosa y que eso no nos da la felicidad.

Véase PEPITA.

Orografía

Los mapas en los que aparecen cadenas montañosas, cordilleras y, en general, el sistema orográfico de un lugar, representan las metas que necesitamos alcanzar para sentirnos realizados.
Si el mapa está trazado con colores claros y resulta agradable, quiere decir que nos sentimos capaces de llegar a ellas, que consideramos que tenemos la fuerza

suficiente para afrontar esos desafíos. En cambio si el mapa es confuso, de colores oscuros, significa que no tenemos demasiado claro qué esperamos de nosotros mismos.

Véase MONTAÑA.

Orquesta

Simboliza la capacidad para trabajar en equipo.
Cuanto más afinada y hermosa suene su música al oído, mejores condiciones tendremos para llevar adelante empresas que impliquen la cooperación de muchas personas.
Si en la orquesta somos solistas, ya sea vocales o tocando cualquier instrumento, ello denota que tenemos grandes cualidades que nos hacen sobresalir.
Ser director de una orquesta indica dotes de liderazgo.

Orquídea

Las orquídeas representan la dependencia emocional hacia otras personas.
Si en el sueño regalamos una de estas flores, debemos interpretar que nos sentimos muy unidos a la persona que la recibe, que nos cuesta concebir la vida lejos de ella y que en realidad tememos perderla.
Si somos nosotros quienes la recibimos como regalo, en cambio, significa que nos sentimos agobiados por las excesivas demandas de la persona que nos la da o por la que ésta represente.

Ortiga

A pesar de tener vesículas urticantes, esta planta se ha utilizado ampliamente en farmacia y como alimento. Simboliza a las personas capaces, inteligentes, que nos pueden aportar muchas cosas pero a las que, en el fondo, tememos. La razón de este temor puede estar en la distancia que éstas mantienen o en su estricto código moral.

Ortodoncia

Simboliza la preocupación por comprender las razones que nos impiden lograr puestos de trabajo mejor remunerados.
Si en el sueño nos recomiendan un tratamiento de este tipo pero nos negamos a llevarlo a cabo, quiere decir que preferimos echar la culpa a los demás de nuestras desgracias en lugar de ver qué errores cometemos.

Ortografía

Indica la capacidad de expresar las emociones y los pensamientos.
El hecho de que alguien corrija nuestra ortografía quiere decir que no somos demasiado claros a la hora de decir qué es lo que nos gusta.
Ver un texto con faltas de ortografía indica nuestra preocupación al no comprender las motivaciones y pensamientos de la persona a la que amamos.

Ortopedia

La utilización de un elemento ortopédico muestra el afán por superar las dificultades, por adquirir nuevos conocimientos, así como nuestra habilidad para conseguir lo que queremos a pesar de no contar con los medios adecuados.
Si el sueño es angustioso, revela nuestra frustración al no poder utilizar los recursos adecuados para llevar a la práctica nuestros planes.

Oruga

Algunos insectos pasan por esta fase antes de encerrarse en un capullo para, luego, convertirse en mariposas. Por esta razón, las orugas simbolizan las fases de aprendizaje y preparación que anteceden a un proyecto de gran envergadura que sea clave en la vida.
Si se observan muchas orugas quiere decir que, de cara hacia el futuro, se tienen muchos caminos por delante, de modo que resulta muy difícil escoger el más adecuado.

Orujo

Como todas las bebidas alcohólicas, participa de las características del agua y del fuego; se relaciona por ello con la pasión, la voluntad y la sensibilidad.
Beber orujo puede indicar el comienzo de un nuevo romance; sobre todo, si se hace en compañía.
Derramar orujo, por el contrario, puede denotar problemas en la relación de pareja, desavenencias o ruptura reciente.

Orzuelo

Simbolizan aquellas cosas de las cuales no queremos tomar conciencia; sobre todo si en el sueño somos nosotros quienes lo tenemos.
La cura de un orzuelo a otra persona indica que está pasando por un momento difícil y que podemos brindarle mucha ayuda usando nuestra claridad mental y manteniendo una postura absolutamente objetiva.

Osa Mayor

Es una de las constelaciones más importantes del hemisferio norte, ya que ha sido utilizada durante milenios como punto de partida para la orientación.
Verla en el cielo significa que estamos dispuestos a avanzar, a realizar un sueño largamente acariciado. Si la sensación es de tranquilidad o alegría, quiere decir que nos espera una etapa sumamente agradable en la que cosecharemos todo lo que hemos sembrado.
Si en el sueño la oculta alguna nube, ello indica que no debemos prestar oídos a los consejos de otras personas, que nuestras ideas son claras y que no conviene que nos dejemos confundir.

Osadía

Los sueños en los cuales mostramos osadía, arrojo, valentía, por lo general son de compensación; es decir, como nos sentimos impotentes ante ciertos problemas que sufrimos en la vida real, durante el sueño nos vemos más valerosos y, de esta forma, podemos soportar mejor nuestras debilidades.

Osamenta

Los huesos de un animal o de una persona simbolizan la muerte.
Encontrar una osamenta en medio del campo indica que tenemos hacia la muerte una actitud natural, que no queremos que llegue, pero que comprendemos que es parte del extraño proceso que constituye la vida.
Si la osamenta está en un lugar cerrado, en cambio, significa que no nos atrevemos a pensar en la muerte; que la sola idea nos causa angustia.

Osario

Este lugar está relacionado, en primer término, con la muerte. Nuestra actitud frente a él indicará los temores que albergamos al respecto.
Si buscamos a una persona en un osario quiere decir que queremos establecer el contacto con un amigo del cual nos hemos distanciado, que pretendemos reconciliarnos o pedir disculpas por algún error cometido.

Oscilar

Ver objetos oscilantes indica que nuestro mundo no nos parece tan estable como quisiéramos que fuera. A menudo señala que estamos pasando por una etapa difícil en la que tenemos que tomar decisiones sin contar con todos los datos.
Estar subido en un objeto oscilante significa que queremos ocultar nuestros verdaderos sentimientos por miedo a que nos hieran o rechacen.

Oscuridad

Como contraposición a la luz, símbolo de inteligencia, razón e, incluso, divinidad, la oscuridad se relaciona con la necedad, el miedo, la falta de objetivos religiosos, el materialismo.

Si nos encontramos en medio de la oscuridad y eso nos provoca una lógica angustia o ansiedad, quiere decir que estamos demasiado apegados a los bienes materiales y que, por falta de orientación religiosa, no le vemos un sentido cabal a la vida.
Si, por el contrario, la oscuridad nos resulta agradable, podemos interpretar que tenemos la conciencia tranquila, que siempre procuramos obrar de acuerdo a nuestros principios y que mantenemos una actitud optimista ante la vida.

Oso

Simboliza la fuerza contenida, la capacidad de reunir todas las energías antes de emprender una acción.
Si el oso se muestra violento quiere decir que reprimimos excesivamente nuestra agresividad, que es conveniente poner límites a los demás y luchar por todo lo que creemos merecer.
Si el oso es conducido por una persona, el sueño indica que tenemos un excelente control sobre nuestras pasiones.

Ostentar

Hay un viejo refrán que dice: «Dime de qué presumes y te diré de qué careces».
Hacer ostentación de lo que se posee indica la escasa valoración que tenemos de nosotros mismos. Es un llamamiento a la reflexión, al conocimiento interior y a la aceptación de nosotros mismos con todas las virtudes y defectos que tengamos, de un modo objetivo.
Si en el sueño es otra persona la que hace ostentación, significa que nos sentimos fácilmente engañados por las falsas apariencias, que debemos ser un poco más duros a la hora de juzgar a los demás y que conviene utilizar la misma vara para medir nuestras acciones y las ajenas.

Ostra

Véase MARISCO.

Otitis

Los sueños en los que se sufre de otitis pueden tener su origen en un dolor real en el oído.
En general, las afecciones auditivas, en sueños, simbolizan la imposibilidad de prestar atención a las necesidades ajenas, de manera que denotarían una actitud egoísta por nuestra parte o por la de la persona que sufra esa afección.

Véase DISCAPACIDAD, OÍDO.

Ovación

Recibir una ovación en sueños augura un éxito en el terreno profesional.
La ovación dirigida a otra persona indica que alguien intenta cosechar el fruto de nuestros esfuerzos y que por ello debemos estar atentos a lo que hagan nuestros compañeros de trabajo.

Oval

Véase HUEVO.

Ovario

Si en el sueño se siente alguna molestia en los ovarios, es posible que ésta sea real y esté producida por la ovulación o por cualquier pequeño trastorno.
En general, los ovarios se relacionan con la maternidad y con las obras que hacemos.
Los dolores o inconvenientes ováricos que aparezcan en sueños denotan las dificultades en estos terrenos, ya sea con relación a los hijos o con la imposibilidad de crear.

Oveja

Simboliza la docilidad, la aceptación del propio destino aun cuando éste incluya un presente difícil.
Si en el sueño aparecen varias ovejas pastando, debe interpretarse como un augurio de tranquilidad en medio de una etapa turbulenta y difícil de la vida.
Si el rebaño está en movimiento, es señal

de que no nos sentimos capaces de cambiar el presente.

Ovillo

Es símbolo de una vida en común, de amor y fidelidad.
Hacer un ovillo en sueños indica que, aun cuando la relación de pareja pueda estar pasando por un momento delicado, es sólida y duradera.
Jugar con un ovillo, o ver a otra persona o animal hacerlo, es un augurio de próximas sorpresas y alegrías.

Ovular

Como paso inicial que da comienzo a la posibilidad de engendrar vida, es símbolo de preparación, de adquisición de conocimientos o habilidades.
En ocasiones puede ser, también, el anuncio de un nacimiento en la familia.
Si la ovulación se produce con dolor, deberá interpretarse que se están viviendo exigencias desmedidas por parte de la pareja.

Óxido

Véase HERRUMBRE.

Oxigenada

Véase AGUA.

Oxígeno

Las bombonas de oxígeno están vinculadas al elemento aire y deben ser interpretadas como alimento para la mente.
Su presencia en un sueño indica la posibilidad de hacer un curso interesante, de encontrar una persona de la cual se puedan aprender muchas cosas.
Si en el sueño se experimenta angustia o ansiedad, habrá que interpretarlo como miedo a fracasar en un examen que resulta de gran importancia para el futuro, por ejemplo, una oposición.

Oyente

Los oyentes de una ponencia o conferencia representan en los sueños a las personas por las que nos sentimos queridas y apoyadas. Si somos nosotros quienes hacemos el papel de oyente, quiere decir que sabemos aprovechar los consejos que nos ofrezcan las personas más experimentadas.

Ozono

Después de las tormentas, en ocasiones puede percibirse el característico olor a marisco de este gas. Si se detecta en sueños significa que la etapa difícil ha terminado y que comienza un nuevo período de tranquilidad y prosperidad.

P

Pabilo

Véase VELA.

Pacer

Si vemos el ganado pacer es señal de que tendremos, desde el punto de vista económico, un futuro excelente.

Pachulí

Esta esencia ha sido relacionada con el amor y el sentimiento de paz. Percibirla en sueños es un excelente augurio, ya que anuncia relaciones románticas placenteras y gran serenidad interior.

Paciencia

Si en un sueño tenemos que hacer uso de la paciencia o se nos exige que la tengamos, quiere decir que en la vida real somos caprichosos y dejamos las tareas ante la primera dificultad.

Pacifismo

Los sueños donde se observan manifestaciones o palabras relacionadas con el pacifismo, denotan que estamos pasando una época turbulenta, de emociones encontradas.

Pacto

Los pactos que se establecen en sueños simbolizan los acuerdos con nosotros mismos. Si éstos nos favorecen, quiere decir que estamos en el buen camino; si son desfavorables, debemos pensar que, de alguna manera, nos estamos saboteando a nosotros mismos.

Padrastro

Soñar con un padrastro cuando no se tiene en la vida real, puede revelar dos cosas: si éste es benévolo, es señal de que tenemos una mala relación con nuestro progenitor o que al menos hemos discutido con él; si se muestra severo o déspota, quiere decir que nos sentimos culpables por no habernos portado bien con nuestro propio padre.

Padre

El padre es símbolo de autoridad, independientemente de cómo sea o haya sido nuestra relación con él.
Representa los mandamientos y las prohibiciones, los deberes y derechos.
Cuando en sueños nuestro padre se comporta de manera severa, es señal de que tememos el castigo por algo que hemos hecho. Muchas veces puede indicar un sentimiento de culpabilidad que nos impulsa a malograr nuestros propios proyectos.
Si en las imágenes aparece con un talante benévolo y protector, es señal de que tenemos una relación excelente con toda persona que ostente la autoridad (ya sea un jefe, un policía, el presidente de la comunidad de vecinos, etc.)
Los sueños recurrentes en los que aparece la figura paterna podrían indicar un bloqueo interno, la tendencia a no poder elegir nuestro propio código ético por temor a los castigos que pudieran sobrevenirnos.

Padrenuestro

Véase ORAR.

Padrinos

Los padrinos cumplen una importante función en la vida de un niño: por una parte, son los que, teóricamente, reemplazan a los padres, pero también los que miman, los que enseñan que llegada una edad la autoridad puede ser desafiada.
Si soñamos con nuestra madrina quiere decir que no hemos revisado las pautas que nos han inculcado en la niñez, que tenemos una actitud infantil hacia la autoridad.
Si la persona que sueña se ve como madrina de un niño, eso indica la necesidad de transmitir sus conocimientos y su experiencia.

Paella

Esta comida, tan típica de los domingos, simboliza la unión familiar.
Si nos vemos comiendo una paella rodeados por padres y hermanos, quiere decir que, aunque haya algunas pequeñas diferencias en la familia, ésta es sólida y podemos esperar el apoyo que necesitamos.

Pagar

Cuando en sueños pagamos con dinero por algo que hemos comprado, indica que necesitamos reparar algún error que hemos cometido.
Si el precio que pagamos por el objeto o por los servicios es excesivo, quiere decir que somos demasiado severos con nosotros mismos. Si se trata de una ganga, en cambio, indica que somos excesivamente autocomplacientes y que, en ocasiones, sacamos a relucir nuestra prepotencia.

Página

Las páginas de los libros, cuadernos o álbumes se refieren, casi invariablemente,

a nuestro pasado y a las emociones que éste nos suscita.
Si en un libro faltan páginas, quiere decir que hay recuerdos que no permitimos que salgan a la luz, ya sea porque nos resultan dolorosos o porque nos causan vergüenza. Ante ello, debemos pensar que cuanto antes los analicemos, comprendamos y nos perdonemos por las faltas cometidas, más ligeros y felices nos sentiremos.
Si aparecen manchas en las páginas es señal de que alguien se empeña en estropearnos algunos recuerdos. Puede tratarse de una persona que hable mal de nuestros padres, de los que guardamos excelentes imágenes, o de nosotros mismos.

PAIPAY

Véase ABANICO.

PAÍS

El país es el gran territorio al que sentimos pertenecer; sea el propio o aquél en el cual vivimos. Simboliza el entorno en el que nos movemos, las compañías que elegimos, los momentos agradables y amargos que pasamos en el trabajo. En suma, es un índice de nuestra vida en sociedad.
Si nos vemos viajando a otro país es señal de que se va a operar un cambio importante en nuestra vida. Tal vez se trate de un nuevo trabajo o de una mudanza.
Ver un mapa con diferentes países o leer cosas sobre ellos indica que tenemos un espíritu abierto, dispuesto a tratar de cultivar en nosotros mismos lo mejor de los demás.

PAISAJE

Los paisajes que, en los sueños, admiramos como tales, señalan la forma en que nos gustaría vivir. No tanto desde el punto de vista material como del social.
Si nos deleitamos ante la visión de un desierto, es señal de que queremos llevar una vida tranquila y más bien solitaria.
Los entornos boscosos indican que preferimos frecuentar todo tipo de personas, que no tenemos prejuicios a la hora de tratar con gente de rango socialmente superior o inferior.
Las praderas, señalan que intentamos rodearnos de personas productivas, que están constantemente generando proyectos.
Los entornos selváticos indican que nos gustan las personas arriesgadas y activas, capaces de embarcarse en aventuras.

PAJAR

Los pajares son símbolos de prosperidad material.
Si la paja está ordenada y bien dispuesta, quiere decir que los negocios marcharán a la perfección, que tendremos próximas ganancias. Si está esparcida, en cambio, señala que no tenemos buena cabeza para los negocios y que lo más recomendable es que nos busquemos un socio que tenga los pies bien puestos sobre la tierra.

PAJARERA

Su presencia en un sueño indica que sentimos falta de libertad.
Si está vacía indica que nuestra situación cambiará pronto; si tiene pájaros dentro, quiere decir que aún tendremos que esperar antes de poder liberarnos del agobio que sentimos.

PAJARITA

En los sueños masculinos, esta prenda que reemplaza la corbata simboliza la tendencia al conservadurismo.
El hecho de verla o vestirla indica que nos cuesta mucho adaptarnos a las nuevas situaciones.
En sueños femeninos puede indicar una actitud beligerante y agresiva.

PAJE

Si soñamos con un paje y tenemos hijos, debemos preguntarnos si no les estaremos echando sobre los hombros demasiadas responsabilidades.

PAJITA

El uso de una pajita en sueños da cuenta de una actitud cautelosa y previsora por nuestra parte.
Es conveniente analizar también el símbolo correspondiente a la bebida que tomamos para hacer una interpretación más profunda.

PALA

Esta herramienta que se emplea en diferentes profesiones y oficios, sirve para trasladar material de un lado a otro que está próximo.
Su presencia en sueños indica que hay situaciones en nuestra familia que deben ser removidas, que por costumbre se han adoptado ciertas cosas como buenas o como ciertas pero que, en el fondo, causan perjuicio a todos.
Es importante ver en qué material se está utilizando la pala, ya que podría dar las claves acerca de las situaciones o costumbres que es preciso cambiar.

PALABRAS

Las palabras que en sueños aparecen aisladas y remarcadas, tienen una significación especial, pues constituyen mensajes o advertencias del inconsciente.
Ante su presencia, lo más importante es buscar su significado en el diccionario y relacionar éste con nuestra situación presente, sobre todo con los problemas por los que podamos estar pasando.

PALACIO

Véase CASA.

PALAFITO

Si vemos una vivienda construida en el agua, sobre pilotes, es señal de que tenemos una familia especialmente afectuosa en la que se dicen las cosas con mucha claridad y no se guardan secretos entre sus miembros.

PALANCA

El hecho de utilizar en sueños un instrumento a modo de palanca indica que necesitamos tomar contacto con una persona jerárquicamente superior a fin de poder acceder a un puesto de trabajo mejor remunerado. Esta persona no es nuestro jefe sino alguien a quien sólo conocemos de vista.

PALANQUÍN

En los palanquines viajaban las personas importantes (mandatarios, sacerdotes, príncipes, etc.) por lo tanto simbolizan nuestra necesidad de ascenso social.
Si somos llevados en un palanquín es señal de que hemos logrado ascender hasta el punto máximo que nuestras cualidades permiten.
Si somos los porteadores del palanquín, en cambio, es señal de que buscamos codearnos con personas de alcurnia a fin de acceder a sus círculos sociales.

PALCO

Los palcos simbolizan el hecho de mirar los acontecimientos desde fuera, de no implicarnos en los mismos y de rehuir, dentro de lo posible, todo tipo de publicidad o popularidad.
Las escenas que veamos desde el palco indican cómo es nuestro entorno actualmente.

PALEONTOLOGÍA

La reconstrucción de cuerpos animales o humanos a partir de fósiles es una tarea que requiere un gran espíritu analítico, así como una buena dosis de intuición.
Si en el sueño somos paleontólogos quiere decir que tendemos a buscar el origen de los problemas y no nos conformamos sólo con solucionarlos, sino que intentamos comprender cómo se han producido a fin de que eso no vuelva a suceder.

Paleta

Las paletas de pintor simbolizan el romanticismo.
Si soñamos con una de ellas quiere decir que somos particularmente detallistas con nuestra pareja, que sabemos despertar en ella intensas emociones.

Palidez

Si en un sueño nos vemos pálidos, demacrados y ojerosos es señal de que pronto recibiremos una noticia que, sin ser dramática, nos resultará sumamente desagradable.

Palio

Se utiliza para las comitivas encabezadas por autoridades eclesiásticas y su forma y color son muy importantes a la hora de analizar su significado en caso de que en un sueño nos encontremos bajo su protección.
Si es cuadrado o rectangular, indica favores o beneficios materiales.
Si es redondo, en forma de cúpula, indica que damos mucha importancia a nuestra vida espiritual. Los palios blancos o amarillos, en este sentido, auguran serenidad y paz interior; los rojos, en cambio, la tentación de abandonar la fe.

Palisandro

Este árbol, o bien su esencia o los inciensos que con ella se fabrican, es símbolo de la tentación.
La presencia de cualquiera de estos elementos en un sueño indica que nos sentimos atraídos por una persona que está casada o tiene pareja.

Palma

Las hojas de este árbol tienen forma de espada, de ahí que su presencia en sueños señale la victoria sobre nuestros enemigos.
Constituye un buen presagio, ya que augura que conseguiremos nuestros propósitos aun cuando las cosas parezcan ir muy mal.

Palmera

A este árbol de la familia de las palmas, ya en el siglo XI los griegos lo convirtieron en el símbolo de la justicia.
Su presencia en un sueño es especialmente significativa en caso de que tengamos algún litigio pendiente ya que anunciaría su próxima y favorable resolución.

Palmípedo

Véase AVES.

Palo

En la baraja, cada palo se relaciona con uno de los cuatro elementos y tiene su propio significado.
Los bastos simbolizan el aire y se relacionan con el mundo mental; los oros, se relacionan con el elemento tierra y representan el mundo material; las copas, vinculadas al elemento agua, representan las emociones y las espadas, pertenecientes al elemento fuego, simbolizan la voluntad y la intuición.

Paloma

La paloma es símbolo universal de la paz. Cuando la vemos en sueños nos señala que las rencillas, discusiones o confrontaciones que tenemos pendientes y que tantas energías nos consumen, llegan a su fin.

Palpar

El uso del tacto para reconocer un objeto no es común en las personas videntes. Sin embargo, en sueños pueden darse situaciones en las que sea imprescindible usar este método para reconocer lo que tenemos en nuestro entorno, por ejemplo si tenemos los ojos vendados o si reina la oscuridad. La palpación de objetos en sueños indica que tendemos a desconfiar de lo que nos dicen nuestros sentidos, que una vez que nos hacemos la idea de una cosa, no cambiamos nuestro parecer.

Palpitaciones

Las palpitaciones que se experimentan en sueños pueden deberse a las producidas en la realidad por una pesadilla.
Si no es así indican que nos sentimos profundamente enamorados y que seremos correspondidos.

Pamela

Véase SOMBRERO.

Pan

Este alimento simboliza nuestras verdaderas necesidades, tanto físicas como psicológicas o espirituales.
Si alguna vez en el pasado hemos sufrido necesidad y en sueños comemos pan, quiere decir que tememos vernos nuevamente en una situación similar, despojados de todo lo que tenemos,
Si nunca hemos sufrido esta experiencia, el hecho de comer este alimento indica que tememos la falta de afecto.
La acción de hacer pan pone de relieve que tendemos a ser protectores y que por ello, en ocasiones, pasamos por déspotas.

Pana

La presencia de este tejido similar al terciopelo, en un sueño, indica que tendremos que restringir temporalmente nuestros gastos, ya que es previsible que tengamos algunos aprietos económicos.

Panal

Véase ABEJA.

Pancarta

Las pancartas que aparecen en los sueños señalan la información privilegiada que tenemos respecto a un asunto que interesa también a otras personas.
Cuando se sueña con ellas, lo importante es buscar el significado de las palabras que componen el texto, de las siglas o dibujos que le dan sentido. Son estos elementos los que nos darán la clave para comprender la información valiosa que guardamos.
A veces no se trata de un hecho específico, sino de hechos aislados que, debidamente analizados o comparados, permitirían deducir algo que, en principio, también nosotros desconocemos.

Panceta

La presencia de este alimento en un sueño es un excelente presagio, ya que augura una época de florecimiento económico.
Si está en mal estado quiere decir que nos conviene saldar cuanto antes todas las deudas pendientes.

Pancracio

En muchos lugares, este santo es considerado como protector de los trabajadores. Se le adjudica la concesión de favores relacionados con la búsqueda o mejora en un empleo o en los negocios.
Si lo vemos en sueños quiere decir que en un tiempo relativamente breve veremos que nuestra posición ha mejorado notablemente.

Pandereta

Véase INSTRUMENTOS MUSICALES.

Panera

El pan es uno de los alimentos básicos. Si soñamos con una panera vacía, es señal de que se avecinan tiempos difíciles. Si está llena, en cambio, indica prosperidad.

Panfleto

Como ocurre con todo lo escrito, a la hora de soñar con los panfletos es muy importante analizar el significado simbólico de las palabras que contienen.
En general, el hecho de recibir un panfleto indica que nos dejamos influenciar fácilmente por las decisiones y opiniones de los demás.

Si repartimos panfletos, en cambio, quiere decir que tendemos a llevar la voz cantante en nuestro lugar de trabajo.

PANTALLA

Las pantallas de cine, televisión u ordenador simbolizan la tendencia a rehuir los problemas, a vivir en un mundo de fantasía.
Las imágenes que aparezcan en ellas pueden ser claves importantes para la resolución de los problemas que tenemos en el presente o para entender cuáles son nuestros deseos más profundos.

PANTALÓN

Los pantalones han sido considerados siempre, no sólo símbolos de virilidad, sino más aún, de autoridad.
Si en sueños otra persona se pone nuestros pantalones eso indica nuestro temor a que ocupe el lugar jerárquico que nos corresponde.
Si, por el contrario, nos ponemos un pantalón ajeno es señal de que queremos usurpar el poder que otra persona ostenta en nuestra familia o en nuestro centro de trabajo.
Si vestimos pantalones que nos han quedado cortos quiere decir que tenemos un exagerado temor al ridículo.

PANTANO

Los pantanos son lugares que pueden entrañar mucho peligro y en sueños simbolizan las situaciones arriesgadas que debemos afrontar.
Si nos hundimos en el pantano es señal de que nosotros, o una persona de nuestro entorno, tiene el peligro de caer enferma.
Si en las orillas del pantano hay vegetación abundante, quiere decir que pasaremos por una situación de riesgo que, al final, quedará en un susto.

PANTERA

Véase FELINOS.

PANTUFLAS

Por la comodidad que brindan y por ser una prenda que se emplea en la intimidad del hogar, simbolizan la libertad.
Si las pantuflas que llevamos puestas están rotas o sucias indican que albergamos sentimientos de culpa.
En caso de que nos resulten incómodas, debemos interpretar que estamos viviendo una nueva situación a la que aún no nos hemos acostumbrado.
Perder las pantuflas señala una actitud rebelde, que nos impulsa a ir contra todo lo establecido.

PAÑALES

Los sueños en los que aparecen pañales son, a menudo, premonitorios; indican que en nuestra familia o en el círculo de amigos más íntimos va a haber un próximo nacimiento.
Si ese hecho hubiera ocurrido recientemente, debemos entender que la madre necesita de nuestra colaboración.

PAÑOLETA

Las pañoletas simbolizan las indisposiciones, las pequeñas dolencias que nos obligan a guardar cama uno o dos días.
Si alguien viste una pañoleta quiere decir que pasará por una de estas enfermedades.

PAÑUELO

Tradicionalmente la presencia de un pañuelo en un sueño augura tristezas.
Si lo usamos en sueños debemos estar precavidos, pues es probable que una persona en la cual hemos depositado toda nuestra confianza, nos falle.

PAPA

Los sueños en los que vemos al sumo pontífice tienen connotaciones espirituales.
Si somos creyentes, presagian la ayuda providencial que recibiremos a la hora de enfrentarnos con un problema. Si no lo

somos, el papa puede constituir un mensaje del inconsciente para que demos una mayor importancia a nuestra vida psíquica.

Papagayo

Véase AVES.

Papel

Los papeles que contienen dibujos o palabras, deben interpretarse según el significado de éstos.
Si el papel está en blanco, simboliza la necesidad de tener todo bajo control, tal vez de una manera un tanto obsesiva.
Si el papel es utilizado para envolver un objeto, es señal de que queremos ocultar una parte de nuestra vida a los ojos de los demás.

Véase CARTA, DOCUMENTO.

Papelera

Simboliza la tendencia a desprenderse de todo lo inútil, el rechazo de la melancolía y la nostalgia y el propósito de vivir, básicamente, el presente.
Si en el recipiente hay objetos que no sean papeles (por ejemplo cáscaras de fruta, colillas, etc.) es señal de que estamos llevando demasiado lejos esa premisa y que ello nos hace perder muchas cosas valiosas.

Papilla

El hecho de comer una papilla en sueños quiere decir que tenemos una naturaleza perezosa, que nos regimos por la ley del mínimo esfuerzo.

Papiro

Como todo texto, los papiros que contienen jeroglíficos son mensajes del inconsciente.
A menos que podamos traducir su significado, debemos prestar atención a las figuras éscritas en él y buscar los significados de cada una para poder analizar el sueño.

Paquete

Los sueños en los que vemos paquetes cuyo contenido desconocemos simbolizan las sorpresas que nos esperan en un futuro próximo.
Si el papel que los envuelve está nuevo y limpio es señal de que serán agradables; si está roto o sucio, indica problemas que podremos resolver fácilmente.

Par

Si en un sueño se presentan muchos elementos emparejados (zapatos, dos cartas iguales, etc.) quiere decir que estamos muy preocupados por la evolución de nuestra relación de pareja.
Si son objetos limpios y agradables, es señal de que el vínculo es fuerte; si son de mala calidad, es señal de que se presentan problemas.

Paracaídas

Estos sueños se relacionan con el elemento aire, de ahí que se vinculen con el intelecto.
Para lanzarse en paracaídas se necesita una buena dosis de coraje, de ahí que si nos vemos haciéndolo en las imágenes oníricas ello indica que tenemos ideas ingeniosas e inteligentes y que no dudamos en comentarlas aunque sean contrarias a la opinión general.

Paraguas

Debido a que nos aíslan de la lluvia, del agua, simbolizan la tendencia a evitar emocionarnos.
Si nos cobijamos bajo un paraguas quiere decir que preferimos mantener una actitud racional, fría y distante, en lugar de mostrarnos tiernos y cariñosos.

Paraíso

Es el lugar que nos imaginamos perfecto, donde podríamos experimentar una gran felicidad. Los sueños que transcurren en el paraíso pueden ser una compensación a la vida que llevamos en la actualidad.

Paralelas

Véase GIMNASIA.

Parálisis

El hecho de vernos en sueños imposibilitados para realizar movimiento alguno es muy angustioso. Por lo general refleja que en la vida real tenemos que tomar decisiones importantes pero nos vemos incapacitados para elegir lo más conveniente.

Paranoia

Los sueños en los que somos perseguidos son muy frecuentes. Por lo general constituyen pesadillas que, en muchas ocasiones, provocan tal tensión interior que nos hacen despertar.
Si vivimos esta situación pero en las imágenes no hay ningún peligro que nos amenace, quiere decir que en la realidad nos mostramos temerosos a causa de nuestros propios fantasmas interiores, que los miedos que albergamos no tienen razón de ser.

Parapente

El hecho de volar con un parapente indica que tenemos una idea rondándonos en la cabeza. También que de ella puede surgir un interesante proyecto que nos permitirá cambiar positivamente nuestro nivel de vida.

Parapetarse

Si en un sueño nos parapetamos tras una pared es señal de que debemos actuar con suma cautela, ya que es muy posible que nos hagan víctimas de una estafa.

Pararrayos

Estos dispositivos que atraen la energía eléctrica de los rayos, simbolizan nuestra capacidad para motivarnos. Si durante el sueño un rayo incide en él, quiere decir que nos entusiasmamos con facilidad, que contamos con una curiosidad que nos impulsa a probar cosas nuevas, a desarrollar ideas interesantes.

Parásito

Los parásitos simbolizan las personas que viven y medran gracias a nuestros esfuerzos. A veces pertenecen a nuestra familia, pero otras son compañeros de trabajo o amigos.
Si buscamos algún medio para librarnos de estos molestos bichos, es señal de que estamos viendo la posibilidad de tomar distancia con esa persona.

Parasol

El hecho de estar bajo un parasol indica que tenemos una protección especial en alguna de las facetas de nuestra vida.
Si el parasol es cuadrado, quiere decir que recibiremos ayuda en los asuntos materiales. Si es redondo, nos veremos auxiliados cada vez que tengamos problemas afectivos.

Parcela

La compra de una parcela indica que no nos sentimos a gusto en el lugar donde vivimos. Puede ser a causa del barrio, de los vecinos e, incluso, de las personas con las que convivimos.

Parche

Normalmente se utilizan para curar algunas dolencias pero, también, para tapar algún defecto cuya presencia sería menos estética que el mismo parche. Tal es la función de los que se colocaban en los ojos.
El ver una persona con uno de estos apósitos indica que está tratando de mostrarnos su mejor cara, que se esfuerza en caernos bien y que, para ello, pone todo su empeño en disimular sus defectos.
Los parches con los que se arreglan los

neumáticos, sin embargo, representan el trabajo ordenado que permite producir gastando un mínimo de energía.

PARDO

En algunas ocasiones, las imágenes de los sueños tienen vivos colores; en otras, adquieren un solo tinte.
Si es pardo quiere decir que nos atrae la vida sencilla, natural, lejos de las grandes ciudades y que, en un futuro, nos veremos viviendo en un entorno rural o cuando menos en un lugar más pequeño.

PARED

Las paredes, vistas desde el exterior, simbolizan los límites que nos son impuestos en la realidad.
Derribar una pared o saltarla significa que deseamos cambiar las circunstancias en las que vivimos de modo que éstas nos sean más favorables.
Si la vemos desplomarse quiere decir que tenemos muy poca confianza en nuestras posibilidades para defendernos de posibles abusos.
Si la pared está en ruinas indica que hemos sufrido un revés importante del cual nos estamos reponiendo.

PAREDÓN

Véase EJECUCIÓN.

PAREJA

Los sueños en los que una pareja de desconocidos tiene un papel protagonista nos muestran, a través de sus actitudes, cuáles son las que nosotros tenemos hacia la nuestra. También cómo es vista por los demás.

PARÉNTESIS

Las frases que aparecen en los sueños entre paréntesis muestran nuestro temor a no ser comprendidos.
Es probable que, por esta razón, tendamos a repetir cosas que ya hemos dicho.

PARLAMENTO

Véase CÁMARA.

PARO

Los sueños en los que aparecemos en el paro, cuando en la realidad tenemos trabajo, indican los temores que sentimos ante la posibilidad de perder nuestro empleo.

PÁRPADOS

Si cerramos los párpados no podemos ver, de ahí que esta parte del cuerpo simbolice la necedad.
Si vemos en sueños una persona despierta pero con los párpados cerrados, o bien parpadeando continuamente, quiere decir que no debemos esforzarnos en explicarle nuestros puntos de vista, ya que su tozudez le impedirá, siquiera, escucharnos con atención.

PARQUE

Los parques representan nuestra vida interior. Si tienen abundante vegetación y ésta, además, se ve bien dispuesta y ordenada quiere decir que gozamos de una gran serenidad, que tenemos nuestras emociones también en orden.
Los parques sucios, mal cuidados, con sus plantas marchitas, muestran que tenemos un gran desorden interior, que pasamos demasiado tiempo dedicados a tareas y diversiones frívolas y que hacemos muy poco caso a nuestra vida psíquica.
Si el parque es de cemento, sin plantas, indica que somos excesivamente rígidos y racionales, que no nos atrevemos a tomar contacto con nuestros sentimientos.

PARQUÉ

La preocupación que podamos tener con relación al parqué (que se raye, que esté sucio o el hecho de sacarle brillo durante un sueño) indica que nuestra base afectiva no es sólida. Es posible que, durante la infancia, nos hayamos vistos privados de afecto (por ejemplo, por el hecho de haber estado internos en un colegio).

PARRA

En las Sagradas Escrituras, es frecuente la utilización de la vid como símbolo de la unión de Dios con su pueblo; de ahí que las parras estén relacionadas con la vida espiritual.
Si aparece una de estas plantas en nuestro sueño es señal de que nos sentimos espiritualmente plenos, con una gran paz interior.

Véase UVAS.

PARTERRE

Los parterres que están en jardines públicos o privados indican nuestro estado interior. Si están floridos y bien cuidados, quiere decir que entramos en un período de crecimiento personal en el que disfrutaremos de una grata sensación de paz y serenidad.
En el caso de que se vea descuidado o con las flores marchitas será señal de que tendremos que hacer frente a problemas que no son graves pero sí engorrosos.

PARTIDA

Los viajes se relacionan con los cambios que hacemos en nuestra vida y la partida es el inicio de una nueva andadura.
Si en el momento de salir de viaje estamos solos, quiere decir que nos sentimos contentos y libres, dispuestos a hacer nuevas amistades y asimilar los cambios positivamente.
Si hay gente despidiéndonos, es señal de que el cambio se realiza con dolor, que tenemos un espíritu conservador y que nos va a costar bastante trabajo adaptarnos al ambiente que nos espera.

PARTITURA

Para un músico, soñar con partituras es normal porque ellas forman parte de su vida cotidiana, pero si no cantamos ni tocamos ningún instrumento, el hecho de que éstas aparezcan en el sueño tiene una significación especial.
Las partituras, para el profano en música, están escritas en un lenguaje o código incomprensible, de ahí que simbolicen el complejo mundo emocional de la pareja. Soñar con ellas indica que, aunque nos agrade mucho la forma de ser de la persona que amamos, nos cuesta un gran trabajo comprender sus motivaciones, sus deseos y sus afectos.

PARTO

Si hay alguna mujer embarazada en la familia, el sueño se deberá, seguramente, a la ansiedad que suscita el nacimiento del niño. Si no es así, los partos simbolizan la puesta en marcha de un proyecto de cualquier naturaleza.
El hecho de que el parto sea bueno, que la criatura nazca bien, indica que el proyecto nos reportará grandes beneficios. Si tiene complicaciones, quiere decir que debemos hacer planes alternativos, además de revisar todas las fases para minimizar los problemas que se pudieran presentar.

PARVA

Véase HENO.

PASAPORTE

El pasaporte, como documento que certifica nuestra identidad, simboliza el deseo de dejar claro quiénes y cómo somos. Por tratarse de un medio de identificación que se utiliza para visitar otros países, su presencia señala que nuestra pretensión es que las personas a las que acabamos de conocer comprendan instintivamente que somos íntegros y que se puede confiar en nosotros.

PASARELA

Las pasarelas indican que nos hallamos frente a una situación conflictiva para la

que hay una única salida que nos resulta difícil de aceptar.
Si la atravesamos quiere decir que lograremos solucionar lo que tanto nos preocupa.

Véase MODELO.

Pascua

Esta fiesta tradicional judía ha pasado al cristianismo y en ella se celebra la resurrección de Cristo.
Los sueños en los que este acontecimiento tiene lugar son de índole espiritual, indican que nos sentimos protegidos por la iglesia, hermanados en una fe común.

Pasionaria

Esta flor, por la disposición de sus estambres y pistilos, representa la pasión de Cristo. En sueños simboliza un trance difícil por el que estamos pasando.
Si la flor que vemos está en buen estado, es señal de que aún debe pasar un tiempo antes de que solucionemos nuestros problemas. Si está marchita quiere decir que ya está prácticamente resuelto.

Pasos

El hecho de oír pasos a nuestras espaldas, sobre todo si nos producen miedo, indica que aún no nos hemos curado de un desengaño y tememos volver a caer en una relación amorosa conflictiva.

Pastas

Las pastas que habitualmente se toman con el té, simbolizan el encuentro con una persona que nos abrirá muchas puertas.
Si las comemos, quiere decir que, gracias a un nuevo contacto, podremos conseguir importantes avances laborales.

Pastelería

Estos negocios simbolizan las relaciones sentimentales que se encuentran en sus etapas iniciales. Si nos encontramos dentro de una pastelería quiere decir que hemos comenzado un romance o que lo haremos en muy poco tiempo.
Si la vemos desde fuera, sobre todo si miramos su escaparate, es señal de que nos gustaría enamorarnos pero que nuestro miedo a sufrir desengaños impide que eso nos suceda.

Pastillas

Véase MEDICAMENTO.

Pastor

Los pastores simbolizan las personas que están capacitadas para ser guías espirituales.
Si nos vemos en el papel de pastores quiere decir que tenemos la tendencia de dirigir sanamente a los demás.

Patata

Véase ALIMENTOS.

Patente

Si en sueños obtenemos la patente de un invento, es señal de que tenemos gran capacidad creativa pero que, en la vida real, no nos atrevemos a ponerla en juego.

Patíbulo

Véase EJECUCIÓN.

Patinar

El hecho de deslizarse usando patines o esquiando, sobre cualquier tipo de superficie, indica que tendemos a deslizarnos sobre las situaciones evitando, en todo momento, vernos implicados en ellas.
Si vemos hacerlo a otras personas quiere decir que acostumbramos a pensar que, para otros, las cosas son más fáciles que para nosotros.

Patio

Los patios son lugares de paso pero, en el caso de pertenecer a un colegio, son el

lugar destinado a los juegos o a los deportes.
Si soñamos con el patio de un colegio quiere decir que tenemos una gran nostalgia por la infancia, que consideramos que ese ha sido el período más feliz de nuestra vida.

Pato

Véase AVES.

Patrón

Los sueños en los que tenemos título de patrón de barco o que estamos intentando examinarnos para ello indican que estamos dispuestos a tener un control más firme sobre nuestra vida, que queremos independizarnos de una persona que, según nuestro punto de vista, nos tiraniza.

Pavimento

La firmeza y estado del pavimento que veamos en un sueño indican la facilidad de avance o las dificultades que encontraremos en los próximos meses.
Si es estrecho o tiene baches, es señal de que tendremos que solventar muchos problemas.

Pavo

Véase AVES.

Pavo real

Esta ave es famosa por el hermoso plumaje que despliega en el cortejo; por ello simboliza la vanidad, sobre todo basada en la belleza y el atractivo físico.
Su presencia indica, también, que tendemos a ser muy competitivos con las personas de nuestro mismo sexo.

Payaso

Simbolizan el temor al ridículo.
Cualquier personaje que aparezca en sueños vestido de payaso indica que, a nuestro parecer, siempre está fuera de lugar, que hace lo posible por llamar la atención pero, sin embargo, sólo consigue ponerse en ridículo.

Paz

Si en un sueño la paz aparece como tema principal es señal de que tenemos un gran desasosiego interior provocado por la atracción que sentimos hacia dos personas diferentes. En caso de que haya elementos espirituales, debemos entender que necesitamos ayuda pero que nos negamos a recibirla, encerrándonos en ideas que se apoyan en el materialismo.

Peaje

Las casetas para el pago de peaje simbolizan los esfuerzos y renuncias que debemos hacer para conseguir nuestro objetivo principal.
La detención ante una de ellas indica que tenemos muy claro lo que queremos y que vamos a hacer todos los esfuerzos necesarios para alcanzarlo.

Pebetero

El olfato es un sentido que está estrechamente ligado a las emociones; por eso estos vasos destinados a quemar perfumes simbolizan las manipulaciones.
Si lo empleamos en sueños, es señal de que intentamos culpabilizar a una persona para que se quede a nuestro lado, para que no nos abandone. Si es otro quien lo usa, debemos desconfiar de sus dolores físicos o morales porque son imaginarios.

Pecados

Los pecados que reconocemos en un sueño simbolizan las culpas que arrastramos. Debemos analizar lo más claramente posible el simbolismo del pecado onírico para comprender qué es lo que nuestra conciencia nos reclama.

Pecas

El hecho de que en un sueño nos aparezcan pecas cuando en la vida real no las tenemos quiere decir que tememos que la persona que amamos se dé cuenta de nuestros sentimientos. Verlas en otro, confirma que nuestras sospechas acerca de sus emociones son correctas.

Pecera

Simboliza la introversión, la tendencia a ser muy parcos en palabras y el gusto por la soledad. Si la pecera que vemos en el sueño está vacía, es señal de que intentamos cambiar estos aspectos de nuestra personalidad, que quisiéramos ser más extrovertidos, tener más amigos, ser populares, pero que no sabemos cómo conseguirlo. Si tiene peces, indica que nos sentimos a gusto con nosotros mismos y que huimos del bullicio.

Pechera

Esta antigua prenda que cubría la parte frontal del torso simboliza la tendencia a protegerse de las propias emociones.
Si la vestimos en sueños es señal de que nos queremos mantener aislados, que somos cordiales pero que nos agobia la excesiva proximidad afectiva.

Pechos

Algunos de los sueños en los que aparecen pechos femeninos pueden ser eróticos y responder a una excitación sexual momentánea. Sin embargo, la mayoría de las veces los pechos simbolizan la maternidad.
En el sueño de una mujer indican próximo embarazo de un miembro de la familia. En el de un hombre, señalan una gran felicidad en la pareja y en los de un niño, protección y seguridad.

Pedalear

Véase BICICLETA.

Pedante

Los personajes pedantes que vemos en los sueños indican que tendemos a mostrar en nuestras relaciones una actitud similar a la de ellos, que nos gusta lucir una supuesta cultura e inteligencia.

Pedestal

El hecho de ver a un amigo o familiar sobre un pedestal indica que le sobrevaloramos. Si nos vemos a nosotros mismos en él, es señal de que debemos hacer un último esfuerzo, ya que estamos a punto de conseguir algo que deseamos.

Pediatra

Los pediatras representan las frustraciones infantiles que nos han dejado huella. Soñar con estos profesionales indica que hubo momentos en nuestra vida en la que nos hemos sentido injustamente tratados y que éstos determinan muchas de nuestras conductas actuales.

Pedir

Los favores que se piden en sueños simbolizan las cosas que no se está dispuesto a hacer por los demás.
Lo que pedimos marca nuestros rasgos más egoístas, de manera que debemos tener en cuenta cuál es el objeto que solicitamos para entender el significado de todo el sueño.

Pedrada

Los sueños en los que arrojamos piedras movidos por la ira, indican que estamos a punto de cometer una acción que puede dañar a otras personas.

Pedro

Soñar con San Pedro, dueño de las llaves del Cielo, indica que nos sentimos profundamente satisfechos con nosotros mismos. Si durante el sueño se produce alguna discusión, es señal de que tenemos una actitud soberbia y egoísta.

Pegajoso

Las sustancias pegajosas simbolizan las personas que nos exigen atención y presencia constantes. El hecho de tocar algo pegajoso y de no podérnoslo quitar de los dedos indica que nos hacen víctimas de ataques de celos.

Pegaso

El caballo alado simboliza la fuerza y la velocidad. Según la mitología, detecta instintivamente el mal y no obedece a quien intente domarlo con fines malvados. Su presencia en sueños indica que debemos apartarnos de una persona que ejerce una mala influencia sobre nosotros, porque si permanecemos a su lado, más tarde o más temprano lo lamentaremos.

Peine

Simbolizan el cauce que damos a nuestra capacidad de precognición.
Si nos peinamos y el pelo está muy enredado, es señal de que no hemos desarrollado estas habilidades. Si está suelto, en cambio, quiere decir que tenemos una gran intuición y que debemos hacer caso de nuestras corazonadas.

Peladillas

Esta golosina típica de Navidad, simboliza la alegría y la unidad familiar.
Verlas sobre la mesa es señal de que se recibirán excelentes noticias relacionadas con un hermano o con un cuñado.

Pelea

En los sueños, manifiestan nuestra inseguridad, los miedos que sentimos ante los cambios o las situaciones nuevas.
Si somos nosotros quienes nos peleamos, eso indica que queremos tomar distancia con una persona y no sabemos cómo hacerlo sin causar demasiado dolor.

Peletería

Si nos vemos en el interior de una de estas tiendas, quiere decir que tenemos algunas dificultades sexuales que queremos solucionar. El origen de éstas probablemente haya que buscarlo en la represión que hemos sufrido en la infancia.

Pelícano

Véase AVES.

Película

Las películas que vemos en sueños, al igual que los espectáculos, muestran con el simbolismo de su argumento situaciones que nos toca vivir en la realidad.
Debemos prestar atención a las escenas y analizar los elementos que las componen a fin de comprender el sueño en toda su magnitud.

Peligro

Los peligros vividos en un sueño simbolizan aquellos que nos rodean en el presente. Para comprenderlos, es necesario averiguar el simbolismo de los elementos amenazadores que aparecen en las imágenes oníricas (monstruos, animales feroces, etc.) y relacionarlos con situaciones de la vida real.

Pellizco

Los pellizcos simbolizan pequeñas heridas en el amor propio.
Si lo recibimos, quiere decir que hemos hecho ostentación de poder hacer algo fácilmente y que ahora no podemos demostrarlo. Si lo damos, indica que llamamos la atención a una persona que se considera superior a los demás.

Pelo

Los pelos que veamos sueltos en el sueño (por ejemplo en un lavabo, en la bañera o sobre cualquier superficie) simbolizan las discusiones.
Si los vemos, quiere decir que tenemos frecuentes conflictos con personas de nuestra familia o con nuestra pareja.

Véase CABELLERA.

Peluca

Las pelucas simbolizan la charlatanería, el hacerse pasar por una persona que tiene poderes sobrenaturales.
Los personajes que vemos con ellas en los sueños, simbolizan amigos o conocidos que gustan de presumir de gran intuición como médium, de saber ver el aura y de su relación con el ocultismo en general.

Peluche

Estos juguetes se asocian con el afecto y la ternura. Como generalmente representan animales, debemos buscar también el simbolismo de éstos para comprender cuál es la manera en que intentamos conseguir esas demostraciones de cariño.
El peluche deteriorado o sucio indica que no sabemos valorar el afecto que nos demuestra la persona que amamos.

Pelusa

Tradicionalmente simboliza los celos infantiles hacia un hermano u otro niño de la familia. Su presencia indica que, aún en la vida adulta, sentimos que no somos lo suficientemente valiosos a los ojos de nuestros padres.

Pelvis

En los sueños eróticos es habitual que la zona pélvica, ya sea propia o de otros, aparezca en primer plano. En este caso debemos interpretarla como producto de una excitación sexual temporal.
En sueños femeninos, también puede indicar molestias ováricas como las que se pueden producir durante la ovulación.

Pena

Este estado de ánimo señala que estamos pasando por un momento especialmente difícil. Si se acompaña de una sensación de agotamiento, indica que los problemas que nos agobian están próximos a llegar a su fin. Si contamos nuestras preocupaciones a otra persona, es señal de que recibiremos ayuda inesperada.

Penacho

Los penachos que se observan en algunos cascos militares simbolizan el liderazgo.
Los personajes del sueño que los lleven, a nuestros ojos, representan a individuos que tienen una gran personalidad, capaces de dirigir a los demás. El análisis de otros aspectos de su comportamiento o vestimenta nos permitirá asociarlos con alguna persona conocida de nuestro entorno.

Pendientes

Los pendientes nos señalan virtudes y defectos, según su forma o material con el que estén fabricados, o bien auguran sucesos según estén en buen o mal estado.
Si son de oro, nos previenen contra el orgullo. Los de plata, indican que tendemos a manipular a los demás.
En caso de estar rotos, auguran frustraciones y si se encuentran sucios o deslustrados, problemas en los negocios.
El hecho de hallar un solo pendiente indica que habrá una ruptura amorosa en nuestro entorno.

Péndulo

Con su movimiento oscilante, simboliza la hipocresía.
Si el péndulo se halla en reposo, es señal de que las personas que nos rodean son sinceras y fieles. Si lo vemos moverse de un extremo al otro, quiere decir que hay alguien que nos muestra amistad pero que, cuando no estamos presentes, habla muy mal de nosotros.

Pene

Véase FALO.

Penicilina

Las infecciones simbolizan los sentimientos negativos que nos invaden y la penicilina, como remedio eficaz contra los gérmenes en el plano físico, representa la forma

positiva en que luchamos contra ellas.
Cuando en un sueño nos administran este medicamento, es señal de que tendemos a dramatizar sucesos intrascendentes pero, también, que luchamos contra esta tendencia logrando el equilibrio interior.

Penitencia

Los sueños en los que damos una penitencia a alguno de los personajes, indican que la persona simbolizada por éste nos ha ofendido gravemente y sentimos hacia ella un fuerte rencor.
En caso de ser nosotros quienes sufrimos la penitencia, señala que nos sentimos culpables por haber cometido una indiscreción.

Pensión

Vernos en sueños viviendo en una pensión augura un período de soledad y abatimiento.
Si los sentimientos experimentados en el mismo son positivos, es señal de que nos preparamos para dar un importante avance a nuestros asuntos económicos.

Pentágono

Esta figura tiene cinco lados, por ello se relaciona con la sana ambición.
Su aparición en un sueño indica que ya hemos consolidado nuestra posición laboral, que nos sentimos seguros en nuestro puesto y que es el momento de aspirar a un ascenso o a un trabajo mejor remunerado.

Véase NÚMEROS.

Peñón

La vista de un peñón a lo lejos señala que una persona de la familia tiene problemas de salud que, si bien son crónicos, no hacen temer por su vida.

Peonía

Esta flor es símbolo de veracidad.
Si la vemos en sueños quiere decir que nos han contado algo que nos negamos a creer, que nos parece imposible pero que, sin embargo, es absolutamente cierto.

Pepino

Véase ALIMENTOS, VERDURA.

Pepita

Las pepitas de oro simbolizan el reconocimiento que hacemos de nuestras virtudes; la alegría de comprobar que hemos erradicado algunos defectos.

Véase ORO.

Pequeñez

Los objetos que aparecen exageradamente pequeños en un sueño señalan nuestra ignorancia; indican que somos obcecados, que siempre queremos tener razón cuando, en realidad, ignoramos o pasamos por alto las cosas más importantes.

Peral

Este árbol ha sido relacionado con las pasiones. Su presencia indica que nos sentimos fuertemente atraídos por una persona comprometida.

Percusión

Véase INSTRUMENTOS MUSICALES.

Percha

Las perchas simbolizan las personas clave que nos pueden ayudar a ocupar un puesto de mayor jerarquía en el trabajo.
Soñar con ellas indica que tenemos facilidad para establecer estos contactos pero, si las perchas están dobladas o en mal estado, señalan que tendemos a ser serviles y aduladores.

Perder

Los sueños en los que perdemos objetos debemos analizarlos según el simbolismo

de éstos y de acuerdo con los sentimientos que nos suscite la pérdida.
Si estamos tranquilos, señalan que nos hemos desembarazado de algo que nos molestaba. Si la pérdida nos provoca angustia, refleja el temor de no contar con algo que creíamos seguro.
En caso de encontrarnos en un lugar desconocido y sin saber cómo salir de él, debemos interpretar que estamos pasando por un período de emociones encontradas.

PERDIGÓN

El encuentro de un perdigón aislado indica que tendremos que hacer frente a una pequeña calumnia que, si bien no es grave, nos va a molestar.
Si los perdigones son muchos, quiere decir que en nuestro entorno alguien ha hecho circular rumores que deterioran seriamente nuestra imagen.

PERDIZ

Véase AVES.

PERDONAR

Todo aquello que perdonemos o nos sea perdonado en sueños simboliza aquellos errores de los cuales somos conscientes y que, según deseamos, pedimos que nos sean tolerados por las personas que queremos.

PEREGRINAJE

En estos sueños es muy importante recordar si hemos hecho el camino solos o acompañados. En el primer caso, debemos entender que buscamos el desarrollo espiritual sin ayuda de otras personas. Si alguien viene con nosotros, en cambio, quiere decir que contamos con un amigo, maestro o religioso que nos guía.
Los símbolos de los elementos que encontremos en el camino señalarán los obstáculos que deberemos vencer en el futuro.

PEREJIL

Esta planta indica que estamos defendiéndonos inútilmente de acusaciones que nadie ha formulado, que somos excesivamente susceptibles ante las más mínimas críticas.

PEREZA

Las actitudes perezosas que nosotros o cualquier personaje tengamos en un sueño nos advierten de que nos estamos durmiendo en los laureles, que si no nos ponemos en acción y sacamos adelante el trabajo atrasado, deberemos enfrentarnos a complicados problemas.

PERFORADORA

Estas maquinarias simbolizan la necesidad de explorar nuestros sentimientos.
Si las vemos en un sueño quiere decir que los sentimientos negativos de rencor y venganza nos están amargando la vida.

PERFUME

Véase AROMA.

PERGAMINO

Cuando se sueña con un pergamino, es necesario analizar el simbolismo de las palabras del texto o de sus dibujos. Éstos darán cuenta de un suceso que hemos vivido hace tiempo y que se volverá a repetir.
Si los sentimientos experimentados son gratos, lo que va a suceder es agradable; si son negativos, indican un contratiempo.
En caso de que en el pergamino estuviera dibujado el mapa de un tesoro, debemos entender que averiguaremos un secreto que nos será sumamente útil en el trabajo.

PERIFOLLO

Esta planta aromática simboliza la unión con personas que tienen los mismos objetivos. En un sueño indica que tendremos la posibilidad de asociarnos en un negocio que resultará muy productivo.

Periódico

Salvo que estemos leyendo anuncios, en cuyo caso debemos interpretar que ansiamos un cambio en nuestra vida familiar, la presencia de un periódico en sueños anuncia escándalos y murmuraciones que deteriorarán nuestra imagen.
Para comprender el alcance y contenido de éstas, es necesario analizar el simbolismo de las palabras que componen el texto.

Periquito

Véase AVES.

Periscopio

Este instrumento representa la actitud inquisitiva de una persona celosa.
Si miramos por él, quiere decir que, en la vida real, estamos constantemente espiando a nuestra pareja para comprobar si nos es fiel o no.
Cuando es otra persona quien lo utiliza, o si lo vemos asomar en el agua, es señal de que somos nosotros las víctimas de una investigación solapada.

Perjurio

Los perjurios que cometemos en sueños indican que tenemos miedo a que los demás descubran nuestros verdaderos sentimientos. Si quien perjura es otra persona, quiere decir que estamos expuestos a ser engañados en un negocio.

Perla

Al provenir del mar, está ligada a los sentimientos. Por su gran belleza y valor simboliza los amores sinceros y profundos, capaces de soportar todas las pruebas del destino. Su presencia en sueños es un excelente augurio.

Permiso

Los adultos rara vez tienen que pedir permiso, ya que son responsables de sus propios actos. Los sueños en que nos vemos obligados a solicitarlo indican que nos sentimos inseguros y que echamos en falta las normas que, constantemente, nos eran impuestas en la infancia.
Éstas, aunque muchas veces resultaran desagradables, al menos nos permitían la posibilidad de saber que cumpliéndolas podíamos recibir una recompensa o ganarnos el afecto de nuestros mayores.

Perro

Este animal es símbolo universal de la fidelidad.
El hecho de que veamos un perro en un sueño augura, de por sí, que no debemos temer que nuestra pareja nos sea infiel.
Sin embargo, según cuál sea el talante del animal puede haber lugar a otras interpretaciones.
Si se muestra agresivo y nos ataca, indica que estamos agobiando a la persona que amamos con nuestras escenas de celos y nuestra desconfianza.
En caso de ver una jauría debemos interpretar que nuestra pareja es una persona muy versátil, que cambia a menudo de actitud y de opinión pero que, aun así, está muy segura de sus sentimientos.

Véase GALGO, SABUESO.

Perseguir

El hecho de perseguir a una persona en sueños indica que nos damos cuenta de que hemos tomado una decisión inconveniente y queremos rectificarla.
Lo mejor, en este caso, es cambiar nuestra estrategia, ya que una vuelta atrás no es posible.

Véase CORRER.

Persiana

Mirar a través de una persiana indica que tenemos tendencia a los ataques de celos.
Si vemos de lejos una ventana con las

persianas echadas, quiere decir que entramos en una etapa de concentración y aislamiento, previa a un gran éxito.

Persignarse

En los católicos, es costumbre persignarse antes de comenzar una nueva tarea o de salir de la casa. La señal de la cruz no es sólo símbolo de fe, sino también la forma de encomendarse a Dios y de pedir protección.
El hecho de persignarnos en sueños es, desde este punto de vista, una forma de mover nuestras energías interiores a fin de que se aúnen para realizar las tareas que debemos realizar en la vida real.

Pértiga

El uso de una pértiga en sueños indica que no podremos conseguir lo que queremos por nosotros mismos, que es necesario contar con la ayuda de un amigo o de un profesional.

Pesas

Véase GIMNASIA.

Pescar

En caso de que hayamos recogido un pez, quiere decir que próximamente confirmaremos una sospecha que nos tiene muy preocupados.
Si lo que enganchamos con el anzuelo es cualquier otro objeto, es señal de que nuestras sospechas son infundadas.

Pesquisa

Si en sueños iniciamos o participamos en una pesquisa es muy probable que nos veamos envueltos en un pleito.
El simbolismo del objeto de dicha pesquisa puede dar elementos para saber en qué conflicto nos veremos envueltos.

Pestañas

Las pestañas sirven para protegernos los ojos. Si tienen un papel protagonista en un sueño quiere decir que tendemos a inmiscuirnos en los asuntos de los demás o que estamos revisando los papeles, documentos, bolsillos de la persona amada para confirmar que no nos es infiel.
Si encontramos una pestaña suelta, es señal de que somos nosotros las víctimas de una investigación de ese tipo.

Peste

Los sueños en los cuales hay epidemias de peste son, por lo general, muy angustiosos.
Indican que nos sentimos rodeados de personas de mala reputación y que, a causa de ello, nos podemos ver envueltos en un problema difícil de solucionar.

Pétalos

Siempre que se pueda, debe buscarse el símbolo de las flores a las que pertenecen los pétalos para completar el significado del sueño.
En general, si los pétalos están frescos y huelen bien, indican una gran armonía en las relaciones amorosas.
Si están marchitos señalan que, poco a poco, nuestro amor se está acabando.

Petardo

El ruido de los petardos, en sueños, indica que tendremos un susto relacionado con nuestra salud o con la de algún familiar o amigo muy próximo.
Si somos nosotros quienes los encendemos, quiere decir que no prestamos a nuestro cuerpo la atención que merece.

Petirrojo

Véase AVES.

Petróleo

El oro negro representa la mayor fuente de energía en Occidente. Soñar con él indica que estamos en buena forma, con ganas de hacer muchas cosas.

Petunia

Esta flor simboliza el despecho, la rabia que se siente al ser abandonado por la persona amada.
Si el sueño es inquieto y desagradable, quiere decir que aún guardamos rencor hacia un amor que nos ha decepcionado. Si es tranquilo, en cambio, quiere decir que otra persona quiere hacernos daño porque se siente despechada.

Pez

Los peces son uno de los símbolos más antiguos del cristianismo. También ha sido, para otras culturas, símbolo de la abundancia.
Por su relación con el agua, está vinculado a los sentimientos, de ahí que la presencia de peces vivos en un sueño dé cuenta de nuestras emociones profundas.
Si los peces se muestran agresivos, serán índice de que albergamos sentimientos negativos; si son tranquilos y de bellos colores, en cambio, indicarán que nuestros sentimientos son puros y generosos.

Pi

Este número tiene una directa asociación con la circunferencia y ésta se relaciona, a su vez, con la perfección.
Su aparición en un sueño indica que somos perfeccionistas y que, en ocasiones, caemos en conductas obsesivas.

Piano

Véase INSTRUMENTOS MUSICALES.

Picadura

Las picaduras de los insectos simbolizan la presencia de una persona en nuestro entorno inmediato que nos ataca. Aunque sus agresiones no sean peligrosas, nos ponen de muy mal humor.

Picaporte

Los picaportes abren y cierran puertas, dan entrada a otros ambientes.
Si asimos un picaporte y logramos con ello acceder a un lugar, es señal de que nuestros esfuerzos laborales se verán recompensados en poco tiempo.

Pico

Los picos, por lo general se emplean para derribar muros o para cavar lugares pedregosos, de suelo duro. Simbolizan el esfuerzo que tenemos que hacer para convencer a otra persona de nuestra inocencia.
Si lo empleamos en un sueño quiere decir que hemos sido injustamente acusados de un hecho que no hemos cometido.

Pie

Los pies constituyen la parte del cuerpo que está en mayor contacto con el suelo. Nos sirven de apoyo y son fundamentales en la locomoción.
Simbolizan la base moral y cultural con la que contamos a la hora de abrirnos camino.
Si nos duelen o los tenemos heridos, es señal de que nos sentimos en una posición inestable, probablemente a causa de nuestra inseguridad respecto a los sentimientos de la persona amada.

Piedra

Las piedras, en general, simbolizan la resistencia, la solidez y la perseverancia de carácter.
Si lo que vemos en en sueño es parte de una roca volcánica, como la piedra pómez, indica la tendencia a no caer bajo el dictado de las emociones.
En el caso de encontrar grandes piedras que nos bloqueen un camino debemos interpretar que tendremos que dar grandes rodeos para conseguir nuestros objetivos.
Las piedras preciosas simbolizan diferentes aspectos de nuestra personalidad o nuestro presente, de modo que conviene buscar en el diccionario su simbolismo específico.

PIELES

Las pieles de animales, en un sueño femenino, simbolizan la coquetería, la seducción y la sensualidad.
En un sueño masculino, en cambio, indican la necesidad de adoptar formas y modales menos bruscos.

PIGMENTO

Si soñamos con pigmentos, lo importante es tener en cuenta el color y buscar su significado en el diccionario.
En general, estas sustancias indican las cualidades que pretendemos mostrar ante los demás.

PIJAMA

El hecho de vernos con un pijama indica que somos tímidos, que el medio social nos inspira miedo y que rehusamos todo tipo de competencia.

PILAR

Estas construcciones simbolizan la responsabilidad.
Su presencia en un sueño indica que somos conscientes del efecto que nuestras acciones provocan en el entorno.
Si el pilar está truncado es señal de que adoptamos más deberes de los que, en realidad, nos corresponden.

PÍLDORA

Véase MEDICAMENTO.

PILOTAR

El hecho de pilotar un avión denota que somos independientes y, en cierta manera, autodidactas.
Nos gusta aprender por nuestra cuenta y sacamos más partido de nuestras lecturas que de los cursos organizados que podamos hacer.

PIMIENTA

Esta especie, cuando aparece en sueño, anuncia decepciones y frustraciones en el medio familiar. Si nos la echamos en la comida es señal de que la situación desagradable que vivamos es algo que no nos va a sorprender, que de alguna manera, la esperábamos.

PINCEL

Los pinceles para pintar paredes simbolizan la necesidad de crear a nuestro alrededor un entorno más agradable, por lo que si aparecen en un sueño debemos pensar que hay elementos en nuestro hogar que no están tal y como nos gusta.
Los que se utilizan para pintar cuadros, indican la imposibilidad de expresar con palabras lo que sentimos, la necesidad de hacerle entender a la persona amada lo mucho que le queremos.

PINGÜINO

La aparición de una de estas aves en un sueño señala que tenemos una relación de pareja difícil en la que sentimos que damos mucho a cambio de poco.
Si le vemos nadar debemos interpretar que nos conviene tener paciencia, ya que en poco tiempo las cosas cambiarán favorablemente.

PINO

Este árbol, por su resina que es apta para arder, simboliza el poder de la voluntad.
Su presencia en sueños anuncia que, tras una larga lucha, conseguiremos cristalizar nuestro objetivo.

PINOCHO

Este personaje de ficción se relaciona con la mentira.
Su presencia en un sueño indica que una persona muy allegada nos está engañando.

PINTURA

Los cuadros, independientemente de la técnica que se haya utilizado para realizarlos, deben ser interpretados según el simbolismo de los elementos que los compongan.

Por lo general revelan nuestros deseos más íntimos o, en el caso de ser perturbadores, nuestros miedos más escondidos.
El hecho de pintar un cuadro en sueños puede indicar que tenemos talento artístico y que conviene que lo desarrollemos.

Pinza

Véase HERRAMIENTA.

Piña

Las piñas simbolizan tradicionalmente la permanencia, la solidez.
Si las vemos en un sueño debemos interpretar que nuestra posición social y laboral va a consolidarse, que nos espera vivir una buena época.

Piñata

Si en sueños rompemos o vemos romper una piñata es señal de que ha llegado el momento de decir las cosas claras, de hablar sin tapujos. El hacerlo puede crear un momentáneo malestar en la familia, pero a la larga se verá que ha sido la mejor decisión que se podía tomar.

Piñón

Los piñones de las bicicletas son dispositivos mecánicos empleados para transmitir el movimiento a las ruedas multiplicando la fuerza del pedaleo.
Si en un sueño aparecen como elemento importante, sobre todo si se estropean, es señal de que nuestros esfuerzos deben ser reconducidos.

Piojo

Estos parásitos simbolizan el rencor, los pensamientos negativos.
Si somos nosotros quienes los tenemos en la cabeza, es señal de que están murmurando falsedades que nos pueden afectar. Si tememos contagiarnos, indica que alguien está intentando crear en nosotros un sentimiento de rechazo hacia otra persona.
El hecho de verlos en una cabeza ajena señala que, quien los tiene, no es de fiar.

Pipa

Este objeto simboliza la serenidad, la reflexión y la paz hogareña.
Si fumamos en pipa o vemos a alguien haciéndolo quiere decir que hay una gran armonía en la familia. Si la pipa se rompe, en cambio, es señal de que habrá conflictos entre algunos de los miembros.

Pipeta

Véase LABORATORIO.

Piqueta

Véase PICO.

Piragua

Si navegamos en una piragua es señal de que deseamos pasar una época de reflexión y soledad. En caso de sortear con ella aguas turbulentas debemos entender que nos resulta imprescindible inquietar nuestras emociones encontradas o decidir entre dos amores.

Pirámide

Estas construcciones simbolizan la acumulación de energía.
Su presencia señala que debemos canalizar nuestra fuerza, desarrollar el talento que tenemos para diferentes actividades.
En el caso de que nos encontremos en el interior de una de ellas, quiere decir que tendremos la oportunidad de desplegar nuestras habilidades y que, con ello, obtendremos grandes satisfacciones.
La presencia de una pirámide es un buen augurio para los artistas.

Pirata

Los piratas simbolizan las personas que utilizan la seducción como arma de manipulación. Su presencia en un sueño indica que en nuestro entorno hay una persona que juega con nuestros sentimientos, que se muestra atractiva y amable pero que, al acercarnos a ella, toma distancia para tenernos desconcertados y controlados.

PIROPO

Los piropos a menudo forman parte de los sueños eróticos. Si no fuera ese el caso, debemos entender que estamos en un momento de alta autoestima, que nos sentimos contentos con nosotros mismos.

PIRUETA

Las piruetas simbolizan la flexibilidad mental y la capacidad de adaptarnos a las diferentes circunstancias que se nos presentan. Constituyen un buen augurio ya que anticipan que, gracias a estas capacidades, podremos aprovechar una oportunidad sumamente ventajosa en el terreno económico.

PISAPAPELES

La presencia de este elemento de escritorio en un sueño indica que debemos refrenar los comentarios que hacemos en el trabajo respecto a un superior.

PISCINA

Las piscinas, por su relación con el elemento agua, señalan diferentes aspectos de nuestro mundo emocional.
Cuando están rodeadas de vegetación y contienen agua limpia, quiere decir que nuestros sentimientos son positivos y altruístas.
Si sus aguas están sucias o turbias, auguran dificultades en el amor.
Las piscinas vacías simbolizan la soledad afectiva, la falta de pareja o una ruptura sentimental.

PISCIS

Véase ZODÍACO.

PISTO

Este plato hecho a base de verduras indica que debemos llevar una alimentación más sana, que no comemos la cantidad de fibra que nuestro organismo necesita.
Si tiene mal sabor, es señal de que tenemos en nuestro entorno una persona egocéntrica que compite constantemente con nosotros.

PISTOLA

Véase ARMAS.

PISTÓN

En cualquier mecanismo en el que actúe un pistón, lo importante es que éste se encuentre en movimiento. Eso indica que tendremos éxito en las tareas que emprendamos.
Si el pistón se ha bloqueado o detenido, quiere decir que debemos prepararnos para afrontar complicaciones laborales.

PIZARRA

Las pizarras simbolizan aquellos acontecimientos de nuestra vida que deseamos se hagan públicos. Por ejemplo, el hecho de haber comenzado una relación de pareja.
Es importante analizar lo que haya escrito en ella y buscar el simbolismo de las palabras, para comprender cuáles son los aspectos de nuestra vida que son ignorados o desvalorizados por los demás.

PLAFÓN

Estos elementos de iluminación se utilizan para difuminar la luz. Debido a la relación de ésta con la inteligencia y la cultura, simboliza las personas que se empeñan en hacernos sombra, en conseguir que, ante los demás, no podamos demostrar nuestras capacidades.
El hecho de que en un sueño un plafón cobre importancia indica que alguien está desmereciendo nuestros conocimientos a nuestras espaldas.

PLAGA

Por lo general, anuncian la enfermedad de una persona de nuestro entorno.
Si se ven en el sueño los estragos ocasionados por los animales (como, por ejemplo, un campo destrozado), es señal de que la dolencia será larga. Pero si sólo se oye hablar del tema, quiere decir que será una enfermedad estacional, sin mayor importancia.

PLAGIO

Ser acusados de plagio en un sueño indica que la persona que lo hace, o bien aquella a quien represente, siente una profunda envidia por nuestra capacidad creativa.
Si somos nosotros quienes hacemos tal acusación, indica que no sabemos defender nuestros propios méritos.

PLANCHAR

El hecho de alisar tejidos mediante el calor simboliza nuestra capacidad para resolver malentendidos gracias a nuestra cordialidad. La acción de planchar en un sueño indica que debemos hacer lo posible para que dos amigos se reconcilien.

PLANETA

Los astros son símbolo de nuestro destino. Si conocemos su nombre, debemos buscar su significado simbólico en el diccionario. En caso de que no podamos reconocerlos, si son brillantes indican éxito inmediato; pero si su luz es débil, señalan que deberemos trabajar muy duramente para conseguirlo.

PLANTA

Las plantas, en general, simbolizan la evolución personal. Cuanto más bonitas las veamos en el sueño, mayor será nuestro avance y la felicidad que éste nos proporcione.

PLÁSTICO

El acrílico, plástico, poliuretano y todo tipo de material sintético presente en un sueño indica que estamos manteniendo una relación que no nos satisface.

PLATA

Este metal está asociado con la Luna, por lo tanto simboliza el mundo femenino, así como las cualidades tradicionalmente asociadas a éste.
Los sueños en los que aparecen objetos de plata indican que somos receptivos, sensibles y empáticos, capaces de conectar profundamente con las emociones ajenas.

PLÁTANO

Esta fruta es un símbolo sexual masculino. Si el sueño es erótico, indica que vivimos una excitación sexual mientras dormimos. De lo contrario, en los sueños masculinos puede indicar el temor a verse controlado por una mujer.
En los sueños femeninos puede simbolizar la curiosidad sexual respecto a un hombre por el que se siente atracción.

PLATILLOS

Véase INSTRUMENTOS MUSICALES.

PLATINO

Este metal simboliza el poder conseguido a través del trabajo interior.
Su presencia en un sueño indica que somos personas que nos hemos ganado el respeto por el profundo trabajo de evolución espiritual que hemos realizado.

PLATO

Véase VAJILLA.

PLAYA

La playa simboliza el acercamiento a una persona que nos atrae emocionalmente.
Si entramos en el agua quiere decir que tendremos con ella una relación amorosa.

PLOMO

Este metal simboliza los prejuicios.
Su presencia indica que tenemos ideas

preconcebidas con respecto a personas que pertenecen a círculos sociales o a países diferentes del nuestro.

PLUMAS

Encontrar una pluma es señal de que debemos realizar un trámite oficial.
En un sueño femenino, el hecho de verse el cuerpo cubierto de plumas indica sensualidad; en uno masculino, temores acerca de una virilidad deficiente.

PLUMERO

Este objeto indica que debemos revisar nuestro juicio acerca de una persona a quien calificamos de falsa. Aunque haya elementos que lo indiquen, comprobaremos que estábamos en un error.

PLUTÓN

Este planeta está ligado al dios de los infiernos. Si soñamos con él quiere decir que nos sentimos invadidos por pensamientos negativos, que tendemos a imaginar siempre lo peor y que no tenemos confianza alguna en el futuro.

POBREZA

Los signos de pobreza de un sueño, lejos de ser negativos, son un buen augurio: anuncian que conseguiremos elevar nuestro nivel socioeconómico.

POCILGA

Véase CASA.

PODIO

Los sueños en los que nos vemos sobre un podio auguran éxito, siempre y cuando el sentimiento que experimentamos sea de alegría. En caso contrario indican la necesidad que tenemos de hacernos notar, de no pasar desapercibidos.

POEMA

Cuando en sueños aparece un poema, es imprescindible entender su contenido y analizar los elementos simbólicos que aparecen en él. Como todos los textos, suele ser un mensaje del inconsciente.

POLEN

Entre los antiguos griegos, el polen era considerado símbolo de vida y regeneración.
En caso de que haya un enfermo en la familia, el hecho de soñar con polen constituye el mejor de los augurios.

POLEO

Esta planta, cuyo aroma es vigorizante, simboliza la motivación.
Si la olemos en un sueño quiere decir que pronto nos sentiremos llenos de energía, motivados y activos.

POLICÍA

Es un símbolo claro de autoridad y debe ser interpretado según la edad del durmiente.
La presencia de la policía en el sueño de un joven indica que busca alguien que le ayude a orientar su vida.
Si quien sueña es una persona madura, se trata de una advertencia en cuanto a la elección de nuestros amigos.
Si soñamos que somos detenidos quiere decir que nos sentimos culpables por algo que hemos hecho o dicho.

POLIGAMIA

Los sueños masculinos en los que aparece la poligamia, siempre que no sean de una persona cuya cultura la permite, indica que somos inconstantes en el amor, que tendemos a cansarnos de la persona amada con la misma facilidad con que nos enamoramos.

POLÍGLOTA

La posibilidad de hablar muchos idiomas da cuenta de nuestra habilidad para comprender personas con ideas completamente diferentes de las nuestras. Indica, por ello, una gran apertura mental.

Polilla
Es símbolo de transformación interior. Indica que se está produciendo un cambio importante y positivo en nuestra vida. Si las matamos, quiere decir que nos resistimos a dejar atrás ciertas cosas.

Política
Las discusiones politicas o la presencia de alguien que se dedique a ello indica que nos estamos haciendo demasiadas ilusiones en un proyecto que no prosperará.

Polizonte
El polizonte es símbolo de clandestinidad. Si viajamos de este modo quiere decir que estamos haciendo algo censurable a espaldas de nuestros familiares o amigos. Si en el sueño nos descubren, indica que, tarde o temprano, nuestra acción será conocida.

Pollitos
Si vemos una nidada de pollitos es señal de que queremos formar una familia o, si la tenemos, que deseamos hacer profundos cambios en ella.

Véase AVES.

Polvo
El polvo simboliza la nostalgia por un amor que ya ha terminado.
Si se mueve formando remolinos, quiere decir que hay posibilidades de reconciliación.

Pólvora
La presencia de este explosivo en un sueño indica que nos estamos preparando para agredir a alguien que nos ha hecho daño, que estamos dispuestos para mantener un enfrentamiento.

Polvorín
Es símbolo de falta de unión familiar.
Si nos encontramos en un polvorín quiere decir que en nuestra familia las rencillas, los amores y los odios son constantes, que tendemos a exagerar al extremo las emociones.

Pomelo
La presencia de esta fruta no es un buen presagio; indica que tendremos una gran decepción en el terreno amoroso pero que eso, al mismo tiempo, fortalecerá la relación.

Pompón
Es símbolo de felicidad, de alegría.
Su presencia en un sueño puede presagiar un próximo embarazo.

Pómulos
Si en un sueño esta parte del rostro adquiere protagonismo (ya sea porque tenga una herida, porque sea exageradamente grande o por cualquier otra razón) quiere decir que nos sentimos avergonzados por la acción de una persona íntimamente relacionada con nosotros (bien la pareja, algún familiar o los amigos).

Pontífice
Si el soñador pertenece a una religión que no sea la católica, indica que siente la carencia de una ayuda espiritual adecuada que guíe su vida.

Véase PAPA.

Ponzoña
El hecho de que un animal, excepto las serpientes, nos inoculen su ponzoña indica que alguien nos está predisponiendo contra una persona a la cual apreciamos.

Popularidad
Los sueños en los que adquirimos popularidad, por lo general son compensatorios: indican que tenemos una gran necesidad de afecto y reconocimiento.

Póquer

Véase APOSTAR, AZAR.

Porcelana

Los objetos de porcelana deben ser analizados según lo que representen o el uso que se les dé.
En el caso de las figuras o de los utensilios, debemos buscar el símbolo más adecuado en el diccionario y a éste, sumarle la fragilidad propia de la porcelana.

Portaaviones

Estos navíos tienen la particularidad de llevar aviones que despegan de su cubierta. Se relacionan con los elementos agua y aire que, a su vez, simbolizan las emociones y el intelecto.
Si vemos un portaaviones o viajamos en él, quiere decir que intentamos poner de acuerdo nuestro corazón y nuestra cabeza, que nos atrae mucho una persona pero pensamos que no nos conviene como pareja.

Portal

Los portales simbolizan los cambios profundos producidos por acontecimientos importantes (bodas, final de una carrera, cambio de país, etc.)
En los sueños en los que aparecen, es importante observar la calidad del portal: cuanto más elevada sea ésta, mejor será el futuro que nos espera.

Portería

Las porterías empleadas en los diferentes deportes simbolizan las metas inmediatas.
Si presenciamos la entrada del balón en ellas, es señal de que las cumpliremos antes de lo pensado.

Portero

La presencia de un portero en sueños debemos analizarla en función del edificio que guarde.
Si se trata de una discoteca, indica que tenemos un sentido de la responsabilidad exagerado, que no nos permitimos fácilmente el ocio sano ni las diversiones.
En caso de que el portero esté en una casa conocida, debemos interrogarnos qué es lo que nos provoca rechazo en las personas que viven en ella.
Nuestro portero, en cambio, indica que nos sentimos protegidos en el ámbito familiar.

Posada

Simboliza el aislamiento necesario para tomar una decisión crucial.
El hecho de estar en una posada indica que debemos resolver un asunto espinoso y que, de momento, no sabemos qué camino tomar.

Posdata

Indican todo aquello que, aun siendo importante, no queremos tener presente.
Para hacer una correcta interpretación, si escribimos o leemos una posdata en sueños, debemos analizar el simbolismo de sus palabras, así como el significado global de la frase.

Poste

Los postes representan la ambición.
Si vemos un poste caído es señal de que veremos frustradas nuestras aspiraciones.
Si intentamos treparlo, es señal de que no contamos con los suficientes elementos para conseguir lo que deseamos.

Postigo

Aquellos sueños en los que los postigos adquieren importancia simbolizan el conocimiento de una verdad dolorosa.
Si cerramos los postigos quiere decir que nos hemos enterado de algo que hubiéramos preferido no saber y que vamos a autoengañarnos.
Si los abrimos, en cambio, el sueño indica que nos han comentado algo que nos ha producido un intenso alivio.

Postizo

Los postizos, sean de pelo o de cualquier otro tipo, indican que a menudo mentimos para darnos importancia.

Postres

Los postres, en general, son comidas muy energéticas pero peligrosas si se comen en abundancia.
Como todo alimento se relaciona con la nutrición espiritual, por ello simbolizan los primeros pasos que hemos dado en pos de una evolución espiritual y el poco esfuerzo que hacemos para seguir avanzando.

Pozo

Los pozos que contienen agua potable indican felicidad y alegría.
El hecho de caer en un pozo señala que tendemos a preocuparnos exageradamente por cosas sin importancia.

Prado

Representa nuestro presente.
Si es verde y bien cuidado, quiere decir que no tenemos grandes problemas, que somos felices.
Los prados descuidados, en cambio, auguran dificultades.
Es importante, también, buscar en el diccionario los símbolos correspondientes a los objetos que se encuentren en el prado.

Precipicio

Simboliza la presencia de un peligro inminente en nuestra vida.
Si lo atravesamos por medio de un puente es señal de que debemos actuar con mucha cautela.
Si caemos en él, quiere decir que nuestras esperanzas se verán frustradas.

Predicador

En el caso de que seamos creyentes, la presencia de un predicador indica que recibiremos una ayuda inesperada.
Si no lo somos, quiere decir que nuestra obcecación nos creará muchos problemas.

Prefacio

Los prefacios simbolizan la necesidad de hacer algo antes de acometer nuestro proyecto más importante.
El hecho de leerlos indica que vamos a comenzar una nueva tarea pero que, para que ésta salga bien, es necesario prepararla con más minuciosidad.

Pregonero

Simboliza los cotilleos, las murmuraciones.
Su presencia señala que una persona está intentando desprestigiarnos.

Prehistoria

Los elementos prehistóricos se refieren a nuestra vida instintiva y a los impulsos sexuales reprimidos. En caso de que en el sueño vivamos en la Prehistoria, debemos interpretar que no nos atrevemos a cumplir nuestras fantasías sexuales.

Premio

El hecho de que en un sueño se nos premie indica que nos sentimos muy satisfechos con nosotros mismos. Señalan nuestra tendencia a analizarnos y a corregir nuestros errores.
Si el premio lo recibe otra persona, quiere decir que sabemos valorar los esfuerzos ajenos y que no somos envidiosos.

Presagio

No deben entenderse como augurios los presagios que tenemos en los sueños ya que éstos sólo simbolizan sospechas que albergamos en la vida real.
Debemos analizar el simbolismo de los elementos que constituyan el presagio para saber cuáles son las sospechas infundadas que tenemos en la mente.

Presidente

Conversar en sueños con el presidente del país en el que vivimos indica que muy pronto haremos un importante contacto que nos facilitará un ascenso.

PRESTAR

El hecho de que prestemos algo en un sueño indica que estamos ayudando interesadamente a un amigo. Si es a nosotros a quien se presta algún objeto, o dinero, es señal de que nos están utilizando sutilmente.

PRESTIDIGITADOR

Los sueños en los que aparecen prestidigitadores debemos tomarlos como advertencias. Hay alguien que quiere entusiasmarnos para que participemos en un negocio que será ruinoso.

PRESUPUESTO

Los sueños en los cuales estudiamos un presupuesto nos alertan contra la tendencia de gastar demasiado. Indican que, en este momento, nos conviene ahorrar.

PRIMAVERA

La mayoría de las veces, los sueños con la primavera aparecen en momentos en que todo parece no tener remedio e indican que los problemas están a punto de acabar.

PRIMO

Los sueños en los que aparecen los miembros de la familia más alejados en el tiempo o el espacio, auguran noticias. Según sea la actitud de nuestros primos, éstas serán agradables o desagradables.

PRINCESA/PRÍNCIPE

Si en un sueño nos vemos convertidos en princesas o príncipes quiere decir que nos van a prometer una promoción, un puesto jerárquico.
Si el sueño es agradable, podemos confiar en que esa promesa se concretará; si es desagradable, debemos entender que nos están engañando.

PRISIÓN

Véase CÁRCEL.

PRISMA

Los prismas indican que tenemos un temperamento fuerte y rígido.
Si son de cristal y vemos pasar a través de ellos un haz de luz, quiere decir que tenemos un espíritu inquisitivo, amante de la cultura.

PRISMÁTICOS

Estos elementos ópticos simbolizan la inquietud que sentimos ante ciertas actitudes sospechosas de nuestra pareja.
Si los empleamos es señal de que estamos dispuestos a descubrir la verdad que se oculta tras sus palabras y sus actos.

PRIVACIDAD

Los lugares señalizados como privados (propiedad privada, dependencias de un comercio cerradas al público, etc.) indican nuestra afición al cotilleo.

PRIVILEGIOS

Los logros que, en cualquier sueño, nos den sobre los demás personajes, actúan a modo de compensación para acallar los celos que sentimos por un hermano.

PROBADOR

Si el sueño, o parte de él, transcurre en el probador de una tienda, quiere decir que no sabemos de qué manera conquistar a una persona que nos atrae poderosamente.

PROBETA

Véase LABORATORIO.

PROCESIÓN

En sueños, las procesiones indican que tenemos un problema importante que aún no hemos comunicado a nadie y, también, que finalmente lo podremos solucionar.

Proceso

Véase JUICIO.

Profanación

Los actos de profanación de cualquier lugar sagrado indican que alguien pretende inmiscuirse en estros asuntos más privados.

Profesional

Las consultas que hacemos en sueños a diferentes profesionales indican que en las áreas en las que ellos son expertos, tenemos problemas que solucionar.
Así, si consultamos con un abogado, quiere decir que tenemos un conflicto con la justicia (que no tiene por qué ser la oficial), si consultamos con un ginecólogo, que podemos tener un trastorno genital, con un médico uno de salud, etc.

Profesor

Véase MAESTRO.

Profeta

Cuando en un sueño vemos a un profeta, lo importante es recordar sus palabras. Éstas contienen en forma simbólica advertencias o consejos que nos serán muy útiles en la vida real. Sólo es cuestión de buscar su significado en el diccionario.

Prohibición

Los carteles que indican prohibiciones simbolizan lo que nosotros no nos permitimos hacer.
Es necesario estudiar su contenido y buscar el simbolismo de sus palabras en el diccionario para comprender mejor nuestras inhibiciones y represiones.

Promesa

Las promesas que nos hacen en sueños son cosas que, por lo general, se cumplen en la realidad. Si somos nosotros quienes prometemos algo, quiere decir que tenemos la intención de regalarlo u ofrecerlo.

Promiscuidad

Las escenas de promiscuidad suelen aparecer en los sueños de contenido erótico. Si no es así, indican la imposibilidad de llevar a la práctica las fantasías sexuales.

Promontorio

Si en un sueño nos encontramos sobre un promontorio de tierra es señal de que tenemos una exageradad opinión de nosotros mismos, que somos muy vanidosos.

Propina

Las propinas que damos en sueños indican que tenemos una deuda pendiente o mostramos falta de consideración hacia una persona que se ha portado muy bien con nosotros.
Si recibimos la propina quiere decir que tendremos una buena sorpresa.

Próstata

Las molestias que, durante el sueño, se puedan sentir en la próstata pueden deberse a un pequeño trastorno o a las molestias que la ropa nos ocasione mientras dormimos. Si no es así, puede indicar el miedo al fracaso sexual.

Prostituta

La presencia de prostitutas es habitual en sueños eróticos. Si no es éste el caso, indican que no se tiene confianza en la persona amada, que se temen o sospechan traiciones por su parte.

Protagonista

Véase ESPECTÁCULO.

Protección

Los sueños en los cuales debemos pedir protección a otras personas, indican que tenemos tentaciones que nos son muy difíciles de vencer.

Proteínas

Si soñamos con proteínas quiere decir que estamos haciendo una alimentación incorrecta, posiblemente basada en hidratos de carbono y grasas.

Prótesis

Véase POSTIZO.

Psicólogo

Los sueños en los que aparecen psicólogos indican que, en nuestro interior, sentimos que no controlamos adecuadamente nuestras emociones.
Por lo general aparecen cuando pasamos por una etapa de irritabilidad, depresión o confusión.

Psiquiatra

Los psiquiatras se ocupan de los trastornos mentales importantes; de modo que si vemos uno en sueños quiere decir que estamos preocupados por las extrañas actitudes de una persona de nuestro entorno.

Pueblo

Los pueblos tienen dos significados differentes, según se vean desde dentro o desde fuera.
Si lo vemos a lo lejos, simbolizan nuestras aspiraciones y si vamos hacia él, quiere decir que vamos camino de conseguirlas.
Si lo vemos desde dentro, sobre todo si los sentimientos que nos suscita no son agradables, indica que nos sentimos presos de la rutina, que queremos cambiar nuestra forma de vida.

Puente

Los puentes simbolizan los períodos de transición que transcurren durante los cambios importantes. Si el puente es sólido y seguro, indica que estamos llevando bien el proceso, que tendremos muchos éxitos cuando se consoliden las nuevas circunstancias.
En caso de que el puente sea endeble, debemos entender que se hace imprescindible la cautela, que los cambios son buenos pero difíciles.

Puercoespín

La presencia de este animal en un sueño indica que tendemos a sentirnos atacados fácilmente, que somos muy susceptibles y que eso nos lleva a tener enfrentamientos de los cuales nos arrepentimos.

Puerro

En la antigua Roma se consideraba que esta verdura tenía propiedades afrodisíacas. Simboliza la vitalidad y la fertilidad.
Su presencia en un sueño puede anunciar un próximo embarazo.

Puerta

Las puertas adquieren importancia en los sueños cuando vivimos situaciones críticas en la vida real y ante los cambios que exigen decisiones.
Si está abierta, es señal de que el cambio que vamos a dar nos resultará fácil, que cosecharemos éxitos. Si está cerrada, quiere decir que tendremos que hacer grandes esfuerzos para conseguir lo que deseamos.

Puerto

Soñar con un puerto indica que tenemos muchas energías y que necesitamos emplearlas pero no sabemos en qué.

Púgil

Los boxeadores simbolizan la agresión física, la tendencia a tener accesos de ira.
Si vemos a uno de estos deportistas en un sueño, es señal de que en nuestro entorno hay una persona que no sabe controlar sus nervios, que cuando se enfada, grita, rompe cosas o amenaza con pegar.

PULGA

Estos parásitos simbolizan la presencia de una persona agobiante en nuestro entorno, alguien que nos exige una presencia constante y que pretende dominar nuestra vida.

PULGAR

Es el único dedo opuesto a los demás y simboliza las discusiones.
El hecho de tener en él una herida indica que seremos fácilmente convencidos de algo en lo que ahora no creemos.
Si tenemos un pulgar excesivamente grande, quiere decir que tendremos una agria discusión familiar.

PULIR

El hecho de pulir una superficie indica que hay amistades de las cuales nos conviene tomar distancia, ya que no nos aportan nada positivo.

PULPO

La aparición de este animal en sueños suele constituir un mal presagio.
A menudo señala que estamos soportando humillaciones, que aguantamos situaciones insostenibles porque somos incapaces de tomar distancia con una persona que dice querernos.

PULSERA

Estos adornos simbolizan la unión con una persona de más edad.
Si ya tenemos pareja, quiere decir que encontraremos un amigo que nos ayudará a comprender muchas cosas, a evolucionar interiormente.
Si no la tenemos, es posible que establezcamos un romance con una persona mayor.

PULSO

El hecho de que en sueños nos tiemble el pulso indica que en poco tiempo deberemos pasar una prueba preocupante. Puede ser un examen, una declaración amorosa o cualquier situación en la que deberemos desenvolvernos con mucho cuidado.

PUMA

Véase FELINOS.

PUNTAS

Los objetos agudos, en general, simbolizan la agresión verbal; sobre todo, empleada por los personajes que los utilizan en los sueños.

PUNTERO

Los sueños en los que se utiliza un puntero para señalar palabras en una pizarra suelen contener indicaciones útiles para los problemas que más nos preocupan en el presente.
Es necesario buscar el significado de las palaras señaladas para comprender el mensaje de nuestro inconsciente.

PUNTILLA

Las puntillas indican frivolidad y vanidad. Quienes en sueños visten con puntillas son personas pagadas de sí mismas, que se creen superiores a los demás.

PUNTO

Las labores de punto representan los planes de futuro.
Si la labor está bien hecha, quiere decir que los planes mencionados se cumplirán fácilmente. Si tenemos que destejer o la prenda que confeccionemos tiene defectos evidentes, es señal de que nos resultará difícil conseguir lo que con tanta fuerza ansiamos.

PUNZÓN

Véase HERRAMIENTA.

PUÑAL

Véase ARMAS.

Puño
Los puños cerrados simbolizan la violencia contenida.
Los personajes que en sueños hacen este gesto, representan a las personas de nuestro entorno que aun cuando no muestren su ira tienden a guardar rencor y planear venganzas.

Pupitre
Los sueños en los que nos vemos sentados en un pupitre pueden indicar que sentimos nostalgia de la niñez.
En caso de ver un pupitre pero sin utilizarlo, quiere decir que lamentamos no haber tenido la fuerza de voluntad de estudiar adecuadamente.

Puré
Las verduras servidas en puré simbolizan el cansancio, la falta de energía. El hecho de prepararlas indica que estamos haciendo tareas que corresponden a otra persona. Si las comemos, quiere decir que estamos aburridos con la rutina diaria y que necesitamos un cambio de aires.

Purgatorio
El purgatorio representa la necesidad de reparar un error o lavar una culpa.
Nuestra presencia en este lugar indica que, por torpeza, hemos causado daño a otra persona y eso nos pesa en la conciencia.

Púrpura
Este color simboliza la dignidad, el triunfo, los honores. La ropa púrpura indica liderazgo; es decir, que nuestras opiniones son tenidas muy en cuenta por familiares, amigos y vecinos.

Pus

Véase INFECCIÓN.

Putrefacción
La materia en putrefacción simboliza las ideas y conceptos que estamos eliminando de nuestra mente a fin de evolucionar. Se trata de prejuicios que no hacen más que entorpecer el desarrollo intelectual y espiritual.

Quemadura
Las quemaduras, por su relación con el elemento fuego, simbolizan la voluntad mal empleada.
El hecho de quemarnos en un sueño indica que estamos siguiendo un mal camino, que hemos dispuesto todas nuestras energías en una empresa que nos resultará sumamente perjudicial.
Si es otra la persona quemada, quiere decir que tendremos que luchar contra la obcecación de alguien por quien sentimos un gran afecto y que está actuando de una manera innoble.
Para completar el análisis del sueño, también deberá buscarse el simbolismo de la parte afectada.

Quemar
El fuego es un elemento purificador, por lo tanto, si quemamos objetos o papeles en sueños, quiere decir que éstos nos recuerdan hechos de nuestra vida que nos producen arrepentimiento o vergüenza.
El análisis simbólico de dichos objetos arrojará más luz sobre las equivocaciones cometidas.

Quena

Véase INSTRUMENTOS MUSICALES.

Querella
En toda querella hay dos partes en desacuerdo y una tercera, el juez, quien dirime el asunto.
Si nos querellamos contra alguien en sueños, debemos entender que esa persona simboliza una parte de nosotros mismos que quiere imponerse a nuestro

criterio racional. El juez, en este caso, simboliza a una persona de nuestra confianza que pueda ayudarnos a ponernos de acuerdo con nosotros mismos.

Queroseno

Antiguamente este combustible se empleaba para lámparas, e incluso aún hoy se emplea en algunas zonas rurales.
Simboliza la energía mental, la capacidad de utilizar la razón para comprender la realidad.
Verla en sueños da cuenta de una gran capacidad intelectual.

Querubín

Véase ÁNGEL.

Queso

Este alimento simboliza algunos aspectos de la relación con la madre.
Si el queso tiene buen aspecto y es sabroso, quiere decir que hemos recibido de ella todos los cuidados y consejos necesarios para buscar la felicidad.
Si está podrido, huele mal o no tiene buen sabor, indica que la relación con nuestra madre ha sido competitiva, que no nos hemos sentido suficientemente queridos.

Quicio

El quicio de las puertas constituye uno de los puntos que soportan por más tiempo un derrumbe; de ahí que sea costumbre, en las zonas de temblores y terremotos, refugiarse en él.
Si en un sueño tiene una significación especial, quiere decir que tenemos miedo de nuestras reacciones emocionales, que no nos atrevemos a responder a las agresiones porque tememos causar daños irreparables.

Quijada

Las quijadas de los animales han sido empleadas como arma por los hombres prehistóricos, de ahí que en algunas culturas simbolicen el poder.
Su presencia en un sueño indica que estamos viviendo una situación en la cual debemos imponernos al resto de los miembros de la familia.

Quijote

Este personaje literario simboliza el idealismo.
Soñar con él indica que nos preocupamos no sólo de nosotros mismos sino, también, de la humanidad como conjunto.

Química

Si esta materia tiene alguna preponderancia en sueños, y no tenemos un examen pendiente, simboliza el deseo de conectar a dos o más personas conocidas, de fundir dos de los círculos que frecuentamos.
Si el sentimiento que se experimenta durante el sueño es negativo, por el contrario, indica el miedo a que dos amigos se conozcan entre sí.

Quiniela

Véase AZAR.

Quinqué

Véase LÁMPARA.

Quiosco

Los quioscos de venta de periódicos simbolizan el afán de conocer el entorno en el cual vivimos.
Si compramos algo en él es señal de que nos preocupa una situación que se ha producido en el vecindario.

Quirófano

Los sueños en los que aparece un quirófano no auguran enfermedades graves ni operaciones, sino la necesidad de tomar una resolución drástica con respecto a un problema familiar que nos preocupa.

Si en el sueño aparecemos como cirujanos, es señal de que debemos actuar con coraje ante ese problema. Si somos pacientes, en cambio, es mejor dejarle llevar la voz cantante a otra persona de la familia.

Quiromancia

Véase ADIVINO.

Quisquilla

Véase MARISCO.

Quitamanchas

Los quitamanchas simbolizan los esfuerzos por resolver un malentendido.
Indican que la persona que en sueños los emplee ha cometido un error a la hora de comunicar una noticia y que, a raíz de ello, se ha producido un conflicto.

R

Rábano

Simbolizan los pequeños contratiempos que deberemos enfrentar en nuestras relaciones de pareja.
Si los comemos quiere decir que tendremos discusiones tontas que harán que nos distanciemos de la persona amada.

Rabia

Los sueños en los que aparecen animales afectados por esta enfermedad indican que tememos a nuestra propia ira, que nos irritamos con mucha facilidad y que reprimimos cualquier manifestación de desagrado para no causar daños irreparables.

Rabillo del ojo

Si la expresión de uno de los personajes del sueño indica que mira por el rabillo del ojo quiere decir que nos sentimos mal ante la desconfianza que nos tiene alguien a quien profesamos un gran afecto.
Es muy probable que estos sueños aparezcan cuando somos víctimas de los ataques de celos de nuestra pareja.

Rabino

Los rabinos son los guías espirituales del pueblo judío. Si no profesamos el judaísmo, su presencia en un sueño puede ser indicio de que nuestra propia religión no nos da el consuelo que esperamos.
Si seguimos la religión judaica, en cambio, quiere decir que estamos necesitando ayuda espiritual.

Rabo

El rabo cumple, en muchos animales, una función gestual: si se observa una jauría, lo más probable es que sólo un perro lo lleve enhiesto en señal de liderazgo mientras los otros lo llevan caído.
Si en sueños poseemos rabo quiere decir que nos sentimos incomprendidos, que nos da la sensación de que los demás nos adjudican intenciones que estamos muy lejos de tener.
Cortar el rabo de un animal, en cambio, puede tener dos significaciones diferentes: si se trata de un toro es símbolo de victoria; si es de otra especie, en cambio, indica que nos negamos a aceptar las decisiones de nuestros superiores.

Racimo

Véase UVAS.

Radar

Estos aparatos indican que somos perspicaces y que podemos detectar todo tipo de manipulaciones. Su presencia indica que podremos desmontar una trampa que nos han tendido.

Radiactividad

A diferencia de otros peligros que nos amenazan, la radiactividad es invisible y sólo puede detectarse mediante un aparato especialmente diseñado para ello. Por eso simboliza las ideas que sutil e insidiosamente una persona nos va metiendo en la cabeza en contra de otra.

Radio

La radio sirve de conexión con el medio social y su presencia indica que recibiremos noticias que cambiarán positivamente nuestra vida.

Radiografía

El hecho de que nos hagan una radiografía en sueños indica que tenemos alguna molestia interna que aún no ha traspasado el umbral de la conciencia. Si no es así, representa la necesidad de conocernos mejor o de comprender a la persona a la cual se haga la radiografía.

Raíl

Los raíles obligan a los vehículos que van por ellos a seguir una trayectoria previamente marcada; por eso simbolizan las normas y preceptos que hemos recibido en la niñez.

Si vemos los raíles rotos o en mal estado es señal de que hemos revisado estas leyes y que hemos construido nuestra propia escala de valores.

Raíz

Cuando se sueña con raíces es preciso tener en cuenta su forma.

Si son a modo de cabellera, como las de los ajos, simbolizan la vida psíquica, de modo que su presencia puede hacer sospechar que tendemos a desentendernos de nuestro sentimientos.

Las que tienen un eje grueso y carnoso simbolizan el egocentrismo y denotan nuestra tendencia a asumir el protagonismo.

Las de los árboles que sobresalen a la superficie representan la necesidad de liberarnos de las responsabilidades que hemos asumido.

Rallador

La presencia de un rallador en un sueño indica que el grupo que frecuentamos habitualmente va a disgregarse aunque nuestra relación con los demás miembros seguirá en pie.

Rama

Las ramas desgajadas de los árboles simbolizan las rupturas amorosas; sin embargo, si en el sueño las usamos para hacer fuego, es síntoma de que habrá una reconciliación.

Ramillete/ramo

El hecho de que nos regalen un ramillete indica que recibiremos próximamente una declaración de amor.

Rana

La aparición de ranas en un sueño indica que en la actualidad o próximamente vivirán en nuestro vecindario personas que nos resultarán desagradables.

Rapiña

Véase AVES.

Raptar

Los raptos simbolizan la necesidad de tener un contacto estrecho con una persona determinada. Si raptamos a una persona o somos raptadas por ella, indica que tendremos éxito en los afectos. Si presenciamos el rapto de otra persona, es señal de que necesitamos tomar distancia con nuestra pareja.

Raqueta

Las raquetas simbolizan los apoyos con los que se cuenta a la hora de tener una promoción en el trabajo.

Si están sanas es señal de que recibiremos ayuda para cambiar favorablemente nuestra situación; si se ven rotas o en mal estado, es señal de que no podemos esperar nada bueno al respecto.

Rascacielos

Los rascacielos deben ser analizados de la misma manera que las casa, ya que también nos representan a nosotros mismos.

En todo caso, los aspectos que se desprendan de él habrán de aplicarse al entorno laboral.

Cuanto más altos sean y en mejor estado se encuentren, más brillante será nuestro futuro profesional.

Véase CASA.

Rascarse

El hecho de rascarnos en sueños indica que nuestro buen desempeño profesional crea envidias y maledicencias en nuestro lugar de trabajo.

Rasgar

El hecho de rasgar algún objeto que no usamos hace tiempo o que constituye un recuerdo, es señal de que intentamos liberarnos de nuestro pasado.

Si es un objeto nuevo, estamos molestos con nuestra situación presente.

Rasguño

Los rasguños simbolizan las advertencias que hemos recibido por parte de un amigo para que no hagamos algo que le desagrada.

Si somos nosotros quienes los hacemos, es señal de que estamos intentando poner a prueba su lealtad.

Raso

Esta tela delicada y brillante es símbolo de florecimiento económico.

Si en el sueño se utilizan vestidos confeccionados con este material quiere decir que nuestros negocios marcharán muy bien y que habrá ocasión de ampliarlos.

Las sábanas de raso auguran una relación muy apasionada.

Rastrillo

Esta herramienta de jardinería simboliza el reciclaje, la capacidad de aprovechar al máximo los recursos con los que contamos.

Su presencia indica que somos ahorrativos, perfeccionistas y previsores.

Rastro

El seguimiento de un rastro durante un sueño es índice de celos.

El hecho de perseguir cualquier tipo de huella, sea de una persona, de un vehículo o de un animal indica que tememos que nuestra pareja nos abandone por otra persona.

Rasurar

El hecho de rasurar a otra persona indica que exigiremos a ésta explicaciones sobre cosas que ha dicho sobre nosotros.

Véase AFEITADO.

Rata/ratón

Estos roedores simbolizan las preocupaciones que no podemos quitarnos de la cabeza.

Si aparecen muertos es señal de que en breve les daremos solución. Si nos atacan, es señal de que se volverán más urgentes o enojosas.

Raya

Si soñamos con este curioso pez quiere decir que damos demasiadas vueltas a las palabras, que intentamos ver significados extraños detrás de lo que se nos dice, aunque no haya nada evidentemente maligno ni pernicioso en realidad. Esto nos ocurre con más frecuencia en las conversaciones que tenemos con la persona que amamos.

Rayar

El hecho de rayar una superficie indica que dejaremos claro que un objeto o puesto de trabajo en disputa, nos corresponde.

Rayo

Simboliza la intervención del azar, de lo imprevisible, en nuestro destino.
Si el rayo aparece en el cielo es señal de que se producirán acontecimientos inesperados que resultarán beneficiosos.
Si cae a tierra, los cambios que se producirán pueden resultarnos difíciles de aceptar al principio.

Razón

Los sueños en los cuales intentamos imponer nuestra razón son compensatorios. Indican que en la vida real nos dejamos llevar por el corazón pero que, en el fondo, reconocemos que esta forma de actuar nos hace perder muchas oportunidades. Además, sirven para hacernos reconocer nuestra valía personal.

Reactor nuclear

Los reactores nucleares son los que proveen energía a muchas ciudades. Si vemos en sueños su característica imagen es señal de que entramos en una época de mucha actividad en la que nos conviene buscar diferentes ocupaciones para descargar tensiones internas.

Realeza

Los sueños en los que nos vemos formando parte de la familia real dan cuenta de nuestro afán por relacionarnos con personas de alcurnia.

Véase NOBLEZA.

Reanimar

La acción de reanimar a una persona que ha perdido el sentido simboliza los esfuerzos que realizamos para que alguien de nuestro entorno confíe en sí mismo y busque trabajo.

Rebanar

Cortar cualquier alimento en rebanadas señala la costumbre de no mezclar amistades de diferentes círculos.
Si nos vemos realizando esta acción quiere decir que tememos que dos amigos, desconocidos entre sí, se encuentren.

Rebañar

El hecho de rebañar el plato indica que somos demasiado estrictos en cuanto a nuestros deberes morales. Posiblemente no nos conformemos con aceptar nuestros errores y reparar el daño causado, sino que además nos autocastiguemos de forma desmedida.

Rebaño

Véase OVEJA.

Rebeldía

Los actos de rebeldía que cometemos en sueños simbolizan las actitudes que nos gustaría adoptar en la vida real, aunque con otras personas, pero que no podemos asumirlas por el temor que nos causa enfrentarnos a la autoridad.

Rebuzno

Oír rebuznos en sueños no es un buen presagio. Por lo general anuncia noticias desagradables, aunque no dramáticas.

Recalentar

El hecho de recalentar una comida en sueños indica la necesidad de tomar contacto con preceptos religiosos aprendidos en la niñez.

Recaudar

La recaudación de fondos para una acción benéfica indica que nos sentimos muy frustrados por no poder ayudar a un amigo que está pasando por un mal momento.

Recepción

La recepción de hoteles o de otras entidades simboliza las personas con las que nos gustaría tener una mayor amistad. Este lugar suele revelar que somos tímidos y que nos cuesta acercarnos a los demás por miedo a ser rechazados.

Receta

Soñar con recetas de cocina indica que en breve encontraremos una solución ingeniosa para el problema que nos preocupa.
Si le pasamos la receta de una comida a una persona amiga, quiere decir que tendremos la posibilidad de hacer una interesante tarea en común.
Si son recetas que han sido extendidas por un médico, pueden augurar que una persona de la familia padecerá una breve dolencia.

Rechazar

Si en sueños la persona a la que declaramos nuestro amor nos rechaza quiere decir que, en nuestro interior, no la amamos lo suficiente.

Rechinar

Son muchas las personas que rechinan los dientes mientras duermen. Esto se produce, sobre todo, en épocas de gran estrés y puede dañar las piezas dentarias. Si oímos rechinar algo, es posible que el sueño esté motivado por esta causa y no estaría de más que visitáramos pronto a un dentista.

Recibidor

Los sueños que transcurren en el recibidor de nuestra casa indican que próximamente se venderá o que tendremos la oportunidad de compar una vivienda mejor que la que tenemos, con lo que mejoraremos en calidad de vida.

Recibo

Los recibos indican que estamos pasando por una época de dificultades económicas. Si somos nosotros quienes lo escribimos, es señal de que conseguiremos una buena suma de dinero como producto de un negocio.

Reciclar

Los sueños en los que reciclamos objetos en desuso, como por ejemplo, cuando nos hacemos una falda con un pantalón o utilizamos un bote de conservas a modo de tiesto, indican que tenemos cierta tendencia a la avaricia, siempre y cuando el ambiente del lugar en que estemos no sea extremadamente humilde.

Recipiente

Los recipientes vacíos indican falta de iniciativa, apatía, desgana. Si están llenos, sea cual sea su contenido, señalan que tenemos una gran imaginación y que sabemos utilizarla bien.

Recital

Los recitales y conciertos pueden tener diferentes significados, según sea el tipo de música que se toque en ellos. En general revelan nuestros afectos.

Véase MÚSICA.

Reclamación

Los sueños en los que nos dirigimos a la oficina de reclamaciones o pedimos el libro de quejas de un negocio indican que no nos sentimos conformes con la evaluación que han hecho de nuestro trabajo. Éste puede ser un examen o nuestro desempeño profesional.

Reclinatorio

En los sueños de contenido espiritual, los reclinatorios simbolizan la necesidad de sentirnos en contacto con Dios.
También pueden simbolizar el deseo de hacernos perdonar por una persona a la que hemos ofendido.

Reclutamiento

Si en sueños acudimos a una oficina de reclutamiento o vemos a jóvenes dirigirse a ella es señal de que tenemos una gran necesidad de sentirnos integrados en la comunidad en la que vivimos.

También puede indicar que nos sentimos marginados en el medio en el cual trabajamos, sin que lleguemos a comprender las razones que provocan esta situación.

Recodo

Si en el sueño andamos por un camino y llegamos a un recodo, éste simboliza lo inesperado, las sorpresas que nos aguardan en la vida. Si en el sueño sentimos miedo de lo que pueda haber una vez tomada la curva, es señal de que no tenemos confianza en nosotros mismos, que somos pesimistas y siempre tememos lo peor. Si avanzamos decidida y confiadamente hacia el recodo, quiere decir que tenemos una visión optimista del futuro y que, gracias a ella, conseguiremos cumplir nuestros deseos.

Recogedor

Este instrumento sirve para recoger la basura y llevarla al cubo. Cumple, pues, las funciones de una pala.

Véase BASURA, PALA.

Recomendar

El hecho de recomendar en sueños a otra persona para un trabajo augura una buena posición en un futuro.
Si somos nosotros los recomendados quiere decir que contamos con personas que nos apoyarán en todo momento.

Recompensa

Las recompensas que recibimos en los sueños son las que nos damos nosotros mismos, orgullosos de nuestras acciones. Nos las podemos dar de diferentes formas: permitiéndonos una mayor flexibilidad, evitando reprimirnos por cosas absurdas, gozando ampliamente del ocio, etc.
Si recompensamos a otra persona es señal de que obtenemos de nuestros amigos un gran afecto y que éste nos da fuerzas para realizar grandes obras.

Reconciliación

Los sueños en los que hay reconciliaciones, sobre todo si hemos tenido recientemente una ruptura de pareja, indican la obsesión y desesperación que nos atenaza al ver destrozado lo que creíamos que era nuestro futuro.
Sin embargo, observando las imágenes y analizando debidamente su contenido, se pueden obtener pautas acerca de los pasos que deberíamos dar para lograr restablecer la relación con la persona amada.
En caso de que no hayamos sufrido ninguna ruptura puede indicar el deseo de tomar contacto con alguien con quien nos hemos disgustado hace tiempo, de lo que ahora nos arrepentimos.

Recortar

El hecho de recortar en sueños indica el deseo que tenemos de destacar alguna faceta de nuestra personalidad. Es importante analizar el contenido del recorte a fin de saber de qué cualidad concreta se trata.

Recreo

Si soñamos que estamos en la escuela, en el recreo, quiere decir que estamos demasiado obsesionados con nuestro trabajo y que necesitamos urgentemente un descanso.
También podría indicar que añoramos la felicidad de la infancia perdida, los amigos o los cuidados que nos prodigaron los adultos.

Recriminar

Todo lo que recriminemos a cualquier personaje de un sueño simboliza lo que nos gustaría echar en cara a las personas a las que queremos, aunque no nos atrevamos a hacerlo.
Si los personajes son desconocidos, sus actitudes o sus vestidos pueden darnos alguna clave para comprender a qué personas de la vida real representan.

RECTA

La contemplación de una línea recta indica que estamos siguiendo el camino adecuado, que nos esforzamos por nuestra evolución interior.

RECTÁNGULO

Las figuras rectangulares aluden, por una parte, al materialismo, ya que son símbolos de tierra. Por otra, indican que tenemos tendencia a ser inflexibles con los errores, tanto nuestros como ajenos.

RECUPERAR

El hecho de recuperar en sueños un objeto que hemos perdido en el mismo indica que no debemos temer los pequeños contratiempos que se nos presenten próximamente; éstos se resolverán por sí mismos.
Si lo que recuperamos es algo perdido en la vida real, quiere decir que tememos perder el afecto de la persona que esté vinculada a ello.

RED

Las redes se utilizan, normalmente, para capturar animales.
Si en el sueño nos debatimos dentro de una red, si estamos prisioneros, es señal de que mantenemos un vínculo amoroso que nos agobia.
Si usamos la red para pescar, quiere decir que intentamos mantener los recuerdos lo más intactos posible, que tendemos a recrearnos en ellos.
Si la red se rompe y perdemos lo que habíamos conseguido, es señal de que no estamos cuidando adecuadamente nuestros intereses. La reparación de una red indica la necesidad de volver atrás en una decisión que habíamos tomado.

REDACCIÓN

Las redacciones de periódicos, revistas y programas de televisión simbolizan la información. Cuando aparecen en un sueño indican que tendremos una reunión familiar en la cual se deberán decidir cosas importantes sobre uno de los miembros.

REDADA

La participación en una redada policial indica que estamos dispuestos a renovar nuestras amistades debido a la falta de comprensión que han mostrado nuestros amigos ante un problema.
Si la presenciamos pero no participamos en ella quiere decir que estamos disgustados con personas de nuestro entorno.

REDOBLE

El redoble de tambores en un sueño indica que las imágenes que lo acompañan contienen información importante acerca de nuestros deseos más profundos.
Para analizar el sueño debemos buscar el significado simbólico de los elementos que aparezcan en la escena e interpretarlos como anhelos que no nos atrevemos a concretar.

REDOMA

Véase LABORATORIO.

REDONDEAR

Dar forma redonda a un elemento o hacer una bola con arcilla, plastilina o cualquier otro elemento plástico indica que debemos suavizar nuestro carácter, que somos demasiado exigentes y no sabemos tolerar el ritmo de trabajo ajeno.

REEMPLAZAR

Independientemente de las piezas u objetos que reemplacemos en un sueño, esta acción indica que nos sentimos atraídos por una persona que no es nuestra pareja y que ello está precipitando una crisis.

REENCARNACIÓN

Los sueños en los cuales nos reencarnamos en otra persona o animal indican que no estamos satisfechos con nuestro físico o con nuestra forma de ser. Estudiando el ser en el que nos reencarnamos, podremos descubrir las cualidades que, según creemos, nos faltan.

Reencuentro

El reencuentro con una persona a la que no vemos hace tiempo señala que tenemos en la mente cosas que nos hubiera gustado decirle. Según los sentimientos que experimentemos, éstas serán palabras de agradecimiento o de reproche.

Referéndum

Cuando se sueña con un referéndum, lo importante es buscar el significado simbólico de aquello que se va a decidir por medio de éste (la participación en una guerra, en un grupo, la independencia de una provincia, etc.). Eso nos dará una idea de los interrogantes y decisiones que nos planteamos con respecto a nuestra propia vida.

Reflector

Los grandes focos y los reflectores simbolizan las ideas que, una vez formuladas, dan sentido a las diferentes partes de un problema.
Cuando aparecen en un sueño es necesario tener muy en cuenta los objetos que iluminan, ya que su simbolismo puede sernos muy útil para resolver lo que más nos esté preocupando en ese momento.

Reformas

Las reformas en el hogar simbolizan los deseos de cambiar las relaciones de poder dentro de la familia. Posiblemente vivamos con una persona excesivamente dominante y sintamos la necesidad de protegernos de su despotismo.

Reformatorio

Estas instituciones simbolizan la disciplina y el castigo.
Si soñamos con ellos quiere decir que nos sentimos descentrados, que necesitamos tener cerca una persona de carácter para que nos ayude a controlar nuestros impulsos.

Refractario

Los materiales refractarios soportan temperaturas muy elevadas; por ello simbolizan la pasión.
Ver ladrillos refractarios, hornos o cualquier otro material de este tipo indica que sentimos una atracción irresistible por alguien que nos corresponde.

Refrán

Toidos los refranes contienen enseñanzas populares; de modo que, si oímos o decimos uno en sueños, debemos prestarle suma atención, ya que es un mensaje que nos insta a cambiar nuestra conducta.

Refresco

Estas bebidas simbolizan la tranquilidad en medio de la agitación.
Su presencia indica que estamos viviendo una época problemática pero que, aun a pesar de eso, podemos conservar la serenidad.

Refugio

Los refugios de montaña representan la necesidad de guardarnos de los enemigos que dejamos a nuestras espaldas mientras intentamos ascender a puestos cada vez más altos. Hablan, por tanto, de una ambición desmedida por nuestra parte que debe ser evitada.

Regadera

Las regaderas simbolizan el afecto incipiente que sentimos por una persona que acabamos de conocer.
Si contiene agua quiere decir que, con el tiempo, mantendremos una excelente amistad con ella. Si está vcía, la relación no pasará de un contacto sin importancia.

Regaliz

Hay un antiguo dicho que afirma que la mujer que mastique raíz de regaliz, se vuelve muy apasionada.
Esta planta, así como sus derivados, simboliza el impulso sexual y su presencia en un sueño indica momentos muy intensos que se vivirán con la pareja.

Regalo

Los regalos que recibimos en sueños indican que necesitamos compensar los malos momentos que estamos pasando, sobre todo ocasionados por la falta de afecto.
Si los hacemos, en cambio, quiere decir que nos sentimos plenos y felices.

Regar

El hecho de regar las plantas simboliza el trabajo que realizamos para mantener buenas relaciones, tanto con la familia como con los amigos o la pareja. Señala que nos esforzamos por comprender a los demás, por actuar con paciencia y, sobre todo, por respetar su libertad y su individualidad.

Regatear

El regateo es una actividad en la que tanto el comprador como el vendedor intentan obtener la mayor ventaja. Simboliza las transacciones y acuerdos que se realizan en el seno de la pareja a fin de establecer la mejor convivencia posible.
Si tras el regateo vendemos o compramos un artículo quiere decir que la relación actual o la próxima tienen las máximas posiblidades de consolidación.

Régimen

Véase BÁSCULA.

Regimiento

Los regimientos que avanzan en formación auguran peligros. Cuando los vemos en sueños debemos revisar nuestras cuentas y los documentos que tengamos pendientes, ya que, a causa de ellos, podemos tener que afrontar nuevos problemas.

Registro

Los registros policiales simbolizan la búsqueda de un culpable.
Si en sueños presenciamos uno, es señal de que en nuestro entorno se ha producido un conflicto debido a las murmuraciones que ha iniciado una persona cuya identidad se intenta conocer.

Regla

La utilización de una regla en sueños indica que nos estamos desviando del camino, que estamos cediendo a las tentaciones y que ello nos traerá problemas.

Véase MENSTRUACIÓN.

Reglamento

Los reglamentos indican las decisiones que debemos tomar ante un problema determinado. Si vemos uno en sueños, lo importante es analizar su contenido y buscar el significado de las palabras que contienen, a fin de comprender cuál es la conducta que debemos seguir ante el problema más importante que tengamos en ese período.

Regurgitar

Si quien regurgita es un bebé, el hecho es normal y forma parte de su conducta habitual. En caso de que lo haga un adulto, interpretaremos que no acepta los cuidados que le brinda la persona amada o bien la que pasa más tiempo con ella.

Rehén

Véase SECUESTRO.

Reinar

Si aparecemos en un sueño como reyes de un territorio debemos entender que, en el

ámbito doméstico, somos quienes tomamos las decisiones importantes.
En caso de que el sueño sea agitado o nos produzca ansiedad, quiere decir que nos gustaría que las personas con las que convivimos se implicaran más en los asuntos domésticos, que el exceso de responsabilidades nos agobia.

Reja

Las rejas simbolizan obstáculos que debemos sortear a fin de lograr nuestros deseos.
Si la que vemos en sueños es muy alta, infranqueable, quiere decir que tardaremos en conseguir lo que queremos. Si en la reja hay una puerta, en cambio, es señal de que es posible buscar una solución que nos permita lograrlo en menos tiempo.

Rejilla

Las rejillas se emplean, básicamente, para depositar en ella objetos húmedos que deben secarse. Simbolizan la necesidad de tranquilidad y reflexión para asimilar una ruptura amorosa.
Los elementos que veamos sobre la rejilla pueden darnos claves para encontrar la mejor manera de acelerar este proceso doloroso.

Rejuvenecer

Los sueños en los que nos vemos más jóvenes de lo que somos nos advierten de que debemos hacer un trabajo interior a fin de aceptar la edad que tenemos.
Los comportamientos que adoptan las personas que niegan el paso del tiempo, por ridículos, provocan rechazo o inspiran lástima.

Relación

Las relaciones amorosas establecidas en los sueños, a menos que coincidan con la que tenemos en la realidad, denotan que nos sentimos atraídos por el compañero que aparece en ellas.
Pueden ser sueños compensatorios en los cuales vivimos experiencias que nos están prohibidas por nuestras propias normas éticas.

Relajarse

Los ejercicios de relajación simbolizan la necesidad de tomar un respiro. Denotan que los esfuerzos que realizamos nos están perjudicando.
Ante este tipo de imágenes, lo que conviene plantearse es irse unos días de vacaciones.

Relámpago

Esta concentración de energía eléctrica simboliza la fuerza del pensamiento, la agudeza mental que nos permite descubrir la solución a nuestros problemas.
Si vemos relámpagos en un sueño debemos entender que somos capaces de encontrar por nosotros mismos la manera de resolver los asuntos que más nos preocupan en el presente. Sólo es cuestión de sentarse y pensar, tratando de dejar de lado los prejuicios y la idea de que los asuntos no tienen solución.

Relato

Los relatos, sean de hechos reales o ficticios, constituyen mensajes del subconsciente.
En algunas ocasiones, nos advierten de peligros; en otras, nos dan claves para solucionar los problemas que más nos preocupan.
Además de comprender el relato globalmente conviene buscar el significado simbólico de los elementos que aparecen en él a fin de hacer un análisis lo más profundo posible.

Relicario

Los relicarios, así como las medallas, tienen un claro simbolismo religioso.
Si somos creyentes, el hecho de llevar un relicario indica protección. Si no lo somos, su presencia indica que necesitamos

auxilio o guía espiritual.
También es conveniente conocer los atributos de la virgen o santo representados en el relicario.

Religioso

Véase MONJA, MONJE.

Relincho

La voz de los caballos nos recuerda que debemos darnos prisa en concluir un trabajo que tenemos entre manos o en realizar un trámite oficial.

Reliquia

Las reliquias nos conectan, a través del tiempo, con personas extraordinarias que han destacado por sus valores morales y espirituales.
Si nos vemos en un sueño con una reliquia en las manos quiere decir que estamos a punto de conocer cosas importantes acerca de nosotros mismos, se nuestras motivaciones o de nuestro carácter.

Rellano

Los rellanos de las escaleras simbolizan las etapas de transición, los momentos en los cuales es más conveniente consolidar la posición alcanzada que seguir avanzando.

Relleno

Si vemos en sueños algún objeto cuyo relleno se esté perdiendo (por ejemplo, un cojín, un peluche, una empanada), debemos tomarlo como advertencia. Nos estamos fijando más en cosas formales y sin importancia, en tanto que pasamos por alto el contenido, el nudo de un conflicto que nos preocupa.

Reloj

Los relojes simbolizan el paso del tiempo y nos recuerdan la fugacidad de la vida y la muerte.
El hecho de que aparezcan en sueños señalan que debemos aprovechar el tiempo, que no estamos haciendo todo lo posible por avanzar espiritual y moralmente.
Si el reloj se encuentra detenido es señal de que hacemos muy poco por nosotros mismos y por nuestra propia felicidad.

Remar

El agua simboliza la vida emocional e instintiva y el hecho de remar, el contacto prudente, el acercamiento a ambos mundos interiores.
Si el remar implica un gran esfuerzo es señal de que debemos trabajar muy duramente para eliminar los miedos que nos alejan de nosotros mismos. El avance rápido de la barca, en cambio, indica que estamos en el buen camino.

Remendar

Los remiendos anuncian un período de estrecheces económicas.
Si nos vemos cosiendo remiendos en una prenda quiere decir que nos conviene limitar los gastos al mínimo, ya que pueden producirse situaciones que exijan pagos inmediatos.

Remojar

Cuando en sueños ponemos algo a remojar quiere decir que estamos preocupados por el distanciamiento afectivo de nuestra pareja.
Debemos analizar el simbolismo de lo que remojamos para poder comprender a qué se debe su frialdad.

Remolacha

Soñar con remolachas es un excelente augurio. Si la vemos plantada, quiere decir que nuestros asuntos económicos tendrán un considerable crecimiento.
Si la vemos en el plato, en cambio, anticipa un éxito amoroso.

Remolcar

Si vemos un remolcador en pleno trabajo quiere decir que recibiremos una ayuda

inesperada por parte de un amigo.
En el caso de que remolquemos el vehículo de otra persona, debemos entender que nos sentimos agobiados por la actitud de pereza de alguien que convive con nosotros.

Remolino

Los movimientos giratorios simbolizan, entre otras cosas, el egocentrismo.
Los remolinos, sobre todo si son de agua o de algún elemento líquido, indican que nos mostramos muy ególatras en nuestras relaciones amorosas, que nos empeñamos en ser protagonistas ignorando, para ello, las necesidades de la persona que amamos.

Rémora

Estos peces tienen en la cabeza una placa oval con ventosas, las que utilizan para adherirse a otros más grandes como, por ejemplo, los tiburones.
Simbolizan personas que viven pidiéndonos favores, que se muestran torpes para que hagamos las cosas en su lugar.

Remordimiento

Si en sueños experimentamos un fuerte remordimiento, quiere decir que nos hemos fallado a nosotros mismos, que estamos cayendo en aquello que, pensábamos, jamás iríamos a hacer.

Remover

Si removemos un alimento o alguna sustancia que vayamos a utilizar, quiere decir que intentamos ordenar nuestros pensamientos de modo que podamos tomar una decisión lúcida respecto a un problema del presente.
El hecho de remover desperdicios indica rencor y ansias de venganza.

Renacuajo

La diferencia entre un renacuajo y un ejemplar adulto es enorme, ya que durante su desarrollo sufren una metamorfosis profunda. Por esta razón simbolizan el éxito que se ha de alcanzar una vez que trabajemos con las habilidades innatas.
Ver renacuajos en sueños significa tener condiciones para realizar diferentes trabajos con mucho éxito. Todo es cuestión de aprender a utilizar los talentos.

Rencor

Si en sueños sentimos rencor por alguno de los personajes, debemos entender que en el fondo es una emoción que albergamos en nuestro corazón y que el personaje representa a una persona que conocemos en la vida real.
Debemos recordar los elementos que nos permitan identificar a la víctima de nuestro rencor y tratar de erradicar esta emoción negativa de nuestro interior.

Rendición

Las rendiciones que se producen en sueños nos advierten de que, con tal de conseguir lo que deseamos, estamos descuidando nuestros ideales o actuando decididamente en contra de ellos.

Rendija

Si espiamos a través de una rendija quiere decir que evitamos comprometernos afectivamente.
Para hacer un análisis completo del sueño, es necesario analizar también el significado simbólico de los objetos que observemos.

Reno

Véase CIERVO.

Renovar

Toda renovación obliga a desprenderse de elementos viejos, de costumbres e incluso objetos que ya no nos sirven. Si hacemos alguna renovación en el sueño, indica que debemos dejar de lado cosas que arrastramos del pasado para avanzar.

Renquear

Las dificultades en la locomoción simbolizan los problemas que nos impiden tener un desarrollo profesional exitoso.
Si en un sueño mostramos dificultades al andar, debemos entender que si no somos promocionados no es a causa de las normas de la empresa, sino de los errores que cometemos. Éstos, posiblemente, se deban al mal manejo de las habilidades sociales.

Renunciar

Las renuncias que vivimos en sueños auguran distanciamientos que, lejos de provocarnos dolor, nos proporcionarán un gran alivio.
Cuando tenemos sueños en los que se visualiza una renuncia, debemos tomar conciencia de que estamos sosteniendo una situación que nos es desfavorable.

Reñir

En las riñas oníricas decimos todo lo que pensamos de la otra persona, pero de lo cual no somos conscientes debido a la censura que nos impone la educación.
Estas riñas simbolizan la rabia que sentimos hacia una persona con la que tenemos que convivir a diario y que, en el fondo, también queremos.

Reojo

Cuando observamos algo abiertamente, lo hacemos de frente; sin embargo, si queremos disimular, lo hacemos de reojo.
Este tipo de miradas simboliza las sospechas que podamos tener con respecto a la persona que miramos en el sueño. Seguramente nuestro subconsciente ha detectado que no es todo lo honesta que se muestra en la realidad.

Reparar

Los aparatos u objetos que reparemos en sueños indican la pérdida de fuerzas interiores para afrontar la lucha diaria.
Cuando nos vemos haciendo estas tareas debemos pensar que estamos descuidando nuestro interior y que, de seguir así,llegará el momento en que nos sintamos profundamente desdichados y débiles.

Repartir

Los objetos que repartamos en sueños indican los bienes espirituales con los que contamos.
Si lo que repartimos es comida, debemos considerarlo un buen augurio, ya que indica que tenemos una gran fuerza y riqueza interiores que nos permitirán cumplir nuestros deseos.

Repelente

El repelente es un producto que sirve para ahuyentar mosquitos u otros insectos molestos. Su utilización en un sueño indica que hemos decidido mantener distancia con compañeros de trabajo que nos están generando molestias. De este modo, si les retiramos nuestra confianza, se esmerarán más por hacer mejor sus tareas.

Repetir

Los sueños en los que se repite curso pueden ser naturales en un estudiante, ya que reflejan la angustia que le provoca su inseguridad. Sin embargo, si no estamos estudiando pero soñamos que repetimos, debemos entender que nos sentimos preocupados porque hemos fallado en el trabajo o en nuestras relaciones amorosas.

Repollo

Véase ALIMENTOS, VERDURA.

Reportaje

Los artículos y reportajes que leemos en revistas y periódicos simbolizan lo que deseamos que sea conocido por todos.
Es necesario comprender el significado global del artículo, así como el significado simbólico de las palabras a fin de analizar el sueño en profundidad.

Repostar
El hecho de repostar combustible indica que estamos faltos de energía, que hemos llegado a un punto de cansancio que no nos permite hacer nuestro trabajo eficientemente.
Lo recomendable es que tomemos un descanso, unos días de vacaciones, a fin de reponer las fuerzas.

Repostería
Cocinar postres en un sueño es un buen augurio; indica que tenemos la posibilidad de realizar un trabajo durante un corto tiempo, pero muy bien pagado.

Represa
Las represas son edificaciones que tienen como fin controlar el paso de las aguas. Simbolizan el estado de nuestro mundo emocional. Si la represa está en buen estado, es que no acumulamos ideas negativas, que tenemos un buen control emocional. Si está deteriorada indica que nuestras pasiones nos desbordan llevándonos a cometer actos imprudentes.

Represalias
Si en sueños sufrimos las represalias de una persona quiere decir que estamos preocupados por el problema que le hemos ocasionado a un compañero de trabajo y tememos que, en un futuro, éste pueda hacer algo que nos perjudique.

Reproches
Si tenemos socios en algún negocio, el hecho de soñar que nos reprochan algo indica que, en poco tiempo, tendremos diferencias importantes con ellos. Éstas podrían originar la disolución de la sociedad.
Si no los tenemos, los reproches auguran conflictos de pareja.

Reptil
Los reptiles son animales de sangre fría, de ahí que simbolicen la ausencia de emociones. Su presencia indica que tenemos tratos con una persona fría e insensible, que no comprende nuestras necesidades.
Si matamos al reptil, es señal de que lograremos tomar distancia con ella.

Requesón
Como otros productos lácteos, el requesón simboliza algunos aspectos de la relación con la madre.
Si lo empleamos para preparar algún plato, quiere decir que hemos obtenido de ella enseñanzas que nos resultan útiles.
Guardarlo en la nevera revela que tenemos de nuestra madre una imagen fría y distante.
El hecho de comerlo señala que tenemos con ella un buen vínculo.

Resbalar
Los resbalones que sufrimos en los sueños constituyen una suerte de advertencia. Indican que debemos ser más precavidos, que estamos llevando un proyecto con demasiadas prisas y que podemos cometer un error que nos obligue a realizar un gran esfuerzo para remediarlo, así que deberíamos estar atentos.

Rescatar
Si rescatamos a uno de los personajes de un sueño quiere decir que un amigo o familiar está a punto de cometer un error que puede traerle muchos disgustos. Está en nuestra mano apartarle del peligro.
Si somos nosotros los rescatados, debemos obrar con extrema cautela, sobre todo en el trabajo.

Resfriado
Las dolencias estacionales que sufrimos en los sueños, por lo general indican que tenemos las defensas bajas, que el estrés cotidiano está mermando nuestras energías y que deberíamos cuidar especialmente nuestra alimentación y descanso.

RESIDENCIA

A menos que seamos extranjeros, en cuyo caso soñar con papeles de residencia demostraría la preocupación que tenemos acerca de ello, si las imágenes oníricas nos muestran tramitando la residencia en algún país quiere decir que no estamos conformes con el barrio o la ciudad en que vivimos, que nos cuesta integrarnos y deseamos un cambio en nuestra vida.

RESIDUOS

Los residuos provenientes de alimentos son símbolo de riqueza y prosperidad. Los industriales, en cambio, auguran la posibilidad de encontrar un trabajo muy bien remunerado.

RESINA

La resina es un material incorruptible, por ello indica la rectitud moral.
Si soñamos con ella es señal de que se nos incitará a cometer una acción enfrentada con nuestra ética. La tentación será grande pero, sin embargo, lograremos vencerla.

RESISTIR

Los actos de resistencia indican, en los sueños, la necesidad de mantenernos firmes, de no intentar avances hasta no haber consolidado nuestra posición.
Pueden producirse cuando se nos presentan oportunidades laborales que implican un rápido pero inseguro ascenso y, también, en los momentos de agotamiento frente a una larga lucha. En este caso señalan que el problema está a punto de solucionarse.

RESOLVER

Véase ACERTIJO.

RESONANCIA MAGNÉTICA

Como otras pruebas cuyo fin es hacer un diagnóstico, la resonancia magnética indica, por un lado, que tenemos un terror morboso a la enfermedad. Por otro, que pasamos por una etapa de desequilibrio interior provocado por el estrés o por pequeños problemas a los que no sabemos cómo dar solución.

RESORTE

Véase MUELLE.

RESPALDO

El respaldo de los muebles indica, con su forma, nuestra predisposición al trabajo, así como nuestro nivel de energía interior.
Si es recto, quiere decir que siempre estamos dispuestos a entrar en acción, que tenemos fuerza y sabemos motivarnos.
Si está reclinado hacia atrás, indica que nos cuesta mucho ponernos en movimiento, que tendemos a la pereza o a planificar demasiado antes de ponernos manos a la obra.

RESPINGO

Los sueños de los cuales nos despertamos con un respingo auguran sorpresas.
Las imágenes anteriores a esta contracción involuntaria, pueden dar una idea del cariz de la misma. Si hemos tenido una pesadilla, por ejemplo, es de esperar que se nos presente un problema; si el sueño ha sido agradable, en cambio, la sorpresa nos causará alegría.

RESPIRAR

A menos que estemos corriendo, en cuyo caso es lógico que la respiración sea acelerada, el hecho de tener algún problema respiratorio indica que estamos viviendo una situación agobiante a causa de las exigencias de una persona.
Ésta puede ser nuestra pareja o un familiar que pretenda decirnos cómo tenemos que llevar nuestra vida.

RESPONSO

Los responsos son oraciones que se dicen por los difuntos. Simbolizan el final de una

relación amorosa, la ruptura de una pareja. Si el sentimiento que experimentamos es de angustia, es muy posible que la pareja que vaya a romperse sea la nuestra.
No obstante, la ruptura no tiene porqué ser definitiva. Tal vez se trate de un período de separación que será seguido por una reconciliación.

Restaurante

Estos establecimientos revelan la insatisfacción que sentimos por causas emocionales, psíquicas o profesionales.
Si el lugar es limpio y agradable quiere decir que tenemos una lucha constante con nosotros mismos para resignarnos ante ciertas injusticias que estamos viviendo.
En caso de que el restaurante esté sucio o completamente vacío, significa que vivimos una situación que nos impulsa a desvalorizarnos.

Restaurar

La restauración de muebles antiguos o de obras de arte simboliza el apego por el pasado y por la historia de la familia.
Si nos vemos realizando esta actividad quiere decir que damos suma importancia a nuestro apellido o a nuestros antepasados, que valoramos especialmente todo aquello que tenga que ver con nuestra familia.

Restituir

Si en sueños restituimos un objeto a quien había sido su dueño, quiere decir que tenemos un gran sentido de la justicia, que somos capaces de luchar por causas ajenas y que eso, en ciertos ámbitos como el laboral, a menudo nos ocasiona problemas.

Restos

Los restos (sobre todo de comida) simbolizan el apego que sentimos hacia las personas que conocemos hace mucho tiempo. Indica que, aun cuando éstas nos fallen, seguimos conservando su amistad por lealtad hacia el pasado.

Véase CENA.

Restregar

El hecho de frotar compulsivamente una cosa con otra indica que nos sentimos ofendidos con una persona por una acción que ésta ha cometido en el pasado.
Si el sentimiento que experimentamos es de ira, es señal de que, finalmente, pondremos las cosas en claro y le haremos saber que ya no confiamos en ella.

Resucitar

Si soñamos nuestra propia resurrección, es señal de que se avecina una gran transformación en nuestro interior. A partir de ésta podremos demostrarnos que somos capaces de hacer muchas más cosas de las que pensábamos. Si quien resucita es otra persona quiere decir que le hemos perdonado las ofensas que en otro tiempo nos ha hecho.

Resultado

La espera de resultados de cualquier índole (exámenes, diagnósticos, etc.) indica que antes de poner en práctica una idea que tenemos en la cabeza debemos recabar más datos.

Resumen

Los sueños en los que aparecen resúmenes son muy importantes, ya que explican la manera de resolver nuestros problemas más acuciantes.
Debemos interpretar el simbolismo del tema que traten, así como el de las palabras que contengan. Ello nos dará las claves para entender nuestra actual posición.

Retablo

Los retablos son un conjunto de pinturas o figuras que muestran una historia o

acontecimiento. Su presencia en un sueño señala las causas que han motivado nuestra situación actual.
Para interpretar debidamente estas imágenes es necesario buscar el significado simbólico de las figuras. Ello nos permitirá comprender mejor el origen de nuestros problemas y deducir de ello las posibles soluciones.

Retaguardia

El hecho de pertenecer a la retaguardia de un ejército en movimiento indica que, en nuestro entorno, hay personas dispuestas a iniciar un conflicto. También que, aun cuando estemos de acuerdo con lo que ellas reclaman, no aceptamos hacerlo mediante una confrontación desagradable, sino que preferimos utilizar el tacto y la diplomacia para conseguir justicia.

Retal

Soñar con retales pone de manifiesto que tenemos un gran sentido de la economía. Si son grandes, quiere decir que vamos a obtener unas ganancias mayores que las esperadas.
En caso de que los retales estén sucios o no se puedan utilizar, debemos entender que hemos dejado pasar una excelente oportunidad para hacer un negocio.

Retama

Por sus flores amarillas y sus hojas lanceoladas, es considerada símbolo del Sol naciente. En sueños representa los comienzos.
La presencia de esta flor indica que hemos hecho un cambio en nuestra vida. Puede ser exterior (boda, nuevo trabajo, cambio de departamento) o interior (el propósito de dejar de fumar, de ser más comunicativo, etc.)
Si las plantas se ven lozanas y florecidas, quiere decir que la nueva vida que nos planteamos será mucho más alegre y dichosa que la que estamos dejando atrás. En el caso de que estén marchitas, quiere decir que antes de sentirnos cómodos en ella deberemos hacer un esforzado trabajo interior.

Retirada

El hecho de retirarnos de una disputa o bien el observar a otra persona que lo haga debemos tomarlo como advertencia. El continuar enfrentados con personas de nuestra familia puede tener, como consecuencia, una pérdida de prestigio ante los ojos de los demás.

Retiro espiritual

Estos eventos simbolizan la necesidad de poner más atención a nuestra vida interior. Indican que estamos demasiado abocados a prosperar en el mundo material y en el entorno social, pero que nos estamos alejando de nosotros mismos.

Reto

Los desafíos que vivimos en sueños simbolizan los que nos hacemos interiormente, los propósitos que, de antemano, sabemos que nos resultarán difíciles de cumplir.
Si aceptamos el desafío que nos haga un personaje onírico quiere decir que tenemos la fuerza suficiente para modelar nuestro propio carácter y adquirir, en el proceso, una gran sabiduría.

Retoño

Los tallos nuevos que observamos en una planta simbolizan la oportunidad de establecer una relación amorosa con alguien a quien ya conocemos.
Si cortamos el retoño quiere decir que, de hacerlo, el romance durará muy poco tiempo.

Retorcer

Normalmente, lo que se suele retorcer son los paños húmedos a fin de quitarles parte del agua. Como ésta tiene que ver con los sentimientos y las emociones, si llevamos a cabo esta acción quiere decir que tendemos a entender lo que nos dicen desde el ángulo más desfavorable posible, que los habituales enfrentamientos que tenemos se deben a nuestra quisquillosidad y no a la mala intención ajena.

Retorta

Véase LABORATORIO.

Retraso

El hecho de sufrir retrasos en los sueños indica, por lo general, que no hay un equilibrio entre nuestras expectativas y las posibilidades reales de conseguir lo que pretendemos.
Ante ellos, lo mejor es revisar nuestros planes y ver si no nos conviene más ir con lentitud, pero con una mayor seguridad.

Retrato

La contemplación de retratos, sobre todo si son viejos, indican nostalgia de nuestra infancia.
Si hacemos el retrato de una persona quiere decir que sentimos la necesidad de conocerla más íntimamente, en tanto que si nos lo hacen a nosotros, la de mostrarnos más abiertos y comunicativos con quien lo está pintando.

Retrete

Tradicionalmente, los excrementos han sido considerados símbolo de prosperidad y enriquecimiento.
Si nos vemos en un retrete rodeado de ellos, quiere decir que recibiremos una fuerte suma de dinero que no esperamos.

Retrovisor

Los espejos retrovisores de cualquier vehículo señalan la afición por escudriñar el pasado. Indican que tendemos a caer en ensoñaciones en las que nos imaginamos cómo hubieran sido las cosas si hubiéramos actuado de otra manera.
Este exhaustivo análisis de lo que ya no tiene remedio, nos impide ver el presente con claridad.

Reunión

La actitud que mostremos en las reuniones que celebramos en sueños revelan, a menudo, nuestro comportamiento en sociedad.
Si llevamos la voz cantante es señal de que no nos sentimos debidamente escuchados, que tenemos la impresión de que los demás no nos hacen caso.
Las disputas que puedan surgir en la reunión muestran nuestras propias inseguridades y contradicciones.

Revelado

Si en un sueño llevamos unas fotos a revelar o hacemos por nosotros mismos ese proceso, quiere decir que estamos intrigados por un asunto que concierne a nuestra pareja.
En caso de que, tras el revelado, las imágenes que aparezcan sean desagradables debemos entender que tenemos la sospecha de que somos víctimas de una infidelidad.

Reverencia

Las reverencias que realizamos en sueños indican que ansiamos relacionarnos con personas encumbradas y que, para conseguirlo, estamos dispuestos a mostrarnos serviles e hipócritas.
En caso de que uno de los personajes oníricos nos haga una reverencia debemos interpretar que nos sentimos demasiado satisfechos con nosotros mismos y que eso nos impide seguir evolucionando.

Revisor

Los revisores de trenes, metros y autobuses simbolizan el índice de represión que tenemos hacia nosotros mismos.
Si se presenta el revisor pero no tenemos el billete quiere decir que no nos

consideramos dignos de ocupar el puesto que tenemos (ya sea en la familia, en la pareja o en el trabajo). Si lo tenemos, indica que nos consideramos afortunados por lo que hemos logrado y que lo único que sabemos considerar como positivo en nosotros mismos es la capacidad de esfuerzo y trabajo.
La presencia de estos personajes revela, por tanto, inseguridad y desvalorización.

Revista

Como todo lo impreso, las revistas que aparecen en sueños deben ser analizadas según los símbolos de las palabras e imágenes que contengan.
Las que veamos en la portada tendrán relación con el problema que más nos preocupa en la actualidad.
También es importante buscar el significado simbólico del nombre de la publicación, ya que podría darnos claves acerca de nuestra situación actual.

Revólver

Véase ARMAS.

Reyes

Simbolizan los padres o personas que ejercen su autoridad sobre nosotros.
Según el talante que muestren en el sueño indican la relación de aceptación o de rechazo por ellos.
Si son déspotas o están airados quiere decir que tenemos un espíritu rebelde que no reconoce autoridad alguna. Si su semblante es benévolo, en cambio, quiere decir que sabemos reconocer la necesidad de que alguien con más experiencia nos guíe.

Rezar

Si nos vemos rezar en sueños, debemos prestar atención a los sentimientos que nos suscita lo que está ocurriendo. Si nos encontramos serenos, es señal de elevación espiritual; si estamos inquietos, en cambio, denotan la necesidad de consuelo.

Véase ORAR.

Riachuelo

Los ríos pequeños y con escaso caudal simbolizan el momento en el cual se pasa del enamoramiento a un sentimiento amoroso más maduro. Indican que ya no sentimos el permanente desasosiego frente a la persona amada, característico de las primeras etapas de la relación, sino que hemos logrado consolidar los afectos de manera que podemos llevar adelante una relación productiva, constructiva y sana.
Si el riachuelo tiene las aguas turbias quiere decir que aún quedan muchas asperezas por limar.

Riada

Las riadas muestran la fuerza destructiva de las aguas. Por la relación que este elemento tiene con las emociones, si en sueños presenciamos o vivimos una riada es señal de que no podemos controlar nuestros sentimientos, que vivimos pasiones que, sabemos que a la larga acabarán por causarnos mucho daño.

Ribera

Las riberas simbolizan los acercamientos cautelosos al amor. Indican que tenemos pánico a la entrega, que nos gustaría enamorarnos apasionadamente pero que nuestra razón está permanentemente advirtiéndonos de los peligros de caer en ello.

Ricino

La Biblia cuenta que, estando Jonás en el desierto después de haber salido del vientre de la ballena, Dios hizo crecer a su lado una planta de ricino para que su sombra le protegiera de los rayos del Sol. Sin embargo, debido a la falta de cuidados, la planta se secó provocando las iras de Jonás. Por la relación que tiene el Sol con el intelecto, esta planta simboliza la advertencia de que, junto con la mente, también debemos cultivar nuestro espíritu, que todos los conocimientos son vacuos si no se tiene una línea ética sólida sobre la cual asentarlos.

Riendas

Simbolizan la relación entre la mente y la emociones.
Si las riendas se rompen, o no se pueden alcanzar, quiere decir que corremos el peligro de caer en el descontrol.

Riesgo

Los sueños en los cuales corremos riesgos físicos son compensatorios e indican que, en la vida real, mantenemos una actitud conservadora y excesivamente prudente.

Rifle

Véase ARMAS.

Rincón

Los rincones simbolizan las partes más descuidadas de nuestra personalidad, los pequeños gestos que hacemos, o que vemos en otros, que demuestran nuestros defectos más desagradables.
Los objetos que encontremos en los rincones, con su simbolismo, pueden dar cuenta de qué tipo de defectos debemos corregir.

Rinitis

Las rinitis pueden presentarse como respuesta a un hecho real como es el comienzo de un resfriado. Si no fuera así, las rinitis debemos interpretarlas como una tendencia a exagerar nuestras propias emociones. Indica que damos excesivas muestras de aprecio a quien apenas conocemos y que, finalmente, con la misma facilidad con la que nos entregamos a una persona, le damos la espalda. El consejo es ser más objetivo.

Rinoceronte

Este animal, de gran fuerza y con el cuerpo acorazado, simboliza los enemigos obcecados que no tienen intención de disculpar nuestros errores.
Si los vemos en sueños, lo mejor es que estemos prevenidos porque alguien puede jugarnos una mala pasada.

Río

Por estar constituidos por agua, un elemento ligado a la vida emocional e instintiva, los ríos reflejan el estado de nuestros sentimientos.
Permanecer a orillas de un río equivale a no dejarnos conmover, a mantener una actitud excesivamente racional.
Si nos zambullimos en él, quiere decir que nos implicamos afectivamente con lo que hacemos y con las personas que vamos encontrando a nuestro paso.

Riqueza

El hecho de vernos en un sueño con mucho dinero da cuenta de nuestra ambición. Señala que valoramos a la gente más por lo que tiene que por lo que es.
El alejamiento espiritual que esto supone muestra que, tarde o temprano, nos sentiremos vacíos y desdichados.

Risa

Cuando en un sueño son personas desconocidas las que se ríen, es señal de que seremos objeto de burla, posiblemente a causa de murmuraciones.
Si somos nosotros quienes nos reímos, indica que tenemos grandes posibilidades de dar un cambio positivo e inmediato en nuestra vida.

Ritual

Los ritos siempre tienen un objetivo. Algunas veces están destinados a la adoración de una deidad y otras a la petición de algún favor.
Si hacemos o presenciamos algún rito en sueños, es necesario saber a quién

invocamos y qué es lo que queremos conseguir, ya que eso simbolizará lo que nos falta en la vida real.
Si el rito se lleva a cabo sin problemas, es señal de que obtendremos lo que pedimos.

Rizos

Las formas onduladas simbolizan la flexibilidad mental.
Si nos vemos con el pelo rizado cuando en la realidad lo tenemos liso, quiere decir que nos enamoramos muy fácilmente, que nos sentimos atraídos por más de una persona simultáneamente.

Roble

Este árbol ha sido considerado sagrado por los celtas. Simboliza la abundancia, la paz y la fertilidad, por lo que su presencia en sueños es considerada como excelente augurio.
Es posible que anuncie un nuevo nacimiento en la familia o una época de gran prosperidad.

Robo

Si nos roban en un sueño, lo que se nos está quitando es la paz interior, el orden interno. Por esta razón se puede entender que los robos representan situaciones de conflicto, sobre todo cuando están mezcladas las emociones y los afectos.
El hecho de robar indica que tenemos carencias afectivas, que no nos sentimos debidamente considerados por los demás.

Robot

Los robots simbolizan la dificultad para conectar con los propios sentimientos.
El hecho de verlos en sueños indica que preferimos centrarnos en nuestro mundo intelectual por temor a sufrir desengaños.

Roca

Las rocas y los minerales en general son símbolo de resistencia y perdurabilidad. Su presencia en un sueño adquiere importancia en el caso de que temiéramos perder el empleo, perder una pareja o ser víctimas de un suceso que alterara nuestra vida. El hecho de soñar con rocas indicaría, en este caso, que nuestros temores no tienen fundamento.
Si la roca bloquea un camino representa dificultades que, tras salvarlas, nos dejarán un poso inapreciable de sabiduría.

Rociar

El hecho de rociar con agua una superficie o un objeto indica que vamos a recibir una proposición amorosa que nos llenará de alegría.
Esto no significa que vayamos a aceptar formalizar una relación sino que, el hecho de sabernos importantes para otra persona, hará que nos valoremos más.

Rocío

Si en un sueño vemos las plantas mojadas por el rocío debemos interpretar el sueño como un buen augurio. Quiere decir que nuestras relaciones afectivas serán muy satisfactorias, que nos sentiremos plenos y felices en compañía de las personas que queremos.

Rodar

Cuando se rueda, se tiene la máxima conexión posible con el suelo, por ello estos sueños simbolizan el mundo instintivo.
Si lo hacemos para salvarnos de algún peligro, significa que nos sentimos amenazados por el descontrol. Si lo hacemos como juego o diversión, es señal de que sabemos satisfacer sanamente nuestros deseos.

Rodear

Si rodeamos un edificio, una plaza o cualquier otro objeto es señal de que nos cuesta mucho ver el nudo de los problemas y nos quedamos en los detalles.
También indica que no somos directos al decir lo que pensamos.

Rodillas

Los sueños en los cuales tenemos algún golpe o herida en las rodillas revelan que no aceptamos la disciplina que nos imponen, que solemos tener enfrentamientos con la autoridad y que preferimos hacerlo todo siguiendo nuestros propios métodos.

Roedores

Estos animales, en general, representan las ideas que no podemos dominar, los problemas que no podemos apartar de nuestra mente por mucho esfuerzo que hagamos.
Si los vemos en sueños quiere decir que tendemos a preocuparnos excesivamente ante cualquier contratiempo, por simple que éste sea.

Rogar

Si pedimos o suplicamos algo en sueños indica que estamos en una posición de dependencia con otra persona y que eso nos incomoda.
Si alguien nos pide algo con insistencia, en cambio, es señal de que tenemos un espíritu dominante, que nos gusta tenerlo todo controlado, aun la vida de las personas que sentimos más próximas.

Rojo

Véase COLOR.

Romance

Los romances que vivimos en sueños casi siempre responden a una excitación erótica. Sin embargo, también pueden mostrar nuestra necesidad de unión, el deseo de tener una relación de pareja sólida y placentera.

Rombo

Esta figura simboliza la tendencia a ver en los demás aquellos defectos que tenemos nosotros mismos. Cuando aparece en un sueño, debemos observar la conducta de los demás personajes que intervengan en él para comprender cómo somos vistos por los que nos rodean.

Romeo

Este personaje de la literatura simboliza el amor romántico. Su presencia en un sueño indica que en las relaciones de pareja tendemos a dar una mayor importancia a las palabras bonitas que a los sacrificios y esfuerzos que nuestra pareja hace para contentarnos.

Romería

Las romeríaas son celebraciones populares, de manera que si participamos en una de ellas durante un sueño es señal de que, en poco tiempo, tendremos una buena noticia que merezca ser festejada.

Romero

Planta consagrada a la diosa Afrodita, el romero es símbolo de la vida, del amor y de la fecundidad.
Su presencia en sueños augura un excelente matrimonio.

Rompecabezas

Véase ACERTIJO.

Rompehielos

Estos barcos se encargan de abrir camino en el hielo para que otros navíos puedan pasar entre los témpanos. Simbolizan aquellos amigos que se encargan de averiguar si la persona que nos gusta se siente atraída por nosotros.
Si tras el rompehielos vemos otro navío, quiere decir que la respuesta que nos darán será positiva. Si sólo se ve un barco, debemos entender que nuestro afecto no es correspondido.

Rompenueces

Esta herramienta indica nuestra tendencia a examinar los problemas minuciosamente, a no dar nuestra opinión

hasta tener un juicio bien formado.
Si lo utilizamos, es señal de que lograremos encontrar la solución a un asunto que nos tiene muy preocupados.

Romper

Los sueños en los que rompemos objetos deben interpretarse según el símbolo y la importancia de éstos. A menudo denotan liberación, distanciamiento de algo o alguien que sentimos que nos ata y nos quita libertad.

Roncar

Los ronquidos que oímos en sueños, la mayoría de las veces son emitidos por nosotros mismos, pero también pueden simbolizar aquellas acciones que cometemos involuntariamente y afectan a otras personas o los actos irreflexivos que tienen malas consecuencias para los demás.

Roncha

Véase DERMATITIS.

Ronquera

Los problemas en el habla simbolizan nuestras dificultades para hacernos entender, para transmitir emociones y sentimientos. En estos sueños es muy importante analizar simbólicamente el sentido de las palabras que pronunciemos para conocer qué es lo que nos resulta tan difícil de comunicar.

Ronroneo

El ronroneo en los gatos indica que se sienten satisfechos, plenos, felices.
En esta situación, el animal representa nuestros instintos, sobre todo la agresividad, y el hecho de que ronroneen indica que no guardamos sentimientos negativos, que tendemos a dejar claro lo que pensamos de los demás y que ello constituye una excelente válvula de escape para nuestra agresión.

Ropa

La ropa simboliza, en general, la forma en que nos gustaría ser vistos por los demás. Representa la imagen que queremos dar al exterior.
Si está sucia o en mal estado quiere decir que no damos ninguna importancia al mundo material, que estamos más preocupados por nuestra evolución espiritual.
Los ropajes antiguos indican que aspiramos a que nos vean como personas de una gran experiencia y sabiduría.
Los trajes y vestidos modernos, indican que nos gusta hacer ostentación de inteligencia y apertura mental.

Ropero

Si el ropero que vemos en el sueño está lleno de trajes y vestidos, indica que tenemos la habilidad de alternar con diferentes ambientes.
El estado de la ropa dará cuenta de las habilidades sociales que manejamos.

Rosa

Por su gran belleza y perfección, esta flor se ha utilizado para simbolizar el amor y la pasión, pero también, según su color, otras emociones negativas. Si vemos rosas rojas en un sueño quiere decir que mantenemos una relación muy apasionada. Si son amarillas señalan desamor o desprecio por una persona que nos corteja. Las rosas blancas pueden simbolizar la pérdida de la virginidad.

Rosario

Los rosarios tienen una clara significación espiritual. En el sueño de un creyente indican que entra en una etapa de mayor fervor religioso. En los de un no creyente, en cambio, señalan que le gustaría tener consuelo religioso pero que le falta fe.

Rosquilla

Las rosquillas, con su centro vacío, simbolizan las apariencias. Si las vemos en un sueño quiere decir que nos gusta darnos importancia, que adquirimos cosas para presumir ante los demás.

ROSTRO

El hecho de ver nuestro propio rostro en sueños, por ejemplo en un espejo, puede darnos claves interesantes para descubrir algunos defectos.
Si en la imagen vemos que tenemos la boca demasiado grande, es señal de que hablamos en exceso. Si la cara está hinchada, es señal de que somos egoístas. La nariz más larga de lo que la tenemos señala nuestra afición a la mentira.

ROTULAR

El hecho de hacer carteles, de etiquetar cajas o de poner rótulos muestra que tenemos una exagerada manía por el orden externo, posiblemente provocada por nuestro desorden interior.
El significado simbólico de lo que escribamos en los rótulos nos puede dar la clave para entender los conflictos.

RUBÍ

Esta piedra es símbolo del amor ardiente y del valor. Su presencia en sueños anuncia una relación apasionada que nos obligará a enfrentarnos con personas queridas.

RUBORIZARSE

Si somos nosotros quienes nos ruborizamos en un sueño, es señal de que nos sentimos avergonzados por algo que hemos hecho en la vida real, que tememos que eso se descubra y deteriore nuestra imagen.
En caso de ser otra la persona que se ruboriza, debemos entender que nos está ocultando algo o que ha cometido una acción que, según nos enteraremos en poco tiempo, nos puede perjudicar.

RUDA

Esta planta, de olor desagradable y penetrante, ha sido muy utilizada para combatir todo tipo de hechizos.
Si la vemos u olemos en sueños es señal de que nuestra mente es capaz de contrarrestar las manipulaciones ajenas que nos llevarían a cometer errores.

RUECA

Las ruecas simbolizan la diplomacia, la habilidad para plantear cuestiones espinosas sin que éstas generen conflictos.
Si nos vemos hilando con la rueca es señal de que, en poco tiempo, tendremos que hacer uso de esta cualidad.

Véase HILAR.

RUEDA

Véase VEHÍCULO.

RUIBARBO

Esta planta, utilizada ampliamente en farmacología, simboliza el perdón y el pago de las culpas.
Su presencia en un sueño indica que hemos sufrido ya lo suficiente por un error cometido hace tiempo y que es hora de que nos perdonemos a nosotros mismos.

RUIDO

Los ruidos que oímos en sueños debemos interpretarlos según las sensaciones que nos provoquen.
Si nos despiertan ansiedad o temor, quiere decir que hay una persona en nuestro entorno que nos tiene dominados, que nos hace sentir permanentemente culpables.
Si es un ruido esperanzador (por ejemplo, oír que se abre la puerta de la calle y llega la persona que amamos), es señal de que recibiremos una grata sorpresa.

RUINAS

Ver cualquier edificio en ruinas puede ser un mal presagio, indicar que algún aspecto de nuestra vida va a sufrir cambios negativos. Pero también es posible que las

imágenes de catástrofes que vemos en los telediarios aparezcan en los sueños mezcladas con otros contenidos del inconsciente.
De todos modos, es importante buscar el significado de todos los elementos que veamos en las imágenes a fin de protegernos lo más posible de los eventos que anuncian las construcciones en ruinas.

Ruiseñor

Véase AVES.

Ruleta

Como todos los objetos que giran alrededor de un eje, las ruletas simbolizan el egocentrismo.
Si participamos en el juego, si apostamos, es señal de que rehuimos hacer esfuerzos sostenidos para conseguir lo que deseamos.

Véase CASINO.

Rumbo

El súbito cambio de rumbo mientras vamos en un vehículo indica que próximamente tendremos la posibilidad de elegir una forma de vida totalmente diferente, que se nos presentará una gran oportunidad.
Si observamos el paisaje una vez hecho el viraje, podremos saber hasta qué punto nos conviene cambiar nuestra actual trayectoria.

Rumor

Los rumores que se comentan en los sueños indican que alguien que se muestra muy afectuoso con nosotros intenta desprestigiarnos a nuestras espaldas.
El significado simbólico de las palabras que se digan en el sueño puede dar pistas acerca de la calumnia que se está levantando y del modo de enfocarla o solucionarla.

Ruta

El trazado o planeamiento de un itinerario, simboliza los planes de futuro.
Debemos observar en estos sueños los puntos que tocamos en el itinerario, ya que simbolizan los pasos que esperamos dar. Al respecto, es importante definir el carácter de las ciudades (si son grandes, si son humildes pueblos, etc.) para conocer con mayor precisión nuestras aspiraciones.

Rutina

Las tareas rutinarias que realizamos en sueños simbolizan nuestra tendencia al perfeccionismo.
Si repetimos varias veces una misma acción y eso no nos irrita, es señal de que tenemos un carácter más bien obsesivo.
Si, en cambio, el hecho de hacerlo nos irrita o nos pone de malhumor, quiere decir que en la vida real nos vemos obligados a realizar labores que no nos gustan.

S

Sábado

Véase SEMANA.

Sábanas

Simbolizan diferentes aspectos de nuestra vida de pareja.
Si las sábanas son excesivamente grandes, revelan obsesión por los temas sexuales; si son muy pequeñas, desinterés, impulso sexual débil.
Unas sábanas limpias y sencillas indican acuerdo en la pareja. Si están sucias o revueltas, auguran riñas.
Las sábanas bordadas, con encajes, señalan refinamiento en el amor.

Sabañones

Esta molestia aparece, sobre todo, en pies, manos y orejas. En el primer caso, indican obstáculos en el terreno profesional. Si los tenemos en las manos, quiere decir que nos sentimos incapaces de llevar adelante una labor que nos han encomendado. En caso de que los tengamos en las orejas, quiere decir que nos darán una noticia desagradable aunque no preocupante.

Sabio

A través de las palabras que nos pueda decir un sabio en las imágenes oníricas, nuestro subconsciente nos comunica datos importantes para resolver nuestros problemas actuales.
Para comprender el mensaje, es importante analizar el sentido de lo que el sabio nos diga y buscar en el diccionario el simbolismo de las palabras que emplee.

Sable

Simboliza el valor y el poder.
Si aparece junto a una balanza, indica que rápidamente se hará justicia.
En los sueños eróticos, el sable representa los órganos sexuales masculinos y la vaina, los femeninos.

Véase ARMAS.

Sabor

Véase AGRIDULCE, AGRIO, AMARGOR, DULCES, SALADO.

Sabotaje

Los actos de sabotaje, ya sea llevados a cabo por nosotros o por otras personas, indican que nuestras relaciones sociales pasarán por un mal período.
Ante este tipo de sueños debemos prestar atención a nuestro entorno, ya que probablemente se estén diciendo falsedades a nuestras espaldas.

Sabueso

La presencia de un sabueso en un sueño indica que estamos empeñados en descubrir secretos de nuestra pareja.
Si experimentamos angustia, quiere decir que los celos nos están atormentando y que éstos son infundados. Si el perro consigue encontrar algún elemento, el simbolismo de éste puede darnos la clave para comprender el comportamiento de la persona amada.

Sacacorchos

El uso de esta herramienta indica que estamos dispuestos a tener un contacto más estrecho con nuestras emocioneS, que hemos decidido escuchar los dictados del corazón sin anteponer a ellos ideas o prejuicios.

Sacerdote

En los sueños de contenido espiritual, la presencia de un sacerdote puede simbolizar una vocación mística; sin embargo, la mayoría de las veces indica que tenemos dudas morales, que no sabemos si algo que estamos haciendo es o no correcto. En todos los casos su aparición en las escenas oníricas señala que recibiremos la ayuda adecuada.

Sacerdotisa

En sueños femeninos, la presencia de una sacerdotisa señala el contacto con una mujer mayor, más experimentada, que nos ayudará a comprender y solucionar ciertos aspectos de nuestra pareja.
En los masculinos, en cambio, indica la atracción que se siente por una mujer a la que se considera misteriosa.

Saco

Los sacos representan nuestras posesiones y las perspectivas de prosperidad o pobreza.
Si están llenos, indican que nuestra economía será buena y si están vacíos, señalan que debemos ahorrar porque se avecinan tiempos difíciles.
Los sacos deteriorados advierten de que debemos trabajar duramente para mantener nuestro actual nivel de vida, que quizá deberíamos bajar un poco.

Sacrificio

La consumación de un sacrificio durante un sueño indica que nuestra ambición es desmedida y que no podremos cumplir con todos los objetivos que nos hemos propuesto. También nos advierte de que es una mala política considerar que el fin justifica los medios.

Sacristán

Los sacristanes tienen a su cargo ayudar al sacerdote en diferentes celebraciones y cuidar de los ornamentos y la higiene de la iglesia. Simboliza la humildad.
Si hablamos con él en sueños quiere decir que somos personas buenas, sencillas, con deseos de ayudar siempre a los demás.

Sacristía

Cuando una parte del sueño transcurre en una sacristía debemos interpretar que hemos alcanzado un buen desarrollo espiritual, que tenemos la conciencia tranquila, ya que somos personas generosas, bondadosas y solidarias.

Sacudir

Cuando en sueños sacudimos algo, es muy importante averiguar el significado simbólico del objeto.

Sadismo

Los actos sádicos que cometemos o vemos cometer en sueños, indican que en nuestro interior albergamos sentimientos negativos hacia otra persona. Esto, naturalmente, no quiere decir que podamos llevarlos a cabo en la realidad, sino que hemos acumulado ira y ésta encuentra salida en las imágenes oníricas.

Sagitario

Véase ZODÍACO.

Sahumar

La utilización del humo para impregnar algún objeto indica que éste simboliza las tentaciones que nos cuesta más eludir. Debemos, pues, encontrar el significado simbólico del objeto sahumado para conocer los aspectos sobre los que más tenemos que trabajar para lograr un buen equilibrio interior.

Sal

La presencia de sal en un sueño indica que, para alcanzar la felicidad, es necesario prestar más atención a los bienes espirituales y dejar de centrarnos en las posesiones materiales.
Si estamos en una salina quiere decir que nuestro mundo afectivo es estéril, que estamos tan preocupados intentando lograr una buena posición económica que hemos descuidado otros aspectos de nuestra vida.

Salado

Los sabores salados indican que sabemos tomarnos los problemas con calma, que somos básicamente optimistas. Ésta actitud nos permirtirá lograr muchas cosas en la vida.

Salamandra

Este pequeño anfibio es símbolo de honestidad.
Si en el sueño en el que aparece nos provoca inquietud, es señal de que estamos a punto de cometer un acto que puede ser malinterpretado por los demás.
En caso de que el animal nos parezca bonito y no nos atemorice, querrá decir que nos sentimos en paz con nuestra conciencia.

Salchicha/salchichón

Véase EMBUTIDOS.

Saldo

La compra de objetos a precio de saldo indica que tendremos que hacer ciertas concesiones para que nos admitan en el círculo social al que aspiramos.

Salero

El hecho de pasar el salero a otra persona indica que consideramos que ésta es muy interesada, que nos está utilizando para sus propios fines.

Véase SAL.

Salida

Si en un sueño buscamos la salida de algún lugar sin encontrarla quiere decir que en la vida real estamos muy preocupados con un problema al cual no podemos hallarle solución.
Si, finalmente, conseguimos salir del lugar en el que estamos, eso indica que terminaremos por resolver lo que tanto nos aflige.

Saliva

La saliva es un antiséptico natural, de ahí que antiguamente fuera considerada como antídoto contra el mal de ojo.
Si sentimos nuestra propia saliva en la boca, quiere decir que tenemos todos los recursos para resolver nuestros problemas.
Si escupimos a otra persona, indica que nos sentimos superiores a ella. Si somos escupidos, en cambio, debemos entender que nos sentimos sometidos a su voluntad.

Salmón

Este pez simboliza el coraje, el valor con que afrontamos nuestros problemas.
Si pescamos un salmón quiere decir que debemos tener más arrojo a la hora de tomar decisiones. Si nos lo comemos, indica que estamos perdiendo el miedo al fracaso.

Salmos

Los sueños en los que recitamos salmos indican que estamos en una situación comprometida de la que no sabemos cómo salir. Si experimentamos paz o alegría, quiere decir que recibiremos una ayuda inesperada.

Salmuera

El poner alimentos en salmuera es uno de los métodos de conservación más antiguos. Simboliza la imposibilidad de olvidar un amor que ha finalizado.

Salón

El salón es el lugar donde se reciben las visitas, por lo tanto revela aspectos de nuestra vida social.
Si los muebles son metálicos, de líneas rectas y el color de las paredes es frío, quiere decir que mantenemos sólo relaciones formales, que nos cuesta tener amigos íntimos.
Si en los sillones y mesas se observan curvas y su aspecto general es cálido, indica que tenemos una gran facilidad para establecer vínculos afectivos.

Salpicadura

Simbolizan el hecho de vernos implicados en una situación desagradable.
Si en sueños recibimos salpicaduras quiere decir que nos veremos enredados en un escándalo derivado de las acciones cometidas por personas de nuestro entorno.

Salsas

Sirven para acompañar los alimentos, para realzar su sabor, por ello simbolizan las cosas de las que podemos prescindir.
Si preparamos una salsa en sueños quiere decir que somos demasiado sobreprotectores, que tendemos a dar más de lo que los demás necesitan.

Saltamontes

La presencia de un solo saltamontes indica que nos surgirán pequeñas complicaciones. Si aparecen en gran número, quiere decir que se nos presentarán problemas importantes.

Saltar

Los saltos que damos en sueños indican las etapas que pasamos por alto, las cosas propias de una edad que nos negamos a vivir en el afán de ser mayores o que nos vean más responsables.

Salud

Los trastornos de salud que nosotros o nuestros allegados sufren en sueños, indican los problemas que nos agotan mentalmente.
Para analizar las imágenes conviene buscar el significado simbólico de la zona enferma.

Saludar

Cuando en sueños saludamos a una persona a la que no vemos hace mucho tiempo quiere decir que, en breve, tendremos un encuentro con ella.

Salvaje

Tanto los animales salvajes como los hombres primitivos simbolizan diferentes aspectos de nuestra vida instintiva o de nuestras emociones.
Si se muestran hostiles, es señal de que hemos acumulado rencores y que nos embarga la ira. Si permanecen tranquilos, en cambio, indican que tenemos un excelente control emocional.

Salvar

El hecho de salvar a otra persona simboliza la protección que nos damos a nosotros mismos, sobre todo en lo que se refiere a la rectitud moral.
Si en un sueño llevamos a cabo un salvamento, quiere decir que hemos podido vencer una importante tentación.

Salvia

La presencia de esta planta en sueños señala que estamos pasando por un momento de euforia debido a la buena marcha de nuestra relación afectiva. Sin embargo, conviene que nos manejemos con prudencia, ya que podría presentarse una pequeña crisis de pareja que será más fácil evitar si estamos prevenidos.

Sambenito

Con esta prenda señalaba la inquisición a los culpables de herejía. Si la vestimos en sueños quiere decir que estamos siendo víctimas de acoso laboral, que hay una persona que está haciendo campaña en contra nuestra.

Sanador

El hecho de que en sueños acudamos a un sanador, es señal de que interiormente nos sentimos agitados, que nos falta guía o apoyo espiritual.

Sanatorio

Véase HOSPITAL.

Sancho Panza

Este personaje literario encarna la sabiduría popular.
Si lo vemos en sueños quiere decir que una persona de nuestro entorno, sin grandes estudios pero con un gran sentido común, nos ayudará a resolver el problema que más nos preocupa en este momento.

Sandalia

Este tipo de calzado simboliza la libertad.
Si nos vemos usando sandalias en sueños, quiere decir que nos sentimos presos, agobiados, impedidos de hacer nuestra voluntad.

Sándalo

Esta esencia se recomienda en filosofía tántrica como elemento capaz de despertar la energía interna. La percepción de su aroma en sueños indica que estamos en un proceso de despertar espiritual.

Sandía

Esta fruta simboliza la fecundidad.
Su presencia en sueños adquiere mucha importancia si el durmiente desea concebir un hijo, ya que anuncia un próximo embarazo. Si la sandía está rota, habrá problemas ginecológicos.

Sanfona

Véase INSTRUMENTOS MUSICALES, LAÚD.

Sangre

Este líquido corporal simboliza la energía que perdemos en proyectos inútiles.
Las heridas que sangran moderadamente señalan que ponemos el esfuerzo en tareas que no van a prosperar.

Véase HEMORRAGIA.

Sanguijuela

Estos animales se alimentan de la sangre que chupan a sus huéspedes.
Su presencia en un sueño indica que se están aprovechando de nuestro trabajo.

Sansón

Representa la fuerza física.
Su presencia puede indicar que pasamos por un período de debilidad, de apatía, tal vez ocasionado por una alimentación deficiente o por una ligera anemia.

Santiguarse

El hecho de santiguarnos en un sueño indica que nos estamos preparando para afrontar una difícil decisión, o bien que ya hemos tomado ésta y sólo nos queda ejecutar aquello que hemos decidido.

Santo/santa

Si soñamos con un santo determinado, debemos averiguar su patronazgo para deducir en qué aspectos necesitamos ayuda.
Si se trata de San Pancracio, por ejemplo, nuestro problema es laboral o económico; si en las imágenes aparece Santa Lucía, tenemos problemas oculares, etc.

Sapo

Este animal es famoso en la literatura infantil, ya que generalmente se convierte en príncipe. Su presencia en un sueño anuncia el romance con una persona ya conocida, pero que no nos había llamado la atención.

Sarcófago

Los sueños en los que aparecen sarcófagos señalan que es el momento de olvidarse de una persona que nos ha hecho daño. Seguir pensando en ella sólo sirve para acumular rencor, para romper nuestra armonía interior.

Sardina

La sardina es símbolo de ayuno y abstinencia.
Su presencia en un sueño señala el comienzo de una época difícil en la que tendremos que limitar nuestros gastos para no tener que afrontar problemas económicos.

Sarna

Véase DERMATITIS.

Sartén

Las frituras son cocciones rápidas hechas en aceite; por ello las sartenes simbolizan la necesidad de darnos prisa en concretar las tareas que tenemos entre manos, a fin de poder iniciar proyectos más interesantes.

Sastre

Los sastres simbolizan los amigos más experimentados que nos enseñan la forma en que debemos comportarnos para lograr nuestros deseos.
Si nos estamos probando un traje quiere decir que las enseñanzas recibidas de ellos nos han dado excelentes frutos.

Satélite

Los satélites simbolizan aquellas personas que tienden a adular a las que consiguen ascender.
Si vemos un satélite girando alrededor de un planeta, quiere decir que tenemos en nuestro entorno una persona que intenta

congraciarse con nosotros para obtener beneficios.

Sátiro

Esta figura mitológica simboliza el deseo sexual.
Su presencia en un sueño angustioso indica represión y temores vinculados al acto amoroso.

Saturno

El sexto planeta del Sistema Solar recibe su nombre del dios Saturno, señor del tiempo.
Su presencia en un sueño indica que debemos tener una mayor disciplina, que somos demasiado impacientes y que, antes de avanzar, debemos consolidar lo que hemos conseguido.

Sauce

Con las ramas de este árbol se fabrican cestos y en la Edad Media se decía que las brujas navegaban en capachos construidos con este material.
Su presencia en un sueño indica que echamos mucho de menos a una persona con la que nos hemos enemistado.

Saúco

Los celtas consideraban este árbol como símbolo de superstición y brujería.
Si nos vemos en el sueño a la sombra de un saúco, quiere decir que somos excesivamente crédulos, que es fácil engañarnos y que buscamos explicaciones esotéricas a cosas que pueden comprenderse desde el sentido común.

Sauna

Las saunas tienen como finalidad la eliminación de las toxinas por medio del sudor.
Si nos encontramos en el sueño tomando una sauna quiere decir que debemos ser más claros a la hora de decir lo que nos molesta de los demás, que callar sólo sirve para acumular rabia y rencor.

Saxofón

Véase INSTRUMENTOS MUSICALES.

Secador

Los sueños en los que nos secamos el pelo nos advierten de que debemos ser más críticos a la hora de juzgar los eventos extraordinarios que nos cuentan los demás.

Secar

La acción de secar implica extraer ha humedad de una superficie u objeto.
Como el agua se relaciona con las emociones, si secamos algo quiere decir que nos conviene no hacer caso a los dictados del corazón, sino que es más prudente obrar con la cabeza.

Secretaria

Estas profesionales, ya sea que trabajen para nosotros o para otras personas, simbolizan personas que están dispuestas a confiar en nosotros.
Si tienen una actitud agradable es señal de que pronto conseguiremos un empleo por intermedio de un amigo.

Secreto

Debemos prestar mucha atención a los secretos que contamos o nos cuentan en los sueños, ya que son datos relacionados con sucesos de nuestro entorno de los que aún no nos hemos percatado.
Para saber de qué se trata, además de entender su significado global tendremos que buscar en el diccionario el significado simbólico de las palabras con la que se transmitan.

Secta

Las sectas son entidades que captan adeptos por métodos inaceptables y su presencia en un sueño simboliza la manipulación emocional.
Si una secta nos persigue o pertenecemos a ella quiere decir que una persona ha

logrado dominarnos completamente utilizando para ello nuestros sentimientos de desvalorización y culpa.

SECUESTRO

Si sufrimos en sueños un secuestro quiere decir que hay una persona por la que nos sentimos atraídas y por la que, si nos lo pidiese, abandonaríamos todo lo que tenemos.

En caso de ser nosotros quienes efectuamos el secuestro debemos interpretar que estamos empeñados en conseguir que la persona amada dependa exclusivamente de nosotros.

SED

El hecho de experimentar sed durante un sueño puede indicar que, en realidad, la estamos padeciendo mientras dormimos o que tenemos la boca seca.

También puede ser índice de soledad, de necesidad de afecto.

Véase AGUA, BEBER.

SEDA

Las ropas de seda indican sensualidad y amor por el lujo.

En el caso de que se trate de sábanas, éstas darán muestras de una sexualidad rica y refinada.

SEDUCIR

La seducción que establecemos en sueños indica tensiones en la pareja, celos y posibilidades de ruptura; sobre todo si somos nosotros quienes la ejercemos.

Si la persona a quien se seduce responde, debemos interpretar que próximamente viviremos un romance corto pero intenso.

SEGAR

Si nos vemos segando un campo de cereales debemos entender que conseguiremos una suma importante de dinero. Es posible que ganemos esa cantidad mediante un número de lotería o bien que se trate del préstamo que nos haga un banco.

SEGUNDERO

El movimiento del segundero, si está en primer plano, señala la impaciencia que sentimos ante el resultado de una prueba o de un examen. Si el reloj se detiene, será un mal presagio.

SEGURIDAD

Las puertas, ventanas y cajas de seguridad simbolizan el peligro de sufrir una pérdida de prestigio.

Si en el sueño colocamos dispositivos de seguridad, nos preocupa el qué dirán.

SEIS

Véase NÚMEROS.

SELECTIVIDAD

Si estamos preparando el examen de acceso a la Universidad, es natural que soñemos con él. En este caso sólo indica la preocupación que sentimos al respecto.

Pero si no es así, la selectividad simboliza la opinión que tenemos acerca de nuestra cultura e inteligencia.

Cuanto más alto sea la puntuación mejor será lo que pensemos de nosotros mismos.

SELLAR

Los personajes que en sueños sellan papeles representan a personas de nuestro entorno que siempre se sienten muy seguras de lo que dicen.

Si, además, su actitud es desagradable, es señal de que son sumamente engreídos, orgullosos y tercos.

SELLO

Los sellos de correos simbolizan la necesidad de comunicación.

Si los empleamos o vemos en un sueño quiere decir que no tenemos los suficientes amigos o que no sabemos establecer con ellos la confianza necesaria como para pedirles su apoyo moral en los momentos difíciles.

Selva

Véase JUNGLA, PAISAJE.

Semáforo

Estos dispositivos sirven para regular el tráfico y, lo que es más importante, nos advierten del peligro que implica cruzar una calle.
En sueños representan la advertencia de que debemos detenernos, que no nos conviene seguir adelante con el plan más importante que tenemos porque corremos el riesgo de salir perjudicados.

Semana

Cada uno de los días de la semana está dedicado a una deidad y adquiere su simbolismo de lo que ésta represente.
El lunes ha sido dedicado a la Luna; por lo tanto simboliza el mundo de las emociones. Soñar con él significa que somos muy emotivos o que estamos pasando por un momento de melancolía.
El martes, dedicado a Marte, dios de la guerra, simboliza nuestra habilidad para luchar por lo que nos corresponde. Puede anunciar peleas y conflictos con familiares, compañeros o amigos.
El miércoles es el día que antiguamente se dedicó al dios Mercurio. Éste simbolizaba la comunicación y el comercio; por lo tanto, soñar con él significa que tenemos una gran habilidad para convencer a los demás, para venderles los productos en los cuales nosotros mismos confiamos.
El cuarto día de la semana, jueves, está dedicado a Júpiter; por ello, si este día cobra una especial importancia en un sueño, debe interpretarse como que se avecinan épocas de prosperidad y crecimiento profesional.
El viernes es el día de la semana dedicado a la diosa Venus, por lo tanto se relaciona con el mundo afectivo y, en especial, con los romances, por lo que podría indicar que encontraremos un amor duradero en los próximos días.
Si en el sueño este día aparece como importante, quiere decir que estamos preparados para tener una nueva relación sentimental. Podría, incluso, considerarse como augurio de que en un futuro muy próximo conoceremos a una persona con la que podremos establecer una relación particularmente gratificante.
En caso de que existiera temor a que llegara el viernes, cabe interpretar que tenemos miedo al compromiso o bien que nuestra relación actual pasa por un período de problemas y tememos enamorarnos de otra persona.
El sábado es el día dedicado al dios Saturno y éste simboliza el asentamiento, la disciplina, el rigor. Sin embargo, el hecho de ser un día dedicado al ocio hace que no siempre indique la necesidad de hacer un esfuerzo o sufrir una privación. El que se tome uno u otro significado (deber o esparcimiento) estará dado por los sentimientos de alegría, agobio, tristeza, cansancio, etc. que tengamos en el sueño.
El domingo es el día dedicado a Dios, por lo tanto se relaciona con la elevación espiritual.

Sembrar

Si en algunos sueños nos vemos sembrando es posible que las imágenes constituyan una llamada a la acción, una recomendación para que nos pongamos en movimiento y desarrollemos nuestras capacidades.
La siembra también puede representar nuestros deseos, la ilusión de que éstos se cumplan.

Semillas

Las semillas simbolizan la fecundidad.
Si las vemos en un sueño, quiere decir que estamos en un período especialmente fértil.

Seminario

Estos lugares simbolizan la riqueza espiritual. Si el sueño transcurre en su interior, quiere decir que estamos haciendo un interesante trabajo interior que, a la larga, nos proporcionará paz y equilibrio.

Sémola

Este alimento simboliza la riqueza material. Si la comemos es señal de que tendremos un período de florecimiento, que se nos presentarán oportunidades inapreciables para hacer negocios productivos.

Senado

Véase CÁMARA.

Senilidad

Las personas que, en los sueños, aparecen seniles simbolizan a familiares o amigos que tienen una actitud tozuda, prepotente y equivocada.
Discutir con ellos puede ser augurio de inminentes conflictos.

Sensor

Los sensores que se colocan para hacer diferentes chequeos médicos simbolizan el miedo morboso a la enfermedad.
Su presencia en un sueño señala que nos asustamos fácilmente, toda vez que tenemos algún pequeño trastorno en nuestro organismo.

Sepia

Véase CALAMAR.

Septiembre

Este mes debe analizarse de forma diferente según nos encontremos en el hemisferio norte o en el sur.
En el primer caso, por su relación con el comienzo del otoño, augura épocas difíciles caracterizadas por los grandes esfuerzos que tendremos que hacer. En el segundo, por su relación con el comienzo de la primavera, pronostica una época feliz y próspera.

Sequía

Los síntomas de sequía que vemos en un sueño simbolizan el excesivo control de las emociones y, si los sentimientos presentes en el sueño son negativos, la soledad y el aislamiento involuntario.

Serafín

Véase ÁNGEL.

Serenata

En los sueños femeninos, el hecho de ver un grupo de músicos cantando una serenata debajo de un balcón quiere decir que hay una persona que se siente especialmente atraída por la durmiente.

Sermón

Los sermones son recomendaciones morales, advertencias que nos sirven de guía a la hora de obrar.
Si escuchamos un sermón en una iglesia quiere decir que tenemos una gran preocupación por nuestro desarrollo interior. Si, en cambio, lo oímos de boca de un seglar es señal de que nos sentimos culpables por algo que hemos hecho.

Serpentín

Véase LABORATORIO.

Serpiente

La principal característica de estos reptiles es que son, junto con las lombrices, los animales que tienen un mayor contacto con la tierra. Esto hace que simbolicen la sabiduría práctica.
Si vemos una serpiente tranquila, inofensiva, quiere decir que tenemos una gran habilidad para las tareas manuales.
Las serpientes también son un símbolo fálico que puede estar presente en sueños

eróticos, en cuyo caso deberíamos interpretarlas como la tentación de mantener una relación que no sería bien vista socialmente.

Serrar

Véase HERRAMIENTA.

Serrín

El serrín simboliza la tendencia a desperdiciar, el escaso cuidado que se tiene con las pertenencias, la dejadez.
Su presencia en sueños nos advierte de que debemos prestar más atención a lo que hacemos, que las cosas que se rompen conviene repararlas cuanto antes a fin de que el daño no sea mayor.
Si el serrín está desparramado en el suelo de la propia casa indica la necesidad de arreglar un problema de fontanería.

Serrucho

Véase HERRAMIENTA.

Servidumbre

El hecho de que en un sueño tengamos a varias personas a nuestro servicio indica que nos sentimos superiores a los demás, que tenemos una exagerada opinión de nosotros mismos.
Si formamos parte de la servidumbre de otra persona, en cambio, debemos considerar que no nos valoramos lo suficiente.

Servilismo

Los personajes oníricos que se muestran serviles con nosotros, representan a personas de nuestro entorno que nos adulan para obtener favores.
Lo importante en estos sueños es relacionar a quienes muestran servilismo con personas conocidas de nuestro entorno. Para ello debemos comparar sus gestos, modos de vestir, características físicas, etc.

Servilleta

Las servilletas simbolizan la plenitud.
Si ocupan un lugar importante en el sueño quiere decir que en los próximos tiempos tendremos todas las necesidades cubiertas.

Sésamo

En las bodas realizadas en la antigua Grecia, se servían tortas de sésamo como símbolo de fecundidad.
Si soñamos con estas semillas o con el aceite que se extrae de ellas quiere decir que en nuestro entorno habrá un nacimiento.

Sesear

Las dificultades en el habla, aun cuando no dificulten la comprensión de lo que se dice, indican problemas de comunicación.
Los personajes que sesean representan a un amigo o familiar que se encierra en sí mismo porque se siente profundamente incomprendido.

Seto

Los setos que separan dos espacios simbolizan la diplomacia, la capacidad de mantener los límites con los demás sin despertar suspicacias ni incomodidades.
Indican que sabemos hacer valer nuestros derechos con la mayor simpatía y dulzura, de forma tal que no nos ganamos enemigos.
Si recortamos un seto es señal de que debemos mantenernos firmes con una persona que intenta quitarnos lo que nos pertenece.

Seudónimo

El hecho de firmar con un seudónimo indica que hay facetas de nuestra personalidad que no nos atrevemos a mostrar a nuestra familia, que ante nuestros padres nos comportamos de manera engañosa haciéndoles creer que somos tal y como ellos pretenden que seamos y no como nos gustaría o como somos realmente.

Severidad

La severidad que mostramos hacia otras personas en un sueño o que éstas traslucen en su trato con nosotros indican que somos excesivamente rígidos con nosotros mismos, que no nos perdonamos los errores y que no tenemos capacidad para asimilar los fracasos. Debemos refexionar y cambiar de actitud general ante la vida.

Sexo

Por lo general, cuando una persona adulta no mantiene relaciones sexuales durante un tiempo, el inconsciente hace que tengamos sueños eróticos a modo de compensación.

Cuando se tiene este tipo de sueños, lo que debe tenerse en cuenta es que el cuerpo está preparado para mantener relaciones sexuales, pero en ningún caso debemos preocuparnos ni sentirnos culpables si los sueños son muy explícitos.

Sidra

La presencia de esta bebida en un sueño anuncia festejos, buenas noticias y motivos de celebración.

Indica que viviremos momentos muy felices en compañía de la familia.

Sien

Esta zona de la cabeza simboliza la telepatía.

Si en el sueño cumple un papel importante es señal de que tenemos una gran facilidad para percibir los sentimientos ajenos y que, en ocasiones, nos podemos comunicar telepáticamente con las personas que sentimos más próximas.

Siesta

Si soñamos con que estamos durmiendo la siesta quiere decir que nos sentimos faltos de energía; que no hay, de momento, nada que nos motive. Si es otra persona quien duerme, debemos interpretar que es egoísta y nos quiere mucho menos de lo que pretende hacernos creer.

Siete

Véase NÚMEROS.

Sietemesino

Los niños que nacen antes de tiempo simbolizan la impaciencia.

Si vemos sietemesinos en sueños quiere decir que tendemos a precipitarnos, a obrar antes de tiempo, a no esperar a que las condiciones para lograr nuestros propósitos estén dadas. Eso nos lleva a fracasar en muchos proyectos.

Siglo

Si en un sueño vivimos en un siglo diferente al presente, debemos analizar que sentimos añoranza del pasado si éste es un siglo anterior. Si es uno por venir, indica que tenemos grandes expectativas para el futuro.

Signos

Véase ZODÍACO.

Silabear

Cuando en sueños alguien habla marcando las sílabas una a una es necesario recordar sus palabras lo más claramente posible. Encierran una advertencia que nos ha sido hecha anteriormente, a la cual no hemos prestado la debida atención.

Silbar

Es necesario distinguir entre los silbidos que se hacen para llamar la atención de una persona o animal de aquellos en los cuales se entona una canción.

En el primer caso indican que nos sentimos desatendidos, ignorados por quien dice amarnos. En el segundo, auguran buenas noticias que mejorarán nuestro humor.

Silbato

El sonido de un silbato siempre tiene un sentido de advertencia (un tren a punto de partir, un jugador cometiendo falta, etc.) Si lo oímos quiere decir que algo estamos haciendo mal, que nuestras estrategias son equivocadas y que debemos rectificar cuanto antes nuestra conducta.

Sílex

Esta variedad de cuarzo ha sido muy empleada en la confección de herramientas rituales; por ello significa el sacrificio y la renuncia.
Los objetos de sílex que vemos en los sueños indican que ocultamos nuestros méritos a fin de que una persona a la que apreciamos pueda sobresalir y ser reconocida. Si el objeto es un cuchillo, debemos cuidarnos, ya que más adelante ésta podría traicionarnos.

Sílfo/sílfide

Estos seres mitológicos son espíritus del aire. Simbolizan la agilidad de pensamiento, la capacidad para dar rápida respuesta a cualquier interrogante.
Su visión en sueños indica la conveniencia de no dar siempre soluciones, de esperar a que los demás también se esfuercen en encontrarlas.

Silla/sillón

Véase ASIENTO.

Silo

Los edificios destinados a almacenar grano indican el grado de prosperidad de la región en la que vivimos.
Si se encuentran llenos, es señal de que el coste de la vida bajará o se mantendrá; si están vacíos, anuncian grandes aumentos en los productos de primera necesidad.

Silueta

Las siluetas pertenecientes a diferentes personajes del sueño señalan que en nuestro entorno hay una persona que se hace pasar por lo que no es.
No se trata de un amigo íntimo sino, más bien, de una relación ocasional.

Símbolo

Cuando en un sueño aparece un símbolo, debemos tener en cuenta el significado que se le da en las imágenes. Éste no tiene por qué coincidir con los que le ha adjudicado la tradición popular, pero es conveniente tenerlo en cuenta, ya que podría repetirse en sueños posteriores.

Simetría

Los espacios en los que todos los objetos guardan una perfecta simetría denotan gran capacidad lógica pero, también, una excesiva rigidez a la hora de aceptar ideas ajenas.

Simulacro

Los simulacros a menudo son entrenamientos que se efectúan a fin de que, ante una emergencia, cada uno sepa cómo debe comportarse (por ejemplo, simulacros de incendio, de naufragio, etc.) Cuando aparecen en un sueño señalan nuestros temores ocultos, normalmente originados en la infancia.

Sinagoga

Como lugar de culto simboliza la necesidad de desarrollo espiritual.
Si profesamos la religión judía, el hecho de entrar en una sinagoga simboliza la búsqueda de la unión con Dios.
Si profesamos otra religión, en cambio, quiere decir que no nos sentimos del todo conformes con lo que en ella se nos enseña.

Sinceridad

Los sueños en los cuales la sinceridad ocupa un lugar importante, quieren decirnos que nos estamos engañando, que preferimos no ver la realidad para evitarnos sufrimientos en el presente. Sin embargo, si seguimos por este camino, las consecuencias que debamos afrontar en un futuro serán más graves.

SÍNCOPE

Estos desmayos se producen por la detención del corazón. Simbolizan las emociones muy intensas, sean éstas positivas o negativas.
Si el tono general del sueño es tranquilo o alegre, quiere decir que recibiremos una noticia que nos llenará de felicidad. Si es angustioso, en cambio, es señal de que nos espera un disgusto.

SINDICATO

Estas entidades representan a los trabajadores y luchan por sus derechos.
Su presencia en el sueño augura conflictos y problemas en el ámbito laboral, muy probablemente a causa del despotismo de un jefe o del incumplimiento de promesas que nos han sido formuladas.

SINFONÍA

Véase MÚSICA.

SINOPSIS

Los resúmenes deben ser interpretados según el tema que traten. Por lo general muestran un cuadro global de nuestra actual situación.
Debemos buscar el simbolismo de los elementos más sobresalientes para ver en qué campos debemos cambiar nuestro modo de actuar.

SÍNTOMA

Los síntomas de las diversas dolencias deben ser analizados según la zona afectada.
Si tenemos una herida, hinchazón, ampolla o dolor en una parte del cuerpo, debemos buscar el significado concreto de la zona en cuestión para saber cuáles son los problemas que debemos resolver con mayor urgencia.

SINTONIZAR

La búsqueda de sintonía de un canal de televisión o de una emisora de radio indica nuestra preocupación por los problemas del entorno, nos describe como vecinos preocupados por el bienestar del barrio y del país, como personas que confiamos en la solidaridad y en el esfuerzo en pos de una buena convivencia.
Si no logramos sintonizarlo debemos interpretar que los problemas que aquejan a nuestro entorno aún tardarán en solucionarse.

SINUOSIDAD

Véase ONDA.

SIRENA

Estos seres mitológicos simbolizan la seducción femenina.
Su presencia en el sueño de un hombre indica los peligros de caer en el juego de una mujer que sólo pretende utilizar al durmiente. En un sueño femenino, indica que una mujer intentará coquetear con su pareja.

SIRIO

Es la estrella más brillante del cielo y ya los egipcios la consideraban símbolo de prosperidad.
Si la observamos en sueños, quiere decir que nuestros negocios nos darán beneficios inesperados.

SIRVIENTE

Véase SERVIDUMBRE.

SOBORNO

Los sobornos que se pagan en sueños simbolizan el precio que nos cuesta mantener a nuestro lado una pareja que ya no funciona.
Si llevamos a cabo esta acción o vemos que alguien es sobornado quiere decir que nuestra relación afectiva está en una

profunda crisis y hacemos todo lo posible por salvarla.

Sobrevolar

Si en sueños sobrevolamos una superficie, debemos buscar el símbolo que corresponde al tipo de paisaje que observamos.

Véase PAISAJE, VOLAR.

Sobrino

Cuando vemos sobrinos en sueños quiere decir que tendremos noticias de familiares que viven en otras ciudades.
Si se muestran contentos y alegres, las noticias serán agradables; si en el sueño pasan dificultades o se muestran tristes, quiere decir que las noticias serán preocupantes.

Socavón

Véase MINA.

Socio

Los socios representan una parte de nosotros mismos a la que no permitimos manifestarse.
Cuando en los sueños mantenemos discusiones con un socio quiere decir que tenemos sentimientos encontrados, que no nos ponemos de acuerdo con nosotros mismos.

Socorrista

Si soñamos con un socorrista en acción debemos interpretar que nos sentimos a punto de cometer un acto censurado por nuestra propia moral. El socorrista, en este caso, simboliza a una persona de nuestro entorno que puede convencernos, de modo que venzamos la tentación.

Soda

La soda es una mezcla de agua con gas, y estos dos estados de la materia simbolizan el mundo emocional y el mental, respectivamente; de ahí que su presencia en sueños se entienda como la unión de sentimientos e ideas.
Si la bebemos quiere decir que tenemos una gran preocupación por la humanidad, que nos duele el sufrimiento de muchos pueblos y las injusticias que vemos cometer.

Sofá

Véase ASIENTO.

Sofoco

Los sofocos que vivimos en un sueño pueden estar causados por un estímulo externo como, por ejemplo, el hecho de tener la cabeza completamente tapada por las sábanas.
Si no es así señalan que estamos descuidando una tarea y que se nos acaba el plazo de entrega.

Soja

Es la legumbre que más proteínas produce y sus efectos beneficiosos para la salud han quedado ampliamente demostrados. Es símbolo de la nutrición.
Si vemos soja en sueños, ya sea en forma de tofú, aceite o gérmenes, es señal de que no nos estamos alimentando adecuadamente, de que no prestamos a nuestro organismo la debida atención.

Soldado

Los soldados simbolizan la fuerza interior con la cual nos defendemos de las agresiones ajenas, de las tentaciones, de los pensamientos negativos y de todo lo que pueda significar un peligro que atente contra nuestra estabilidad psicológica.
Si el soldado que vemos en sueños tiene armas en sus manos, es señal de que nos movemos en un ambiente en el cual nuestra integridad psíquica se ve constantemente amenazada. Que tenemos compañeros de trabajo o familiares que intentan manipularnos. En caso de que el soldado esté en un momento de descanso,

debemos entender que nuestro entorno es especialmente sano y tranquilo.
Si somos nosotros quienes vestimos ropas militares quiere decir que tenemos conflictos claros con una persona y que hemos decidido devolver las agresiones recibidas.

Soldador

Esta herramienta sirve para unir metales y simboliza los esfuerzos que hacemos para que dos personas que se han enemistado reconsideren su posición. Si lo utilizamos en sueños es señal de que nos sentimos abatidos por el enfrentamiento producido entre dos personas a las que apreciamos.
En caso de que el soldador sea un soplete, quiere decir que la mejor manera de resolver el conflicto es apelar a la afinidad intelectual que existe entre las dos personas.

Soledad

Los sueños en los cuales nos sentimos angustiados por vivir en soledad revelan el sentimiento de incomprensión que sufrimos en la vida real.
Estos sueños se suelen presentar en momentos en los cuales nos sentimos deprimidos. Observando todos los detalles podemos encontrar las claves para salir de la situación difícil en la que nos encontramos.

Solemnidad

Si en un sueño presenciamos alguna ceremonia en la que la solemnidad es su principal característica, quiere decir que nos gusta darnos importancia y que, por ello, sufrimos el rechazo de las personas de nuestro entorno. El objetivo del rito puede indicar qué es lo que nos falta interiormente, qué carencias necesitamos compensar con una actitud tan poco útil.

Solfeo

El solfeo es el sistema de escritura musical universal. Simboliza el empeño en controlar la emotividad. Si en sueños leemos solfeo quiere decir que somos muy tímidos, que nos conmovemos fácilmente y que intentamos controlar racionalmente esto que consideramos una debilidad.

Solidaridad

Los sueños en los que aparecen grandes muestras de solidaridad nos recuerdan que debemos ser generosos y prestar atención a las necesidades de las personas que nos rodean.
También indican que somos excesivamente egoístas, que sólo miramos por nosotros mismos debido, tal vez, al miedo que tenemos de que nos vean débiles.

Solidificar

Los líquidos que se solidifican, ya sea por la disminución de la temperatura o por cualquier otro método de coagulación, simbolizan la afirmación profesional.
Estas imágenes constituyen un buen augurio, ya que anuncian la posibilidad de afirmarnos en el terreno laboral.

Soliloquio

Es habitual que, cuando tenemos un problema, hablemos interiormente con nosotros mismos exponiendo los diferentes puntos de vista que pueden adoptarse ante el mismo.
Si hablamos solos en sueños quiere decir que nos enfrentamos a una disyuntiva que no sabemos cómo resolver.

Solista

En los coros, el solista suele ser una persona que tiene un timbre de voz, una tesitura y una calidad superiores a los del grupo. Por ello, si nos vemos cantando como solistas quiere decir que nos consideramos superiores a los demás.
Si es otra la persona que ejerce esta acción, debemos entender que tiene cualidades especiales que nos llevan a admirarla y quizá plantearnos si esos sentimientos son o no reales.

Solitario

Los solitarios son juegos con nosotros mismos: son desafíos a nuestro ingenio. El hecho de hacerlos indica que nos gusta entrenar nuestras capacidades mentales, que no somos competitivos y que sabemos estar a gusto con nosotros mismos.
Si el solitario es resuelto quiere decir que podremos dar con la solución de un problema que nos preocupa.

Solomillo

Es el corte de carne más apreciado. El hecho de comerlo o de servirlo indica que tenemos un aguzado juicio crítico, que no nos conformamos con cualquier cosa ni con la primera idea que se nos ocurre, sino que buscamos siempre lo que más se acerque a la perfección.

Soltería

Si la soltería se presenta como un elemento importante del sueño es señal de que nos preocupa la falta de pareja propia o de alguna persona querida.
También puede indicar nuestra reticencia a contar con un socio en un negocio que estamos a punto de establecer.

Sombra

La sombra puede entenderse de dos maneras: por una parte, el hueco que deja nuestra imagen al impedir el paso de la luz sobre una superficie; por otro, señala los lugares protegidos por los rayos del Sol.
En el primer caso, nuestra propia sombra simboliza nuestros defectos; por ello es necesario observar qué partes de nuestro cuerpo aparecen distorsionados para que podamos deducir contra qué vicios o errores debemos luchar.
En el segundo caso, estar sentado a la sombra o buscarla, puede ser símbolo de cobardía o de falta de iniciativa.

Sombrero

En la antigüedad, los sombreros eran símbolos jerárquicos, de ahí que el hecho de que algún personaje del sueño lo lleve indica que tiene cierta ascendencia sobre nosotros.
Hoy, en general, simbolizan la relación con la cultura. Cuanto más estrecha sea el ala del sombrero, mayor será el afán de aprender. Por ello, las pamelas sugieren un gran apego al mundo material y un escaso entusiasmo por los asuntos del mundo intelectual.

Sombrilla

Las sombrillas nos protegen del Sol y, por la relación de éste con el intelecto, su simbolismo nos advierte de los peligros de un excesivo racionalismo.
Si estamos bajo una sombrilla quiere decir que reducimos todo a fórmulas intelectuales, que tenemos tal afán por encontrar la verdad que excluimos los sentimientos, seguros de que éstos perturban la limpieza del pensamiento. Esta actitud nos impide integrarnos adecuadamente y nos lleva a ignorar una parte importantísima de nuestro ser.

Someter

Las personas o animales que sometemos en sueños simbolizan partes de nosotros mismos.
Estudiando las características de la persona sometida podemos deducir cuál es la parte de nosotros mismos que necesitamos acallar.
Si, por ejemplo, se trata de un personaje que llora, lo que deseamos controlar es nuestra sensibilidad; si la víctima se presenta iracunda, necesitamos eliminar de nuestro interior los sentimientos de ira.

Sonajero

Estos juguetes infantiles simbolizan el intento de distraernos de lo importante, las argucias que otra persona utiliza para que no nos demos cuenta de que estamos siendo engañados. Si damos a un bebé un sonajero, quiere decir que intentamos engañar a otra persona.

Sonambulismo

Los sueños en los que aparecemos como sonámbulos indican que acostumbramos a disculparnos de nuestros errores aunque a la hora de cometerlos sepamos muy bien que estamos haciendo algo que no debemos.

Sonda

Las sondas que se emplean en medicina para alimentar a un enfermo o para hacer ciertas pruebas diagnósticas, indican nuestra necesidad de introspección. Señalan que queremos corregir ciertos hábitos y, para ello, buscamos las causas psicológicas que nos impulsan a seguirlos.

Soneto

Véase POEMA.

Sonreír

Los sueños en los cuales observamos muchas sonrisas constituyen un excelente augurio. Indican que entramos en una época de gran prosperidad y en la que nuestras relaciones afectivas serán plenas y felices.

Sonrojarse

Véase RUBORIZARSE.

Sonsacar

En ocasiones, para obtener datos de una persona necesitamos sonsacárselos disimuladamente. Si hacemos esto en un sueño quiere decir que sospechamos que estamos siendo víctimas de un engaño y queremos conocer la verdad.
Si la persona a la cual interrogamos en el sueño nos dice finalmente la verdad, quiere decir que en la realidad confirmaremos nuestras sospechas.

Soñar

Muchas veces se tiene conciencia de que las imágenes oníricas no pertenecen a la realidad sino que son, precisamente, sueños. Cuando esto ocurre es señal de que no sabemos relajarnos, que es tal la obsesión que tenemos por mantener un férreo control sobre el entorno, que ni siquiera nos permitimos descansar debidamente.

Sopa

La sopa es uno de los primeros platos que compartimos con los adultos, por eso simboliza la felicidad familiar, los buenos momentos pasados en compañía de padres y hermanos.
En ocasiones, sobre todos si nos encontramos lejos de ellos, puede mostrar la nostalgia que sentimos.

Soplar

El soplo se relaciona con el aliento, con la fuerza vital.
Si en el sueño soplamos a fin de avivar un fuego, es señal de que estamos haciendo lo imposible por mantener una relación amorosa.
Si, en cambio, soplamos para apagar una vela o cualquier cosa que se halle encendida, indica que nos hemos desenamorado y deseamos que dejen de amarnos.

Soplete

Véase SOLDADOR.

Sorbo

Tomar una bebida a pequeños sorbos indica que somos cautelosos con nuestras emociones, que no nos dejamos conmover fácilmente por miedo a que los sentimientos nos desborden.

Sordera

A menos que se padezca una afección auditiva en la vida real, la sordera simboliza la obcecación, el hecho de no querer oír lo que no nos conviene.
Es impotante tener en cuenta qué es lo

que nos dicen en este sueño, ya que señala aquellas cosas importantes a las que no prestamos atención en la vida real.

SORDIDEZ

Los ambientes sórdidos simbolizan estados de desesperación, momentos en los cuales damos todo por perdido porque no tenemos fuerza para seguir luchando.
Si durante el sueño pasamos a imágenes que no denoten este estado, quiere decir que en muy poco tiempo encontraremos la solución a nuestros problemas.

SORPRESA

Las sorpresas que recibimos en sueños señalan cosas inesperadas que nos van a suceder en la vida real. Sin embargo, como las imágenes oníricas siempre aparecen distorsionadas, debemos buscar el significado simbólico de las mismas a fin de comprender de qué tipo de acontecimiento se trata.

SORTEO

Véase AZAR.

SOSIEGO

Los sueños en los que este sentimiento es el predominante indican que tenemos un buen equilibrio interior pero que, actualmente, se ve amenazado.
Si en medio del sosiego se percibe una amenaza quiere decir que debemos dejar de obsesionarnos con un problema, ya que altera excesivamente nuestra calma mental.

SOSPECHAS

Cuando en un sueño tenemos sospechas sobre una persona conocida, quiere decir que, subconscientemente, hemos detectado cosas en ella que no son de nuestro agrado.
En este caso lo que debemos hacer es buscar los significados simbólicos de los elementos que componen la sospecha para que nos den la clave de qué es lo que podemos esperar de ella.

SOSTENER

Si nos vemos obligados a sostener a una persona para que no caiga es señal de que ésta depende moralmente de nosotros, que tiene un carácter débil que la puede llevar por mal camino y que es nuestra tarea el hacerle ver el camino correcto.

SOTANA

Esta prenda tiene un claro sentido espiritual. Si nos vemos vestidos con ella quiere decir que necesitamos buscar una forma de canalizar nuestra fe, de evolucionar interiormente.
En caso de ser otra la persona que la utilice en el sueño debemos entender que necesitamos consuelo porque nos sentimos apáticos o deprimidos.

SÓTANO

Los sótanos simbolizan el inconsciente, la vida instintiva.
Para analizar los sueños que transcurren en ello debemos prestar la máxima atención en los objetos que contengan.
También son importantes los sentimientos que nos suscite, ya que si nos provocan temores, quiere decir que tenemos miedo a encontrar en nuestro interior sentimientos muy desagradables. Éstos miedos no tienen por qué corresponderse con la realidad.

SUBASTA

Por lo general, los sueños donde se subastan objetos no son de muy buen augurio. Suelen anunciar pérdidas económicas o deudas importantes.

SUBIR

Los sueños en los cuales, por algún medio, logramos elevarnos del suelo (por ejemplo, mediante el hecho de trepar a un árbol, subir una escalera o coger un ascensor), indican que se nos presentará la oportunidad de conseguir un trabajo mejor remunerado.

Submarinismo

Bucear en aguas profundas simboliza explorar nuestro subconsciente.
Si realizamos en sueños esta actividad quiere decir que estamos abocados al conocimiento de nosotros mismos, que nos preocupa nuestro desarrollo interior y que aspiramos a tener una vida feliz y plena.

Submarino

Los submarinos simbolizan a los profesionales capaces de ayudarnos a equilibrar nuestro interior. Puede tratarse de un psicólogo, de un sacerdote o de un amigo especialmente dotado para estos menesteres.
Si vemos este tipo de navíos en un sueño, ello significa que nos conviene pedir ayuda para salir de una situación agobiante.

Subsidio

Los subsidios, en los sueños, simbolizan la ayuda económica que nos va a prestar un familiar o amigo.
Cuando aparecen estos conceptos quiere decir que estamos pasando una época de dificultades económicas pero también que no nos debemos preocupar, ya que encontraremos la manera de resolverla.

Subterráneo

Todo aquello que esté bajo suelo, como por ejemplo los sótanos, simbolizan nuestro subconsciente.

Véase SÓTANO.

Subvención

Las subvenciones son ayudas que se dan a cambio de un trabajo o de una capacitación.
Si soñamos con que recibimos una subvención, quiere decir que alguien ha apostado por nosotros, que nos han dado un voto de confianza y debemos responder a ello.

Sucedáneo

Los sucedáneos simbolizan las relaciones que, aun cuando no nos convenzan, las mantenemos para no sentirnos solos.
Soñar que tomamos algún sucedáneo indica que estamos manteniendo un romance o un coqueteo sin sentirnos enamorados y sin medir el daño que podemos causarle a la otra persona.

Sucesión

Los sueños en los cuales se tramita una sucesión indican que hay objetos pertenecientes a nuestra familia que ya consideramos como propios y anticipa que, en caso de fallecimiento de nuestros padres o personas mayores, habrá fuertes altercados entre los deudos.

Suciedad

El hecho de vernos sucios en un sueño indica que nos sentimos interiormente impuros, que somos conscientes de nuestras propias limitaciones y tratamos de corregirlas.
Si la suciedad afecta a un lugar o a un objeto, debemos buscar el simbolismo del mismo e interpretar que ese tema nos resulta problemático.

Sudar

El sudor es un mecanismo mediante el cual nuestro organismo se desprende de las toxinas.
Si sudamos en un sueño es señal de que nos sentimos interiormente sucios, que a causa de malas acciones que hemos cometido, necesitamos purificarnos.

Sudario

La imagen que muestra a una persona envuelta en un sudario indica que, en poco tiempo, tendremos una discusión con una persona amiga y, tras ésta, tomaremos distancia definitiva con ella.

Suegro/suegra
Los suegros simbolizan los conflictos que se mantienen con la familia política (es decir, suegros, cuñados, concuñados, etc.) Cuando en el sueño se muestran complacientes y amables, quiere decir que los roces son mínimos; en cambio, si se muestran serios, agresivos y distantes, es señal de que la relación que tenemos con ellos no es demasiado buena.

Suela
La suela de los zapatos nos pone en contacto con la tierra. Si en sueños las vemos rotas quiere decir que nos falla el sentido de la realidad, que tendemos a caer en ensoñaciones y confundimos nuestros deseos con lo que nos dicen nuestros sentidos.

Sueldo
Si estamos sin trabajo y soñamos con que cobramos un sueldo es señal de que en muy poco tiempo encontraremos empleo. En caso de tener trabajo y que el sueldo que vemos en el sueño sea mayor que el que cobramos habitualmente, debemos interpretar que tendremos un aumento. Si es menor, indicará que no nos sentimos contentos con lo que nos pagan.

Sueño
El hecho de vernos dormidos en un sueño revela que, en la vida real, solemos tener problemas de falta de atención. Indica que somos negligentes y tendemos a pasarnos más tiempo en un mundo de fantasía que concentrados en lo que estamos haciendo.

Suero
Son sustancias cuyo fin es protegernos frente a ciertas enfermedades.
En sueños, simbolizan la perspicacia que nos ayuda a percibir la falsedad ajena.
El hecho de tomar o inyectarnos un suero señala que acabamos de sufrir una decepción y que estamos prevenidos para que no nos vuelva a ocurrir.

Suerte
Los sueños en los cuales se nos presenta la suerte, ya sea en forma de ganar dinero en juegos de azar, conseguir un trabajo inesperado o de cualquier otra forma, constituyen un excelente augurio. Indican que tendremos una sorpresa muy agradable, que nos cambiará la vida.

Sufragar
Si en sueños sufragamos algún evento en favor de otros quiere decir que intentamos mostrar ante los demás una posición económica superior a la que tenemos.

Sufrir
Los sufrimientos que experimentamos en sueños muestran las preocupaciones que tenemos en la vida real. Analizando los símbolos que nos lleven a esos sentimientos en las imágenes, podremos saber a qué se debe nuestra tristeza o falta de motivación.

Suicidio
Los sueños en los cuales somos nosotros quienes nos suicidamos, no son comunes pero tampoco alarmantes. Simbolizan la necesidad de un cambio de vida.
Si vemos que quien se suicida es una persona conocida, es señal de que está necesitando nuestro apoyo moral para resolver un problema.

Sujetapapeles
Si vemos estos elementos de escritorio en un sueño quiere decir que tenemos que arreglar un asunto oficial (renovar el pasaporte o el DNI, pagar a Hacienda, u otros) y que, cuanto antes lo hagamos, mejor será.

Sultán
Como figura de autoridad, simboliza a los padres, maestros, policía, magistrados, etc. Si su expresión o sus acciones revelan enfado, es señal de que nos sentimos culpables por algo que hemos hecho. Si se

muestran complacientes y amables, quiere decir que aceptamos que otros nos dirijan y nos protejan.

Sumar

Véase ÁLGEBRA.

Sumario

Si tenemos en un sueño el sumario de un juicio quiere decir que tememos el castigo o las represalias por haber tomado distancia de una persona cuando ésta más nos necesitaba.

Superficialidad

Cuando en sueños nos mostramos superficiales y frívolos es señal de que tenemos sentimientos muy profundos pero que no queremos prestarles atención. Tal vez se trate de la atracción que sintamos por una persona que no nos corresponde.

Superhombre

El hecho de vernos en un sueño como superhombres o supermujeres, indica que vamos a realizar una acción que será muy valorada por las personas que nos rodean. Esta acción puede estar relacionada con el trabajo, con la familia o con el vecindario; tal vez, incluso, se trate de una idea que va a servir para mejorar la calidad de vida de todos.

Superioridad

Los sueños en los que nos sentimos muy superiores a los demás son compensatorios: indican una gran falta de confianza en nosotros mismos.

Suplantar

Si en un sueño suplantamos a una persona conocida es señal de que, en la vida real, la envidiamos. Si se trata de un desconocido, debemos observar cuáles son las cualidades que imitamos, ya que son precisamente aquellas que nos gustaría desarrollar en nosotros mismos.

Súplica

Si hacemos una súplica a una entidad religiosa es señal de que, aunque estemos pasando un mal momento, tenemos confianza en que la providencia saldrá en nuestra ayuda. Si se la hacemos a un amigo, en cambio, es signo de que, en el fondo, nos sentimos abandonados por las personas queridas.

En caso de que recibamos la súplica de otra persona, querrá decir que alguien de nuestro entorno está esperando que le ayudemos a resolver un problema.

Supurar

Véase INFECCIÓN.

Sur

Para quienes viven en el hemisferio norte, hacer un viaje hacia el sur equivale a dirigirse al Ecuador, a la zona más cálida del planeta. En este caso el sueño debe interpretarse como el anticipo de una época de grandes amores.

Para quienes viven en el hemisferio sur, en cambio, el viaje les acercaría al polo, a la zona más fría; por ello este sueño deberían interpretarlo como el comienzo de una época de reflexión y soledad.

Surco

Los surcos que se observan en la tierra después de haber arado simbolizan el trabajo bien hecho.

Si los vemos en sueños quiere decir que seremos recompensados por nuestra labor profesional.

Surtidor

Los surtidores de gasolina simbolizan las actividades que realizamos para desconectar de la rutina diaria. Son las que nos permiten descansar la mente para luego retomar el trabajo con más energías.

Su presencia indica que debemos dedicar más horas al ocio y al descanso.

Suspenso

En un estudiante, los suspensos pueden responder al miedo de no dar la talla en las diferentes materias. En una persona que no está cursando ningún estudio, son una muestra de la propia desvalorización.

Suspiros

El hecho de suspirar en sueños indica que la mayoría de las gestiones y de los trabajos que tenemos pendientes quedarán demorados por causas ajenas a nuestra voluntad.

Susto

Si en un sueño nos llevamos un susto quiere decir que no prestamos la debida atención a lo que pasa en nuestro interior ni en nuestro exterior. Significa que estamos demasiado enfrascados en la rutina y ya hemos perdido la capacidad de sorpresa.

Suturar

El hecho de suturar una herida simboliza la intención de curar los dolores del alma: la angustia, la tristeza y el desamor.
Si es a nosotros a quienes hacen la sutura quiere decir que nos sentimos especialmente desgraciados, que acabamos de pasar por un momento difícil y que necesitamos todo el apoyo de nuestros amigos.
En caso de ser nosotros quienes suturamos, debemos entender que una persona de nuestro entorno necesita consuelo y apoyo moral.

T

Tabaco

Esta planta ha tenido una gran importancia en la América precolombina. Se la utilizaba como medicina, como estimulante y en los rituales religiosos.
El tabaco ha simbolizado el paso entre la adolescencia y la edad adulta y, según algunos sociólogos, es símbolo de virilidad.
Si no somos fumadores ni convivimos con ellos, la presencia del tabaco, sea en forma de cigarrillos, puros o picadura, puede ser significativa: indicaría que se tiene una gran nostalgia de la adolescencia.

Tábano

Este insecto simboliza la insistencia. A menudo se relaciona con la voz de la conciencia, que nos persigue y que, por mucho que la queramos ahuyentar, no lo conseguimos.
Su presencia en sueños indica que un amigo o familiar está intentando hacernos ver que estamos equivocados en nuestra forma de proceder, pero en lugar de hacerle caso o de reflexionar, nos enfadamos con él.

Tabasco

Véase SALSAS.

Taberna

Simboliza las amistades que no son de fiar, no sólo porque nos puedan traicionar sino porque, además, porque sacan a la luz nuestros peores defectos y nos tientan a cometer acciones que no están de acuerdo con nuestro código moral.
Si nos encontramos en el interior de una taberna con personas conocidas, debemos analizar la conducta de éstas y verificar si responde o no a nuestra ética.

Tabernáculo

Es el lugar donde se guardan las hostias consagradas.
Para los católicos, la aparición de este símbolo indica el deseo de comunión con Dios.

Tabique

Como elementos de separación, simbolizan los límites psicológicos que establecemos a la hora de tratar con otras personas.
Si el tabique aparece derribado o con

zonas destruidas, quiere decir que hemos decidido tener una actitud más abierta y flexible a la hora de juzgar a los demás.

Tabla

La madera simboliza, en ciertos sueños, los recursos con los que contamos para realizar nuestros sueños.
Si está cortada en forma de tablas o tablones, es señal de que ya podríamos realizar algunos de ellos pero los retrasamos por miedo al fracaso.

Tablero

Los juegos de mesa representan casi siempre situaciones de la vida real, aunque sólo sea la competencia establecida para llegar primeros a la meta.
Cuando vemos en sueños un tablero en el que se está desarrollando una partida, en lo que debemos fijarnos es en qué posición estamos con respecto a los demás jugadores. Cuanto mejor sea ésta, mayores serán nuestras habilidades sociales.
Si el tablero no tiene fichas es señal de que tendemos a hacer una vida solitaria y aislada.

Taburete

Estos asientos, por su carencia de respaldo, nos obligan a ser conscientes de la espalda, sobre todo de nuestra columna vertebral. Simbolizan por ello la rectitud interior.
Su presencia en un sueño indica que no estamos siguiendo el camino adecuado para cumplir nuestros deseos y que estamos dando un rodeo innecesario para obtener lo que más nos interesa en este momento.

Tacatá

Los andadores metálicos que se emplean para que los niños den sus primeros pasos, simbolizan las posibilidades de iniciar una nueva andadura profesional.
Si los vemos en un sueño quiere decir que ya estamos preparados para trabajar en aquello para que nos hemos estado formando, aun cuando pensemos que nos queda mucho por aprender.

Tachar

Las tachaduras en sueños simbolizan la negativa a reconocer hechos que nos resultan dolorosos.
Para determinar cuáles son, es imprescindible buscar el simbolismo de las frases que se han tachado.

Tacón

El hecho de romperse un tacón en sueños, indica que perderemos un importante aliado en un conflicto que tenemos con una persona de autoridad.

Tacto

Esta técnica de obstetricia, utilizada para medir el ancho del cuello del útero en los partos, simboliza el temor que una mujer embarazada pueda tener con respecto al momento del nacimiento de su hijo.
Si el sueño es feliz, expresa la ansiedad por llegar cuanto antes a esa experiencia.

Tahona

Simbolizan a las personas excesivamente protectoras que hay en nuestro entorno.
Si estamos en el interior de una tahona es señal de que nos sentimos agobiados por los excesivos cuidados que nos prodigan nuestros padres, nuestra pareja o nuestros hijos.

Véase PAN.

Taladro

Véase HERRAMIENTA.

Talar

La acción de talar árboles simboliza la desmedida ambición.
Si se talan árboles en sueños es señal de que, en el afán de conseguir bienes materiales, estamos descuidando aspectos

sumamente importantes de nuestra vida, desperdiciando talentos y estancándonos en nuestra evolución.

Talco

Este mineral es utilizado, principalmente, para proteger la piel de los bebés; por lo tanto se relaciona con los cuidados recibidos en la primera infancia.
Echarle talco a un niño significa cuidar nuestro propio niño interior y nuestra vida emocional. Si nos lo echan a nosotros es señal de que añoramos la protección que, en otros momentos, hemos recibido.

Talismán

Estos objetos sirven para protegernos de las energías negativas, de la mala suerte. En sueños simbolizan la prudencia y cautela con la que nos movemos en las diferentes esferas de nuestra vida.
Soñar con talismanes es un excelente augurio, ya que indica que podremos ir consiguiendo, poco a poco, todo aquello que nos propongamos.

Tallar

Los objetos que se tallan en sueños indican los deseos que queremos ver cumplidos a corto plazo. Analizando el simbolismo de la figura que tallemos o veamos tallar, podremos saber qué posibilidades tenemos de que éstos se realicen, así como la forma de ayudar.

Taller

Si soñamos con nuestro propio taller es señal de que queremos dar un vuelco importante en nuestra vida, reparar las cosas que hayamos hecho mal, reconciliarnos con las personas con las que nos hayamos distanciado, etc.
Si el taller es ajeno, quiere decir que debemos consultar a un profesional para que nos ayude a resolver el problema que más nos agobia en este momento.

Véase MECÁNICO.

Talmud

Los textos sagrados, independientemente de la religión a la que pertenezcan, simbolizan la necesidad de desarrollo espiritual.
Es importante analizar el simbolismo de los elementos que aparezcan en el pasaje que se lea, a fin de saber qué vías son las más adecuadas a este propósito.

Tambalearse

El hecho de ver a una persona tambalearse o bien el hecho de hacerlo uno mismo indica que estamos pasando por una época de inestabilidad afectiva. Lo más probable es que se trate de una crisis en la pareja, del agobio producido por la rutina y del deseo de sentir emociones nuevas.

Tambor

Véase INSTRUMENTOS MUSICALES.

Tamiz

El uso de un tamiz o su presencia indica que debemos escoger mejor nuestras amistades. Tendemos a dar demasiadas confianzas a desconocidos y luego nos sentimos mal porque éstos nos decepcionan.
Si en el sueño nos sentimos ansiosos es señal de que estamos siendo demasiado selectivos y elitistas.

Tanatorio

De la misma manera que sucede con la muerte, la presencia de un tanatorio en sueños no augura ninguna defunción. Más bien anuncia el final de un trabajo, de una relación o de un proceso.

Tanga

Los sueños en los que aparece ropa interior y lencería, suelen ser eróticos. Siempre y cuando sean placenteros, revelan normalmente una excitación sexual pasajera.

Si son angustiosos, como por ejemplo el caso en el que se perdiera la ropa interior, indicarían fuertes represiones sexuales.

Tanque

Estos vehículos militares indican que hemos aguantado durante mucho tiempo una situación o persona sumamente perjudiciales y que hemos juntado las fuerzas suficientes para sacarlas de nuestra vida.

Taparrabos

Si en un sueño aparecemos con taparrabos o lo hacen los demás personajes que en él aparecen, quiere decir que estamos en un periodo en el cual los instintos han tomado el control de nuestra mente.
Si el sueño es angustioso, es señal de que esta disminución de nuestro propio control nos hace temer que podamos cometer imprudencias.

Tapicería

Las tapicerías pueden tener un papel protagonista si se manchan, si se rompen o si despiertan admiración o rechazo.
En el primer caso es señal de que no nos sentimos a gusto en la casa en que vivimos; que, en cierta forma, nos avergüenza la sencillez obligada por la situación económica.
Si está deteriorada quiere decir que pasamos por un período en el que no tenemos energías para realizar todos los trabajos pendientes.
Si vemos una tapicería que nos cause un profundo rechazo es señal de que estamos en una época de hiperactividad.
El hecho de tapizar los muebles indica que queremos hacer de nuestra casa un centro de reunión de amigos.

Tapiz

Los tapices, por lo general, representan escenas de la vida, de modo que debemos analizar el significado simbólico de las imágenes que hay en él. Éstas tienen que ver con el momento que estamos atravesando. La presencia de colores luminosos u oscuros dará cuenta del estado de ánimo que tenemos.

Tapón

Los tapones sirven para evitar que el líquido se derrame; en este caso, que las emociones nos inunden y se escapen a nuestro control. El hecho de no encontrar uno indica que nos vemos embargados por fuertes emociones y no encontramos la manera de darles el debido cauce.

Taquicardia

La aceleración de los latidos del corazón, aunque puede ser síntoma de un problema cardíaco, también se produce de forma natural cuando hacemos un esfuerzo físico considerable, como por ejemplo, correr, o cuando nos vemos embargados por una emoción fuerte como el miedo o la ira.
Si en el sueño el corazón nos late aceleradamente es señal de que la situación que atravesamos no es buena pero que, haciendo un gran esfuerzo, podremos solucionar completamente los problemas que nos agobian.

Tarántula

Véase ARAÑA.

Tarde

La angustia por llegar tarde a un lugar o porque el tiempo pase demasiado rápido señala que hemos tomado conciencia de que una situación desfavorable ha llegado demasiado lejos. Sin embargo, el hecho de que este concepto aparezca en el sueño indica que aún estamos a tiempo para realizar los esfuerzos necesarios con los que reparar el mal.

Tarot

Los naipes del tarot, en su conjunto, simbolizan nuestro mundo interior y

nuestra relación con el exterior.
Cada carta tiene un significado preciso y complejo que tiene su aspecto positivo y su aspecto negativo, que se tiene en cuenta cuando la carta se ve invertida.
Es imposible dar una explicación extensa de cada naipe, ya que ello abarcaría un volumen entero, pero a grandes rasgos, se pueden interpretar como sigue:
El Loco se relaciona con la inocencia, pero también con la falta de conocimientos.
El Mago simboliza la astucia y la inteligencia, así como la malicia.
La Papisa, el conocimiento y la severidad.
La Emperatriz, encarna el deseo, el poder, la creatividad, la maternidad. Puede representar a la madre.
El Emperador simboliza la dominación, la solidez, el orden. También puede representar al padre.
El Papa simboliza el conservadurismo, así como la rebelión contra lo establecido.
Los Enamorados, la vida afectiva, los amores y desengaños.
El Carro representa la victoria, pero también la derrota.
El Ermitaño indica la búsqueda de uno mismo, la reflexión y la propia valoración, positiva o negativa.
La Rueda de la Fortuna señala los cambios que sufrimos en nuestra vida. Éstos pueden ser beneficiosos o, al menos a corto plazo, perjudiciales.
La Fuerza indica las pasiones. Éstas pueden ser un motor que nos impulse a crear o, por el contrario, ser autodestructivas.
El Colgado señala el sacrificio, la renuncia o, por el contrario, el egoísmo y la autocomplacencia.
La Muerte indica los cambios profundos, las transformaciones que sufrimos en nuestro interior y las crisis de crecimiento. Éstas pueden ser aceptadas o eludidas, en cuyo caso no alcanzamos la madurez necesaria para conseguir la paz interior.
La Templanza indica la moderación, la previsión y, en su aspecto negativo, el descontrol.
El Diablo señala el egoísmo. Si es sano, hará que consigamos nuestro propio bienestar dentro de los límites que nos imponen las libertades ajenas; si no lo es, haremos cualquier cosa con tal de satisfacernos sin importarnos el daño que podamos causar a otros.
La Torre indica los desbordamientos, los estallidos y las situaciones que, imprevistamente, cambian el rumbo de nuestra vida.
La Estrella simboliza la esperanza, el optimismo; pero en su aspecto negativo, la sensación de derrota permanente, el pesimismo.
La Luna representa la intuición, la sensibilidad, pero también la manipulación a los demás.
El Sol encarna la evolución, la creatividad, la fecundidad.
El Juicio se vincula con el renacimiento, con la capacidad de regeneración, con la lucha por los ideales.
El Mundo simboliza la realización personal o, por el contrario, el fracaso debido a la estrechez de miras.

Tarzán

La presencia de este personaje de ficción en un sueño simboliza los aspectos positivos de la vida instintiva.
El hecho de ver a un salvaje realizando actos que podrían calificarse de humanitarios, indica que los instintos no son enemigos a combatir, sino una parte de nosotros mismos que merece tanta atención como las demás. Gracias a ellos podemos defendernos, huir de los peligros, alimentarnos adecuadamente y realizar aquellas tareas que nos permiten sobrevivir.

Tatuaje

Los tatuajes, por simples que sean, siempre atraen la mirada porque están donde uno espera ver la piel limpia. Simbolizan la necesidad de tener más presencia.

El hecho de hacernos uno en sueños muestra que sentimos la necesidad de un apoyo que nos haga sentir más visibles a los ojos de los demás, cosa que los tatuajes a menudo consiguen.

Tauro

Véase ZODÍACO.

Taxi

Los medios de transporte, en general, simbolizan la forma en que llevamos nuestra vida. Si cogemos un taxi, vehículo de uso individual, es señal de que tenemos un sentido muy acusado de la intimidad, que no nos gusta alternar con quienes no conocemos lo suficiente.

Taza

La taza es símbolo femenino. Representa la habilidad que tienen las mujeres para establecer relaciones sociales, así como las funciones psicológicas que intervienen en la creación de dichos vínculos.
Su aparición en sueños indica que tenemos una buena empatía, que somos solidarios y protectores aunque, tal vez, demasiado curiosos con respecto a la vida ajena.

Té

Se considera símbolo de generosidad.
Si lo tomamos en sueños quiere decir que sentimos un especial placer a la hora de hacer regalos y de ayudar a los demás, que somos tan generosos con nuestro dinero como con nuestro tiempo y nuestro esfuerzo.

Teatro

Véase ESCENARIO.

Tebeo

Los personajes que los tebeos reflejan siempre son predecibles, ya que tienen una personalidad netamente definida y en ellos podemos vernos a nosotros mismos y a las personas que nos rodean.
Por ello, si soñamos con un tebeo es importante relacionar los personajes con personas conocidas y tener en cuenta el desarrollo de la historieta para saber qué nos quiere decir el inconsciente.

Techo

En los sueños agobiantes el techo indica opresión, falta de libertad y en los optimistas o serenos, protección.
Si el techo se derrumba puede indicar ruptura matrimonial.

Teclado

Los teclados de ordenador simbolizan la necesidad de comunicarnos con otros. Los de instrumentos musicales, en cambio, el deseo de reflexionar sobre nosotros mismos.

Tejer

Los tejidos simbolizan el presente y el hecho de hacerlos, el control que tenemos sobre todo lo que nos acontece en la actualidad.
Si estamos conformes con la prenda que tejemos, quiere decir que estamos satisfechos de la manera en que transcurre nuestra vida.
Si tenemos que destejer, es señal de que nos arrepentimos de muchas de las cosas que hemos hecho.

Tejo

Este árbol, venerado por los celtas, se relaciona con la fortaleza. Se dice que los guerreros, antes de ser capturados en batalla, ingerían hojas de tejo. Eso les provocaba la muerte, pero también una parálisis facial que les hacía mostrar una extraña sonrisa; por ello se decía que se reían de sus enemigos aun después de muertos. Si lo vemos en sueños quiere decir que tenemos una extraordinaria fortaleza interior que nos lleva a no darnos jamás por vencidos.

TELA

Si en nuestros sueños aparecen abundantes telas, significa que tendemos a actuar de diferente manera según con quién estemos y también que tendemos a mimetizarnos con las personas con las que nos rodeamos.

TELAR

El hecho de trabajar en un telar indica que nos gusta llevar la voz cantante en nuestra familia, que pretendemos que los demás obren según nuestras órdenes.

TELARAÑA

Véase ARAÑA.

TELEDIARIO

Véase TELEVISIÓN.

TELÉFONO

Indica el deseo de tomar contacto con personas que están lejos o bien el de saber que éstas nos siguen recordando con cariño.

TELENOVELA

Véase TELEVISIÓN.

TELEPATÍA

La comunicación telepática que tenemos en sueños con otra persona revela el deseo de tener una relación muy íntima con ella.

TELESCOPIO

Estos aparatos nos acercan la imagen de los objetos celestes distantes y simbolizan el deseo de averiguar el comportamiento de una persona que temporalmente está distanciada de nosotros.

TELEVISIÓN

Las imágenes que vemos en ella simbolizan aspectos de nuestra vida actual. Por ello hay que buscar los símbolos correspondientes a dichas imágenes, a fin de comprender el sueño en toda su amplitud.

TELÓN

Véase ESCENARIO.

TEMBLOR

Los temblores de tierra y los terremotos simbolizan el miedo.

Si estamos en un lugar en el cual se producen, quiere decir que hemos cometido un error y tememos que sea descubierto.

Si nos enteramos de que se ha producido en otro lugar, debemos entender que podemos estar tranquilos porque nuestro error no ha ocasionado demasiados problemas.

TÉMPANO

Véase ICEBERG.

TEMPESTAD

Las tempestades dan cuenta de los sentimientos encontrados que albergamos en nuestro interior y, sobre todo, del estallido emocional que puede producirse a raíz de ello. Si estamos en medio de una tempestad quiere decir que nos sentimos muy alterados por problemas afectivos y que, en cualquier momento, podemos decir cosas de las cuales tengamos que arrepentirnos.

TEMPLO

Los templos de religiones desconocidas simbolizan la aceptación de un dios universal. Los sueños en que aparecen son una advertencia de que nos estamos alejando demasiado de nosotros mismos.

TENAZAS

Véase HERRAMIENTA.

Tenedor

Si soñamos con tenedores quiere decir que tenemos una buena relación familiar, pero que hay personas que la envidian. Es muy probable que alguien esté intentando romper la armonía de nuestro hogar.

Tenis

Los partidos de tenis simbolizan las discusiones de pareja en las cuales los miembros se echan en cara errores que, a menudo, se han cometido hace mucho tiempo. Si participamos en una partida, quiere decir que estamos viviendo esta situación en la relación; si la presenciamos, es señal de que en nuestro entorno, una pareja está pasando por ello.

Tentáculo

La presencia de un tentáculo gigantesco que emerge del mar simboliza la avaricia. El hecho de que lo veamos en sueños indica que nos resulta irritante la conducta mezquina de un familiar.

Terapia

Si en sueños recibimos algún tipo de terapia (de manos de un psicólogo, un fisioterapeuta o cualquier otro profesional de la salud) es señal de que nos sentimos interiormente inestables y no sabemos cómo recuperar nuestro propio centro.

Terciopelo

Esta tela simboliza la sensualidad. Si un personaje, o nosotros mismos, vestimos ropas confeccionadas con terciopelo, quiere decir que quien las lleva es una persona que sabe disfrutar de los placeres de los sentidos.

Tergopol

Véase PLÁSTICO.

Termas

Las aguas termales tienen propiedades curativas. Si en sueños nos bañamos en ellas, quiere decir que en poco tiempo vamos a superar la ruptura de una relación sentimental.

Termitero

Los termiteros simbolizan el vecindario. Cuando aparecen en un sueño es señal de que hay problemas en la comunidad de vecinos.
Si el termitero se rompe, debemos entender que tendremos que afrontar gastos comunitarios.

Termo

Sirven para mantener la temperatura de su contenido. Señalan la preocupación que sentimos al percibir que se está apagando la pasión en la pareja.
Si el termo se rompe es señal de que las cosas, de momento, no van a mejorar.

Termómetro

Los termómetros atmosféricos indican, con su medición, la marcha de los negocios. Si la temperatura es alta es señal de que marcharán bien.
Los médicos indican nuestro equilibrio interior y cuanto más se aleje la marca de la temperatura habitual, mayor será nuestra tensión interna.

Terraza

Si nos vemos asomados a una terraza, es señal de que estamos esperando que se produzca un acontecimiento. En este caso, debemos buscar el simbolismo de los objetos o paisajes que vemos desde allí para saber si ocurrirá aquello que ansiamos o si, por el contrario, debemos tener más paciencia.

Terremoto

Véase TEMBLOR.

Terror

Los sueños en los que sentimos terror responden a miedos interiores. A veces se originan por situaciones que hemos vivido hace tiempo y que no hemos podido asimilar. Cuando esto sucede, cualquier cosa que ocurra que nos la recuerde puede despertar una gran ansiedad, un fuerte temor a que el mal momento se vuelva a repetir.

Tertulia

Las tertulias tienen por objeto compartir un momento con personas afines y, por otro, cambiar impresiones y estimular la mente.
Si participamos en una de ellas en sueños es señal de que necesitamos encontrar amigos y personas con las cuales podamos identificarnos.
También puede servirnos de advertencia para que no nos encerremos.

Tesis

Si soñamos con que estamos preparando una tesis, debemos en primer lugar averiguar de qué tema trata y buscar su simbolismo. Eso nos dará una idea de qué es lo que queremos dejar claro a nuestra familia.
Por otra parte, también es importante considerar el sentimiento que tengamos durante el sueño, ya que eso podrá indicarnos hasta qué punto nos sentimos comprendidos por nuestros padres y hermanos.

Tesoro

Los tesoros simbolizan el conocimiento y la riqueza que se encuentra después de hacer un arduo trabajo interior.
Si vemos el tesoro de lejos y no podemos alcanzarlo, o nos lo arrebatan, es señal de que nos desespera sentirnos muy imperfectos.
Si hallamos objetos sin valor, quiere decir que nuestra búsqueda de la perfección y de nosotros mismos es equivocada, que nos centramos demasiado en el mundo material y descuidamos nuestra gran riqueza espiritual.

Testamento

Los testamentos, en los sueños, no se refieren a la herencia de bienes materiales, sino la herencia en consejos y en experiencia que nos han dejado aquellas personas que han pasado por nuestra vida. Puede ser un maestro o un amigo de la infancia.
En caso de ser nosotros quienes firmamos el testamento indica que somos personas nutricias, que dejamos huella en los demás.

Testículos

Si en sueños se sienten problemas en los testículos es posible que eso se deba a que, en la vida real, tenemos un pequeño problema en ellos (una mala postura que los esté comprimiento, por ejemplo).
En caso de que el sueño lo tenga una mujer, debemos interpretarlo como sueño erótico, producto de una excitación sexual pasajera.

Texto

Los textos que aparecen en los sueños, independientemente del lugar en el cual estén escritos, indican el problema más acuciante que tenemos en el presente.
Para interpretarlos correctamente se deben buscar los símbolos de las palabras que los componen.

Tía

Los sueños con tíos indican que ansiamos la unificación familiar.
Si éstos hubieran fallecido, se pueden tomar como presagios; si su talante es bueno, quiere decir que nos espera una época feliz; si es malo, es señal de que nos aguardan problemas.

Tiara

El tocado que utiliza el sumo pontífice es símbolo del poder espiritual.
Si vemos a una persona utilizándolo quiere decir que puede ser un excelente guía para nuestro desarrollo interior.

Tiburón

Los tiburones simbolizan los ataques que otras personas pueden hacer a nuestro orgullo. Indican que corremos el riesgo de quedar en ridículo a menos que hablemos con suma claridad.

Tic

Los tics son movimientos involuntarios. Su presencia indica que nos sentimos obligados por otra persona a realizar actos con los que no estamos de acuerdo.

Tienda

Las tiendas y negocios con entrada al público simbolizan la visión que los demás tienen de nosotros.
Si las vemos cerradas es señal de que somos difíciles de clasificar, que a menudo no nos comprenden tanto como quisiéramos.
Cuanto más cuidada y ordenada esté, mejor es la imagen que damos a los demás.
Si nos vemos expuestos en un escaparate quiere decir que tenemos un fuerte sentimiento de inferioridad.

Tienda de campaña

Si nos soñamos en el interior de una tienda de campaña es señal de que nos gusta permanecer en casa, lejos del mundo externo y que vivimos pensando que es un lugar peligroso.
En caso de que nos encontremos frente a la tienda y no podamos entrar, debemos entender que tememos un fracaso sentimental. Si la tienda se desploma estando nosotros dentro es señal de que recibiremos un fuerte golpe afectivo.
Las tiendas situadas en la playa o en el campo, ordenadas y agradables, indican la necesidad de evadirnos, de tomar unas vacaciones.

Tierra

La tierra simboliza lo material, pero también lo profundo, lo que nos resulta familiar. La tierra fértil, verde, y soleada augura crecimiento interior, paz y sosiego.
Si la vemos arada es señal de que pronto recibiremos el fruto de nuestros esfuerzos.
Vernos tumbados en la tierra boca abajo es algo que debemos interpretar como la necesidad de poseer bienes materiales.

Tigre

Véase FELINOS.

Tijeras

Las tijeras, tradicionalmente, auguran discusiones y peleas en la familia o en la relación de pareja.
Si las utilizamos para cortar algo quiere decir que nos veremos envueltos en calumnias y maledicencias.

Tijereta

Simboliza el resentimiento, el rencor acumulado hacia personas con las que convivimos.
Si los insectos vienen hacia nosotros, quiere decir que nos molestan mucho las personas a las que no podemos controlar, a pesar de juzgarlas inferiores.

Tila

Este árbol simboliza la fidelidad conyugal.
Si aparece en sueños, indica que debemos desechar la actitud de celos y desconfianza que manifestamos porque, de no hacerlo, crearemos un abismo insalvable con nuestra pareja.

Timón

Simboliza, al igual que el volante, nuestra capacidad de autocontrol.
Si lo maneja otra persona, es señal de que nos dejamos influenciar por las opiniones ajenas y que no tenemos un criterio demasiado sólido acerca de la realidad.
Si somos nosotros quienes estamos al timón es señal de que somos muy independientes y no necesitamos la ayuda de los demás.

TINIEBLAS

Hay pocos símbolos que resulten tan gráficos a la hora de expresar la desorientación.
Si nos encontramos sumidos en las tinieblas quiere decir que en la vida real nos sentimos perdidos, que no tenemos claro qué queremos y menos qué es lo que nos conviene hacer.

TINTA

Los trabajos realizados con tinta indican que hemos encabezado la defensa de una persona que es sumamente criticada en la familia.
Si nos manchamos con ella, es señal de que no conseguiremos nuestro propósito.

TÍO

Los sueños en los cuales aparecen parientes suelen indicar el deseo de unificación familiar.
Si se muestran hoscos o enfadados, es señal de que nos sentimos ansiosos por algo que hemos hecho mal.

TIOVIVO

Su aparición en un sueño indica que volveremos a vivir una situación que nos es conocida. Si estamos subidos en él, quiere decir que nos veremos inmersos en la situación.
Es importante, en este caso, averiguar el simbolismo del lugar donde estemos sentados (caballo, coche, barco, etc.) para saber de qué acontecimiento se trata. Éste no tiene por qué ser negativo o doloroso.

TIRABUZÓN

Simboliza la dificultad para expresar lo que deseamos y de decir claramente qué esperamos recibir de los demás, en especial de nuestra pareja.
Si somos nosotros quienes lo tenemos, es señal de que nos desespera no saber cómo actuar frente a la persona a la que amamos. En este caso, es muy probable que estemos siendo víctimas de su manipulación, que nos haga sentir siempre en falta esperando que adivinemos qué es lo que quiere.

TIRANÍA

Si en sueños sufrimos la tiranía de otra persona quiere decir que se tendrán violentas discusiones con un hermano mayor o con algún pariente político.
Si la ejercemos, indica que tenemos muy poca capacidad para resolver nuestros propios problemas, que siempre procuramos que sean otros los que carguen con ellos.

TIRITA

Véase ESPARADRAPO.

TIRITAR

Si tiritamos en sueños, pudiera deberse a que tenemos frío o bien a que nos ha subido la fiebre. Si no es así, quiere decir que no quemamos las energías que consumimos, que debiéramos hacer una vida menos sedentaria.

TISANA

El hecho de tomar una tisana, sobre todo si no tenemos costumbre de hacerlo, puede indicar que tenemos algún pequeños trastorno orgánico.
Si se la damos a otra persona señala que tenemos un temor morboso a las enfermedades.

TÍTERE

Véase MARIONETA.

TITÍ

Véase ANTROPOIDE.

TÍTULO

Si soñamos con títulos nobiliarios quiere decir que somos muy selectivos a la hora de hacer amigos, que nos gusta codearnos con personas importantes. Si se trata de la titulación de una carrera, muestra nuestro afán por avanzar en la profesión que estemos ejerciendo.

Tiza

Soñar con una tiza puede ser síntoma de una falta de calcio en el organismo.
Si escribimos o dibujamos con ella en la pizarra, debemos analizar el simbolismo de los gráficos o del texto.

Toalla

Las toallas se relacionan con el mundo de los sentimientos. Si están limpias y en buen estado, indican que somos capaces de aislarnos de las emociones del entorno; si están deterioradas, en cambio, señalan que tendemos a dejarnos influenciar muy fácilmente por el clima general que se vive a nuestro alrededor.

Tobillo

El tobillo es una zona del cuerpo importante para la locomoción, ya que sirve de amortiguador para equilibrar el cuerpo ante las irregularidades del terreno.
Si en sueños tenemos los tobillos hinchados o en mal estado es señal de que cualquier tipo de irregularidad o de suceso inesperado nos descoloca y no sabemos cómo actuar.

Tobogán

Los toboganes se relacionan con la capacidad de relajarse, de desconectar del trabajo. Si nos deslizamos por ellos quiere decir que sabemos mantener nuestros mundos internos bien separados, que nos gusta disfrutar de los momentos de ocio.
Si lo vemos desde fuera, es señal de que nos preocupa tanto nuestra situación profesional que no tenemos tiempo para nosotros mismos.

Tocador

Si nos vemos sentados frente a un tocador, ya sea peinándonos o maquillándonos, quiere decir que nos preocupa mucho nuestra imagen, que desearíamos tener otro aspecto.
Si el sueño es angustioso, es posible que tengamos un fuerte sentimiento de inferioridad.

Tocino

El tocino es un alimento energético muy graso.
Si el que vemos en sueños está en buenas condiciones, si tiene abundante carne, anuncia sinceridad en la pareja. Si está compuesto en mayor medida por grasa indica que nos están mintiendo.

Tocólogo

La aparición de un tocólogo en un sueño femenino puede indicar su deseo de ser madre. Si se experimenta angustia o ansiedad, indica que tenemos un fuerte temor al parto, sea nuestro o el de una persona querida.

Toga

Si vestimos una toga o vemos personas que la usan es señal de que tendremos que participar en un juicio.
Si las imágenes nos producen ansiedad, seremos demandantes o demandados; de lo contrario, seremos citados como testigos.

Toldo

Cuando en un sueño aparece un toldo como elemento protagonista quiere decir que somos excesivamente racionales, que evitamos percibir nuestros propios sentimientos, probablemente a causa de querer mantener una relación de pareja con una persona a la que no amamos profundamente.

Tomate

Los tomates simbolizan las humillaciones. Su presencia en un sueño anuncia que pasaremos un momento desagradable a causa de un error que hemos cometido.

TÓMBOLA

Este dispositivo representa la incertidumbre. Indica que estamos viviendo un momento de tensión a causa de una noticia que no llega.
Si ganáramos algo en una tómbola quiere decir que aquello que ansiamos se va a concretar en poco tiempo.

TOMILLO

En la Edad Media las mujeres tejían ramitas de esta planta para ponerla sobre el pecho de los cruzados y así infundirles valor. Si lo utilizamos en un sueño debemos entender que hay una noticia que debemos comunicar pero que no nos atrevemos a hacerlo. Su presencia indica que debemos mostrarnos valientes al respecto. Si lo vemos en el campo quiere decir que tendremos la oportunidad de demostrar nuestro valor.

TONEL

Si el tonel que vemos en sueños contiene vino, quiere decir que pasaremos una época de prosperidad y abundancia.
Si contiene petróleo o aceite es señal de que somos excesivamente ambiciosos.
Si está lleno de pescado en salazón, indica que nunca nos va a faltar lo indispensable para vivir.

TÓNICO

Este medicamento simboliza la necesidad de afianzarnos en nuestras propias convicciones. Si soñamos con él quiere decir que nos sentimos confundidos, ya que con respecto a un problema que nos preocupa, tenemos una opinión diferente a la del resto de la gente. Su presencia en el sueño nos indica que, a pesar de las apariencias, nosotros tenemos razón y los demás están equivocados.

TOPACIO

En alquimia se considera que esta piedra simboliza las virtudes que debe cultivar un rey.
En sueños, su presencia indica que tenemos dotes de liderazgo y que, por ello, debemos intentar desarrollar en nosotros la justicia y la generosidad.

TOPO

Los topos simbolizan la torpeza, la falta de gracia y elegancia.
Si los vemos en sueños es señal de que una persona de nuestro entorno nos pone muy nerviosos porque se comporta de esta manera. Es posible que se trate de un niño, con lo cual su torpeza sería natural. En este caso, debemos reflexionar y comprender que tenemos que ser menos intransigentes y ayudarle a superar sus dificultades.

TORBELLINO

Los movimientos giratorios, por un lado, indican que somos egocéntricos.
Si nos encontramos en medio de un torbellino quiere decir que hemos establecido una relación amorosa que se desarrolla con excesiva rapidez.

TORDO

Es el símbolo de la vida en libertad.
Cuando se vislumbra este pájaro en sueños, quiere decir que somos personas sumamente independientes, que no toleramos que nadie dirija nuestra vida.

TORMENTA

Véase CLIMA.

TORNASOL

Los objetos tornasolados expresan volubilidad. Su presencia en sueños indica que cambiamos fácilmente de parecer, que nos dejamos llevar por el entusiasmo del momento y que nuestras convicciones no son firmes.

TORNEO

Si en sueños nos vemos participando en un torneo medieval, montados en un caballo y dispuestos a clavar una lanza en el pecho de nuestro oponente debemos interpretar que hemos percibido que una persona intenta seducir a nuestra pareja.

Tornillo

Los tornillos indican que tenemos una mente inquisitiva, analítica, capaz de profundizar en los problemas.
Si ajustamos uno en sueños es señal de que estamos intentando comprender algo que nos ha sucedido recientemente.
Si lo que hacemos es quitarlo, indica que hemos resuelto un asunto que nos tenía preocupados.

Torniquete

Los torniquetes simbolizan la sensación de pérdida de energía, a menudo motivada por un estado depresivo.
Si ha sido hecho en un brazo, quiere decir que nos sentimos incapaces de hacer nada, que nos falta motivación para tomar el trabajo con entusiasmo y alegría.
En caso de que el torniquete estuviera en una pierna, debemos interpretar que sentimos que no estamos yendo a ninguna parte, que nos resulta imposible salir de la rutina, aunque ésta nos desespere.

Torno

Los tornos de alfarero se relacionan con la forma en que estamos consolidando nuestra relación de pareja; sobre todo en la capacidad que tenemos en respetar la libertad de la persona amada y en hacernos respetar la nuestra.
Si el que vemos en sueños está detenido, es señal de que tenemos una dependencia exagerada, de que no nos sentimos capaces de hacer nada sin el otro.

Toro

Este es un animal que simboliza el elemento tierra, con su fuerza y su fecundidad.
Estar frente a un toro indica estabilidad interior, siempre y cuando no se muestre agresivo, en cuyo caso habría que hablar de falta de control sobre los instintos.

Toronjil

Esta planta simboliza la sabiduría.
Si la vemos en sueños quiere decir que nos conviene intervenir en un asunto de familia antes de que otra persona lo haga y, con ello, malogre los resultados.

Torpedo

Simbolizan los ataques verbales o las acciones cometidas por otros que nos hieren emocionalmente.
Su presencia en sueños puede indicar que tendremos que discutir con una persona difícil, muy agresiva, que intentará por todos los medios sacar a relucir nuestros pequeños defectos.

Torpeza

Los personajes que en sueños se mueven torpemente simbolizan las cualidades o talentos que aún no hemos desarrollado.
Si su comportamiento es malévolo, quiere decir que aún no hemos limado algunos de nuestros defectos. Si, a pesar de su torpeza, es bondadoso o agradable, es señal de que tenemos posibilidades de hacer alguna tarea creativa, pero que nos da miedo fracasar al intentar llevarla a cabo.

Torre

En la realidad, las torres cumplen dos cometidos: permitir al que la ocupa ver lo que ocurre a lo lejos y, a la vez, ser visible a gran distancia.
Si en el sueño estamos en una de estas construcciones quiere decir que somos un ejemplo para los demás y que, por eso mismo, debemos cuidar nuestro comportamiento.
Si la vemos desde fuera, es señal de que nos preocupamos por nuestra propia evolución, que intentamos ser cada día mejores. En el caso de que estuviera en ruinas debemos interpretar que hemos

sufrido una gran decepción con una persona a quien creíamos llena de virtudes.

Torrija

Véase POSTRES.

Torso

Si encontramos en el sueño un torso aislado; es decir, una estatua o persona sin cabeza ni piernas, quiere decir que nuestros problemas afectivos y emocionales abarcan por completo nuestra conciencia impidiéndonos realizar cualquier tarea con un mínimo de eficiencia.

Tórtola

Estas aves son símbolo de la fidelidad suprema, de la lealtad y del amor.
Su presencia en un sueño es un excelente augurio. Si tenemos una relación de pareja, indica que es plena y nos aporta una gran felicidad. Si estamos pasando por un momento de soledad, señala que éste ha llegado a su fin, que en poco tiempo conoceremos una persona con la cual estableceremos un vínculo que nos hará inmensamente dichosos.

Tortuga

Actualmente, la tortuga se considera como símbolo de lentitud. Sin embargo, para los griegos representaba el silencio y, también, la justicia. Debido a estas diferentes interpretaciones, debemos analizar el sueño en función de lo que nos esté sucediendo en la vida real. Si tenemos un juicio pendiente, la presencia de este animal puede anunciar su rápida y favorable resolución. Si no, debemos entender que los temas que más nos preocupan se irán solucionando.

Tortura

La tortura física que podamos experimentar en un sueño puede estar motivada por algún estímulo externo (por ejemplo, por el comienzo de un calambre, por una mala postura o alguna indisposición pasajera).
Si no es así, ésta se refiere al dolor emocional causado por una persona desconsiderada, que no nos trata con el debido respeto y que se burla del afecto que le brindamos.
Si quien sufre la tortura es otro de los personajes del sueño, es recomendable que hagamos un examen de conciencia porque posiblemente seamos nosotros los que nos portamos despóticamente con ella.

Tos

La tos es un movimiento involuntario destinado a limpiar las vías respiratorias. Simboliza la necesidad de limpiar nuestra mente de pensamientos negativos, de ideas equivocadas que atentan contra nuestro equilibrio interior.

Tostar

La acción de tostar un alimento implica quitarle la humedad, secarlo por medio del calor. Por la relación del agua con la vida emocional, indica que, con respecto a un problema familiar que se ha presentado, debemos ser lo más objetivos posible y que conviene dejar de lado todo tipo de sentimentalismos a fin de resolverlo adecuadamente.

Totalitarismo

Si nos encontramos luchando contra un régimen totalitario, éste representa la autoridad paterna y nuestras acciones, la forma de rebelarnos contra ella.
Lo más probable es que nuestro padre se esté comportando de forma despótica, ya sea con nosotros o con algún otro miembro de la familia.

Tótem

Los tótems son objetos de la naturaleza, a menudo animales, a los que se atribuye la protección de la tribu. En sueños, simbolizan los seguros que contratamos a fin de que nos indemnicen ante un accidente, robo o cualquier otro problema. Si el tótem está entero es un buen augurio; si está roto o en ruinas, quiere decir que tendremos que afrontar una pérdida. Eso no significa que vaya a fallecer alguien que tiene un seguro a nuestro nombre.

Tóxico

Véase VENENO.

Toxicómano

La presencia de un toxicómano en sueños indica que, ya seamos nosotros o alguien de nuestro entorno, está llevando una conducta que le puede acarrear serios problemas.
Puede tratarse, por ejemplo, de un familiar enfermo que tiene que guardar dieta y se niega a hacerla.

Tozudez

Los personajes que en sueños se muestran tozudos con respecto a una idea, nos indican con ella un mensaje del subconsciente.
A veces, lo que dicen es claramente equivocado; sin embargo, analizando la simbología de sus palabras encontraremos un gran sentido a las mismas.

Trabajador

Las personas que se nos presentan en sueños trabajando en un área determinada, deben ser analizadas en función de la misma. No es igual la presencia de un médico a la de un abogado, por ejemplo.
En general, las acciones de quienes tienen ocupaciones relacionadas con el mar simbolizan aspectos de nuestra vida emocional e instintiva, de los afectos y de la pasión. Los mineros indican aquellas cualidades que tenemos en nuestro interior. Los maestros y profesores, son guías para nuestra evolución espiritual. De este modo, analizando el símbolo específico de la profesión o bien los elementos con los cuales estos personajes trabajen, podremos hacer una correcta interpretación del sueño.

Trabuco

Véase ARMAS.

Traca

Las tracas de petardos simbolizan las situaciones aparentemente peligrosas, en las que todo parece ir muy mal, pero que, en general, son una falsa alarma.
Si oímos estallar los petardos es señal de que muy pronto nos daremos cuenta de que no corremos peligro alguno.

Tractor

Véase VEHÍCULO.

Traducir

La acción de traducir un texto o de leer una traducción hecha por otros indica nuestra capacidad de asimilación de las ideas ajenas. Muestra que aceptamos de buen grado aquellas sugerencias que nos permitan mejorar nuestro trabajo.

Tráfico

Si vemos una calle o avenida atestada de vehículos es señal de que nos resulta muy difícil ascender en nuestro trabajo.
Si la circulación es fluida, en cambio, quiere decir que tendremos excelentes oportunidades siempre y cuando nos mostremos responsables, entusiastas y meticulosos.

Tragar

Los impedimentos a la hora de tragar un alimento en sueños denotan que hay situaciones que no podemos asimilar; que nos negamos, en cierta manera, a ver la realidad o a cambiar nuestro equivocado punto de vista.

Tragedia

La asistencia a la representación de una tragedia indica que nos gusta vivir emociones fuertes, que pasamos de la alegría a la tristeza con suma facilidad y que, en lugar de experimentar nuestros sentimientos más profundos, optamos por tener estallidos emocionales que, en el fondo, no nos comprometen demasiado.

Traición

Los sueños en los que somos traicionados deben servirnos de advertencia: nuestro inconsciente nos anuncia que una persona de nuestro entorno intenta jugarnos una mala pasada. Si somos nosotros quienes cometemos la traición, debiéramos analizar mejor nuestros sentimientos, ya que es posible que estemos padeciendo un ataque de envidia.

Tráiler

Los remolques de los camiones simbolizan aquellas personas que están temporalmente a nuestro cargo. Pueden ser parientes que pasan una temporada con nosotros o bien compañeros de trabajo a los que tenemos que supervisar. Si el tráiler no presenta problemas, la relación con ellos es buena y tenemos la mejor disposición para ayudarles. Si el remolque se desprende del vehículo, vuelca o tiene algún inconveniente, quiere decir que necesitamos más tiempo para nosotros mismos y que la presencia de esa persona es una auténtica carga que debemos soportar.

Traje

Los trajes de chaqueta simbolizan la austeridad. Vestir con ellos indica que tenemos buen sentido del ahorro y sabemos vivir con lo justo.

Véase VESTIMENTA.

Trama

La trama de una tela, si tiene importancia especial, simboliza la influencia que tenemos sobre nuestra pareja. Si es resistente, quiere decir que por mucho que hagamos no vamos a convencerle.

Trámite

Si en sueños hacemos un trámite, es preciso saber en qué consiste y buscar el simbolismo de lo que con él se va a obtener. Con ello sabremos qué espera de nosotros nuestra familia más cercana o las razones por las que surgen discusiones.

Trampa

Las trampas anuncian dificultades,, indican que estamos a punto de hacer una inversión que puede ser ruinosa.

Trampilla

Las pequeñas ventanas que están en el suelo y comunican con los sótanos simbolizan el límite entre el consciente y el inconsciente. Entrar por una de ellas equivale a bucear en nuestro interior y lo que hallemos en el sótano, simbolizará los diferentes hechos traumáticos que nos ha tocado vivir.

Trampolín

Si estamos subidos sobre un trampolín o si lo vemos, quiere decir que próximamente recibiremos una ayuda inesperada que solucionará nuestros problemas económicos.

Trance

Si durante un sueño entramos en trance o vemos a uno de los personajes hacerlo, quiere decir que buscamos en nuestra memoria los elementos necesarios para resolver un problema que ya se nos ha presentado anteriormente.

Tranquilizante

La presencia de los tranquilizantes en un sueño nos invita a tomar con mayor calma los problemas. La agitación y la ansiedad no son buenas consejeras.

TRANSATLÁNTICO

Véase BARCO.

TRANSBORDADOR ESPACIAL

Los transbordadores espaciales simbolizan el deseo de conseguir rápidamente un ascenso económico, de mudarnos a un barrio más elegante y tener amigos pudientes.

TRANSBORDO

Si en el sueño viajamos en un vehículo y tenemos que hacer transbordo quiere decir que debemos cambiar nuestra forma de actuar, hasta ahora correcta, si es que queremos conseguir un cambio profundo y positivo en nuestra vida.

TRANSCRIBIR

Debe prestarse mucha atención a los textos que se transcriban en sueños, ya que simbolizan conversaciones que hemos tenido pero que no recordamos, que pueden ser muy importantes en el presente.
Las palabras del texto no siempre son las exactas sino que, a veces, constituyen símbolos de los cuales tendremos que obtener su significado.

TRANSEÚNTE

Los transeúntes que pasan a nuestro lado por la calle simbolizan los competidores que dejamos atrás. Por esta razón, para poder identificarlos en la vida real, debemos prestar atención a sus características: vestimenta, gestos o actitud.

TRANSFERENCIA

Si recibimos una transferencia bancaria es señal de que nos devolverán un dinero que hemos prestado hace tiempo.
Si la esperamos pero no llega, quiere decir que nunca recuperaremos esa suma.

TRANSFORMAR

Las transformaciones que sufren los objetos o las personas de nuestros sueños indican que estamos en un proceso interior de cambio y que hemos comprendido, gracias a lo vivido últimamente, muchas cosas que harán dar un giro a nuestra manera de pensar.

TRANSFORMISTA

Los hombres que para actuar se visten de mujer simbolizan nuestras cualidades más delicadas y femeninas: la ternura, la intuición, el deseo de servir a los demás.
El hecho de que un hombre tenga un sueño de este tipo indica que es una persona particularmente sensible e integrada.

TRANSFUSIÓN

Las transfusiones indican que no estamos conformes con nuestra forma de ser y que nos resulta difícil establecer cambios en nuestras costumbres porque tememos ser rechazados.

TRANSLÚCIDO

Los materiales translúcidos deben analizarse en función del simbolismo del objeto.
Si se trata de ropa, por ejemplo, pueden indicar una falta de pudor a la hora de mostrar el cuerpo. Si es una hucha, indican que tenemos una clara idea de nuestra economía.

TRANSMITIR

El hecho de transmitir mensajes utilizando un telégrafo indica que debemos dar una noticia que sabemos que va a resultar desagradable. Cuanto antes lo hagamos, mejor será.

TRANSPARENCIAS

Los objetos transparentes deben analizarse de la misma manera que los translúcidos.

Véase TRANSLÚCIDO.

Tranvía
Los tranvías son vehículos que funcionan con energía eléctrica. Simbolizan los avances profesionales rápidos, las carreras fulgurantes. Verlos en sueños es un excelente augurio, ya que anuncia grandes éxitos en el trabajo.

Trapecio
Estar sobre un trapecio significa tener una imaginación desbordante, no tener los pies sobre la tierra. Si vemos a otra persona columpiarse en él quiere decir que somos demasiado severos y rígidos y que nos gustaría ser un poco menos responsables y perfeccionistas.

Trapense

Véase MONJE.

Trapo
Los sueños en los que aparecen muchos trapos indican un próximo cambio de casa. Si están limpios y en buen estado, el cambio será asimilado rápidamente.

Traqueteo
Los traqueteos de los vehículos simbolizan las molestias que nos ocasiona algún vecino con el que no tenemos buena relación. Si durante el sueño el traqueteo cesa, quiere decir que finalmente solucionaremos los problemas.

Trasgo
Los trasgos son espíritus del bosque y simbolizan el respeto a la naturaleza. Soñar con ellos indica que debemos llevar una vida más natural y menos sedentaria.

Traslación
Si vemos en sueños el movimiento de traslación de la tierra, como si estuviéramos en el espacio, quiere decir que en el plazo de un año tendremos un cambio profundo, importante y positivo en nuestra vida.

Traslado
Si soñamos que en el trabajo nos trasladan a otra sección o departamento quiere decir que en poco tiempo podremos acceder a un puesto mucho más interesante, posiblemente en otra empresa.

Traspapelar
Si en un sueño se nos traspapelan documentos o cartas, es señal de que no queremos formalizar un contrato que nos han propuesto aunque no sabemos cómo negarnos sin quedar mal.

Traspié
Si damos un traspié o tropezamos en sueños con algún objeto, quiere decir que en la última semana hemos cometido, sin darnos cuenta, un error en el trabajo que puede tener consecuencias muy molestas. Si es otra la persona que tropieza, debemos entender que seremos nosotros quienes tengamos que corregir un error cometido por otros.

Trasplantar
Si nos vemos cambiando de tiesto una planta, ello significa que una persona de la familia que tiene problemas de salud, encontrará un remedio efectivo para sus males.

Trastero
Los trasteros simbolizan la necesidad de realizar reformas o arreglos en la casa. Si están ordenados, quiere decir que éstos serán sencillos y no saldrán caros; si están sucios o desordenados, indicarán que se hace urgente una reparación que puede salir bastante cara.

Trastienda
La trastienda de un negocio simboliza el inconsciente, con todo su contenido. Ahí están los recuerdos, así como los deseos que aún no nos hemos formulado conscientemente.

Los objetos que encontremos en ella, con su simbolismo, nos darán pautas acerca de qué es lo que interiormente anhelamos y sentimos.

TRASTO

Los trastos inútiles simbolizan aquellas cosas, ideas o sentimientos de los cuales conviene que nos desprendamos.
Debemos analizar minuciosamente su significado para analizar correctamente el sueño.

TRATO

Los tratos que hacemos en sueños simbolizan los propósitos que nos hacemos a nosotros mismos y las intenciones que nos formulamos en la vida real.
Si a la hora de establecerlos en el sueño se producen discusiones y desacuerdos, quiere decir que estamos desorientados, que no sabemos muy bien qué es lo que nos conviene.

TRAVESERA

Véase FLAUTA.

TRAVESURA

Si vemos un niño haciendo travesura, es señal de que nuestro inconsciente nos está advirtiendo de que debemos dejar un poco de lado la rigidez, la seriedad y los formalismos, ya que nos conviene distendernos un poco a fin de gozar más de los placeres y de las sanas diversiones.

TRÉBOL

De esta planta, sobre todo de la especie que tiene cuatro hojas, se dice que trae suerte. En un sueño indica que entramos en una época de felicidad y alegría.

TRECE

El número trece ha sido asociado con la mala suerte. Su aparición en un sueño indica próximos problemas económicos.

TREGUA

Si en sueños nos encontramos en medio de una lucha y se hace una tregua, ésta representa a un período de calma dentro de la relación tormentosa que mantenemos con una persona muy cercana (generalmente se trata de la propia pareja o un amigo muy íntimo). Es el momento de aprovechar el buen ambiente para limar asperezas y aclarar malentendidos.

TREPANACIÓN

Si en una pesadilla se efectúa una trepanación, es señal de que queremos averiguar los secretos de otra persona con la que, posiblemente, estemos disgustados.

TREPAR

Si trepamos en sueños quiere decir que tendremos la posibilidad de ascender socialmente, de tratar con personas de mayor poder adquisitivo.

Véase ALPINISMO.

TRES

Véase NÚMEROS.

TRESILLO

Los tresillos simbolizan la armonía familiar.
Si están en buen estado, con la tapicería limpia, quiere decir que hay acuerdos y clima de armonía.
Si están deteriorados o sucios, en cambio, es señal de que hay constantes peleas y discusiones, de que es un familia mal avenida.

TRETA

Las tretas y maquinaciones que hacemos en sueños indican que nos conviene mirar a nuestro alrededor, ya que alguien está intentando hacernos quedar mal o malograr nuestra imagen en el trabajo y puede ser un compañero.

TRIÁNGULO

Es símbolo de la armonía y la proporción. Su presencia en un sueño, sin embargo, podría indicar que nuestra pareja nos está siendo infiel; sobre todo si experimentamos inquietud o ansiedad.

TRIBU

La tribu representa el conjunto de amigos y familiares con los que nos sentimos arropados. Si vemos en sueños una tribu en la que sus miembros están armados o en guerra con otros poblados, es señal de que nuestras relaciones son débiles o conflictivas. Si el clima en la tribu es agradable, quiere decir que sabemos cuidar a nuestros amigos, ayudarlos cuando podemos, así como demostrar el afecto que sentimos.

TRIBUNA

Si vemos una tribuna en sueños, lo importante es tener en cuenta qué evento se puede presenciar desde ella: un desfile, un partido de fútbol, el paso de carrozas, etc. En este sentido, deberemos tener en cuenta el símbolo de lo que vamos a presenciar y, en función de ello, analizar el sueño.

TRIBUNAL

Véase CONDENA, FISCAL, JUEZ, JUICIO, JURADO.

TRIBUTO

Si en un sueño recibimos un pago a modo de tributo es señal de que tenemos una autoridad natural, una capacidad de liderazgo que hace que los demás nos sigan. Si lo pagamos, quiere decir que nos sentimos seducidos fácilmente por los demás, siempre y cuando se muestren autosuficientes y poderosos.

TRICICLO

Cuando en sueños vemos estos vehículos, es señal de que añoramos la infancia; sobre todo la presencia de amigos con los que jugar y divertirnos. Tal vez debiéramos pensar si no nos vendría bien tener más momentos de ocio y una vida social más activa.

TRICORNIO

Simboliza la autoridad; por lo tanto, si lo vemos en sueños es señal de que temamos una represalia o castigo por algo que hemos hecho mal a sabiendas.

TRICOTAR

Véase TEJER.

TRIDENTE

Los tridentes simbolizan las penas y los sufrimientos que padecemos a causa de nuestra relación de pareja.
Hay una persona que intenta seducir a la persona que amamos y eso es lo que nos tiene desasosegados.

TRIGO

Las espigas de trigo, en muchos países, se colocan tras la puerta para que en el hogar nunca falte el alimento. Se consideran símbolo de riqueza.
Si las vemos en el campo, es señal de que tendremos un buen año, que podremos ganar más dinero del esperado. Si están en un molino, quiere decir que nos conviene invertir.

TRILLAR

Separar la paja del grano simboliza la acción de escoger, de un grupo nuevo en el que nos estamos integrando, a aquellas personas con las que tenemos mayor afinidad.

TRINCHAR

Ver a una persona, o a nosotros mismos, trinchando la comida, es señal de que nos espera una época de prosperidad y abundancia en la que poder iniciar negocios más arriesgados.

Trineo
Los trineos simbolizan los momentos en que estamos a punto de cometer un error importante.
Si viajamos en uno de estos vehículos, es señal de que por falta de elementos vamos a acusar a una persona de una falta que no ha cometido.

Trino
Los trinos de los pájaros son buenos augurios: anuncian que hemos de recibir noticias muy agradables de una persona querida que se encuentra lejos.

Trío
Los tríos, sean de cantantes, músicos o de cualquier otro tipo, indican que nos sentimos atraídos por una persona que no es nuestra pareja.
Si el clima del sueño es angustioso, es señal de que queremos romper con la persona con la que hemos estado hasta ahora para empezar la nueva relación.

Tripa
Generalmente indican problemas pero, también, en el sueño suele suele venir simbolizada la solución.
Es necesario ver, para ello, el simbolismo de todos los elementos que aparecen en las imágenes y aplicarlos a la resolución del conflicto que más nos esté afectando en ese momento.

Trípode
Simbolizan la presencia de una tercera persona que ayuda a solucionar los problemas de una pareja.
La visión de este elemento en un sueño indica que debemos contar con algún amigo para que nos ayude a entender la crisis conyugal por la que estamos pasando.

Tríptico
En los trípticos, por lo general, se representa el pasado, presente y futuro que afecta a una situación. El panel o elemento de la izquierda, simboliza el origen del problema, los comienzos; el del centro, el momento actual que estamos viviendo y el de la derecha, la resolución o el futuro.
Es necesario analizar los elementos que aparezcan en el tríptico y vincularlos al problema que más nos preocupe.

Triturar
La interpretación de los sueños en los que se tritura algo, depende enormemente del elemento que estemos procesando. En general, se puede analizar como una tendencia a mezclar cosas que, a menudo, no tienen nada que ver.

Triunfar
Los sueños donde triunfamos claramente en algo son compensatorios. Señalan que, en la vida real, no nos sentimos capaces de lograr grandes cosas.

Triunvirato
Los triunviratos simbolizan la presencia de un abuelo o abuela que tiene mucha influencia sobre el resto de la familia.
Si en el sueño se comenta que las acciones de este tipo de gobierno o dirección son nefastas, es señal de que una persona mayor, despótica, está gobernando la vida de todos los miembros de la familia.

Trofeo
Es muy importante analizar la acción por la que en un sueño recibimos un trofeo. En general, el hecho de que nos lo otorguen significa que no nos sentimos debidamente recompensados.
Si el trofeo lo recibe otra persona quiere decir que nos despierta admiración y que nos gustaría aprender muchas cosas de ella.

Trombón

Véase INSTRUMENTOS MUSICALES.

Trombosis

Este trastorno circulatorio se produce cuando un coágulo u otro elemento bloquea una vena o arteria.
Si soñamos con ella y no la padecemos en la vida real, es señal de que nos sentimos incapaces de asumir un hecho doloroso y que éste interfiere seriamente en todas las esferas de nuestra vida.

Trompeta

Véase INSTRUMENTOS MUSICALES.

Tronco

Simbolizan nuestra capacidad creativa orientada a la práctica.
Si tropezamos con un tronco, es señal de que debemos desarrollar una idea que, hasta el momento, no nos ha convencido demasiado.
En caso de que el tronco esté cumpliendo una función (por ejemplo, sujetar algo, ser empleado como ariete, etc.) es señal de que tendremos la oportunidad de realizar una labor creativa por la cual nos recompensarán generosamente.

Tronera

Simbolizan la agresión verbal.
Si en el momento en que aparecen en el sueño los cañones están disparando, quiere decir que tendremos una agria discusión con una persona de nuestra familia.

Trono

Si vemos un trono en sueños quiere decir que nuestra ambición es desmedida. Si nos sentamos en él, señala que ésta, además, no tiene en cuenta nuestras posibilidades reales, por lo que nos veremos frustrados muchas veces. Es necesario meditar sobre ello.

Tropezar

Véase TRASPIÉ.

Tropilla

Las tropillas de caballos simbolizan los viajes cortos, normalmente al campo.
Si los animales están sueltos, es señal de que haremos un viaje placentero; si están dentro de una cuadra, quiere decir que tendremos algunos tropiezos en el lugar en el que pasemos esos días libres.

Trovador

Si vemos un trovador en sueños, es importante que recordemos lo que canta o recita, ya que constituyen el anuncio de un éxito que tendremos más adelante.

Troya

Soñar con el famoso caballo de Troya indica que nos estamos fiando demasiado de una persona a la que no conocemos mucho y que ésta acabará por traicionarnos.

Trozo

Para interpretar correctamente el trozo de algo debemos buscar el significado del objeto entero y pensar que es eso lo que, en nuestra situación presente, corre el riesgo de romperse o deteriorarse, en caso de que tenga un significado negativo, o de resolverse, si es positivo.

Trucar

Trucar un aparato, dispositivo o resultado de alguna evaluación simboliza que no tenemos inguna confianza en nosotros mismos ni en nuestra habilidad para mantener el interés de nuestra pareja.

Trucha

Ver este pez en sueños es un excelente augurio; significa que, gracias a ciertas iniciativas que tomemos, podremos dar un gran avance profesional o mejorar notablemente la situación económica.

Trueno

Los truenos representan los consejos que no queremos escuchar.

Si los escuchamos a lo largo de un sueño, es señal de que alguien nos está advirtiendo de un peligro, de las posibilidades de un problema, pero que no le hacemos caso porque creemos que está exagerando las cosas.

TRUEQUE

Si en sueños realizamos algún tipo de trueque quiere decir que nos arrepentimos de haber hecho una compra o haber conseguido algo que no necesitábamos.

TRUFAS

Véase CHOCOLATE, POSTRES.

TUBO

Los tubos transportan, por lo general, líquidos; de ahí que se relacionen con el mundo emocional.
Si vemos un trozo de tubo en buen estado quiere decir que es el momento para que comuniquemos nuestros sentimientos a la persona amada, que dejemos de disimular.
Si el tubo está deteriorado, en cambio, lo mejor es tomar distancia y esperar a que nuestras posibilidades de éxito sean mayores.

TUCÁN

Véase AVES.

TUERCA

Las tuercas simbolizan la disciplina. Si en sueños ajustamos alguna es señal de que estamos disconformes con la conducta de una persona querida.
Si vemos que otra persona la ajusta, quiere decir que nos están exigiendo más atención en nuestro trabajo o que vamos a recibir las quejas de una persona de nuestro círculo íntimo.

TUÉTANO

Si en sueños vemos la médula de un hueso es señal de que nuestra pareja guarda un secreto importante que no nos ha contado.

TUGURIO

Si soñamos que estamos en un tugurio significa que la visita de unos parientes lejanos puede perturbar la paz familiar.
Si en él presenciamos o participamos en una pelea es señal de que nos disgustaremos mucho con ellos.

TUL

El tul es símbolo de boda.
Si vemos un trozo de esta tela en el sueño es señal de que una persona de nuestro entorno se casará en poco tiempo.

TULIPA

Están relacionadas con la luz y, por lo tanto, con el mundo mental.
El hecho de que se rompa una tulipa en sueños indica que tendremos dificultades para superar un examen.

TULIPÁN

Simbolizan la pasión y la sensualidad.
Su presencia en un sueño indica que somos apasionados, que nos gusta expresar nuestros afectos y que no tenemos inhibiciones sexuales.

TUMBA

Si en sueños vemos una tumba aislada es señal de que hemos roto definitivamente con una persona.
Si estamos en un lugar donde hay varias, quiere decir que tendemos a vivir en el pasado, que nuestra situación presente nos agobia o nos produce un gran desasosiego.

TUNA

Ver una tuna o a cualquiera de sus integrantes, vestidos según la usanza medieval, indica que, próximamente, recibiremos una sorpresa sumamente agradable relacionada con la persona de la que estamos enamorados.

Túnel

El túnel puede simbolizar diferentes cosas, según las escenas en las que se presenten o el clima emocional del sueño.
Para una persona que esté esperando un hijo, por ejemplo, representa el parto. Si está oscuro y provoca miedo, indica que tememos ese momento.
Cuando el sueño es de tipo espiritual, la salida de un túnel representa la evolución, el reencuentro con la fe.
El hecho de entrar en un túnel indica que estamos a punto de meternos en un problema y, por el contrario, el salir señala que en muy poco tiempo encontraremos la solución de nuestros problemas más urgentes.

Túnica

Los sueños en los que nos vemos vestidos con túnicas tienen relación con el mundo espiritual.
Si la túnica es clara, es señal de que nos sentimos en paz con nosotros mismos y que hacemos todo lo posible por evolucionar; si es oscura, en cambio, es señal de que estamos perdiendo la fe.

Tupé

Las personas que en un sueño estén peinadas con un tupé simbolizan a quienes, en nuestra vida real, muestran desfachatez.
Su presencia en el sueño indica que estamos muy molestos por las confianzas que se ha tomado alguien a quien acabamos de conocer o bien una persona que nunca nos ha caído bien.

Turbante

Estos tocados masculinos simbolizan la atracción por todo lo oculto y extraño, por el misterio y lo exótico.
Si nos vemos en sueños vistiendo uno de ellos es señal de que tenemos una intuición mucho más desarrollada que el común de la gente y que podemos usarla para prosperar.

Turbulencias

Si en sueños vamos en un avión y éste atraviesa una zona de turbulencias, es señal de que tendremos que atravesar una pequeña crisis porque nuestra pareja se siente confusa. Eso no quiere decir que haya una tercera persona interponiéndose entre ambos, sino que no sabe si nos puede hacer realmente felices.
Lo mejor es ayudarle a superar su propia desvalorización.

Turista

Si nos vemos en sueños como turistas es señal de que tendemos a hacer creer a los demás que sabemos hacer muchas más cosas de las que abarca nuestro verdadero conocimiento y que nos sobrevaloramos demasiado.
Si vemos a una persona haciendo turismo, es señal de que intentará arreglarnos algo, pero terrminará estropeándolo.

Turmalina

Este mineral, en su variedad roja, simboliza la pasión. Si es negra, tiene que ver con las rupturas amorosas y si es verde, con la reconciliación.

Turquesa

Esta piedra es símbolo de la perfecta amistad. Su presencia en sueños nos advierte de que debemos descartar las sospechas sobre la traición de un amigo y seguir apoyándole.

Turrón

Véase POSTRES.

Tutor

Al igual que los maestros, simbolizan la sabiduría obtenida a través de la experiencia y, también, la autoridad.
Si en el sueño el tutor aparece enfadado, quiere decir que no hemos escarmentado y estamos a punto de cometer un error que ya nos ha dado dolores de cabeza.

U

Ubicuidad

En sueños, nada hay que no sea posible; la mente se adapta a cualquier imagen, estructura o secuencia que, desde el punto de vista de la lógica o de las leyes físicas resultan absurdas. Pero esa es una de las características esenciales de la vida onírica. Soñar que estamos en dos lugares a la vez señala una necesidad de permanente y exagerado control del entorno.

Ubre

Las glándulas mamarias de las vacas, por su vínculo con la leche, que es el primer alimento que toma el hombre, tienen relación con la madre. El tono general del sueño dará cuenta de cómo es nuestra relación con ella y de lo satisfechos que nos sentimos por todo lo que nos haya podido brindar.

Ujier

Véase PORTERO.

Úlcera

Aunque vulgarmente se entiende como úlcera la herida que se produce en el estómago o en algún otro lugar del tracto intestinal, por su característica de pérdida de tejido puede aparecer también en otros lugares del cuerpo. Si es éste el caso, se analizará como una herida. Las úlceras gastrointestinales, en sueños, simbolizan las situaciones que, metafóricamente hablando, no podemos digerir. También demuestran que, si pretendemos esconder aquello que nos duele, convencidos de que es la mejor manera de no sufrir, lo que conseguimos es que sea nuestro cuerpo quien le haga frente, enfermando.

Ultimátum

Si en sueños nos sentimos amenazados por un plazo para realizar una acción, significa que en la vida real estamos demorando una decisión importante por miedo a equivocarnos.

Ultraje

Si en sueños somos ultrajados y tratados con desprecio por otra persona, eso indica que recientemente hemos llevado a cabo una acción de la cual nos sentimos avergonzados y arrepentidos.
Si, por el contrario, somos nosotros quienes ultrajamos a alguien eso significa que nos sentimos con derecho a pedir más de lo que nos dan.

Ultratumba

En las pesadillas, es común soñar con cementerios y con muertos que vienen del más allá. Estas imágenes representan el miedo al futuro y la curiosidad que todo hombre siente hacia la muerte.
Aunque la mayor parte de las veces estos sueños sean perturbadores, en el fondo pueden tranquilizar, ya que garantizan una vida posterior, una vuelta desde el más allá.

Ultravioleta

Aunque esta longitud de onda no es visible por el ojo humano, sí interviene en la producción de melanina dándonos el característico tono moreno a la piel.
Actualmente hay aparatos que generan este tipo de rayos y son muchas las personas que se broncean por este método, en lugar de hacerlo de forma natural.
Si en el sueño estamos recibiendo este tipo de ondas creadas artificialmente, quiere decir que, en nuestra vida cotidiana, utilizamos sucedáneos y conductas antinaturales para compensar nuestras carencias, en lugar de fomentar las capacidades dormidas.

Ulular

El ulular del viento nos hace dar cuenta de su presencia, ya que ésta no se puede detectar por medio de la vista. Por esta razón, simboliza la intuición, las corazonadas, los presentimientos y la videncia.

Véase VIENTO.

UMBRAL

Es la zona fronteriza por excelencia: el espacio que delimita el fuera y el dentro, lo público y lo privado.
Si estamos parados sobre el umbral de una casa o de una habitación, significa que no tenemos muy claro cuáles son nuestros deberes y derechos en la sociedad.
Si se trata del umbral de una iglesia, indica que sentimos la llamada espiritual, pero no estamos dispuestos a renunciar a muchas de las cosas que el mundo nos ofrece y que son incompatibles con ésta.

UNANIMIDAD

Véase VOTAR.

UNCIR

Los bueyes son animales de trabajo que, generalmente, trabajan en yunta uncidos a un mismo yugo.
Uncir bueyes en un sueño indica que tenemos condiciones para trabajar con personas a nuestro cargo, que sabemos organizar las tareas y que poseemos dotes de mando.

Véase BUEY.

UNGIR

En algunos ritos religiosos, el sacerdote unta diferentes partes del cuerpo de sus fieles con una sustancia grasa, ya sea como ritual previo a su incorporación a la comunidad o a la administración de un sacramento.
Soñar que somos ungidos significa que somos aceptados dentro de un grupo.
Si somos nosotros quienes ungimos a otra persona, indica que ésta cumple los requisitos necesarios para entrar dentro de nuestro círculo íntimo.

UNGÜENTO

Este tipo de medicamento ha sido usado por el hombre desde la más remota antigüedad. Su preparación es artesanal y está compuesto por sustancias naturales. Se aplica sobre la piel (nunca se ingiere) y las propiedades esenciales de sus componentes pasan, a través de ésta, al torrente sanguíneo.
Frotarnos un ungüento durante el sueño puede entenderse como una señal de que tenemos una dolencia leve, que podemos curar por nosotros mismos, o de que es el momento de atender nuestros hábitos alimenticios y de descanso. El cuerpo reclama cuidados que no le damos, pero aún estamos a tiempo de poner remedio a ello, si no queremos enfermar.

UNICORNIO

La primera descripción de un unicornio es obra del médico griego Ctesias:
«En la India hay ciertos asnos salvajes que son tan grandes y mayores que un caballo. Sus cuerpos son blancos, sus cabezas rojo oscuro y sus ojos azul oscuro. Tienen un cuerno en la frente como de pie y medio de largo. Este cuerno, molido, se administra en forma de poción como protección contra drogas mortales».
Para algunos pueblos, los unicornios se relacionaban con la justicia: se decía que, con su cuerno, señalaba a toda persona culpable de delito.
Los chinos, en particular, creían que tenía la capacidad de conocer el futuro.
Si vemos un unicornio durante el sueño, ello quiere decir que, en caso de enfermedad, podremos restablecer rápidamente la salud porque contamos con un sistema inmunitario en óptimas condiciones.
En caso de que las imágenes oníricas muestren que estamos montando uno de estos fabulosos animales, deberemos

interpretar que sentimos la necesidad de impartir justicia, de anular los castigos que, por error, se han aplicado a un amigo.

Unidireccional

Hay sueños, por lo general angustiosos, en los que el escenario donde transcurren tiene la característica de un laberinto. En ellos, queremos ir hacia un lado para salir de él, pero resulta imposible porque los caminos tienen una sola dirección, que es obligada.
Encontrarnos en esta situación revela que, en nuestro interior, se ha desencadenado un proceso al cual tememos, pero al que ya no se puede dar marcha atrás.

Uniforme

Los uniformes que se visten en sueños, sobre todo si nos sentimos a gusto con ellos, indican que tenemos cualidades para realizar las tareas que representan.
Los uniformes militares representan la capacidad de obediencia y mando, el coraje y espíritu de sacrificio. Los hábitos religiosos revelan que tenemos una fuerte tendencia mística.
Para hacer un análisis más exhaustivo, debemos consultar en el diccionario la profesión a la cual pertenece el uniforme.

Unir

La interpretación del sueño se basará, lógicamente, en los elementos que se unan. Sin embargo, puede darse el caso de que unamos objetos dispares, que lo esencial no esté en ellos sino en el afán de aglutinar, de formar un todo. Si es así deberá entenderse que nos sentimos incómodos con nuestra escasa capacidad de concentración, que buscamos mejorarla, pero no encontramos la manera de hacerlo.

Universidad

Estos sueños tienen una interpretación muy distinta en caso de que, en la vida cotidiana, estemos haciendo una carrera universitaria o no. En el primer caso, es una advertencia para que estudiemos más; en el segundo, es un reconocimiento de nuestro afán de cultura y, en ocasiones, el augurio de un cambio de trabajo provechoso.

Universo

No es común soñar con la visualización del universo; sobre todo porque, para hacerlo, deberíamos estar fuera de él. Sin embargo, precisamente por ello, estos sueños denotan que nos sentimos excluidos, sea por propia voluntad o por el rechazo de los demás, y que preferimos tomar una actitud de observación en lugar de participar en lo que hacen los demás.

Uno

Véase NÚMEROS.

Untar

La acción de untar consiste en esparcir una sustancia, por lo general de alto contenido en grasas, sobre un cuerpo u objeto y puede ser efectuada con diversos fines. Si untamos un alimento con alguna salsa o mantequilla, estamos enriqueciendo su sabor, de modo que se interpreta como que estamos dando los pasos adecuados para prosperar. Untar nuestro cuerpo con alguna sustancia, tarea que por lo general se hace con las propias manos, tiene otro significado. Si lo hacemos como medio de protección o cura (una crema contra los mosquitos, un ungüento), significa que no prestamos la debida atención a nuestro estado físico. Si lo hacemos con fines estéticos, quiere decir que procuramos dar, ante los demás, una imagen distorsionada y mejorada de nosotros mismos.

Véase UNGÜENTO.

Uñas

Las uñas largas, propias de aquellos que no necesitan hacer tareas manuales para ganarse el pan, representan la prosperidad. Por el contrario las cortas, sobre todo si están rotas o carecen de forma armoniosa, pueden indicar que se ha pasado por un período de estrecheces económicas. Morderse las uñas es síntoma de inseguridad, de nerviosismo y de escasa confianza en uno mismo.

UÑERO

La inflamación de la raíz de una uña simboliza una actitud perezosa con respecto a nuestras propias capacidades. En lugar de ponerlas de manifiesto y trabajar sobre ellas, elegimos no hacer el esfuerzo y sentirnos satisfechos con el mero talento sin utilizar. También puede indicar que tenemos un leve problema en un dedo.

URANIO

Este es uno de los minerales radiactivos más conocidos. El contacto con él produce graves daños, de ahí que se utilice en la industria armamentística. Soñar que tenemos esta sustancia entre nuestras pertenencias, significa que tememos a nuestra propia agresión, que preferimos callar antes de decir algo que pueda herir a los demás. Si nos amenazan con él o si está en nuestras manos, quiere decir que una persona de nuestro entorno nos está haciendo mucho daño.

URANO

Para los antiguos griegos, esta divinidad había nacido sin intervención masculina del seno de Gea, la tierra y representaba el cielo nocturno. Por miedo a que sus hijos le quitaran el poder, los encerró en las profundidades de la tierra, pero Cronos, cogiendo una hoz que le diera su madre, lo castró. De su sangre y su semen caídos al mar, nació Afrodita y de su cuerpo, los gigantes y las Erinias. La imagen arquetípica de Urano representa el temor del padre enfrentado al creciente poder de los hijos.

URBE

Véase CIUDAD.

URDIMBRE

Como elemento básico, matriz, para elaborar un tejido representa las posibilidades y recursos que tenemos a nuestro alcance para realizar una tarea que nos han encomendado o señalar que tenemos posibilidades para entablar una relación amorosa con la persona que nos atrae.

URÉTER

Véase ORINAR.

URGENCIAS

En sueños, estos lugares representan las tareas que hemos dejado pendientes, que necesitan nuestra rápida intervención, así como el temor que sentimos al no poder terminarlas.
También pueden indicar que esperamos que otra persona haga el trabajo por nosotros.

URINARIO

Este vocablo se usa para designar, sobre todo, a los urinarios públicos. En sueños, representan aquellas zonas de nuestra mente que están más expuestas; lo que, con otras palabras, podríamos denominar como puntos débiles.

Véase ORINAR.

URNA

Con esta palabra se designan los recipientes transparentes, generalmente de cristal, pero también las cajas en las que se depositan las votaciones. En el primer caso, simbolizan una actitud abierta y clara por nuestra parte. En el segundo, que necesitamos imperiosamente sentir que los demás aprueban nuestra forma de ser y nuestras acciones.

Urogallo

Al igual que todos los animales en vías de extinción, simboliza la indefensión.
Siendo famoso su cortejo, durante el cual el macho emite un sonido similar a un mugido, también representa el deseo sexual, sobre todo en los comienzos de una relación.

Urólogo

Los sueños en los que se consulta al urólogo pueden indicar algún trastorno leve en las vías urinarias, ya que el cuerpo a menudo nos habla de sus necesidades y carencias a través de las imágenes oníricas.
Como el sistema urinario se encarga de eliminar los productos de desecho del organismo, esa consulta puede simbolizar las dificultades que tenemos para desprendernos de todo lo que nos resulta inútil o molesto.

Urraca

A pesar de ser una de las aves más inteligentes, siempre ha tenido muy mala fama. En las leyendas y cuentos se la representaba robando, engañando, con una actitud altiva y, a la vez, taimada.
Popularmente se les ha atribuido la capacidad de anunciar la muerte; se dice que cuando una urraca canta dirigiendo su pico hacia una casa, en un corto espacio de tiempo allí morirá una persona.
Afortunadamente, los sueños con urracas no representan augurios tan funestos, aunque sí advierten de que hay alguien que quiere adjudicarse nuestros méritos o quitarnos algo a lo que tenemos mucho aprecio.

Urticaria

La piel es nuestra frontera con todo lo que no somos nosotros mismos; por ello, los problemas o enfermedades que se manifiesten en ella, indican que nuestra relación con los demás no es clara. A menudo simboliza nuestra incapacidad para poner límites a los demás, nuestra tendencia a no luchar por lo que nos pertenece por temor a caer mal.

Usurero

Soñar que somos víctimas de un usurero señala que, por una parte, pretendemos que los problemas se solucionen por sí mismos, situación que nos lleva a enredos aún mayores.
Por otra parte, es una advertencia para que pongamos en orden cuanto antes nuestros asuntos económicos.

Usurpar

Soñar que nos apoderamos de una propiedad o título que por derecho pertenece a otro quiere decir que no somos objetivos en la evaluación de la suerte que tenemos, que tendemos a echar la culpa a los demás de aquellas cosas que provocamos nosotros mismos.
Si, por el contrario, es otro quien nos usurpa un bien, significa que estamos pagando con ello alguna culpa que tenemos enterrada en el subconsciente.

Utilería

En las artes escénicas, en teatro y en televisión, se emplean elementos que a los ojos del público parecen reales pero que están hechos de cartón piedra u otro material similar. En sueños, éstos representan engaños intencionados.
Si son de nuestra propiedad o los estamos manejando nosotros, indica que pretendemos conseguir algo con mentiras.
Si es otro el que los usa, debemos estar precavidos porque nos pueden tender una trampa.

Uvas

Los racimos de uva son símbolos de fertilidad, de modo que representan un período de intensa concentración creativa.
En su relación con el vino, también auguran alegrías. Si se encuentran aún en la planta, indica que aún no ha llegado el momento de cosechar el fruto de los esfuerzos.

V

Vaca

En muchas culturas, como la china, la vaca es símbolo de docilidad. En la India se la considera un animal sagrado, ya que no sólo da leche, mantequilla y queso, sino que su estiércol es utilizado en la construcción y como combustible.
Los sueños en los que aparecen vacas aluden a la prosperidad, a la abundancia. También, por su relación con la leche, su imagen puede estar ligada a la primera infancia y a la madre.
Si el animal que vemos es una ternera o un becerro, quiere decir que tenemos posibilidades de ganar mucho dinero, pero que primero debemos planificar detalladamente los pasos que hemos de dar.

Véase BUEY, TORO.

Vacaciones

Soñar con que estamos en nuestro período de descanso puede significar que, tal vez, estemos necesitando unas vacaciones reales o que estamos prestando una excesiva atención al trabajo.
Si en el sueño aparecen elementos angustiosos puede significar que el reposo que necesitamos no tenga tanto que ver con el cansancio sino con un leve trastorno de salud.

Vacilación

Los sueños en los que nos mostramos vacilantes nos advierten de que debemos actuar con mucha cautela y no dejarnos llevar por las emociones del momento.

Vacío

Simboliza la ausencia de lo esencial.
Todo sueño en el cual aparezca lo vacío como una característica que nos llame la atención significa que hay algo que ansiamos y no podemos conseguir.
Es posible soñar con lugares vacíos cuando pasamos un período de aislamiento; por ello, el vacío también simboliza la soledad.

Vacuna

Simboliza las defensas, los mecanismos de alarma, huida o agresión que ponemos en marcha para evitar el daño físico o psicológico.
Estos mecanismos varían de una persona a otra; si alguien ha pasado su infancia en un clima hostil, con amenazas constantes a su integridad física o psíquica, en la vida adulta tenderá a ver enemigos por todas partes y, ante esa idea, adoptará actitudes de encierro en sí mismo o de agresión incluso ante situaciones que, para otra persona, no serían en absoluto amenazantes.
Si en el sueño recibimos una vacuna, quiere decir que estamos defendiéndonos excesivamente, que calificamos como enemigos potenciales a personas que no tienen intención alguna de hacernos daño. Estas defensas exageradas limitan nuestra capacidad de movimiento, ya que gastamos mucha energía en protegernos en lugar de utilizarla para avanzar o conseguir nuevos objetivos.
En caso de que la vacuna la reciba otra persona la interpretación que cabe es que buscamos protegerla porque la vemos excesivamente débil o confiada.

Vado

Estas imágenes aparecen en sueños cuando vivimos momentos cruciales. El vado simboliza la manera exacta de hacer las cosas de forma que no tengamos ningún percance.
Es importante tener en cuenta lo que hay en cada una de las orillas conectadas por el vado, ya que serán las que expliquen la situación general.
Si el vado se cruza con éxito quiere decir que resolveremos nuestros problemas y que saldremos fortalecidos del contratiempo.

Otro punto que deberá tenerse en cuenta es si cruzamos el vado a pie o si utilizamos cualquier otro medio. Esto nos dará cuenta de las herramientas que tendremos que utilizar para salvar la situación.

Vagabundo

Los vagabundos son la imagen de la marginación y del desarraigo, pero también pueden relacionarse con la libertad.
En los sueños representan todo lo contrario; es decir, muestran nuestro apego excesivo al hogar familiar o al país, al punto de convertirnos en personas intolerantes hacia los extranjeros o hacia quienes tengan costumbres diferentes.
En caso de ser nosotros los vagabundos deberá interpretarse como que nos sentimos un poco agobiados por las atenciones, cuidados o control que nos brinda, al menos, una de las personas que nos rodea.

Vagancia

Véase PEREZA.

Vagar

Véase DEAMBULAR.

Vagón

Los vagones de tren o de metro simbolizan los diferentes círculos que frecuentamos.
Si nos encontramos en un vagón haciendo un viaje placentero quiere decir que estamos a gusto con las personas con las que habitualmente pasamos nuestros ratos de ocio.
En caso de que el sueño sea angustioso significa que estamos inmersos en un círculo social que no nos conviene; que exige, económicamente hablando, más de lo que nosotros podemos dar.

Vahído

Véase DESMAYO.

Vaho

Una de las características del vaho es su capacidad para empañar los cristales.
En los sueños tiene un significado asociado con esta cualidad: representa una actitud excesivamente egocéntrica y subjetiva que empaña la realidad, que impide ver los acontecimientos tal y como son.

Vaina

Las vainas de las armas blancas se relacionan con la agresión.
Si en el sueño la vaina está vacía, quiere decir que tenemos muchas dificultades a la hora de decir lo que no nos gusta, que hacemos una exagerada represión de la agresión.
Si la vaina está deteriorada significa que nos gusta amenazar pero que nunca pasamos a la acción. Esta es una actitud poco recomendable.

Vainica

Véase BORDADO.

Vainilla

Esta planta aromática fue utilizada en la antigüedad como afrodisíaco, por ello se relaciona con el deseo sexual.
Percibir en sueños su característico olor significa que estamos sexualmente receptivos. Si la utilizamos para cocinar quiere decir que nos gustaría tener un encuentro íntimo con una persona que no es nuestra pareja.

Vaivén

Los movimientos de vaivén simbolizan las dudas, las dificultades para decidir qué acción es la más adecuada en un momento determinado, de manera que si vemos un objeto en vaivén durante el sueño, debemos interpretar que necesitamos más horas de reflexión antes de elegir un camino, ya que corremos el riesgo de arrepentirnos.

Vajilla

Simboliza la alimentación, no sólo física sino también la espiritual y afectiva.
Es necesario tener en cuenta el estado y la calidad de las piezas que la componen. Si es bonita y está limpia y en buen estado, significa que sabemos rodearnos de personas amables y psicológicamente sanas que nos ayudan a mejorar cada día. En caso de que esté desconchada o sucia, indicará que no tenemos muy buen criterio a la hora de elegir nuestras amistades.
Las vajillas antiguas aluden al hogar paterno y a la infancia. Si están sobre una mesa y en ella hay alimentos, quiere decir que en la niñez hemos recibido todo el afecto y cuidados que necesitábamos. Si las piezas están en un rincón, descuidadas, significa que el vínculo que hemos tenido con nuestros padres no ha sido tan bueno como quisiéramos.
Si la vajilla está bien cuidada y guardada en un armario indica que valoramos mucho a las personas que tenemos cerca.

Vale

Los vales de descuento por la compra de un producto indican nuestra tendencia a tener muy en cuenta los favores que hacemos, esperando que éstos sean retribuidos.

Valentía

Si en un sueño nos preocupa demostrar valentía o llevamos a cabo una acción que la requiera, significa que en la vida real a menudo nos sentimos paralizados por el miedo.

Valeriana

Esta planta medicinal se utiliza como inductor al sueño, como sedante suave.
Si nos encontramos en un campo de valeriana significa que tenemos un sólido equilibrio interno, que no nos desesperamos ante los contratiempos y que sabemos hacer frente con serenidad a los problemas que se nos presenten.
Preparar una infusión de valeriana, por el contrario, indica que pasamos por un momento angustioso, que no sabemos cómo resolver una situación que se ha desbordado.
Plantar valeriana equivale a cultivar dentro de nosotros mismos la paciencia y la serenidad.

Vallar

Las vallas se colocan para delimitar los terrenos, de ahí que en los sueños simbolicen los límites que nos ponemos a nosotros mismos y a los demás.
Si colocamos o vemos en un terreno de nuestra propiedad una valla y ésta es bonita quiere decir que tenemos un espíritu diplomático, que sabemos decir que no a lo que nos desagrada, pero siempre de forma suave y sin que se ocasionen enfrentamientos.
En caso de ver una valla deslucida, desagradable, la interpretación que cabe es que no sabemos poner los límites a los demás, que dejamos que se aprovechen de nosotros hasta que un día y por una tontería, explotamos.

Valle

Las primeras civilizaciones se establecieron en los valles, ya que son zonas resguardadas, flanqueadas por montañas, por las cuales suele discurrir el agua de deshielo.
Los valles simbolizan el refugio y el trabajo sobre uno mismo. Si estamos en un valle verde, significa que tenemos un intenso afán de crecer, de mejorar, que la ética ocupa un lugar especial en nuestros pensamientos y que tenemos una escala de valores sólida. Si vemos un valle desde arriba quiere decir que si bien somos conscientes de que deberíamos poner más empeño en nuestro desarrollo espiritual, nos vemos muy atrapados por el mundo material y dejamos nuestra evolución para más adelante.

Valorar

La valoración que se realice en un sueño sobre un objeto o sobre las personas, simboliza la idea y el concepto que creemos que tienen los demás sobre nosotros mismos.
Así, toda valoración positiva indica que nos sentimos aceptados y las negativas, que tememos no ser lo suficientemente atractivos a los ojos de quienes nos rodean.

Vals

Al ser un baile que sólo se ejecuta en pareja, simboliza algunos aspectos de la relación amorosa.
Si el compañero es desconocido significa que deseamos establecer una relación firme y duradera, que nos preocupa la idea de no encontrar la persona adecuada.
En caso de bailar el vals con nuestra pareja quiere decir que tenemos con ella una relación sólida y bien constituida.
Si nos caemos mientras ejecutamos la danza significa que actuamos de manera un tanto desconsiderada con la persona amada porque nos sentimos muy seguros de su amor; sin embargo, el sueño advierte de que no debiéramos mostrarnos tan altaneros porque así corremos el riesgo de ser abandonados.

Válvula

Las válvulas son dispositivos que permiten disminuir la presión interna de un recipiente. En sueños, simbolizan aquellas actividades que realizamos cuando nos sentimos presos de una fuerte emoción negativa.
Ante la ira o la ansiedad, hay personas que pasean para calmar los nervios, otras que comen o que hacen trabajos manuales.
Soñar con válvulas indica que tenemos un temperamento fácilmente excitable y que necesitamos vías de escape que nos permitan recobrar rápidamente el equilibrio psíquico.

Vampiresa

La figura de la vampiresa se relaciona con la falta de escrúpulos.
Si vemos en el sueño una vampiresa, quiere decir que una persona intenta seducirnos para sacar provecho. Ésta aparenta tenernos afecto o sentir atracción pero, en realidad, lo único que busca es utilizarnos.
Si, en cambio, nos vemos convertidos en vampiresa, significa que nos gustaría ser más fríos y calculadores en nuestras relaciones, que somos muy afectuosos y que, a menudo, sufrimos por ello amargas decepciones.

Vampiro

La imagen del humano vampiro proviene de la de un animal, de la familia de los murciélagos, que se alimenta de la sangre, del fluido vital de otros seres vivos; por ello simboliza a quienes consumen nuestras fuerzas y nos exigen una permanente atención privándonos de la posibilidad de ocuparnos de nuestros propios asuntos.
Si somos atacados o mordidos por un vampiro quiere decir que en nuestro entorno hay una persona que nos quita toda la energía. Normalmente se trata de seres sumamente egoístas, que buscan el protagonismo a toda costa y que, por medio de manipulaciones, intentan tenernos completamente dominados, actuando siempre en su favor.
Si somos nosotros quienes nos hemos convertido en vampiros, indica que tenemos miedo a dejarnos arrastrar por los impulsos, que tenemos una actitud excesivamente crítica hacia nosotros mismos y que preferimos perder algo que nos corresponde antes que privar de ello a otra persona. Este altruismo, si bien es encomiable, no debe ser nunca exagerado.

Vanagloriarse

Todo aquello de lo que nos vanagloriamos en sueños señala las cualidades que no

reconocemos en nosotros mismos.
Si es otra la persona que muestra una actitud vanidosa, eso indica que admiramos en ella ciertos matices de su personalidad.

VANDALISMO

Los actos de vandalismo simbolizan las acciones caprichosas e irracionales que podemos realizar en nuestra vida cotidiana; sobre todo si en el sueño participamos en ellos.
Si son otras las personas que ejecutan los actos de vandalismo quiere decir que nos sentimos presionados por las amenazas de alguien que tiende a mostrarse muy irascible. También es una advertencia para que recapacitemos, para que busquemos la forma de no ceder a sus presiones.

VANGUARDIA

La vanguardia de un ejército o de un movimiento simboliza la capacidad creativa para iniciar una nueva búsqueda de posibilidades dentro de la actividad que desempeñemos, de modo que si en nuestro sueño pertenecemos a la vanguardia, no debemos tener miedo de exponer nuestras ideas y puntos de vista, ya que serán aceptados por la mayoría.

VANIDAD

La vanidad, en sueños, actúa a modo de compensación: indica que en la vida real no nos consideramos lo suficientemente buenos.

VAPOR

Es el estado gaseoso del elemento agua; por lo tanto, alude a la vida psíquica y afectiva.
Cuando el vapor del sueño proviene de alimentos que se están cocinando, quiere decir que estamos en una fase de enamoramiento, que vivimos un momento en el cual las emociones son intensas y acaparan toda nuestra atención.
Si el vapor proviene de un vehículo, en cambio, significa que estamos utilizando nuestra empatía para conseguir un lugar mejor en nuestro trabajo.
Vernos envueltos por una nube de vapor indica que los sentimientos no nos permiten tener una visión objetiva de la realidad.

VAPORIZADOR

Véase AEROSOL.

VAQUERO

Simboliza cierta capacidad de liderazgo, unida a un exagerado concepto de nosotros mismos.
Así como los vaqueros transportan el dócil ganado a otras tierras, hay personas que se sienten superiores a los demás, que les tratan como si no fueran seres racionales, que subestiman su capacidad para decidir.
Si en el sueño nos vemos convertidos en un vaquero quiere decir que consideramos a los demás débiles, infantiles o tontos y que estamos empeñados en regularles la vida.
Si nos tropezamos, en cambio, con un vaquero, el sueño nos advierte de que no nos debemos dejar encandilar por alguien que cree saberlo todo.

Véase PANTALÓN.

VARA

Es un símbolo de poder y dominio irracional.
Si utilizamos una vara significa que estamos dispuestos a cometer acciones arbitrarias con tal de conseguir lo que queremos.
En caso de ser golpeados con una vara quiere decir que hay una persona que se empeña en humillarnos públicamente.

VARICES

El soñar que se tienen varices o que a través de la piel se pueden ver las venas, a menudo indica un leve trastorno en la

salud; sobre todo si el sueño provoca ansiedad.
La aparición de esta imagen en sueños es una manera que tiene el inconsciente de advertirnos de que algo no marcha como debiera en nuestro interior.

VARITA MÁGICA

Simboliza la concreción de nuestros deseos más íntimos, por ello es un excelente augurio.
Si la varita está en nuestro poder, quiere decir que debemos buscar en nosotros mismos la solución al problema que nos preocupa.
Si la varita mágica la tiene otra persona, significa que debemos buscar consejo en algún amigo o familiar. Él nos dará la clave para salir del atolladero.

VASALLO

Véase CRIADOS.

VASELINA

Esta sustancia que se obtiene del petróleo, resulta impermeable y es un excelente vehículo para la composición de cremas y pomadas en farmacología, ya que no se pone rancia.
En general, la vaselina puede representar el aislamiento y la protección, por lo tanto, si nos untamos el cuerpo con ella quiere decir que buscamos tomar distancia con las personas conocidas.
A la hora de analizar el sueño es importante ver el simbolismo del objeto o parte del cuerpo sobre el que se aplique la vaselina.

VASIJA/VASO

Como todo recipiente, tanto las vasijas como los vasos están vinculados, por una parte, al mundo femenino y por otra, representan la contención.
Si en el sueño contienen líquido, y éste se puede beber sin peligro, quiere decir que tenemos a nuestro alrededor todos los elementos que nos permiten avanzar en el terreno afectivo, que sabemos amar y que somos correspondidos.
Si el contenido es venenoso, indica posibles engaños por parte de una persona a la que queremos.
Un vaso roto augura posibles desencuentros amorosos.
Para analizar el sueño en profundidad, será necesario tener en cuenta el material con el que está hecho el vaso, así como su forma y color, en caso de ser poco comunes.

VÁSTAGO

Los brotes nuevos que crecen en un árbol o en una planta son símbolo del renacimiento, de la renovación. Soñar con ellos es un buen augurio, ya que anticipan una etapa intensa, positiva y muy productiva en el terreno laboral y amistoso.
Si el vástago tuviera una apariencia deslucida, si estuviera quebrado, desgajado o infectado por una plaga quiere decir que, aunque ansiamos un cambio, aún no estamos preparados para efectuarlo.

VATICANO

Al igual que la Meca, el Muro de las Lamentaciones u otros lugares importantes de culto o sedes de las religiones más importantes del mundo, El Vaticano representa la llamada espiritual.
Si nos encontramos en este lugar quiere decir que nos gustaría tener un guía espiritual que nos sepa ayudar a acercarnos más a Dios.
Los sueños en los cuales aparece el Vaticano y son, a la vez, angustiosos o nos provocan ansiedad reflejan un estado de inquietud interior provocado por las dudas de la fe.

VATICINIO

Véase AUGURIO.

Vecino

Los vecinos son, en cierto sentido, nuestros iguales. Viven en el mismo barrio, compran en las mismas tiendas y tienen una situación económica similar a la nuestra.

Verlos en sueños es como mirarse en un espejo: las actitudes que tomen serán las que habitualmente tomemos nosotros hacia ellos, de manera que los sueños en los que aparecen vecinos agresivos, por ejemplo, aluden a nuestra propia agresividad.

Vegetal

Véase PLANTA.

Vegetariano

Si en un sueño somos vegetarianos, debemos preguntarnos si tenemos una dieta variada y rica en fibras, ya que esta imagen onírica puede ser un recurso de nuestro inconsciente para hacernos comprender que no nos alimentamos como deberíamos.

Vehículo

Los vehículos, al ser los que nos transportan de un lugar a otro, nos representan a nosotros mismos. Así, cada una de sus partes simboliza una función o un aspecto de nuestro ser.

La carrocería alude a nuestro aspecto externo. Si está en buenas condiciones, quiere decir que prestamos la debida atención a nuestro cuerpo; si es elegante, indica nuestro buen gusto en el vestir y nuestra prestancia.

El volante simboliza nuestra capacidad de control. Si vamos en un vehículo y no tenemos la capacidad de maniobrar con él, eso indica que nuestro autocontrol es pobre. Si, por el contrario, tomamos las curvas eficientemente, por difíciles que éstas sean, quiere decir que no perdemos el autodominio ni siquiera ante los momentos difíciles que nos toca vivir.

El circuito eléctrico representa la inteligencia, la capacidad de resolver situaciones nuevas. Si está en buenas condiciones significa que somos hábiles a la hora de reflexionar sobre los problemas que debemos resolver.

Los faros simbolizan la objetividad. Si en el sueño los faros del vehículo están encendidos quiere decir que sabemos ver las cosas tal y como son y no como deseamos que sean.

Si somos nosotros quienes conducimos el vehículo significa que somos independientes. En caso de que viajando en él no respetáramos las señales de tránsito, eso mostraría que llevamos nuestro espíritu de independencia demasiado lejos, que somos rebeldes y egoístas.

Las ruedas indican las tendencias egocéntricas: cuantas más tenga el vehículo, con mayor afán buscaremos el protagonismo. Se considera que las de los coches, que sólo tienen cuatro, indican un egocentrismo normal, las ruedas de bicicletas, al ser dos, indican una tendencia a eludir ser el centro de las reuniones y las de los camiones, cuyo número superan las cuatro del coche, señalan a personas muy egocéntricas.

Si el vehículo está conducido por otra persona, significa que no somos dueños de nuestro propio destino, que prestamos demasiada atención a las opiniones ajenas y que no consideramos como válidas las propias.

Vejación

Véase HUMILLACIÓN.

Vejez

Los sueños en los cuales aparece la vejez, ya sea en la forma de una persona anciana o como concepto, representan nuestro miedo al futuro.

Sin embargo, soñar con un anciano o anciana de aspecto benévolo debe ser

considerado un excelente augurio, ya que indica nuestra tendencia a vivir muchos años.
Tomar contacto con un anciano puede indicar el encuentro con una persona muy sabia que, sin duda, estará dispuesta a ayudarnos en nuestra evolución.

VELA

Las velas y los candiles, si están encendidos, auguran éxito en los negocios, pero para hacer un buen análisis del sueño habrá que tener en cuenta otras consideraciones.
Si la llama de la vela es recta y muy luminosa, significa que sabemos lo que queremos y que estamos dispuestos a conseguirlo. Si es vacilante, en cambio, indica una confusión interior, una falta de objetivos claros.
Si el pabilo está escondido y no se puede encender, quiere decir que no nos atrevemos a sacar a la luz nuestras habilidades por miedo al fracaso.
Si la llama produce humo quiere decir que no nos importa utilizar medios poco éticos para conseguir nuestros fines.
El cirio pascual, que es la vela grande y larga que lleva incrustado incienso y se enciende y bendice el sábado santo, es símbolo de renacimiento, de nuevos comienzos.

VELAMEN

Las velas de un navío simbolizan la resistencia que oponemos a las situaciones que nos disgustan.
Si están hinchadas significa que tenemos una excelente capacidad de resistencia, que es difícil obligarnos a hacer aquello que no nos parece correcto o de lo que dudamos de su legalidad.
Si las velas están replegadas quiere decir que no queremos malgastar nuestras fuerzas en luchas que consideramos inútiles y que esperamos a que cambien los vientos para hacer valer nuestros derechos.

VELATORIO

Simbolizan el fin de una situación que, hasta el momento, incluso nos puede haber resultado placentera.
Si la escena del sueño nos provoca ansiedad o angustia quiere decir que esa finalización la lamentamos como pérdida.
Si, en cambio, es tranquila, significa que hemos comprendido que debemos emprender un nuevo camino y que estamos preparados y entusiasmados para hacerlo.
Cuando en el velatorio somos nosotros mismos el muerto, debemos interpretar que se hace urgente un cambio profundo en nuestra vida.

VELERO

Véase BARCO, NAVEGAR.

VELETA

Las veletas, en los sueños, nos dicen que otros elementos del mismo serán los que nos guíen en los procesos complicados que podamos estar viviendo.
Si gira locamente es señal de que no sabemos qué rumbo tomar, que hay muchos elementos contradictorios que nos confunden y que lo mejor que podemos hacer es esperar a que los vientos amainen.
Si la veleta se mantiene estable quiere decir que sabemos permanecer firmes, sin dejarnos influemciar por las consideraciones ajenas.

VELLO

Si es abundante y se encuentra en el pecho, brazos y piernas, es símbolo de virilidad. Si quien lo tiene es una mujer, puede significar que tiene un carácter más bien agresivo, que utiliza más la fuerza que la dulzura a la hora de conseguir lo que se ha propuesto. En caso de que en el sueño se vea crecer el vello esto significará que estamos desarrollando nuestra percepción extrasensorial.

VELO

Simboliza el ocultamiento de las emociones.
Si vemos una persona con un velo o detrás de él quiere decir que nos oculta sus verdaderas intenciones, sus auténticos afectos.
Si en cambio somos nosotros quienes vestimos esa prenda, es señal de que nos preocupa que la persona a la cual amamos en secreto se entere de lo que sentimos por ella.

VELOCIDAD

En la velocidad, uno de los factores importantes que interviene es el tiempo. Yendo a una gran velocidad tenemos la sensación de que lo ganamos, de ahí que los sueños en los que aparezca la velocidad como punto importante simbolicen, en general, una actitud de evasión ante los problemas.
Si durante el sueño, yendo a gran velocidad, sentimos miedo quiere decir que preferimos atacar los problemas de uno en uno, que no nos gusta dejar tras nuestras espaldas tareas sin terminar.

VELÓDROMO

Este lugar, destinado a las carreras en bicicleta, representa el esfuerzo personal y el espíritu de sana competencia.
Si somos observadores de una carrera significa que nos gustaría participar en una serie de actividades pero que aún no nos sentimos capacitados para ello.
En caso de ir montados en una de las bicicletas, deberá interpretarse que nos gustan los desafíos.
Ganar una carrera augura un futuro éxito profesional.

VENA

El sistema de venas y arterias permite que los nutrientes lleguen a todas las células del cuerpo y que, además, sean eliminados los elementos de desecho. Simbolizan el equilibrio entre lo que guardamos y aquello de lo que nos desprendemos.
Una obstrucción venosa, por ejemplo, representaría nuestra tendencia a acumular cosas inútiles por si algún día nos hacen falta.
La buena circulación, en cambio, indica que nos desprendemos de lo viejo e inútil para dar cabida a lo nuevo.

VENCEDOR

Obtener éxito en una competición, independientemente del tipo que sea, es un augurio excelente: indica que tenemos en nuestras manos todas las posibilidades de lograr un éxito rotundo en el terreno profesional.

VENCEJO

Véase AVES.

VENDA

Las vendas protegen las heridas de los golpes o roces del exterior; por eso, simbolizan las actitudes que desarrollamos a fin de ocultar nuestras debilidades.
Según la zona del cuerpo que tengamos vendada se puede tener una idea más clara de los mecanismos que solemos utilizar. Si son los brazos, tendemos a mostrarnos amenazantes y peligrosos para ocultar nuestra vulnerabilidad. Si es la cabeza, quiere decir que preferimos pasar por tontos o despistados a fin de que los demás no conozcan nuestro potencial de agresión. En caso de que las vendas estuvieran en las piernas, eso indicará que preferimos huir, escondernos, antes de realizar contactos demasiado íntimos que, a la larga, nos puedan crear frustraciones.
Si en el sueño las vendas las lleva otra persona, es posible que ésta intente ocultarnos algo que es de suma importancia para nosotros.

VENDAVAL

El viento, como elemento de aire, se relaciona con la inteligencia, con el mundo

mental. Los vendavales indican confusión, cambio constante de rumbo, poca paciencia para la reflexión y tendencia a elaborar teorías sin tener a mano los elementos suficientes para sustentarlas.
Ser arrastrados por un vendaval significa estar a merced del destino y pasar por un período en el cual no hay nada que hacer salvo esperar.

Vendedor

El principal cometido del vendedor es hacer una transacción comercial, sin importar demasiado si el que ha de comprar el producto lo necesita o no. Su habilidad se basa en convencerle de que aquello que le ofrece le hará sentir mejor.
Cuando en sueños nos topamos con un vendedor quiere decir que alguien pretende darnos algo que no necesitamos a cambio de algún favor.
Para hacer un análisis completo, será necesario buscar el símbolo correspondiente al objeto que se esté vendiendo.

Veneno

Por sus efectos, el veneno es símbolo de destrucción, pero también de sigilo, de astucia.
Si somos nosotros quienes manipulamos o administramos veneno a otra persona, quiere decir que estamos planeando cuidadosamente un ataque que consideramos justificado.
En caso de ser nosotros los envenenados, deberemos pensar que alguien de nuestro entorno nos está preparando un engaño.

Veneración

Si en un sueño alguien nos muestra veneración quiere decir que nos mostramos demasiado satisfechos de nosotros mismos, que no tenemos sentido de la autocrítica pero, sin embargo, en el fondo no nos vemos tantos valores o buenas cualidades como las que en realidad poseemos. Venerar a otra persona significa admirar en ella aquellos rasgos que los demás ven en nosotros.

Venérea

Las enfermedades venéreas simbolizan la culpa que puede sentirse ante las fantasías sexuales o ante su realización.
Habiendo tenido una educación sexual represiva, es comprensible que, por muy liberales que queramos ser, gran parte de los principios que nos han sido inculcados afloren en los sueños en forma de castigo.

Venganza

Las venganzas, en sueños, simbolizan las ofensas recibidas en la vida real.
Si cometemos un acto de venganza contra una persona conocida, quiere decir que hubo algo que ésta hizo o dijo que nos ha molestado profundamente y que, tal vez por educación, no le hemos dado la respuesta que hubiéramos querido. Ante estos casos, lo mejor es hablar con ella y tratar de aclarar el asunto.
Si alguien se venga de nosotros en un sueño quiere decir que tenemos mala conciencia por haber tratado a otra persona injustamente.

Ventanal

Los grandes ventanales simbolizan la buena disposición que tenemos para aprender cosas nuevas, para cambiar nuestros puntos de vista.
Si nos asomamos a uno, quiere decir que tenemos la opción de adquirir un nuevo oficio o de iniciar un negocio provechoso.

Ventarrón

Las ráfagas súbitas de viento simbolizan los cambios de humor repentinos.
Si estamos en medio de un ventarrón es señal de que tenemos un carácter muy susceptible, que cualquier pequeño contratiempo cambia nuestro bienestar en malhumor.

Véase VIENTO.

Ventilador

Los ventiladores remueven y dirigen el aire, de modo que, en cierta manera, lo dominan.
Como el elemento aire tiene que ver con el intelecto, estos electrodomésticos simbolizan a las personas inteligentes, cuyas palabras nos hacen pensar.
Los ventiladores que veamos en los sueños indican que sabemos rodearnos de gente interesante, que nos gusta escuchar puntos de vista distintos a los que nos ha inculcado nuestra familia y que celebramos todo conocimiento adquirido.

Venus

Esta diosa romana, llamada Afrodita entre los griegos, simboliza el amor y la belleza.
Soñar con que hacemos una ofrenda a Venus es signo de que, en un tiempo más o menos breve, nos vamos a enamorar siendo correspondidos.
El símbolo de Venus, que sirve para indicar el carácter femenino de un animal o planta, se relaciona directamente con el sexo: si lo sueña un varón quiere decir que acepta dentro de sí las cualidades tradicionalmente femeninas (dulzura, sensibilidad, etc.) Si lo sueña una mujer, indica exageración, artificio, coquetería y veleidad.

Verano

Simboliza el período de vacaciones, de disfrute y placer.
Soñar con esta estación augura un tiempo tranquilo, en el que los proyectos se cumplen sin necesidad de grandes esfuerzos. Sin embargo, hay que tomar conciencia de que el tiempo de verano no dura mucho y que también es necesario prepararse para épocas más duras, como el invierno.

Verbena

En las verbenas se celebra el aniversario de acontecimientos importantes para el pueblo o la festividad de algún santo o virgen. Cuando las verbenas aparecen en los sueños auguran buenos momentos que merecerán ser celebrados. Puede tratarse de un aumento de sueldo en el trabajo, de una boda muy esperada, de un nacimiento o de cualquier otra cosa que proporcione alegría a toda la familia.

Verde

Es, simbólicamente, el color de la esperanza; sin embargo, también es el color que se atribuye a la enfermedad, a la decadencia y a la envidia. Por ello habrá que prestar atención a los demás elementos que aparezcan en el sueño a fin de saber qué acepción tomar a la hora de analizarlo.

Verdugo

El verdugo simboliza una parte de nosotros mismos, rígida y exigente, que no nos permite cometer equivocaciones, que nos empuja a la perfección más allá de nuestras fuerzas.
Estar delante de un verdugo significa tener un amor propio desmedido que, a la larga, se traduce en frustración o en soberbia.
En caso de que en el sueño estemos a punto de ser ejecutados, será necesario interpretar que nos han exigido demasiado en la infancia y que hemos interiorizado aquellos mandatos que requerían de nosotros sólo perfección y disciplina.
Es importante comprender que una exigencia desmedida no es buena, que lo ideal es tratar de hacer las cosas bien pero sin llevar la perfección a límites imposibles.

Verdura

La comida, en sueños, a menudo simboliza aquellos nutrientes que nuestro organismo necesita. Por lo tanto, si soñamos con verduras, es muy probable que no tomemos la suficiente cantidad de fibras o del tipo de vitaminas que éstas contienen.
En caso de que las verduras no estén en buen estado, habrá que interpretar que

ese es un alimento que comemos en exceso y que es conveniente que hagamos una dieta más variada.

VERGÜENZA

Sentir vergüenza en un sueño puede indicar que tenemos deseos que no consideramos lícitos o que están reñidos con nuestra moral. A menudo se trata de tentaciones contra las cuales luchamos en la vida diaria, y que aparecen distorsionadas en las imágenes oníricas.

VERIFICAR

La acción de verificar cualquier cosa implica, por un lado, previsión y perfeccionismo; por otro, cierta desconfianza en cuanto a los resultados obtenidos.
Si en sueños verificamos cualquier cosa, eso muestra que tenemos una tendencia a obsesionarnos, a constatar que nuestros sentidos no nos engañan.

VERJA

Las verjas simbolizan los límites entre la vida pública y la vida privada.
En los sueños, por lo general denotan una tendencia al aislamiento, a considerar la casa como un santuario que nadie debe mancillar; de ahí que quienes sueñen con ella tiendan a hacer su vida social fuera de las paredes del hogar, en lugar de compartir su espacio con amigos y familiares.

VERMUT

Esta bebida amarga se suele tomar como aperitivo, ya que en general estimula el apetito. En sueños simboliza la necesidad de alimentarse convenientemente, aun cuando sea a costa de comer alimentos que no sean de nuestro agrado, en beneficio de la salud.
Cuando soñamos que tomamos vermut, quiere decir que tenemos una carencia de ciertas vitaminas o sales minerales debido a que nuestra dieta no es completa.

VERRUGA

En casi todos los cuentos se ha dibujado a las brujas con verrugas en el rostro, por ello estas excrecencias simbolizan el poder psíquico orientado en sentido negativo.
Si en el sueño nos encontramos con que tenemos verrugas, debemos interpretar que anidamos sentimientos de odio o rencor hacia otras personas.
En caso de que fueran otras las personas que las tuvieran, deberíamos cuidarnos de ellas porque es muy probable que estén tramando la forma de hacernos daño.

VERSO

Véase POEMA.

VÉRTEBRA

Son los elementos que constituyen la columna vertebral, el eje principal del cuerpo. De ahí que simbolicen los puntos de coincidencia más importantes que tenemos con nuestra pareja, ya que serán los que se conviertan en el eje principal de la relación.
Si encontramos la vértebra de algún animal, quiere decir que estamos a punto de comprender un comportamiento en nuestra pareja que, hasta el momento, nos parecía completamente irracional.
Si sufrimos algún dolor en una de las vértebras significa que hemos utilizado el engaño para afianzar la relación, que hemos asegurado aceptar y ver con buenos ojos algo que nos disgusta.

VERTEDERO

En los vertederos y basureros se acumulan los desperdicios de la ciudad; de ahí que simbolicen el rencor y los malos sentimientos que se han generado a lo largo del tiempo en una relación de pareja.
Cuando las imágenes del sueño giran alrededor de un vertedero o nos encontramos en él, debemos entender que la relación amorosa que mantenemos

se ha ido deteriorando. La manera de solucionar esa situación es hablar los problemas claramente, reconocer las propias culpas a la otra persona y buscar entre ambos las soluciones al problema.

Vértice

Los vértices son los puntos de encuentro entre dos o más líneas; por ello, simbolizan las reuniones.
Si nos golpeamos con el vértice de un mueble, como por ejemplo con la esquina de una mesa, quiere decir que asistiremos a una reunión de trabajo en la cual habrá intensas discusiones.

Véase PUNTAS.

Vertiginosidad

El movimiento vertiginoso implica un gran despliegue de energía y simboliza la pasión, la compulsión que nos impulsa a tomar estrecho contacto con otra persona a fin de tener un encuentro sexual.
Si nos movemos vertiginosamente, significa que nos sentidos imperiosamente atraídos por alguien que nos corresponde, que esta persona ocupa todo el foco de la conciencia y que sería conveniente que, poco a poco, nos centráramos también en otros intereses a fin de evitar problemas.

Vesícula

A veces, en los sueños se viven con más claridad los dolores que pueda producirnos la incorrecta función de un órgano; por ello, las molestias en la vesícula podrían indicar que tenemos algún problema hepático.

Vestal

Las vestales eran las doncellas dedicadas al culto de la diosa romana del hogar, Vesta. Éstas debían guardar voto de castidad so pena de ser enterradas vivas. Se ocupaban de mantener el fuego sagrado.
Estas sacerdotisas simbolizan la promesa de virginidad o de fidelidad hecha a un amante, por lo tanto si soñamos con ellas es que deseamos permanecer fieles, en caso de que la durmiente sea una mujer, o que esperamos ese comportamiento en ellas, si el durmiente es un hombre.

Vestíbulo

Los vestíbulos son lugares de paso en los que a veces se atiende a personas con las que no se tiene la suficiente intimidad o amistad. Simbolizan los pasos previos para un encuentro más profundo, pero a la hora de analizar este símbolo, deberá tenerse en cuenta a qué tipo de edificio pertenece.
Si nos encontramos en el vestíbulo de una casa, quiere decir que esperamos afianzar la amistad con su dueño.
En caso de que el vestíbulo fuera de un hotel, debemos entender que sentimos la necesidad de ampliar nuestro círculo de amistades pero que no sabemos cómo conseguirlo.
Si recibimos en el vestíbulo de nuestra casa significa que deseamos mantener más distancia con la persona que nos visita.

Vestimenta

A la hora de analizar la vestimenta que llevamos en un sueño, debe tenerse en cuenta no sólo la prenda de que se trate sino, también, la época y lugar a que pertenece y además su textura, color y estado.

Véase CALZADO, CAMISA, FALDA, PANTALÓN.

Vetar

Cuando se realiza una votación, puede haber personas que, con su veto, la anulen o decidan. Esto significa estar en contra de la voluntad de la mayoría.
Si en sueños somos nosotros quienes ejercemos el poder de veto, quiere decir que pretendemos imponer a los demás nuestro criterio, que nos consideramos superiores y que nos gusta llevar la voz cantante.

Si es otra persona quien lo hace, el sueño puede tomarse como una advertencia: en el trabajo se producirán cambios inesperados, que nos parecerán completamente carentes de lógica. Lo mejor es estar preparados para afrontarlos y no pensar que las cosas van a seguir un curso normal y predecible.

Veterano

Son personas que, en la milicia o en el oficio que desempeñen, han acumulado una gran experiencia, por lo tanto simbolizan los maestros o los guías en cualquier terreno de la vida.
En caso de que en el sueño seamos veteranos en alguna disciplina, eso indica que tenemos muy buen criterio a la hora de solventar los problemas y cuando alguien de nuestro entorno necesita que le demos un consejo.
Encontrarnos con un veterano, en cambio, señala que necesitamos ayuda, que hay un problema al que no le encontramos solución y que un familiar podría indicarnos cuál es la mejor manera de afrontarlo.

Veterinario

Estos especialistas tienen como cometido el curar animales, por ello se relacionan con nuestra parte instintiva más arcaica y menos racional.
Si soñamos que llevamos un animal al veterinario quiere decir que confiamos en el consejo de algún amigo para resolver un problema que afecta a la intimidad con nuestra pareja. Podría incluso anticipar la consulta a un sexólogo profesional ante problemas de mayor importancia en el comportamiento sexual.
Si en el sueño cumplimos el papel de veterinario, eso indica que nuestras relaciones sexuales son satisfactorias, que no tenemos represiones y que contamos con un compañero o compañera que tiene una concepción del goce muy similar a la nuestra.

Vez

El hecho de pedir la vez en un comercio simboliza la necesidad de encontrar nuestro lugar en la sociedad, de que nos sean reconocidos nuestros méritos o, en ocasiones, de tener la claridad de elegir aquella profesión más acorde a nuestras capacidades.
En caso de que hubiera alguna confusión relacionada con la persona que debe ser atendida, con la que tiene la vez, eso indicaría que tendremos que luchar duramente para conseguir una promoción que creemos merecer.

Viaducto

Véase PUENTE.

Viajar

Cuando a través del sueño se viaja a otros lugares, se produce una suerte de liberación del estrés de la vida cotidiana. A menudo estos viajes surgen de la necesidad psíquica de apartarnos del ajetreo diario o del afán de buscar nuevas experiencias y sensaciones.
Cuando se presenta un viaje en los sueños y éste es placentero, la energía psíquica se restaura y eso hace que nos sintamos mejor, que recuperemos las fuerzas para seguir luchando.

Viajero

En las leyendas y cuentos, los viajeros son personajes que, por la amplia experiencia que han acumulado, por la diversidad de situaciones que han vivido, tienen una gran sabiduría. En los sueños simbolizan los consejeros, aquellos que nos dan pautas precisas para conseguir lo que deseamos.
Es importante observar los demás elementos del sueño, ya que éstos nos darán las claves para saber en qué aspecto de nuestra vida necesitamos los consejos o podemos contar con la ayuda de una persona de nuestro entorno; puede ser en

el terreno laboral, en el amoroso, en el familiar, etc.

VÍAS

Las vías del tren o de un tranvía obligan al vehículo a seguir un trayecto previamente determinado, por eso simbolizan los límites que tenemos en nuestras actividades cotidianas e incluso en la vida diaria (normas, leyes, jefes, etc.)
Si viajamos en tren y prestamos atención a las vías, quiere decir que en el lugar de trabajo no podemos dar rienda suelta a nuestra iniciativa, que nos vemos presionados por un superior que nos obliga a hacer las tareas de una forma menos eficiente de la que nos gustaría y para la que estamos preparados.
Estar de pie sobre una vía significa que tenemos un juicio crítico sobre la autoridad, que tenemos la suficiente confianza en nosotros mismos como para comprender que cualquiera puede cometer errores y que los jefes no siempre llevan la razón.
Si nos vemos atrapados en una vía en el momento en que se acerca un tren, quiere decir que hemos dejado que una situación se nos fuera de las manos y ahora debemos pagar las consecuencias.

VÍBORA

Véase SERPIENTE.

VIBRACIÓN

Todo movimiento vibratorio genera energía; por lo tanto este concepto, en sueños, simboliza la energía interior, el empuje, las motivaciones, los sentimientos positivos de avance.
Si vemos un objeto vibrar quiere decir que somos capaces de generar nuestra propia fuerza para ponerla al servicio de nuestros intereses. Si la vibración resultara peligrosa, significa que tenemos grandes reparos morales para utilizar la fuerza, ya que tememos hacer daño a los demás.

VICARÍA

Pasar por la vicaría es sinónimo de contraer matrimonio eclesiástico; por ello, la vicaría es símbolo de boda.
Si estamos solos en una vicaría significa que aún no hemos encontrado la persona con la que nos gustaría casarnos o que, en caso de haberlo hecho, sentimos que no hemos obtenido del matrimonio todo lo que esperábamos.
Si nos vemos en la vicaría con otra persona, indica que estamos dispuestos a contraer matrimonio con la persona que hoy es nuestra pareja.
Si estamos en ese recinto junto con una pareja, indica que pronto habrá una boda en nuestro entorno.

VÍCTIMA

Los sueños en los que nos convertimos en víctimas pueden tener dos significados básicos: o responden a una culpa que llevamos dentro, o bien son una advertencia para prevenirnos de posibles contratiempos que nos provoquen las personas de nuestro entorno.
Si soportamos la situación con entereza, sin desesperación y sin una ansiedad o angustia importantes, lo más probable es que nos sintamos arrepentidos por haber cometido una mala acción y, de este modo, paguemos la culpa que eso nos acarrea.
Cuando el sueño es una advertencia, por lo general la sensación que se experimenta en él es de angustia, de desesperación, rabia o impotencia.
Si en el sueño la víctima es otra persona, quiere decir que vemos a uno de nuestros seres queridos en un estado de debilidad psíquica, sin poderse defender, y que eso nos preocupa.

VICTORIA

Los sueños en los cuales salimos victoriosos a menudo son sueños de compensación que se presentan cuando las condiciones del entorno son muy

difíciles y sentimos que nuestras fuerzas están al límite.
Las imágenes de estos sueños tienden a mostrarnos los elementos que debemos utilizar para hacer frente al problema y, a la vez, nos aseguran que es posible salir victoriosos de la empresa, que sólo bastará poner empeño. La actitud que mostremos durante el sueño será la que convenga adoptar en la realidad.

VIDENTE

La consulta de un futurólogo o vidente en sueños simboliza el estado de inquietud interior frente al futuro. Por lo general, denota una escasa valoración personal, una actitud pesimista que, seguramente, será la mayor traba a la hora de resolver los conflictos.
En caso de actuar nosotros como videntes quiere decir que tendemos a hacer excelentes planificaciones, que prestamos atención a los detalles y que no tememos enfrentarnos a situaciones nuevas. El augurio, en este caso, es excelente.
Para hacer un análisis profundo, obviamente deberán tenerse muy en cuenta las palabras del vidente, ya que podrían constituir un mensaje inapreciable del subconsciente acerca de la situación que estamos viviendo.

VÍDEO

Los aparatos y cintas de vídeo sirven para reproducir un hecho que ha sido grabado previamente; por ello, simbolizan la memoria, los recuerdos.
Naturalmente habrá que prestar mucha atención a lo que el vídeo muestre, ya que esas imágenes contendrán claves importantes para comprender el sueño.
Si la cinta de vídeo reproduce escenas de nuestra propia vida quiere decir que tendemos a regodearnos en los recuerdos, que miramos más hacia el pasado que hacia el presente o futuro.
Si los hechos que se observan en el vídeo no tienen nada que ver con nosotros, el sueño nos estará advirtiendo de que debemos prestar más atención a lo que sucede en nuestro entorno, que debemos desarrollar la empatía y preocuparnos un poco por los demás.

VIDRIO

El vidrio y el cristal tienen dos cualidades muy notorias: su transparencia y su fragilidad. Por esta razón simbolizan la inocencia y la actitud franca y abierta que no quiere ni busca segundas intenciones.
Los objetos fabricados con cristales ahumados y opacos representan todo aquello que tenemos al alcance de la mano y que, no obstante, ansiamos sin saber cómo adquirirlo. Por lo tanto, si se sueña con un objeto hecho de estos materiales, deberá pensarse que podemos conseguir fácilmente aquello que tanto anhelamos; sólo bastará proponérselo.
También advierten que las trabas que encontremos están más en nuestro interior que fuera. Los cristales sin color simbolizan la ingenuidad, la tendencia a dejarse convencer fácilmente por los otros.

VIEIRA

Como símbolo de los peregrinos que realizan el Camino de Santiago, representa eso: el camino, la vía por la cual se alcanza un nivel espiritual superior.
Si en el sueño tenemos la concha de una vieira en la mano, significa que estamos en la vía correcta, que independientemente de la religión que practiquemos, recibimos el alimento espiritual necesario para alcanzar un estado de armonía interior, de beatitud.
Si otra persona nos la ofrece, quiere decir que podemos ver en ella a un maestro y un modelo.
El comer vieiras indica la necesidad de alimento espiritual.

VIEJO

Véase VEJEZ.

Viento

Se relaciona con el elemento aire y, por ello, es un símbolo de la inteligencia, de la razón.
La brisa, el viento suave, indica que tenemos una forma de pensar metódica, sosegada y reflexiva.
Si el viento es caliente quiere decir que, a la hora de razonar, permitimos que nuestras emociones tiñan los planteamientos. Eso produce una distorsión y una falta de claridad en los resultados.
El viento frío alude a una forma sumamente objetiva de razonar. Si es helado, nuestros pensamientos pueden estar contaminados por una actitud fatalista, pesimista.
Las rachas de viento fuerte simbolizan los estados de intensa concentración, pero si son devastadoras, indican confusión mental.

Vientre

Se vincula, fundamentalmente, a la alimentación, ya que es en esta zona del cuerpo donde se alojan los órganos que trabajan en la asimilación de los nutrientes.
El vientre hinchado puede ser indicio de gula, pero también de una voracidad afectiva sin límites (cabe recordar que el primer afecto está ligado a la madre y ésta, tras el nacimiento, cumple la función nutricia).
Si en sueños sentimos dolor en el vientre es posible que tengamos algún trastorno gastrointestinal y que la realidad traspase la barrera del sueño mezclándose con sus imágenes.

Viernes

Véase SEMANA.

Viga

Es la que soporta los techos, de ahí que simbolice todos los conocimientos que hemos adquirido a lo largo de la vida y que son los que hoy utilizamos para razonar, para interpretar la realidad.
Si la viga es sólida y está bien puesta, quiere decir que hemos recibido la suficiente formación como para desenvolvernos con éxito en la vida.
Una viga podrida, rota o mal encajada mostrará las deficiencias culturales que nos impiden el avance. Esto puede ser una invitación a cultivar más nuestro intelecto.
La viga es la que soporta los techos, de ahí que simbolice todos los conocimientos que hemos adquirido a lo largo de la vida y que son los que hoy utilizamos para razonar, para interpretar la realidad.
Una hilera muy numerosa de vigas indica que tenemos unos principios muy sólidos sobre los que basar nuestro presente y también nuestro futuro. Además, hace referencia al orgullo que sentimos de las enseñanzas y la educación que nuestros padres nos dieron durante la infancia y juventud.

Vigía

Es el que, subido en una atalaya, en el mástil de un barco o en cualquier lugar elevado que permita extender la vista, anuncia la llegada de los enemigos, la presencia de una isla o cualquier otro elemento más o menos inesperado. En otras palabras, es el primero que ve lo que ocurre.
Esto hace que el vigía simbolice a aquellas personas que tienen una particular percepción de la realidad, que saben interpretar los más mínimos cambios, de modo que puedan predecir los acontecimientos futuros.
En caso de que ocupemos nosotros el lugar del vigía, deberemos interpretar que nuestras corazonadas son correctas, que aquello que intuimos y que, al parecer, está reñido con la razón, es verdad.
Si oímos la voz de un vigía anunciándonos la llegada de enemigos, será conveniente que observemos muy bien a la gente que

nos rodea, ya que entre ellos hay una persona sumamente falsa que busca perjudicarnos.
En caso de que el vigía de un barco en el que viajemos anuncie tierra, significará que estamos a punto de finalizar con éxito una importante tarea.

VIGILAR

La vigilancia simboliza el control que tenemos sobre nosotros mismos. Es la conciencia que siempre está alerta, que nos dice qué cosas hacemos bien y cuáles mal.
Si en el sueño nos sentimos observados significa que tendemos a ser excesivamente autocríticos, que estamos demasiado pendientes por cumplir con los preceptos aprendidos en la infancia, sin reflexionar sobre si tienen o no vigencia.
Si tenemos una actitud vigilante hacia otros, es señal de que nos cuesta muchísimo confiar en los demás, que necesitamos tener todo bajo control y que no nos damos respiro ni relax en ningún momento. De este modo gastamos inútilmente grandes cantidades de energía que estarían mejor aprovechadas en actitudes más creativas.

VIGILIA

Esta palabra encierra diferentes conceptos, la mayoría de ellos relacionados con actividades que se realizan durante la noche o en la víspera de un acontecimiento importante; de ahí que a la hora de analizar el sueño deba tenerse en cuenta el suceso que ocurre después de la vigilia.
En general, simboliza la preparación, más mental y emocional que física, que se realiza a fin de organizar las fuerzas internas antes de abordar el punto que culmina un proyecto. Por ello, si soñamos que pasamos una noche en vigilia quiere decir que en un tiempo breve deberemos poner en juego todas nuestras fuerzas para solucionar el tema que más nos preocupe, aunque es probable que salgamos airosos de él.

VIGOR

La fortaleza física, en sueños, a menudo alude a la fuerza espiritual y mental; por lo tanto, si nos vemos excepcionalmente fuertes y vigorosos, debemos pensar que tenemos una gran fortaleza interna que nos permitirá emprender muchos proyectos y luchar con éxito contra la adversidad.

VILLA

Los pequeños poblados simbolizan la familia más cercana: padres, hermanos, hijos y sobrinos.
Según cómo sea la villa que veamos en el sueño, así será la manera en que percibamos la familia. Si es ordenada, limpia y agradable, nuestros vínculos de sangre serán armoniosos.
Perderse en una villa significa estar tan inmersos en la dinámica familiar que nos resulta imposible tener un contacto positivo e intenso con otras personas.
La destrucción o deterioro de una villa simboliza el resquebrajamiento de la estructura familiar.

VILLANCICO

Las canciones típicas de la Navidad se asocian a la temprana infancia.
El hecho de cantar un villancico puede representar la añoranza de la época en que éramos niños, vivíamos en el hogar paterno y teníamos unas responsabilidades muy limitadas.
Si oímos un villancico y no sabemos de dónde viene, quiere decir que el recuerdo general que tenemos de nuestra infancia es excelente y que los momentos vividos en esa época han servido para darnos fuerza en los momentos difíciles.

VINAGRE

En general, las sustancias ácidas resultan desagradables pero, al mismo tiempo, estimulantes y buenas para el organismo. En sueños, el vinagre señala aquellas situaciones que, aun siendo malas, nos dejan una enseñanza imborrable que, a la larga, nos ahorrará muchos disgustos. Anuncian que ahora nos toca vivir un momento duro, pero que saldremos de él fortalecidos y que al final nos espera un futuro mucho mejor que el previsto.

Vino

Es la bebida preferida de los dioses mediterráneos y representa todas las cualidades que exalta: optimismo, confianza, alegría y valor.
Si bebemos vino en sueños quiere decir que nuestras energías psíquicas están bajas, que pasamos por un período de apatía y agobio sin encontrar la manera de recobrar la vitalidad. Se impone en estos casos buscar la compañía adecuada e intentar realizar aquellas actividades que solemos hacer cuando nos sentimos bien. En ocasiones, los cambios de humor pueden ser propiciados desde fuera.
Para los cristianos el vino tiene un sentido especial: es la sangre de Cristo; de modo que si el sueño transcurre en un clima de alta espiritualidad, el hecho de beber vino equivaldría a una comunión con Dios.

Viña

Por su gran difusión en el Mediterráneo, las viñas han formado parte de muchos cuentos y leyendas antiguos. Simbolizan el crecimiento en medio de la adversidad, la posibilidad de dar lo mejor de uno mismo aun cuando todo parece perdido.
Si en el sueño vemos una viña verde, cargada de frutos, significa que podemos alcanzar lo que deseamos pero, para ello, deberemos renunciar a otras cosas que también nos interesan.
Estar junto a una viña seca significa vernos rodeados por problemas, sin encontrar la salida pero con el firme propósito de luchar hasta que las fuerzas se agoten.
Si en la viña las uvas se han convertido en pasas es señal de que, después del arduo trabajo, espera la mejor recompensa.

Viñeta

En las viñetas, el arte máximo del dibujante consiste en hacer una perfecta síntesis de una situación que quiere mostrar. A menudo no necesita siquiera palabras: se sirve del dibujo, casi siempre esquemático, para transmitirnos ideas o escenas globales muy complejas.
Para dar una respuesta correcta a un sueño que contenga viñetas deberá mirarse el significado simbólico de cada uno de los elementos que lo compongan.
La viñeta en sí, globalmente hablando, dará cuenta del estado general que estamos viviendo, así como de los problemas que más nos preocupen en el presente.

Violencia

Las escenas oníricas en las que se desata la violencia son muy comunes; por lo general aparecen en las pesadillas. Esto no debe llamar la atención, ya que los sueños, a menudo muestran los sentimientos y deseos que, mediante la educación, hemos aprendido a reprimir.
Si en el sueño participamos de la violencia general y nos mostramos agresivos, es señal de que en la vida real estamos a punto de estallar, que hay una situación o una persona que nos saca de quicio y que estamos dispuestos a defendernos.
En caso de que la violencia se suceda a nuestro alrededor pero nosotros no participemos en ella significará que nos sentimos profundamente ofendidos, pero tenemos miedo de actuar porque podríamos causar serios daños a los demás.

Violeta

Es el color de la intuición, de la capacidad como médium.
Si soñamos con muchos objetos violetas o si el tono general del sueño toma este

color, significa que tenemos una percepción extrasensorial notable pero que se encuentra sin desarrollar.
Vestir prendas de este color indica un espíritu místico y una gran preocupación por la evolución espiritual.
La flor de la violeta siempre se ha vinculado a la humildad, de modo que si la vemos en las escenas del sueño, cabría preguntarnos si no nos estamos mostrando excesivamente arrogantes y soberbios.

Véase COLOR, FLORES.

VIOLÍN

Véase INSTRUMENTOS MUSICALES.

VIRGEN

La interpretación de esta figura en sueños es necesario hacerla según las creencias del durmiente, ya que si es católico, para él tendrá un significado muy distinto que el que puede darle una persona de otra religión.
Aun haciendo esta salvedad, por el peso que ha tenido la Virgen en Occidente, es sin duda una figura reverencial ligada siempre a la fe.
La Virgen en los sueños es una señal de que debemos ser pacientes, que no es el momento de malgastar las fuerzas sino el de esperar a que el panorama se aclare, que aun sin poner nada de nuestra parte, las cosas saldrán finalmente a nuestro gusto, tal y como deseamos.

VIRGO

Véase ZODÍACO.

VIRUELA

Las enfermedades que se manifiestan visiblemente en la piel, por lo general simbolizan los defectos o carencias que son perceptibles por parte de los demás.

VIRUS

Tanto los virus como las bacterias simbolizan todo aquello que nos contamina, que nos induce a obrar mal.
Si durante el sueño vivimos una epidemia causada por uno de estos agentes infecciosos, quiere decir que nos movemos en un medio social que no nos gusta, que nos rodea gente que no nos puede aportar cosas valiosas y que ansiamos cambiar de ambiente.
Los virus observados bajo un microscopio simbolizan la búsqueda interior.

VIRUTA

Las virutas, sean de madera o de metal, simbolizan las tareas que nos negamos a hacer, que dejamos para otros. Si caminamos por un suelo lleno de virutas quiere decir que sentimos que se está cometiendo una injusticia con nosotros, que no nos dan las oportunidades que merecemos. Hacer virutas mientras se hace una talla o se corta un material significa que tenemos posibilidades de trabajar por cuenta propia con excelentes resultados.

VISADO

Simboliza la aceptación de los demás en un círculo íntimo.
Si nos conceden el visado en un país, quiere decir que, tras muchos intentos, al fin nos aceptan sin problemas en un ambiente del cual queríamos participar.

VÍSCERAS

Si en sueños se tocan las vísceras de un animal, quiere decir que se está llegando al fondo de un asunto enojoso y que será necesario tomar medidas que no resultan agradables ni tampoco fáciles, pero que son imprescindibles para avanzar en nuestro propósito.
Si las vísceras fueran las propias, indica que algo marcha mal en nuestro interior, o que debemos hacer un profundo examen de conciencia y cambiar el rumbo de nuestra vida.

Viscosidad

La viscosidad es un estado líquido muy denso. Confiere a los elementos la peculiaridad de tomar, en parte, forma propia y, en parte, adoptar la del recipiente que la contiene.

Aunque la mayoría de las cosas viscosas resultan repugnantes, simbolizan la adaptabilidad, la posibilidad de comprender con suma facilidad las reglas que imperan en un entorno nuevo a fin de adoptarlas e integrarse.

Si en el sueño nos encontramos en un medio viscoso, significa que debemos dejar de lado nuestras prevenciones hacia los demás y mostrarnos más abiertos, ya que no podemos pretender imponer nuestras normas ni hacer cambios sin antes habernos integrado con el grupo.

Visera

Su función es proteger a los ojos del Sol. En este caso, simboliza todos los argumentos que nos damos a fin de no enterarnos de aquellas cosas que puedan producirnos dolor.

Si en el sueño utilizamos una visera, eso quiere decir que nos estamos engañando a nosotros mismos, que hay un aspecto de nuestra vida que exige una transformación profunda pero que nos negamos a darnos cuenta de ello.

Si fuera otra persona quien la utiliza, puede entenderse que oculta su mirada de la nuestra porque alberga intenciones poco claras.

Visillo

Los visillos dejan pasar la luz que viene del exterior pero, al mismo tiempo, protegen el interior de las miradas ajenas.

Simbolizan la discreción, el gusto por la intimidad y la necesidad de recogimiento.

Si estamos en un recinto que tiene los visillos extendidos quiere decir que nos importa mucho la valoración que los demás puedan hacer de nosotros. Incluso, que nos gusta vivir de las apariencias.

Si, en cambio, los visillos están recogidos, significa que nos gusta el intercambio con los demás, que sentimos que no tenemos nada que ocultar en la que llevamos una vida abierta y que consideramos productivo el trabar nuevas relaciones o nuevas amistades.

Visión

Cualquier problema que, en el sueño, se presente en los órganos de la visión, muestran nuestra reluctancia a tratar temas desagradables o dolorosos. Como el avestruz, preferimos esconder la cabeza y pensar que no ocurre nada.

Si adquirimos mágicamente una visión especialmente agudizada, eso indica que estamos a punto de resolver un problema.

Las visiones distorsionadas señalan una tendencia a la fantasía, a adornar la realidad y a ver las cosas más como queremos que sean que como son realmente.

Visita

Las visitas son encuentros más o menos formales que se producen en el domicilio de la persona visitada. Simbolizan la necesidad de ascenso en la escala social.

Si visitamos a una persona amiga y el encuentro es agradable, quiere decir que sabemos mantener la adecuada distancia con cada tipo de persona. Si el encuentro es tenso, en cambio, significa que tenemos pocas habilidades sociales, que nos gusta imponer siempre nuestro criterio y que esta tendencia, a menudo nos crea problemas con el entorno.

El recibir visitas en nuestra casa es muestra de lo aceptados y respetados que nos sentimos. Si la situación que se describe en el sueño nos provoca ansiedad o angustia, significa que nos importa demasiado el qué dirán.

Vitalicio

El carácter de vitalicio es una categoría que muchas organizaciones otorgan a los

miembros que, sea por el tiempo de permanencia en la misma o por cualquier otra razón, creen que deben obtener el derecho de permanecer en la entidad, como socios, hasta su muerte.
Si somos socios vitalicios de una entidad (club social, deportivo, etc.) quiere decir que consideramos que hemos trabajado duramente en una empresa y que merecemos una recompensa. El sueño anuncia que ésta llegará en poco tiempo.

VITALIDAD

Véase ENERGÍA.

VITAMINA

Las vitaminas son elementos esenciales para el buen funcionamiento del organismo. El que aparezcan en los sueños puede ser un recurso del inconsciente para darnos a conocer la carencia de algunos nutrientes en nuestro organismo. Ante ello, lo más razonable es hacer una dieta variada y sana o, previa consulta con el médico, tomar un complejo vitamínico.

VITOLA

La banda que envuelve los puros y que lleva la marca, ha sido objeto de colección por parte de muchas personas.
Siendo el tabaco un elemento que se quema con el fuego, la vitola simboliza el recuerdo de alguna antigua pasión y la nostalgia ante un amante con el que ya no tenemos contacto.

VITRINA

Las vitrinas son muebles que se utilizan para la exposición de objetos valiosos o decorativos. Cuando aparecen en los sueños, es necesario tener en cuenta lo que hay en su interior: qué objetos están expuestos en ella.
Si la vitrina está vacía, quiere decir que no nos sentimos con cualidades suficientes como para resultar atractivos a los demás.
Si tiene objetos valiosos como joyas, estatuas de oro, etc. lo más probable es que tendamos a considerar que la gente que nos rodea es inferior a nosotros.
Si la vitrina tiene objetos útiles (libros, vajilla, etc.) eso indica que, si bien no nos sentimos superiores a los demás, estamos contentos con nosotros mismos.

VIUDEZ

Los sueños en los cuales nos encontramos en estado de viudez no anticipan, como muchos creen, la muerte física de la pareja. En todo caso revelan que en la relación matrimonial las cosas no marchan tan bien.
Si quien ha enviudado es otro personaje del sueño, quiere decir que vemos alejarse a un posible competidor amoroso.

VÍVERES

Soñar con abundancia de víveres es un excelente augurio, ya que anticipa un avance económico importante para un futuro inmediato.
En caso de que los víveres del sueño se hubieran echado a perder, eso significa que hemos dejado pasar una oportunidad inmejorable para crecer económicamente.

VIVERO

Se caracteriza por tener un microclima propio que permite el desarrollo de las más diversas especies vegetales. En los sueños, simboliza nuestro refugio más íntimo, el lugar o las circunstancias que nos permiten crear, soñar, hacer planes para el futuro y trazar las estrategias para conseguir los objetivos.
Si estamos en un vivero y en él hay plantas verdes, sanas o con flores, quiere decir que sabemos buscar las condiciones que nos permitan desarrollar nuestra capacidad creativa.
Si las plantas están marchitas, presentan mal estado o sólo hay cactus con espinas, significa que tenemos muchas ideas pero carecemos del momento, ocasión y lugar para ponerlas en marcha.

Vivienda

Véase CASA.

Vivisección

Si en sueños asistimos o practicamos la vivisección en algún animal quiere decir que nos sentimos mal porque no conseguimos saber qué piensa o qué siente la persona a la que amamos, por lo que nos gustaría poder tener con ella una comunicación más fluida, pero su introversión nos impide acercarnos tanto como deseamos.

Vocabulario

Cualquier lista de palabras, independientemente de en qué idioma esté escrita, simboliza la capacidad de comunicación y de formación de ideas.
Si el vocabulario que vemos u oímos en el sueño nos resulta claro y comprensible quiere decir que no tenemos ningún problema a la hora de exponer lo que pensamos.

Vocación

Para analizar el sueño correctamente, deberá tenerse en cuenta en qué consiste la vocación; es decir, si queremos ser médico, sacerdote, maestro, etc.
En términos generales, indica nuestras necesidades y preocupaciones más profundas: si nuestra vocación es la medicina, por ejemplo, el mayor temor que tenemos es hacia las enfermedades; si es una vocación religiosa, estamos en un proceso de búsqueda espiritual, etc.

Vocalizar

Si en sueños vocalizamos exageradamente, marcando cada una de las letras, es señal de que no nos sentimos comprendidos en la vida real.
Si quien vocaliza es otra persona, eso indica que alguien de nuestro entorno más próximo está intentando llamar nuestra atención y solicitarnos ayuda, pero nosotros hacemos caso omiso a sus demandas.

Volante

Véase VEHÍCULO.

Volar

El acto de volar es una figura muy común en los sueños y tiene muy variados significados.
Por un lado, puede estar relacionado con la excitación sexual; sobre todo si el vuelo es tranquilo y placentero.
Por otro, sobre todo cuando en el vuelo se gana altura, tiene un significado místico: simboliza la búsqueda de Dios, la iniciación espiritual.
En caso de que el vuelo sea en picado hacia un objetivo que está en tierra, quiere decir que sabemos muy bien lo que queremos y que, por fin, nos hemos decidido a conseguirlo.
Como en el vuelo nos movemos en el elemento aire, relacionado con el mundo mental, el hecho de volar puede aludir a metas intelectuales que estamos próximos a alcanzar.

Volcán

Los volcanes se forman cuando, después de haber soportado grandes presiones de temperatura, el magma irrumpe por una grieta de la corteza terrestre en forma de lava líquida.
Simbolizan la presión interior provocada por la autorrepresión y anuncian un probable desbordamiento.
Si nos encontramos en las proximidades de un volcán, sobre todo si está en erupción, quiere decir que en la vida real vivimos una situación que nos tiene muy agobiados y que estamos a punto de estallar.
Ver el volcán desde lejos o en un medio de comunicación constituye un mensaje para que tratemos de aplacar la ira en lugar de alimentarla.

VOLCAR

Los sueños en los que vamos en un vehículo y éste vuelca indican que pretendemos conseguir las cosas demasiado pronto. Con esa actitud, lo único que conseguimos es demorar su cumplimiento.

VOLEIBOL

Una de las características de este deporte es que el balón se toca, básicamente, con la punta de los dedos.
Si en el sueño jugamos al voleibol quiere decir que tenemos entre manos un asunto enojoso que deseamos pasarlo cuanto antes a otra persona. Puede tratarse de un tema de trabajo.
Ver un partido de voleibol indica que observamos cómo, a nuestro alrededor, hay personas que se culpan constantemente unas a otras y que, frente a ello, hemos decidido no tomar partido por ninguno de los bandos.

VOLTAJE

Los carteles que indican alto voltaje representan una advertencia.
Si vemos uno de ellos en sueños, quiere decir que estamos a punto de entrar en un negocio que nos traerá muchísimos dolores de cabeza.

VOLTERETA

Para realizar este tipo de acrobacia es necesario tener flexibilidad y buena coordinación.
Si hacemos volteretas en sueños quiere decir que sabemos movernos en el medio social, que somos flexibles ante las opiniones ajenas y que sabemos aprovechar las oportunidades que se nos presentan. Un sueño de este tipo podría constituir un excelente augurio.
Si es otra persona quien ejecuta las volteretas significa que sentimos una gran admiración por el éxito social de un amigo o compañero de trabajo y que intentamos aprender de él.

VOLUBILIDAD

Si nos mostramos volubles e indecisos en el sueño quiere decir que dudamos de la solidez de nuestra relación amorosa, que vemos que las cosas no marchan bien pero que aún no estamos dispuestos para formalizar una ruptura.

VOLUMEN

Hay sueños en los cuales nos sentimos como Alicia en el País de las Maravillas. Es como si de pronto todos los objetos se hicieran desmesuradamente grandes o, nosotros, extremadamente pequeños. Estas imágenes oníricas, generalmente amenazadoras, indican que en la vida real no sabemos estar a la altura de las circunstancias, que o bien nos precipitamos o bien llegamos demasiado tarde.

VOLUNTARIADO

Los sueños en los cuales nos presentamos como voluntarios para una buena causa, si son placenteros, deben ser entendidos como una llamada de atención, como un consejo que nos invita a ser más solidarios con los demás.
En caso de que estos sueños fueran angustiosos, el mensaje podría resumirse en una frase: «la verdadera caridad comienza por casa». Es decir: antes de dar todo a los demás debemos alimentarnos a nosotros mismos porque una generosidad sin límites es más una compulsión que un acto deliberado de ayuda al prójimo.

VOLUPTUOSIDAD

Este concepto está relacionado con el goce sensorial, de ahí que cuando en un sueño aparecen imágenes voluptuosas, es muy probable que aludan al deseo sexual reprimido.

VOLUTA

Las formas onduladas se relacionan con lo femenino, lo receptivo y lo suave.
Dibujar volutas equivale a un intento de

dulcificar el propio carácter, a adquirir una mayor empatía y dotes diplomáticas.
Ver muchas volutas en el ambiente en el que nos encontremos puede indicar que tenemos un carácter demasiado áspero y directo y que deberíamos trabajar sobre él para conseguir una mejor sociabilidad.

VOMITAR

Con esta acción espasmódica el cuerpo se libera de las sustancias nocivas que se han ingerido.
Si vomitamos en sueños, es índice de que nos hemos creído las mentiras de otra persona y que estamos descubriendo que hemos sido engañados. Muchas veces, estos sueños aluden a una situación que se vive en la esfera amorosa.
Si es otra persona la que vomita significa que, con o sin razón, nos sentimos rechazados por ella.

VÓMITO

El vómito, entendido como lo que un cuerpo ha arrojado por nocivo, tiene una significación similar a la del veneno.
Si vemos un vómito pero no a la persona que lo ha producido, quiere decir que sabemos mantenernos alerta para que no contaminen nuestra psiquis con falsas promesas o esperanzas.

VÓRTICE

Véase REMOLINO.

VOTAR

La actitud que tenemos en el sueño ante la necesidad de votar, muesta el grado de libertad con que tomamos decisiones.
Si nos encontramos ante la necesidad de elegir un candidato y nos angustia el tener que optar por uno de ellos, significa que, en la vida real, las encrucijadas nos alteran enormemente, que difícilmente tenemos claro cuál es el mejor camino a escoger y que, a menudo, nos dejamos influenciar por otras personas a la hora de actuar.
Si echamos nuestro voto en la urna de forma decidida, eso indica que sabemos muy bien qué queremos y qué es lo que más nos conviene.
Por lo general, estos sueños anuncian que deberemos tomar una decisión muy importante y que es mejor que lo hagamos con la mayor libertad de espíritu posible.

VOZ

Cuando en sueños se oye una voz que no se sabe de quién procede, lo importante es analizar el simbolismo de las palabras que dice.
Si la voz nos provoca miedo, quiere decir que tememos nuestros propios pensamientos, que tenemos tentaciones muy grandes y que no estamos seguros de poder hacerles frente con efectividad.

VUDÚ

Si en sueños vemos un muñeco con alfileres clavados en su cuerpo, sobre todo si es de cera, debemos pensar que tenemos enemigos ocultos, que alguien que dice apreciarnos está intentando buscar nuestra ruina.
En caso de ser nosotros quienes clavamos alfileres en el muñeco, significará que necesitamos vengarnos de alguien que nos ha ofendido pero, a la vez, queremos mantener ante los demás una imagen de serenidad e indiferencia.

VULNERABILIDAD

Los sueños pueden mostrarnos con bastante claridad, por medio de sus símbolos, qué características son las que nos hacen más vulnerables.
Soñar que debemos proteger nuestra cabeza indica que nuestra mayor vulnerabilidad está en la razón, que a la hora de debatir, nos quedamos sin argumentos o bien no podemos hacer entender nuestros puntos de vista.
Una mayor vulnerabilidad en el torso, indica que nuestro punto débil son los

afectos, que creemos con demasiada facilidad en las buenas intenciones ajenas y, a menudo, nos sentimos defraudados o somos víctimas de engaño.
Si son las manos lo que en el sueño sentimos como nuestor punto más vulnerable, significa que, aun cuando tengamos excelentes ideas, no sabemos cómo ponerlas en marcha o no tenemos la suficiente paciencia como para desarrollarlas con la minuciosidad que éstas requieren.

VULVA

Soñar con cualquiera de los órganos que componen el aparato genital, sea masculino o femenino es índice de excitación sexual.

YAC

Lo más probable es que si se sueña con uno de estos enormes y lanudos bóvidos, el escenario sea el Tíbet, ya que son originarios de esa región.
Su característica más acusada es la docilidad, de ahí que en sueños represente la facilidad que tenemos para conseguir que otros hagan lo que deseamos.

YACARÉ

Véase COCODRILO.

YACIMIENTO

Los yacimientos son concentraciones de minerales valiosos, por ello, soñar que nos encontramos en un lugar de éstos indica que se nos están presentando oportunidades únicas que debemos aprovechar.

YANG/YIN

Este símbolo de la cultura china representa la combinación e interrelación de dos fuerzas opuestas: masculino/femenino, claridad/oscuridad, etc. El hecho de que aparezca en un sueño alude a la habilidad o torpeza que tenemos para transformar algo negativo (yin) en positivo (yang). Es decir, para saber sacar enseñanzas de la adversidad y capitalizar las experiencias, por dolorosas que éstas sean.
Si en el transcurso del sueño nos sentimos bien, quiere decir que tenemos un carácter optimista y que miramos siempre el mejor lado de las cosas, sin engañarnos. Por el contrario, los sueños angustiosos revelan una percepción equivocada de la realidad, o una tendencia a sentirnos como una diana hacia la cual se dirigen todos los problemas del entorno.

YATE

Estas embarcaciones son navíos destinados básicamente al ocio y al placer; por eso representan las cosas buenas que nos da la vida.
Navegar en un yate también puede ser indicio de un romance o de una aventura amorosa.
Si el sueño fuera angustioso, significa que estamos queriendo realizar tareas que están fuera de nuestro alcance y posibilidades, que antes de embarcarnos en ellas, debemos dedicar un tiempo a prepararnos y planificar todos los pasos que vamos a dar para su consecución.

YEGUA

Es un animal asociado al ímpetu, ya que en las carreras a menudo destacan por su velocidad.
Si galopamos en una yegua quiere decir que tenemos decisión y arrojo, pero también que deberemos saber refrenar nuestros impulsos y meditar un poco más lo que vamos a hacer antes de lanzarnos a ello.

YELMO

Si somos nosotros quienes utilizamos el yelmo, eso indica que queremos ocultar nuestros sentimientos, lo vulnerables que somos frente a los demás. Si en el sueño es otra persona quien lo emplea, indica que nos cuesta mucho comprender a quienes nos rodean, que no hemos desarrollado adecuadamente la empatía.

YEMA

La yema del huevo es el embrión del futuro pollo, ya que la clara es la sustancia de la cual se alimentará durante la incubación. Representa lo esencial de una situación, el punto central al cual hay que atender para poder resolverla favorablemente.
Si soñamos con que nos comemos la yema de un huevo, eso indica que tenemos todo bajo control.

YERBAJO

Las malas hierbas simbolizan los defectos que, por mucho que luchamos, no conseguimos erradicar. Si en el sueño logramos exterminarlas quiere decir que vamos por buen camino y que, finalmente, lograremos nuestro propósito.

YERMO

Véase DESIERTO.

YERNO

Los también llamados hijos políticos, representan los halagos o críticas que nos hacen por nuestras obras, por nuestro trabajo. Si en el sueño la relación con ellas es cordial, es señal de que sabemos vendernos, que nos sentimos aceptados. Lo contrario indica una frustración que puede nacer de una excesiva ambición o de una forma equivocada de presentar nuestros resultados.

Véase FAMILIA.

YESCA

Esta sustancia, utilizada para generar fácilmente chispas que ayuden a encender el fuego, se asocia con aquellas actitudes seductoras que se utilizan en el cortejo con el fin de despertar el interés en otra persona y que suelen seguir unos patrones típicos en todas las épocas.
Si somos quienes la utilizamos, indica que alguien nos gusta y que queremos atraer su atención.
Si por estar mojada no encendiera, quiere decir que no confiamos en nuestro atractivo.

YESO

Los objetos de yeso simbolizan la fragilidad y poca consistencia de las cosas que hacemos mal. Soñar con ellos indica que debemos centrarnos en nuestro trabajo.

YODO

Es un elemento químico que ha sido muy utilizado como antiséptico. Tiene un color rojo amarronado muy característico, y tiñe todo lo que se toca con él.
Si durante el sueño empleamos yodo sobre el cuerpo de otra persona, significa que queremos tener siempre presente que nos ha defraudado. Usarlo sobre el propio muestra la necesidad de protegernos frente a personas más astutas.

YOGA

Como disciplina física mental y espiritual, el soñar con que practicamos yoga indica que nos sentimos inclinados a profundizar en nosotros mismos y en las razones últimas de nuestra presencia en el universo.

YOGUR

En general, los sueños en los que intervienen los productos lácteos aluden a la madre en su papel protector de dadora de alimento.
El yogur en particular es leche fermentada, de ahí que soñar con este producto pueda indicar que la relación con ella está pasando por un momento de problemas y malentendidos.

Yóquey

Estos jinetes que participan en carreras se relacionan con la competitividad.
El análisis del sueño deberá hacerse teniendo en cuenta las condiciones de la carrera; si resultamos ganadores, por ejemplo, quiere decir que en el terreno amoroso tenemos más posibilidades que otros de conquistar a la persona que nos atrae. Si quedamos en último lugar, deberemos tomarlo como una advertencia: es necesario que hagamos un esfuerzo por corregir nuestros defectos.

Véase JINETE.

Yoyó

Con su movimiento de avance y retroceso, este juguete simboliza la indecisión. Puede también representar una relación de pareja que, a lo largo de un período de tiempo, pasa por varias rupturas con las consiguientes reconciliaciones.
Si es otra persona quien maneja el yoyó quiere decir que estamos pendientes de una decisión por su parte que nos afectará positiva o negativamente, según sea el sentimiento que experimentamos durante el sueño.

Yudo

En este arte marcial, tal vez con más evidencia que en ningún otro, se aprovecha la fuerza del contrario para lograr su derrota. Si practicamos en sueños este deporte y tenemos éxito, quiere decir que tenemos el éxito al alcance de nuestra mano. Si somos derrotados, deberemos extremar nuestras precauciones en el entorno laboral.

Yugo

Es el travesaño de madera que obliga a los bueyes a permanecer unidos.
Si este elemento aparece en nuestros sueños, será necesario analizar detenidamente nuestra relación de pareja, ya que probablemente no nos sintamos tan a gusto en ella como pretendemos creer. Esto no quiere decir que lo conveniente sea romperla sino, más bien, que debemos procurar comprender las causas del malestar interno para ponerles remedio antes de que sea tarde.

Yunque

Este símbolo, como objeto pasivo en su relación con el martillo, está asociado a la tierra, ya que ambos, unidos, se utilizan en la creación de objetos.
Alude, sin duda, al acto creativo, por ello si soñamos que estamos trabajando con un yunque, quiere decir que estamos aprovechando nuestras fuerzas y que, con el tiempo, recogeremos el fruto de nuestro trabajo.

Yute

Aunque con las fibras de esta planta se pueden hacer magníficos trabajos, su tacto es áspero; por ello, en sueños simboliza los trabajos hechos con prisas, los que no quedan perfectos.

Z

Zafarrancho

Estas acciones implican una gran movilidad con el fin de preparar un espacio para algún evento especial o de dejarlo simplemente limpio.
Si en el sueño participamos en un zafarrancho quiere decir que estamos dispuestos a tener una transformación profunda en nuestra forma de vida, que queremos hacer cambios importantes.

Zafiro

En el antiguo Egipto, esta piedra era considerada un poderoso talismán para obtener riquezas. Se la solía llamar piedra del dinero.
Si soñamos con estas hermosas piedras, es muy probable que recibamos una generosa cantidad de dinero.

ZAGUÁN

El zaguán es la zona que antecede al espacio más íntimo que se sucede en el interior de la casa, la zona donde se reciben visitas. Representa el espacio psicológico en el que se desarrollan nuestras relaciones intrascendentes, el contacto que tomamos con personas que no llegan a convertirse en amigas pero que, no obstante, es amable y cordial o bien tenso y complicado.

Un sueño agradable en el que nos encontremos en un zaguán hablará positivamente de nuestras habilidades sociales; si, por el contrario, es angustioso, señalará que tenemos dificultades en este terreno y que nos cuesta mucho mantener encuentros cordiales a menos que sean con personas muy cercanas.

ZAHORÍ

Si en el sueño somos los zahoríes, es porque nuestra intuición nos impulsa a hacer una búsqueda interior: nos advierte de que hay algo que tenemos que conocer. El resto del sueño ayudará a comprender de qué se trata.

Si la varita la porta otra persona, significa que queremos ayudar a un amigao a resolver un problema.

ZALAMERÍA

Cuando en sueños alguien se nos presenta con una actitud zalamera, debemos tomar precauciones, ya que seguramente esa persona quiere sacar provecho de nosotros.

ZAMARREAR

El zamarreo es una forma de agresión, de modo que si lo sufrimos en sueños significa que, en la vida real, no nos sentimos a gusto con el trato que nos dan las personas que nos rodean.

Zamarrear a otro, por el contrario, simboliza el intento por controlar nuestra ira ante una situación que nos resulta irritante y profundamente molesta.

ZAMBOMBA

Por su estructura y la forma en que se toca, este rústico instrumento tiene un significado fálico; de ahí que se relacione con sueños eróticos.

ZAMBULLIRSE

Véase AGUA, MAR, OCÉANO, PISCINA, RÍO.

ZANAHORIA

En líneas generales, la mayoría de los alimentos representan la prosperidad.

La zanahoria, en particular y debido a su forma, puede representar el órgano reproductor masculino, de ahí que en sueños a menudo simbolice el despertar del deseo sexual.

ZANCADILLA

Lo peculiar en las zancadillas es que, quien la ejecuta, se limita a convertirse en obstáculo ante el avance de otra persona. No hay en ella agresión directa, es la misma velocidad del caminante y su inercia, lo que le lleva a la caída.

Si nos ponen una zancadilla en sueños, quiere decir que no nos sentimos seguros de nuestro desempeño laboral, que perdemos confianza ante la imagen de posibles obstáculos que nos pudieran surgir.

Si somos nosotros quienes la hacemos, indica que ante las virtudes de alguien del entorno nos sentimos molestos.

ZANCOS

Si andamos sobre zancos quiere decir que pretendemos aparentar más de lo que somos. Si es otra persona quien lo hace, indica que la vemos vanidosa y soberbia.

ZÁNGANO

Representa a las personas perezosas, las que viven de los demás. Si aparecen en sueños, es muy probable que hayamos detectado que alguien quiere lucirse a costa de nuestro trabajo y de nuestras ideas.

Zanja

Soñar con zanjas de riego explica nuestro deseo de alimento espiritual.
Si se trata de zanjas de protección o de las que se hacen antes de echar los cimientos de una casa, simbolizan el deseo de tener un lugar propio, un refugio o espacio donde sea uno mismo quien decide.

Zapateo

La danza es una expresión más de la creatividad del hombre. Centrar su ejecución en los pies indica que, en el momento del sueño, nuestra fuerza creadora surge del instinto, de las pasiones. Es probable que sintamos una poderosa atracción hacia otra persona pero que, por miedo, no demos rienda suelta a este sentimiento.

Zapatilla

Su significado es muy similar al de los zapatos, sin embargo, por ser un calzado especialmente ligero y a menudo empleado en la práctica deportiva, tiene algunas variantes.
Soñar con zapatillas implica que tenemos una gran confianza en nosotros mismos, que poseemos una mente abierta y flexible, capaz de adaptarse fácilmente a los cambios.

Zapato

Tienen múltiples significados, ya que por una parte son los que nos aíslan del suelo y, por otra, se visten en la zona inferior del cuerpo.
Muchos psicólogos le dieron un significado netamente sexual. De hecho, la idea de poner el zapato a una mujer, puede ser tomado como declaración amorosa y existe una larga tradición de fetichismo al respecto. Por ello, debe entenderse de esta forma el simbolismo del cuento de la Cenicienta.
Si en el sueño los zapatos resultan incómodos quiere decir que no nos sentimos preparados para hacer frente a los problemas que se nos avecinan; sobre todo si éstos se centran en una relación amorosa.
Perder los zapatos o soñar que se calzan zuecos, significa que no nos sentimos a la altura de las circunstancias que nos tocan vivir y que nuestra autoestima está seriamente dañada.

Véase CALZADO.

Zar

Véase REYES.

Zarcillo

Los órganos que sirven a ciertas plantas trepadoras para adherirse a diferentes superficies simbolizan el miedo al abandono y la necesidad de arraigar.
Soñar con ellos indica que vemos problemas en nuestra relación de pareja pero tememos no saber resolverlos y quedarnos solos.

Véase PENDIENTES.

Zarco

El azul es símbolo del conocimiento espiritual; por ello, si en el sueño tienen especial protagonismo los ojos azules, quiere decir que buscamos afanosamente la elevación de nuestro espíritu, alguna persona que pueda darnos pautas para crecer interiormente.

Zarigüeya

Véase MARSUPIAL.

Zarpa

Es el elemento de defensa de muchos animales, de modo que representa todo aquello que estamos dispuestos a hacer para evitar cualquier tipo de atropello.
Si en el sueño sufrimos un zarpazo, significa que nos sentimos culpables porque creemos haber ofendido a alguien.

ZARPAR

El momento en el que se eleva el ancla comienza el viaje; por eso, zarpar simboliza adentrarse confiadamente en terrenos desconocidos, sean de índole material, afectiva o espiritual.
Si el sueño es angustioso puede representar una huida de los problemas.

ZARZA

Esta planta tiene un significado claramente espiritual porque es la forma en que, según la Biblia, se presenta Dios a Moisés. Si el sueño es perturbador y lo más significativo de la zarza son las espinas, hay que tener en cuenta que éstas simbolizan las pruebas que tenemos que sufrir a lo largo de la vida; en especial los conflictos que tenemos a la hora de tener el sueño.

ZARZUELA

Véase ESCENARIO, ESPECTÁCULO.

ZIGZAG

Las líneas en zigzag simbolizan la indecisión. Si están formadas por trazos rectos quiere decir que debemos decidir entre dos alternativas difíciles, que pueden cambiar seriamente el rumbo de nuestra vida. Si son onduladas, en cambio, implican varias posibilidades, pero todas ellas ventajosas.

ZINC

Véase TECHO.

ZÓCALO

Simbolizan aquellos aspectos de nuestra persona o aquellas partes del cuerpo a las que no solemos prestar la debida atención.
Si el sueño es angustioso, es probable que estas zonas que no reciben nuestro cuidado por alguna razón se hayan convertido en partes importantes (a veces eso ocurre cuando trabamos relación con alguien a quien sí le interesan particularmente).

ZOCO

Véase MERCADO.

ZODÍACO

La rueda zodiacal representa la preocupación por tomar el control de los propios asuntos y la intención de comprender cabalmente en qué punto se está, para poder trazar las estrategias más adecuadas.
Cada signo de zodíaco tiene su propio significado.
Aries es el primer signo del zodíaco pertenece al elemento fuego, de ahí que se relacione con la voluntad, con la imposición de las propias convicciones. La visión de su símbolo en sueños indica que debemos confiar en nuestras propias fuerzas, que no debemos albergar temores a la hora de hablar claro y que ha llegado el momento de que, si no logramos convencerles por las buenas, impongamos nuestro criterio a los demás.
Tauro pertenece al elemento tierra y se relaciona con el mundo material e instintivo. Su símbolo en sueños significa que tenemos un gran sentido práctico, así como una notable sensualidad.
Géminis es el signo de aire que tiene como atributos la comunicación y la duda. Si vemos su representación es señal de que una de nuestras características más importantes es la agilidad mental.
Cáncer es el símbolo de agua, regido por la Luna. Se relaciona con la madre y con la infancia. Verlo significa que tendemos a la ensoñación, a recrearnos en el pasado.
Leo es símbolo de fuego solar. Indica que tenemos una gran seguridad en nosotros mismos, a veces rayando la arrogancia.
Virgo es el sexto signo, está regido por mercurio y encarna la tendencia a la previsión y el servicio a los demás. Su

presencia señala que somos solidarios y cautos.
Libra es signo de aire que simboliza la indecisión. Su presencia puede indicar una tendencia a evitar compromisos.
Escorpio es un signo de agua que simboliza la pasión. Indica que tendemos a concentrar nuestros sentimientos.
Sagitario, como signo de fuego, se relaciona con la intuición y la profecía. Su presencia indica que debemos hacer caso de nuestras corazonadas.
Capricornio está regido por Saturno, es el signo del deber, de la responsabilidad y de la sana ambición. Augura los éxitos bien merecidos.
Acuario es signo de aire y se relaciona con la capacidad de estructurar datos. Si lo vemos en sueños quiere decir que tenemos una gran habilidad para establecer razonamientos coherentes y novedosos.
Piscis es símbolo de sacrificio, de empatía y sensibilidad. Si el sueño es tenso puede indicar que tenemos tendencia a manipular a los demás. Si es plácido, habla de una enorme capacidad de comprensión y consuelo.

Zombi

Suelen aparecen en sueños muy perturbadores y, por lo general, con rostros desconocidos.
Simbolizan los fantasmas interiores, los miedos que pueden tomar el control obligándonos a realizar acciones de las que luego nos arrepentimos.

Zoo

Simboliza la variedad de necesidades instintivas: comer, aplacar la sed, satisfacer el instinto sexual, etc.
El sentimiento que experimentemos durante el sueño indicará hasta qué punto damos una correcta satisfacción a los instintos.

Véase ANIMAL.

Zoomorfo

A veces, en sueños, las personas aparecen con atributos animales: garras, alas, dedos palmeados, etc. Con ellos se quiere significar que la persona a la que vemos de esta guisa tiene ciertos rasgos similares a los del animal. Por ejemplo, si tiene garras, puede ser relacionada con un felino y deducir de ello que es ágil y astuta.

Véase ANIMALES.

Zorro

La principal característica de estos animales es la astucia.
Si un zorro nos ataca quiere decir que, en el terreno laboral, hay un compañero que utiliza medios ilícitos para lograr ascender.
Si, por el contrario, el animal es inofensivo, indica que nos consideramos seguros y que no tenemos necesidad de hacer ostentaciones de fuerza.

Zuecos

Véase CALZADO, ZAPATO.

Zumbido

Cuando estamos dormidos y oímos un zumbido, éste puede ser producto de una situación externa (la presencia de un mosquito, un motor en marcha e, incluso, nuestros propios ronquidos) que se incorpora al sueño, pero también puede ser un sonido absolutamente onírico.
Los zumbidos se relacionan con la velocidad y ésta con el paso del tiempo; de ahí que estos ruidos a menudo indican un estado de ansiedad o de impaciencia generalizados.

Zumo

Simboliza los elementos constitutivos de una situación, sea buena o mala, interna o externa.
El hecho de beber un zumo explica que contamos con personas aptas para

ayudarnos en todo momento o que sabemos encontrar los recursos necesarios para solventar los problemas.
Si damos a beber zumo a otra persona quiere decir que estamos dispuestos a brindar ayuda a quien más lo necesite.
Preparar un zumo equivale a analizar profundamente una situación conflictiva a la cual queremos ponerle punto final.

Zurcido

Los zurcidos simbolizan los autoengaños, las palabras que nos decimos a nosotros mismos cuando no nos atrevemos a enfrentarnos con una situación que nos desagrada. A menudo se relacionan con la reanudación de una relación de pareja: en el fondo, sabemos que no funcionará pero nos empeñamos en continuarlas porque nos asusta estar solos con nosotros mismos.

Zurdo

El hemisferio derecho del cerebro, ligado fundamentalmente a la intuición, controla el lado izquierdo del cuerpo. Si somos diestros y en el sueño nos comportamos como zurdos, eso significa que hay en nosotros un exceso de racionalidad que ahoga y sofoca nuestro mundo emocional.
Si mientras transcurre sentimos angustia o miedo, quiere decir que hay emociones fuertes que pugnan por salir a la superficie pero que las reprimimos porque no sabemos cómo controlarlas.

Zurrón

El zurrón de un pastor se relaciona en los sueños con dos conceptos. Por un lado, con la naturaleza, con nuestros deseos internos de alejarnos de las prisas y del estrés e internarnos en un ambiente más próximo a nuestro pasado natural. Probablemente, indica que se está haciendo necesaria una salida al campo en poco tiempo.
Este retorno a la naturaleza también puede interpretarse como una vuelta a nuestro propio yo, a cultivar nuestra espiritualidad algo más y empezar a dar importancia a los hechos que la tienen y no a los bienes materiales.
Por otro lado, el zurrón alude al equipaje que llevamos en la vida, a nuestros recuerdos y nuestro pasado. Si el zurrón es pesado, se interpreta como que el pasado nos condiciona demasiado en el presente y deberíamos hacer un esfuerzo por olvidar nuestros traumas para poder avanzar.

ÍNDICE

B

G

H

N

Q

R

S

U

V

Y

Z